SOINS INFIRMIERS
MÉDECINE-CHIRURGIE

 4 Appareils tégumentaire et locomoteur, systèmes nerveux et sensoriel

SHARON MANTIK LEWIS, RN, PhD, FAAN
PROFESSOR, COLLEGE OF NURSING
RESEARCH ASSOCIATE PROFESSOR, DEPARTMENT OF PATHOLOGY
UNIVERSITY OF NEW MEXICO
ALBUQUERQUE, NEW MEXICO

MARGARET MCLEAN HEITKEMPER, RN, PhD, FAAN
PROFESSOR, BIOBEHAVIORAL NURSING AND HEALTH SYSTEMS
SCHOOL OF NURSING
UNIVERSITY OF WASHINGTON
SEATTLE, WASHINGTON

SHANNON RUFF DIRKSEN, RN, PhD
ASSOCIATE PROFESSOR, COLLEGE OF NURSING
ARIZONA STATE UNIVERSITY
TEMPE, ARIZONA

AUTEURS DE LA
VERSION FRANÇAISE : SUZANNE AUCOIN
PAULINE AUDET
JOCELYNE G. BARABÉ
MONIQUE BÉDARD
GILLES BÉLANGER
SUZANNE BHÉRER
NICOLE BIZIER
HÉLÈNE BOISSONNEAULT
JOHANNE BOUCHARD
MARIE-CLAUDE BOUCHARD
YVON BRASSARD
DANIÈLE DALLAIRE
MARLÈNE FORTIN
NATHALIE GAGNON (QUÉBEC)
NATHALIE GAGNON (SHERBROOKE)
GAÉTAN GIRARD
LUCIE MAILLÉ
MARTHE MERCIER
GUYLAINE PAQUIN
LUCIE RHÉAUME
LORRAINE T. SAWYER
CLAIRE THIBAUDEAU
CHANTAL TREMBLAY
JOHANNE TURCOTTE
FRANCINE VINCENT

Beauchemin

Soins infirmiers
Médecine-chirurgie
Tome 4

Sharon Mantik Lewis
Margaret McLean Heitkemper
Shannon Ruff Dirksen

Traduction de *Medical-surgical Nursing : assessment and management of clinical problems*, Fifth edition, by Sharon Mantik Lewis, Margaret McLean Heitkemper & Shannon Ruff Dirksen. Copyright © 2000 by Mosby, Inc. All rights reserved.

© 2003, **GB** Groupe **Beauchemin**, éditeur ltée

3281, avenue Jean-Béraud
Laval (Québec) H7T 2L2
Téléphone :   (514) 334-5912
                      1 800 361-4504
Télécopieur : (450) 688-6269
www.beaucheminediteur.com

Nous reconnaissons l'aide financière du gouvernement du Canada par l'entremise du Programme d'aide au développement de l'industrie de l'édition (PADIÉ) pour nos activités d'édition.

ISBN : 2-7616-2035-6

Dépôt légal : 3e trimestre 2003
Bibliothèque nationale du Québec
Bibliothèque nationale du Canada

Imprimé au Canada

1 2 3 4 5   06 05 04 03

Équipe du manuel français

Éditeur : **Jean-François Bojanowski**
Chargées de projet : **Josée Desjardins, Majorie Perreault, Violaine Charest-Sigouin**
Traduction : **Dominique Amrouni, Josée Rochon et collaborateurs (E. Bannem, J. Bergeron, J. Coulombe, I. Faucher, S. Ferland, J. Guillemette, J.-N. Huard, S. Larochelle, P. Lemaire, E. Morrissette, F. Poulin, G. Royer)**
Auteurs de la version française : **Suzanne Aucoin, Pauline Audet, Jocelyne G. Barabé, Monique Bédard, Gilles Bélanger, Suzanne Bhérer, Nicole Bizier, Hélène Boissonneault, Johanne Bouchard, Marie-Claude Bouchard, Yvon Brassard, Danièle Dallaire, Marlène Fortin, Nathalie Gagnon (Québec), Nathalie Gagnon (Sherbrooke), Gaétan Girard, Lucie Maillé, Marthe Mercier, Guylaine Paquin, Lucie Rhéaume, Lorraine T. Sawyer, Claire Thibaudeau, Chantal Tremblay, Johanne Turcotte, Francine Vincent**
Révision scientifique : **Maude Bégin, diététiste-nutritionniste, membre de l'Ordre professionnel des diététistes du Québec (OPDQ), Lorraine Bojanowski, Inf., M.Sc.inf., M.B.A., Université de Montréal, Yves Castonguay, professeur de biologie humaine, Cégep Montmorency, Lucie Verret, B. phar, DPH, M.Sc., pharmacienne**
Recherche et consultation : **Louise Hudon**
Révision linguistique : **Sophie Beaume, Barbara Delisle, Nathalie Larose, Nathalie Liao, Nathalie Mailhot, Louise Martel, Diane Plouffe, Isabelle Roy, Anne-Marie Taravella, Brigitte Vandal**
Correction d'épreuves : **Claire Campeau, Sophie Cazanave, Nathalie Larose, Nathalie Mailhot, Marie Pedneault, Brigitte Vandal**
Conception et production : **Dessine-moi un mouton inc.**
Impression : **Imprimeries Transcontinental inc.**

AVANT-PROPOS

L'importance du jugement clinique de l'infirmière ne fait plus de doute. La pratique professionnelle actuelle nécessite encore plus d'autonomie dans l'application de la pensée critique. D'après les dernières modifications à la *Loi sur les infirmières et infirmiers*, l'exercice de la profession infirmière consiste à évaluer l'état de santé d'une personne, à déterminer un plan de soins et de traitements infirmiers et à en assurer la réalisation, à prodiguer les soins et les traitements infirmiers et médicaux dans le but de maintenir ou de rétablir la santé et de prévenir la maladie, ainsi qu'à fournir les soins palliatifs. Les activités professionnelles de l'infirmière sont une fois de plus reconnues pour leur contribution au mieux-être des individus, des familles et des collectivités. C'est donc dire que le rôle qu'elle y joue en est un de premier plan. Il ne se résume pas à l'application simple et réflexe d'une ordonnance médicale ou à l'exécution d'un acte purement technique. Au-delà du geste, il y a la réflexion. Surtout la réflexion, devrait-on dire. Car avant d'agir, il faut décider, et faire un choix judicieux implique un questionnement approfondi sur la cible de nos interventions, en l'occurrence la personne prise dans son entité, vivant une situation tantôt bénigne, tantôt précaire quant à sa santé et interagissant avec son entourage dans un environnement spécifique.

A priori, la compétence à décider repose donc sur une évaluation initiale solide de l'état de la personne requérant des services infirmiers professionnels. *A posteriori*, c'est toute la capacité de l'infirmière à analyser une situation qui prend la relève et continue le processus : émettre des hypothèses, mettre des éléments en parallèle, les comparer en les scrutant minutieusement, faire des liens ; bref, entreprendre une démarche systématique de résolution de problèmes. Eh oui, on y revient toujours !

Mais qu'en est-il de l'élève infirmière engagée dans l'apprentissage d'une profession en constante évolution ? Sera-t-elle suffisamment préparée à faire face aux nombreuses et grandes responsabilités qui ne cessent de se multiplier ? Saura-t-elle répondre aux fonctions qui l'attendent ? Tout au long de sa formation, elle se voit confrontée aux exigences qui commandent l'acquisition d'habiletés cognitives, relationnelles, comportementales, psychomotrices et, reconnaissons-le, morales. C'est ici qu'il faut considérer la question des moyens. Le présent volume, adapté au contexte de la pratique québécoise dans les milieux de soins de santé, est le plus volumineux ouvrage du genre jamais édité au Québec. Il constitue l'aboutissement du travail soutenu et rigoureux d'une équipe d'enseignantes et d'enseignants profondément impliqués dans la formation de la relève infirmière. Ils ont su produire un ouvrage qui dépasse l'adaptation pure d'un produit étranger. Leur souci de fournir aux élèves un manuel au contenu riche et contemporain est réel. La participation de plusieurs autres professionnels de la santé concourt à sa qualité en tant qu'instrument de référence fiable. Les notions d'anatomie et de physiologie précèdent les renseignements détaillés sur l'étude des maladies, les moyens de les diagnostiquer et de les traiter. Les clients qui vivent l'expérience de la maladie sont souvent aux prises avec les problèmes qui en découlent ; des plans de soins infirmiers complètent donc l'ensemble.

Savoir pour mieux servir. L'aphorisme ne sonne pas faux quand il est question d'assumer son autonomie professionnelle. Nul doute que, dans la visée d'une pratique infirmière de pointe, l'acquisition de connaissances de plus en plus poussées en constitue les prémices. Du moins, c'est la contribution que ce nouveau livre sur les soins infirmiers en médecine et chirurgie a la prétention de se reconnaître.

LES CARACTÉRISTIQUES DU MANUEL

Ouverture du chapitre

L'ouverture de chacun des chapitres consiste en un plan du chapitre qui informe de façon détaillée des éléments abordés dans celui-ci. On y présente également une liste des objectifs d'apprentissage qui précisent les connaissances à acquérir et les habiletés à maîtriser à la fin du chapitre.

Repérage

Pour naviguer avec aisance et rapidité à travers le manuel, les principales sections sont numérotées. Le plan du chapitre donne le numéro de page des sections principales.

Encadrés
Encadrés « Diversité culturelle »

Riches en information, les encadrés « Diversité culturelle » traitent de l'adaptation des soins aux particularités culturelles du client.

Encadrés « Gérontologie »

Des encadrés « Gérontologie » mettent l'accent sur les soins particuliers à apporter aux personnes âgées, dont le poids démographique se fait de plus en plus sentir dans le système de santé.

Encadrés « Enseignement au client »

Plus de 50 encadrés « Enseignement au client » offrent à la future infirmière des pistes d'enseignement pour aider le client qui doit prendre part à son traitement, de même que les proches qui doivent le soutenir.

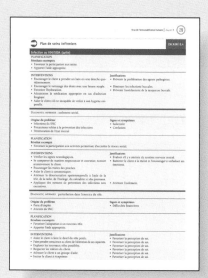

Encadrés « Soins dans la famille »

La famille étant un élément de plus en plus intégré dans le processus de soins, ces encadrés permettent à la future infirmière d'enseigner à la famille les soins particuliers à prodiguer à un proche.

Encadrés « Processus diagnostique et thérapeutique »

Quelque 75 encadrés « Processus diagnostique et thérapeutique » expliquent clairement et succinctement le processus diagnostique et thérapeutique s'appliquant à divers cas cliniques.

Encadrés « Plan de soins infirmiers »

De nombreux plans de soins complets, adaptés à des problèmes infirmiers pertinents, décrivent les interventions à poser, de même que les justifications de ces interventions.

Encadrés « Collecte de données »
Ils illustrent les données que les infirmières recueillent lors de l'évaluation de la clientèle.

Encadrés « Recherche »
Ils font état des toutes dernières recherches dans le domaine des soins infirmiers.

Tableaux
Des tableaux portant sur l'examen clinique et gérontologique, les anomalies courantes décelées au cours de l'examen physique, les épreuves diagnostiques, la pharmacothérapie, les recommandations nutritionnelles et les soins d'urgence viennent souligner, compléter ou résumer l'information fournie dans le texte, afin de permettre une meilleure intégration de la matière.

Illustrations et photographies
Elles présentent de façon claire et attrayante les éléments à l'étude.

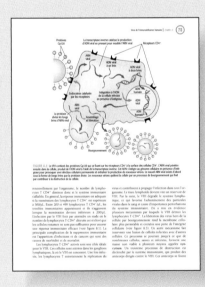

Annexe
On y propose un large éventail de valeurs de laboratoire auxquelles les élèves peuvent se référer.

REMERCIEMENTS

L'éditeur tient à souligner l'excellent travail des consultants et des consultantes du réseau collégial qui, grâce à leurs commentaires éclairés, ont permis d'enrichir les versions provisoires de chacun des chapitres. Il remercie entre autres :

Mme Chantal Audet, Inf., D. Sc. inf., Cégep de Ste-Foy

Mme Karin Beaulieu-Lebel, B. Sc. inf., Cégep de Lévis-Lauzon

Mme Carole Boily, Inf., D. Sc. inf., Collège d'Alma

Mme Nicole Champagne, Inf., B. Sc., M. Sc., M. Éd., Collège de Chicoutimi

Mme Suzanne Gagnon, Bc. Sc. inf., Cégep du Vieux-Montréal

Mme Claire Gaudreau, B. Sc. inf., M. Éd., Cégep de Rimouski

Mme Louise Hudon, B. Sc. inf., Dip. ens., Cégep de Ste-Foy

Mme Mireille Jodoin, professeure en soins infirmiers, St-Jean-sur-Richelieu

Mme Sylvie Levasseur, enseignante, Cégep du Vieux-Montréal

Mme Mélanie Martel, professeure, Inf., B. Sc.

Mme Lynn Paradis, Inf., Cégep de Rimouski

Mme Julie Picher, Inf., B. Sc. inf., enseignante, Cégep du Vieux-Montréal

M. Sylvain Poulin, enseignant en soins infirmiers, Cégep de Limoilou

M. Serge Thériault, chargé de cours, Université du Québec à Chicoutimi (UQAC)

Mme Marie-Josée Tremblay, Inf., B. Sc. inf., Collège d'Alma

Mme Bach Vuong, B. Sc. inf., B. Sc. (biochimie), D.E.S. Sc. inf., Collège Bois-de-Boulogne

Sources des Figures

TOME 4

CHAPITRE 47

47.1 Tiré de SEELEY, R., T. STEPHENS, et P. TATE. *Anatomy and physiology*, 3e éd., New York, McGraw-Hill, 1995; 47.3 Tiré de THIBODEAU, G.A., et K.T. PATTON. *Anatomy and physiology*, 4e éd., St. Louis, Mosby, 1999; 47.8 Tiré de SEELEY, R., T. STEPHENS, et P. TATE. *Anatomy and physiology*, 2e éd., New York, McGraw-Hill, 1992. Marcia J. Dohrmann, artiste; 47.11 Avec l'aimable autorisation du Medical Records Subcommittee of the University of Iowa Hospitals and Clinics, Iowa City, Iowa.

CHAPITRE 48

48.8, 48.10 Avec l'aimable autorisation de CLG Photographics, St. Louis.

CHAPITRE 49

49.1, Tiré de THIBODEAU, G.A., et K.T. PATTON. *Anatomy and physiology*, 4e éd., St. Louis, Mosby, 1999; 49.3A, 49.3B Tiré de HABIF, T.P. *Clinical dermatology: a color guide to diagnosis and therapy*, 3e éd., St. Louis, Mosby, 1996.

CHAPITRE 50

50.2, 50.3, 50.5, 50.6, 50.7 Tiré de HABIF, T.P. *Clinical dermatology: a color guide to diagnosis and therapy*, 3e éd., St. Louis, Mosby, 1996; 50.4 Obtenu des US Centers for Disease Control; 50.8 Tiré de POTTER, P.A. et A.G. PERRY. *Basic nursing; a critical thinking approach*, 4e éd., St. Louis, Mosby, 1999, avec l'aimable autorisation de Laurel Wiersma, RN, MSN, Clinical Nurse Specialist, Barnes Hospital, St. Louis; 50.9 Tiré de POTTER, P.A. et A.G. PERRY. *Fundamentals of nursing: concepts, process, and practice*, 4e éd., St. Louis, Mosby, 1997. Avec l'aimable autorisation de ConvaTec.

CHAPITRE 52

52.1, 52.4, 52.5, 52.10, 52.11, 52.14, 52.15, 52.20 Tiré de THIBODEAU, G.A., et K.T. PATTON. *Anatomy and physiology*, 4e éd., St. Louis, Mosby, 1999; 52.6, 52.13 Tiré de SEELEY, R., T. STEPHENS, et P. TATE. *Anatomy and physiology*, 3e éd., New York, McGraw-Hill, 1995; 52.12 Tiré de MCCANCE, K.L, et S.E. HUETHER. *Pathophysiology: the biologic basis for disease in adults and children*, 3e éd., St. Louis, Mosby, 1998; 52.19A Tiré de ELKIN, M.K., A.G. PERRY, et P.A. POTTER. *Nursing interventions and clinical skills*, 2e éd., St. Louis, Mosby, 1999; 52.19B Tiré de CHIPPS, E., N. CLANIN, et V. CAMPBELL. *Neurologic disorders*, St. Louis, Mosby, 1992.

CHAPITRE 53

53.1 Tiré de WONG, J, S. WONG, et J.K. DEMPSTER. « Care of the unconscious patient: a problem-oriented approach », *Am Assoc Neurosci Nurses*, vol. 16, 1984, p. 145; 53.6 Redessiné à partir de MCCANCE, K.L, et S.E. HUETHER. *Pathophysiology: the biologic basis for disease in adults and children*, 3e éd., St. Louis, Mosby, 1998; 53.8 Tiré de THELAN, L.A., et autres. *Textbook of critical care nursing: diagnosis and management*, 2e éd., St. Louis, Mosby, 1994; 53.11 Redessiné à partir de BARKER, E. *Neuroscience nursing*, St. Louis, Mosby, 1994; 53.12 Tiré de BINGHAM, B.J.G., M. HAWKE, et P. KWOK. *Atlas of clinical otolaryngology*, St. Louis, Mosby, 1992; 53.13 Tiré de PRICE, S.A., et L.M. WILSON. *Pathophysiology: clinical concepts of disease processes*, 5e éd., St. Louis, Mosby, 1997; 53.14 Tiré de OKAZAKI, H. et B.W. SCHEITHAUER. *Atlas of neuropathology*, Gower Medical Publishing, 1988; 53.16 Tiré de PERKIN, G.D., et autres. *Atlas of clinical neurology*, 2e éd., London, Wolfe publishing, 1993.

CHAPITRE 54

54.8 Modifié d'après HOEMAN, S.P. *Rehabilitation nursing*, 2ᵉ éd., St. Louis, Mosby, 1995 ; 54.10A-C Avec l'aimable autorisation de Sammons Preston.

CHAPITRE 55

55.2, 55.7 Tiré de DAMJANOV, I., et J. LINDER. *Anderson's pathology*, 10ᵉ éd., St. Louis, Mosby, 1996 ; 55.5 Tiré de MCCANCE, K.L, et S.E. HUETHER. *Pathophysiology: the biologic basis for disease in adults and children*, 3ᵉ éd., St. Louis, Mosby, 1998 ; 55.6 Redessiné à partir de RUDY, E. *Advanced neurological and neurosurgical nursing*, St. Louis, Mosby, 1984 ; 55.8 Redessiné à partir de BARKER, E. *Neuroscience nursing*, St. Louis, Mosby, 1994.

CHAPITRE 56

56.1 Tiré de THIBODEAU, G.A., et K.T. PATTON. *Anatomy and physiology*, 4ᵉ éd., St. Louis, Mosby, 1999 ; 56.2 Avec l'aimable autorisation de Joe Rothrock, Media, Pa ; 56.3 Redessiné à partir de CHIPPS, E., N. CLANIN, et V. CAMPBELL. *Neurologic disorders*, St. Louis, Mosby, 1992 ; 56.4 Redessiné à partir de MARCIANO, F.F., et autres. BNI Q, 11:6, 1995. Dans MCCANCE, K.L, et S.E. HUETHER. *Pathophysiology: the biologic basis for disease in adults and children*, 3ᵉ éd., St. Louis, Mosby, 1998 ; 56.8 Avec l'aimable autorisation de Michael S Clement, MD, Mesa, Ariz ; 56.9, 56.13 Tiré de BARKER, E. *Neuroscience nursing*, St. Louis, Mosby, 1994 ; 56.10 Avec l'aimable autorisation de Kinetic Concepts, Inc, San Antonio, Texas ; 56.11 Avec l'aimable autorisation de Acromed Corporation, Cleveland ; 56.12 Avec l'aimable autorisation de CLG Photographics, St. Louis.

CHAPITRE 57

57.1, 57.4, 57.6 Tiré de THIBODEAU, G.A., et K.T. PATTON. *Anatomy and physiology*, 4ᵉ éd., St. Louis, Mosby, 1999 ; 57.2 Tiré de SEELEY, R., T. STEPHENS, et P. TATE. *Anatomy and physiology*, 3ᵉ éd., New York, McGraw-Hill, 1995 ; 57.7, 57.9 Tiré de MOURAD, L.A. *Orthopedic disorders*, St. Louis, Mosby, 1991 ; 57.8 Modifié d'après DE LISA, J., et B. GANS. *Rehabilitation medicine principles*, 2ᵉ éd., Philadelphia, JB Lippincott, 1993.

CHAPITRE 58

58.1 Redessiné à partir de PRICE, S.A., et L.M. WILSON. *Pathophysiology: clinical concepts of disease processes*, 5ᵉ éd., St. Louis, Mosby, 1997 ; 58.2, 58.15 Tiré de THOMPSON, J.M., et autres. *Clinical nursing*, 4ᵉ éd., St. Louis, Mosby, 1997 ; 58.3 Tiré de JOBE, F.W., et autres (éd.). *Operative techniques in upper extremity sports injuries*, St. Louis, Mosby, 1996 ; 58.4 Tiré de THIBODEAU, G.A., et K.T. PATTON. *Anatomy and physiology*, 4ᵉ éd., St. Louis, Mosby, 1999 ; 58.8 Redessiné à partir de LONG, B.C, W.J. PHIPPS, et V.L. CASS-MEYER. *Medical-surgical nursing: a nursing process approach*, St. Louis, Mosby, 1993 ; 58.10 Avec l'aimable autorisation de Howmedica, Inc ; 58.17 Redessiné à partir de MOURAD, L.A. *Orthopedic disorders*, St. Louis, Mosby, 1992 ; 58.19 Tiré de HUNTER, J.M., et autres. *Rehabilitation of the hand*, 4ᵉ éd., St. Louis, Mosby, 1995.

CHAPITRE 59

59.2 Tiré de KAMAL, A., et J.C. BROCKEL-HURST. *Color atlas of geriatric medicine*, 2ᵉ éd., St. Louis, Mosby, 1991. Dans *Mosby's medical, nursing, and allied health dictionary*, 5ᵉ éd., Mosby, 1998 ; 59.3 Tiré de SHIPLEY, M. *A colour atlas of rheumatology*, 3ᵉ éd., London, Mosby-Year Book-Europe, 1993 ; 59.7 Reproduit de *Clinical Slide Collection on the Rheumatic Diseases*, copyright 1991, 1995, 1997. Avec l'autorisation de l'American College of Rheumatology. Dans SEIDEL, H.M., et autres. *Mosby's guide to physical examination*, 4ᵉ éd., St. Louis, Mosby, 1999 ; 59.9 Tiré de HABIF, T.P. *Clinical dermatology: a color guide to diagnosis and therapy*, 3ᵉ éd., St. Louis, Mosby, 1996 ; 59.11 Tiré de ZITELLI, B.J., et H.W. DAVIS. *Atlas of pediactric physical diagnosis*, 3ᵉ éd., St. Louis, Mosby-Wolfe, 1997 ; 59.12, 59.13 Avec l'aimable autorisation de Zimmer, Inc, Warsaw, Ind.

TABLE DES MATIÈRES

PARTIE XI
Soins infirmiers reliés aux troubles de la perception sensorielle

Chapitre **47**

Jocelyne G. Barabé
Inf., B. A., D.E.S.S.
Collège Édouard-Montpetit

Marthe Mercier
B. Sc. inf.
Cégep de Lévis-Lauzon

ÉVALUATION DES APPAREILS VISUEL ET AUDITIF

OBJECTIFS D'APPRENTISSAGE

APRÈS AVOIR LU CE CHAPITRE, VOUS DEVRIEZ ÊTRE EN MESURE :

- DE DÉCRIRE LES STRUCTURES ET LES FONCTIONS DE L'APPAREIL VISUEL ET DE L'APPAREIL AUDITIF ;

- DE DÉCRIRE LES PROCESSUS PHYSIOLOGIQUES NORMAUX DE LA VUE ET DE L'OUÏE ;

- DE NOMMER LES PRINCIPALES DONNÉES D'ÉVALUATION SUBJECTIVES ET OBJECTIVES À RECUEILLIR CONCERNANT L'APPAREIL VISUEL ET L'APPAREIL AUDITIF ;

- DE DÉCRIRE LES TECHNIQUES UTILISÉES AU COURS DE L'EXAMEN PHYSIQUE DE L'APPAREIL VISUEL ET DE L'APPAREIL AUDITIF ;

- DE FAIRE LA DISTINCTION ENTRE LES RÉSULTATS NORMAUX ET ANORMAUX D'UNE ÉVALUATION PHYSIQUE DE L'APPAREIL VISUEL ET DE L'APPAREIL AUDITIF ;

- DE DÉCRIRE LES CHANGEMENTS LIÉS AU VIEILLISSEMENT CONCERNANT L'APPAREIL VISUEL ET L'APPAREIL AUDITIF ET LES DIFFÉRENCES QU'ILS ENTRAÎNENT DANS LES RÉSULTATS D'ÉVALUATION ;

- DE DÉCRIRE LA FONCTION ET LA PERTINENCE DES RÉSULTATS ET LES RESPONSABILITÉS DE L'INFIRMIÈRE DANS LES ÉPREUVES DIAGNOSTIQUES DE L'APPAREIL VISUEL ET DE L'APPAREIL AUDITIF.

47.1 STRUCTURES ET FONCTIONS DE L'APPAREIL VISUEL

L'appareil visuel se compose des structures internes et externes du globe oculaire, du milieu réfringent et des voies optiques. Les structures internes sont l'iris, le cristallin, le corps ciliaire, la choroïde et la rétine. Les structures externes sont les sourcils, les paupières, les cils, le système lacrymal, la conjonctive, la cornée, la sclérotique et les muscles extraoculaires. L'appareil visuel tout entier est important pour la fonction visuelle. Lorsqu'ils traversent les structures transparentes de l'œil, les rayons lumineux réfléchis par un objet dans le champ de vision subissent une réfraction (déformation de leur trajectoire) pour qu'une image nette se forme sur la rétine. À partir de la rétine, les stimuli visuels se propagent par les voies optiques vers le cortex occipital où ils sont perçus sous forme d'image.

47.1.1 Fonction visuelle et structure de l'œil

Globe oculaire. Le globe oculaire est composé de trois couches (voir figure 47.1). La couche résistante extérieure comprend la sclérotique et la cornée. La couche médiane se compose du faisceau uvéal (iris, choroïde et corps ciliaire) et la couche la plus interne est la rétine. La chambre antérieure se trouve entre l'iris et la surface postérieure de la cornée, tandis que la chambre postérieure se situe entre la surface antérieure du cristallin et la surface postérieure de l'iris. Ces chambres

sont remplies de l'humeur aqueuse sécrétée par le corps ciliaire (voir figure 47.2). L'espace anatomique entre la surface postérieure du cristallin et la rétine est rempli du corps vitré.

Milieu réfringent. Pour atteindre la rétine, la lumière doit traverser différentes structures : la cornée, l'humeur aqueuse, le cristallin et le corps vitré. Chaque structure a une densité différente et joue un rôle spécifique dans le processus de focalisation de l'image sur la rétine. La cornée transparente est la première structure traversée par la lumière. C'est là que s'effectue la plus grande partie de la réfraction nécessaire pour donner une vision nette.

L'humeur aqueuse est un liquide aqueux transparent qui remplit les chambres antérieure et postérieure de la cavité antérieure de l'œil. Elle est produite par les procès ciliaires et passe de la chambre postérieure à la chambre antérieure en traversant la pupille (voir figure 47.2). Elle s'écoule à travers le système trabéculaire situé dans l'angle formé par la cornée et l'iris et dans le canal de Schlemm. Ce canal circulaire achemine le liquide dans les veines optiques, puis dans le reste du corps. L'humeur aqueuse baigne et nourrit le cristallin et l'endothélium de la cornée. Si la production d'humeur aqueuse devient excessive ou si le débit d'écoulement diminue, la tension intraoculaire risque de dépasser la valeur normale de 10 à 21 mm Hg ; on est alors en présence de **glaucome**.

Le cristallin est une structure biconvexe située derrière l'iris et maintenue en place par de petites fibres appelées zonules. La première fonction du cristallin est de propager les rayons lumineux pour leur permettre de

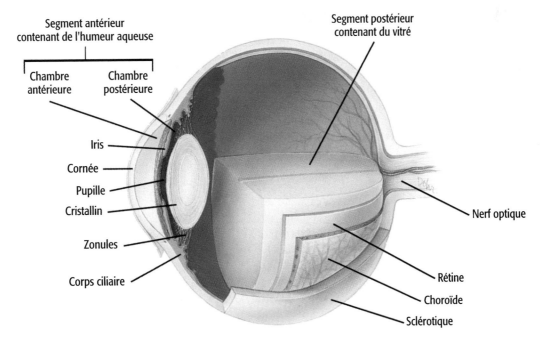

FIGURE 47.1 Œil humain

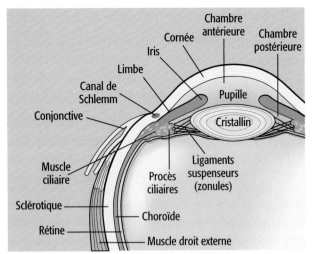

FIGURE 47.2 Gros plan sur le corps ciliaire, les zonules, le cristallin et les chambres antérieure et postérieure. L'humeur aqueuse produite par les procès ciliaires passe au-dessus du cristallin et dans la chambre antérieure par la pupille, où elle s'écoule à travers le canal de Schlemm.

s'acheminer vers la rétine. La forme du cristallin est modifiée par l'action des zonules ciliaires lors de l'**accommodation**, un processus qui permet au client de focaliser sur des objets proches, pour la lecture, par exemple. Comme les rayons lumineux traversent le cristallin, ce dernier doit rester transparent. Tout élément altérant la transparence du cristallin modifie la transmission de la lumière.

Le corps vitré se trouve dans la cavité postérieure, vaste région située derrière le cristallin et devant la rétine (voir figure 47.1). La lumière qui traverse le corps vitré peut être arrêtée par toute substance non transparente contenue dans le corps vitré. L'effet sur la vision varie en fonction de la quantité, du type et de l'emplacement de la substance bloquant la lumière. Par exemple, dans le cas d'une hémorragie dans le corps vitré, une faible lumière parviendra à la rétine et la vision sera sévèrement compromise ; mais l'accumulation de débris cellulaires résultant du métabolisme normal ne produit qu'une ombre relativement petite sur la rétine (corps flottant). En vieillissant, le corps vitré devient plus liquide.

Erreurs de réfraction. La **réfraction** est la capacité de l'œil à déformer la trajectoire des rayons lumineux de façon à les acheminer vers la rétine. Dans l'œil normal, les rayons lumineux parallèles sont focalisés à travers le cristallin pour former une image nette sur la rétine. Cet état est appelé emmétropie et signifie que la lumière converge exactement sur la rétine, ni en avant, ni en arrière de celle-ci. Il y a erreur de réfraction lorsque la lumière ne converge pas comme il se doit.

L'individu atteint de **myopie** est capable de voir nettement les objets proches, mais les objets éloignés

demeurent flous. Cet état survient quand l'image est mise au point en avant de la rétine en raison de l'œil qui est trop long ou d'une réfraction excessive (voir figure 47.3, A). On utilise une lentille concave pour corriger la réfraction de la lumière afin que les objets vus de loin donnent une image nette sur la rétine (voir figure 47.3, B).

L'individu atteint d'**hypermétropie** peut voir nettement les objets éloignés, mais les objets proches sont flous. Cet état survient quand l'image est mise au point en arrière de la rétine, si l'œil est trop court ou si le pouvoir de réfraction n'est pas suffisant (voir figure 47.3, C). On utilise une lentille convexe pour corriger la réfraction (voir figure 47.3, D).

L'**astigmatisme** est un défaut de courbure de la cornée ou du cristallin, qui fait converger les rayons horizontaux et verticaux en deux points différents de la rétine et provoque une distorsion visuelle. Selon l'endroit où se forme l'image, l'astigmate est myope ou hypermétrope.

La **presbytie** est une forme d'hypermétropie qui survient normalement avec le vieillissement, généralement autour de la quarantaine. Comme le cristallin vieillit et devient moins élastique, il perd de son pouvoir de réfraction et l'œil ne peut plus effectuer l'accommodation permettant de voir de près. Comme dans le cas de l'hypermétropie, on utilise des lentilles convexes pour corriger la réfraction et permettre à l'individu presbyte de bien voir pour lire et accomplir d'autres tâches nécessitant une bonne vision de près.

Voies optiques. Dès que l'image a traversé le milieu réfringent, elle est mise au point sur la rétine, inversée et renversée de gauche à droite (voir figure 47.4). Par exemple, si l'objet visualisé se trouve dans la partie supérieure du champ visuel temporal gauche, l'image se formera dans la partie inférieure de la rétine nasale, à l'envers et symétrique. À partir de la rétine, les impulsions sont acheminées par le nerf optique jusqu'au chiasma optique, où les fibres nasales de chaque œil passent du côté opposé. Les fibres du champ gauche des deux yeux forment le faisceau optique gauche et atteignent le cortex occipital gauche. Les fibres du champ droit des deux yeux forment le faisceau optique droit et atteignent le cortex occipital droit. Cette disposition des fibres nerveuses dans les voies optiques permet de déterminer l'emplacement anatomique des anomalies dans ces fibres nerveuses en interprétant le défaut du champ visuel (voir figure 47.4).

47.1.2 Structures et fonctions externes

Sourcils, paupières et cils. Les sourcils, les paupières, et les cils jouent un rôle primordial dans la protection de l'œil. Ils constituent une barrière physique à

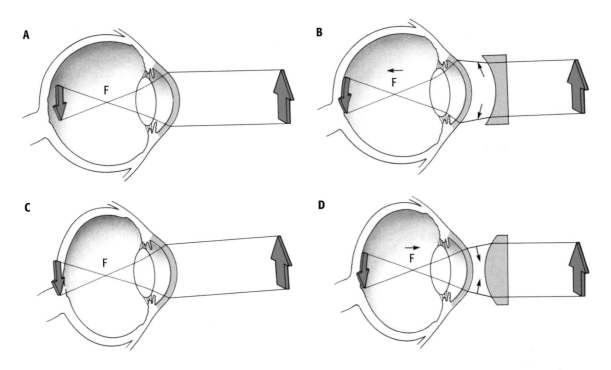

FIGURE 47.3 Anomalies de réfraction. A et B. Réfraction anormale et corrigée observée dans le cas de la myopie ; C et D. Réfraction anormale et corrigée dans le cas de l'hypermétropie.
F : foyer.

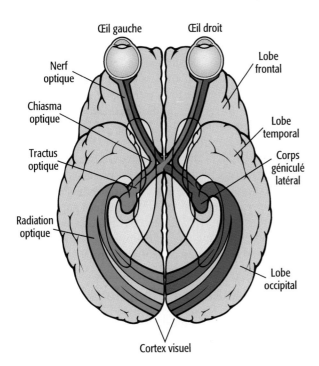

FIGURE 47.4 L'appareil visuel. Les fibres du champ nasal de chaque rétine traversent du côté opposé au chiasma optique et mènent au corps géniculé latéral. Chaque défaut de la vision dépend de l'emplacement de la lésion dans l'appareil visuel.

la poussière et aux corps étrangers (voir figure 47.5). L'œil est en outre protégé par l'orbite osseuse qui l'entoure et par des tissus adipeux situés sous et derrière le globe oculaire.

Les paupières supérieure et inférieure reliées aux canthus médians et latéraux forment la **fente palpébrale**, qui mesure normalement de 10 à 12 mm. La paupière supérieure clignote spontanément environ 15 fois par minute. Tout en clignotant, elle sécrète des larmes sur la surface antérieure du globe oculaire et aide à contrôler la quantité de lumière pénétrant dans la voie optique.

Les paupières s'ouvrent et se ferment grâce à l'action des muscles innervés par le nerf crânien VII (NC VII), qui est le nerf facial. L'action musculaire aide aussi les paupières à rester collées contre le globe oculaire. Le **tarse palpébral** est une couche résistante de tissu conjonctif à l'intérieur des paupières qui leur permet de garder leur forme. Lorsqu'elle est ouverte, la paupière supérieure repose au-dessous du limbe cornéoscléral (jonction de la cornée et de la sclérotique). Les glandes sébacées, situées dans les paupières, contribuent à la formation de la couche adipeuse du film lacrymal.

Conjonctive. La conjonctive est une muqueuse transparente qui recouvre les surfaces intérieures de la paupière (conjonctive palpébrale) et s'étend aussi au-delà de la sclérotique (conjonctive bulbaire) en formant une

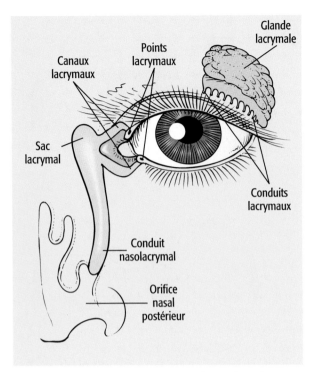

FIGURE 47.5 L'œil externe et le système lacrymal. Les larmes produites par la glande lacrymale passent sur la surface de l'œil et pénètrent dans le canal lacrymal. De là, elles sont acheminées à travers le conduit nasolacrymal jusqu'à la cavité nasale.

poche sous chaque paupière. Sa teinte rosée est due à la couleur du tissu sous-jacent. La conjonctive bulbaire se termine au niveau du limbe cornéoscléral et contient de petits vaisseaux sanguins, plus visibles à la périphérie. Les glandes de la conjonctive sécrètent du mucus et des larmes.

Sclérotique. La sclérotique est composée de fibres de collagène entrelacées qui forment une structure opaque communément appelée le blanc de l'œil. Elle constitue les cinq sixièmes postérieurs de l'œil externe et entoure le globe oculaire pour rejoindre la cornée au limbe. La sclérotique forme une enveloppe résistante qui favorise la protection des structures intra-oculaires.

Cornée. La cornée transparente et avasculaire constitue le sixième antérieur du globe oculaire et permet à la lumière de pénétrer dans l'œil (voir figure 47.1). La courbure de la cornée réfracte les rayons lumineux incidents pour les faire converger sur la rétine. C'est l'un des tissus sensitifs les plus développés du corps et il est innervé par le nerf trijumeau (CN V).

La cornée comprend cinq couches : l'épithélium, la membrane de Bowman, le stroma, la membrane de Descemet et l'endothélium. L'**épithélium** est une couche de cellules qui favorisent la protection de l'œil en faisant obstacle à la perte liquidienne et à l'entrée des

agents pathogènes. Le **stroma** est composé de fibrilles séparées par une substance fondamentale qui a la faculté de retenir l'eau. Pour rester transparent, le stroma ne contient pratiquement pas d'eau. Toute anomalie perturbant l'état normal d'hydratation du stroma peut provoquer un œdème de celui-ci, entraînant une perte de transparence de la cornée et une diminution de l'acuité visuelle. L'endothélium de la cornée comprend aussi une seule couche de cellules, mais à la différence des cellules de l'épithélium qui se régénèrent si elles sont détruites, celles de l'endothélium ont un pouvoir de régénération limité. Quand ces cellules sont endommagées ou détruites, la réparation d'une anomalie de l'endothélium intervient tout d'abord par l'augmentation et l'étalement des cellules pour remédier à la carence. La cornée avasculaire reçoit principalement de l'oxygène par absorption de la couche du film lacrymal qui baigne l'épithélium. Une petite quantité d'oxygène provient de l'humeur aqueuse à travers la couche de l'endothélium, qui véhicule aussi d'autres substances nutritives dans les tissus de la cornée.

Système lacrymal. Le système lacrymal est formé de la glande lacrymale et des conduits lacrymaux, des canaux et points lacrymaux, du sac lacrymal et du conduit nasolacrymal. Outre la glande lacrymale, d'autres glandes produisent des sécrétions qui alimentent les couches muqueuses, aqueuses et adipeuses du film lacrymal qui couvre la surface antérieure du globe oculaire. Le film lacrymal humidifie l'œil et fournit de l'oxygène à la cornée. La paupière et les mouvements du globe oculaire sont tous deux à l'origine de la production de larmes sur la surface antérieure de l'œil. Les larmes coulent de l'œil en passant par les points lacrymaux supérieur et inférieur, puis par le sac lacrymal et finalement à travers le conduit nasolacrymal jusqu'au nez (voir figure 47.5).

Muscles extraoculaires. Chaque œil est mis en mouvement par trois paires de muscles extraoculaires : les muscles droits supérieur et inférieur, les muscles droits interne et externe et les muscles obliques supérieur et inférieur (voir figure 47.6). La coordination neuromusculaire produit le mouvement simultané des yeux dans la même direction (mouvement conjugué).

47.1.3 Structures et fonctions internes

Iris. C'est l'iris qui donne à l'œil sa couleur. Il est percé en son centre d'un petit orifice circulaire, appelé la **pupille**, qui permet à la lumière de pénétrer dans l'œil. La pupille se rétrécit sous l'action du sphincter de l'iris (muscle innervé par le nerf crânien III) et se dilate sous l'action du muscle dilatateur de l'iris (nerf crânien V) pour contrôler la quantité de lumière pénétrant dans

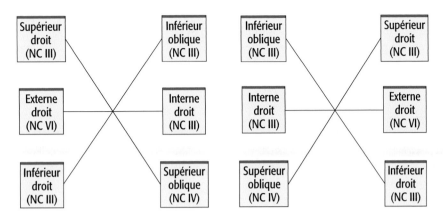

FIGURE 47.6 Champs cardinaux du regard avec les muscles et les nerfs correspondants

l'œil. Le muscle constricteur de l'iris est stimulé par les rayons lumineux qui sont acheminés vers la rétine et par le processus d'accommodation. Le système nerveux autonome agit également sur la taille de la pupille. La stimulation parasympathique entraîne la contraction du muscle circulaire et le rétrécissement de la pupille.

Cristallin. Le cristallin est une structure transparente, avasculaire et biconvexe située derrière l'iris. Il s'appuie sur les zonules ciliaires antérieure et postérieure. Le cristallin est composé d'une épaisse matière gélatineuse contenue dans une capsule transparente. La principale fonction du cristallin consiste à dévier les rayons lumineux pour les acheminer vers la rétine. L'accommodation correspond à la mise au point par rapport à un objet proche et elle est facilitée par la contraction du corps ciliaire qui modifie la forme du cristallin.

Corps ciliaire. Le corps ciliaire comprend les muscles ciliaires, qui entourent le cristallin et qui sont parallèles à la sclérotique, les zonules ciliaires, qui sont fixées à la capsule du cristallin, et les procès ciliaires, qui constituent la partie terminale du corps ciliaire. Les procès ciliaires se trouvent derrière la partie périphérique de l'iris et sécrètent l'humeur aqueuse.

Choroïde. La choroïde est une structure très vascularisée qui sert à la nutrition du corps ciliaire, de l'iris et de la partie externe de la rétine. Située à l'intérieur, elle est parallèle à la sclérotique et s'étend du corps ciliaire au point où le nerf optique pénètre dans l'œil (voir figure 47.1).

Rétine. La rétine est la couche la plus interne de l'œil qui prolonge et forme le nerf optique. Comme la rétine est composée en majeure partie de neurones, ses cellules sont incapables de se régénérer lorsqu'elles sont détruites. La rétine recouvre la paroi interne du globe oculaire et s'étend du nerf optique au corps ciliaire (voir

figure 47.1). Son rôle est de convertir les images en une forme que le cerveau peut comprendre et interpréter. La rétine est composée de deux types de cellules photoréceptrices : les bâtonnets et les cônes. Les bâtonnets sont stimulés dans les environnements obscurs et les cônes sont réceptifs aux couleurs dans les environnements éclairés. Il y a près de 130 millions de photorécepteurs dans la rétine de l'œil humain et le nombre des bâtonnets est très supérieur à celui des cônes, dans un rapport de 13:1. Le centre de la rétine est la fossette centrale ou *fovea centralis* ; il s'agit d'une dépression ayant la forme d'un point et composée uniquement de cônes en densité élevée. C'est la région de la rétine qui assure l'acuité visuelle la plus nette. Elle est entourée de la tache jaune, d'une superficie inférieure à un millimètre carré, qui a une forte concentration de cônes et qui ne contient pratiquement pas de vaisseaux sanguins. La nutrition de la tache jaune provient de deux sources : la choroïde et l'épithélium pigmentaire sous-jacent, qui est la couche la plus profonde de la rétine.

À l'exception de la tache jaune, la rétine est nourrie par les artérioles et les veines rétiniennes. Le sang pénètre dans l'œil par la papille optique, située sur le bord nasal de la tache jaune. La papille optique est la région où le

GÉRONTOLOGIE

Effets du vieillissement sur l'appareil visuel   ENCADRÉ 47.1

Au fur et à mesure que l'individu vieillit, les différentes structures de l'appareil visuel subissent des modifications. La plupart de ces modifications sont relativement bénignes, mais certaines risquent de compromettre sérieusement l'acuité visuelle chez les personnes âgées. Par ailleurs, les troubles de la vue ou la cécité peuvent avoir d'importantes répercussions psychologiques. Les changements de l'appareil visuel liés au vieillissement et les différences observées dans les résultats d'évaluation sont présentés au tableau 47.1.

nerf optique (NC II) sort du globe oculaire. À l'intérieur de la papille se trouve une excavation visible à l'ophtal-moscope. Par ce moyen, on peut également observer les veines et les artérioles et obtenir ainsi des renseignements sur le système vasculaire en général.

47.2 ÉVALUATION DE L'APPAREIL VISUEL

L'évaluation de l'appareil visuel peut aller de la simple détermination de l'acuité visuelle du client à la procé-

EXAMEN CLINIQUE ET GÉRONTOLOGIQUE

TABLEAU 47.1 Appareil visuel	
Changements	**Particularités observées lors de la collecte de données**
Sourcils et cils	
Perte de pigmentation des poils	Grisonnement des sourcils et des cils
Paupières	
Perte de tissus adipeux dans l'orbite, diminution de la tonicité musculaire	Entropion, ectropion, légère ptose
Atrophie des tissus, prolapsus adipeux dans les tissus des paupières	Blépharodermachalase (excès de peau sur la paupière supérieure)
Conjonctive	
Lésions tissulaires liées à l'exposition chronique aux rayons ultraviolets ou à d'autres expositions environnementales chroniques	Pinguécula (petite tache jaunâtre généralement située sur la face médiale de la conjonctive)
Sclérotique	
Dépôts de lipides	Teinte jaunâtre plutôt que bleuâtre de la sclérotique
Cornée	
Dépôts de cholestérol dans la cornée périphérique	Arc cornéen (anneau laiteux ou jaune à la périphérie de la cornée)
Lésions tissulaires liées à une exposition chronique aux rayons ultraviolets ou à d'autres expositions environnementales chroniques	Ptérigion (triangle de tissu pâle qui s'étend de l'angle interne de l'œil au bord nasal de la cornée)
Diminution de la teneur en eau, atrophie des fibres nerveuses	Diminution de la sensibilité cornéenne
Changements épithéliaux	Perte du lustre cornéen
Accumulation de dépôts de lipides	Vision trouble
Système lacrymal	
Diminution des sécrétions lacrymales	Sécheresse oculaire
Mauvaise position de la paupière faisant déborder les larmes par-dessus les rebords des paupières au lieu de les laisser s'écouler par les points lacrymaux	Larmoiement, irritation des yeux
Iris	
Rigidité accrue de l'iris	Diminution de la taille de la pupille
Atrophie ou faiblesse du muscle dilatateur	Ralentissement du rétablissement de la taille de la pupille après une légère stimulation
Perte de pigmentation	Changement de couleur de l'iris
Le muscle ciliaire devient plus petit et se raidit	Baisse de la vision de près et du pouvoir d'accommodation
Cristallin	
Changements biochimiques dans les protéines du cristallin, lésions par oxydation, exposition chronique aux rayons ultraviolets	Cataractes
Rigidité accrue du cristallin	Presbytie
Opacités dans le cristallin (peuvent être également liées à des opacités dans la cornée et le corps vitré)	Plaintes d'éblouissement
Accumulations de substances jaunes	Teinte jaune du cristallin
Rétine	
Changements vasculaires de la rétine liés à l'artériosclérose et à l'hypertension	Artérioles étroites, pâles et plus droites ; ramifications aiguës
Diminution du nombre de cônes	Changements dans la perception des couleurs
Perte de cellules photoréceptrices, de pigment rétinien, de cellules épithéliales et de mélanine	Diminution de l'acuité visuelle
Dégénérescence maculaire liée au vieillissement et résultant des changements vasculaires	Perte de la vision centrale
Corps vitré	
Liquéfaction et détachement du corps vitré	Plaintes accrues de corps flottants

dure complexe consistant à recueillir les données objectives et subjectives relatives à l'appareil visuel. Pour effectuer une évaluation ophtalmique convenable, l'infirmière doit déterminer quelles parties de la collecte des données sont importantes pour chaque client.

47.2.1 Données subjectives

Information importante concernant la santé

Antécédents de santé. Les renseignements relatifs aux antécédents du client doivent porter sur la santé oculaire, mais aussi sur la santé des autres systèmes. L'infirmière doit poser au client des questions précises sur les maladies systémiques comme le diabète, l'hypertension, le cancer, l'arthrite rhumatoïde, la syphilis et les autres infections transmissibles sexuellement (ITS), le syndrome d'immunodéficience acquise (SIDA), la dystrophie musculaire, la myasthénie, la sclérose en plaques, les affections intestinales inflammatoires et l'hypothyroïdisme ou l'hyperthyroïdisme, parce que la plupart de ces maladies ont des manifestations oculaires. Il est nécessaire de déterminer si le client a des antécédents de maladie cardiaque ou pulmonaire, parce qu'on a souvent recours à des agents bêta-bloquants pour traiter le glaucome. Ces médicaments peuvent ralentir le rythme cardiaque, diminuer la pression artérielle et exacerber l'asthme ou l'emphysème.

L'infirmière doit obtenir les résultats des tests d'acuité visuelle, avec la date du dernier examen et celles des changements de verres de lunettes ou de lentilles cornéennes. Elle doit se renseigner sur les antécédents de strabisme, d'amblyopie, de cataracte, de décollement de la rétine ou de glaucome. Elle doit aussi prendre note de tous les traumatismes oculaires, de leurs traitements et de leurs séquelles.

Les antécédents non oculaires du client peuvent être essentiels pour déterminer ou traiter le trouble ophtalmique. L'infirmière doit demander au client s'il a subi des interventions chirurgicales ou des traitements à la tête et s'il a déjà eu des traumatismes crâniens.

Médicaments. Si le client prend des médicaments, l'infirmière doit se procurer la liste complète des médicaments administrés, y compris des médicaments en vente libre, des gouttes oculaires et des suppléments naturels ou de phytothérapie. De nombreux clients estiment en effet que ces produits ne sont pas de vrais médicaments et risquent de ne pas les mentionner si on ne leur pose pas la question précisément. Pourtant, la plupart de ces produits ont des effets sur la fonction oculaire. Par exemple, de nombreuses préparations contre le rhume contiennent une forme d'adrénaline qui peut dilater la pupille. L'infirmière doit également noter si le client prend des antihistamines ou des décongestionnants, parce que ces produits peuvent

provoquer la sécheresse oculaire. Elle doit demander expressément au client si on lui a prescrit des corticostéroïdes, des médicaments pour la thyroïde ou des agents comme des hypoglycémiants par voie orale et de l'insuline pour abaisser son taux de glycémie. Les préparations à base de cortisone peuvent contribuer à l'apparition du glaucome ou de la cataracte. Il est particulièrement important d'indiquer si le client prend des agents bêta-bloquants, parce que leur effet risque d'être multiplié par les bêta-bloquants administrés pour traiter le glaucome.

Chaque médicament administré au client doit correspondre à une maladie ou à une affection citée dans les antécédents du client. Si un médicament ne correspond à aucun trouble mentionné dans le dossier, l'infirmière doit demander au client pourquoi il prend ce médicament. Enfin, l'infirmière doit déterminer si le client a des allergies à certains médicaments ou à d'autres substances.

Interventions chirurgicales ou autres traitements. Les interventions chirurgicales touchant l'œil ou le cerveau doivent être prises en note. Une chirurgie cérébrale et la tuméfaction subséquente peuvent créer une pression sur le nerf ou la voie optique et entraîner des troubles visuels. Il faut aussi documenter toutes les procédures au laser. L'effet d'une chirurgie oculaire ou d'un traitement au laser sur l'acuité visuelle est un renseignement important à connaître.

Modes fonctionnels de santé. Le client en consultation ophtalmique peut chercher à se faire soigner pour remédier à un problème précis ou pour obtenir des soins ophtalmiques réguliers. Si le client a besoin de soins ophtalmiques de routine, l'infirmière va centrer l'évaluation des modes fonctionnels sur les questions de promotion de la santé. Si le client a un problème défini, l'infirmière va orienter l'évaluation de manière à déceler les difficultés liées au problème en question.

Les problèmes oculaires ne compromettent pas toujours l'acuité visuelle. Il est possible, par exemple, que des clients atteints de blépharite ou de rétinopathie diabétique n'aient pas de déficit visuel. L'infirmière doit savoir que de nombreuses affections oculaires peuvent entraîner la perte de la vue. L'orientation donnée à l'évaluation des modes fonctionnels de santé dépend de l'absence ou de la présence d'une perte de vision et de l'aspect permanent ou temporaire de cette perte. L'encadré 47.2 suggère des questions à poser pour obtenir les renseignements relatifs aux modes fonctionnels de santé.

Mode perception et gestion de la santé. L'âge du client est un facteur important en cas de cataractes, de problèmes maculaires, de glaucome et d'autres affections ophtalmiques. La cécité des couleurs est plus fréquente

ANTÉCÉDENTS DE SANTÉ

Appareil visuel

Mode perception et gestion de la santé
- Décrivez les changements de votre vision et leur influence sur votre vie quotidienne.
- Portez-vous des lunettes de protection (lunettes de soleil ou de sécurité)?*
- Portez-vous des lentilles cornéennes? Si oui, comment les entretenez-vous?
- Si vous utilisez des gouttes oculaires, comment les instillez-vous?
- Avez-vous des allergies qui provoquent des symptômes oculaires?
- Y a-t-il des antécédents de cataracte, de glaucome, ou de dégénérescence maculaire dans votre famille?

Mode nutrition et métabolisme
- Prenez-vous des suppléments alimentaires?
- Votre problème visuel a-t-il un effet sur votre capacité à vous procurer des aliments et à préparer les repas?

Mode élimination
- Devez-vous faire des efforts pour aller à la selle?

Mode activité et exercice
- Vos activités sont-elles limitées d'une façon ou d'une autre par votre problème visuel?
- Participez-vous à des activités de loisirs présentant un risque de blessures oculaires?

Mode sommeil et repos
- Votre quantité de sommeil a-t-elle un effet sur vos yeux?

Mode cognition et perception
- Votre problème oculaire vous gêne-t-il pour lire?
- Avez-vous des douleurs oculaires?* Avez-vous des sensations de picotements, de brûlure ou de présence d'un corps étranger?*

Mode perception et estime de soi
- Votre problème oculaire a-t-il un effet sur la manière dont vous vous percevez?

Mode relation et rôle
- Votre vision vous cause-t-elle des problèmes au travail ou à la maison?*
- Votre vision vous a-t-elle obligé à modifier vos activités sociales?

Mode sexualité et reproduction
- Votre problème oculaire a-t-il créé des changements dans votre vie sexuelle?*
- Pour les femmes - Êtes-vous enceinte? Utilisez-vous un moyen contraceptif?*

Mode adaptation et tolérance au stress
- Vous sentez-vous capable de vous adapter à votre problème visuel?*
- Êtes-vous capable d'accepter les effets de votre problème visuel sur votre vie?*

Mode valeurs et croyances
- Y a-t-il des points concernant le traitement de votre problème visuel sur lesquels vous n'êtes pas d'accord?*

* Si oui, veuillez en donner une description.

chez les hommes que chez les femmes. Le risque de lésions au nerf optique causées par le glaucome est plus élevé pour les individus de race noire et les personnes âgées.

En pratique clinique ou en consultation au bureau, le client ophtalmique vient souvent chercher des soins de routine ou un changement de prescription de correction visuelle. Cependant, il y a parfois des problèmes sous-jacents que le client ne mentionne pas ou dont il n'a même pas conscience. Il arrive aussi que le client hospitalisé ou recevant un traitement chirurgical ne comprenne pas parfaitement pourquoi il reçoit des soins. L'infirmière doit obtenir cette information en lui demandant : « Pourquoi êtes-vous ici aujourd'hui? »

La santé visuelle du client peut avoir des effets sur ses activités à la maison ou au travail. Il est important de savoir comment il perçoit son problème de santé. Comme le montre l'encadré 47.2, l'infirmière peut aider le client à définir le problème et à évaluer son influence sur ses activités quotidiennes. L'infirmière doit également déterminer si le client est capable de prendre soin

de lui-même, en particulier en ce qui concerne les soins oculaires nécessités par son état ophtalmique.

L'infirmière doit évaluer les activités de santé oculaire du client. Il se peut qu'il n'ait pas conscience de l'importance des précautions à prendre, notamment de porter des lunettes de protection durant les activités susceptibles de présenter un danger pour les yeux ou d'éviter les émanations toxiques ou autres irritants oculaires. L'infirmière doit renseigner le client sur le port de lunettes de soleil en présence de lumière vive, car l'exposition prolongée aux ultraviolets (UV) risque d'endommager la rétine. Elle doit noter les habitudes de conduite nocturne et tous les problèmes rencontrés par le client. Aujourd'hui, des millions de personnes portent des lentilles cornéennes, mais la plupart ne les entretiennent pas correctement. Le type de lentilles que porte le client et ses habitudes de port et d'entretien peuvent fournir des renseignements sur l'enseignement dont il a besoin.

L'infirmière doit obtenir les renseignements relatifs aux allergies. Les allergies provoquent souvent des symptômes oculaires, notamment des picotements, des sensations de brûlure, des larmoiements, des écoulements et une vision trouble.

De nombreuses maladies systémiques héréditaires (p. ex. drépanocytose) peuvent avoir des effets considérables sur la santé oculaire. En outre, les erreurs de réfraction et certains problèmes oculaires sont souvent héréditaires. C'est pourquoi l'infirmière doit obtenir une liste détaillée des antécédents familiaux de maladies oculaires et autres. Elle doit en particulier demander si le client a des antécédents familiaux d'artériosclérose, de diabète, de maladie thyroïdienne, d'hypertension, d'arthrite ou de cancer. Elle doit également déterminer s'il a des antécédents familiaux de cataracte, de tumeurs, de glaucome, d'erreurs de réfraction (en particulier de myopie et d'hypermétropie), ou d'affections dégénératives de la rétine (p. ex. dégénérescence rétinienne, décollement de la rétine, rétinite pigmentaire).

Mode nutrition et métabolisme. L'administration de vitamines antioxydantes et d'oligo-éléments peut avoir un effet positif sur la santé oculaire. Un apport suffisant en vitamines C et E peut contribuer à prévenir ou à retarder les lésions cornéennes, et un déficit en zinc entraîne une desquamation érythémateuse dans la région périorbitale.

Mode élimination. L'effort effectué pour l'évacuation intestinale (manœuvre de Valsalva) peut augmenter la pression intraoculaire. Malgré les preuves indiquant que l'augmentation de la pression intraoculaire liée aux activités normales n'est pas préjudiciable pour l'incision chirurgicale pratiquée durant l'opération chirurgicale de l'œil, de nombreux chirurgiens préfèrent que le client ne fasse pas d'efforts. L'infirmière doit évaluer le mode d'élimination habituel du client et déterminer s'il existe un risque de constipation chez le client qui a subi des interventions chirurgicales ophtalmiques.

Mode activité et exercice. Le niveau habituel d'activité ou d'exercice risque d'être perturbé par une baisse de la vision, par les symptômes accompagnant un problème oculaire ou par la réduction des activités après une intervention chirurgicale. Par exemple, en cas d'**hyphéma** (saignement intraoculaire), le client est alité ou doit réduire considérablement ses activités. Le client diabétique portant des prothèses des membres inférieurs aura encore plus de difficultés à se déplacer s'il est atteint de rétinopathie diabétique avec perte de vision.

L'infirmière doit aussi se renseigner sur les activités de loisirs risquant d'occasionner des blessures oculaires. Par exemple, le jardinage, la menuiserie et autres travaux d'artisanat peuvent faire pénétrer des corps étrangers dans la cornée ou la conjonctive ou même

occasionner des blessures pénétrantes du globe oculaire. Des lésions du globe ou de l'orbite osseuse peuvent également survenir à la suite de coups portés à la tête ou aux yeux pendant les activités sportives comme le racquetball, le baseball ou le tennis. Les adeptes du ski de fond peuvent présenter des ulcères fongiques cornéens après abrasion oculaire causée par des branches d'arbres basses.

Mode sommeil et repos. Chez la personne en bonne santé, le manque de sommeil peut causer des irritations oculaires, surtout si elle porte des lentilles cornéennes. Les habitudes de sommeil du client risquent d'être perturbées par des douleurs oculaires, notamment des abrasions cornéennes. Le client présentant des brûlures basiques de l'œil a besoin d'une irrigation permanente de la surface oculaire jusqu'à ce que le pH du sac conjonctival redevienne normal. Son sommeil sera probablement perturbé pendant le traitement.

Mode cognition et perception. L'évaluation globale du client ophtalmique porte avant tout sur le sens de la vision, mais il est important de ne pas sous-estimer les autres problèmes cognitifs ou de perception. Par exemple, les capacités fonctionnelles d'un client ayant un déficit visuel risquent d'être encore plus diminuées s'il a également des problèmes auditifs. Le client qui ne peut plus lire a d'autant plus de difficultés à suivre les instructions postopératoires s'il a aussi du mal à entendre ou à mémoriser les instructions verbales. Le client qui ne comprend pas la langue ou qui ne sait pas lire peut avoir besoin d'instructions écrites ou verbales et de renseignements dans sa langue maternelle.

Les douleurs oculaires sont toujours un symptôme qu'il est important d'évaluer. Les abrasions cornéennes, l'iritis et le glaucome aigu sont des problèmes oculaires graves qui se manifestent par des douleurs. Les infections et les corps étrangers peuvent également entraîner de sérieuses gênes oculaires et risquent de devenir graves. En cas de douleur oculaire, il convient d'interroger le client sur le traitement administré et la réaction qui en résulte.

Mode perception et estime de soi. La perte d'indépendance qui découle parfois d'une perte partielle ou complète de la vue peut avoir des effets dévastateurs sur l'estime de soi du client. L'infirmière doit les évaluer avec soin. Par exemple, l'éblouissement gênant causé par la cataracte risque d'empêcher le client de conduire la nuit et même de limiter la conduite de jour, diminuant ainsi son estime de soi. Dans notre société caractérisée par la mobilité, le fait de ne plus pouvoir conduire peut constituer une perte considérable d'indépendance. Le client atteint d'une ptose des paupières prononcée ou d'une autre affection défigurante est souvent mal à l'aise à cause de son apparence physique et souffre d'une image de soi diminuée.

Mode relation et rôle. Les problèmes oculaires du client le gênent parfois pour remplir ses rôles ou ses responsabilités à son domicile, à son travail et au sein de la société. Par exemple, la dégénérescence maculaire risque de diminuer son acuité visuelle à tel point qu'il ne peut plus être efficace au travail. De nombreuses activités professionnelles présentent des risques de blessures oculaires pour les travailleurs. Par exemple, les ouvriers en usine risquent de recevoir des débris métalliques. L'infirmière doit demander au client s'il a l'habitude de se protéger les yeux en portant des lunettes de sécurité. Les personnes travaillant dans les bureaux sont parfois exposées à la fatigue oculaire due aux écrans d'ordinateurs, à un mauvais éclairage ou à l'éblouissement.

Le client atteint de diabète n'a pas toujours une vision suffisante pour s'administrer lui-même l'insuline et il a parfois du mal à accepter de dépendre d'un membre de la famille pour remplir cette fonction. Le client atteint d'exophtalmie est parfois mal à l'aise à cause de son aspect physique et il risque d'éviter les activités sociales. L'infirmière doit demander avec délicatesse si les rôles et les responsabilités du client ont été perturbés par son problème oculaire.

Mode sexualité et reproduction. L'inactivité, parfois associée à une faible vue, à la cécité et à certains problèmes et interventions chirurgicales oculaires, risque d'avoir des répercussions sur la sexualité du client. Si la perte de vision est majeure, le client peut avoir une image si médiocre de lui-même qu'il n'est plus capable d'établir de relation sexuelle. L'infirmière peut convaincre le client qu'une faible vue ou même la cécité ne doit pas l'empêcher de s'exprimer sexuellement, car dans ce domaine, le toucher est souvent plus important que la vision.

Par ailleurs, si le client a une famille, il a parfois besoin d'être aidé dans les tâches liées à l'éducation des enfants. Dans ce cas, l'infirmière doit déterminer l'aide dont il dispose et celle dont il a besoin.

Mode adaptation et tolérance au stress. Le client qui a des problèmes visuels temporaires ou permanents est soumis à un stress émotionnel. L'infirmière doit déterminer le niveau et les mécanismes d'adaptation du client et vérifier s'il dispose d'un réseau de soutien social ou personnel.

En cas de cécité permanente, le client traverse les stades habituels du deuil. L'infirmière doit déterminer si le client a besoin d'une aide psychosociale et d'une réadaptation professionnelle.

Mode valeurs et croyances. L'infirmière doit respecter les valeurs et les croyances spirituelles de chaque client,

parce qu'elles jouent un rôle majeur dans sa prise de décision relative aux soins oculaires. Il est parfois difficile de comprendre pourquoi un client refuse un traitement susceptible de l'aider ou réclame un traitement qui offre des chances limitées de réussite. L'infirmière doit déterminer les valeurs et les croyances sur lesquelles s'appuie le client pour prendre ces décisions.

47.2.2 Données objectives

Examen physique. L'examen physique de l'appareil visuel consiste à inspecter les structures oculaires et à déterminer l'état de leurs fonctions respectives. L'évaluation des fonctions physiologiques consiste à déterminer l'acuité visuelle du client, sa capacité à évaluer la distance des objets, la fonction des muscles extraoculaires et les champs visuels, de même qu'à observer le fonctionnement de la pupille et à mesurer la pression intraoculaire. L'examen des structures oculaires doit comprendre l'examen des parties annexes de l'œil, soit les structures externes et internes. Certaines structures, comme la rétine et les vaisseaux sanguins, doivent être examinées à l'aide d'appareils ophtalmiques tels que le biomicroscope et l'ophtalmoscope.

L'évaluation de l'appareil visuel peut inclure tous les éléments suivants ou se limiter à la mesure rapide de l'acuité visuelle. L'infirmière déterminera ce qui doit être fait pour chaque client. Toutes les évaluations qui suivent font partie du champ d'activité de l'infirmière, mais certaines demandent une formation spécialisée. L'évaluation physique normale de l'appareil visuel est décrite à l'encadré 47.3. Les changements de l'appareil visuel liés au vieillissement et les différences observées dans les résultats d'évaluation sont présentés au tableau 47.1. Les techniques d'évaluation sont résumées au tableau 47.2 et les anomalies couramment observées lors de l'évaluation figurent au tableau 47.3.

Évaluation physique normale de l'appareil visuel — **ENCADRÉ 47.3**

- Acuité visuelle 6/6 O.U. ; pas de diplopie
- Structures oculaires externes symétriques sans lésion ni déformation
- Appareil lacrymal non sensible et sans écoulement
- Conjonctive transparente, sclérotique blanche
- PERRLA
- Cristallin transparent
- MEOI
- Bords bien délimités de la papille
- Vaisseaux rétiniens normaux sans hémorragies ni taches

MEOI : mouvements extraoculaires intacts ; O.U. : chaque œil ; PERRLA : pupilles égales, rondes, réagissant à la lumière et à l'accommodation.

TABLEAU 47.2 Techniques d'évaluation : appareil visuel

Technique	Description	Fonction
Test d'acuité visuelle	Le client lit l'échelle de Snellen à une distance de 6 m (test de vision de loin) ; l'examinateur note les caractères les plus petits que le client est capable de lire sur l'échelle.	Détermine l'acuité visuelle du client de près et de loin.
Test fonctionnel des muscles extraoculaires	L'examinateur demande au client de suivre des yeux une source lumineuse ou un autre objet en balayant la totalité du champ du regard ; dans le test de l'écran, l'examinateur couvre l'œil du client, puis le découvre, pour voir si l'œil a dévié alors qu'il était couvert.	Détermine si les muscles extraoculaires du client fonctionnent normalement, sans mouvement excessif ou insuffisant.
Champ visuel par confrontation	Le client fait face à l'examinateur, il se couvre un oeil, fixe le visage de l'examinateur et compte le nombre de doigts que l'examinateur place à différents endroits de son champ de vision.	Détermine si le client a un champ de vision intégral, sans scotomes évidents.
Test fonctionnel des pupilles	L'examinateur illumine la pupille du client et observe la réaction pupillaire ; chaque pupille est examinée séparément. L'examinateur vérifie aussi la réaction consensuelle et d'accommodation.	Détermine si la réaction pupillaire du client est normale.
Tonométrie par aplanation	Le tonomètre ou aplanomètre qui projette une lumière bleue touche délicatement la surface antérieure de la cornée, qui est préalablement anesthésiée par une goutte d'ophtaïne colorée. L'examinateur regarde dans l'oculaire du biomicroscope, tourne le cadran de la pression jusqu'à ce que les demi-cercles se touchent par l'intérieur et note la valeur de la pression indiquée sur le cadran.	Mesure la pression intraoculaire (la valeur normale est comprise entre 10 et 21 mm Hg).
Examen au biomicroscope ou à la lampe à fente	Le client est assis, le menton reposant sur la mentonnière ; la fente lumineuse éclaire les structures oculaires, l'examinateur regarde dans l'oculaire grossissant pour observer les différentes structures.	Permet d'obtenir une vue agrandie de la conjonctive, de la sclérotique, de la cornée, de la chambre antérieure, de l'iris, du cristallin et du corps vitré.
Ophtalmoscopie	L'examinateur tient l'ophtalmoscope près de l'œil du client, oriente le faisceau lumineux sur le fond d'œil et regarde dans l'ouverture de l'ophtalmoscope. Il règle le cadran pour sélectionner la lentille de l'ophtalmoscope qui produit le grossissement voulu afin d'inspecter le fond d'œil.	Permet d'obtenir une vue agrandie de la rétine et de la tête du nerf optique et d'inspecter les principaux vaisseaux sanguins.
Test de vision des couleurs (AOHRR)	Le client identifie différentes figures (cercle, triangle, croix) formées par des points colorés.	Détermine si le client est capable de distinguer les couleurs.
Test de stéréopsie	À l'aide d'une série de plaques, le client identifie le motif ou la figure géométrique qui semble la plus proche de lui lorsqu'il regarde avec des lunettes spéciales qui permettent de voir en trois dimensions.	Détermine si le client est capable de voir les objets en trois dimensions ; permet d'évaluer la perception de la profondeur.
Kératométrie	L'examinateur aligne la projection et note les valeurs de la courbure cornéenne.	Mesure la courbe de la cornée ; ce test est souvent effectué avant d'ajuster des lentilles cornéennes, de procéder à une kératotomie ou après une greffe de cornée.

ANOMALIES COURANTES DÉCELÉES AU COURS DE L'EXAMEN PHYSIQUE

TABLEAU 47.3 Appareil visuel

Observation	Description	Causes possibles et signification
DONNÉES SUBJECTIVES Douleur	Sensation de présence d'un corps étranger	Érosion ou abrasion superficielle de la cornée; parfois due au port de lentilles cornéennes ou à un traumatisme; corps étranger sur la conjonctive ou la cornée, en général la douleur s'atténue lorsqu'on ferme les paupières
	Sensation pulsatile intense	Uvéite antérieure, glaucome aigu, infection; le glaucome aigu s'accompagne aussi de nausées et de vomissements
Photophobie	Intolérance anormale et persistante à la lumière	Inflammation ou infection de la cornée ou du conduit uvéal antérieur (iris et corps ciliaire)
Vision trouble	Incapacité graduelle ou subite de voir nettement	Erreurs de réfraction, opacités cornéennes, cataracte, modifications rétiniennes (décollement, dégénérescence maculaire), néphrite ou atrophie optique, thrombose de l'artère ou de la veine rétinienne centrale, modification des propriétés réfringentes due à des fluctuations du glucose sérique
Scotome	Zone aveugle ou partiellement aveugle dans son champ visuel	Troubles du chiasma optique, glaucome, chorio-rétinopathie séreuse centrale, dégénérescence maculaire liée au vieillissement, blessure, migraine
Taches, corps flottants	Le client déclare voir des taches, des toiles d'araignées, un voile ou des corps flottants dans son champ de vision	La cause la plus commune est la liquéfaction du corps vitré (phénomène bénin); les autres causes possibles sont notamment une hémorragie dans l'humeur aqueuse, une cicatrice de la cornée, un décollement imminent de la rétine, un décollement du corps vitré, une hémorragie intraoculaire, une chorio-rétinite
Sécheresse	Gêne, sensation sableuse, granuleuse, irritation ou brûlure	Diminution de la production lacrymale ou modification de la composition des larmes dues au vieillissement ou à diverses maladies systémiques
Halo	Présence d'un halo autour des objets lumineux	Modification des propriétés réfringentes, œdème cornéen causé par une élévation brutale de la pression intraoculaire en cas de glaucome à angle fermé ou de glaucome secondaire
Éblouissement	Maux de tête, gêne oculaire, baisse d'acuité visuelle, tache blanche ou lumineuse	Dû à une inflammation cornéenne ou à des opacités de la cornée, du cristallin ou de corps vitré qui diffusent la lumière incidente; peut également être lié à une diffusion de la lumière près des bords d'une lentille intraoculaire; s'accentue la nuit lorsque la pupille est dilatée
Diplopie	Double vision	Anomalies fonctionnelles des muscles extraoculaires liées à une pathologie musculaire ou des nerfs crâniens quand les deux yeux sont ouverts
DONNÉES OBJECTIVES **Paupières** Réactions allergiques	Rougeur, larmoiement excessif et démangeaisons aux bords des paupières	Nombreux allergènes possibles; risque de traumatisme oculaire si le client se frotte les paupières pour soulager la démangeaison
Orgelet	Petit nodule blanc superficiel au bord des paupières	Infection d'une glande sébacée de la paupière; l'organisme responsable est généralement une bactérie (le plus souvent le staphylocoque doré)
Chalazion	Région enflée et rouge sur la paupière touchant des tissus plus profonds que l'orgelet, parfois enflammée et sensible	Granulome formé autour d'une glande sébacée; se manifeste sous forme de réaction à la présence de sébum dans les tissus; peut provenir d'un orgelet ou de la rupture d'une glande sébacée qui libère du sébum dans les tissus
Blépharite	Bords des paupières rouges, enflés et croûteux	Invasion bactérienne des rebords palpébraux; souvent chronique
Dacryocystite	Zone médiane de la paupière inférieure (près du sac lacrymal) rouge, enflée et sensible	Obstruction du conduit nasolacrymal et infection subséquente

ANOMALIES COURANTES DÉCELÉES AU COURS DE L'EXAMEN PHYSIQUE

TABLEAU 47.3   Appareil visuel *(suite)*

Observation	Description	Causes possibles et signification
Xanthélasma	Granulations jaunâtres et saillantes à la partie nasale des paupières	Troubles lipidiques ; peut constituer une observation normale
Ptose	Affaissement de la paupière supérieure, unilatérale ou bilatérale	Les causes mécaniques sont des tumeurs sur les paupières ou des excès de peau ; les causes myogènes sont attribuables à des affections touchant le muscle releveur ou la jonction myoneurale, comme la myasthénie grave ; les causes neurogènes sont des affections des nerfs crâniens de la troisième paire qui innerve le muscle releveur
Entropion	Rétroversion du rebord palpébral supérieur ou inférieur, unilatéral ou bilatéral	Causes congénitales entraînant des anomalies du développement ; entropion d'involution dû à un relâchement horizontal de la paupière ; peut provoquer une irritation et un larmoiement
Ectropion	Renversement vers l'extérieur du bord de la paupière inférieure	Causes mécaniques dues à des tumeurs des paupières, une hernie des tissus adipeux orbitaires ou à une extravasation de liquide ; il y a ectropion paralytique lorsque le fonctionnement du muscle orbiculaire est perturbé, comme dans le cas de la paralysie de Bell
Asynergie oculopalpébrale	Absence ou ralentissement de fermeture de la paupière	Atteinte possible du NC VII
Blépharospasme	Augmentation de fréquence du clignement ; impossibilité d'ouvrir les paupières en cas de spasmes intenses	Inflammation, atteinte des NC V et VII ; peut se produire en réaction aux lumières vives
Diminution du clignement	Diminution de fréquence de fermeture des paupières	Diminution de sensation cornéenne ; atteinte possible du NC VII ; une forte diminution du clignement peut entraîner la sécheresse oculaire et des lésions cornéennes
Conjonctive Conjonctivite	Conjonctive rouge et enflée, parfois avec démangeaisons	Infection bactérienne ou virale ; il peut s'agir d'une réaction allergique ou inflammatoire à une substance chimique
Hémorragie sous-conjonctivale	Taches de sang sur la sclérotique ; petites ou couvrant toute la sclérotique	Rupture de vaisseaux sanguins de la conjonctive ; écoulement sanguinolent dans l'espace sous-conjonctival causé par la toux, l'éternuement, le frottement des yeux ou un traumatisme mineur ; ne nécessite pas de traitement en général, trouble bénin
Pinguécula	Formation légèrement saillante (excroissance) sous la conjonctive ; orientée horizontalement dans la zone médiane de la conjonctive bulbaire	Lésion de dégénérescence consécutive à une exposition chronique à la lumière ultraviolette ou à d'autres facteurs environnementaux
Ictère	Coloration jaunâtre de toute la sclérotique	Ictère occasionné par des troubles hépatiques ; teinte jaune normale après une étude diagnostique nécessitant une injection de fluorescéine par voie intraveineuse
Cornée Abrasion cornéenne	Lésion douloureuse et localisée de la couche épithéliale de la cornée pouvant être visualisée à l'aide de fluorescéine ; très douloureux	Traumatisme, port excessif ou mauvais ajustement des lentilles cornéennes
Opacité cornéenne	Zone blanchâtre de la cornée normalement transparente ; peut couvrir toute la cornée	Formation de tissus cicatriciels à la suite d'une inflammation, d'une infection, d'un traumatisme ; le degré de perte d'acuité visuelle dépend de l'emplacement et de la taille de l'opacité
Ptérygion	Épaississement de la conjonctive bulbaire sous forme de peau triangulaire horizontale allant de la conjonctive vers le centre de la cornée	Lésion de dégénérescence à la suite d'une exposition chronique à la lumière ultraviolette ou à d'autres facteurs environnementaux ; l'ablation chirurgicale est nécessaire en cas de progression vers le centre de la cornée

ANOMALIES COURANTES DÉCELÉES AU COURS DE L'EXAMEN PHYSIQUE

TABLEAU 47.3   Appareil visuel *(suite)*

Observation	Description	Causes possibles et signification
Globe Exophtalmie	Protrusion du globe au-delà de sa position normale dans l'orbite ; la sclérotique est souvent visible au-dessus de l'iris lorsque les paupières sont ouvertes	Tumeurs intraoculaires ou péri-orbitaires ; affection oculaire thyroïdienne ; tuméfaction ou tumeurs du sinus frontal ; l'impossibilité de fermer l'œil normalement peut entraîner une sécheresse oculaire et des lésions cornéennes
Pupille Mydriase	La pupille est anormalement grande (dilatée)	Influences émotionnelles, traumatisme, glaucome aigu (pupille fixe, semi-dilatée), médicaments systémiques ou locaux, traumatismes crâniens
Myosis	La pupille est anormalement petite	Iritis, morphine et médicaments similaires, glaucome traité par agents miotiques
Anisocorie	Contraction inégale des pupilles à la lumière	Troubles du système nerveux central ; de légères différences de taille de la pupille sont normales chez un faible pourcentage de la population
Dyscorie	La pupille est de forme irrégulière	Causes congénitales (p. ex. colobome de l'iris); causes acquises (p. ex. traumatisme, implant intraoculaire à fixation irienne, intervention chirurgicale en cas de synéchie postérieure de l'iris)
Réaction anormale à la lumière ou à l'accomodation	Les pupilles réagissent de manière asymétrique ou anormale à la lumière ou à l'accomodation	Troubles du système nerveux central, anesthésie générale
Iris Hétérochromie	Coloration différente des deux iris	Causes congénitales (syndrome de Horner) ; causes acquises (iritis chronique, carcinome métastatique, naevus ou mélanome diffus de l'iris)
Iridodonèse	Tremblotement de l'iris au mouvement de l'œil	Aphakie
Muscles extraoculaires Strabisme	Déviation d'un oeil dans une ou plusieurs directions	Action excessive ou insuffisante d'un ou de plusieurs muscles extra-oculaires ; la cause peut être congénitale ou acquise ; atteinte neuro-musculaire ; atteinte des NC III, IV ou V
Défaut du champ visuel Périphérique	Perte partielle ou totale de vision périphérique	Glaucome (permanent) ; interruption partielle ou totale des voies visuelles (temporaire) ; migraine
Central	Perte de vision centrale	Maladie maculaire
Cristallin Cataracte	Opacification du cristallin, la pupille peut paraître trouble ou blanche lorsque l'opacité est visible à travers la pupille	Vieillissement, traumatisme, décharge électrique, diabète, traitement systémique par corticostéroïdes, cause congénitale
Subluxation ou déplacement du cristallin	On peut voir le bord du cristallin à travers la pupille (soleil couchant)	Traumatisme, maladie systémique (p. ex. syndrome de Marfan)

NC : nerf crânien.

Observation initiale. L'observation initiale peut fournir des renseignements qui permettront à l'infirmière d'orienter son évaluation. Lors de sa première rencontre avec le client, elle remarquera peut-être qu'il porte des couleurs mal assorties (signe de défaut de perception des couleurs) ou qu'il a une façon étrange de tourner la tête ; les clients atteints de diplopie penchent souvent la tête pour essayer de voir une seule image. En cas d'abrasion cornéenne ou de photophobie, le client se couvre les yeux de la main pour se protéger de la lumière ambiante. L'infirmière doit estimer de façon approximative le degré de perception des profondeurs en tendant la main pour serrer la main du client.

Pendant l'observation initiale, l'infirmière doit également observer l'aspect des yeux et de l'ensemble du visage du client. Les yeux doivent être symétriques et placés normalement ; les globes ne doivent pas avoir être protubérants ni enfoncés.

Évaluation de l'état fonctionnel : acuité visuelle.

L'infirmière doit toujours relever l'acuité visuelle du client pour des raisons médicales et légales et en prendre note avant que le client ne reçoive un traitement.

Le client se tient debout ou assis à six mètres de l'échelle de Snellen avec ses verres de correction (lunettes ou lentilles cornéennes) en place, à moins qu'il ne les utilise que pour lire. L'infirmière demande au client de se couvrir l'œil gauche et de lire la plus petite ligne de caractères qu'il arrive à lire. S'il lit cette ligne avec deux erreurs ou moins, l'examinateur lui demande de lire la ligne suivante. L'infirmière note la plus petite ligne que le client arrive à lire avec deux erreurs ou moins, avec la distance standard de 6 m, puis la distance sur la ligne de l'échelle de Snellen que le client arrive à lire. L'infirmière note l'acuité visuelle à l'aide des abréviations ophtalmiques OD pour l'œil droit, OS pour l'œil gauche et OU pour les deux yeux. Par exemple, pour le client qui lit la ligne à 9 m avec l'œil droit, l'infirmière inscrit 6/9 OD. Une acuité visuelle de 6/9 signifie qu'à une distance de 6 m, le client arrive à lire les mêmes lettres qu'une personne ayant une vision normale arrive à lire à 9 m. La **cécité légale** correspond à une acuité visuelle de 6/60 ou moins dans le meilleur œil avec la meilleure correction. L'infirmière demande ensuite au client de se couvrir l'œil droit et répète le processus.

Si le client ne sait pas lire, l'examinateur peut utiliser un diagramme comportant des images ou des nombres. Il existe une autre option consistant en une échelle représentant la lettre E dans différentes directions. L'examinateur demande au client de pointer dans la direction faisant face au E.

Pour évaluer l'acuité visuelle lorsque le client n'arrive pas à lire la lettre 6/120, l'infirmière tient plusieurs doigts à une distance de 0,3 à 2 m devant le client et lui demande de les compter. S'il n'est pas capable, elle tient un nombre différent de doigts à des distances de plus en plus petites, jusqu'à 30 cm. Si le client arrive à compter les doigts à 0,6 m, l'infirmière inscrit CD (compte doigts) à 0,6 m. S'il n'y arrive pas, elle lui demande s'il voit le mouvement lorsqu'elle bouge sa main devant son visage. Ce niveau d'acuité visuelle correspond à MM (mouvement de la main). Le terme PL (perception lumineuse) est utilisé pour décrire l'acuité du client qui n'arrive à voir que la lumière et le terme PPL (pas de perception lumineuse), quand le client ne la voit pas.

Pour les clients se plaignant de problèmes visuels de près et pour tous les clients à partir de 40 ans, l'infirmière vérifie l'acuité visuelle de près. Elle demande au client de tenir dans ses mains une carte de lecture à la distance qu'il trouve la plus appropriée pour lire. L'infirmière couvre l'œil gauche du client avec le cache-œil et lui demande de lire des paragraphes de caractères de plus en plus petits. Elle mesure à ce moment la distance entre l'œil du client et la carte de lecture, le client pouvant avancer ou éloigner la carte pour être capable de lire le mieux possible. L'infirmière répète la procédure en masquant l'œil droit. Une acuité visuelle normale de près sera inscrite ainsi : 37 cm/37 cm. Ceci indique que le patient est capable de lire à une distance normale, soit 37 cm, le paragraphe de mots de la grosseur qui correspond à 0,37 cm sur l'échelle de Snellen de la carte de lecture. Elle notera que le client est incapable de lire s'il ne peut pas lire la grosseur de caractères correspondant à 1,25 m.

Fonctions des muscles extraoculaires.

L'infirmière observe le réflexe cornéen, c'est-à-dire l'image réfléchie d'une source lumineuse sur la cornée, pour déterminer si les muscles extraoculaires sont faibles ou déséquilibrés. Dans une pièce obscure, elle demande au client de regarder droit devant lui et elle dirige un faisceau lumineux directement sur la cornée. La réflexion doit être située au centre de chaque cornée lorsque le client se trouve en face de la source lumineuse.

Fonction de la pupille.

On détermine la fonction des pupilles en les inspectant et en observant leur réaction à la lumière. Les pupilles doivent être rondes, de même taille et réagir vivement à la lumière. Chez un faible pourcentage de la population, les pupilles sont de taille inégale (anisocorie). La réaction de la pupille à la lumière doit être directe (elle se contracte lorsqu'on dirige un faisceau lumineux sur l'œil) et consensuelle (elle se contracte lorsqu'on dirige un faisceau lumineux dans l'œil opposé). L'infirmière doit également vérifier l'accommodation en demandant au client de fixer un objet placé à une distance de 0,6 à 0,9 m. Puis, elle rapproche l'objet jusqu'à 15 à 20 cm et dit au client de le fixer de nouveau. Les pupilles doivent se contracter lors du processus d'accommodation sur l'objet rapproché.

Pression intraoculaire.

On peut mesurer la pression intraoculaire à l'aide d'un tonomètre Schiotz ou Tono-pen, mais les mesures les plus précises sont obtenues par tonométrie par aplanation (voir figure 47.7). Les valeurs normales de la pression intraoculaire sont comprises entre 10 et 21 mm Hg.

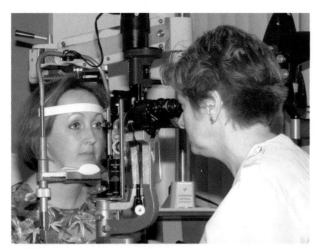

FIGURE 47.7 Tonométrie par aplanation
Reproduit avec l'autorisation de M. Bertrand Vaillancourt.

Évaluation des structures. L'évaluation des structures qui composent l'appareil visuel se fait surtout par l'inspection. L'appareil visuel a ceci de particulier qu'il permet à l'infirmière d'inspecter directement les structures externes, mais aussi la plupart des structures internes. L'iris, le cristallin, le corps vitré, la rétine et le nerf optique peuvent tous être visualisés à travers la cornée transparente et l'orifice de la pupille.

Pour effectuer une inspection directe, l'examinateur doit utiliser des appareils d'observation spéciaux comme le biomicroscope à lampe à fente et l'ophtalmoscope. Ces appareils permettent d'examiner à la loupe la conjonctive, la sclérotique, la cornée, la chambre antérieure, l'iris, le cristallin, le corps vitré et la rétine. Dans le cas du biomicroscope à lampe à fente, un mince faisceau lumineux, ou une fente lumineuse, est dirigé sur l'œil de manière à en éclairer intensément une petite partie. Le menton du client est placé sur une mentonnière qui sert à stabiliser la tête. L'ophtalmoscope est un instrument portatif muni d'une source lumineuse et de loupes ; on le tient près de l'œil du client pour examiner la partie postérieure de l'œil. Ces examens ne sont pas douloureux et ne provoquent pas de gêne oculaire.

Comme pour les autres techniques, l'utilisation de ces appareils demande une formation spéciale et un peu d'entraînement. Mais l'équipement spécialisé permet une évaluation ophtalmique plus approfondie qui renseigne l'infirmière non seulement sur les structures oculaires elles-mêmes, mais aussi sur l'état général du client.

Sourcils, cils et paupières. Toutes les structures doivent être présentes et symétriques, sans déformations, œdème ni rougeur. Les cils partent du bord des paupières vers l'extérieur. Les paupières sont symétriques, la paupière supérieure et la paupière inférieure se rejoignant à peu près au niveau du limbe

sclérocornéen, et les rebords palpébraux sont situés contre le globe. Lorsqu'on ferme l'œil normalement, la paupière supérieure et la paupière inférieure doivent se toucher. Les points lacrymaux doivent être ouverts et placés correctement contre le globe ; une rougeur ou une tuméfaction autour du point inférieur indique une inflammation du sac lacrymal. Lorsque le sac est enflammé, des matières purulentes peuvent suinter des points lacrymaux lorsqu'on exerce une pression sur le sac.

Conjonctive et sclérotique. L'infirmière peut facilement examiner la conjonctive et la sclérotique en même temps. Elle détermine la couleur, la régularité et la présence de lésions. Pour examiner la conjonctive palpébrale, l'infirmière place l'index sur la joue du client et tire doucement vers le bas. Cette manœuvre expose la conjonctive palpébrale de la paupière inférieure et permet à l'infirmière d'en observer la couleur (normalement rose pâle), la texture (normalement lisse) et la présence de lésions ou de corps étrangers. La conjonctive bulbaire qui recouvre la sclérotique est normalement transparente et de petits vaisseaux sanguins y sont visibles. Ces vaisseaux sanguins sont plus courants à la périphérie.

La sclérotique est normalement blanche, mais elle devient parfois jaunâtre chez les personnes âgées en raison des dépôts de lipides. Chez les personnes âgées et les enfants (chez qui la sclérotique est normalement plus mince), il est normal d'observer une teinte bleu pâle causée par l'amincissement de la sclérotique. Cette teinte bleutée est en fait due à la choroïde vasculaire visible à travers la sclérotique. On peut également observer une légère coloration jaune chez des personnes à pigmentation foncée, notamment chez les individus de race noire et les Amérindiens.

Cornée. La cornée doit être claire, transparente et brillante. **L'arc cornéen** est un arc de cercle blanchâtre situé sur le limbe et il est normal chez les personnes âgées.

Pour inspecter la chambre antérieure, l'infirmière peut utiliser soit une lampe oblique portative, soit le biomicroscope à lampe à fente. L'iris doit paraître plat et non bombé vers la cornée. La région comprise entre la cornée et l'iris doit être transparente et exempte de sang ou de matières purulentes visibles. Le sang et les matières purulentes ayant une viscosité supérieure à celle de l'humeur aqueuse ont tendance à se déposer dans la partie inférieure de la chambre.

Iris. Les deux iris doivent être de couleur et de forme similaires, mais une légère différence de couleur entre les deux est normale chez un faible pourcentage de la population. L'iris doit être inspecté avec la paupière supérieure relevée. Il est facile de voir s'il en manque des parties, car l'absence de tissu coloré donne une pupille sombre de forme anormale. Des zones rondes ou dentelées de tissus manquants au niveau de l'iris proviennent souvent de traitements chirurgicaux de cataracte ou de glaucome. L'infirmière doit déterminer les causes de ces observations et les noter au dossier.

Rétine et nerf optique. Pour évaluer ces structures, l'infirmière utilise un ophtalmoscope qui grossit les structures oculaires et en donne une image bien nette. Les vaisseaux sanguins de la choroïde vasculaire sont visibles à travers les tissus de la rétine, tout comme la papille (là où le nerf optique pénètre à l'arrière de l'œil). Cette méthode permet d'examiner les artères, les veines et le nerf optique.

Avec l'ophtalmoscope, l'infirmière dirige le faisceau lumineux obliquement dans la pupille du client. La réflexion rouge doit être visible. Cette réflexion est due à la lumière qui se réfléchit sur la rétine de teinte rosée. La présence de zones denses dans le cristallin (en cas de cataracte, par exemple) diminue cette image réfléchie. L'infirmière suit la réflexion vers l'intérieur jusqu'à ce que le fond de l'œil soit visible. On peut alors voir les artérioles et les veines. Les artérioles sont plus petites, plus minces et d'un rouge plus clair que les veines, et elles réfléchissent mieux la lumière. L'infirmière doit examiner les régions où les artérioles et les veines se croisent pour déceler des signes de croisement ou de rétrécissement, indices de diabète ou d'hypertension.

L'infirmière suit un vaisseau sanguin en direction du nerf optique et examine la taille, la couleur et les anomalies éventuelles du nerf optique ou de la papille. La papille doit être d'un jaune crémeux avec des bords nets. Il est courant d'observer un léger flou au bord nasal de la papille.

On peut remarquer au centre de la papille une légère dépression appelée excavation de la papille, par où sort le nerf optique. Elle doit avoir un diamètre de la moitié de celui de la papille. L'infirmière doit noter la présence d'anneaux ou de croissants inhabituels autour de la papille.

Normalement, il ne doit pas y avoir d'hémorragie ni d'exsudats au fond de l'œil (arrière de la rétine). Une inspection détaillée de la rétine permet de mettre en évidence la présence de déchirures, de trous, de décollements ou de lésions. De petites hémorragies associées au diabète ou à l'hypertension peuvent avoir des formes diverses ressemblant à des taches ou à des flammes. Enfin, l'infirmière examine la tache jaune dont elle vérifie la forme et l'aspect. Cette zone hautement réfléchissante ne comporte pas de vaisseaux sanguins.

La visualisation directe à l'ophtalmoscope permet à l'infirmière d'obtenir des renseignements importants sur le système vasculaire et le système nerveux central (SNC). L'emploi de cet instrument demande une certaine expérience et l'infirmière est souvent déroutée au début.

Techniques spéciales d'évaluation

Vision des couleurs. La capacité de distinguer les couleurs est un élément important de l'évaluation, parce que certaines activités professionnelles demandent d'avoir une bonne discrimination chromatique. Chez les personnes d'origine européenne, près de 6 % des hommes et 0,3 % des femmes ont un défaut congénital de vision des couleurs. Cette incidence est plus faible chez les individus qui n'ont pas d'ascendance européenne. Les personnes âgées présentent une perte de discrimination des couleurs à l'extrémité bleue du spectre et une perte de sensibilité sur la totalité du spectre.

Stéréopsie. La vision stéréoscopique permet au client de voir les objets en trois dimensions. Le client qui a une vision monoculaire (p. ex. dans les cas d'énucléation ou de port d'un pansement oculaire) a perdu la vision stéréoscopique et a du mal à évaluer les distances. Cette perte risque d'avoir de graves conséquences si le client omet une marche en se déplaçant ou s'il suit un véhicule de trop près lors de la conduite automobile.

47.3 ÉPREUVES DIAGNOSTIQUES DE L'APPAREIL VISUEL

Les épreuves diagnostiques fournissent des renseignements importants qui permettent à l'infirmière de surveiller l'état du client et de planifier les interventions qui conviennent. On considère que ces épreuves constituent des données objectives. Le tableau 47.4 présente les épreuves diagnostiques de base les plus courantes pour l'appareil visuel.

47.4 STRUCTURES ET FONCTIONS DE L'APPAREIL AUDITIF

L'appareil auditif est divisé en deux parties, soit l'appareil auditif périphérique et l'appareil auditif central. L'appareil auditif périphérique comprend l'oreille externe, l'oreille moyenne et l'oreille interne (voir figure 47.8). Il est conçu pour recevoir et percevoir les sons, l'oreille interne servant à l'audition et à l'équilibre. Quant à l'appareil auditif central (le cerveau et ses connexions), il intègre et interprète les sons perçus.

47.4.1 Oreille externe

L'oreille externe comprend le pavillon et le conduit auditif externe. Le pavillon est composé de cartilage et de tissu conjonctif recouvert d'épithélium comme le conduit auditif externe (voir figure 47.8). Chez l'adulte,

ÉPREUVES DIAGNOSTIQUES

TABLEAU 47.4   Appareil visuel

Épreuve	Description et objectif	Responsabilités de l'infirmière*
Rétinoscopie	Mesure objective (bien qu'inexacte) de l'erreur de réfraction ; le rétinoscope portatif dirige la lumière focalisée dans l'œil, l'erreur de réfraction déforme les rayons lumineux, la distorsion est neutralisée pour déterminer l'erreur. Méthode utile si le client ne peut coopérer pendant la réfraction subjective (p. ex. client confus).	La procédure n'est pas douloureuse ; il faut parfois aider le client à garder la tête immobile. À cause de la dilatation de la pupille, il est plus difficile de focaliser sur les objets proches.
Réfractométrie	Mesure subjective de l'erreur de réfraction ; plusieurs lentilles sont montées sur roues ; le client est assis et regarde l'échelle de Snellen à travers les oculaires ; on change les lentilles et le client choisit celles qui donnent la vision la plus nette ; les médicaments cycloplégiques servent à paralyser l'accommodation durant la réfraction.	Comme la rétinoscopie.
Périmétrie du champ visuel	Schéma représentant le champ visuel qui est fait à l'aide d'un appareil en forme de coupole demi-sphérique. Des stimuli lumineux sont projetés à différents endroits dans la coupole, et le client avise l'infirmière à l'aide d'une sonnette aussitôt qu'il aperçoit la lumière. On peut diagnostiquer le glaucome et certains déficits neurologiques selon l'emplacement des déficits du champ visuel.	La procédure est indolore, mais exigeante pour le client ; il est souvent nécessaire de prévoir des pauses pour les personnes âgées ou débilitées. Le client doit être capable de fixer la cible centrale pour que les résultats du test soient précis et représentatifs de la capacité visuelle de sa rétine.
Ultrasonographie	On appuie une sonde de scintigraphie A contre la cornée anesthésiée du client ; la méthode sert surtout à mesurer la longueur axiale pour calculer la puissance de la lentille intraoculaire implantée lors de l'extraction de cataracte. On appuie une sonde de scintigraphie B contre la paupière fermée du client ; cette méthode est utilisée pour le diagnostic des maladies oculaires comme les corps étrangers ou les tumeurs intraoculaires, les opacités du corps vitré, les décollements de la rétine.	La procédure est indolore (la cornée est anesthésiée pour la scintigraphie A).
Ophtalmoscopie indirecte	L'ophtalmoscope indirect est fixé à la tête de l'examinateur ; un faisceau lumineux passant à travers une lentille portative est projeté dans l'œil du client. La vue stéréoscopique est plus grande et donne une meilleure image de la rétine périphérique. Toujours utilisé lorsqu'on soupçonne une anomalie rétinienne.	La source lumineuse est vive et risque de gêner le client photophobe, surtout parce que la pupille est dilatée.
Angiographie à la fluorescéine	On injecte de la fluorescéine (teinture non iodée et non radioactive) par voie intraveineuse dans la veine antébrachiale, ou une autre veine périphérique, et l'on effectue une série de clichés de la rétine (pendant 10 minutes) à travers les pupilles dilatées. Donne des renseignements diagnostiques sur le débit sanguin dans les vaisseaux rétiniens et épithéliaux pigmentaires ; souvent utilisé chez les clients diabétiques pour situer avec précision les régions de néovascularisation due à la rétinopathie diabétique avant les traitements au laser.	En cas d'extravasation, la fluorescéine est toxique pour les tissus. Les réactions allergiques systémiques sont rares, mais l'infirmière doit connaître le matériel et les procédures d'urgence. Prévenir le client que l'injection du colorant peut parfois causer une nausée ou des vomissements transitoires. La coloration jaune de l'urine et de la peau est normale et passagère.
Test d'Amsler	Le test est auto-administré à l'aide d'une carte portative sur laquelle est imprimé un quadrillage (comme du papier millimétré) ; le client fixe un point central et note toutes les anomalies sur les lignes du quadrillage, notamment les ondulations, les zones manquantes ou déformées ; sert à surveiller les problèmes maculaires.	Il est nécessaire d'effectuer le test régulièrement pour déceler les changements de la fonction maculaire.
Test de Schirmer	Mesure le volume lacrymal produit pendant période donnée ; une extrémité d'une bandelette de papier est placée dans le cul-de-sac de la paupière inférieure ; on mesure la saturation lacrymale au bout de 5 minutes ; test utile pour le diagnostic du syndrome de Gougerot-Sjogken.	Le test peut être effectué avec les yeux ouverts ou fermés.

*Pour toutes les épreuves diagnostiques, l'infirmière a la responsabilité d'informer le client sur le but du test et la méthode utilisée.

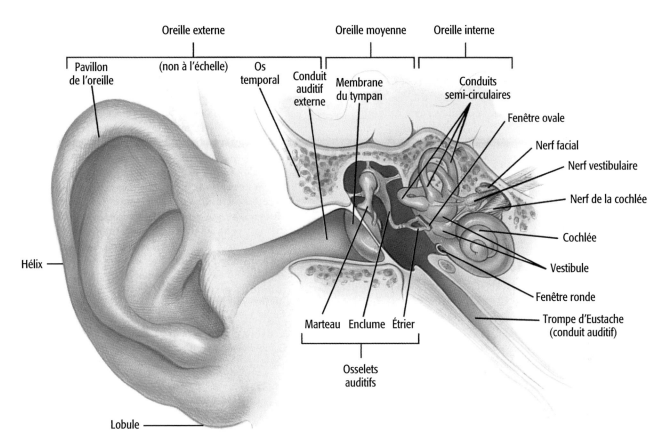

FIGURE 47.8 Oreilles externe, moyenne et interne

le conduit auditif externe ressemble à un tube en S d'environ 2,5 cm de longueur. La peau qui le recouvre contient de fins poils et des glandes sébacées. Les glandes sécrétant le cérumen, qui garde le tympan mou et étanche, sont situées au fond du conduit.

Des poils, parfois drus et grossiers chez un client masculin âgé, recouvrent la moitié externe du conduit, tandis que sa moitié interne est très sensible. L'oreille externe et le conduit captent les ondes sonores et les transmettent à la membrane du tympan. Cette membrane, gris perle, brillante et translucide, qui sépare le conduit auditif externe de l'oreille moyenne, est composée de peau, de tissu conjonctif et d'une muqueuse.

47.4.2 Oreille moyenne

L'oreille moyenne est recouverte d'une muqueuse qui va du rhinopharynx à la trompe d'Eustache. La cavité de l'oreille moyenne, située dans l'os temporal, contient trois os minuscules qui forment la chaîne des osselets : le marteau, l'enclume et l'étrier. Les vibrations de la membrane du tympan font bouger les osselets qui transmettent les ondes sonores à la fenêtre ovale dont les vibrations sont alors transmises au liquide de l'oreille interne qui stimule les récepteurs auditifs. La fenêtre ronde recouverte d'une muqueuse s'ouvre également dans l'oreille interne et dissipe les perturbations du liquide (réflexe de la fenêtre ronde). La partie supérieure de l'oreille moyenne, appelée **logette des osselets** ou l'attique, communique avec des cavités pneumatiques à l'intérieur de la mastoïde. Une muqueuse identique à celle de l'oreille moyenne recouvre ces cavités.

La cavité de l'oreille moyenne est remplie d'air et la trompe d'Eustache, qui s'ouvre pendant le bâillement et la déglutition, égalise la pression de la cavité à la pression atmosphérique. La trompe peut se bloquer à la suite d'une allergie, d'une infection rhino-pharyngée ou d'adénoïdes œdémateuses. Le nerf facial (NC VII) passe au-dessus de la fenêtre ovale de l'oreille moyenne et son fin revêtement osseux peut être endommagé par une infection chronique de l'oreille, une fracture du crâne ou par un traumatisme dû à une intervention chirurgicale à l'oreille. L'ensemble peut provoquer des problèmes de mouvements volontaires du visage, de fermeture des paupières et de reconnaissance du goût.

Les parties externe et moyenne de l'oreille conduisent et amplifient les ondes sonores et cette partie de la conduction sonore est appelée **conduction dans l'air**. Les affections à ces deux parties de l'oreille peuvent causer la perte auditive par conduction qui entraîne une modification de la perception ou de la sensibilité du client aux sons.

47.4.3 Oreille interne

Les oreilles moyenne et interne se joignent à l'endroit où l'étrier touche la fenêtre ovale. L'oreille interne est composée des labyrinthes osseux et membraneux et contient les organes fonctionnels de l'audition et de l'équilibre. La cochlée, une structure en spirale, est l'organe récepteur de l'audition et contient l'organe de Corti (organe spiral) dont les minuscules poils auditifs réagissent aux stimuli de régions spécifiques de la membrane basilaire en fonction de la tonalité. Ce stimulus mécanique est converti en impulsion électrochimique, puis transmis au cerveau par la partie acoustique du nerf cochléo-vestibulaire (NC VIII), qui traite et interprète le son.

L'organe de l'équilibre est formé par trois conduits semi-circulaires et par deux sacs, l'utricule et le saccule. Ces structures forment le labyrinthe membraneux logé dans un labyrinthe osseux. Le premier contient l'endolymphe, et le second, la périlymphe, qui protège ces deux organes fragiles et communique avec le cerveau et les espaces sub-arachnoïdes du cerveau. Les stimuli nerveux sont transmis par la portion vestibulaire du NC VIII.

Les affections de l'oreille interne ou celles du nerf entre l'oreille interne et le cerveau conduisent parfois à des **pertes sensorineurales** qui peuvent entraîner une modification de perception chez le client ou une sensibilité aux tonalités aiguës. Cela peut s'exprimer par une intensité réduite, une intensité assourdie (sensibilité accrue aux sons forts) ou une incapacité à distinguer les mots prononcés (distorsion). La **perte auditive centrale** provient d'affections de l'appareil auditif central allant du noyau cochléaire au cortex. La signification des mots perçus est compromise par ce type de perte auditive. Les types de pertes auditives sont présentés au chapitre 48.

Transmission du son. Les ondes sonores transmises par l'air et captées par les auricules et le conduit auditif font

Effets du vieillissement sur l'appareil auditif   ENCADRÉ 47.4

- Les changements de l'appareil auditif conduisent parfois à une déficience auditive. On ne connaît pas de cause évidente pour la presbyacousie, ou perte d'audition, liée à l'âge ; cependant et parallèlement à l'âge, on pense que plusieurs autres variables interviennent. Au cours des années, l'appareil auditif peut être agressé par un certain nombre d'éléments, dont l'exposition au bruit, la maladie systémique ou vasculaire, l'alimentation, les médicaments ototoxiques et la pollution. Les acouphènes ou les sonneries dans l'oreille accompagnent parfois la perte auditive due à l'âge. La perte auditive, spécialement chez l'adulte âgé, peut avoir des répercussions graves sur sa qualité de vie et peut aller jusqu'à des dysfonctionnements physiques et psychosociaux. Avec l'augmentation de l'espérance de vie, de plus en plus de personnes souffriront de perturbations progressives de l'appareil auditif. L'identification précoce des problèmes permettra aux septuagénaires et aux octogénaires de mener une vie plus active et plus saine.
- Les changements de l'appareil auditif liés à l'âge et les différences dans les évaluations sont présentés au tableau 47.5.

vibrer la membrane du tympan. La partie centrale de cette membrane est connectée au marteau dont le mouvement transmet les vibrations à l'enclume, puis à l'étrier. Le mouvement de va-et-vient de l'étrier imprime un mouvement similaire à la membrane de la fenêtre ovale qui, à son tour, produit des oscillations dans la périlymphe.

EXAMEN CLINIQUE ET GÉRONTOLOGIQUE

TABLEAU 47.5 Appareil auditif

Changements	Différences observées dans les évaluations
Oreille externe	
Accroissement de la production de cérumen plus sec	Bouchon de cérumen ; perte auditive possible
Augmentation de la croissance des poils	Poils visibles
Oreille moyenne	
Changements atrophiques de la membrane du tympan	Perte auditive de conduction
Oreille interne	
Dégénérescence des cellules sensorielles et des neurones du nerf auditif et des voies centrales, réduction de l'approvisionnement sanguin à la cochlée	Presbyacousie, sensibilité réduite aux sons aigus, déficience de réception de la voix, acouphènes
Perte d'efficacité de l'appareil vestibulaire des conduits semi-circulaires	Altérations dans l'équilibre et l'orientation du corps

Une fois le son transmis au médium liquide de l'oreille interne, la vibration est reprise par les cellules sensorielles de la cochlée qui génèrent des impulsions nerveuses. Ces impulsions sont transportées par des fibres nerveuses à la branche principale de la portion acoustique du NC VII, puis au cerveau.

47.5 ÉVALUATION DE L'APPAREIL AUDITIF

L'évaluation de l'appareil auditif se fait en même temps que celle de l'appareil vestibulaire, car les deux appareils sont intimement liés, et il est souvent difficile de séparer leurs symptomatologies. L'infirmière doit aider le client à décrire ses symptômes et ses problèmes pour en repérer la source. Les antécédents médicaux à obtenir d'un client atteint d'un trouble auditif sont présentés à l'encadré 47.5.

Au départ, l'infirmière doit tenter d'isoler les symptômes liés aux étourdissements et aux vertiges pour les séparer de ceux liés à la perte d'audition ou aux acouphènes. Plus tard, on combinera ces symptômes dans l'évaluation initiale, afin de collaborer à l'établissement d'un plan de traitement pour le client.

47.5.1 Données subjectives

Information importante concernant la santé

Antécédents de santé. De nombreux problèmes liés à l'oreille proviennent de séquelles de maladies

---

ANTÉCÉDENTS DE SANTÉ

Appareil auditif

ENCADRÉ 47.5

Mode perception et gestion de la santé
- Audition
  Questions d'évaluation initiale :
  - Votre audition s'est-elle modifiée ?*
  - Si oui, comment cela affecte-t-il les activités de votre vie quotidienne (AVQ) ?
  - Utilisez-vous un dispositif pour améliorer votre audition (p. ex. aide auditive, contrôle du volume spécial, écouteurs pour la télévision ou la radio) ?*
  - Comment protégez-vous votre ouïe ?
  - Avez-vous des allergies qui entraînent des problèmes auditifs ?*
- Équilibre
  - Votre marche est-elle affectée par des étourdissements ou par le vertige ?*
  - Le mouvement cause-t-il la nausée ou des vomissements?
  - Pouvez-vous conduire et marcher seul? Si non, précisez.
  - Vos symptômes sont-ils plus graves à une certaine heure dans la journée ?*
- Acouphènes
  - Depuis combien de temps entendez-vous des sifflements dans les oreilles ?
  - Ont-ils changé ?
  - À quel moment vous dérangent-ils le plus ?
  - Qu'avez-vous fait pour composer avec cette situation ?

Mode nutrition et métabolisme
- Souffrez-vous d'allergies alimentaires affectant vos oreilles ?*
- Remarquez-vous un changement dans les manifestations lorsque vous modifiez votre régime alimentaire ?*

Mode élimination
- L'évacuation intestinale avec effort entraîne-t-elle de la douleur aux oreilles ?*
- Votre problème auditif cause-t-il la nausée et interfère-t-il avec votre apport alimentaire ?*
- Avez-vous mal aux oreilles en mâchant ou en avalant?

Mode activité et exercice
- Vos problèmes auditifs entraînent-ils un changement dans vos activités ou vos séances d'exercices?

- Les malaises que vous ressentez vous obligent-ils à demander de l'aide pour effectuer les activités de la vie quotidienne (AVQ) et les activités de la vie domestique (AVD) ? *

Mode sommeil et repos
- Votre sommeil est-il perturbé par des acouphènes ou des étourdissements ?*

Mode cognition et perception
- Vos problèmes d'audition ou d'équilibre sont-ils douloureux ?* Qu'est-ce qui calme la douleur ? Qu'est-ce qui l'accroît ?
- Votre communication et votre compréhension sont-elles affectées par ces manifestations ?*

Mode perception et estime de soi
- Vos changements auditifs ont-ils affecté votre estime de soi et votre sentiment d'indépendance ?*

Mode relation et rôle
- Quelles ont été les conséquences de vos problèmes auditifs sur votre vie professionnelle et vos activités sociales ?
- Pouvez-vous énumérer les conséquences de vos problèmes auditifs sur votre vie ?*
- Pensez-vous que vos problèmes auditifs soient un facteur de stress ?*

Mode sexualité et reproduction.
- Vos problèmes auditifs ont-ils modifié votre vie sexuelle ?

Mode adaptation et tolérance au stress
- Quelles techniques d'adaptation utilisez-vous quand les manifestations s'aggravent ?
- Vous sentez-vous capable de vous adapter à vos problèmes auditifs ou d'équilibre ? Sinon, dites pourquoi.

Mode valeurs et croyances
- Le traitement prévu va-t-il à l'encontre de vos valeurs ?*

*Si oui, veuillez en donner une description.

infantiles ou de problèmes d'organes adjacents, et il est donc important d'évaluer les antécédents médicaux.

Il faut interroger le client sur les problèmes antérieurs concernant les oreilles, en particulier ceux éprouvés au cours de l'enfance. Il faut noter les problèmes relatifs à la fréquence des infections aiguës de l'oreille moyenne (otite moyenne), les perforations du tympan, le drainage, les complications, ainsi que les antécédents d'oreillons, de rougeole et de scarlatine. La perte auditive congénitale peut provenir de maladies infectieuses (rubéole, grippe ou syphilis), de médicaments tératogènes ou d'hypoxémie survenue au cours du premier trimestre de la grossesse. Il faut demander aux femmes enceintes ou aux jeunes femmes en âge de procréer si elles sont vaccinées contre la rubéole ou si elles ont déjà contracté cette maladie. On peut effectuer une analyse de sang pour rechercher les anticorps de la rougeole au cas où la cliente ne serait pas certaine de l'avoir contractée.

La collecte des données auprès du client permet de recueillir des informations concernant la présence de manifestations relatives aux étourdissements, aux acouphènes et à la perte d'audition. Le client pourrait avoir du mal à décrire les étourdissements, mais il est important qu'il les décrive en détail avec son propre vocabulaire ; cela permettra d'en déceler la cause.

Médicaments. Il faut également obtenir des renseignements sur les médicaments ototoxiques (qui endommagent parfois le NC VIII) qui ont déjà été consommés par le client ou qui le sont actuellement, car ils peuvent entraîner la perte auditive, les acouphènes et le vertige. Les acouphènes pouvant provenir de l'aspirine, il est important d'en connaître la consommation et la fréquence d'absorption. Les aminoglucosides, d'autres antibiotiques, les salicylates, les substances antipaludiques, les médicaments chimiothérapeutiques, les diurétiques et les médicaments anti-inflammatoires non stéroïdiens (AINS) sont des groupes de médicaments qui sont parfois ototoxiques, et un suivi attentif est essentiel. Avec de nombreux médicaments, la perte auditive est réversible dès que cesse le traitement.

Interventions chirurgicales ou autres traitements. Il faut disposer des renseignements concernant les interventions chirurgicales sur l'oreille, sur l'amygdalectomie et l'adénoïdectomie tout comme sur les hospitalisations ou les traitements pour des blessures à la tête qui peuvent provoquer une perte auditive. L'utilisation d'un appareil auditif ainsi que la satisfaction qu'en retire le client doivent faire l'objet d'une collecte de données afin de bien cibler les problèmes liés au bouchon de cérumen.

Modes fonctionnels de santé. Les problèmes d'audition et d'équilibre affectent tous les aspects de la vie.

Pour en évaluer l'impact, il faut poser les questions sur les antécédents médicaux avec une approche basée sur les modes fonctionnels de santé (voir encadré 47.5).

Mode perception et gestion de la santé. L'infirmière doit relever le stade initial des troubles auditifs, qu'ils soient soudains ou graduels. La personne qui a constaté ce stade initial doit être identifiée. Il peut s'agir du client, d'un membre de la famille ou d'un tiers. Les pertes graduelles sont le plus souvent relevées par les personnes qui communiquent habituellement avec le client. Quant aux pertes soudaines et à celles provoquées par une autre cause, elles sont le plus souvent remarquées par le client lui-même.

Les renseignements sur les allergies sont importants, car celles-ci peuvent devenir œdémateuses et empêcher l'aération de l'oreille moyenne, ce qui se produit le plus fréquemment chez les enfants.

Les renseignements sur les membres de la famille atteints de pertes auditives et sur le type de pertes sont importants dans la mesure où certaines pertes auditives sont congénitales. L'âge du client atteint de presbyacousie suit également un profil familial. Comme une naissance prématurée provoque parfois la perte auditive, la période de gestation du client est également importante dans la mesure où l'enfant prématuré a pu être traité avec un médicament ototoxique. Si cette information est appropriée, il peut être nécessaire d'examiner le dossier antérieur du client.

Il faut questionner le client sur sa façon de préserver ses facultés auditives. L'utilisation de protections antibruit ou de bouchons d'oreilles pour des personnes travaillant dans un environnement bruyant est une pratique bénéfique. Pour les nageurs, il faut relever la durée des exercices, la protection auditive utilisée ainsi que la qualité de l'eau dans laquelle ils se baignent.

Mode nutrition et métabolisme. La quantité d'endolymphe contenue dans l'oreille interne est affectée par l'alcool et le sodium. Chez les clients atteints de la maladie de Ménière, les manifestations diminuent lorsqu'ils limitent leur absorption d'alcool et qu'ils adoptent un apport alimentaire pauvre en sodium. Il faut noter les améliorations et les dégradations observées après l'ingestion d'aliments. Il faut également demander au client s'il ressent une douleur ou une gêne à l'oreille en mâchant ou en avalant et si cela limite son apport alimentaire. Ce type de manifestation est souvent associé à un problème dans l'oreille moyenne.

Mode élimination. Les profils d'éliminations et leur lien avec des problèmes à l'oreille sont à relever chez un client atteint d'une fistule de la périlymphe ou chez celui qui vient de subir une intervention chirurgicale. La guérison d'une fistule de la périlymphe peut s'avérer difficile si le client est fréquemment constipé ou si l'élimination intestinale ou rénale nécessite des efforts. Le client ayant subi une ablation de l'étrier doit éviter d'accroître la pression intracrânienne et, par conséquent, celle de l'oreille interne avec des efforts pendant l'élimination intestinale. Après l'intervention d'un client souffrant de constipation chronique, le médecin peut prescrire un émollient fécal.

Mode activité et exercice. Il faut connaître le type d'activités physiques et d'exercices du client ayant des problèmes vestibulaires et l'interroger spécifiquement sur les activités qui diminuent ou amplifient les symptômes d'étourdissements ou qui provoquent la nausée ou des vomissements. Les symptômes du client atteint de vertige chronique (vertige positionnel paroxystique bénin) s'amenuisent en cours de journée lorsque la vision et la position s'ajustent à l'environnement. Pour l'étourdissement, il faut questionner le client sur son déclenchement, sa durée, sa fréquence et sur les facteurs qui contribuent au symptôme.

Les symptômes des clients atteints de la maladie de Ménière augmentent durant la journée et, comme ils sont incapables de compenser l'interaction avec l'environnement, les manifestations sont plus fortes le soir. L'infirmière et le client doivent noter les activités qui entraînent l'étourdissement et le vertige. Le client peut alors essayer de contrôler ses symptômes par des exercices d'accoutumance au cours desquels il répète une activité qui provoque les manifestations jusqu'à ce que l'organisme s'adapte et que l'activité ne pose plus de problème.

Mode sommeil et repos. Il faut s'enquérir des problèmes de sommeil chez le client. Les acouphènes chroniques peuvent perturber son sommeil et les activités menées dans un environnement calme. Si le sommeil est troublé par des acouphènes, il faut demander au client s'il a utilisé des dispositifs ou essayé des techniques qui servent à les masquer ou à les inhiber.

Mode cognition et perception. Certains problèmes auditifs, en particuliers ceux reliés à l'oreille moyenne, sont accompagnés de douleurs que le client doit alors décrire, tout comme les traitements qu'il utilise pour les soulager. Il faut noter les modifications dans la manifestation de la douleur lorsque l'on bouge le pavillon de l'oreille.

La perte auditive est associée à de nombreux problèmes liés à l'oreille interne et à l'oreille moyenne. Il est possible que l'infirmière ou que la famille note la perte auditive du client, à moins qu'il ne s'en plaigne lui-même. Dans ce cas, il faut interroger le client et sa famille sur la durée, la gravité et les circonstances associées à cette perte.

Mode perception et estime de soi. La perte auditive et le vertige chronique sont particulièrement pénibles pour le client ; la perte auditive peut créer des situations embarrassantes en société qui perturbent parfois l'estime de soi. L'infirmière doit demander au client si ces événements se produisent.

Il arrive parfois que l'on confonde les clients atteints de vertige chronique avec des individus aux prises avec un problème d'alcoolisme. Il faut donc demander au client si cela s'est produit et comment il a résolu la situation.

Mode relation et rôle. Il faut questionner le client sur les conséquences des problèmes auditifs sur sa vie familiale, ses responsabilités professionnelles et ses relations sociales. La perte auditive peut créer des tensions dans les relations familiales et engendrer des malentendus ; si cette perte n'est ni reconnue ni traitée, elle peut accentuer ces tensions.

Il faut questionner le client sur son activité professionnelle ou sur ses contacts avec des environnements bruyants, tels que les moteurs à réaction et les machines, les armes à feu et la musique électroniquement amplifiée. Il est important de noter l'usage de dispositifs de protection auditifs dans les environnements bruyants.

Dans de nombreux métiers, il faut pouvoir entendre correctement et réagir de manière appropriée. L'infirmière doit se renseigner sur les conséquences possibles de la perte auditive dans le travail du client et l'aider à évaluer la situation de manière réaliste.

Souvent, la perte auditive donne au client le sentiment qu'il est coupé des relations sociales intéressantes et l'infirmière doit se renseigner sur ses activités sociales avant et après la perte auditive, comme les parties de cartes, le cinéma, la fréquentation de lieux publics. La comparaison entre les fréquences et le plaisir que le client retire de ces activités peuvent indiquer s'il y a ou non un problème.

Les crises de vertige imprévisibles peuvent avoir un effet dévastateur sur tous les aspects de la vie du client. En effet, les activités normales comme conduire, s'occuper des enfants, monter des escaliers et faire la cuisine comportent toutes une part de danger.

Mode sexualité et reproduction. Il faut savoir si la perte auditive ou la surdité interfère avec une activité sexuelle satisfaisante. Bien que l'intimité ne soit pas liée à la faculté auditive, la perte auditive peut compromettre l'établissement d'une relation qui pourrait se transformer en une relation sexuelle, ou bien compromettre la relation existante.

Mode adaptation et tolérance au stress. Il faut demander au client de décrire son style d'adaptation usuel, sa tolérance au stress, les comportements qui diminuent son stress et les soutiens disponibles. Ces renseignements permettent à l'infirmière de savoir si les ressources du client sont suffisantes pour faire face aux demandes provenant du problème auditif. Une intervention extérieure peut être requise si l'infirmière en déduit que le client est incapable de gérer la situation créée par son problème auditif pour lequel le déni est courant et doit être évalué.

Mode valeurs et croyances. Il faut questionner le client sur les conflits qui existent entre le problème auditif et son traitement et ses croyances ou ses valeurs, et tout faire pour résoudre ces conflits et éviter ainsi un stress supplémentaire.

47.5.2 Données objectives

Examen physique. Au cours de l'entretien portant sur les antécédents médicaux, l'infirmière peut recueillir des données objectives sur les capacités auditives du client. La position de la tête et la pertinence des réponses sont des indices à noter. Le client fait-il répéter certains mots ? Le client regarde-t-il fixement l'examinateur ou certains commentaires lui échappent-ils lorsqu'il ne le regarde pas ? Ces observations sont importantes et doivent être notées ; elles sont d'autant plus importantes que le client ne se doute pas de sa perte auditive ou ne l'admettra que lorsqu'un certain degré de perte sera survenu. L'encadré 47.6 présente une évaluation normale de l'ouïe, tandis que le tableau 47.5 expose les changements liés au vieillissement et les différences dans les résultats des évaluations.

Oreille externe. L'oreille externe est palpée et inspectée avant l'examen du conduit externe et du tympan. Le pavillon, la zone autour du pavillon et de la mastoïde sont observés en comparant l'identité de la conformité des deux oreilles en ce qui concerne la couleur de la peau, la présence de nodules, d'œdème, les rougeurs et les lésions. La manipulation du pavillon peut être douloureuse, surtout si l'oreille externe ou le conduit présente une inflammation.

Conduit auditif externe et tympan. Avant d'insérer l'otoscope, l'infirmière doit inspecter l'ouverture du conduit pour en vérifier la perméabilité, palper le tragus et faire bouger l'oreille afin de déceler les signes de douleur. Après cela, elle peut poursuivre l'examen à l'otoscope en utilisant un spéculum légèrement plus petit que le conduit de l'oreille et en inclinant la tête du client vers l'épaule opposée. Pour redresser le conduit, chez les adultes, on tire délicatement le pavillon vers le haut puis vers l'arrière et, chez les enfants, horizontalement vers l'arrière. On insère doucement l'otoscope en le tenant de la main droite et en le stabilisant sur la joue du client à l'aide des doigts. On observe la taille et la forme du conduit, sa couleur, la quantité et le type de cérumen. S'il y a beaucoup de cérumen, il se peut que le tympan ne soit pas visible. On observe la caisse du tympan pour en noter la couleur, les détails, le contour et son intégrité (voir figure 47.9).

La membrane du tympan gris perle, blanche ou rose, brillante et translucide sépare l'oreille interne de l'oreille moyenne. Le quadrant antéro-inférieur est localisé obliquement dans le conduit et il est le plus éloigné de l'examinateur. Les principaux détails sont l'apophyse courte du marteau, l'enclume et le manche du marteau. Dans la partie la plus profonde de la caisse du tympan, il se forme un cône lumineux dont le point est dirigé vers l'ombilic. Sauf dans sa partie supérieure, le contour du tympan est un anneau fibreux, l'*annulus,* plus épais, dense et blanchâtre. À l'intérieur de l'*annulus,* la caisse du tympan appelée *pars tensa* est tendue. Au-dessus du processus court du marteau se trouve la membrane flaccide de Schrapnell (*pars flaccida*), la partie flaccide du tympan. Les plis malléolaires se situent

Évaluation médicale normale de l'appareil auditif ENCADRÉ 47.6

- Position et forme symétriques des oreilles
- Pavillons et tragus non fermes, sans lésions
- Conduit dégagé, membrane du tympan intacte, réflexes de repères et de lumière intacts
- Capable d'entendre un faible chuchotement à 30 cm ; résultats de l'épreuve de Rinne CA > CO ; résultats de l'épreuve de Weber, pas de latéralisation

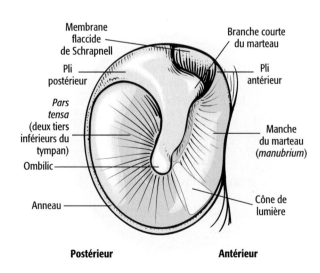

FIGURE 47.9 Détails de la membrane du tympan droit vue avec un otoscope

devant et derrière le processus court du marteau. Les oreilles moyennes et internes ne peuvent pas être examinées à l'aide de l'otoscope à cause de la membrane du tympan. Le tableau 47.6 résume les anomalies courantes de l'appareil auditif.

47.6 ÉPREUVES DIAGNOSTIQUES DE L'APPAREIL AUDITIF

Le tableau 47.7 présente les épreuves diagnostiques communément utilisées pour évaluer l'appareil auditif.

47.6.1 Tests d'acuité auditive

Les tests utilisant le chuchotement et la parole fournissent des renseignements sommaires sur la capacité auditive du client, tandis que les examens audiométriques donnent plus de détails et servent au diagnostic et au traitement.

Pendant le test du chuchotement, l'examinateur se tient sur le côté du client de 30 à 61 cm, et après avoir exhalé, chuchote doucement, puis plus fort si le client ne réagit pas. La parole, de plus en plus forte, est utilisée de la même manière. On demande au client de répéter des nombres ou des mots ou encore de répondre à des

ANOMALIES COURANTES DÉCELÉES AU COURS DE L'EXAMEN PHYSIQUE

TABLEAU 47.6	Appareil auditif	
Observation	Description	Causes possibles et importance
Oreille et conduit externes		
Kyste sébacé derrière l'oreille	En général, peau blanche, présence possible de points noirs (ouverture vers la glande sébacée)	Extraction ou incision et drainage en cas de douleur
Tophi	Nodules durs de cristaux d'acide urique dans l'hélix et l'anthélix	Associé à la goutte, au déséquilibre métabolique; nécessité d'un diagnostic supplémentaire
Cérumen incrusté	Le cérumen n'a pas été rejeté normalement de l'oreille; tympan invisible	Capacité auditive probablement réduite, impression de remplissage du conduit auditif, extraction nécessaire avant l'examen à l'otoscope
Épanchement dans le conduit	Infection généralement douloureuse de l'oreille externe	Oreille du nageur, infection de l'oreille externe; peut-être causée par une rupture du tympan et l'otite moyenne
Inflammation du pavillon de l'oreille, douleur	Infection des glandes de la peau, hématome dû à un traumatisme	Aspiration (pour un hématome)
Desquamation ou lésions	Modification de l'aspect normal de la peau	Dermatite séborrhoïde, carcinome malpighien, dermatite atrophique
Exostose (formation tumorale)	Excroissance osseuse qui s'étend dans le conduit en le réduisant	Interférence possible avec la visualisation de la caisse du tympan, généralement asymptomatique
Caisse du tympan		
Tympan rétracté	Marteau d'apparence plus courte et plus à l'horizontale; absence ou cône de lumière coudé	Absorption d'air de l'oreille moyenne, blocage de la trompe d'Eustache, pression négative dans l'oreille moyenne
Niveau du fluide capillaire, bulles jaunes ambres au-dessus du niveau	Causé par le suintement de sang ou de sérum, ménisque de liquide d'apparence capillaire	Otite moyenne séreuse
Tympan bombé rouge ou bleu, forme irrégulière	Oreille moyenne remplie de liquide, de pus, de sang	Otite moyenne aiguë, perforation possible
Perforation ou déchirure du tympan (centrale ou marginale)	Perforations antérieures du tympan non guéries; autour du tympan, fine couche transparente d'épithélium	Otite moyenne chronique
Recrutement	Sonorité disproportionnée ou disproportion sonore provenant du dysfonctionnement de l'oreille interne	Appareil auditif difficile à utiliser

ÉPREUVES DIAGNOSTIQUES

TABLEAU 47.7 Appareil auditif

Épreuve	Description et objectif	Responsabilités de l'infirmière
Auditive Audiométrie à sons purs	Des sons sont émis par des écouteurs dans une pièce insonorisée. La réaction du client est non verbale lorsqu'il entend le son. Les réponses sont relevées sur un audiogramme. L'objectif est de déterminer la plage auditive en dB et Hz pour un diagnostic de perte auditive de conduction et sensorineurale. Les acouphènes peuvent donner des résultats erratiques.	En général, l'infirmière en santé et sécurité du travail collabore à cet examen.
Conduction osseuse	Le diapason est placé sur l'apophyse mastoïdienne et on enregistre l'audition par conduction osseuse. Diagnostique la perte auditive par conduction.	
Listes de mots à une et deux syllabes	Les mots sont prononcés et enregistrés à un degré audible confortable pour déterminer leur pourcentage correct et leur compréhension.	
Potentiel évoqué auditif (PEA)	La procédure est identique à celle de l'électroencéphalogramme (voir tableau 52.6). Des électrodes sont placées sur le vertex, l'apophyse mastoïdienne ou sur les lobes des oreilles et sur le front du client dans une pièce obscure. Un ordinateur sépare l'activité électrique de l'audition des autres activités électriques du cerveau.	Expliquer la procédure au client. Ne pas laisser le client seul dans la pièce obscure.
Électrocochléographie	Le test est utile pour le client non coopératif ou pour le client qui ne peut pas fournir l'information volontairement. Les tests enregistrent l'activité électrique dans la cochlée et dans le nerf auditif.	
Réponse évoquée auditive du tronc cérébral	L'étude mesure les pics électriques le long de la voie auditive de l'oreille interne vers le cerveau et fournit des renseignements diagnostiques liés aux neuromes acoustiques, aux problèmes du tronc cérébral et à l'accident vasculaire cérébral (AVC).	
Vestibulaire Stimulus d'épreuve calorique	L'endolymphe des conduits semi-circulaires est stimulée par une solution froide (20 °C) ou chaude (36 °C) injectée dans l'oreille. Le client est en position assise, ou couché sur le dos (décubitus dorsal). L'observation du type de nystagmus, de nausée et de vomissements, de la chute ou du vertige aide à diagnostiquer la maladie du labyrinthe. Les fonctions réduites se traduisent par des réactions réduites et signalent une maladie du système vestibulaire. L'autre oreille subit les mêmes tests et les résultats sont comparés.	Assurer la sécurité du client. L'observer lors des vomissements et l'assister, au besoin.
Électro-oculographie	Des électrodes sont placées près des yeux du client et leur mouvement (nystagmus) est enregistré sur un graphique pendant des mouvements oculaires spécifiques ou lorsque l'oreille est irriguée. L'étude sert au diagnostic des maladies du système vestibulaire.	
Posturographie	Test d'équilibre qui peut isoler un conduit semi-circulaire des autres et déterminer l'endroit de la lésion.	Informer le client que ce test est long et inconfortable et qu'il peut l'interrompre à tout instant.
Test de la chaise rotative	Le client est assis sur une chaise mue par un moteur contrôlé par ordinateur. Évalue le système vestibulaire périphérique.	

questions en testant chaque oreille. Le client maintient l'oreille non testée fermée ou bien l'examinateur fait rapidement bouger un doigt près du conduit de l'oreille.

Un autre test consiste à placer une montre mécanique de 1,3 à 5 cm près de l'oreille qui fait l'objet du test pendant que l'autre oreille est masquée ; si le client a une audition normale, il entendra le tic-tac. Compte tenu de la popularité des montres à quartz, il est de plus en plus ardu de trouver des montres mécaniques. Par ailleurs, les différences entre les montres font qu'il est difficile de se servir de ce test pour déterminer l'acuité auditive. De plus, le client atteint d'une perte sensorineurale est parfois incapable de percevoir les tonalités aiguës.

Tests au diapason. En général, on se sert de diapasons de 256, de 512 et de 1024 Hz pour distinguer les pertes sensorineurales des pertes de conduction. Pour obtenir des résultats exacts, il faut combiner habileté et expérience. Si on suspecte un problème, il faut procéder à une évaluation audiométrique à sons purs. Les tests de Rinne et de Weber sont les tests de diapasons les plus usuels.

Dans le test de Rinne, on place un diapason de 256 Hz vibrant contre la mastoïde, puis devant le conduit de l'oreille (1,3 à 5 cm) et on demande au client d'indiquer l'endroit où le son est le plus fort : derrière l'oreille (sur la mastoïde) ou près du conduit de l'oreille. Lorsque le client n'entend plus le son derrière l'oreille, le diapason est placé près du conduit de l'oreille jusqu'à ce qu'il n'entende plus le son. Le test de Rinne est positif si la conduction aérotympanique (CA) est perçue plus longtemps que la conduction ostéotympanique (CO). Ceci est la preuve d'une audition normale ou d'une perte sensorineurale. Si le client entend mieux le diapason par conduction ostéotympanique, le test de Rinne est négatif et signale une perte auditive de conduction. Ce test est alors répété avec les diapasons de 512 et de 1024 Hz.

Le test de Weber consiste à placer un diapason de 512 Hz vibrant au milieu du crâne, sur le front ou sur les dents, et à demander au client d'indiquer l'endroit où la réception est la meilleure. Si le client a des capacités auditives normales, il percevra une tonalité moyenne ; s'il a une perte de conduction auditive dans une oreille, il entendra mieux le son dans cette oreille (latéralisation) ; mais s'il a une perte sensorineurale, le son sera plus fort dans l'oreille non affectée (latéralisation). Lors de ce test, on doit s'assurer que la pièce est calme, sans bruit.

Audiométrie. L'audiométrie est un test de dépistage des capacités auditives et un test de diagnostic servant à déterminer le degré et le type de perte auditive. L'audiomètre produit des sons purs d'intensité variable auxquels le client peut réagir. Le son est caractérisé par le nombre de vibrations ou de cycles par secondes, et le Hertz (Hz) est l'unité de mesure de la fréquence d'une tonalité. Plus la fréquence est élevée, plus la tonalité est élevée. Les pertes auditives peuvent être limitées à certaines fréquences, et le profil des pertes enregistrées par l'audiogramme sert à diagnostiquer le type de perte auditive. L'intensité ou la force d'une onde sonore est exprimée en décibels (dB) de 0 à 140 dB. À 0 dB, l'oreille normale perçoit à peine le son, quelle qu'en soit sa fréquence. Le seuil est le niveau sonore auquel on perçoit les sons purs (seuil de sons purs) ou le niveau auquel le client perçoit correctement 50 % des signaux (seuil de détection de la parole).

Le niveau sonore d'une parole normale varie de 40 à 65 dB ; un faible chuchotement atteint 20 dB. Normalement, un adulte et un enfant perçoivent les fréquences comprises entre 16 et 20 000 Hz, et la meilleure perception se situe entre 300 et 3000 Hz, ce qui couvre les fréquences de la parole. À ces fréquences, une perte de 40 à 45 dB engendre une difficulté auditive modérée pour la perception de la parole, et un appareil auditif peut être utile, car il amplifie le son. Le client qui a une perte auditive située dans les hautes fréquences, de 4000 à 8000 Hz, aura de la difficulté à distinguer les consonnes à haute tonalité. Les mots comme chat, chapeau, et gras ne seront parfois pas perçus correctement, car l'importante information relayée par la consonne ne sera pas entendue. Un appareil auditif amplifie le son, mais ne le clarifie pas ; il n'est pas d'une grande utilité pour le client qui a des problèmes de discrimination de sons ou d'information sonore, car les consonnes ne seront tout de même pas assez perceptibles pour que la parole soit compréhensible.

Audiométrie de dépistage. L'audiométrie de dépistage est l'application à un grand nombre de personnes d'un test rapide et simple pour détecter les problèmes auditifs. Les personnes qui ne subiront pas de tests additionnels sont séparées des autres par un critère d'échec et de réussite. Les personnes qui échouent à ce test devraient subir une audiométrie à seuil.

Pour une audiométrie de dépistage, le niveau de perception de l'audiomètre est généralement placé de 10 à 20 dB. Le client est muni d'écouteurs pendant que l'examinateur balaye les fréquences disponibles, et on demande au client de lever une main lorsqu'il entend un son. Les réactions aux tonalités aérotympaniques sont vérifiées pour chaque fréquence.

Audiométrie à sons purs. Un audiomètre à sons purs produit des sons purs à plusieurs fréquences et à plusieurs intensités. En général, l'audiométrie à seuil détermine des seuils pour sept fréquences de 250 à 8000 Hz. Sur un audiogramme, on trace l'intensité en fonction de la fréquence (voir figure 47.10) ; l'oreille droite est représentée par un cercle rouge et la gauche, par des croix bleues.

AUDIOLOGIE

* Sur - assourdissement
▲ Assourdissement - insuffisant
● Carhart 20dbs 1

VALIDITÉ DES RÉPONSES

☐   ☐   ☐
BONNE   MOYENNE   MÉDIOCRE

LÉGENDE	CA	CO	
	○	<	OREILLE DROITE
AVEC MASQUE	△	⊏	

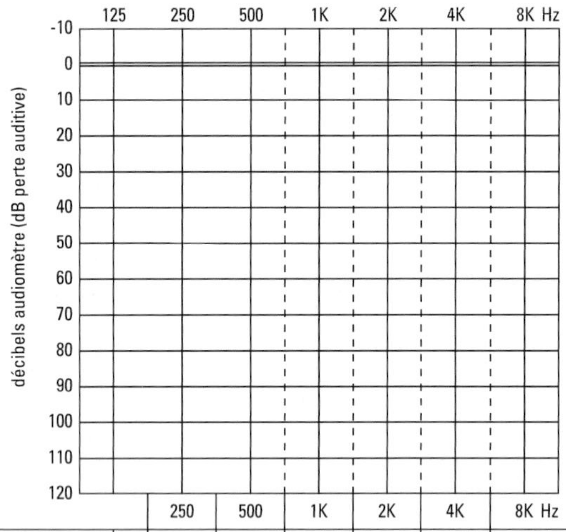

décibels audiomètre (dB perte auditive)

125   250   500   1K   2K   4K   8K Hz

-10, 0, 10, 20, 30, 40, 50, 60, 70, 80, 90, 100, 110, 120

250   500   1K   2K   4K   8K Hz

C.A. ANSI REV. 1973   C.O. 1981

| MASQ OG (dB) | CA | |
| | CO | |

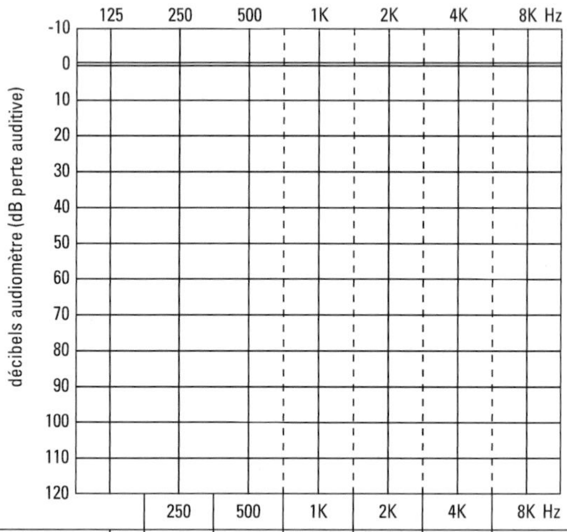

	CA	CO	LÉGENDE
OREILLE GAUCHE	×	>	
	☐	⊐	AVEC MASQUE

décibels audiomètre (dB perte auditive)

125   250   500   1K   2K   4K   8K Hz

-10, 0, 10, 20, 30, 40, 50, 60, 70, 80, 90, 100, 110, 120

250   500   1K   2K   4K   8K Hz

| MASQ OD (dB) | CA | |
| | CO | |

SIG. \ MASQ.	SEUIL TOTAL MOYEN	SEUIL DES SPONDÉES	NIVEAU DE CONFORT	NIVEAU DE TOLÉRANCE	DISCRIMINATION % AU NIVEAU CONFORTABLE	AU NIVEAU CONVERSAT	AVEC BRUIT IPSI	NIV. LECT. CONV. LAN.	REPOS SONORE
OD	dB	dB	dB	dB					
OG	dB	dB	dB	dB					
CH. LIBRE	dB	dB	dB	dB					
CH. LIBRE AVEC PROTHÈSE	dB	dB	dB	dB					

Remarques : _____

_____

_____

_____

_____

Date : _____ | _____ | _____
    an   mois   jour

Signature : _____
           AUDIOLOGISTE

ÉVALUATION AUDIOLOGIQUE   DOSSIER

FIGURE 47.10 Formulaire d'évaluation audiologique. Le niveau auditif du client est tracé sur l'audiogramme.
Reproduit avec l'autorisation du Centre hospitalier Pierre-Boucher.

Dans un environnement calme, on émet une tonalité suffisamment forte pour que le client puisse l'entendre, puis on détermine le seuil de fréquence. Si la personne a un seuil supérieur à 25 dB, elle aura des problèmes de communication au quotidien. En général, la limite basse acceptable pour des enfants est de 15 à 20 dB, car l'enfant ne peut développer sa parole que s'il est capable de percevoir les sons. Une perte auditive de 26 dB est la valeur guide pour laquelle il faut agir. Si la perte auditive est inférieure à 26 dB, on recommande rarement un appareil auditif ou une chirurgie.

47.6.2 Tests spécialisés

Avec les nouveaux audiomètres et l'usage des ordinateurs qui enregistrent l'activité électrique de l'oreille et du cerveau, un audiologiste peut réaliser de nombreux tests supplémentaires (voir tableau 47.7). Le test le plus courant est l'audiométrie à sons purs réalisée dans des conditions idéales ; une pièce insonorisée permet d'obtenir de meilleurs résultats. L'audiologiste peut aussi tester l'ostéoconduction pour distinguer les pertes sensorineurales des pertes de conduction. Les tests spécialisés de l'appareil auditif sont réalisés chez l'audiologiste comme consultant externe. L'infirmière est responsable d'expliquer au client l'examen en termes généraux, de l'informer sur les restrictions alimentaires, comme la caféine ou d'autres tonifiants, et sur l'utilisation possible de sédatifs.

Pour déterminer l'origine de certaines pertes auditives, il existe d'autres tests plus perfectionnés qui incluent le potentiel auditif évoqué ou les réactions du tronc cérébral et l'électrocochléographie. La tomodensitométrie (TDM) et l'imagerie par résonance magnétique (IRM) sont utilisées pour localiser la lésion.

47.6.3 Tests de la fonction vestibulaire

Le nystagmus, une répétition involontaire du mouvement oculaire, peut provenir de perturbations du liquide de l'endolymphe. Les mouvements du liquide de l'endolymphe stimulent les cellules réceptrices et provoquent le nystagmus. Les lésions du SNC (p. ex. la sclérose en plaques) et la toxicité de certains médicaments peuvent également provoquer le nystagmus. Dans un test de nystagmus, le client regarde droit devant lui, puis il suit le doigt de l'examinateur jusqu'à la vision latérale extrême. Des mouvements saccadés rapides le long du parcours, excepté pendant la vision latérale extrême, sont considérés comme anormaux. La fonction du système vestibulaire est spécifiquement évaluée par les tests caloriques et par l'électrooculographie.

Le **test calorique** évalue la fonction du système vestibulaire. Le conduit auditif est rempli d'eau froide ou chaude, ce qui crée une perturbation de l'endolymphe, et on observe la réaction du client pour détecter le nystagmus. L'examinateur peut observer subjectivement ou objectivement en plaçant des électrodes autour des yeux. Un individu normal présente le nystagmus lorsqu'on verse de l'eau dans le conduit auditif. Avec de l'eau tiède, le nystagmus se produit du côté opposé à l'irrigation. Si les tests caloriques ne provoquent pas de nystagmus, le client est peut-être atteint de lésions périphériques ou cérébrales. L'alcool et certains médicaments comme les dépresseurs du SNC et les barbituriques peuvent fausser les résultats du test. Avant le test, il faut que le médecin soit au courant de l'usage de ces substances par le client.

Posturographie. Ces dernières années, des tests perfectionnés de l'équilibre, dont la posturographie sur plate-forme et les tests de chaise rotative, ont été mis au point. Ils permettent d'isoler un conduit semi-circulaire des autres pour déterminer le site d'une lésion qui provoque une perturbation vestibulaire et le degré d'invalidité causé par le trouble. Ces tests sont longs et peuvent causer détresse et inconfort (en particulier nausée et vomissements) chez le client atteint de troubles vestibulaires. Avant le test, le client devra être mis au courant des substances qui peuvent affecter les résultats. De plus, il faut assurer au client que le test peut être interrompu si la stimulation du système vestibulaire est intolérable.

MOTS CLÉS

BIBLIOGRAPHIE

Version originale

1. Talamo JH, Steinert RF: Keratorefractive surgery. In Albert DM, Jakobiec FA, editors: *Principles and practice of ophthalmology: clinical practice,* ed 2, vol 1, Philadelphia, 1999, Saunders.

2. Sahel JA, Brini A, Albert DM: Pathology of the retina and vitreous. In Albert DM, Jakobiec FA, editors: *Principles and practice of ophthalmology: clinical practice,* ed 2, vol 4, Philadelphia, 1999, Saunders.

3. Maus M: Basic eyelid anatomy. In Albert DM, Jakobiec FA, editors: *Principles and practice of ophthalmology: clinical practice,* ed 2, vol 3, Philadelphia, 1999, Saunders.

4. Berson EL: Hereditary retinal diseases: an overview. In Albert DM, Jakobiec FA, editors: *Principles and practice of ophthalmology: clinical practice,* ed 2, vol 2, Philadelphia, 1999, Saunders.

5. Newell FW: *Ophthalmology principles and concepts,* ed 8, St Louis, 1996, Mosby.

6. *Physicians' desk reference for ophthalmology,* ed 25, Montvale, NJ, 1997, Medical Economics Data Production Company.

7. Reichel E: Hereditary cone dysfunction syndromes. In Albert DM, Jakobiec FA, editors: *Principles and practice of ophthalmology: clinical practice,* ed 2, vol 2, Philadelphia, 1999, Saunders.

8. *Glaucoma panel quality of care committee: primary open-angle glaucoma suspect,* San Francisco, 1995, American Academy of Ophthalmology.

9. Okhravi N: *Manual of primary eye care,* Oxford, 1997, Butterworth-Heineman.

10. De La Paz MA, D'Amico DJ: Photic retinopathy. In Albert DM, Jakobiec FA, editors: *Principles and practice of ophthalmology: clinical practice,* ed 2, vol 2, Philadelphia, 1999, Saunders.

11. Bajart AM: Lid inflammations. In Albert DM, Jakobiec FA, editors: *Principles and practice of ophthalmology: clinical practice,* ed 2, vol 1, Philadelphia, 1999, Saunders.

12. Mead MD: Evaluation and initial management of patients with ocular and adnexal trauma. In Albert DM, Jakobiec FA, editors: *Principles and practice of ophthalmology: clinical practice,* ed 2, vol 5, Philadelphia, 1999, Saunders.

13. *Physicians' desk reference for ophthalmology,* ed 25, Montvale, NJ, 1997, Medical Economics Data Production Company.

14. Moore KL, Agur AMR: *Essential clinical anatomy,* Baltimore, 1996, Williams & Wilkins.

15. Van De Graaff K: *Human anatomy,* Dubuque, 1995, Wm C Brown.

16. Northern J: *Hearing disorders,* Boston, 1996, Allyn & Bacon.

17. Roland PS, Marple BFM : Disorders of inner ear, eighth nerve, and CNS. In Roland PS, Marple BF, Meryerhoff WL editors: *Hearing loss,* New York, 1997, Thieme.

18. Hughes G, Pensak M: *Clinical otology,* New York, 1997, Thieme.

19. Roeser RJ: *Roeser's audiology desk reference,* New York, 1996, Thieme.

Édition de langue française

1. Brûlé, Mario, Cloutier, Lyne. *L'examen clinique dans la pratique infirmière,* Éditions du Renouveau pédagogique, 2002.

2. Marieb, Élaine N., Laurendeau, Guy. *Anatomie et physiologie humaine,* Éditions du Renouveau pédagogique, 1993.

Chapitre 48

Jocelyne G. Barabé
Inf., B. A., D.E.S.S.
Collège Édouard-Montpetit

Marthe Mercier
B. Sc. inf.
Cégep de Lévis-Lauzon

TROUBLES VISUELS ET AUDITIFS

OBJECTIFS D'APPRENTISSAGE

APRÈS AVOIR LU CE CHAPITRE, VOUS DEVRIEZ ÊTRE EN MESURE :

- DE DÉCRIRE LES TYPES D'ERREUR DE RÉFRACTION ET LES CORRECTIONS APPROPRIÉES ;

- DE DÉCRIRE L'ÉTIOLOGIE ET LE TRAITEMENT DES TROUBLES EXTRA-OCULAIRES ;

- D'EXPLIQUER LA PHYSIOPATHOLOGIE, LES MANIFESTATIONS CLINIQUES ET LES SOINS INFIRMIERS TRAITÉS EN COLLABORATION DES CAS CHOISIS DE TROUBLES INTRA-OCULAIRES ;

- DE DÉCRIRE LES INTERVENTIONS INFIRMIÈRES QUI FAVORISENT LA SANTÉ DES YEUX ET DES OREILLES ;

- D'EXPLIQUER LES SOINS PRÉOPÉRATOIRES ET POSTOPÉRATOIRES GÉNÉRAUX À PRODIGUER AU CLIENT SUBISSANT UNE CHIRURGIE DE L'ŒIL OU DE L'OREILLE ;

- DE DÉCRIRE L'ACTION ET LES USAGES DES AGENTS PHARMACOLOGIQUES COURANTS UTILISÉS POUR LE TRAITEMENT DES TROUBLES DES YEUX ET DES OREILLES ;

- D'EXPLIQUER LA PHYSIOPATHOLOGIE, LES MANIFESTATIONS CLINIQUES ET LES SOINS INFIRMIERS TRAITÉS EN COLLABORATION DES CAS COURANTS DE TROUBLES AURICULAIRES ;

- DE COMPARER LES CAUSES, LE TRAITEMENT ET LE POTENTIEL DE RÉADAPTATION DE LA SURDITÉ DE CONDUCTION ET DE LA SURDITÉ DE PERCEPTION ;

- D'EXPLIQUER L'UTILISATION ET L'ENTRETIEN DES APPAREILS FONCTIONNELS POUR LES YEUX ET LES OREILLES, AINSI QUE DE LES ENSEIGNER À LA CLIENTÈLE ;

- DE DÉCRIRE LES CAUSES COURANTES DES TROUBLES VISUELS NON CORRIGÉS, DE LA SURDITÉ, DE MÊME QUE LES MESURES D'ASSISTANCE APPROPRIÉES ;

- DE DÉCRIRE LES MESURES UTILISÉES POUR AIDER À L'ADAPTATION PSYCHOLOGIQUE DU CLIENT LORS D'UNE DIMINUTION DE LA VUE ET DE L'OUÏE.

48.1 TROUBLES VISUELS

48.1.1 Promotion de la santé

Le rôle joué par l'infirmière en tant qu'éducatrice sanitaire avec les personnes, les groupes et les communautés est extrêmement important pour la prévention des problèmes de santé pouvant occasionner une déficience visuelle. En plus de l'enseignement à la clientèle, l'infirmière peut promouvoir la santé des yeux par la reconnaissance précoce d'affections ou de situations présentant un risque élevé de troubles visuels. Les informations suivantes traitent de ces affections chez l'adulte qui sont du ressort des interventions infirmières.

- Le glaucome est une cause importante de troubles visuels évitables. Le diagnostic précoce du glaucome est extrêmement important pour la promotion de la santé oculaire. L'infirmière peut recommander des programmes de dépistage et aider le client à y accéder. De plus, l'infirmière doit donner des informations sanitaires soulignant l'importance des examens ophtalmologiques réguliers, notamment pour le client courant un risque élevé de développer un glaucome. L'infirmière peut donner ces informations à un seul client, à un groupe ou à la communauté en général.

- Le traumatisme oculaire peut entraîner la cécité ou un trouble visuel grave. Or, il est possible d'éviter de nombreuses lésions oculaires en identifiant et en corrigeant les situations pouvant les entraîner ; par exemple la mauvaise utilisation de protecteurs oculaires lors de travaux, d'activités sportives ou récréatives présentant des dangers potentiels ; la manipulation ou l'entreposage inadéquat de produits chimiques, particulièrement des acides ou des produits alcalins puissants ; les réactions inappropriées aux lésions oculaires, particulièrement l'absence de mesures promptes et continues pour irriguer l'œil à la suite de l'exposition à une substance potentiellement dangereuse ; la mauvaise utilisation des ceintures de sécurité ou des dispositifs de retenue pour nourrissons ou enfants à l'intérieur des voitures. L'infirmière doit donc jouer un rôle actif dans l'enseignement à la clientèle relatif à ces situations potentiellement dangereuses.

- Le fait que les lentilles de contact soient de plus en plus utilisées fait en sorte que de nombreux individus sont devenus désinvoltes en ce qui a trait au port et à l'entretien de leurs lentilles. Ainsi, bien qu'elles soient en général sûres et efficaces, elles peuvent être une source importante de troubles oculaires potentiels, lorsque le client ne les utilise pas ou ne les entretient pas adéquatement. L'infirmière doit promouvoir la santé oculaire en enseignant au client

les techniques correctes de port et d'entretien et en recommandant un suivi ophtalmologique approprié. L'utilisation de solutions inappropriées peut être associée à des troubles oculaires graves et l'infirmière doit insister pour que les clients utilisent uniquement des solutions propres aux lentilles de contact.

- La femme en âge d'avoir des enfants doit être immunisée contre la rubéole pour prévenir la cécité congénitale chez le nouveau-né, qui peut résulter d'une exposition à la rubéole de la mère pendant le premier trimestre de la grossesse. Les personnes qui entrent en contact avec ce groupe de femmes, particulièrement celles qui travaillent dans des organismes de soins de santé, doivent aussi être immunisées.

- Les affections et les syndromes transmis génétiquement présentent souvent des signes oculaires. L'infirmière qui travaille avec des clientes en âge d'avoir des enfants doit pouvoir les orienter vers de l'aide psychologique en lien avec la génétique, s'il y a lieu.

48.2 ERREURS DE RÉFRACTION CORRIGIBLES

L'**erreur de réfraction** constitue le trouble visuel le plus courant. Cette anomalie des milieux réfracteurs de l'œil empêche les rayons lumineux de converger en un seul foyer sur la rétine. Elle résulte d'irrégularités de la courbure cornéenne, de la puissance réfringente du cristallin, ou de la longueur de l'œil. La vue trouble constitue le symptôme principal. Dans certains cas, le client se plaint aussi de malaise oculaire, de fatigue oculaire ou de céphalées. Le client atteint d'erreurs de réfraction utilise des lentilles correctrices pour améliorer la convergence des rayons lumineux sur la rétine (voir figure 48.1).

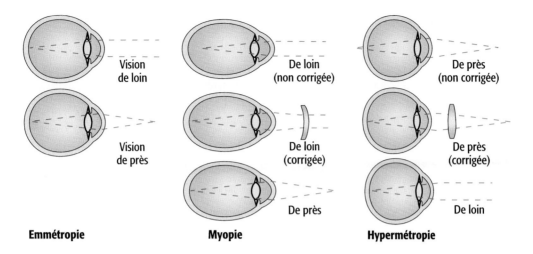

FIGURE 48.1 Œil emmétrope, myope et hypermétrope avec et sans correction de la vue

La **myopie** (difficulté à voir de loin) constitue l'erreur de réfraction la plus courante. Selon l'Institut de la statistique du Québec, dans l'Enquête sociale et de la santé publiée en 1998, 25,9 % des Québécois éprouvent des difficultés à voir de loin. La prévalence de l'**hypermétropie** (difficulté à voir de près) et de la **presbytie** (hypermétropie résultant d'une diminution de la capacité d'accommodation de l'œil due au vieillissement) est moins élevée. Le tableau 48.1 résume les types d'erreurs de réfraction et les corrections appropriées. Contrairement à la croyance populaire, ne pas corriger une erreur de réfraction ne l'aggrave pas et n'entraîne pas de pathologie supplémentaire. Cependant, les erreurs réfractives des jeunes enfants doivent être corrigées, parce que ces derniers risquent de développer une **amblyopie** (vision réduite dans l'œil affecté).

48.2.1 Myopie

La **myopie** entraîne la convergence des rayons lumineux devant la rétine. Elle peut être le résultat d'une réfraction excessive de la lumière par la cornée ou le cristallin, ou d'une longueur anormale de l'œil. La myopie peut aussi résulter d'un gonflement du cristallin dû à un taux de glycémie élevé, comme dans le cas d'un diabète incontrôlé. Ce type de myopie est transitoire et variable, et fluctue au gré du taux de glycémie. Pendant l'enfance, particulièrement pendant l'adolescence, alors que le rythme de croissance de l'enfant s'accélère, la myopie peut progresser rapidement et entraîner des changements de lunettes fréquents. Cet allongement excessif de l'œil est souvent attribuable à des facteurs génétiques.

48.2.2 Hypermétropie

L'**hypermétropie** fait en sorte que les rayons lumineux convergent derrière la rétine et elle force le client à accommoder l'œil pour faire converger les rayons lumineux sur la rétine dans le cas des objets rapprochés et éloignés. Ce type d'erreur de réfraction se produit lorsque la cornée ou le cristallin n'ont pas une puissance réfringente adéquate ou lorsque le globe oculaire est trop court.

48.2.3 Presbytie

On appelle **presbytie** la perte d'accommodation due à l'âge. À mesure que l'œil vieillit, le cristallin grossit, durcit et perd de l'élasticité. Ces changements diminuent la capacité d'accommodation de l'œil. Celle-ci continue à décliner à chaque décennie et, vers l'âge de 70 ans, le pouvoir d'accommodation du cristallin s'approche du zéro. Lorsque cela se produit, le client ne peut plus faire le point sur les objets rapprochés, sans une quelconque forme d'aide visuelle.

48.2.4 Astigmatisme

L'astigmatisme est dû à l'inégalité de la courbe cornéenne. Cette irrégularité entraîne la courbure inégale des rayons lumineux qui pénètrent dans l'œil et qui ne peuvent alors converger en un seul point sur la rétine.

48.2.5 Aphakie

L'**aphakie** se définit comme l'absence de cristallin. Cette absence peut être congénitale ou due à une chirurgie de la cataracte. Un cristallin disloqué par un traumatisme entraîne l'aphakie fonctionnelle, bien que le cristallin demeure dans l'œil. Le cristallin représente environ 30 % du pouvoir de réfraction de l'œil ; son absence entraîne donc une erreur de réfraction importante. Sans le pouvoir réfringent du cristallin, les images sont projetées derrière la rétine.

TABLEAU 48.1 Correction des erreurs de réfraction

Trouble et description	Symptômes	Types de lunettes	Types de lentilles de contact
Emmétropie Vision normale ; la lumière se focalise sur la rétine sans accommodation pour la vision de loin et avec accommodation pour la vision de près.	Aucun ; vision normale.	Non indiquées.	Non indiquées ; certains clients emmétropes portent des lentilles teintées pour des raisons esthétiques.
Myopie Vue faible ; la lumière se focalise devant la rétine parce que le globe oculaire est trop long ou parce que la cornée ou le cristallin a une puissance de réfraction excessive ; la lumière se focalise sur la rétine avec accommodation pour la vision de près.	Vision de loin floue ; le client peut plisser les yeux en essayant d'améliorer la mise au point.	Concaves ; la lentille incurve les rayons lumineux vers l'extérieur.	Rigides ou souples ; port quotidien ou prolongé.
Hypermétropie La lumière se focalise derrière la rétine parce que le globe oculaire est trop court ou parce que la cornée ou le cristallin a une puissance de réfraction inadéquate ; la lumière se focalise sur la rétine pour la vision de loin.	Vision de près floue ; fatigue oculaire due à l'effort d'accommodation.	Convexes ; la lentille incurve les rayons lumineux vers l'intérieur.	Rigides ou souples ; port quotidien ou prolongé.
Astigmatisme La lumière ne se focalise pas en un point déterminé sur la rétine parce que la surface de la cornée a une courbe irrégulière ; peut être jumelé à n'importe laquelle des erreurs de réfraction ci-dessus.	Vision floue ; fatigue oculaire.	Cylindriques ; la lentille incurve les rayons lumineux dans différentes directions pour les aligner vers un point focal.	Rigides ou souples ; port quotidien ou prolongé.
Presbytie La lumière ne se focalise pas sur la rétine pour la vision de près ; parce que le cristallin vieillissant ne peut plus accommoder la vision.	Vision de près floue ; le client peut tenter d'obtenir une vision claire en éloignant les objets de ses yeux.	Convexes pour la vision rapprochée ; verres pour la lecture ou verres bifocaux munis d'une correction pour la lecture dans la partie inférieure du verre.	Bifocales rigides ou souples ; monovision (un œil corrigé pour la vision de loin, un œil pour la vision de près).
Aphakie Il y a absence de cristallin en raison d'une anomalie congénitale, d'un traumatisme ou d'une chirurgie (extraction de la cataracte) ; l'œil perd environ 30 % de sa puissance de réfraction.	Aucune vision de près ; si un seul œil est touché, l'image rétinienne est 33 % plus grosse que dans un œil normal.	Épaisses, convexes ; presque jamais utilisées de nos jours après l'extraction de la cataracte en raison de la distorsion visuelle entraînée, du malaise causé par le port de lunettes lourdes, de leur apparence inesthétique et de la supériorité des LIO pour la correction de l'aphakie.	Rigides, souples ; port quotidien ou prolongé ; inutilisées aujourd'hui dans la plupart des cas après l'extraction de la cataracte, en raison de la difficulté de manipulation, des complications liées au port et de la supériorité des LIO pour la correction de l'aphakie.

* Voir tableau 48.2 pour une explication des types de lentilles de contact.
LIO : lentille intra-oculaire.

48.2.6 Corrections non chirurgicales

Lunettes. Par l'utilisation de verres correcteurs appropriés (voir tableau 48.1), il est possible de modifier la myopie, l'hypermétropie, la presbytie, l'astigmatisme et l'aphakie. La myopie requiert un verre correcteur concave, alors que l'hypermétropie, la presbytie et l'aphakie nécessitent un verre correcteur convexe. On appelle souvent *verres de lecture* les verres pour la presbytie, parce qu'on les porte habituellement uniquement pour voir de près. La correction pour la presbytie peut aussi se combiner avec une correction pour une autre erreur de réfraction, comme la myopie ou l'astigmatisme. Dans ces verres combinés, la correction pour la presbytie se situe dans la partie inférieure du verre bifocal ou trifocal. Un verre bifocal « sans ligne », appelé aussi foyer progressif, est en fait un verre multifocal qui permet au client de voir clairement à n'importe quelle distance. Les lunettes pour l'aphakie sont très épaisses, ce qui les rend lourdes et d'un aspect peu attirant. Le haut degré de correction entraîne aussi un grossissement de l'image de l'ordre de 25 %. Les verres peuvent donner une bonne vision centrale, mais créent une distorsion de la vision périphérique. Ce grossissement et cette distorsion ne sont souvent pas acceptables pour le client aphaque. Grâce à l'implantation d'une lentille intra-oculaire ou au port d'un verre de contact, les clients ont rarement des lunettes correctrices pour l'aphakie en raison des troubles visuels associés.

Lentilles de contact. Les lentilles de contact constituent un autre moyen de corriger les erreurs de réfraction. Ces lentilles procurent généralement une meilleure vision que les lunettes puisque le client obtient une vision périphérique plus normale, sans la distorsion et l'obstruction dues aux verres et à leur monture. Les lentilles de contact pour l'aphakie produisent seulement un grossissement d'environ 7 % et sont visuellement supérieures aux verres pour l'aphakie. Cependant, de nombreux clients âgés ont de la difficulté à manipuler et à entretenir leurs lentilles. Le tableau 48.2 décrit les différents types de lentilles et les avantages et désavantages de chacune.

Les lentilles de contact peuvent être rigides ou flexibles (lentilles souples). Les lentilles rigides chevauchent le film lacrymal de la cornée et tiennent en place grâce à la tension superficielle. Le clignement des yeux entraîne un mouvement du film lacrymal sur et sous la lentille de contact, ce qui oxygène la cornée. La diminution de l'apport d'oxygène à la cornée provoque son gonflement, la diminution de l'acuité visuelle et un malaise grave chez le client. Parce que les lentilles souples ne chevauchent pas le film lacrymal cornéen, la cornée ne peut recevoir d'oxygène de la part du film lacrymal. La cornée reçoit plutôt de l'oxygène à travers la lentille de contact souple, qui est perméable à l'oxygène. Notons que les lentilles de contact rigides perméables au gaz permettent aussi à l'oxygène d'atteindre la cornée.

L'altération ou la diminution de la production lacrymale peut rendre difficile le port de lentilles de contact. Les antihistaminiques, les décongestionnants, les diurétiques, les anovulants et les hormones émises pendant la grossesse peuvent diminuer la production de larmes. La conjonctivite allergique, accompagnée de démangeaisons, de larmoiements et de rougeurs, peut aussi affecter le port de lentilles de contact.

En général, l'infirmière doit savoir si le client porte des lentilles de contact, son mode de port (quotidien ou prolongé) et ses pratiques d'entretien. Le client doit retirer les lentilles à port quotidien chaque soir. Celui qui porte des lentilles à port prolongé peut habituellement les porter durant une semaine, avant de les enlever pour les nettoyer, les stériliser, et ne les remettre que le lendemain. L'infirmière doit être capable de détecter la présence de lentilles de contact et doit savoir comment les retirer en situation d'urgence. Éclairer de biais le globe oculaire peut aider l'infirmière à repérer une lentille de contact. Si le client est capable de s'asseoir, l'infirmière peut retirer une lentille rigide en suivant les étapes suivantes : se laver les mains avec un savon sans huile, rincer à fond et sécher à l'aide d'une serviette non pelucheuse ; se tenir à côté du client (du côté droit pour retirer la lentille de droite, du côté gauche pour la lentille de gauche) ; placer l'index d'une main près du canthus latéral ; placer la main sous l'œil du client pour attraper la lentille, lorsqu'elle tombe de l'œil ; demander au client de cligner de l'œil ; lorsque le client cligne de l'œil, utiliser l'index près du canthus latéral pour tirer doucement sur le tissu des paupières inférieure et supérieure vers l'extérieur et un peu vers le haut. La lentille tombera dans la main de l'infirmière et devra être rangée dans un contenant rempli de la solution appropriée, sur lequel on a inscrit le nom et l'œil (droit ou gauche) du client. Si le client ne peut demeurer en position assise ou ne peut collaborer autrement à la procédure, l'infirmière peut retirer la lentille à l'aide d'une petite ventouse conçue à cet effet.

L'infirmière peut retirer une lentille souple, quelle que soit la position du client, selon la procédure suivante : se laver les mains avec un savon sans huile, rincer à fond et sécher à l'aide d'une serviette non pelucheuse ; se tenir à côté du client (du côté droit si l'infirmière est droitière, du côté gauche si elle est gauchère) ; placer le majeur de la main dominante contre la paupière inférieure ; tirer doucement vers le bas contre la pommette ; à l'aide du pouce et de l'index, faire glisser la lentille vers le bas de la cornée et sur la sclérotique ; et rapprocher le pouce et l'index, ce qui permet de retirer doucement la lentille par pincement. L'infirmière doit ranger la lentille dans un contenant rempli d'une solution saline normale, sur lequel elle a inscrit le nom du client et l'œil (droit ou gauche) duquel elle a retiré la lentille.

Le client doit connaître les signes et symptômes des troubles liés aux lentilles de contact qui doivent être traités par les professionnels de la santé oculaire. L'infirmière peut aider le client à mieux se rappeler de ces symptômes en utilisant le sigle RSVD pour rougeur, sensibilité, troubles visuels et douleur. L'infirmière doit insister sur l'importance de retirer les lentilles de contact immédiatement, si l'un de ces symptômes se déclare.

TABLEAU 48.2 Types de lentilles de contact

Types	Description	Avantages	Inconvénients	Mode de port
Lentilles rigides Standard	Plastique rigide; plus petites que la cornée.	Peuvent être teintées pour une meilleure visibilité; plus durables, moins coûteuses à l'achat; corrigent tout type d'erreur de réfraction.	Requièrent des solutions différentes pour le nettoyage, le rangement et le mouillement; les nouveaux clients (ou ceux qui recommencent à porter des lentilles après un certain temps) doivent graduellement augmenter le temps de port; inconfortables au début, requièrent de l'adaptation pour obtenir un niveau de bien-être adéquat.	Port quotidien; dormir avec ces lentilles (par inadvertance ou par exprès) peut entraîner un œdème cornéen ou une douleur intense due au manque d'oxygène au niveau de la cornée.
Perméables au gaz	Similaires aux lentilles rigides standard, mais le plastique permet le passage de l'oxygène vers la cornée.	Plus durables que les lentilles souples; corrigent tout type d'erreur de réfraction; plus confortables, au début, que les lentilles rigides standard; temps d'adaptation plus court et moins de problèmes d'œdème cornéen qu'avec les lentilles rigides standard; horaire de port flexible.	Requièrent des solutions différentes pour le nettoyage, le rangement et le mouillement; plus dispendieuses à l'achat que les lentilles de contact rigides standard.	Port quotidien.
Lentilles souples Standard	Plastique souple et flexible; couvrent toute la cornée et une mince bande de la sclérotique.	Épousent étroitement l'œil, réduisant ainsi l'infiltration de particules étrangères sous la lentille; plus confortables au début et requièrent un temps d'adaptation moindre que les lentilles rigides; peuvent être portées par intermittence.	Moins durables et plus dispendieuses que des lentilles rigides (leur prix peut être similaire à celui de lentilles rigides perméables au gaz); sensibilité accrue aux dépôts protéiniques de surface qui causent un malaise et des troubles visuels; requièrent le nettoyage, la stérilisation et l'enlèvement enzymatique des dépôts protéiniques, ne peuvent corriger un fort astigmatisme.	Port diurne seulement; dormir avec ces lentilles peut entraîner les mêmes problèmes que dormir avec des lentilles rigides standard.
À contenu hydrique élevé	Similaires aux lentilles souples standard, avec un contenu hydrique supérieur.	Similaires aux lentilles souples standard; laissent passer plus d'oxygène par la lentille, donc peuvent être portées en permanence pendant une semaine.	Similaires aux lentilles souples standard (sauf que celles-ci peuvent être à port prolongé); plus grand risque de complication liée au port qu'avec des lentilles standard.	Port quotidien ou prolongé.
Toriques	Similaires aux autres lentilles rigides standard; conception spéciale pour la correction de l'astigmatisme.	Similaires aux autres lentilles souples; peuvent être ajustées aux problèmes individuels d'astigmatisme.	Similaires aux autres lentilles souples; plus dispendieuses que les autres types de lentilles; peuvent être plus difficiles à ajuster que des lentilles souples non toriques.	Port quotidien ou prolongé.
Jetables	Similaires aux autres lentilles rigides standard, mais plus minces.	Similaires aux autres lentilles souples; le remplacement fréquent diminue les risques de complication liés au port de lentilles de contact.	Similaires aux autres lentilles souples; le coût peut être supérieur ou similaire, selon le coût des lentilles de remplacement.	Port quotidien ou prolongé; chaque lentille peut être portée en permanence pendant deux semaines avant d'être jetée.
Jetables à port quotidien	Similaires aux lentilles jetables.	Similaires aux autres lentilles souples; l'utilisation unique quotidienne diminue le risque de complications; bonnes pour le client qui ne porte des lentilles qu'occasionnellement; aucun nettoyage ou désinfection nécessaires.	Plus coûteuses.	Port quotidien seulement; chaque lentille est portée pour un jour seulement, puis jetée.

48.2.7 Traitement chirurgical

Chirurgie kératoréfractive et photokératectomie réfractive. Il existe aujourd'hui plusieurs types de chirurgie réfractive ; certaines sont pratiquées depuis des décennies, tandis que d'autres sont encore au stade expérimental. Les chirurgies réfractives les plus pratiquées dans les années précédentes sont la kératotomie radiale (KR) et la photokératectomie réfractive (PKR). Plus récemment, il semble que la technique la plus utilisée pour la correction de la myopie avec le laser soit la méthode appelée LASIX.

La kératotomie radiale (KR) consiste à corriger la courbure de la cornée par une série d'incisions en rayons à partir de son centre. Ces incisions sont faites avec une fine lame à diamant.

La photokératectomie réfractive (PKR) est une intervention chirurgicale avec un laser d'une très grande précision permettant l'enlèvement de tissus cornéens, de manière à corriger les erreurs de réfraction. Il a été prouvé que cette intervention rend l'acuité visuelle finale plus prévisible que la kératotomie radiale. Pour la *Laser-in-situ-keratomileusis* (LASIK), on a recours à un laser excimer pour procéder à l'ablation d'une partie de la couche stromale de la cornée. Cette intervention préserve la couche supérieure sensible des cellules épithéliales et intervient plus profondément dans la cornée, sous un rabat de son propre tissu. Comme il n'y a aucune abrasion de la cornée lors d'une LASIK, la surface de cicatrisation est très réduite.

Certaines études appuient les thèses selon lesquelles la LASIK crée une stabilité visuelle plus précoce chez le client ayant un haut degré de myopie que la PKR seule. Contrairement à la KR, la PKR et la LASIK affectent la région centrale de la cornée. Lorsqu'il envisage l'une ou l'autre de ces interventions, le client doit évaluer les risques de complications graves, comme l'infection due à l'opération et la cicatrisation cornéenne.

Implantation d'une lentille intra-oculaire. L'ablation chirurgicale du cristallin pendant l'extraction de la cataracte constitue la cause d'aphakie la plus courante. Dans le passé, le client aphaque devait porter des lunettes pour l'aphakie ou, plus récemment, des lentilles de contact pour corriger l'aphakie. Cependant, la méthode de correction la plus courante à l'heure actuelle est l'implantation chirurgicale d'une **lentille intra-oculaire (LIO)**, habituellement en même temps que l'extraction initiale de la cataracte. La LIO est une petite lentille de plastique pouvant être implantée dans la chambre antérieure ou postérieure qui ne crée qu'une faible distorsion optique, particulièrement si on la compare aux lunettes ou même aux lentilles de contact pour l'aphakie. Le type de LIO implanté dépend de la technique d'extraction de la cataracte et de la préférence du chirurgien. Cependant aujourd'hui, la plupart des chirurgiens implantent la LIO dans la chambre postérieure et celle-ci est pliable, ce qui nécessite une ouverture chirurgicale minime.

48.2.8 Déficiences visuelles non corrigées

Le client ayant des déficits visuels corrigibles ne présente pas de déficience fonctionnelle. Lorsqu'il n'existe pas de correction possible, la déficience visuelle du client peut être moyenne ou profonde. Les sujets ayant une vue partielle peuvent avoir de bonnes capacités visuelles. Il est important, lorsqu'on travaille avec une personne déficiente visuelle, de comprendre qu'un individu considéré comme aveugle peut avoir une vision utile. Les réactions et les interventions appropriées dépendent de la compréhension qu'a l'infirmière des capacités visuelles de chaque client.

Niveau de déficience visuelle. Le client peut être catégorisé selon son degré de perte visuelle. On définit la **cécité totale** comme une absence de perception de la lumière et de vision utile. Il y a **cécité fonctionnelle** lorsque le client perçoit quelque peu la lumière, mais ne possède aucune vision utile. Le client atteint de cécité totale ou fonctionnelle est considéré légalement comme aveugle et peut utiliser des substituts à la vue, comme un chien-guide ou une canne pour ses déplacements, et le braille pour la lecture. Les techniques d'augmentation de la vision ne lui sont d'aucune utilité.

Les personnes **légalement aveugles** doivent satisfaire les critères établis par le gouvernement fédéral pour déterminer leur éligibilité aux programmes d'assistance et aux avantages fiscaux (voir encadré 48.2). La personne légalement aveugle possède une certaine vision utile. La personne **amblyope** qui n'est pas légalement aveugle possède une acuité visuelle corrigée supérieure à 6/60 pour le meilleur œil et un champ visuel supérieur à 48°, l'acuité visuelle dans le meilleur œil étant de 6/15 ou pire. Le client partiellement voyant ou légalement aveugle peut bénéficier des techniques d'amélioration de la vue.

Soins infirmiers : déficience visuelle grave

Collecte de données. Il est important de déterminer depuis combien de temps le client a une déficience

---

Définition de la cécité légale aux Canada   ENCADRÉ 48.2

- Acuité visuelle centrale pour la vue de loin de 6/60 ou pire dans le meilleur œil (avec correction).
- Champ visuel inférieur ou égal à 20° dans son diamètre le plus grand ou dans le meilleur œil.

visuelle, parce que la perte de vision récente a des conséquences différentes pour les soins infirmiers. L'infirmière doit déterminer de quelle manière la déficience visuelle du client affecte son fonctionnement normal. Cela peut se faire en interrogeant le client à propos du degré de difficulté éprouvée pour l'accomplissement de certaines tâches. Par exemple, l'infirmière peut s'enquérir de la difficulté que le client éprouve à lire le journal, à rédiger un chèque, à se déplacer d'une pièce à l'autre ou à regarder la télévision. D'autres questions peuvent aider l'infirmière à déterminer la signification que le client attache à sa déficience visuelle. L'infirmière peut lui demander à quel point la perte visuelle a affecté des aspects de sa vie : s'il a perdu son emploi ou quelles activités il ne pratique plus à cause de sa déficience visuelle. Le client est susceptible de donner à sa déficience de nombreuses significations négatives en raison de la perception sociale de la cécité. Par exemple, il peut interpréter sa déficience comme une punition ou se percevoir comme inutile et encombrant. Il est aussi important de déterminer les stratégies d'adaptation et les réactions émotionnelles du client, ainsi que la disponibilité et la force de son réseau de soutien.

Diagnostics infirmiers. Les diagnostics infirmiers dépendent du degré de déficience visuelle et du temps écoulé depuis son apparition. Les diagnostics infirmiers pour le client atteint d'une déficience visuelle comprennent notamment les suivants :

- altérations des perceptions sensorielles reliées au déficit visuel ;
- risque de blessure relié à la déficience visuelle et à l'incapacité de voir les dangers potentiels ;
- déficits d'autogestion des soins reliés à la déficience visuelle ;
- peur reliée à l'incapacité de voir les dangers potentiels ou d'interpréter l'environnement avec exactitude ;
- deuil (chagrin) par anticipation relié à la perte de fonction visuelle ;
- perturbation de l'estime de soi reliée à la perte de fonction visuelle et d'autonomie ;
- perturbation des interactions sociales reliée aux déficits visuels ;
- manque d'activités récréatives relié à l'incapacité d'accomplir des activités habituelles ;
- isolement social relié à l'augmentation de la difficulté à entretenir des relations antérieures.

Planification. Les objectifs généraux pour le client atteint d'un affaiblissement récent de la vue ou dont l'adaptation à une déficience visuelle de longue date est affaiblie sont les suivants : adapter sa déficience avec succès ; exprimer les sentiments qu'il ressent ; identifier ses forces de même que celles de son réseau de soutien externe ; et adopter les stratégies d'adaptation

appropriées. Si le client a une fonction adéquate ou acceptable, son objectif est de maintenir le niveau de fonction actuel.

Exécution
Promotion de la santé. Lorsqu'un client amblyope peut éviter d'aggraver sa déficience visuelle, l'infirmière doit l'encourager à rechercher des soins de santé appropriés. Par exemple, un client atteint de perte visuelle due au glaucome peut prévenir une déficience visuelle plus importante en se conformant au traitement prescrit et aux évaluations ophtalmologiques recommandées. D'autres stratégies de promotion de la santé ont été présentées au début de ce chapitre.

Intervention aiguë. L'infirmière procure un soutien émotionnel et des soins directs au client récemment atteint de déficience visuelle. L'écoute active et la facilitation du travail de deuil sont des composantes majeures des soins de santé pour ce type de client. L'infirmière doit lui donner la chance d'exprimer sa colère et sa peine et doit l'aider à reconnaître ses peurs et à trouver les stratégies d'adaptation qui auront du succès. La famille est intimement impliquée dans les expériences qui suivent une perte visuelle. Avec la permission du client, l'infirmière doit faire participer les membres de la famille aux discussions et les encourager à exprimer leurs inquiétudes.

Beaucoup de personnes sont mal à l'aise en présence de personnes aveugles ou amblyopes parce qu'elles ne sont pas certaines des attitudes à adopter. Il incombe à l'infirmière de savoir ce qui est approprié afin que le client ne se sente pas mal à l'aise en sa présence. Il est indispensable, pour créer une présence infirmière thérapeutique, d'être sensible aux sentiments du client sans démontrer une trop grande sollicitude ou réprimer son indépendance. L'infirmière doit toujours communiquer avec le client en adoptant une attitude et un ton normaux. Elle doit aussi toujours s'adresser au client et non pas à un proche ou à un ami qui pourrait l'accompagner. La courtoisie élémentaire impose de se présenter et de faire de même avec toute autre personne qui approcherait le client aveugle ou amblyope, et de le saluer à son départ. L'établissement d'un contact visuel avec le client amblyope rejoint plusieurs objectifs. L'infirmière parle au client tout en lui faisant face et il n'a donc pas de difficulté à l'entendre. La position de la tête de l'infirmière témoigne de l'attention qu'elle porte au client. De même, l'infirmière observe les signes faciaux et corporels du client révélateurs de ses réactions.

L'infirmière doit expliquer toutes les activités ou tous les bruits qui se produisent dans l'environnement immédiat du client. De plus, l'orienter dans son environnement permet de diminuer son anxiété et son malaise, et de faciliter son autonomie. En guidant le client aveugle ou amblyope vers un nouvel endroit, l'infirmière doit prendre un objet comme point de référence et situer les autres objets par rapport à celui-ci. Par exemple, l'infirmière peut dire : « Le lit se trouve droit devant, à environ 10 pas. La chaise est à gauche et la table de chevet, à droite près de la tête du lit. La salle de bain se trouve à gauche du pied du lit. »

L'infirmière doit guider le client vers tous les meubles situés dans la pièce en utilisant la technique de guidage. Cette technique exige que l'infirmière se tienne un peu en avant et sur le côté du client et lui offre son coude, que ce dernier tiendra. L'infirmière sert de guide en marchant un peu devant le client, qui lui tient l'arrière du bras (voir figure 48.2). Lors de l'utilisation de cette technique dans quelque situation que ce soit, l'infirmière doit décrire le milieu environnant pour aider le client à s'orienter. Par exemple, l'infirmière peut dire : « Nous passons par une porte ouverte. Plus loin, il y a deux marches vers le bas. Il y a un obstacle à

FIGURE 48.2 Technique de guidage pour les personnes présentant une déficience visuelle sévère. L'infirmière sert de guide en marchant un peu en avant de la cliente, celle-ci lui tenant l'arrière du bras.

Reproduit avec l'autorisation de M. Bertrand Vaillancourt.

gauche. » Pour aider le client à s'asseoir, l'infirmière place l'une de ses mains sur le dossier de la chaise.

Un objet placé dans une certaine position par un client aveugle ou partiellement voyant ne doit pas être bougé sans son consentement. L'infirmière peut décrire la position des objets situés sur une table ou un plateau selon les heures d'une horloge. Par exemple, l'infirmière peut dire : « Votre livre est situé à midi et votre loupe à trois heures » ou « Les œufs sont situés à neuf heures, le bacon à trois heures et les toasts à midi. » Si l'infirmière ignore si elle doit aider le client, il est parfaitement approprié de lui demander s'il a besoin d'aide et, le cas échant, comment elle peut la lui apporter.

Soins ambulatoires et soins à domicile. La réadaptation suivant une perte partielle ou totale de la vue peut favoriser l'indépendance, l'estime de soi et la productivité. L'infirmière doit savoir quels services et dispositifs sont disponibles pour le client aveugle ou amblyope et être prête à faire les recommandations appropriées. Dans le cas des clients légalement aveugles, la ressource principale est l'Institut de réadaptation en déficience physique de Québec (IRDPQ). C'est un institut universitaire qui offre des services d'adaptation, de réadaptation, de soutien à l'intégration sociale, d'accompagnement et de soutien à l'entourage. Ces services s'adressent aux personnes de tout âge ayant une déficience auditive, motrice, neurologique, visuelle, de la parole ou du langage.

Les audiolivres ou les livres en braille, la canne ou le chien-guide pour les déplacements, sont des exemples de techniques de substitution pour la vue. Elles sont habituellement appropriées pour les sujets n'ayant pas de vision fonctionnelle. Dans le cas de la plupart des clients à qui il reste un peu de vision, des techniques d'augmentation de la vue peuvent être suffisantes pour qu'ils puissent se déplacer, lire des imprimés et accomplir les activités de la vie quotidienne (AVQ).

• Dispositifs optiques pour améliorer la vue. Des lentilles télescopiques pour la vision rapprochée ou éloignée et des loupes de différents types peuvent souvent améliorer suffisamment la vision résiduelle du client pour lui permettre d'accomplir des tâches et des activités auparavant impossibles. La plupart de ces dispositifs demandent un certain entraînement et de la pratique pour une utilisation efficace. La télévision en circuit fermé peut permettre de grossir les objets jusqu'à 60 fois, ce qui permet à certains clients de lire, d'écrire, d'utiliser un ordinateur et d'accomplir des tâches. Ces systèmes sont dispendieux et difficilement transportables, mais ils sont disponibles dans certaines bibliothèques publiques ou universitaires.

• Méthodes non optiques pour améliorer la vision. La **technique de grossissement** est une technique simple, parfois négligée, destinée à améliorer la vision rési-duelle du client. L'infirmière peut recommander au client de s'asseoir plus près de la télévision ou de tenir son livre plus près de ses yeux, ce à quoi le client peut être réticent, à moins qu'on ne l'y encourage. Les techniques d'**augmentation du contraste** comprennent l'écoute de la télévision en noir et blanc, la mise en place d'objets foncés sur un fond clair (p. ex. un plateau blanc sur un napperon noir), l'utilisation d'un feutre noir et de couleurs contrastantes (p. ex. une bande rouge sur le bord des marches ou du trottoir). On peut améliorer l'é-clairage à l'aide de lampes halogènes, de la lumière directe du soleil ou de lampes à col-de-cygne pouvant être orientées directement sur les documents de lecture ou tout autre objet proche. Les gros caractères sont par-fois utiles, particulièrement s'ils sont associés à d'autres dispositifs d'amélioration de la vision, qu'ils soient optiques ou non optiques.

Évaluation. Les résultats escomptés chez le client atteint de déficience visuelle grave sont les suivants :
- ne pas continuer de perdre progressivement la vue ;
- être capable d'exprimer des stratégies d'adaptation ;
- ne pas présenter une diminution de l'estime de soi ou de ses interactions sociales ;
- pouvoir se déplacer sans danger dans son environ-nement.

48.3 TRAUMATISME OCULAIRE

Même si l'œil est bien protégé par l'orbite osseuse et des coussinets adipeux, les activités quotidiennes peuvent entraîner des traumatismes oculaires. Ces lésions peu-vent toucher l'annexe, les structures superficielles ou les structures profondes. Le tableau 48.3 souligne les mesures d'urgence à entreprendre en cas de lésion ocu-laire. Les types de lésions comprennent les lésions con-tondantes, perforantes ou chimiques. Les causes de lésions englobent les accidents de la route, les chutes, les blessures sportives ou récréatives, les agressions ou les situations liées au travail.

Le traumatisme est souvent une cause de déficience visuelle pouvant être prévenue. L'infirmière joue un rôle extrêmement important dans l'enseignement individuel et communautaire pour réduire l'incidence du trauma-tisme oculaire.

48.4 ATTEINTES EXTRA-OCULAIRES

48.4.1 Inflammation et infection

L'une des affections les plus fréquentes observées par les ophtalmologistes est l'inflammation ou l'infection de

GÉRONTOLOGIE
Conséquences de la perte de la vue ENCADRÉ 48.3
- Le client âgé court plus de risques de présenter une perte de vision parce que la cataracte, le glaucome, la rétinopa-thie diabétique, la dégénérescence maculaire et les autres causes possibles de déficience visuelle sont plus fré-quentes chez les personnes âgées.
- Le client âgé peut avoir d'autres déficits, comme une défi-cience cognitive ou une mobilité réduite, qui ont une incidence accrue sur sa capacité à fonctionner de façon habituelle.
- La dévaluation sociale des personnes âgées peut ajouter aux problèmes d'estime de soi et d'isolement associés à la déficience visuelle.
- Les ressources financières peuvent être suffisantes pour les besoins habituels, mais se révéler insuffisantes pour parer aux exigences accrues en services ou en dispositifs visuels.

l'extérieur de l'œil. De nombreux irritants ou micro-organismes externes affectent les paupières et la con-jonctive et peuvent toucher la cornée. Il incombe à l'infirmière d'enseigner au client les interventions appropriées.

Orgelet. L'orgelet (parfois appelé compère-loriot) est une infection des glandes sébacées du bord de la paupière. L'agent infectieux le plus courant est le *Staphylococcus aureus*. Il se développe rapidement dans une zone très sensible, circonscrite, enflée et rouge. L'infirmière doit conseiller au client d'appliquer des compresses tièdes et humides au moins quatre fois par jour jusqu'à ce que l'abcès se draine. Cela peut s'avérer le seul traitement nécessaire. Dans le cas d'une récur-rence fréquente, le client doit nettoyer ses paupières quotidiennement. De plus, des onguents ou des gouttes antibiotiques appropriés peuvent être indiqués.

Chalazion. Le chalazion est une inflammation des glan-des sébacées de l'intérieur de la paupière. Il peut être dû à un orgelet ou peut consister en une réaction inflam-matoire primaire à la substance libérée dans le tissu de la paupière, quand une glande bloquée se rompt. Le cha-lazion se présente comme une zone rougeâtre, indolore et enflée, habituellement située sur la paupière supé-rieure. Le traitement initial est semblable à celui de l'orgelet. Si les compresses chaudes et humides ne réussissent pas à provoquer un drainage spontané, l'ophtalmologiste peut faire une ablation chirurgicale (intervention nor-malement pratiquée en clinique), ou il peut injecter des corticostéroïdes dans la lésion chronique.

Blépharite. La blépharite est une lésion bilatérale chro-nique courante du bord de la paupière. La paupière est

SOINS D'URGENCE

TABLEAU 48.3 Lésion oculaire

Étiologie	Manifestations	Interventions
Lésion contondante Coup de poing Autres objets contondants **Lésion pénétrante** Fragments comme le verre, le métal, le bois Couteau, bâton ou autre gros objet **Lésion chimique** Substance alcaline Acide **Lésion thermique** Brûlure directe sur un fer à friser ou une autre surface chaude Brûlure indirecte par rayons UV (p. ex. torche à souder, lampe solaire) **Corps étrangers** Verre Métal Bois **Traumatisme** Contondant Pénétrant **Brûlures** Chimiques Thermiques	Douleur Photophobie Rougeur – diffuse ou localisée Tuméfaction Ecchymose Larmoiement Présence de sang dans la chambre antérieure Absence de mouvement oculaire Écoulement de liquide oculaire (p. ex. sang, LCR, humeur aqueuse) Vision anormale ou diminuée Corps étranger visible Prolapsus du globe Pression intra-oculaire anormale	**Interventions initiales** Déterminer la cause de la lésion. S'assurer que les voies respiratoires sont libres, qu'il y a respiration et passage de l'air. Vérifier s'il y a d'autres lésions. Évaluer l'acuité visuelle à la suite d'une irrigation suivant une exposition chimique. Commencer l'irrigation oculaire *immédiatement* après une exposition chimique. Utiliser une solution saline stérile ou l'eau du robinet. Ne pas appliquer de pression sur l'œil. Commencer l'irrigation oculaire *immédiatement* en cas d'exposition chimique ; ne pas interrompre l'irrigation jusqu'à ce que le personnel médical arrive pour continuer l'irrigation ; il est préférable d'utiliser une solution physiologique stérile au pH équilibré ; s'il n'y en a pas, utiliser tout liquide non toxique. Ne pas essayer de soigner la lésion (sauf dans les cas d'exposition chimique mentionnés ci-dessus). Stabiliser les corps étrangers. Couvrir l'œil (les yeux) d'un pansement stérile sec et d'un protecteur oculaire. Ne pas donner à manger ni à boire au client. Relever la tête du lit à 45°. Ne pas appliquer de solution ni d'agent médicamenteux sur l'œil sans directive du médecin. Administrer des analgésiques au besoin. **Surveillance continue** Rassurer le client. Surveiller son niveau de douleur. Prévoir une intervention chirurgicale en cas de lésion pénétrante, de rupture ou d'avulsion du globe.

LCR : liquide céphalorachidien ; UV : ultraviolet.

rouge, bordée de nombreuses écailles ou de croûtes sur le bord et les cils. Il est possible que le client se plaigne avant tout de démangeaisons, mais il peut aussi ressentir une brûlure, de l'irritation et de la photophobie. La conjonctivite peut être simultanée.

Lorsque la blépharite est causée par une infection dû à un staphylocoque, le processus thérapeutique comprend l'usage d'un onguent ophtalmologique approprié. La blépharite séborrhéique, liée à la séborrhée du cuir chevelu et des sourcils, est traitée à l'aide d'un shampoing antiséborrhéique pour le cuir chevelu et les sourcils. Souvent, la blépharite est causée à la fois par des staphylocoques et des sécrétions séborrhéiques ; le traitement doit être plus vigoureux pour éviter l'orgelet, la kératite (inflammation de la cornée) et les autres infections oculaires. On doit mettre l'accent sur des pratiques d'hygiène rigoureuses de la peau et du cuir chevelu. Un nettoyage en douceur du bord de la paupière à l'aide de shampoing pour bébé peut amollir et déloger les croûtes efficacement.

Conjonctivite. La conjonctivite est une infection ou une inflammation de la conjonctive. Les infections de la conjonctive peuvent être dues à chlamydia ou encore d'origine bactérienne ou virale. L'inflammation de la conjonctive peut résulter d'une exposition à des allergènes ou à des irritants chimiques (dont la fumée de cigarettes). La conjonctive tarsienne (qui tapisse la face interne de la paupière) peut s'enflammer à cause de la présence d'un corps étranger, comme des lentilles de contact ou une prothèse oculaire.

Infections bactériennes. La conjonctivite bactérienne aiguë (conjonctivite aiguë contagieuse) est une infection courante. Bien qu'elles affectent tous les groupes d'âge, les épidémies se déclarent habituellement chez les enfants en raison de leurs mauvaises habitudes hygiéniques. Chez les adultes et les enfants, la bactérie la plus fréquemment en cause est *Streptococcus aureus*. *Streptococcus pneumoniae* et *Haemophilus influenzae* sont d'autres causes courantes, plus fréquentes chez les enfants que chez les adultes. Le client atteint de conjonctivite bactérienne peut se plaindre d'irritation, de larmoiement, de rougeur et d'un écoulement mucopurulent. Bien qu'elle ne se déclare au début que dans un œil, l'infection s'étend rapidement à l'autre œil. L'infection est généralement spontanément résolutive, mais un traitement avec des gouttes antibiotiques raccourcit son évolution. Le lavage des mains en profondeur et l'utilisation de serviettes individuelles ou jetables aident à prévenir la transmission de l'infection.

Infections virales. De nombreux virus peuvent causer les infections à la conjonctive. Le client atteint de **conjonctivite virale** peut se plaindre de larmoiement, de la sensation d'avoir un corps étranger dans l'œil, de rougeur et de photophobie bénigne. À moins que d'autres structures oculaires ne soient touchées, cette affection est habituellement bénigne et spontanément résolutive. Cependant, elle peut être grave, accompagnée d'un malaise accru, d'une hémorragie sous-conjonctivale ou de formation d'un **symblépharon** (adhérence entre les conjonctives bulbaire et palpébrale). La conjonctivite à adénovirus peut se contracter dans une piscine contaminée et par contact direct avec un client infecté. De bonnes pratiques d'hygiène diminuent la prolifération du virus. Le traitement est habituellement palliatif. Lorsque les symptômes du client sont graves, les corticostéroïdes topiques offrent un soulagement temporaire, mais n'ont aucun effet positif sur le résultat final. Les gouttes antivirales sont sans effet et, par conséquent, ne sont pas indiquées.

Infections à chlamydia. La conjonctivite à inclusions de l'adulte est causée par le type oculogénital de *Chlamydia trachomatis*. Sa prévalence progresse en raison de l'augmentation des cas de transmission sexuelle de la chlamydia. Le client se plaint d'écoulement oculaire mucopurulent, d'irritation, de rougeur et de gonflement des paupières. Des symptômes systémiques peuvent également se manifester. Pour des raisons inconnues, ce type d'infection à chlamydia ne comporte pas les conséquences à long terme du **trachome** (une kératoconjonctivite mettant la vision en danger, causée par un type différent de *C. trachomatis*). Cette infection diffère aussi du trachome parce qu'elle est courante dans les pays développés, alors que le trachome se manifeste rarement, sauf dans les pays en voie de développement. La nature la plus bénigne de la conjonctivite à inclusions de l'adulte peut être liée à l'absence d'une nouvelle exposition à la bactérie, à l'âge du client lors de l'exposition initiale ou à un degré moindre de pathogénicité de l'organisme oculogénital.

Bien que le traitement topique puisse être efficace pour l'adulte atteint de conjonctivite à chlamydia, ces clients courent un risque élevé de contracter une infection génitale à chlamydia concomitante, de même que d'autres maladies transmissibles sexuellement. Par conséquent, tous les clients doivent être adressés à un spécialiste pour un examen plus poussé et un traitement antibiotique systémique. La responsabilité de l'infirmière envers le client atteint de conjonctivite à chlamydia comprend l'enseignement relatif aux maladies oculaires, de même que les implications sexuelles de la maladie.

Conjonctivite allergique. La conjonctivite causée par l'exposition à un allergène peut être bénigne et transitoire, ou bien assez grave pour provoquer un gonflement important, parfois un ballonnement de la conjonctive sous les paupières. La démangeaison constitue le symptôme déterminant de la conjonctivite allergique. Le client peut aussi se plaindre de brûlure, de rougeur et de larmoiement. Si l'infection est aiguë, il peut aussi y avoir présence d'un exsudat blanc ou clair. Si la maladie est chronique, l'exsudat est plus épais et devient mucopurulent. En plus d'une réaction aux pollens, le client peut développer une conjonctivite allergique en réaction aux squames animales, aux solutions et aux médicaments pour les yeux, ou même aux lentilles de contact. L'infirmière doit demander au client d'éviter l'allergène, si celui-ci est connu. Les larmes artificielles peuvent efficacement diluer l'allergène et en débarrasser les yeux. Les médicaments topiques efficaces comprennent les antihistaminiques et les corticostéroïdes.

Kératite. La kératite est une inflammation ou une infection de la cornée pouvant être causée par diverses bactéries ou d'autres facteurs. Cette affection peut toucher la conjonctive et la cornée. Lorsque les deux sont touchées, il s'agit d'une **kératoconjonctivite**.

Infections bactériennes. La cornée constitue une protection efficace contre l'infection. Cependant, en cas de lésion de la couche épithéliale, diverses bactéries peuvent l'infecter. La cornée infectée peut alors développer un ulcère accompagné d'un exsudat muco-purulent adhérant à l'ulcère. Les antibiotiques topiques sont généralement efficaces, mais l'éradication de l'infection peut nécessiter l'injection sous-conjonctivale d'un antibiotique ou, dans les cas graves, des antibiotiques intraveineux. Les facteurs de risque comprennent la lésion mécanique ou chimique de l'épithélium cornéen, le port de lentilles de contact souples (particulièrement le port prolongé), l'affaiblissement, les carences nutritionnelles, les états d'immunodépression et les produits contaminés (p. ex. solutions et contenants pour lentilles de contact, médicaments topiques, cosmétiques).

Infections virales. La kératite herpétique est la cause infectieuse de cécité cornéenne la plus fréquente dans l'hémisphère occidental, notamment dans le cas de clients immunodéprimés. Elle peut être due au virus herpétique de type un ou deux (herpès génital), bien qu'une infection oculaire au virus herpétique de type deux soit beaucoup moins fréquente. L'ulcère cornéen qui en résulte présente une apparence dendritique (en forme de branches d'arbre) caractéristique et est souvent, mais pas toujours, précédé par l'infection de la conjonctive ou des paupières. La douleur et la photophobie sont courantes. Jusqu'à 40 % des clients souffrant de kératite herpétique guérissent spontanément. Le taux de guérison spontanée augmente à 70 % si l'on débride la cornée pour en retirer les cellules infectées. Le traitement comprend le débridement de la cornée, suivi d'un traitement topique à l'aide de gouttes ou d'onguent à l'idoxuridine (Stoxil, Herplex, IDU) pendant deux à trois semaines. Les corticostéroïdes sont contre-indiqués parce qu'ils rallongent l'évolution de l'infection, causant possiblement une ulcération plus profonde de la cornée et entraînant des complications systémiques. Lorsque l'ulcère ne réagit pas à l'idoxuridine après une ou deux semaines, on peut utiliser la vidarabine (Vira-A) ou la trifluridine (Viroptic) de façon topique. La pharmacothérapie peut aussi comprendre l'acyclovir (Zovirax). La kératite dendritique récurrente peut être un problème.

Le virus de la varicelle-zona provoque la varicelle et le **zona ophtalmique**. Le zona ophtalmique peut se produire par la réactivation d'une infection endogène qui a persisté sous forme latente à la suite d'une crise antérieure de varicelle, ou par contact direct ou indirect avec un client atteint de varicelle ou de zona. Cela se produit plus fréquemment chez l'adulte âgé et le client immunodéprimé. Le processus thérapeutique du zona ophtalmique aigu peut comprendre des analgésiques narcotiques ou non narcotiques pour soulager la douleur, des corticostéroïdes topiques pour réduire le processus inflammatoire, des agents antiviraux comme l'acyclovir (Zovirax) pour diminuer la reproduction virale, des agents mydriatiques pour dilater la pupille et soulager la douleur, et des antibiotiques topiques pour combattre l'infection secondaire. Le client peut appliquer des compresses chaudes et du gel contenant de la povidone iodée sur la peau affectée (le gel ne doit pas être appliqué près de l'œil).

La **kératoconjonctivite épidémique (KCE)** est la maladie adénovirale oculaire la plus grave. La KCE se propage par contact direct, y compris lors de l'activité sexuelle. Dans un contexte médical, les mains et les instruments contaminés peuvent être la source de la propagation. Le client peut se plaindre de larmoiement, de rougeur, de photophobie et de la sensation d'avoir un corps étranger dans l'œil. Pour la plupart des clients, la maladie ne touche qu'un œil. Le traitement, principalement palliatif, se fait avec de la glace et des verres fumés. Dans les cas graves, le traitement peut comprendre des corticostéroïdes topiques légers pour soulager temporairement les symptômes et un onguent antibiotique topique pour lubrifier la cornée lorsqu'il y a présence de membrane. Le rôle le plus important de l'infirmière est d'enseigner au client et aux membres de sa famille de bonnes pratiques d'hygiène afin d'éviter la propagation de la maladie.

Infections à chlamydia. Le trachome est une kératoconjonctivite grave causée par une souche de *Chlamydia trachomatis*. Il s'agit de la maladie oculaire la plus fréquente au monde, affectant 500 millions de personnes et entraînant souvent la cécité par scarification de la cornée. Le trachome est particulièrement fréquent au Moyen-Orient, en Afrique, en Inde, en Asie du Sud-Est et en Amérique du Sud, mais il affecte aussi des groupes isolés dans le Sud-Ouest des États-Unis. La maladie se transmet par contact avec les mains, la literie, les draps et les mouches attirées par les yeux contaminés. Le traitement aux antibiotiques topiques et systémiques est efficace, mais difficile à obtenir dans les pays en voie de développement. Il s'agit d'une cause de cécité qui pourrait être prévenue grâce à de meilleurs systèmes de santé et d'hygiène, et à une amélioration de l'éducation.

Autres causes de la kératite. La kératite peut aussi être d'origine fongique (plus couramment par les espèces *Aspergillus*, *Candida* et *Fusarium*), particulièrement dans les cas de traumatisme oculaire lors d'activités extérieures où il y a prévalence de champignons au sol et de matières organiques humides. La kératite à *Acanthamoeba* est causée par un parasite associé au port de lentilles de contact, probablement un résultat de la contamination des solutions et des contenants pour lentilles de contact. Les solutions salines de fabrication artisanale sont particulièrement vulnérables à la contamination à *Acanthamoeba*. L'infirmière doit enseigner au client porteur de lentilles de contact la façon de les entretenir. Il est difficile de traiter médicalement la kératite fongique et à *Acanthamoeba*. Un seul type de gouttes pour les yeux (natamycine) est approuvé par la Food and Drug Administration (FDA). Notons que *Acanthamoeba* résiste à la plupart des médicaments. Si le traitement antimicrobien échoue, une greffe de cornée peut s'avérer nécessaire.

La **kératite d'exposition** apparaît quand le client ne peut fermer les paupières adéquatement. Le client atteint d'**exophtalmie** (globes oculaires proéminents) due à une maladie thyroïdienne oculaire ou à une masse derrière le globe est prédisposé à la kératite d'exposition.

Soins infirmiers : inflammation et infection des yeux

Collecte de données. L'infirmière doit évaluer les changements oculaires, comme l'œdème, la rougeur, la diminution de l'acuité visuelle ou la douleur, et les noter dans le dossier du client. Elle doit aussi tenir compte des aspects psychosociaux de l'affection du client, notamment lorsque celle-ci est la source d'une déficience visuelle.

Diagnostics infirmiers. Les diagnostics infirmiers pour le client souffrant d'une inflammation ou d'une infection extra-oculaire comprennent, entre autres, les suivants :

- douleur reliée à l'irritation ou à l'infection de l'extérieur de l'œil ;
- anxiété reliée à l'incertitude de la cause de la maladie et du résultat du traitement ;
- altération des perceptions sensorielles visuelles reliées à une diminution ou à une absence de la vue.

Planification. Les objectifs généraux pour le client souffrant d'inflammation ou d'infection extra-oculaire sont les suivants : maintenir ou améliorer son acuité visuelle ; maintenir un niveau acceptable de bien-être et de fonctionnement pendant l'évolution du trouble oculaire ; prévenir la propagation de l'infection ; adopter des comportements d'hygiène appropriés ; se conformer au traitement prescrit.

Exécution

Promotion de la santé. L'asepsie minutieuse et fréquente, de même que le lavage des mains en profondeur, sont essentiels pour prévenir la propagation des bactéries d'un œil à l'autre, aux autres clients, aux membres de la famille ou à l'infirmière. Celle-ci doit d'ailleurs jeter tout pansement contaminé dans un contenant approprié. Le client et sa famille doivent être renseignés sur la manière d'éviter les sources d'irritation ou d'infection oculaire et de réagir adéquatement en cas d'affection oculaire. Le client atteint d'un trouble infectieux pouvant avoir un mode de transmission sexuel ou être associé à une maladie transmissible sexuellement (MTS) a besoin de renseignements précis. Souvent, le client porteur de lentilles de contact ne se conforme pas aux instructions d'entretien. Il a alors besoin d'informations relatives à l'entretien approprié des lentilles et à l'utilisation adéquate des produits d'entretien. L'infirmière doit encourager le client à suivre les instructions recommandées.

Intervention aiguë. L'infirmière peut appliquer des compresses chaudes ou fraîches, si indiqué, pour l'affection du client. Diminuer l'éclairage de la chambre et administrer un analgésique approprié constituent d'autres mesures de soulagement. Si le client souffre d'une baisse d'acuité visuelle, l'infirmière devra sans doute modifier le milieu environnant ou les activités du client pour assurer sa sécurité.

Il peut être nécessaire d'administrer au client des gouttes pour les yeux à toutes les heures. Lorsque le client doit recevoir plus de deux sortes différentes de gouttes, l'infirmière doit en espacer l'administration pour favoriser une absorption maximale. Par exemple, si elle doit administrer deux sortes de gouttes par heure, elle doit donner une sorte à l'heure et l'autre sorte à la demie.

Le client nécessitant l'administration fréquente de gouttes pour les yeux peut en venir à manquer de sommeil. Les symptômes courants comprennent la diminution des périodes d'attention, l'irritabilité, la confusion et la désorientation. Il peut être bénéfique de regrouper les activités nécessaires, d'accorder des périodes de repos, en plus de fournir un environnement calme. Le client en manque de sommeil peut reconnaître avoir un comportement anormal et en concevoir de l'inquiétude ou de l'embarras. L'infirmière doit rassurer le client sur le fait que ce changement comportemental est une conséquence normale du manque de sommeil.

Soins ambulatoires et soins à domicile. Le besoin d'informations relatives aux soins nécessaires et à leur accomplissement constitue un besoin primaire du client dans l'environnement domestique. L'infirmière doit renseigner le client et sa famille à propos des bonnes techniques d'hygiène pour prévenir la contamination ou endiguer la propagation de troubles inflammatoires et infectieux. Le client et sa famille ont aussi besoin d'informations relatives aux techniques appropriées d'administration des médicaments. Si la vision du client est compromise, l'infirmière doit proposer d'autres moyens qui permettront au client d'accomplir ses activités nécessaires de la vie quotidienne et ses soins personnels. Le client porteur de lentilles de contact qui présente une infection doit jeter tout cosmétique ou tout produit d'entretien de lentilles ouvert ou utilisé afin de diminuer le risque de récidive de l'infection par des produits contaminés (un problème courant et une source d'infection probable dans le cas de nombreux clients).

Évaluation. Les résultats escomptés chez le client souffrant d'inflammation ou d'infection extra-oculaire sont les suivants :

- se conformer au plan de traitement ;
- voir son malaise oculaire soulagé ;
- s'adapter efficacement aux changements fonctionnels, s'il y a diminution de l'acuité visuelle ;
- obtenir des renseignements précis pour prévenir la récurrence de la maladie.

48.4.2 Troubles de sécheresse oculaire

La sécheresse oculaire est causée par différents troubles caractérisés par une diminution des sécrétions lacrymales ou une augmentation de l'évaporation du film lacrymal. La **kératoconjonctivite sèche** est occasionnée par une dysfonction des glandes lacrymales due à un mécanisme auto-immun. Un client atteint de kérato-conjonctivite sèche qui a également la bouche sèche, souffre du syndrome de Sjögren primaire. Par contre, s'il souffre aussi de polyarthrite rhumatoïde, de scléro-dermie ou de lupus érythémateux disséminé, on dit qu'il est atteint du syndrome de Sjögren secondaire. Le client se plaint d'une sensation sableuse ou grumeleuse qui empire habituellement pendant la journée et s'ame-nuise le matin, après une nuit passée les yeux fermés.

Le traitement doit être orienté vers la cause sous-jacente. Lorsqu'il y a dysfonction des glandes de Meibomius, des compresses chaudes et un massage des paupières aident à envoyer des lipides dans le film lacrymal. S'il y a diminution de la sécrétion lacrymale, le client peut utiliser des larmes artificielles ou des onguents, mais il devrait éviter les produits contenant des agents de conservation ou les utiliser avec parci-monie parce que l'utilisation abusive des gouttes, ou des agents de conservation qu'elles contiennent, peut irriter davantage les yeux. Dans les cas graves, l'ophtal-mologiste peut occlure les points lacrymaux tempo-rairement ou en permanence par chirurgie, ce qui fournit à la surface oculaire davantage de larmes.

48.4.3 Strabisme

Le **strabisme** est une affection qui empêche le client de faire le point en tout temps avec les deux yeux sur le même objet. Un œil peut dévier vers l'intérieur (**stra-bisme convergent**), vers l'extérieur (**strabisme diver-gent**), vers le haut (**hypertropie**) ou vers le bas (**hypotropie**). Le strabisme chez l'adulte peut être causé par une maladie thyroïdienne, des troubles neuromus-culaires des muscles oculaires, l'emprisonnement des muscles extra-oculaires lors d'une fracture du plancher de l'orbite, de la réparation d'un décollement rétinien ou de lésions cérébrales. Chez l'adulte, la plainte princi-pale relative au strabisme est la vision dédoublée.

GÉRONTOLOGIE
Vision diminuée   ENCADRÉ 48.4

Le client âgé peut se sentir confus ou désorienté si sa vision est compromise. La combinaison de la vision diminuée et de la confusion augmentent le risque de chute, qui peut avoir de graves conséquences. Une vision diminuée peut compro-mettre la capacité de fonctionnement de la personne âgée, provoquant des inquiétudes à propos du maintien de l'au-tonomie et causant une diminution de l'estime de soi. La diminution de la dextérité manuelle des personnes âgées peut rendre difficile l'administration des gouttes.

48.4.4 Troubles de la cornée

Taies et opacités de la cornée. La cornée est un tissu translucide qui permet aux rayons lumineux de pénétrer dans l'œil et de converger vers la rétine, formant ainsi une image visuelle. Toute lésion cornéenne entraîne une hydratation anormale du stroma et une diminution de la transparence. À l'aide d'une lentille de contact rigide, il est possible de corriger efficacement l'astigmatisme irrégulier résultant des taies cornéennes. Dans d'autres situations, on utilise la **kératoplastie perforante** (greffe de la cornée) pour traiter les taies ou les opacités cor-néennes. Au cours de cette intervention, le chirurgien ophtalmologiste retire toute l'épaisseur de la cornée et la remplace par celle d'un donneur, ou « greffon », qu'il suture à la place. Bien que les troubles cornéens entraî-nant la cécité soient peu courants, une greffe de cornée peut rétablir une vision qui serait autrement perdue. Selon Santé Canada, le nombre de transplantations cornéennes au Canada, pour l'année 2000, totalise 2602. Le nombre de personnes en attente d'une greffe est de 3269. Pour obtenir le greffon, il faut que le temps qui sépare la mort du donneur et le prélèvement de la cornée soit aussi court que possible. La plupart des chirurgiens préfèrent que cet intervalle soit de 8 heures ou moins, mais certaines banques des yeux fournissent des yeux demeurés sur le donneur pendant 18 heures. Les banques des yeux testent les donneurs pour repérer le virus de l'immunodéficience humaine (VIH) ainsi que l'hépatite B et l'hépatite C. On préserve le tissu dans une solution nutritive spéciale, où il peut être conservé une semaine ou plus. Des méthodes améliorées de prélè-vement et de préservation du tissu, des techniques chirurgicales raffinées, des corticostéroïdes topiques postopératoires et un suivi attentif ont permis de dimi-nuer le nombre de rejets de greffe. L'infirmière joue un rôle important pour la promotion du don de tissus par l'enseignement à la clientèle, la famille et la commu-nauté, aussi bien que par ses connaissances des procé-dures d'acquisition de tissus.

Kératocône. Le kératocône est une maladie dégénéra-tive bilatérale familiale sans modèle de transmission génétique exclusif. Il peut être associé au syndrome de Down, à la dermatite atopique, au syndrome de Marfan, à l'aniridie (absence congénitale de l'iris) et à la rétinite pigmentaire (maladie héréditaire caractérisée par une dégénérescence primaire bilatérale de la rétine, com-mençant durant l'enfance et évoluant en cécité à l'âge adulte).

La cornée antérieure s'amincit et fait saillie vers l'a-vant, prenant ainsi la forme d'un cône. Le kératocône apparaît à l'adolescence et progresse lentement entre 20 et 60 ans. Le seul symptôme en est la vision trouble causée par l'astigmatisme variable associé à l'altération de la forme de la cornée. On peut corriger l'astigmatisme à l'aide de lunettes ou de lentilles de contact rigides. La progression de l'amincissement de la cornée peut provoquer sa perforation. Dans les cas avancés, la kératoplastie perforante est indiquée avant que la perforation ne survienne.

48.5 TROUBLES INTRA-OCULAIRES

48.5.1 Cataracte

On appelle **cataracte** une opacité située à l'intérieur du cristallin. La cataracte peut atteindre un seul œil, ou les deux. S'il y a une cataracte dans les deux yeux, l'une d'elles peut affecter la vision du client plus que l'autre. Les cataractes constituent la troisième cause la plus importante de cécité qu'on peut prévenir. Environ 50 % des personnes âgées entre 65 et 74 ans ont une certaine forme de cataracte ; l'incidence augmente à environ 70 % pour les sujets âgés de plus de 75 ans. L'ablation de la cataracte constitue l'intervention chirurgicale la plus fréquente chez les personnes âgées de plus de 65 ans. Selon Med-Echo, du 1er avril 2000 au 31 mars 2001, au Québec, 49 676 personnes (31 580 femmes et 18 096 hommes) ont subi une extraction de cataracte avec mises en place d'une lentille intra-oculaire.

Étiologie et physiopathologie. Bien que la plupart soient liées à l'âge (**cataractes séniles**), les cataractes peuvent être associées à d'autres facteurs, comme les traumatismes contondants ou pénétrants, les facteurs congénitaux, tels que la rubéole maternelle, la radiation ou l'exposition aux ultraviolets, certains médicaments, comme les corticostéroïdes, et l'inflammation oculaire. Les cataractes congénitales sont relativement courantes, puisqu'elles se produisent chez 1 nouveau-né sur 250 (0,4 %). Le client atteint de diabète sucré tend à développer des cataractes plus tôt que le client non diabétique.

L'évolution de la cataracte a de nombreux facteurs comme médiateurs. Lors de la formation d'une cataracte sénile, il semble que des processus métaboliques altérés à l'intérieur du cristallin entraînent une accumulation d'eau et des modifications de la structure fibreuse du cristallin. Ces changements affectent la transparence du cristallin, entraînant des changements visuels.

Manifestations cliniques. Le client souffrant de cataracte peut se plaindre d'une diminution de la vision, de perception anormale des couleurs et d'éblouissement. Ce phénomène est dû à une distorsion de la lumière causée par les opacités du cristallin et peut être plus accentuée la nuit, alors que la pupille se dilate. Le déclin visuel est graduel, mais le rythme auquel la cataracte se

développe varie d'un sujet à l'autre. Certains clients peuvent se plaindre d'une perte subite de vision, ayant couvert leur œil non affecté par inadvertance et ayant soudainement constaté la diminution de l'acuité visuelle dans l'œil atteint de cataracte. Le glaucome secondaire peut aussi apparaître, si l'augmentation du volume du cristallin entraîne une augmentation de la pression intra-oculaire (PIO).

Épreuves diagnostiques. Le diagnostic est fondé sur la diminution de l'acuité visuelle ou d'autres plaintes de dysfonction visuelle. L'opacité est directement observable par un examen ophtalmoscopique ou un examen au biomicroscope oculaire. Comme on l'a vu plus haut, un cristallin entièrement opaque donne à la pupille une apparence blanche. L'encadré 48.5 présente les épreuves diagnostiques pouvant aider à évaluer l'incidence qu'a une cataracte sur la vue.

Processus thérapeutique. Une cataracte ne requiert pas nécessairement une intervention chirurgicale immédiate. Pour de nombreux clients, le diagnostic est posé longtemps avant qu'ils décident de subir l'intervention. Le traitement non chirurgical peut permettre de remettre la chirurgie à plus tard. L'encadré 48.5 présente le processus thérapeutique pour les cataractes.

Traitement non chirurgical. Présentement, il n'existe aucun traitement pour « guérir » la cataracte, autre que son ablation chirurgicale. Si la cataracte n'est pas retirée, la vision du client continue à se détériorer. Cependant, des mesures palliatives, à elles seules, peuvent aider le client. Souvent, changer la prescription des lunettes peut améliorer le degré d'acuité visuelle, au moins temporairement. D'autres aides visuelles, comme des lunettes de lecture puissantes ou certains types de loupes, peuvent aider le client à voir de près. Augmenter l'intensité lumineuse pour la lecture ou tout autre tâche requérant une vision rapprochée est une autre mesure aidante. Le client peut accepter d'adapter son mode de vie pour compenser le déclin de sa vision. Par exemple, si l'éblouissement rend la conduite de nuit difficile, le client peut choisir de ne conduire que pendant la journée ou de faire conduire un membre de sa famille, le soir. Parfois, informer et rassurer le client à propos du processus pathologique l'aide à choisir des mesures non chirurgicales, au moins temporairement.

Traitement chirurgical. Lorsque les mesures palliatives ne fournissent plus un degré acceptable de vision, le client devient candidat à la chirurgie. Les besoins professionnels du client et les changements apportés au mode de vie sont aussi des facteurs qui influencent la décision de subir une chirurgie. Dans certains cas, des facteurs autres que les besoins visuels du client peuvent

PROCESSUS DIAGNOSTIQUE
ET THÉRAPEUTIQUE

Cataracte — ENCADRÉ 48.5

Diagnostic
- Mesure de l'acuité visuelle
- Ophtalmoscopie (directe et indirecte)
- Biomicroscopie oculaire
- Test d'éblouissement, test d'acuité potentielle chez certains clients
- Kératométrie et échographie A (en cas de chirurgie prévue)
- D'autres tests (p. ex. périmétrie du champ visuel) peuvent être indiqués pour différencier la perte visuelle due à la cataracte de la perte visuelle due à d'autres causes.

Traitement thérapeutique
Non chirurgical
- Changer la prescription de lunettes
- Lunettes de lecture ou loupes puissantes
- Augmenter l'éclairage
- Modifier le mode de vie
- Rassurer

Soins aigus : traitement chirurgical
- Préopératoire
  - Mydriatiques, cycloplégiques
  - Anti-inflammatoires non-stéroïdiens
  - Antibiotiques topiques
  - Médication contre l'anxiété

Chirurgie
- Extraction du cristallin
  - Phacoémulsification
  - Extraction extracapsulaire
- Correction de l'aphakie chirurgicale
- Implantation d'une lentille intra-oculaire (type de correction le plus fréquent)
- Lentilles de contact

Postopératoire
- Antibiotique topique
- Corticostéroïde topique ou autre anti-inflammatoire
- Analgésie légère, si nécessaire
- Protecteur oculaire et activité selon la préférence du chirurgien

influencer le choix du traitement chirurgical. Les troubles dus au cristallin, comme l'augmentation de la PIO, peuvent nécessiter l'ablation du cristallin. Les opacités peuvent empêcher l'ophtalmologiste de voir clairement la rétine du client atteint de rétinopathie diabétique ou d'autres pathologies menaçantes pour la vue. Dans ces cas, le cristallin peut être extrait pour faciliter la visualisation de la rétine et le traitement adéquat de l'affection.

Phase préopératoire. La préparation du client avant l'opération devrait comprendre les antécédents de santé et un examen physique appropriés. Parce que la plupart des clients sont opérés sous anesthésie locale, de nombreux chirurgiens et établissements médicaux ne requièrent plus une évaluation physique préopératoire approfondie. Cependant, la plupart des clients atteints de cataracte sont âgés et susceptibles de souffrir de nombreuses affections qui devraient être évaluées et traitées avant la chirurgie. Presque tous les clients atteints de cataracte sont admis pour une chirurgie d'un jour. On admet généralement le client plusieurs heures avant la chirurgie pour allouer le temps nécessaire aux procédures préopératoires.

L'infirmière administre des gouttes pour aider à maintenir la dilatation de la pupille. La dilatation maximale de la pupille est essentielle pour favoriser une bonne visualisation du cristallin pendant la chirurgie, de même que l'extraction de son noyau. Les mydriatiques sont des médicaments utilisés pour la dilatation ; ce sont des antagonistes alpha-adrénergiques qui provoquent la dilatation pupillaire par contraction du muscle dilatateur de l'iris. Les mydriatiques n'ont qu'une action cycloplégique (paralysie de l'accommodation) faible. Les cycloplégiques sont un autre type de médicaments utilisés pour la dilatation : il s'agit d'anticholinergiques provoquant la paralysie de l'accommodation (cycloplégie) en bloquant les effets de l'acétylcholine sur les muscles du corps ciliaire. Les cycloplégiques provoquent la dilatation de la pupille (mydriase) en bloquant les effets de l'acétylcholine sur le sphincter de l'iris. Le tableau 48.4 dresse une liste d'exemples de mydriatiques et de cycloplégiques, et il est question plus loin dans ce chapitre des soins infirmiers généraux appropriés.

Phase peropératoire. L'extraction de la cataracte est une intervention intra-oculaire. Au cours de l'extraction intracapsulaire, le chirurgien retire tout le cristallin avec l'enveloppe capsulaire. Au cours de l'**extraction extracapsulaire**, le chirurgien ouvre la capsule antérieure, retire le noyau et le cortex du cristallin, laissant intacte la capsule postérieure. Bien que certains chirurgiens pratiquent encore l'extraction intracapsulaire (qui peut être nécessaire en cas de traumatisme), celle-ci a largement été remplacée par la technique extracapsulaire comme intervention de choix au Canada. Au cours de l'extraction extracapsulaire, le chirurgien peut enlever le noyau du cristallin en l'excavant à l'aide d'une anse lenticulaire ou par **phacoémulsification** ; cette intervention permet de fragmenter le noyau par vibration ultrasonique et de l'aspirer de l'intérieur de l'enveloppe capsulaire (voir figure 48.3). Dans les deux cas, le cortex restant est aspiré à l'aide d'un instrument d'irrigation et d'aspiration. Le type d'incision et son emplacement varient d'un chirurgien à l'autre. L'incision nécessaire à la phacoémulsification est considérablement plus petite que celle requise par la chirurgie intracapsulaire ou la chirurgie extracapsulaire

PHARMACOTHÉRAPIE

TABLEAU 48.4 Médicaments topiques pour dilater la pupille

Exemples	Début d'action	Durée	Interventions
Mydriatiques Phényléphrine HCl (Mydfrin)	45-60 min	4-6 h	Peut causer la tachycardie et la hausse de la pression artérielle, notamment chez les personnes âgées ; peut provoquer une diminution réflexive du rythme cardiaque lors de la hausse de tension artérielle ; utiliser l'occlusion des points lacrymaux pour limiter l'absorption systémique.
Cycloplégiques Tropicamide (Mydriacyl)	20-40 min	4-6 h	On utilise la solution à 1 % pour la réfraction cycloplégique, et la solution à 0,5 % pour l'examen du fond de l'œil.
Chlorhydrate de cyclopentolate (Cyclogyl)	30-75 min	6-24 h	A été associé à des réactions psychotiques et des troubles du comportement, habituellement chez les enfants (particulièrement en forte concentration) ; utilisé pour la réfraction cycloplégique, l'examen du fond de l'œil et l'uvéite.
Bromhydrate d'homatropine (Isopto-Homatropine)	30-60 min	1-3 jours	Utilisé pour la réfraction cycloplégique et l'uvéite ; peut être utilisé pour dilater la pupille afin de permettre au client de voir autour d'une opacité centrale du cristallin.
Atropine (Atropisol, Atropine, Isopto-Atropine)	30-180 min	6-12 jours	Utilisé pour la réfraction cycloplégique et l'uvéite.

standard. Les incisions se refermant seules, les sutures deviennent de moins en moins nécessaires. Contrairement à la croyance populaire, les cataractes ne peuvent être enlevées par un laser. Même si le temps chirurgical est de plus en plus court, l'extraction de cataracte demeure une intervention intra-oculaire qui comporte certains risques. Le patient doit en être informé avant l'opération.

De nos jours, pratiquement tous les clients se font implanter une lentille intra-oculaire au moment de l'extraction de la cataracte. Puisque la plupart des clients subissent une intervention par phacoémulsification, la lentille de choix est une lentille pliable, implantée dans l'enveloppe capsulaire derrière l'iris. À la fin de l'intervention, on applique un onguent antibiotique et on couvre l'œil du client d'un pansement et d'un écran protecteur. Le client porte habituellement le pansement toute la nuit et l'enlève le lendemain, lors de la première visite postopératoire.

Phase postopératoire. À moins que des complications ne surviennent, le client est généralement prêt à retourner à la maison quelques heures après l'intervention, aussitôt que les effets des sédatifs se sont dissipés. La médication postopératoire comprend habituellement des gouttes antibiotiques et corticostéroïdes pour prévenir l'infection et diminuer la réaction inflammatoire postopératoire. Des études ont démontré qu'il n'est pas nécessaire de restreindre les activités du client ou de lui faire porter un protecteur oculaire après l'opération. Cependant, de nombreux ophtalmologistes préfèrent encore que le client évite les activités qui augmentent la PIO, comme se plier, se pencher, tousser ou lever des objets lourds, et peuvent aussi recommander l'utilisation d'un écran oculaire sur l'œil opéré comme protection nocturne.

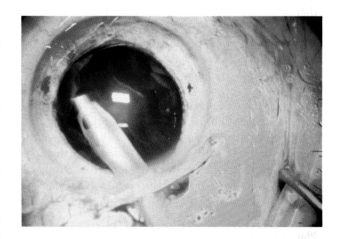

FIGURE 48.3 Phacoémulsification du noyau du cristallin atteint d'une cataracte par une ouverture sclérale. Noter l'ouverture circulaire dans la capsule antérieure du cristallin.

L'ophtalmologiste rencontre habituellement le client trois ou quatre fois à des intervalles croissants au cours des six à huit semaines suivant la chirurgie. Lors de chaque examen postopératoire, le chirurgien mesure l'acuité visuelle du client et la profondeur de la chambre antérieure, évalue la clarté de la cornée et mesure la PIO. Une chambre antérieure plate peut provoquer des adhérences de l'iris et de la cornée. Celle-ci peut se voiler ou s'embrouiller à cause d'un traumatisme à l'endothélium survenu pendant l'opération. L'acuité visuelle non corrigée du client dans l'œil opéré peut déjà être satisfaisante le lendemain de l'opération. Cependant, il n'est pas inhabituel ou indicatif de quelque problème que ce soit que l'acuité visuelle du client soit amoindrie immédiatement après la chirurgie. On réduit graduellement la fréquence d'administration des gouttes postopératoires, pour finalement l'interrompre lorsque l'œil est guéri. Une fois que l'œil a complètement récupéré, le client reçoit une prescription de lunettes. Même si la majorité des erreurs de réfraction postopératoires sont corrigées par la lentille intra-oculaire, le client a quand même besoin de lunettes pour la vision rapprochée et pour corriger toute erreur de réfraction résiduelle.

Soins infirmiers : cataractes

Collecte de données. L'infirmière doit évaluer l'acuité visuelle du client pour la vision rapprochée et la vision éloignée. Si le client doit subir une chirurgie, elle doit surtout noter l'acuité visuelle de l'œil qui ne sera pas opéré. Cette information lui permet de déterminer à quel point la vision du client peut être compromise pendant que son œil opéré est recouvert d'un pansement et en voie de guérison. De plus, l'infirmière doit évaluer l'incidence psychosociale de la déficience visuelle du client, de même que les connaissances qu'a le client de l'évolution de la maladie et des options thérapeutiques. Après l'opération, il est important d'évaluer la satisfaction du client (son bien-être) et sa capacité à suivre le traitement postopératoire.

Diagnostics infirmiers. Les diagnostics infirmiers pour le client atteint d'une cataracte comprennent, entre autres, les suivants :
- conflits décisionnels reliés au manque de connaissances relatives à l'affection et aux options de traitement ;
- déficits d'autogestion des soins reliés au déficit visuel ;
- anxiété reliée au manque de connaissances relatives à l'expérience chirurgicale et postopératoire.

Planification. Avant l'opération, les objectifs pour le client atteint d'une cataracte sont les suivants : prendre des décisions éclairées à propos des options thérapeutiques ; ne ressentir qu'un minimum d'anxiété.

Après l'opération, les objectifs pour le client atteint d'une cataracte sont les suivants : comprendre le traitement postopératoire et s'y conformer ; maintenir un niveau acceptable de bien-être physique et émotionnel ; demeurer exempt d'infection ou d'autres complications.

Exécution

Promotion de la santé. Il n'existe pas encore de moyen dont l'efficacité aurait été démontrée pour prévenir le développement de la cataracte. Cependant, il est probablement avisé (cela ne peut pas nuire) de recommander au client de porter des lunettes de soleil, d'éviter les radiations inutiles et de maintenir un apport approprié de vitamines anti-oxydantes au moyen d'une bonne alimentation. L'infirmière peut aussi donner des informations relatives à des techniques d'amélioration de la vue pour le client qui choisit de ne pas subir de chirurgie.

Intervention aiguë. Avant l'opération, le client atteint d'une cataracte a besoin d'informations précises relatives à l'évolution de la maladie et aux options de traitement, notamment parce que la chirurgie pour la cataracte est considérée comme une intervention élective. La chirurgie pour la cataracte peut sembler urgente au client qui veut ou qui a besoin de voir mieux que ne lui permettent les interventions médicales. Cependant, dans la plupart des cas, le fait de ne pas subir de chirurgie n'est pas nuisible, sauf que le client souffrira d'une certaine déficience visuelle. L'infirmière doit être disponible pour informer le client et sa famille, afin de les aider à prendre une décision éclairée relative au traitement approprié. Dans le cas du client qui choisit la chirurgie, l'infirmière est capable d'informer le client, de le soutenir et de le rassurer à propos de l'expérience chirurgicale et postopératoire, ce qui peut réduire ou atténuer son anxiété.

Lors de l'administration préopératoire de médicaments topiques pour dilater la pupille (voir tableau 48.4 pour des exemples), il est possible que le client dont l'iris est foncé ait besoin d'une dose plus forte. La photophobie est fréquente, et les clients qui en souffrent ont besoin de lunettes de soleil. Ces médicaments provoquent aussi une sensation de démangeaison et de brûlure transitoire. Ils sont contre-indiqués pour le client atteint de glaucome à angle étroit parce qu'ils peuvent provoquer un glaucome à angle fermé. Les mydriatiques peuvent avoir des effets cardiovasculaires importants. On doit occlure les points lacrymaux lors de l'administration de mydriatiques, particulièrement dans le cas du client âgé et prédisposé. L'effet désiré, lorsqu'on utilise des cycloplégiques pour les troubles inflammatoires comme l'uvéite ou l'iritis, est de placer l'iris et le corps ciliaire au repos, ce qui augmente ainsi le bien-être du client. Cela peut aider à prévenir les synéchies postérieures (adhérences de l'iris sur la cornée ou le cristallin).

L'encadré 48.6 donne les grandes lignes de l'enseignement au client et à sa famille après une chirurgie de l'œil. L'infirmière doit informer tous les clients qu'ils n'auront pas de perception de la profondeur jusqu'à l'enlèvement de leur pansement (habituellement dans les 24 heures), d'où la nécessité d'une attention spéciale pour éviter les chutes ou autres blessures. Le client atteint d'une déficience visuelle importante dans l'œil non opéré requiert plus d'assistance pendant que l'œil est caché. Une fois le pansement enlevé, la plupart des clients atteints de déficience visuelle dans l'œil non opéré auront une vision adéquate pour leurs activités parce que la LIO implantée permet une réadaptation visuelle immédiate dans l'œil opéré. À l'occasion, il peut s'écouler une à deux semaines avant que l'acuité visuelle de l'œil opéré n'atteigne un degré adéquat pour la plupart des besoins visuels. Ce client aura aussi besoin d'une aide spéciale jusqu'à ce que sa vision s'améliore. En général, le client ne ressent aucune ou très peu de douleur après une opération pour la cataracte, mais une léger malaise ou des démangeaisons demeurent possibles. Les analgésiques faibles réussissent habituellement à soulager ces troubles. Si la douleur augmente, le client doit en avertir le chirurgien parce que cela peut être un signe d'hémorragie, d'infection ou d'augmentation de la PIO. L'infirmière doit aussi demander au client d'aviser le chirurgien s'il constate un écoulement accru ou purulent, une augmentation de la rougeur ou toute diminution de l'acuité visuelle. Le plan de soins infirmiers de l'encadré 48.7 présente quelques diagnostics infirmiers pour le client, après une chirurgie de l'œil.

Soins ambulatoires et soins à domicile. L'infirmière peut conseiller, au client atteint d'une cataracte qui n'a pas subi de chirurgie, des manières d'adapter ses activités ou son mode de vie au déficit visuel causé par la cataracte. L'infirmière peut aussi donner au client des informations relatives aux soins à long terme.

La tendance à la chirurgie d'un jour a eu un effet notable sur le client atteint de cataracte. En effet, le client reste dans le centre hospitalier quelques heures et non quelques jours, ce qui a grandement transformé la manière dont l'infirmière lui donne les soins et l'enseignement postopératoires. Le client et sa famille sont maintenant responsables de presque tous les soins postopératoires, et l'infirmière doit leur donner des instructions écrites et verbales, avant que le client reçoive son autorisation de sortie. Ces instructions doivent comprendre des informations relatives aux soins oculaires postopératoires, aux restrictions d'activités, aux médicaments, à l'horaire des visites de suivi, de même qu'aux signes et symptômes de complications

ENSEIGNEMENT AU CLIENT

Après une chirurgie oculaire   ENCADRÉ 48.6

- Enseigner au client et à sa famille les techniques d'hygiène et de soins oculaires appropriées pour s'assurer que les médicaments, les pansements et la plaie chirurgicale ne se contaminent pas pendant les soins oculaires.
- Enseigner au client et à sa famille à reconnaître les signes et les symptômes d'infection et le moment opportun pour les signaler afin de permettre un diagnostic et un traitement précoce.
- Demander au client de se conformer aux restrictions postopératoires relatives au positionnement de la tête, à l'inclinaison du corps, à la toux et à la manœuvre de Valsalva, afin d'améliorer les résultats visuels et de prévenir une augmentation de la pression intra-oculaire.
- Demander au client d'utiliser les techniques d'asepsie et de se conformer à la routine de la médication prescrite pour prévenir l'infection.
- Demander au client de surveiller la douleur qu'il ressent, de prendre les analgésiques prescrits et de signaler la douleur que les médicaments prescrits ne soulagent pas.
- Parler au client de l'importance d'un suivi continu, tel que recommandé, pour maximiser les résultats visuels potentiels.

GOLDBLUM K: *Core curriculum for ophtalmic nursing,* American Society of Ophtalmic Registered Nurses, Dubuque, Ia, Kendall/Hunt Publishing, 1997.

possibles. La famille du client doit aussi recevoir cet enseignement, parce que certains clients peuvent avoir des difficultés à faire les activités d'autosoins, notamment si la vision de l'œil non opéré est faible. L'infirmière doit permettre au client et à sa famille de faire la démonstration qu'ils sont capable d'effectuer les autosoins.

La plupart des clients n'ont qu'une faible déficience visuelle à la suite de la chirurgie. Les implants LIO permettent une réadaptation visuelle immédiate et de nombreux clients atteignent un degré d'acuité visuelle acceptable quelques jours après la chirurgie. De même, le client conserve son pansement pour seulement 24 heures, et de nombreux clients conservent une bonne vision avec l'œil non opéré. Il est possible que certains clients présentent une déficience visuelle significative après l'opération. Il s'agit des clients à qui l'on n'a pas implanté une LIO au moment de la chirurgie, de ceux qui ont besoin de plusieurs semaines pour atteindre une vision fonctionnelle, ou de ceux qui ont une vision faible avec l'œil non opéré. Le temps qui s'écoule entre la chirurgie et l'acquisition de lunettes ou de lentilles de contact pour l'aphakie peut être une période de déficience visuelle importante. L'infirmière peut alors conseiller au client et à sa famille des manières de modifier leurs activités et leur environnement pour

Plan de soins infirmiers

Client après une chirurgie oculaire

DIAGNOSTIC INFIRMIER : risque de blessure relié à la déficience visuelle ou à la présence d'un couvre-œil.

PLANIFICATION

Résultats escomptés
- Absence de lésion.
- Capacité à faire part de sentiments de confiance relatifs à sa sécurité personnelle.

INTERVENTIONS	Justifications
• Sécuriser l'environnement du client.	• Réduire les risques de blessure liés à un environnement non familier.
• Aider le client à se déplacer et à effectuer les activités de la vie courante.	• Réduire les risques de blessure et donner des indications verbales.
• Enseigner au client et à sa famille quelles sont les sources possibles de blessure dans l'environnement domestique.	• Leur permettre de reconnaître et de corriger les situations potentiellement dangereuses.

DIAGNOSTIC INFIRMIER : douleur reliée à la manipulation chirurgicale du tissu se manifestant par des plaintes de douleur et des signes de douleur et de pression dans l'œil affecté.

PLANIFICATION

Résultat escompté
- Satisfaction relative à l'analgésie.

INTERVENTIONS	Justifications
• Appliquer des compresses chaudes ou froides.	• Réduire l'œdème de la paupière ou de la conjonctive et procurer une sensation apaisante.
• Administrer les analgésiques et montrer au client comment le faire en suivant l'ordonnance.	• Soulager la douleur.
• Enseigner au client à signaler une augmentation ou une persistance de la douleur.	• Permettre un diagnostic et un traitement précoces de complications possibles.

DIAGNOSTIC INFIRMIER : anxiété reliée à à une déficience visuelle réelle ou possible se manifestant par de l'irritabilité, de l'agitation et de fréquentes questions relatives aux résultats.

PLANIFICATION

Résultats escomptés
- Capacité à faire part d'une compréhension et d'une acceptation réalistes des résultats escomptés.
- Attitude encourageante relative au meilleur résultat possible.

INTERVENTIONS	Justifications
• Faire preuve d'écoute active et encourager le client à communiquer.	• Lui permettre d'exprimer ses sentiments et d'accepter ses réactions émotionnelles.
• Donner des explications précises de tous les traitements et de toutes les activités.	• Faire sentir au client qu'il maîtrise la situation.
• Intégrer la famille du client à la planification et à l'enseignement.	• Favoriser leur soutien au client.

DIAGNOSTIC INFIRMIER : risque de déficit d'autogestion des soins relié à la déficience visuelle ou aux restrictions d'activités.

PLANIFICATION

Résultat escompté
- Effectuer ses soins personnels avec ou sans aide.

Plan de soins infirmiers

Client après une chirurgie oculaire (*suite*)

INTERVENTIONS	Justifications
• Aider le client à accomplir les activités de la vie quotidienne.	• Maintien de sa santé ou de son estime de soi.
• Aider le client et sa famille à reconnaître les déficits d'auto-gestion des soins et à trouver d'autres moyens pour accomplir ces activités ; les adresser aux organismes de soutien communautaires, si nécessaire.	• Assurer la disponibilité de l'aide nécessaire après la sortie de l'hôpital.

DIAGNOSTIC INFIRMIER : risque d'infection à la suite de la chirurgie relié à l'interruption des défenses de l'organisme.

PLANIFICATION
Résultat escompté
• Absence d'infection.

INTERVENTIONS	Justifications
• Enseigner au client à se laver les mains avant de mettre des gouttes dans les yeux ou de nettoyer la zone périorbitale.	• Prévenir la contamination bactérienne des yeux.
• Enseigner au client que l'extrémité du compte-gouttes ne doit pas entrer en contact avec quelque surface que ce soit.	• Prévenir la contamination.
• Utiliser adéquatement les médicaments prescrits.	• Diminuer le risque d'infection.
• Connaître les signes et symptômes d'infection et la manière de les signaler.	• Assurer un traitement rapide en cas d'infection.

Processus thérapeutique

COMPLICATION POSSIBLE : augmentation de la pression intra-oculaire reliée à la chirurgie ou aux activités postopératoires*.

PLANIFICATION
Objectif
• Surveiller la pression intra-oculaire pour détecter et signaler tout signe d'augmentation.

INTERVENTIONS	Justifications
• Rechercher la présence de vision trouble ou voilée, de halos autour des sources lumineuses, de douleur oculaire intense et non soulagée, de nausées ou de vomissements.	• Permettre un diagnostic et un traitement précoces d'une possible augmentation de la pression intra-oculaire.

* Voir l'encadré 48.6.

maintenir un niveau de fonctionnement sécuritaire. Voici quelques-uns de ces conseils : obtenir de l'aide pour se déplacer dans les escaliers, enlever les carpettes et les autres obstacles possibles, préparer et congeler des repas avant la chirurgie ou acquérir des audiolivres pour distraire le client jusqu'à ce que son acuité visuelle s'améliore.

Évaluation. Les résultats postopératoires escomptés chez le client atteint d'une cataracte sont énumérés dans l'encadré 48.7.

48.6 DÉCOLLEMENT RÉTINIEN

Un **décollement rétinien** est une séparation de la rétine sensorielle de l'épithélium pigmentaire sous-jacent, accompagnée d'une accumulation de liquide entre les deux couches. L'incidence du décollement rétinien non traumatique est d'environ 1 cas sur 10 000 chaque année. Ce nombre augmente quand on y intègre les personnes aphaques, parce qu'elles sont davantage susceptibles de souffrir d'un décollement rétinien. Y intégrer les cas de décollement rétinien d'origine traumatique n'augmente que légèrement l'incidence. Chez les clients sans autres facteurs de risque ayant eu un décollement rétinien dans un œil, le risque de décollement dans l'autre œil est d'environ 10 %. Presque tous les clients qui ont un décollement rétinien non traité et symptomatique deviennent aveugles de l'œil affecté.

48.6.1 Étiologie et physiopathologie

Il existe de nombreuses causes de décollement rétinien, la plus fréquente étant la rupture rétinienne. Les **ruptures rétiniennes** sont une interruption dans l'épaisseur de la rétine et elles peuvent être classées en déchirures ou en trous. Les **trous rétiniens** sont des ruptures atrophiques qui se produisent spontanément. Les **déchirures rétiniennes** peuvent se produire lorsque l'humeur vitrée, à cause du vieillissement, rétrécit et exerce une traction sur la rétine. Lorsque la force de la traction excède celle de la rétine, celle-ci se déchire. Une fois que la rétine est percée, le liquide de l'humeur vitrée peut envahir l'espace sous-rétinien, entre la couche sensorielle et la couche épithéliale pigmentaire, causant un **décollement rhegmatogène**. Plus rarement, le décollement peut survenir lorsque des membranes anormales exercent une traction mécanique sur la rétine. On appelle ce phénomène **décollement par traction**. Un troisième type de décollement est le **décollement secondaire ou exsudatif** accompagnant les affections qui permettent à du liquide de s'accumuler dans l'espace sous-rétinien (p. ex. tumeurs choroïdiennes ou inflammations intra-oculaires). L'encadré 48.9

dresse une liste des facteurs de risque pour le décollement rétinien.

48.6.2 Manifestations cliniques

Le client atteint de décollement rétinien rapporte des symptômes qui comprennent de la **photopsie** (éclairs lumineux), des corps flottants et la présence d'une « toile d'araignée », d'un « filet à cheveux » ou d'un anneau dans le champ de vision. Une fois la rétine détachée, le client décrit une perte de vision indolore, périphérique ou centrale, « comme un voile » devant son champ visuel. La zone de perte visuelle correspond à la zone de décollement. Si le décollement se situe au niveau de la branche nasale supérieure de la rétine, la perte de champ visuel se trouvera dans la région temporale inférieure. Si le décollement est peu étendu ou se développe lentement en périphérie, le client peut ne pas être conscient du trouble visuel.

48.6.3 Épreuves diagnostiques

La mesure de l'acuité visuelle doit être la première intervention diagnostique en cas de plainte de perte de vision (voir encadré 48.10). L'ophtalmologiste ou l'infirmière peut visualiser directement le décollement rétinien au moyen de l'ophtalmoscopie directe ou indirecte ou de la biomicroscopie oculaire en conjonction avec une lentille spéciale pour voir la périphérie de la rétine. Les ultrasons peuvent s'avérer utiles pour

GÉRONTOLOGIE
Extraction de la cataracte   ENCADRÉ 48.8

La plupart des clients atteints de cataracte sont des personnes âgées. Le client âgé atteint de déficience visuelle, même temporaire, peut éprouver une perte d'autonomie, un manque de contrôle sur sa vie et un changement important de la perception de soi. La dévaluation sociale de la personne âgée complique cette situation. Le client âgé a souvent besoin de soutien émotionnel et d'encouragement, de même que de conseils précis pour lui permettre de fonctionner au maximum de façon autonome. L'infirmière peut rassurer le client âgé en l'informant que la chirurgie pour la cataracte peut être pratiquée en toute sécurité et sans malaise, avec un minimum de sédation. Le fait que l'extraction de la cataracte soit maintenant une intervention d'un jour est particulièrement bénéfique pour le client âgé, que l'hospitalisation peut rendre confus ou désorienté.

Facteurs de risque pour le décollement rétinien   ENCADRÉ 48.9

Forte myopie
- Décollement rétinien prématuré et rapide ; incidence accrue de la dégénérescence palissadique de la rétine.

Aphakie
- Déchirures rétiniennes probablement attribuables au dérangement chirurgical de l'humeur vitrée.

Rétinopathie diabétique proliférante
- Traction faite à la zone de néoformation de vaisseaux sanguins sur la rétine ; lors du phénomène normal de contraction de l'humeur vitrée.

Dégénérescence palissadique de la rétine
- Trous rétiniens fréquents au cours de cette affection ; l'humeur vitrée demeure attachée à la zone de dégénérescence pendant le processus normal de contraction de l'humeur vitrée.

Traumatisme oculaire
- Déchirures rétiniennes dues à un traumatisme contondant ou pénétrant qui laissent du liquide s'accumuler dans l'espace sous-rétinien.

identifier un décollement rétinien si l'on ne peut voir directement la rétine (p. ex. dans les cas de voilement ou d'opacité de la cornée, du cristallin ou de l'humeur vitrée).

48.6.4 Processus thérapeutique

L'ophtalmologiste localise soigneusement la rupture rétinienne pour déterminer s'il faut recourir à la photo-coagulation au laser ou à la cryopexie prophylactique pour prévenir tout décollement rétinien possible. Comme certaines ruptures rétiniennes ont peu de chance de dégénérer en décollement l'ophtalmologiste verra simplement le client, lui donnera des informations exactes à propos des signes et des symptômes avant-coureurs d'un décollement imminent et lui demandera de se faire immédiatement évaluer s'il reconnaît l'un de ces signes ou symptômes. L'ophtalmologiste généraliste référera habituellement le client atteint de décollement rétinien à un spécialiste de la rétine. Le traitement du décollement rétinien vise deux objectifs. Le premier est de sceller toute rupture réti-nienne et le second vise à soulager toute traction exer-cée vers l'intérieur sur la rétine. On utilise plusieurs techniques pour atteindre ces objectifs.

48.6.5 Traitement chirurgical

Photocoagulation au laser et cryopexie. Ces tech-niques scellent les déchirures rétiniennes en déclen-chant une réaction inflammatoire qui crée une adhérence ou une cicatrice choriorétinienne. La **photo-coagulation au laser** (laser à l'argon) requiert l'utilisa-tion d'un faisceau lumineux intense et dirigé exactement, pour provoquer une réaction inflamma-toire. On dirige le faisceau sur la zone de rupture réti-nienne. Cela produit une cicatrice qui scelle les bords du trou ou de la déchirure et empêche les liquides de s'accumuler dans l'espace sous-rétinien et de provoquer un décollement. L'ophtalmologiste peut utiliser seule-ment la photocoagulation, s'il n'y a qu'une seule petite déchirure accompagnée d'un petit détachement ou d'aucun détachement dans la périphérie et d'une petite quantité de liquide sous-rétinien. Dans le cas de déchirures rétiniennes accompagnées d'un décollement important, le chirurgien peut utiliser la photocoagula-tion pendant l'opération, en conjonction au cerclage oculaire. Les déchirures ou les trous sans décollement rétinien peuvent se traiter de façon prophylactique à l'aide de la photocoagulation au laser, si l'ophtalmolo-giste juge qu'il y a un risque élevé de progression vers le décollement rétinien. Lorsqu'il est utilisé seul, le traitement au laser est une intervention d'un jour, en clinique externe, ne requérant d'habitude que des anesthésiants topiques. Le client ne ressentira générale-

Décollement rétinien   ENCADRÉ 48.10

Diagnostic
- Mesure de l'acuité visuelle
- Ophtalmoscopie (directe et indirecte)
- Biomicroscopie oculaire
- Échographie dans les cas de voilement ou d'opacité de la cornée, du cristallin ou de l'humeur vitrée

Traitement thérapeutique
- Préopératoire
- Mydriatique, cycloplégique
- Photocoagulation de la rupture rétinienne qui n'a pas encore rendue au décollement.
- Chirurgie pour sceller les ruptures rétiniennes et relâcher la traction exercée sur la rétine
- Photocoagulation
- Cryorétinopexie
- Cerclage oculaire
- Drainage du liquide sous-rétinien
- Vitrectomie
- Bulle intravitréenne
- Postopératoire
- Antibiotique topique
- Corticostéroïde topique
- Analgésie
- Positionnement et activités selon la préférence du chirurgien

ment que peu de symptômes indésirables pendant ou après l'intervention.

Une autre méthode utilisée pour sceller les ruptures rétiniennes est la **cryorétinopexie**. Cette intervention nécessite l'utilisation du froid extrême pour provoquer la réaction inflammatoire qui produit la cicatrice. L'ophtalmologiste applique la cryosonde sur le globe externe, au-dessus de la déchirure. Il s'agit en général d'une intervention d'un jour, sous anesthésie locale. Comme dans le cas de la photocoagulation, la cryo-thérapie peut s'utiliser seule ou pendant une chirurgie de cerclage oculaire. Le client peut ressentir un malaise important après la cryopexie. L'infirmière doit encou-rager le client à prendre les analgésiques prescrits à la suite de l'intervention.

Cerclage oculaire. Le cerclage oculaire est une inter-vention chirurgicale extra-oculaire consistant à indenter le globe de façon que l'épithélium pigmentaire, la choroïde et la sclérotique se déplacent vers la rétine décollée. Cela aide non seulement à sceller les ruptures rétiniennes, mais aussi à soulager la traction appliquée sur la rétine. Le chirurgien suture un implant de silicone contre la sclérotique, ce qui la force à se déformer vers l'intérieur. Il place ensuite une bande encerclant l'œil par-dessus l'implant (voir figure 48.4). Le liquide sous-rétinien, s'il y en a, peut être drainé en insérant une aiguille de petit calibre pour faciliter le contact entre la rétine et la sclérotique cerclée. On pratique habituellement le cerclage oculaire sous anesthésie locale. Le client peut recevoir son autorisation de sortie le lendemain de l'opération. De nombreux chirurgiens effectuent maintenant le cerclage oculaire en chirurgie d'un jour.

Interventions intra-oculaires. En plus des interventions extra-oculaires décrites ci-dessus, le chirurgien peut utiliser une ou plusieurs interventions intra-oculaires pour traiter certains décollements rétiniens. La **rétinopexie pneumatique** est l'injection de gaz spéciaux dans l'humeur vitrée pour y former une bulle temporaire qui ferme les ruptures rétiniennes et provoque l'apposition des couches rétiniennes ensemble. La bulle intravitréenne étant temporaire, elle se combine avec la photocoagulation au laser ou avec la cryothérapie. Le client ayant une bulle intravitréenne doit positionner sa tête de sorte que la bulle soit en contact avec la rupture rétinienne. Le chirurgien dessine une flèche sur le pansement oculaire et demande au client de maintenir sa tête de façon que la flèche pointe toujours vers le haut, et ce, parfois pendant plusieurs jours.

On peut utiliser la **vitrectomie** (ablation chirurgicale de l'humeur vitrée) pour soulager la traction appliquée sur la rétine, notamment lorsque la traction résulte d'une rétinopathie diabétique proliférante. La vitrectomie peut se combiner avec le cerclage oculaire pour produire un double effet de soulagement de la traction. Dans le cas de la **vitréorétinopathie proliférante (VRP)**, des membranes se développent dans la cavité de l'humeur vitrée et sur la surface de la rétine, exerçant une traction qui forme des plis dans la rétine. Lors de la vitrectomie, le vitré est coupé, aspiré et remplacé par du liquide et le chirurgien pourra déloger les membranes adhérentes à la rétine à l'aide de microspatules.

Facteurs postopératoires pour le cerclage oculaire et les interventions intra-oculaires. Le rattachement de la rétine est un succès dans 90 % des cas. Le pronostic visuel varie selon l'étendue, la durée et la zone de décollement. Après l'opération, le client doit restreindre ses activités pour quelques semaines afin d'éviter que la rétine se décolle de nouveau. Il est possible qu'il doive adopter une position spéciale pour maintenir en place, s'il y a lieu, une bulle de gaz intravitréenne. Il devra instiller plusieurs médicaments topiques, dont des antibiotiques, des anti-inflammatoires ou des agents de dilatation. Les recommandations d'activités varient en fonction de la préférence du médecin, de l'étendue du décollement et de l'intervention effectuée.

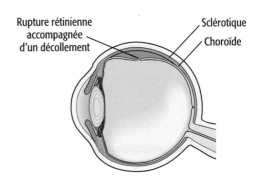

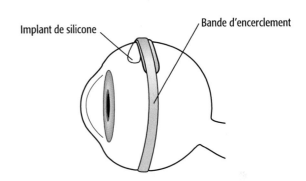

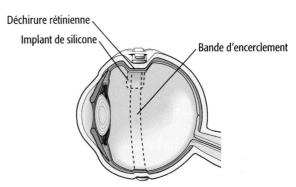

FIGURE 48.4 Déchirure rétinienne accompagnée d'un décollement : réparation chirurgicale par cerclage oculaire

48.6.6 Soins infirmiers : décollement rétinien

Collecte de données. L'infirmière doit obtenir une description minutieuse des symptômes visuels du client et déterminer son acuité visuelle. Des champs visuels par confrontation peuvent révéler un scotome périphérique. Si elle est familière avec la technique, l'infirmière peut aussi visualiser un décollement directement par ophtalmoscopie ou biomicroscopie oculaire.

Diagnostics infirmiers. Les diagnostics infirmiers pour le client atteint de décollement rétinien comprennent, entre autres, les suivants :

- douleur reliée à la correction chirurgicale et au positionnement inhabituel ;

- crainte reliée à la possibilité de perte de vision permanente dans l'œil affecté ;
- déficits d'autogestion des soins reliés aux restrictions d'activités imposées et aux déficits visuels.

Planification. Les objectifs pour le client atteint de décollement rétinien sont les suivants : éprouver un minimum d'anxiété au cours de l'intervention ; maintenir un niveau acceptable de bien-être après l'opération.

Exécution. L'infirmière doit enseigner au client à risque les signes et les symptômes du décollement rétinien. Elle peut aussi promouvoir l'utilisation de lunettes de protection appropriées pour aider à prévenir le décollement rétinien d'origine traumatique.

Dans la plupart des cas, le décollement rétinien est une situation urgente, qui confronte le client à un besoin de chirurgie immédiat. Le client a besoin de soutien émotionnel, particulièrement pendant la période préopératoire immédiate, lorsque les préparatifs préalables à la chirurgie ajoutent à l'anxiété. Lorsque le client ressent de la douleur postopératoire, l'infirmière doit administrer les analgésiques prescrits et lui demander de prendre le médicament au besoin, après avoir reçu son autorisation de sortie. Le client peut retourner chez lui quelques heures après la chirurgie, ou peut demeurer à l'hôpital pour un jour ou deux. Tout dépend du chirurgien et du type de réparation. La planification et l'enseignement relatifs à la sortie sont importants. L'infirmière doit entamer ce processus aussitôt que possible puisque le client n'est pas hospitalisé très longtemps. Le plan de soins infirmiers (voir encadré 48.7) présente les diagnostics infirmiers après une chirurgie oculaire. L'encadré 48.6 traite de l'enseignement au client et à sa famille.

Le type et l'ampleur des restrictions d'activités qui suivent une chirurgie pour un décollement rétinien varient grandement. L'infirmière doit vérifier le niveau d'activités prescrit avec le chirurgien du client et aider ce dernier à planifier toute assistance nécessaire liée aux restrictions d'activités. Elle doit aussi enseigner au client les signes et symptômes de décollement parce que le risque pour l'autre œil est d'environ 2 à 25 %.

48.7 DÉGÉNÉRESCENCE MACULAIRE LIÉE À L'ÂGE

La **dégénérescence maculaire liée à l'âge (DMLA)** n'a pas de définition exacte. Cependant, pour les besoins de cet exposé, on la définit comme un processus rétinien dégénératif touchant la macula et entraînant divers degrés de perte visuelle. La DMLA est la cause la plus fréquente de perte de vision incorrigible chez les adultes de plus de 52 ans.

48.7.1 Étiologie et physiopathologie

L'étiologie de la DMLA est mal connue. Bien qu'elle soit clairement liée au vieillissement de la rétine, on ne peut expliquer le fait que ce ne sont pas toutes les rétines âgées qui développent la DMLA. Le mécanisme physiopathologique peut être une accumulation anormale de déchets dans l'épithélium pigmentaire de la rétine. Les fumeurs de cigarettes courent un risque significativement plus élevé de développer une forme de DMLA.

48.7.2 Manifestations cliniques

Le signe distinctif de la DMLA est l'apparition de **drusen** dans le fond de l'œil. Le drusen apparaît comme un exsudat jaunâtre sous l'épithélium pigmentaire rétinien et représente des dépôts localisés ou diffus de débris extracellulaires. Le client peut se plaindre de vision trouble, de la présence de scotomes ou de **métamorphosie** (distorsion de la vision).

48.7.3 Épreuves diagnostiques

En plus des mesures d'acuité visuelle, l'ophtalmoscopie constitue la procédure diagnostique de base. L'examinateur cherche tout drusen ou changement au fond d'œil lié à la DMLA. La grille d'Amsler (voir tableau 47.4) peut aider à définir la zone touchée et fournit une référence pour des comparaisons futures. La photographie du fond d'œil et l'angiofluorographie par voie intraveineuse peuvent s'avérer utiles pour une meilleure définition de l'étendue et du type de maladie dégénérative.

48.7.4 Processus thérapeutique

Il n'existe pas de traitement spécifique de la DMLA. Le traitement au laser peut aider à réduire la perte de vision pour le client ayant une néoformation de vaisseaux sanguins dans la choroïde, surtout quand on le combine avec l'injection intraveineuse d'un médicament appelé Visudyne. Ce traitement existe depuis peu et il est prouvé que les gens traités au laser et à la Visudyne voient mieux après deux ans que s'ils n'avaient pas été traités. Le laser scelle toute fuite dans la région de néoformation de vaisseaux sanguins, prévenant au moins la progression de la perte visuelle. Depuis l'arrivée du laser associé à l'injection de la Visudyne, il y a plus d'espoir dans le traitement de la dégénérescence maculaire. Les vitamines, les minéraux et autres suppléments alimentaires (p. ex. zinc, sélénium) constituent un autre traitement possible, mais discutable pour ralentir ou freiner la progression de la perte visuelle. Lorsqu'il n'y a pas de traitement possible, ou lorsqu'il échoue, le client atteint de DMLA peut bénéficier d'aides à la basse vision, comme des loupes et des lampes d'intensification.

L'étendue de ce trouble continue de croître à mesure que le nombre de personnes âgées de plus de 65 ans augmente. La perte permanente de vision centrale associée à la DMLA comporte des conséquences psychosociales importantes pour les soins infirmiers. Les soins infirmiers à donner au client atteint d'une déficience visuelle incorrigible qui ont déjà été abordés dans ce chapitre sont également pertinents pour le client atteint de DMLA. Il est particulièrement important, lorsqu'on prend soin d'un client, d'éviter de lui donner l'impression que son cas est « désespéré ». Même s'il est vrai que le traitement ne permettra pas de recouvrer une vision complète, on peut faire beaucoup pour améliorer la vision restante. Il est aussi important de lui mentionner que la DMLA ne rend jamais totalement aveugle dans le noir, car elle ne s'attaque qu'à la vision centrale et il restera toujours une vision grâce à la rétine périphérique qui n'est pas atteinte par cette maladie. Le seul fait de savoir que l'ophtalmologiste et l'infirmière n'ont pas abandonné toute tentative d'aide peut donner à ces clients une perspective plus positive.

48.8 GLAUCOME

Le glaucome n'est pas une maladie, mais bien un ensemble de troubles caractérisés par les symptômes suivants : l'augmentation de la PIO et les conséquences d'une pression élevée ; l'atrophie du nerf optique ; une perte de champ de vision périphérique. Le glaucome peut être congénital ou être une maladie primaire ou secondaire à d'autres affections oculaires ou systémiques. La PIO est régulée par la formation et la réabsorption de l'humeur aqueuse. La présence du glaucome est directement liée à l'équilibre ou au déséquilibre de ce liquide. Si l'augmentation de la PIO n'est pas diagnostiquée et traitée, les dommages glaucomateux au nerf optique et aux cellules rétiniennes entraînent l'atrophie et une perte de vision permanente. Le glaucome est la seconde cause en importance de cécité permanente et la cause principale de cécité parmi les personnes de race noire. Une personne de race blanche sur cinquante est affectée pour une personne de race noire sur dix. Au moins deux millions d'individus sont atteints de glaucome ; parmi ceux-ci, plus de 50 % ne sont pas conscients de leur état. Cinq à dix millions d'autres personnes ont une PIO élevée, ce qui augmente leur risque de développer la maladie. L'incidence du glaucome augmente avec l'âge. La cécité due au glaucome peut être prévenue aisément, s'il est détecté tôt et si le bon traitement est administré.

RECHERCHE

S'adapter à la dégénérescence maculaire due à l'âge
ENCADRÉ 48.11

- **Article :** Duffy L. : The experience of patients with age-related macular degeneration and the effectiveness of low-vision aids, *Ophthal Nurs* 1:14, 1997.
- **Objectif :** déterminer comment le client s'adapte à sa vision résiduelle, examiner l'efficacité des aides visuelles et évaluer les besoins du client en matière de soutien, de même que les ressources disponibles.
- **Méthodologie :** un modèle d'étude de cas utilisant des méthodes qualitatives et quantitatives sur 10 clients en Grande-Bretagne. Enregistrement d'entrevues semi-structurées menées au domicile des clients en présence d'observateurs non participants. Analyse des données qualitatives comprenant la prise de notes, la codification de données en catégories et une analyse thématique. On appelle « analyse thématique » la recherche de thèmes ou de points communs dans les données.
- **Résultats et conclusion :** quatre thèmes principaux ont été dégagés qualitativement : les effets physiques de la dégénérescence maculaire liée à l'âge (DMLA), les effets psychologiques de la DMLA, les stratégies d'adaptation employées et les influences professionnelles sur la réadaptation. Les observations révèlent que, même si la plupart (90 %) des clients utilisent des aides visuelles, seuls 40 % le font sans difficulté. Au nombre des besoins de réadaptation non satisfaits à l'hôpital et en communauté, on compte l'apport d'informations, la formation pour l'utilisation des aides optiques et le soutien continu, une fois l'aide hospitalière obtenue.
- **Incidences sur la pratique :** l'infirmière doit se concentrer sur une évaluation attentive des besoins du client relatifs à la DMLA. Certains clients anxieux ou dépressifs peuvent avoir besoin d'aide psychologique. Le soutien de l'infirmière est vital pendant que le client développe de nouvelles habiletés d'adaptation. Le client s'adapte plus facilement à sa déficience lorsque l'enseignement relatif aux aides optiques est continu et soutenu par l'infirmière et les autres professionnels de la santé.

48.8.1 Étiologie et physiopathologie

L'étiologie du glaucome se préoccupe principalement des conséquences d'une PIO élevée. Il est essentiel, pour maintenir la PIO dans des limites normales, qu'il y ait équilibre entre la vitesse de production (l'afflux) et la vitesse de réabsorption (l'écoulement) de l'humeur aqueuse. On considère normale une PIO située entre 10 et 21 mm Hg. Une PIO située dans ces valeurs entraîne généralement une santé et un bien-être oculaire uniformes. Lorsque la vitesse d'afflux est supérieure à la vitesse d'écoulement, la PIO peut augmenter au-delà des limites normales. Une PIO qui demeure élevée peut entraîner des lésions visuelles permanentes.

Le **glaucome à angle ouvert** (GPAO) représente 90 % des cas de glaucome primaire. Au cours du GPAO, l'écoulement de l'humeur aqueuse diminue dans le trabéculum cornéoscléral. Essentiellement, les canaux de drainage se bouchent, comme un évier qui s'obstrue.

Le **glaucome primaire à angle fermé** (GPAF) représente environ 10 % du nombre total de cas de glaucome. Comme son nom l'indique, le mécanisme réduisant l'écoulement de l'humeur aqueuse est la fermeture de l'angle formé par l'iris et la cornée. Habituellement, la cause en est la saillie du cristallin résultant du processus de vieillissement. La fermeture de l'angle peut également être occasionnée par la dilatation de la pupille chez le client dont les angles sont anatomiquement étroits. La dilatation entraîne la saillie de l'iris périphérique, ce qui produit le même résultat : couvrir le trabéculum cornéoscléral et bloquer les canaux d'écoulement. Une crise aiguë peut être précipitée par des situations qui font en sorte que la pupille demeure à demi dilatée assez longtemps pour entraîner une hausse significative et aiguë de la PIO. Cela peut se produire en raison d'une mydriase d'origine médicamenteuse, de l'excitation émotionnelle ou de l'obscurité. La mydriase d'origine médicamenteuse peut être causée non seulement par des préparations ophtalmiques topiques, mais aussi par de nombreux médicaments systémiques (médicaments sur ordonnance ou en vente libre). L'infirmière doit vérifier les recommandations pharmaceutiques d'un médicament avant de l'administrer au client atteint d'un glaucome à angle fermé et doit demander au client de ne pas prendre de médicaments à effet mydriatique.

Dans le cas du **glaucome secondaire**, l'augmentation de la PIO est provoquée par d'autres affections systémiques ou oculaires qui peuvent bloquer les canaux d'écoulement d'une manière quelconque. On peut associer le glaucome secondaire à divers processus produisant des cellules qui peuvent bloquer les canaux d'écoulement. Les processus inflammatoires peuvent aussi endommager le trabéculum cornéoscléral. Le traumatisme, les néoplasmes intra-oculaires ou périorbitaux, la néoformation de vaisseaux sanguins dans l'iris et d'autres troubles oculaires ou systémiques peuvent aussi être associés au glaucome secondaire.

Dans le cas du **glaucome congénital**, l'anatomie anormale de l'angle, de l'iris et des canaux trabéculaires entraîne un mauvais drainage de l'humeur aqueuse causant une augmentation de la PIO. Si les anomalies sont graves et se produisent tôt au stade utérin, les dommages glaucomateux peuvent déjà être importants à la naissance.

48.8.2 Manifestations cliniques

Le GPAO se développe lentement et est asymptomatique. Le client atteint de GPAO ne rapporte aucun symptôme de douleur ou de pression. Habituellement, il ne remarque pas la perte graduelle de champ de vision jusqu'à ce que sa vision périphérique soit gravement compromise. Éventuellement, le client atteint d'un glaucome non traité éprouve un rétrécissement concentrique de son champ visuel (vision téléscopique), qui se traduit par une vision centrale réduite et l'absence de vision périphérique.

Le glaucome à angle fermé aigu provoque des symptômes définis, dont une douleur subite et intense dans ou autour de l'œil. Cela s'accompagne souvent de nausées et de vomissements. Les symptômes visuels comprennent la vision de halos colorés autour des sources lumineuses, la vision trouble et la rougeur oculaire. La hausse aiguë de la PIO peut aussi entraîner un œdème cornéen, ce qui donne à la cornée une apparence givrée.

Les manifestations du glaucome à angle fermé subaigu ou chronique apparaissent plus graduellement. Le client ayant déjà vécu un épisode non reconnu de glaucome à angle fermé subaigu peut rapporter des antécédents de vision trouble, de vision de halos colorés autour des sources lumineuses, de rougeur oculaire ou de douleur à l'œil ou à l'arcade sourcilière.

48.8.3 Épreuves diagnostiques

Habituellement, dans le cas du glaucome, la PIO est élevée. La PIO déterminée à l'aide de la tonométrie par aplanation se situe entre 10 et 21 mm Hg. Dans le cas du client dont les pressions sont élevées, l'ophtalmologiste vérifiera régulièrement les mesures pendant un certain temps pour confirmer la hausse. Dans le cas du glaucome à angle ouvert, la PIO se situe habituellement entre 22 et 32 mm Hg. En ce qui concerne le glaucome à angle fermé aigu, la PIO peut être de 50 mm Hg ou plus.

De plus, dans le cas du glaucome à angle ouvert, la biomicroscopie oculaire révèle un angle normal. Par contre, pour ce qui est du glaucome à angle fermé, l'examinateur peut noter un angle de la chambre antérieure sensiblement étroit ou plat, une cornée œdémateuse, une pupille fixe et modérément dilatée, et une injection ciliaire. La gonioscopie permet une meilleure visualisation de l'angle de la chambre antérieure.

La mesure de la vision centrale et de la vision périphérique fournit une autre information diagnostique. L'acuité centrale peut être de 6/6 même en présence d'une perte grave de vision périphérique. La périmétrie peut révéler un changement subtil dans la périphérie de la rétine, tôt dans l'évolution de la maladie, bien avant que des scotomes ne se développent réellement. Quand les anomalies du champ visuel font leur apparition, dans le cas de glaucome à angle ouvert chronique, le premier scotome consiste en une petite anomalie en forme de ballon de football qui évolue graduellement en une altération des champs nasal et supérieur. Dans le cas du glaucome à angle fermé, si le client a un œdème cornéen, l'acuité visuelle centrale est réduite et le champ visuel peut être diminué de façon marquée.

Au fur et à mesure que le glaucome progresse, il se produit une **excavation papillaire** visible à l'ophtalmoscopie directe ou indirecte. La papille optique s'élargit, se creuse et pâlit (gris pâle ou blanc). L'excavation papillaire peut être l'un des premiers signes de glaucome à angle ouvert chronique. Des photographies de la papille optique sont utiles à des fins de comparaison pour démontrer, au fil du temps, l'augmentation du ratio excavation-papille et le blanchissement progressif (voir figure 48.5).

48.8.4 Processus thérapeutique

La préoccupation principale, lors du traitement du glaucome, est de garder la PIO assez basse pour éviter des dommages au nerf optique. Ces dommages se manifestent par une perte accrue du champ visuel et une excavation papillaire progressive. Les traitements spécifiques varient selon le type de glaucome. L'encadré 48.12 résume le processus diagnostique thérapeutique pour les cas de glaucome.

Glaucome à angle ouvert chronique. Le traitement initial du glaucome à angle ouvert chronique se fait à l'aide de médicaments (voir tableau 48.5). Au cours de toute pharmacothérapie, le client doit comprendre qu'un traitement et une supervision continue sont nécessaires parce que la médication contrôle, mais ne guérit pas, la maladie.

La **trabéculoplastie au laser argon** est une option de traitement pour abaisser la PIO en cas d'inefficacité des médicaments ou quand, à l'occasion, le client ne peut ou ne veut pas suivre la pharmacothérapie recommandée. La trabéculoplastie au laser argon est une

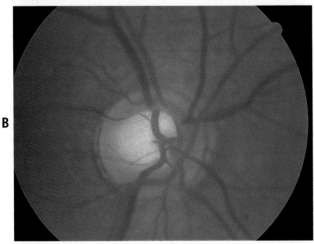
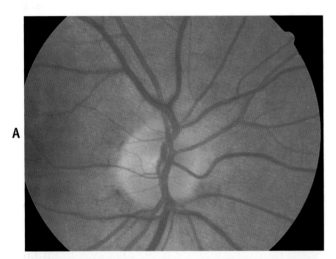

FIGURE 48.5 A. Dans l'œil normal, la papille optique est rose et présente une faible excavation. B. Dans l'œil atteint de glaucome, la papille est blanchie et il y a présence d'excavation papillaire. Noter l'apparence des vaisseaux sanguins de la rétine, qui se situent au bord de la papille et qui semblent y pénétrer.

PROCESSUS DIAGNOSTIQUE ET THÉRAPEUTIQUE

Glaucome   ENCADRÉ 48.12

Diagnostic
- Mesure de l'acuité visuelle
- Tonométrie
- Ophtalmoscopie (directe et indirecte)
- Biomicroscopie oculaire
- Gonioscopie
- Périmétrie du champ visuel
- Photographie du fond de l'œil

Traitement thérapeutique
Soins ambulatoires ou à domicile pour le glaucome à angle ouvert
- Pharmacothérapie
  - Agents bloquants des récepteurs bêta-adrénergiques
  - Agonistes adrénergiques
  - Cholinergiques (myotiques)
  - Inhibiteurs de l'anhydrase carbonique
- Traitement chirurgical
  - Trabéculoplastie au laser argon
  - Trabéculotomie, avec ou sans implant de filtration
  - Cyclocryothérapie visant à détruire le corps ciliaire

Soins aigus pour le glaucome à angle fermé
- Cholinergique topique
- Hyperosmotique
- Iridotomie périphérique au laser
- Iridectomie chirurgicale

intervention d'un jour qui nécessite seulement un anesthésiant topique. Les gouttes topiques anesthésient la cornée avant qu'on y applique la lentille de gonioscopie, ce qui permet une visualisation de la région traitée. Une cinquantaine de « points » laser sont également espacés autour des 180° inférieurs ou supérieurs du trabéculum cornéoscléral. Le laser stimule la scarification et la contraction du trabéculum cornéoscléral, ce qui ouvre les canaux d'écoulement. Dans environ 75 % des cas, la trabéculoplastie au laser argon réduit la PIO. Une seconde région de 180° peut être traitée lors d'une intervention subséquente. Le client utilise des corticostéroïdes topiques pendant les trois à cinq jours suivant la chirurgie. La complication la plus fréquente est une hausse aiguë de la PIO après l'opération. La baisse de pression étant graduelle, le client continue à suivre la médication préopératoire pour le glaucome. L'ophtalmologiste examine le client une semaine après l'intervention, puis de quatre à six semaines après la chirurgie.

Une **chirurgie filtrante**, comme la trabéculectomie, peut être indiquée si le traitement médical et le traitement au laser s'avèrent inefficaces. Au cours de cette intervention, le chirurgien taille des lambeaux conjonctifs et sclérotiques, retire une partie de l'iris et du trabéculum cornéoscléral, et rabat le lambeau scléral sans le serrer. L'humeur aqueuse peut alors effectuer une « percolation » vers l'extérieur à travers la zone où l'on a retiré un morceau d'iris, où elle est retenue sous la conjonctive réparée, et absorbée dans la circulation systémique. Le taux de réussite de cette chirurgie filtrante se situe entre 75 et 85 %. La mitomycine (Mutamycin) ou le 5-Fluorouracil peuvent accroître le taux de réussite en prévenant la scarification et la fermeture subséquente de l'ouverture pratiquée lors de la chirurgie.

La **cyclocryothérapie** est une autre intervention qui abaisse la PIO. Le chirurgien applique la cryosonde sur la sclérotique à l'extérieur du corps ciliaire, gelant certaines de ses parties, ce qui entraîne la destruction locale du tissu et diminue la production d'humeur aqueuse. Cette intervention peut être répétée ou encore utilisée pour le traitement du glaucome aigu.

L'implant est une autre option chirurgicale habituellement réservée au client pour qui la chirurgie filtrante a échoué. Cela nécessite la mise en place chirurgicale d'un petit tube et d'un réservoir pour dévier l'humeur aqueuse de la chambre antérieure vers le réservoir implanté.

Glaucome à angle fermé aigu. Le glaucome à angle fermé aigu constitue une urgence oculaire requérant une intervention immédiate. Les myotiques ou les agents hyperosmotiques oraux ou intraveineux sont habituellement efficaces pour abaisser immédiatement la PIO (voir encadré 48.12). Il est nécessaire de recourir à une iridotomie périphérique au laser ou à une iridectomie chirurgicale pour le traitement à long terme et la prévention d'épisodes subséquents. Ces interventions permettent à l'humeur aqueuse de couler, à travers une ouverture nouvellement pratiquée dans l'iris, vers les canaux d'écoulement normaux. L'une de ces interventions peut aussi être pratiquée dans l'autre œil à des fins préventives puisque de nombreux clients sont souvent victimes d'une crise aiguë dans l'autre œil.

Glaucome secondaire. Le glaucome secondaire peut être traité en soignant le trouble sous-jacent et en utilisant des médicaments contre le glaucome. En cas d'échec du traitement, le glaucome peut évoluer en glaucome absolu, ce qui rend l'œil dur, aveugle et habituellement douloureux. Cette affection nécessite l'**énucléation** (ablation chirurgicale de l'œil).

48.8.5 Soins infirmiers : glaucome

Le glaucome est une affection chronique présentant un risque à long terme important pour la vision. Les soins infirmiers se concentrent sur la chronicité de cette maladie et sur le fait qu'il est possible, dans la plupart des cas, de prévenir la déficience visuelle au moyen d'une gestion thérapeutique appropriée.

Collecte de données. Puisque le glaucome est une affection chronique nécessitant un traitement à long terme, l'infirmière doit évaluer soigneusement la capacité du client à comprendre les justifications et à se conformer au schéma de traitement prescrit. Par ailleurs, elle doit estimer la réaction psychologique du client au diagnostic d'un trouble chronique pouvant mettre la vision en danger. De plus, elle doit intégrer la famille du client au processus d'évaluation, la nature chronique de ce trouble ayant diverses incidences sur la famille. Certaines familles peuvent devenir les premiers dispensateurs des soins nécessaires, comme l'administration des gouttes ou des injections d'insuline, si le client ne veut ou ne peut pas accomplir ces activités d'autosoins. Enfin, l'infirmière évalue aussi l'acuité visuelle, le champ visuel, la PIO et les changements au fond de l'œil lorsque cela est nécessaire.

Diagnostics infirmiers. Les diagnostics infirmiers pour le client atteint de glaucome comprennent, entre autres, les suivants :
- non-observance du traitement reliée aux inconvénients et aux effets secondaires des médicaments pour le glaucome ;
- risque de blessure relié aux déficits d'acuité visuelle ;
- déficits d'autogestion des soins reliés aux déficits d'acuité visuelle ;

TABLEAU 48.5 Glaucome aigu et chronique

Médicament	Action	Effets secondaires	Soins infirmiers généraux
Agents bloquants des récepteurs bêta-adrénergiques			
Bétaxolol (Betoptic)	Agent bloquant cardiosélectif β_1 ; diminue probablement la production d'humeur aqueuse.	Malaise transitoire ; les réactions systémiques, rarement signalées, comprennent la bradycardie, le bloc cardiaque, la détresse pulmonaire, la céphalée et la dépression.	Gouttes topiques ; effet minimal sur les paramètres pulmonaires et cardiovasculaires ; contre-indiqué pour le client souffrant de bradycardie, de choc cardiogénique ou d'insuffisance cardiaque manifeste ; l'absorption systémique peut avoir un effet qui s'ajoute à celui des bêtabloquants systémiques.
Lévobunolol Maléate de Timolol (Timoptic)	Agents bloquants non cardiosélectifs β_1 et β_2 ; diminuent probablement la production d'humeur aqueuse.	Malaise oculaire transitoire, vision floue, photophobie, blépharoconjonctivite, bradycardie, baisse de tension artérielle, bronchospasme, céphalée, dépression.	Gouttes topiques ; même chose que pour le bétaxolol ; ces bêtabloquants non cardiosélectifs sont aussi contre-indiqués pour le client souffrant d'asthme et de MPOC grave.
Agonistes adrénergiques			
Dipivéfrine (Propine)	Agoniste adrénergique α- et β- ; transformé en épinéphrine à intérieur de l'œil ; diminue la production d'humeur aqueuse, améliore la facilité d'écoulement.	Malaise et rougeur oculaires, tachycardie, hypertension.	Gouttes topiques ; contre-indication pour le client atteint de glaucome à angle étroit ; enseigner l'occlusion des points lacrymaux au client à risque de réactions systémiques.
Apraclonidine (Iopidine) Brimonidine (Alphagan)	Agonistes alpha-adrénergiques ; diminuent probablement la production d'humeur aqueuse.	Rougeur oculaire, rythme cardiaque irrégulier.	Gouttes topiques ; utiliser pour contrôler ou prévenir une augmentation aiguë de la PIO suivant l'utilisation du laser (utilisées une heure avant et immédiatement après la TLA et l'iridectomie, Nd : capsulotomie au laser YAG ; enseigner au client à risque de réactions systémiques d'occlure les points lacrymaux.
Lantanoprost (Xalatan)	Analogue de la prostaglandine F.	Accentuation de la pigmentation brune de l'iris, malaise et rougeur oculaires, sécheresse, démangeaison et sensation de présence d'un corps étranger.	
Cholinergiques (myotiques)			
Carbachol (Isopto-Carbachol)	Parasympathomimétique ; stimule la contraction du sphincter de l'iris, ce qui provoque le myosis et l'ouverture du trabéculum cornéoscléral, facilitant l'écoulement de l'humeur aqueuse ; inhibe aussi partiellement la cholinestérase.	Malaise oculaire transitoire, céphalée, douleur aux sourcils, vision floue, diminution de l'adaptation à l'obscurité, syncope, salivation, arythmie, vomissements, diarrhée, hypotension, décollement rétinien chez les sujets prédisposés (rare).	Gouttes topiques ; mettre en garde le client contre la diminution de l'acuité visuelle due au miosis, particulièrement sous un éclairage faible.
Pilocarpine (Isopto Carpine, Pilocar, Pilopine, Piloptic, Miocarpine)	Parasympathomimétique ; stimule la contraction du sphincter de l'iris, ce qui provoque le myosis et l'ouverture du trabéculum cornéoscléral, facilitant l'écoulement de l'humeur aqueuse.	Mêmes que pour le carbachol.	Gouttes topiques ; même chose que pour le carbachol.

PHARMACOTHÉRAPIE

TABLEAU 48.5 Glaucome aigu et chronique (*suite*)

Médicament	Action	Effets secondaires	Soins infirmiers généraux
Inhibiteurs de l'anhydrase carbonique Acétazolamide (Diamox) Méthazolamide (Neptazane)	Diminuent la production d'humeur aqueuse.	Paresthésie, surtout un « fourmillement » dans les extrémités ; dysfonction de l'ouïe ou acouphène ; perte d'appétit ; altération du goût ; troubles GI ; somnolence ; confusion	Sulfamides oraux non bactériostatiques ; des réactions allergiques anaphylactiques et d'autres types de réactions allergiques aux sulfamides peuvent se produire chez le client allergique aux sulfamides ; l'effet diurétique peut diminuer le taux électrolytique ; demander au client s'il utilise de l'aspirine ; ce médicament ne devrait pas être administré au client suivant un traitement à forte teneur en aspirine.
Hyperosmotiques Solution de mannitol (Osmitrol)	Augmente l'osmolarité extracellulaire, faisant en sorte que l'eau intracellulaire se déplace vers les espaces extracellulaires et vasculaires, réduisant la PIO.	Nausée, vomissement, diarrhée, thrombophlébite, hypertension, hypotension, tachycardie	Solution IV ; même chose que pour la glycérine.

TLA : trabéculoplastie au laser argon ; ICC : insuffisance cardiaque congestive ; MPOC : maladie pulmonaire obstructive chronique ; GI : gastro-intestinal ; PIO : pression intra-oculaire ; IV : intraveineuse.

- douleur reliée au processus physiopathologique et à la correction chirurgicale.

Planification. Les objectifs pour le client atteint de glaucome sont les suivants : ne pas être confronté à une progression de sa déficience visuelle ; comprendre l'évolution de la maladie et les justifications du traitement ; se conformer à tous les aspects du traitement (dont l'administration des médicaments et les soins de suivi) ; ne présenter aucune complication postopératoire.

Exécution

Promotion de la santé. L'infirmière joue un rôle majeur dans l'enseignement au client et à sa famille sur les risques du glaucome. Elle doit alors insister sur l'importance d'un dépistage et d'un traitement précoce pour la prévention de la déficience visuelle. Ces informations doivent encourager le client à chercher des soins ophtalmologiques appropriés. Ainsi, elle peut instruire le client et sa famille en particulier, des groupes de clients ou des communautés entières, selon son milieu de pratique. Le client doit savoir que l'incidence du glaucome augmente avec l'âge et qu'un examen ophtalmologique complet est essentiel pour déceler les personnes atteintes de glaucome ou à risque de développer cette affection. Actuellement, on recommande un examen ophtalmologique tous les 2 à 4 ans pour les personnes de 40 à

64 ans, et tous les 1 ou 2 ans pour celles de 65 ans et plus. Les personnes de race noire de toutes les catégories d'âge devraient se faire examiner plus souvent en raison de l'incidence plus grande et de l'évolution plus foudroyante du glaucome qui les caractérisent.

Intervention aiguë. Les interventions infirmières aiguës sont dirigées vers le client atteint d'un glaucome à angle fermé et le client en chirurgie. Le client atteint de glaucome à angle fermé requiert une médication immédiate pour abaisser la PIO, que l'infirmière doit lui administrer de façon opportune et appropriée selon la prescription de l'ophtalmologiste. S'il ressent aussi de la douleur, le client peut recevoir des mesures infirmières appropriées de réconfort, telles que la diminution de l'éclairage ambiant, l'application de compresses froides sur le front et l'installation dans un endroit tranquille et privé. La plupart des interventions chirurgicales pour le glaucome sont des interventions d'un jour. De façon aiguë, le client a besoin d'instructions postopératoires et peut nécessiter des interventions infirmières pour soulager le malaise dû à l'intervention. Le plan de soins infirmiers (voir encadré 48.7) donne les grandes lignes des soins pour le client à la suite d'une chirurgie oculaire. L'encadré 48.6 traite de l'enseignement au client et à sa famille.

Soins ambulatoires et soins à domicile. En raison de la nature chronique du glaucome, le client doit être encouragé à suivre le plan de traitement et les recommandations de suivi prescrites par son ophtalmologiste. Le client a besoin d'informations précises relatives à l'évolution de la maladie et aux options de traitement, y compris les justifications sous-jacentes à chaque option, et d'informations relatives au but, à la fréquence et aux techniques d'administration des médicaments prescrits contre le glaucome. En plus des instructions verbales, tous les clients doivent recevoir des instructions écrites contenant les mêmes informations. Ce document doit être modérément détaillé pour fournir toutes les informations nécessaires et ne pas provoquer la confusion du client. L'infirmière peut encourager le client à se conformer au traitement médicamenteux en insistant sur le fait que les gouttes peuvent préserver sa vision et en l'aidant à reconnaître les moments les plus appropriés pour leur administration. De plus, un changement de traitement peut être recommadé au client, s'il signale des effets secondaires indésirables.

Évaluation. Les résultats escomptés chez le client atteint de glaucome sont les suivants :
- ne pas aggraver sa perte de vision ;
- se conformer au traitement recommandé ;

GÉRONTOLOGIE

Contre-indications médicamenteuses pour le client atteint de glaucome

ENCADRÉ 48.13

De nombreux clients âgés atteints de glaucome souffrent d'une maladie systémique ou prennent des médicaments systémiques pouvant affecter leur traitement. En particulier, le client qui utilise pour le glaucome un agent bloquant bêta-adrénergique peut connaître un effet de dépendance, s'il prend également un médicament bloquant bêta-adrénergique. Tous les agents bloquants bêta-adrénergiques pour le glaucome sont contre-indiqués pour le client atteint de bradycardie, de bloc cardiaque supérieur au premier degré, de choc cardiogénique et d'insuffisance cardiaque patente. Les agents bloquants bêta-adrénergiques non cardiosélectifs pour le glaucome sont aussi contre-indiqués pour le client atteint de MPOC ou d'asthme. Les agents hyperosmolaires peuvent précipiter l'ICC ou l'œdème pulmonaire chez le client prédisposé. Le client âgé suivant un traitement à haute teneur en aspirine pour la polyarthrite rhumatoïde ne doit pas prendre d'inhibiteurs de l'anhydrase carbonique. Les agents adrénergiques peuvent provoquer de la tachycardie ou de l'hypertension pouvant avoir de graves conséquences pour le client âgé. L'infirmière doit enseigner au client âgé à occlure les points lacrymaux pour limiter l'absorption systémique des médicaments pour le glaucome.

- fonctionner sans danger dans son propre environnement ;
- soulager la douleur associée à la maladie et à la chirurgie.

48.8.6 Inflammation et infection intra-oculaires

On utilise le terme **uvéite** pour décrire l'inflammation du tractus uvéal, de la rétine, de l'humeur vitrée ou du nerf optique. Cette inflammation peut être d'origine bactérienne, virale, fongique ou parasitaire. La **rétinite à cytomégalovirus** (rétinite à CMV) est une infection opportuniste qui se déclare chez le client atteint du syndrome d'immunodéficience acquise (SIDA) ou immunodéprimé. L'étiologie de l'inflammation intra-oculaire stérile comprend les troubles auto-immuns, le SIDA, les malignités ou les affections associées aux maladies systémiques, comme la polyarthrite rhumatoïde juvénile et la maladie inflammatoire intestinale. La douleur et la photophobie sont des symptômes fréquents.

L'**endophtalmie** est une inflammation intra-oculaire étendue de la cavité vitréenne, qui peut être d'origine bactérienne, virale, fongique ou parasitaire. Le mécanisme de l'infection peut être endogène (l'agent infectieux arrive à l'œil par le flux sanguin) ou exogène (l'agent infectieux est introduit par une plaie chirurgicale ou une lésion pénétrante). Bien que rares, la plupart des cas d'endophtalmie constituent une complication dévastatrice de la chirurgie intra-oculaire ou de la chirurgie oculaire pénétrante pouvant entraîner la cécité irréversible en quelques heures ou en quelques jours. Les manifestations comprennent la douleur oculaire, la photophobie, la diminution de l'acuité visuelle, la céphalée, l'œdème de la paupière supérieure, la rougeur et l'enflure de la conjonctive, et l'œdème cornéen.

Lorsque toutes les couches de l'œil (humeur vitrée, rétine, choroïde et sclérotique) sont touchées dans la réaction inflammatoire, le client souffre de **panophtalmie**. Au cours des stades finaux de cas graves, la sclérotique peut subir une dissolution bactérienne ou inflammatoire. La rupture subséquente du globe propage l'infection dans l'orbite ou les paupières.

Le traitement de l'inflammation intra-oculaire dépend de sa cause sous-jacente. Les infections intra-oculaires nécessitent des antimicrobiens pouvant être administrés de façon topique, sous-conjonctivale, intra-vitréenne, systémique ou en combinaison. Les réactions inflammatoires stériles requièrent des anti-inflammatoires comme les corticostéroïdes. Le site et la gravité de la réaction inflammatoire stérile déterminent s'il est nécessaire d'administrer des corticostéroïdes topiques, sous-conjonctivaux ou systémiques.

Le client atteint d'une inflammation intra-oculaire ressent habituellement de la douleur et peut être notablement anxieux et craintif. Il peut avoir peur de perdre soudainement et totalement la vue. Dans certains cas, cette crainte est réaliste, et l'infirmière doit fournir des informations exactes et un soutien émotionnel au client et à sa famille. Dans les cas graves, l'énucléation peut s'avérer nécessaire. La perte de la fonction visuelle ou même de l'œil entier provoque chez le client une réaction de chagrin. Cela fait partie du rôle de l'infirmière d'aider le client à affronter ce processus de deuil relatif à la perte de l'œil.

48.8.7 Énucléation

On appelle **énucléation** l'ablation de l'œil. Cette intervention est principalement indiquée dans les cas d'œil aveugle et douloureux, possiblement le résultat d'un glaucome absolu, d'une infection ou d'un traumatisme. L'énucléation peut aussi être indiquée dans le cas de malignités oculaires, bien que de nombreuses malignités puissent être traitées à l'aide de la cryothérapie, de l'irradiation ou de la chimiothérapie. Une indication extrêmement rare est l'**ophtalmie sympathique**, au cours de laquelle l'œil non traumatisé développe une réaction inflammatoire à la suite du premier traumatisme. Dans cette situation, l'œil traumatisé est énucléé. L'intervention chirurgicale consiste à retrancher la section des muscles intra-oculaires près de leur insertion sur le globe, l'insertion d'un implant pour préserver l'anatomie intra-orbitale et la suture de l'extrémité des muscles extra-oculaires sur l'implant. La conjonctive couvre les muscles joints et on place un conformeur sur la conjonctive jusqu'à la mise en place de la prothèse permanente. Un pansement compressif aide à prévenir l'hémorragie postopératoire.

Après l'opération, l'infirmière observe le client pour détecter des signes de complication, dont l'hémorragie ou le gonflement excessifs, l'augmentation de la douleur, le déplacement de l'implant ou l'élévation de la température. L'enseignement à la clientèle doit comprendre l'administration de gouttes ou d'onguents topiques et le nettoyage de la plaie. L'infirmière doit aussi enseigner au client la manière d'insérer le conformeur dans la cavité, s'il en tombe. Le client est souvent terrassé par la perte d'un œil, même quand on pratique l'énucléation à la suite d'une longue période de cécité douloureuse. L'infirmière doit être en mesure de reconnaître la réaction émotionnelle du client et de lui fournir un soutien, ainsi qu'à sa famille.

Environ six semaines après la chirurgie, la plaie est suffisamment cicatrisée pour accueillir la prothèse permanente. La prothèse, ajustée par un oculiste, est conçue pour correspondre à l'œil restant. Le client doit apprendre à retirer, nettoyer et insérer la prothèse. Un polissage spécial est périodiquement nécessaire pour retirer les sécrétions protéiniques séchées.

L'infirmière peut devoir retirer la prothèse lorsque le client est incapable de le faire. Après s'être soigneusement brossé les mains, l'infirmière tire la paupière inférieure du client vers le bas et vers la pommette. Habituellement, la prothèse sortira en glissant (voir figure 48.6). Si nécessaire, l'infirmière peut utiliser une petite ventouse. La prothèse doit être nettoyée à l'aide d'un savon doux, bien rincée et rangée dans un contenant tapissé d'un matériel doux pour éviter les dommages. Le nom du client doit être clairement inscrit sur le contenant. Pour réinsérer la prothèse, l'infirmière ouvre la paupière supérieure en exerçant une pression sur l'arcade sourcilière supérieure, place le haut de la prothèse sous la paupière supérieure et tire la paupière inférieure vers le bas. Le bord inférieur de la prothèse glisse sous la paupière inférieure au moyen d'une légère pression sur la prothèse (voir figure 48.7).

48.8.8 Signes oculaires de maladies systémiques

De nombreuses maladies systémiques comportent des signes oculaires importants. Bien que la description complète de ces troubles sorte du cadre de cet exposé, il est important pour l'infirmière de savoir que de nombreuses maladies systémiques présentent des symptômes oculaires. Inversement, les signes et symptômes oculaires peuvent être les premières constatations d'une maladie systémique ou les premières raisons qui poussent le client à consulter un médecin. Par exemple, un client atteint d'un diabète non diagnostiqué peut consulter un ophtalmologiste parce que sa vision est trouble. Des antécédents de santé minutieusement établis et un examen attentif peuvent révéler que la cause sous-jacente de la vision trouble est un gonflement du cristallin causé par une hyperglycémie incontrôlée. Un

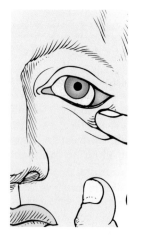
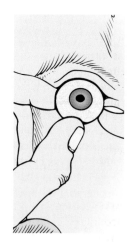

FIGURE 48.6 Retrait de la prothèse oculaire

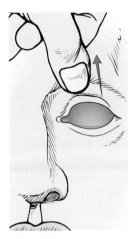
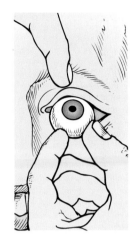
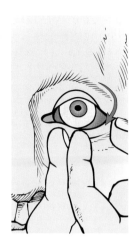

FIGURE 48.7 Insertion de la prothèse oculaire

autre exemple est le cas du client qui consulte pour une lésion conjonctivale. L'ophtalmologiste peut être le premier professionnel de la santé à poser le diagnostic de SIDA en se basant sur la présence d'un sarcome de Kaposi sur la conjonctive. Le tableau 48.6 dresse la liste de certaines maladies systémiques et des signes ophtalmologiques associés.

48.9 TROUBLES DE L'OUÏE

48.9.1 Promotion de la santé

L'infirmière a un rôle important à jouer dans la prévention de la conservation de l'ouïe. Elle a donc de nombreuses responsabilités, notamment celle de renseigner la population sur les précautions élémentaires d'hygiène des oreilles.

Prévention des accidents. L'infirmière doit enseigner au client à ne pas introduire d'objets dans ses oreilles. Les oreilles doivent être nettoyées avec une débarbouillette et un doigt. Le client doit particulièrement éviter les pinces à cheveux et les coton-tiges. La pénétration d'un coton-tige dans l'oreille moyenne peut entraîner des blessures graves au tympan et aux osselets, et peut causer la paralysie faciale, s'il y a des dommages nerveux. L'utilisation de coton-tiges peut aussi coincer du cérumen contre le tympan et affaiblir l'ouïe.

Lutte contre les bruits ambiants. L'infirmière doit encourager la lutte contre les bruits ambiants dans l'environnement. La déficience auditive peut être occasionnée par un bruit fort et ponctuel (traumatisme

acoustique) ou par les effets cumulatifs de bruits de différentes intensités, fréquences et durées (perte auditive due au bruit). Le traumatisme acoustique cause la perte auditive par la destruction mécanique de parties de l'organe de Corti. Le client peut récupérer une certaine fonction auditive au cours des premières semaines suivant la lésion, mais la perte résiduelle est permanente. La perte auditive due au bruit est probablement provoquée par une stimulation à haute intensité de la cochlée entraînant des dommages mécaniques des cellules ciliées et des cellules de soutènement de l'organe de Corti.

La surdité de perception due à l'augmentation et au prolongement du bruit ambiant, comme l'amplification d'un son, apparaît chez les jeunes adultes à un rythme croissant. L'enseignement préventif relatif à l'évitement d'une exposition continuelle à des niveaux sonores supérieurs à 85 décibels (dB) sur une période de 8 heures est essentiel. L'encadré 48.14 décrit les registres sonores audibles pour l'humain. Ajoutons que l'exposition continuelle aux bruits rend certains individus plus irritables et tendus.

L'infirmière doit surveiller le niveau sonore dans les contextes de soins de santé. L'acquisition d'équipement moins bruyant ou l'utilisation d'équipement bruyant, mais à différents moments, sont des solutions possibles. Dans les environnements de travail connus pour leur niveau de bruit élevé (plus de 85 dB), les travailleurs doivent porter des coquilles de protection auriculaire, tel que l'exigent les normes de l'Occupational Safety and Health Administration (OSHA). Il existe divers types de protection qu'on porte sur ou dans les oreilles pour prévenir la perte auditive. Des tests de dépistage audiométriques périodiques doivent faire partie des politiques industrielles de maintien de la santé et la sécurité au travail. Ils fournissent des

TABLEAU 48.6 Signes oculaires de maladies ou de syndromes systémiques

Entité systémique	Signes oculaires
SIDA	Zona ophtalmique, kératite (bactérienne et virale), rétinite à CMV, endophtalmite (bactérienne et fongique), exsudat floconneux et microvasculopathie de la rétine, SK des paupières ou de la conjonctive.
Albinisme	Diminution de l'acuité visuelle, photophobie, nystagmus, strabisme.
Diabète sucré	Erreurs de réfraction fluctuantes, rétinopathie diabétique, œdème maculaire, développement prématuré de la cataracte, incidence accrue du glaucome.
Syndrome de Down	Myopie, cataractes, nystagmus, strabisme, kératocône, inclinaison vers le haut et vers l'extérieur du rebord des paupières.
Hypertension	Exsudat floconneux et hémorragie rétinienne, dépôts lipidiques sur la rétine.
Lupus érythémateux disséminé	Sécheresse oculaire, changements rétiniens, uvéite, sclérite.
Syndrome de Marfan	Dislocation du cristallin, forte myopie, kératocône, décollement rétinien.
Polyarthrite rhumatoïde	Sécheresse oculaire, kératite, sclérite.

Infections
  Botulisme
  Endocardite
  Tuberculose
  Lèpre
  Herpès génital
  Infection au CMV
 	
  Rubéole congénitale
  Histoplasmose
  Toxoplasmose
  Maladie de Lyme
  Syphilis
	
	Vision trouble, ptose, diplopie, pupille fixe et dilatée.
	Pétéchies sous-conjonctivales ou rétiniennes.
	Conjonctivite, kératite, uvéite.
	Conjonctivite, kératite, uvéite, ptose.
	Kératite herpétique.
	Rétinite à CMV.
	Conjonctivite, kératite, rétinopathie.
	Cataractes, glaucome.
	Lésions choriorétiniennes, néoformation de vaisseaux sanguins sous la rétine.
	Lésions rétiniennes nécrotiques, inflammation vitréenne, rétino-choroïdite.
	Conjonctivite, kératite, épisclérite, panophtalmie, décollement rétinien, diplopie.
	Conjonctivite, kératite, uvéite, décollement rétinien, œdème maculaire, dislocation du cristallin, glaucome (syphilis congénitale).

Artérite temporale	Perte de vision ; paralysie des NC III, IV et VI ; nystagmus, ptose. Perte de champ visuel.
Maladie Thyroïdienne	Rétraction de la paupière, asynergie oculopalpébrale, exophtalmie, mouvement oculaire anormal, PIO accrue.

Carences vitaminiques
  A
  B
  C
  D
	
	Cécité nocturne, ulcération cornéenne.
	Neuropathie optique, changements cornéens, hémorragie rétinienne, nystagmus.
	Hémorragie dans la chambre antérieure, la rétine et la conjonctive.
	Exophtalmie.

SIDA : syndrome d'immunodéficience acquise ; CMV : cytomégalovirus ; NC : nerf crânien ; PIO : pression intra-oculaire ; SK : sarcome de Karposi.

données de base sur l'ouïe pour la mesure de pertes auditives subséquentes.

L'infirmière doit participer aux programmes de prévention pour la conservation de l'ouïe en milieu de travail. Un programme industriel de conservation de l'ouïe doit comprendre des analyses d'exposition au bruit, la lutte contre l'exposition au bruit (coquilles de protection auriculaire), la mesure de l'ouie ainsi que la notification et l'éducation des employés et de l'employeur. Souvent, une équipe multidisciplinaire est composée d'un hygiéniste du travail, d'un ingénieur en santé du travail, d'une infirmière en santé et sécurité au travail, et d'un technicien en audiométrie responsable d'un tel programme.

Des coquilles de protection auriculaire doivent être portées pour le tir au pigeon d'argile et lors d'autres activités récréatives à niveau sonore élevé. On doit encourager les jeunes adultes à écouter de la musique forte à un niveau raisonnable et à limiter leur temps d'exposition. La perte auditive due au bruit est irréversible.

Immunisation. L'infirmière doit promouvoir l'immunisation chez l'enfant et l'adulte, dont l'immunisation

Registres sonores audibles pour l'humain   ENCADRÉ 48.14

Typique Décibel	Exemple
0	Son le plus faible audible par l'oreille humaine.
30	Bibliothèque silencieuse, doux murmure.
40	Salon, bureau silencieux, chambre éloignée de la circulation.
50	Circulation légère et lointaine, réfrigérateur, douce brise.
60	Climatiseur distant de six mètres, conversation, machine à coudre.
70	Circulation dense, restaurant bruyant. À cette intensité, le bruit peut commencer à affecter l'ouïe, s'il y a exposition croissante sur une période de huit heures.

Zone de danger pour la perte auditive

80	Métro, circulation urbaine dense, réveil-matin distant d'un demi-mètre, bruit d'usine. Ces bruits sont dangereux, si l'on y est exposé pendant plus de huit heures.
90	Circulation de camions, appareils ménagers bruyants, outils d'atelier, tondeuse à gazon. L'augmentation de l'intensité sonore diminue le temps d'exposition que l'on qualifie de « sans danger »; les dommages peuvent se produire en moins de huit heures.
100	Tronçonneuse, écouteurs de chaîne stéréo, marteau-piqueur. À cette intensité sonore, même deux heures d'exposition peuvent être dangereuses; chaque augmentation de 5 dB diminue cette marge de moitié.
120	Concert rock passé devant les haut-parleurs, décapage à la sableuse, coup de tonnerre. Danger immédiat; une exposition à 120 dB peut blesser les oreilles.
140	Coup de feu, avion à réaction. Tout temps d'exposition est dangereux; un bruit de cette intensité peut causer une douleur réelle dans l'oreille.
180	Rampe de lancement de fusée. Sans protection, un bruit de cette intensité cause des dommages irréversibles; la perte auditive est inévitable.

Tiré de American Academy of Otolaryngology, 1993.

contre la rougeole, les oreillons et la rubéole (vaccin RRO). Divers virus peuvent provoquer la surdité en causant au fœtus des malformations et des dommages affectant l'oreille. La surdité survient à la suite d'une exposition à la rubéole dans le premier trimestre de la grossesse. Le risque d'anomalie congénitale suivant une exposition à la rubéole au cours des deuxième et troisième trimestres chute à 1 %. La femme en âge d'avoir des enfants doit être examinée en ce qui a trait à son niveau d'immunité. Une sérologie démontrant la présence d'anticorps contre la rubéole indique que la femme est immunisée contre cette maladie. Dans le cas où la personne n'est pas protégée, elle doit recevoir une immunisation (voir Protocole d'immunisation du Québec, PIQ) au moyen d'un vaccin vivant et doit éviter la grossesse au cours du mois suivant la vaccination. Si la femme est enceinte, on reporte l'immunisation en raison du fait qu'il est impossible d'exclure toute possibilité de contracter un problème de santé. Les femmes prédisposées à la rubéole peuvent être vaccinées de façon sûre lors de la puerpéralité.

Médicaments ototoxiques. L'infirmière doit surveiller les réactions du client aux médicaments connus pour leur ototoxicité. Les médicaments ototoxiques sont susceptibles d'endommager l'une ou l'autre branche du nerf auditif (NC VIII), de même que l'oreille interne. Les signes et symptômes de la toxicité cochléaire sont l'acouphène et la surdité de perception. Les dommages au vestibule et aux canaux semi-circulaires peuvent entraîner le vertige, le nystagmus horizontal, les nausées et les vomissements. Au nombre des facteurs de risque associés à l'ototoxicité, on compte le fait d'être une personne âgée et un jeune enfant, la maladie rénale ou hépatique, des antécédents de perte auditive, l'utilisation de plusieurs médicaments potentiellement ototoxiques, la déshydratation, la bactériémie et des antécédents d'exposition à un bruit excessif ou de la radiothérapie crânienne.

Les médicaments couramment associés à l'ototoxicité comprennent l'aspirine, la quinidine, la quinine, les diurétiques de l'anse, la cisplatine, le carboplatine et les aminosides. Le client qui reçoit ces médicaments doit être évalué pour détecter le développement ou l'exacerbation des signes et symptômes associés à l'ototoxicité. Les tintements d'oreilles peuvent précéder la perte auditive. Lorsque ces symptômes se manifestent, l'interruption immédiate des médicaments peut prévenir davantage les lésions et peut entraîner la disparition des symptômes. Lorsqu'une telle interruption met en danger la vie du client, on doit l'avertir de la possibilité de perte auditive permanente.

Risque de perte auditive. L'infirmièr doit reconnaître le client prédisposé à une perte auditive. Les enfants qui respirent par la bouche de façon chronique doivent être adressés à un spécialiste. L'hypertrophie des végétations adénoïdiennes peut bloquer les voies nasales et les trompes d'Eustache, ce qui empêche l'aération de l'oreille moyenne. Cela prédispose aussi l'enfant à l'otite moyenne. Les enfants souffrant d'otite moyenne aiguë doivent fréquemment être surveillés pour repérer des signes d'otite moyenne chronique. Il est important que l'enfant prenne jusqu'au bout les antibiotiques prescrits pour l'épisode aigu.

Dépistage de la perte auditive. L'infirmière doit observer les symptômes indiquant la perte auditive à tous âges. Parmi ces symptômes, on compte le fait de demander aux autres de parler plus fort, de donner des réponses inappropriées aux questions, de ne pas répondre lorsqu'on ne regarde pas l'interlocuteur, de faire des efforts pour entendre, de se mettre la main en coupe derrière l'oreille, de démontrer de l'irritabilité envers ceux qui ne parlent pas fort, ainsi que la sensibilité accrue à de faibles augmentations du niveau sonore. Souvent, le client est inconscient d'une perte auditive minimale ou peut compenser en utilisant un ou plusieurs de ces tics. Les enfants dont l'ouïe est affaiblie par une infection de l'oreille moyenne (surdité de conduction) ou un trouble de l'oreille interne (surdité de perception) sont souvent inattentifs, ennuyés ou non coopératifs. La perte auditive chez la personne âgée est souvent constatée en premier lieu par la famille et les amis du client, qui se lassent de répéter ou de parler fort.

48.10 OREILLE EXTERNE ET CONDUIT AUDITIF EXTERNE

48.10.1 Traumatisme

Le traumatisme de l'oreille externe peut entraîner une lésion des tissus sous-cutanés pouvant causer un hématome. Si l'on n'aspire pas l'hématome, il peut se produire une inflammation des membranes du cartilage de l'oreille (périchondrite). On administre des antibiotiques pour prévenir l'infection. Les coups à l'oreille peuvent aussi entraîner une surdité de conduction, s'il y a dommage aux osselets dans l'oreille moyenne ou une perforation du tympan. Il est important d'obtenir un compte rendu détaillé de l'accident et d'évaluer l'ouïe d'un client qui a reçu un coup sur l'oreille ou sur le côté de la tête.

48.10.2 Otite externe

La peau de l'oreille externe et du conduit auditif externe est sujette aux mêmes problèmes que la peau située ailleurs sur le corps. L'**otite externe** consiste en une inflammation ou une infection de l'épithélium du pavillon et du conduit auditif. La pratique fréquente de la natation peut altérer la flore du conduit externe et causer une infection souvent appelée « otite des piscines ». Le traumatisme causé par le curage des oreilles ou par l'utilisation d'objets pointus, comme des épingles à cheveux, entraîne fréquemment une déchirure initiale de la peau.

Étiologie. L'otite externe peut être causée par l'infection, la dermatite ou les deux. Elle peut aussi être d'origine bactérienne ou fongique. Les bactéries les plus souvent trouvées lors des cultures sont *Pseudomonas aeruginosa*, *Proteus vulgaris*, *Escherichia coli* et *Staphylococcus aureus*. Les champignons les plus courants sont *Candida albicans* et les organismes *Aspergillus*. Les champignons sont souvent la cause de l'otite externe, notamment dans les climats chauds et humides. L'environnement chaud et sombre du conduit auditif fournit un milieu idéal pour le développement de micro-organismes.

Manifestations cliniques et complications. La douleur (otalgie) est l'un des premiers signes de l'otite externe. Même dans les cas bénins, le client peut ressentir une douleur disproportionnée par rapport à l'infection. La douleur est provoquée par l'œdème du conduit auditif osseux résultant du processus inflammatoire. La douleur est particulièrement remarquable lors des mouvements du pavillon ou de l'application d'une pression sur le tragus (directement devant l'oreille). L'écoulement venant de l'oreille peut être sérosanguinolent ou purulent. S'il est le résultat d'une infection causée par *Pseudomonas*, l'écoulement est vert et a une odeur de moisi. Lorsqu'une grande quantité de tissu est touchée, il se produit des hausses de température. Le gonflement du canal auditif peut bloquer l'ouïe et provoquer des étourdissements.

Soins infirmiers : otite externe. L'infirmière participe au diagnostic de l'otite externe en observant le tympan à l'aide de la lampe de l'otoscope et du plus gros spéculum possible qui ne causera pas de douleur au client. Le tympan peut être normal si on peut le voir. Des épreuves de sensibilité et de culture de l'écoulement peuvent être effectuées. L'aspirine ou la codéine sont habituellement efficaces contre la douleur. Après le nettoyage du conduit auditif, on administre les gouttes otiques antibiotiques prescrites et on y place une mèche de coton. Celles-ci doivent être utilisées avec précaution chez les jeunes enfants et les clients confus ou psychotiques, qui pourraient les pousser plus loin dans l'oreille. Au nombre des antibiotiques topiques, on compte la polymyxine B, la colistine, la néomycine et le chloramphénicol (Chloromycetin). La nystatine (Mycostatin, Nyaderm) est utilisée pour soigner les infections fongiques. On peut aussi utiliser des corticostéroïdes à moins que l'infection ne soit fongique, auquel cas ils sont contre-indiqués. Si le tissu environnant est touché, le médecin prescrit des antibiotiques systémiques. Des compresses tièdes et humides ou chaudes peuvent être appliquées. En général, une amélioration se manifeste dans les 48 heures, mais la guérison complète nécessite de 7 à 14 jours.

Il est important de manipuler et de jeter avec précaution le matériel souillé par les écoulements. Les gouttes otiques doivent être administrées à la température de la pièce, parce que des gouttes froides peuvent occasionner des étourdissements par stimulation des canaux semi-circulaires. La pointe du compte-gouttes ne doit pas toucher l'oreille lors de l'administration, afin de prévenir la contamination de la bouteille entière lorsqu'il y est replacé. On place l'oreille dans une position qui facilite la descente de la goutte le long du canal. Le client doit maintenir cette position pendant deux minutes après l'administration, afin que les gouttes puissent se disperser. L'encadré 48.15 expose le processus thérapeutique pour l'otite externe.

48.10.3 Cérumen et corps étrangers dans le conduit auditif externe

Un bouchon de cérumen peut être une source de malaise et de diminution de l'ouïe, ce qu'on décrit souvent comme une sensation de creux. Chez les personnes âgées, le cérumen se densifie et s'assèche. Les poils du tragus et du conduit auditif externe deviennent plus épais et plus drus, emprisonnant le cérumen sec et dur dans le conduit. L'eau qui pénètre dans le conduit pendant une douche ou dans la piscine peut provoquer le gonflement du cérumen, entraînant l'obstruction complète du canal. L'encadré 48.16 donne les grandes lignes des symptômes d'un bouchon de cérumen. Le traitement requiert l'irrigation du conduit à l'aide de solutions à température corporelle. On peut utiliser des seringues spéciales qui vont de la simple poire à des équipements d'irrigation spéciaux utilisés dans le cabinet du médecin ou en clinique (voir figure 48.8). On place un bassin réniforme sous l'oreille du client assis. Le pavillon est tiré vers le haut et l'arrière chez l'adulte, et le jet de solution est dirigé à l'entrée du conduit. Il est important de ne pas complètement obstruer le conduit avec le bout de la seringue. Si l'irrigation ne suffit pas à retirer la cire, on peut utiliser une cuillère à cérumen. L'administration de gouttes de lubrifiant doux (parfois pendant la nuit) permet d'amollir la cire et de rendre l'irrigation efficace pour enlever le bouchon de cérumen. Il est possible que le médecin doive retirer le cérumen à l'aide d'un microscope opératoire, de succion et d'instruments microchirurgicaux.

La liste des objets retirés des oreilles est longue et comprend des objets animés, inanimés, végétaux et minéraux. En tentant d'enlever l'objet, il arrive que l'individu le pousse plus loin dans le conduit. Par conséquent, ce dernier doit être retiré par un oto-rhino-laryngologiste (ORL). Les matières végétales ont tendance à gonfler et peuvent provoquer une inflammation secondaire rendant leur retrait plus difficile.

On doit immobiliser les objets animés avant leur retrait. L'huile minérale ou la lidocaïne peuvent servir à noyer un insecte. On peut alors le retirer en se guidant à l'aide d'un microscope. Si elle s'est attachée au tissu, la tique des bois peut être enlevée à l'aide de forceps pour oreilles ou en se guidant avec un microscope. On doit prendre soin de ne pas écraser la tique, afin d'éviter que sa tête reste attachée au tissu, ce qui peut causer une infection.

48.10.4 Malignités de l'oreille externe

Les malignités de l'oreille externe (autres que les cancers de la peau) et du conduit auditif extérieur ne sont pas fréquentes. Parmi les signes prédominants, on

Otite externe ENCADRÉ 48.15

Diagnostic
- Examen otoscopique
- Épreuves de culture et de sensibilité

Traitement thérapeutique
- Analgésiques (selon la gravité)
- Compresses chaudes
- Nettoyage du conduit
- Méchage du conduit
- Gouttes otiques antibiotiques
- Antibiotiques systémiques

Manifestations cliniques du bouchon de cérumen ENCADRÉ 48.16
- Perte auditive
- Otalgie
- Acouphène
- Vertige
- Toux
- Dépression cardiaque (stimulation vagale)

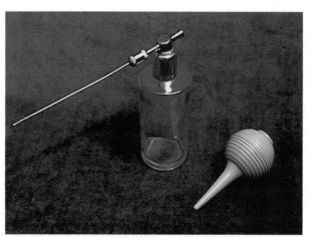

FIGURE 48.8 Instruments utilisés pour irriguer le conduit auditif externe : à gauche, un appareil d'irrigation utilisé au cabinet du médecin et en clinique ; à droite, une poire.

compte l'ulcère chronique du pavillon et l'écoulement persistant provenant du conduit, semblable à celui constaté dans le cas d'une otite externe. L'écoulement peut être teinté de sang et ne diminue pas avec le traitement. Le processus thérapeutique comprend une biopsie et d'autres épreuves diagnostiques, comme la tomodensitométrie (TDM), pour déterminer s'il y a invasion du tissu et des os sous-jacents. Le traitement requiert habituellement une chirurgie. Si la malignité touche au conduit auditif et à l'os temporal, il peut être nécessaire de pratiquer une chirurgie radicale de l'oreille moyenne et de l'oreille interne, accompagnée d'une résection du nerf facial (NC VII), du nerf auditif (NC VIII) et d'une partie de l'os temporal.

Le carcinome malpighien représente 55 % de tous les cancers de la peau affectant l'oreille. Les difformités esthétiques sont fréquentes et difficiles à reconstruire. Le carcinome basocellulaire du pavillon compte pour environ 1,5 % de tous les carcinomes basocellulaires de la tête et du cou. Il se déclare habituellement chez les individus à peau pâle qui vivent de longues périodes d'exposition au soleil. Ces cancers de la peau peuvent être excisés par chirurgie ou excisés en série, au moyen d'une technique spéciale d'examen du tissu au microscope pour s'assurer de la résection de toutes les cellules cancéreuses résiduelles. Cette intervention est connue sous le nom de chimiochirurgie de Mohs. Ces cancers de la peau ne mettent habituellement pas la vie en danger, et leur taux de guérison après résection est supérieur à 90 % dans la plupart des cas. Le mélanome peut aussi se déclarer sur l'oreille externe. Son traitement dépend de l'importance de la lésion. Ces lésions tendent à se métastaser soit par le système lymphatique, soit par le système sanguin.

48.11 OREILLE MOYENNE ET MASTOÏDE

48.11.1 Otite moyenne aiguë

Le trouble le plus courant de l'oreille moyenne est l'**otite moyenne aiguë**, habituellement une maladie d'enfance associée au rhume, au mal de gorge et à l'obstruction de la trompe d'Eustache. Plus tôt l'épisode initial se produit, plus élevé est le risque d'épisodes subséquents. Parmi les facteurs de risque, on compte le jeune âge, les anomalies congénitales, les déficiences immunitaires, le tabagisme passif, les dommages à la trompe d'Eustache dus à des infections virales, les antécédents familiaux d'otite moyenne, les infections récentes des voies respiratoires supérieures, le sexe masculin, le séjour en garderie, l'allaitement au biberon et la rhinite allergique. Bien que la plupart des clients

soient atteints d'infections mixtes, les bactéries sont les agents étiologiques prédominants. Les signes et symptômes de l'otite moyenne comprennent la douleur, la fièvre, le malaise, la céphalée et la diminution de l'ouïe.

Le processus thérapeutique exige l'utilisation d'antibiotiques pour éradiquer l'organisme en cause. L'administration d'amoxicilline pendant une période de 10 jours est actuellement le traitement de choix. Cependant, avec le problème d'émergence d'une antibiorésistance, la Société canadienne de pédiatrie, dans un de ses énoncés de principe (avril 2002), demande aux professionnels de la santé de revoir les pratiques prophylactiques. L'intervention chirurgicale est généralement réservée au client qui ne réagit pas au traitement médical. La **myringotomie** nécessite de pratiquer une incision dans le tympan pour relâcher la pression élevée et l'exsudat présent dans l'oreille. Un aérateur tympanostomique peut être mis en place pour une utilisation à court ou à long terme. Le traitement rapide d'un épisode d'otite moyenne aiguë prévient généralement la perforation spontanée de la membrane tympanique. On peut aussi prescrire des antihistaminiques à l'adulte, chez qui l'allergie peut être un facteur associé. Autrement, il n'est pas prouvé que les antihistaminiques sont efficaces. Depuis l'avènement du traitement aux antibiotiques, l'incidence d'infections graves et prolongées de l'oreille moyenne et de la mastoïde a grandement été réduite, sauf dans les pays en voie de développement où les soins de santé sont inadéquats et où les habitants ont un accès limité aux soins de santé.

48.11.2 Otite moyenne chronique et mastoïdite

Étiologie et physiopathologie. Des crises d'otite moyenne aiguë répétées ou non traitées peuvent entraîner un état chronique. L'infection chronique de l'oreille moyenne est plus fréquente chez les individus qui ont eu des épisodes d'otite moyenne aiguë tôt dans l'enfance. *Staphyloccocus aureus, Streptococcus, Proteus mirabilis, Proteus aeruginosa et Escheriacoli Coli* sont responsables de l'otite moyenne aiguë. Étant donné que la muqueuse est continue, l'oreille moyenne et les cellules ciliées de la mastoïde peuvent être affectées dans le processus infectieux chronique.

Manifestations cliniques. L'otite moyenne chronique se caractérise par un écoulement purulent, muqueux ou séreux accompagné d'une perte auditive et, occasionnellement, d'otalgie, de nausées et d'étourdissements. Le client peut se plaindre de perte auditive pouvant être le résultat de la destruction des osselets, de la perforation de la membrane tympanique ou de l'accumulation de liquide dans l'oreille moyenne. Une paralysie faciale ou une crise de vertige peuvent parfois prévenir le client de son affection. L'otite moyenne chronique est habituellement indolore, la présence de douleur indiquant du liquide sous pression.

Complications. Des affections non traitées peuvent entraîner la perforation du tympan et la formation d'un cholestéatome (une accumulation d'épithélium pavimenteux kératinisé dans l'oreille moyenne). Ayant, comme une tumeur, une tendance à l'hypertrophie, il peut détruire les os adjacents, y compris les osselets. À moins d'être enlevé par chirurgie, un cholestéatome peut causer des dommages majeurs aux structures de l'oreille moyenne, éroder la protection osseuse du nerf facial, créer une fistule labyrinthique ou même envahir la dure-mère, ce qui menace le cerveau. En plus du cholestéatome, on compte au nombre des autres complications de l'otite moyenne chronique la surdité de perception, la dysfonction du nerf facial, la thrombose des sinus latéraux, les abcès sous-duraux, les abcès du cerveau et la méningite.

Épreuves diagnostiques. Un examen otoscopique peut révéler une perforation centrale ou marginale du tympan (voir figure 48.9). Certains tympans peuvent guérir, mais comporteront une zone plus flasque et plus mince, signe d'une perforation antérieure. Des épreuves de culture et de sensibilité sont nécessaires à l'identification de l'organisme en cause, afin de prescrire l'antibiotique approprié. L'audiogramme peut ne pas démontrer de perte auditive, ou une perte auditive aussi élevée que 50 à 60 dB, si les osselets ont été partiellement détruits ou désarticulés (séparés). Une radiographie des sinus, une imagerie par résonance magnétique (IRM) ou une TDM de l'os temporal peuvent révéler la destruction osseuse, l'absence d'osselets ou la présence d'une masse, vraisemblablement un cholestéatome.

Processus thérapeutique. Le traitement a pour objectif d'éliminer l'infection de l'oreille moyenne (voir encadré 48.17). Le client entame un traitement aux antibiotiques systémiques basé sur les résultats des épreuves de culture et de sensibilité. De plus, le client peut avoir à subir de fréquentes irrigations otiques pour favoriser l'écoulement des liquides et des débris hors du conduit auditif. On utilise également des gouttes otiques antibiotiques et des gouttes d'acide acétique à 2% pour diminuer l'infection. S'il y a récurrence, le client peut devoir être traité à l'aide d'antibiotiques parentéraux. Dans de nombreux cas d'otite moyenne chronique, un traitement antimicrobien additionnel est futile et son efficacité est réduite à mesure que le nombre de traitements augmente.

Traitement chirurgical. Souvent, les perforations chroniques de la membrane tympanique ne guériront pas avec le traitement de conservation, et la chirurgie s'avère nécessaire. On appelle **tympanoplastie** la chirurgie impliquant la reconstruction de la membrane tympanique ou de la chaîne des osselets (voir encadré 48.18). Les tissus malades sont excisés et les osselets sont examinés et évalués en reconstruisant le mécanisme conducteur. Cela peut se faire grâce à l'utilisation de prothèses d'osselets en tout ou en partie, combinée avec une greffe de fascia pour réparer la perforation de la membrane tympanique. Une incision endoauriculaire (à l'intérieur du conduit auditif) ou postéroauriculaire (derrière le pavillon ou l'oreille) peut être effectuée selon le degré d'atteinte.

La **mastoïdectomie** accompagne souvent la tympanoplastie pour enlever le tissu malade et la source d'infection. La mastoïdectomie modifiée tente de

PROCESSUS DIAGNOSTIQUE ET THÉRAPEUTIQUE

| **Otite moyenne chronique** | ENCADRÉ 48.17 |

Diagnostic
- Examen otoscopique
- Épreuves de culture et de sensibilité de l'écoulement de l'oreille moyenne
- Radiographie de la mastoïde

Traitement thérapeutique
- Irrigations auriculaires
- Acide acétique (parts égales de vinaigre et d'eau chaude)
- Gouttes otiques, poudres
- Analgésiques
- Antiémétiques
- Antibiotiques systémiques
- Chirurgie
- Tympanoplastie*
- Mastoïdectomie

* Voir encadré 48.18.

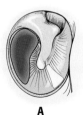 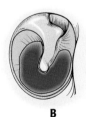 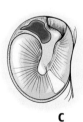

A　　　　**B**　　　　**C**

FIGURE 48.9 Trois perforations tympaniques courantes.
A. Petite perforation centrale (l'ouïe est habituellement bonne).
B. Perforation centrale importante autour du manche du marteau (l'ouïe est habituellement mauvaise). C. Perforation marginale de la membrane de Shrapnell (l'ouïe est habituellement bonne). Les cholestéatomes apparaissent couramment chez les clients sur lesquels l'on a pratiqué une perforation marginale, et ils sont toujours présents dans le cas d'une perforation de l'attique.

Myringoplastie
- Reconstruction chirurgicale limitée à la réparation de la perforation de la membrane tympanique.

Tympanoplastie sans mastoïdectomie
- Opération destinée à éradiquer les maladies de l'oreille moyenne et à reconstruire le mécanisme auditif sans chirurgie mastoïdienne ; s'accompagne ou non d'une greffe de membrane tympanique.

Tympanoplastie accompagnée d'une mastoïdectomie
- Opération destinée à éradiquer les maladies de l'oreille moyenne et de l'apophyse mastoïde et à reconstruire le mécanisme de conduction de l'oreille moyenne ; s'accompagne ou non d'une greffe de membrane tympanique.

préserver la fonction en enlevant le moins de tissu structurel possible. On arrête l'ablation de tissu en arrivant aux structures de l'oreille moyenne qui semblent capables de transmettre le son. La mastoïdectomie radicale, ablation complète de toutes les structures de l'oreille moyenne, est requise lorsque la maladie est étendue ou lorsqu'une exposition complète est nécessaire. Aucune tentative n'est faite pour restaurer l'ouïe de conduction. L'oreille moyenne et l'apophyse mastoïdienne forment une cavité importante. Bien que cette chirurgie soit rarement pratiquée de nos jours, elle était fréquente avant que des antibiotiques soient disponibles pour traiter les infections auriculaires. Le client qui a subi ce genre d'intervention doit avoir été enfant ou jeune adulte au début des années 1940, ou peut avoir été élevé dans une région sans traitement médical adéquat.

Soins infirmiers : otite moyenne aiguë

Tympanoplastie. Avant une tympanoplastie, l'infirmière doit prodiguer des soins préopératoires de routine comprenant un enseignement des attentes préopératoire et postopératoires. Au nombre des préoccupations postopératoires, on compte le fait d'éviter des complications, comme l'interruption de la réparation, lors de la phase de guérison, la paralysie des nerfs faciaux (rare) et l'augmentation de la pression dans l'oreille moyenne. On demande au client d'éviter de se moucher, car cela augmente la pression dans la trompe d'Eustache et la cavité de l'oreille moyenne, et peut déloger le greffon tympanique. La toux et l'éternuement peuvent provoquer des phénomènes similaires et doivent être évités, si possible. Si le client doit tousser ou éternuer, le fait de garder la bouche ouverte réduit la pression. Il est essentiel que le client obtienne de l'aide la première fois qu'il se lève, car il pourrait

éprouver des étourdissements et un déséquilibre qui le feront chuter.

On utilise une compresse d'ouate dans le cas d'une incision endoauriculaire. En ce qui concerne l'incision postauriculaire et la mise en place d'un drain, on utilise un pansement mastoïdien. Un pansement taillé de 4 sur 4 s'ajuste derrière l'oreille, et des ouates sont appliquées sur l'oreille pour empêcher le pansement qui encercle la tête d'exercer une pression sur le pavillon. Il est nécessaire de s'assurer que le pansement n'est pas trop serré (pour prévenir la nécrose tissulaire) et de surveiller la quantité et le type d'écoulement après l'opération.

48.11.3 Otite moyenne chronique accompagnée d'épanchement

L'**otite moyenne chronique accompagnée d'épanchement** est une inflammation de l'oreille moyenne au cours de laquelle il y a accumulation de liquide dans l'espace de l'oreille moyenne. Le liquide peut être clair, muqueux ou purulent. Cette affection est communément appelée « otite séreuse ». Elle peut se déclarer à tout âge, mais est plus fréquente chez les enfants. Le liquide s'accumule habituellement à cause d'un mauvais fonctionnement de la trompe d'Eustache, suivant couramment une infection des voies respiratoires et une infection chronique des sinus, un barotraumatisme (causé par un changement de pression), ou une otite moyenne. Si la trompe d'Eustache ne s'ouvre pas et ne permet pas l'équilibrage de la pression atmosphérique, la pression négative à l'intérieur de l'oreille moyenne provoque une transsudation liquidienne en provenance des tissus. La réaction allergique de la muqueuse qui cause l'œdème peut aussi provoquer l'obstruction de la trompe d'Eustache et l'accumulation de liquide dans l'oreille. L'hypertrophie du tissu lymphoïde nasopharyngé et la sinusite chronique sont aussi des facteurs pouvant contribuer à un épanchement de l'oreille moyenne.

Le client peut se plaindre d'avoir l'oreille pleine, d'avoir l'oreille bouchée, d'une sensation d'éclatement ou d'une diminution de l'ouïe. Par ailleurs, il ne ressent pas de douleur, n'a pas de fièvre ou d'écoulement de l'oreille. Un examen otoscopique peut révéler une membrane tympanique normale ou une matité et une rétraction minimales. Une tympanométrie et une pneumatoscopie peuvent démontrer un mouvement limité de la membrane tympanique.

On utilise des décongestionnants, des antihistaminiques, des corticostéroïdes, de même que des antibiotiques pour traiter les épanchements de l'oreille moyenne. Des exercices, comme la déglutition et la mastication de gomme à mâcher, sont utilisés pour ouvrir la trompe d'Eustache. De plus, le client peut se faire enseigner la manœuvre de Valsalva (nez bouché, bouche fermée, on force de l'air à entrer dans l'oreille moyenne par la trompe d'Eustache). Si l'épanchement n'est pas soulagé après quelque temps, on pratique une myringotomie, habituellement sous anesthésie locale ou topique, à l'aide d'un microscope opératoire. On utilise souvent un drain aérateur pour le client souffrant d'otites moyennes récurrentes accompagnées d'épanchement ou de dysfonction de la trompe d'Eustache. Le client ayant un aérateur tympanostomique dans le tympan doit être avisé de ne pas nager ni d'avoir de l'eau dans l'oreille. En dépit des efforts pour corriger l'aération inadéquate de l'oreille moyenne, la dysfonction de la trompe d'Eustache peut persister, causant un effondrement du tympan, la surdité de conduction et la formation d'un cholestéatome. On peut aussi pratiquer une adénoïdectomie en conjonction avec la myringotomie pour corriger le trouble sous-jacent d'aération de l'oreille moyenne.

48.11.4 Otosclérose

L'**otosclérose**, une maladie dominante autosomique, est la fixation de la plate-forme de l'étrier dans la fenêtre ovale. C'est une cause fréquente de surdité de conduction chez les jeunes adultes, notamment les femmes, qui peut s'accélérer pendant la grossesse. On constate fréquemment ce trouble chez les enfants souffrant d'une maladie rare, l'ostéogénèse imparfaite. L'otosclérose est bilatérale chez 80 à 90 % des clients. L'os spongieux se développe à partir du labyrinthe osseux, provoquant l'immobilisation de la plate-forme de l'étrier, ce qui nuit à la conduction des vibrations au liquide de l'oreille interne. Bien que la perte auditive soit typiquement bilatérale, il peut y avoir une plus grande progression de la perte auditive dans une oreille. Le client est souvent inconscient du trouble jusqu'à ce que la perte auditive soit si grave que la communication devient difficile. La gravité de la perte auditive va habituellement en augmentant. L'otosclérose prévaut chez les Européens et les Nord-Américains, et est à moitié moins fréquente chez les personnes de race noire.

Un examen otoscopique peut révéler une rougeur du tympan (signe de Schwartz), causée par le changement vasculaire et osseux à l'intérieur de l'oreille moyenne. Un test au diapason aide à identifier la composante de conduction de la perte auditive. L'épreuve de Rinne révèle que la conduction du son est meilleure dans l'os que dans l'air, si la perte auditive est supérieure à 20 dB. L'épreuve de Weber recherche une latéralisation du son ; en cas de surdité de conduction, c'est l'oreille la plus atteinte qui perçoit le mieux. Un audiogramme démontre une bonne ouïe par conduction osseuse, mais une mauvaise par conduction aérienne, ce que révèle aussi un audiogramme d'écart aérien-osseux. Habituellement, dans les cas d'otosclérose, on constate au moins une différence de 20 à 25 dB entre les niveaux d'ouïe par conduction aérienne et osseuse.

Processus thérapeutique. La **stapédectomie** constitue le traitement chirurgical de l'otosclérose. Elle se pratique habituellement sous anesthésie locale avec sédation. On soigne d'abord l'oreille avec l'ouïe la plus faible et, de six mois à un an plus tard, on opère l'autre oreille. L'encadré 48.19 traite du processus thérapeutique de l'otosclérose.

Au cours de la stapédectomie, le chirurgien pratique une incision endoauriculaire en se guidant au moyen d'un microscope opératoire. Généralement, le chirurgien excise la superstructure de l'étrier et pratique un petit trou dans la plate-forme à l'aide d'une perceuse ou d'un laser. Une prothèse d'acier inoxydable, de Téflon ou d'un autre matériel synthétique complète la chaîne des osselets. Le son est alors transmis par la prothèse. Le chirurgien replace le tympan en position normale et le recouvre d'une éponge de gélatine. On introduit une petite compresse ouatée dans le conduit auditif et on couvre l'oreille d'un pansement. Pendant la chirurgie, le client rapporte souvent une amélioration immédiate de l'ouïe dans l'oreille opérée. En raison de l'accumulation de sang et de liquide dans l'oreille moyenne, le niveau d'ouïe diminue après l'opération, mais finit par retrouver des niveaux normaux. À la suite d'une strapédectomie, 90 % des clients voient leur ouïe regagner un niveau presque normal.

Il peut se produire une **fistule périlymphatique** (fermeture incomplète de la fenêtre ovale) accompagnée de symptômes de fluctuation du niveau d'ouïe, d'acouphène, de vertige et de nystagmus. Un faible pourcentage de clients sont susceptibles de développer une surdité de perception. L'amélioration des techniques chirurgicales a grandement diminué l'incidence de la

PROCESSUS DIAGNOSTIQUE ET THÉRAPEUTIQUE

Otosclérose   ENCADRÉ 48.19

Diagnostic
- Examen otoscopique
- Épreuves de Rinne (diapason de 512 Hz)
- Épreuves de Weber
- Audiométrie
- Tympanométrie

Traitement thérapeutique
- Aide auditive
- Chirurgie (stapédectomie)
- Analgésiques
- Antiémétiques
- Antibiotiques
- Médicaments contre le mal des transports

fistule périlymphatique. Un audiogramme est de nouveau réalisé lorsque l'oreille guérit.

Soins infirmiers : otosclérose. Les soins infirmiers dans le cas d'un client qui subit une stapédectomie sont similaires à ceux du client qui subit une tympanoplastie. Après l'opération, le client peut présenter des étourdissements, des nausées et des vomissements résultant de la stimulation du labyrinthe pendant l'opération. Certains clients manifestent du nystagmus en regardant de côté en raison du dérangement de la périlymphe. Le client doit prendre soin d'éviter les mouvements brusques qui peuvent causer ou exacerber l'étourdissement. Certains gestes, comme tousser, éternuer, lever des charges, se pencher, forcer lors de la défécation, doivent aussi être réduits au minimum.

48.12 TROUBLES DE L'OREILLE INTERNE

Le vertige (tournoiement), la surdité de perception et l'acouphène (tintement aigu dans l'oreille) sont trois symptômes indicateurs d'une maladie de l'oreille interne. Les symptômes de vertige proviennent du labyrinthe vestibulaire, alors que la perte auditive et l'acouphène proviennent du labyrinthe auditif. Il y a entrecroisement entre les manifestations de troubles de l'oreille interne et les troubles du système nerveux central.

48.12.1 Syndrome de Ménière

Le syndrome de Ménière est caractérisé par des symptômes causés par une maladie de l'oreille interne : vertiges épisodiques, acouphène, surdité de perception fluctuante et plénitude auriculaire. Il handicape le client de façon importante en raison des crises soudaines et graves de vertige accompagnées de nausées et de vomissements. Les symptômes se déclarent habituellement chez les sujets âgés entre 30 et 60 ans. On constate que le syndrome de Ménière est bilatéral chez 40 % des clients.

La cause de la maladie est inconnue, mais il en résulte une accumulation excessive d'endolymphe dans le labyrinthe membraneux. Le volume d'endolymphe augmente jusqu'à la rupture du labyrinthe membraneux, ce qui mélange l'endolymphe, à haute teneur en potassium, et la périlymphe, à faible teneur en potassium. Ces changements entraînent la dégénérescence des cellules ciliées délicates de la cochlée et du vestibule. Les crises de vertige sont soudaines, présentant aucun ou peu d'avertissement. Ces crises peuvent être précédées d'une sensation de plénitude auriculaire, d'une augmentation de l'acouphène et d'une diminution de l'ouïe. Le client peut avoir la sensation d'être attiré vers le sol (« dérobement des jambes »). Seulement 7 % des clients atteints du syndrome signalent ce symptôme. Certains clients indiquent qu'ils se sentent tournoyer dans l'espace. Les crises peuvent durer des heures ou des jours et se produire plusieurs fois par année. Au nombre des symptômes, on compte la pâleur, la sudation, les nausées et les vomissements.

L'évolution clinique de la maladie est très variable. Un acouphène grave peut être présent en permanence dans l'oreille affectée ou peut s'intensifier pendant une crise. Il est souvent décrit comme un « rugissement » ou comme un « bruit de vagues ». La perte auditive fluctue et, les crises étant continuelles, la récupération de l'ouïe est souvent moins complète à la suite de chaque épisode, ce qui mène éventuellement à une perte auditive permanente progressive.

Processus thérapeutique : syndrome de Ménière. Le processus thérapeutique de la maladie de Ménière (voir encadré 48.20) comprend des tests diagnostiques visant à écarter les maladies du système nerveux central. L'audiogramme montre une surdité de perception bénigne à basse fréquence. Les tests vestibulaires indiquent une diminution du fonctionnement.

Un test au glycérol peut aider à diagnostiquer la maladie de Ménière. Une dose orale de glycérol est administrée et un test d'audiométrie standard est réalisé avant l'administration et environ deux heures et demie après. Une amélioration de l'ouïe ou la discrimination des sons de la parole renforce un diagnostic de syndrome de Ménière. Cette amélioration est attribuable à l'effet osmotique du glycérol qui absorbe le liquide de l'oreille interne. Bien qu'un test positif constitue un diagnostic de syndrome de Ménière, un test négatif ne l'écarte pas.

Lors d'une crise aiguë, on peut utiliser des antihistaminiques, des anticholinergiques et des benzodiazépines comme dépresseurs du labyrinthe. Le vertige aigu est traité symptomatiquement avec du repos au lit, de la sédation, des antiémétiques ou des médicaments pour le mal des transports administrés par voie orale, rectale ou intraveineuse. Le client a besoin d'être rassuré et de savoir que cette affection ne met pas sa vie en danger. Le traitement entre les crises peut comprendre la vasodilatation, des diurétiques, des antihistaminiques, un régime à faible teneur en sodium, la nécessité d'éviter la caféine, la nicotine, l'alcool et le glutamate monosodique (MSG). On utilise couramment le diazépam (Valium) et l'Antivert (Bonamine additionnée d'acide nicotinique) pour diminuer les étourdissements. Après un certain temps, la plupart des clients répondent à la médication prescrite, mais doivent apprendre à vivre avec l'imprévisibilité des crises. Environ 75 à 85 % des clients voient leur état s'améliorer avec le traitement médical et le traitement d'appoint. Les autres peuvent, avec le temps, requérir une intervention chirurgicale.

PROCESSUS DIAGNOSTIQUE ET THÉRAPEUTIQUE

Syndrome de Ménière   ENCADRÉ 48.20

Diagnostic
- Antécédents de santé
- Études audiométriques, y compris la discrimination de la parole et la disparition du son au seuil.
- Tests vestibulaires, y compris un test calorique et un test de position.
- Électronystagmographie
- Examen neurologique
- Test au glycérol
- Vidéonystagmographie (VNG) et potentiel évoqué auditif (PEA)

Traitement thérapeutique
- Intervention chirurgicale conservatrice
  - Dérivation endolymphatique
  - Section du nerf vestibulaire
- Intervention chirurgicale destructrice
  - Labyrinthotomie
  - Labyrinthectomie

Soins ambulatoires et soins à domicile (un ou plus)
- Diurétiques
- Antihistaminiques
- Vasodilatateurs
- Neuroleptiques
- Vitamines
- Diazépam (Valium)
- Alimentation faible en sel
- Moins de caféine, de nicotine et d'alcool

Des crises fréquentes et invalidantes, la diminution de la qualité de vie et la menace de perdre son emploi sont des indications pour une intervention chirurgicale. On pratique la décompression chirurgicale du sac endolymphatique pour diminuer la pression sur les cellules ciliées de la cochlée et pour prévenir une perte auditive et des dommages plus importants. Si le soulagement n'est pas atteint après une chirurgie de dérivation endolymphathique et que l'ouïe demeure bonne, la résection du nerf vestibulaire peut être pratiquée pour diminuer le vertige et préserver l'ouïe. Lorsque l'atteinte est unilatérale, une ablation chirurgicale du labyrinthe est pratiquée, ce qui a comme résultat une perte des fonctions vestibulaire et auditive de la cochlée. Un traitement thérapeutique judicieux peut diminuer la possibilité de surdité de perception progressive chez de nombreux clients.

Les interventions infirmières sont planifiées pour réduire le vertige et assurer la sécurité du client. Pendant une crise aiguë, le client doit être gardé dans une chambre tranquille et sombre, et installé dans une position confortable. Il convient de lui demander d'éviter les mouvements de tête ou les changements de position brusques. Les lumières fluorescentes ou clignotantes, ou le fait de regarder la télévision peuvent exacerber les symptômes et doivent être évités. Un bassin réniforme doit être disponible, car les vomissements sont courants. Pour diminuer le risque de chute, l'infirmière doit garder les ridelles relevées et le lit en position basse lorsque le client est couché. Elle doit informer le client de demander de l'aide pour se lever. L'infirmière administre les médicaments et les liquides par voie parentérale et surveille les ingesta et les excreta. Une fois que la crise est atténuée, elle doit aider le client à se déplacer, car il pourrait manquer d'assurance. Des soins infirmiers semblables sont dispensés après l'ablation chirurgicale du labyrinthe. Le client éprouvera des symptômes importants d'acouphène et de vertige, qui diminueront dans les jours ou les semaines suivants, à mesure que le cerveau s'adapte à la perte de stimuli vestibulaires et qu'il y a un retour à la stabilité posturale.

48.12.2 Presbyacousie

La **presbyacousie**, qui affecte l'ouïe des personnes âgées, comprend la perte de la sensibilité auditive périphérique, un déclin de la capacité de reconnaissance des mots ainsi que des problèmes psychologiques et de communication associés aux difficultés auditives. Étant donné que les consonnes (sons à haute fréquence) sont les lettres grâces auxquelles se reconnaissent les paroles, la capacité qu'ont les personnes âgées atteintes de presbyacousie à comprendre les paroles est grandement affectée. La presbyacousie reflète habituellement un déclin graduel de la sensibilité auditive. Le sujet entend les voyelles, mais certaines consonnes se situent dans le registre de haute fréquence et ne peuvent être différenciées. Cela peut entraîner de la confusion et de l'embarras en raison de la différence entre ce qui a été dit et ce qui a été entendu.

La cause de la presbyacousie est liée aux changements dégénératifs dans l'oreille interne, comme la perte de cellules ciliées, la diminution de l'apport sanguin, la baisse de la production d'endolymphe, la réduction de la flexibilité de la membrane basale et la perte neuronale dans le noyau cochléaire. On croit que l'exposition aux bruits est un facteur courant lié à la presbyacousie. Le tableau 48.7 décrit les classifications des causes spécifiques et des changements auditifs associés à la presbyacousie. Souvent, le même individu peut souffrir de plus d'un type de presbyacousie. Le pronostic auditif dépend de la cause de la maladie. Il est souvent utile, pour améliorer la compréhension des paroles, d'amplifier le son à l'aide d'un appareil approprié. Dans d'autres situations, un programme de réadaptation auditive peut être utile.

TABLEAU 48.7 Classification de la presbyacousie

Type	Cause	Changement auditif et pronostic
Sensorielle	Atrophie du nerf auditif ; perte de cellules ciliées sensorielles.	Perte des sons aigus, peu d'effet sur la compréhension des paroles ; bonne réaction à l'amplification sonore.
Neurale	Changements dégénératifs dans la cochlée et le ganglion rachidien.	Perte de la discrimination des paroles ; l'amplification seule est insuffisante.
Métabolique	Atrophie des vaisseaux sanguins de la paroi de la cochlée accompagnée de l'interruption de l'apport en nutriments essentiels.	Perte uniforme pour toutes les fréquences accompagnée de recrutement auditif* ; bonne réaction à l'aide auditive.
Cochléaire	Raidissement de la membrane basilaire, qui interfère avec la conduction du son dans la cochlée.	La perte auditive augmente des basses aux hautes fréquences ; les pertes de hautes fréquences affectent la discrimination de la parole ; aidée par des formes d'amplification appropriées.

* Augmentation anormalement rapide de la sonie à mesure que la pression acoustique augmente.

La personne âgée est souvent réticente à utiliser une aide auditive pour l'amplification. Au nombre des raisons les plus souvent citées, on compte le coût, l'apparence, le manque de connaissances au sujet des aides auditives, l'amplification des bruits opposés et les attentes irréalistes. Étant donné que la plupart des aides auditives et des piles sont petites, les changements neuromusculaires chez la personne âgée, comme la rigidité digitale, l'hypertrophie des articulations et la diminution de la perception sensorielle, rendent souvent difficiles et frustrants l'entretien et la manipulation de l'aide auditive. La personne âgée a aussi tendance à accepter cette perte comme une conséquence naturelle du vieillissement et à croire qu'il n'est pas nécessaire d'y remédier.

48.12.3 Labyrinthite

La labyrinthite est une inflammation de l'oreille interne affectant la partie cochléaire ou vestibulaire du labyrinthe, ou les deux. L'infection peut provenir des méninges, de l'oreille moyenne ou du système sanguin. Les symptômes comprennent le vertige, l'acouphène et la surdité de perception sur le côté affecté. Cette affection est rare depuis l'avènement des antibiotiques. Le **nystagmus**, un mouvement des yeux anormalement rythmé, saccadé et horizontal accompagne le vertige. Le nystagmus est causé par des courants anormaux dans l'endolymphe, entraînant les mouvements rythmiques et saccadés de l'œil.

La **labyrinthite purulente**, d'origine infectieuse, provoque un vertige grave accompagné de nausées et de vomissements similaires à ceux d'une crise de syndrome de Ménière. Il se produit une destruction complète de la cochlée et du labyrinthe, entraînant la surdité permanente. La perte de stimuli vestibulaires

entraîne une instabilité extrême chez le client. Celui-ci peut avoir besoin de physiothérapie pour rééduquer le cerveau à interpréter les stimuli vestibulaires. La **neuronite vestibulaire** cause le vertige, la nausée, le vomissement et le nystagmus. Une infection virale peut en être l'origine. Le client se remet après une période de 7 à 10 jours. Il n'y a pas d'acouphène ni de perte d'audition. La labyrinthite séreuse ou toxique est associée à l'otite moyenne aiguë. Elle est causée par des toxines bactériennes se diffusant par la membrane de la fenêtre ronde. Il peut se produire une perte auditive des hautes fréquences et un vertige de degré bénin à modéré.

48.12.4 Neurinome acoustique

Le **neurinome acoustique** (ou neurinome vestibulaire) est une tumeur bénigne qui se déclare à l'endroit où le nerf acoustique (NC VIII) pénètre dans le conduit auditif interne ou l'os temporal, en provenance du cerveau. Un diagnostic précoce est important parce que la tumeur peut comprimer les artères faciales et le nerf facial à l'intérieur du conduit auditif interne. Une fois que la tumeur a pris de l'expansion et est devenue un néoplasme intracrânien, une chirurgie plus importante est nécessaire, ce qui diminue les chances de préserver l'ouïe et une fonction normale du nerf facial. Elle peut s'étendre dans l'angle pontocérébelleux et affecter d'autres nerfs crâniens et le cerveau par compression.

Les symptômes précoces sont associés à la compression et à la destruction de huit nerfs crâniens. Ils comprennent une surdité de perception progressive et unilatérale, un acouphène unilatéral et un vertige bénin et intermittent. L'un des premiers symptômes d'un neurinome acoustique est une diminution de perception tactile dans le conduit auditif postérieur. Les tests diagnostiques comprennent des tests neurologiques, audiométriques et vestibulaires, une TDM et une IRM avec injection de gadolinium.

La chirurgie visant à faire l'ablation de petites tumeurs est pratiquée par la voie de la fosse cérébrale moyenne ou par la voie rétrolabyrinthique, ce qui préserve la fonction auditive et vestibulaire. On utilise habituellement la voie translabyrinthique dans le cas des tumeurs de taille moyenne et lorsque l'ouïe est minimale. Bien que cette méthode détruise l'ouïe, ses avantages comprennent un bon accès à la tumeur et la préservation du nerf facial. On utilise les voies rétrosigmoïde (sous-occipitale) ou transotique dans le cas des tumeurs importantes (supérieures à 3 cm). Il est presque impossible de préserver l'ouïe lorsque la tumeur mesure plus de deux centimètres.

48.13 DÉFICIENCE AUDITIVE ET SURDITÉ

Au Québec, on estime à plus de 700 000 le nombre de personnes qui doivent vivre au quotidien avec des difficultés temporaires de communication ou qui présentent une déficience à caractère permanent d'origine biologique, fonctionnelle ou psychosociale. La surdité professionnelle affecte au-delà de 60 % des travailleurs du secteur manufacturier. Plus de 400 000 travailleurs québécois sont exposés à des doses de bruit supérieur à 85 dB/8 h, soit 10 dB de plus que le seuil jugé critique par l'OMS. Chez les 65 ans et plus, une personne sur trois souffre de déficience auditive liée au vieillissement. Ce taux grimpe à près d'une personne sur deux, après l'âge de 75 ans. Plus de 15 % des enfants et des jeunes d'âge préscolaire et scolaire éprouvent un retard ou un trouble de la communication ; parmi eux, 8 % souffrent de dysphasie ou de bégaiement. Ce sont plus de 140 000 enfants qui sont menacés dans leur développement et leur intégration scolaire (OOAQ, 2001).

48.13.1 Types de perte auditive

Surdité de conduction. La **surdité de conduction** se déclare dans l'oreille externe et l'oreille moyenne et diminue la quantité de sons transmis de l'oreille externe à l'oreille interne. Elle est causée par des affections interférant avec la conduction aérienne, comme un bouchon de cérumen, la maladie de l'oreille moyenne, l'otosclérose et l'atrésie ou la sténose du conduit auditif externe. L'audiogramme montre un écart aérien-osseux d'au moins 15 dB. La cause la plus courante de la surdité de conduction est l'otite moyenne accompagnée d'épanchement.

Il y a présence d'un écart aérien-osseux, lorsque la sensibilité auditive par conduction osseuse est significativement meilleure que par conduction aérienne. Le client peut parler doucement parce qu'il s'entend parler fort, sa voix étant transmise par l'os. Ce client entend mieux dans un environnement bruyant. Une aide auditive est utile pour le client ayant une perte de 40 à 50 dB ou plus, bien que l'appareil ne soit souvent pas nécessaire en raison des excellents résultats du traitement du problème sous-jacent.

Surdité de perception. La **surdité de perception** est causée par une déficience fonctionnelle de l'oreille interne ou de ses connexions centrales. Les facteurs congénitaux et héréditaires, un traumatisme dû à une longue exposition au bruit, le vieillissement (presbycousie), le syndrome de Ménière et l'ototoxicité peuvent causer la surdité de perception. Des maladies systémiques, comme la tuberculose, la syphilis, la maladie de Lyme, le cytomégalovirus, le VIH et la maladie osseuse de Paget, les maladies immunitaires, le diabète, la méningite bactérienne et le traumatisme, peuvent aussi causer ce type de perte auditive. Les deux problèmes majeurs associés à la surdité de perception sont la capacité à entendre des sons, mais l'incapacité de comprendre les paroles et l'incompréhension de ce trouble par les autres. La surdité de perception diminue la capacité à entendre des sons aigus. Les consonnes sont des sons aigus qui rendent les paroles intelligibles. Les mots deviennent difficiles à distinguer et le son devient étouffé. Un audiogramme démontre une perte dans les niveaux de dB du registre des 4000 Hz qui peut progresser au registre des 2000 Hz. Bien qu'une aide auditive puisse être utile au client ayant une perte de 30 dB ou plus, en réduisant l'effort fait pour essayer d'entendre, le son sera toujours étouffé. La **presbycousie**, un changement dégénératif de l'oreille interne, est une cause principale de la surdité de perception chez la personne âgée. Il s'agit d'un trouble progressif entraînant de nombreux problèmes psychologiques et relationnels. La lutte contre les maladies de l'oreille interne, comme le syndrome de Ménière, peut prévenir une aggravation de la perte auditive. Si le client utilise des médicaments ototoxiques, l'ouïe doit être fréquemment surveillée pendant le traitement.

Surdité mixte. La surdité mixte est causée par une combinaison de surdité de conduction et de surdité de perception. Une évaluation attentive est nécessaire avant la planification d'une chirurgie correctrice pour la surdité de conduction puisque la composante de surdité de perception demeurera.

Surdité centrale et fonctionnelle. La **surdité centrale** est causée par des troubles du système nerveux central du nerf auditif vers le cortex. Le client est incapable de comprendre ou de donner un sens au son qui pénètre dans son oreille. La **surdité fonctionnelle** peut être causée par un facteur psychologique ou émotionnel. Le client ne semble pas entendre ou réagir aux tests d'ouïe subjectifs à sons purs, mais aucune cause organique ne peut être décelée. Des antécédents de santé détaillés sont utiles parce qu'il y a habituellement des cas de surdité dans la famille. Une aide psychologique peut être utile. Il est recommandé d'adresser le client aux services qualifiés d'un audiologiste et d'un orthophoniste.

Classification de la perte auditive. La perte auditive peut aussi être classée selon le niveau de dB ou selon la perte enregistrée avec l'audiogramme. Une ouïe normale se situe dans le registre de 0 à 15 dB. Une déficience légère est présente au niveau de 26 à 40 dB. Une déficience moyenne se situe entre 41 à 55 dB, une déficience moyennement grave entre 56 à 70 dB. La déficience grave se situe entre 71 à 90 dB. Le sourd profond a une perte supérieure à 91 dB. De nombreux individus de ce dernier groupe sont des sourds congénitaux.

48.13.2 Manifestations cliniques

Si la perte auditive est congénitale et importante, le jeune enfant aura des difficultés importantes au niveau de la parole et du langage. La réadaptation doit commencer tôt.

La surdité est souvent appelée le « handicap invisible » parce que, tant que la conversation n'a pas été engagée avec une personne sourde, on ne se rend pas compte de la difficulté de communication. Il est important que le professionnel de la santé soit conscient qu'il lui faut s'assurer que la personne sourde a bien compris l'enseignement. Les aides de description visuelles peuvent être utiles. En raison de leur difficulté à communiquer, les personnes sourdes cherchent souvent à établir des relations avec des personnes ayant le même handicap. Dans les cas de perte auditive plus tardive, l'importance de la perte et la réaction à cette perte varient.

L'interférence dans la communication et l'interaction avec les autres peuvent être la source de nombreux problèmes pour le client et sa famille. Souvent, le client refuse d'admettre sa déficience auditive ou peut ne pas en être conscient. L'irritabilité est courante en raison de la concentration que le client doit déployer pour comprendre ce qu'on lui dit. Pour le client atteint de surdité de perception, la perte de clarté de la parole est très frustrante. Le client peut entendre ce qui est dit, mais ne pas le comprendre. Le retrait, le soupçon, la perte d'estime de soi et l'insécurité sont des phénomènes couramment associés à la perte auditive en progression.

48.13.3 Processus thérapeutique

Aides auditives. Il est important que le client chez qui l'on soupçonne une perte auditive subisse une évaluation de l'ouïe par un audiologiste qualifié, y compris un examen et des tests audiométriques. Si une aide auditive est indiquée, elle doit être ajustée par un audioprothésiste. Il existe de nombreux types d'aides disponibles, chacune comportant ses avantages et ses inconvénients : des prothèses portées derrière l'oreille ou dans l'oreille (voir figure 48.10) et l'implant cochléaire. L'aide auditive conventionnelle est un simple amplificateur. Pour le client atteint d'une déficience auditive bilatérale, une aide auditive stéréophonique donne la meilleure latéralisation du son et la meilleure discrimination de la parole. Le client motivé et optimiste quant à l'utilisation de l'aide auditive l'utilisera avec plus de succès. L'infirmière doit être prête à donner des instructions précises sur l'utilisation et l'entretien de l'appareil et à aider le client pendant la période d'ajustement.

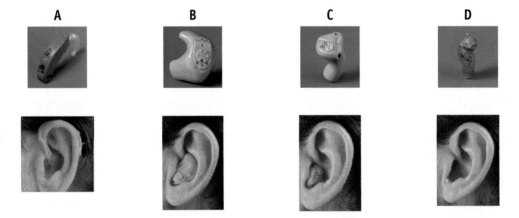

FIGURE 48.10 Différents types de prothèses auditives. A. Contour d'oreille (BTE). B. Intra-auriculaire (ITE). C. Intra-conduit (canal) (ITC).
Tiré de ORDRE DES AUDIOPROTHÉSISTES DU QUÉBEC. *Les différents types de prothèses*, 2003.

Au début, l'utilisation de l'aide auditive doit être limitée à des situations silencieuses à la maison. Le client doit d'abord s'ajuster aux voix (dont la sienne) et aux bruits de la maison. Le client doit aussi expérimenter en montant et en baissant le volume selon la situation. À mesure qu'il s'adapte à l'augmentation du son et du bruit de fond, le client peut essayer un environnement sonore différent, comme une petite réunion où plusieurs personnes parlent en même temps. Ensuite, l'environnement peut être étendu à l'extérieur. Après l'adaptation en situations contrôlées, le client est prêt à affronter des environnements de rencontre, comme le centre d'achat ou l'épicerie. L'ajustement à des environnements différents se produit graduellement, au rythme du client.

Lorsque le client ne porte pas l'aide auditive, il doit la ranger dans un endroit sec et frais où elle ne sera pas endommagée ou égarée par inadvertance. Il doit déconnecter ou retirer la pile. La durée de vie d'une pile est en moyenne d'une semaine, et l'on doit conseiller au client de n'en faire provision que pour un mois à l'avance. Les embouts auriculaires doivent être nettoyés une fois par semaine ou au besoin. Le client peut utiliser un cure-dent ou un cure-pipe pour nettoyer un embout auriculaire obstrué.

Lecture labiale. La lecture labiale, ou « lire sur les lèvres » comme on dit souvent, peut aider à améliorer la communication. Elle compte pour environ 40 % de la compréhension du mot. Le client est capable d'utiliser des signaux visuels associés au langage, comme des gestes ou des expressions faciales, pour aider à clarifier le message oral. La lecture labiale fait en sorte que de nombreux mots ont l'air semblables pour le client. S'il porte des lunettes, le client doit les utiliser pour faciliter la lecture des paroles. L'infirmière peut aider le client en utilisant et en enseignant des techniques de communication verbales et non verbales énumérées dans l'encadré 48.21. Si le client utilise une aide auditive, celle-ci doit être facilement disponible.

Implant cochléaire. L'implant cochléaire est utilisé comme appareil auditif par les personnes atteinte de surdité profonde. Le système est composé d'une bobine d'induction implantée par chirurgie sous la peau derrière l'oreille et d'un fil électrode placé dans la cochlée. Les pièces implantées sont interfacées avec un processeur vocal porté à l'extérieur. Le système stimule les fibres nerveuses auditives par un courant électrique qui fait en sorte que des signaux atteignent le nerf auditif du tronc cérébral et, en bout de ligne, le cortex auditif. L'implant est destiné au client atteint de surdité de perception congénitale ou acquise. Le candidat idéal est celui qui est devenu sourd après avoir appris à parler. L'adulte sourd de naissance, ou qui l'est devenu avant d'apprendre à parler, n'est généralement pas considéré comme un candidat pour un implant cochléaire.

L'implant donne à la personne atteinte de surdité profonde la capacité d'entendre les sons environnants, dont les paroles, à des niveaux sonores respectables. Les implants cochléaires servent aussi d'aides à la parole. Une réadaptation et un entraînement intensifs sont essentiels pour tirer le maximum de ces implants. Les aspects positifs de l'implant cochléaire comprennent l'apport du son à une personne qui n'entendait pas, l'amélioration de la lecture labiale, la surveillance du volume vocal de l'individu lui-même, l'augmentation du sentiment de sécurité et la diminution du sentiment d'isolement. Les recherches en cours pourraient permettre à l'implant cochléaire d'offrir la possibilité de réadaptation auriculaire pour une plus grande variété de déficiences auditives.

Aides de suppléance à l'audition. De nombreux moyens sont maintenant disponibles pour aider la personne atteinte de déficience auditive. Des appareils d'amplification directe, des récepteurs téléphoniques munis d'amplificateurs, des systèmes d'alerte clignotants, activés par le son, un système à infrarouges pour monter le volume de la télévision et une combinaison de récepteur FM et d'aide auditive offrent des possibilités d'amélioration de la capacité auditive qui peuvent être explorées par l'infirmière, selon les besoins individuels du client et en fonction du degré de surdité.

Techniques de communicaton avec le client atteint de déficience auditive   ENCADRÉ 48.21

Aides non verbales
- Attirer l'attention au moyen de mouvements des mains.
- Bien éclairer le visage de la personne qui parle.
- Éviter de se couvrir la bouche ou le visage avec les mains.
- Éviter de mâcher, de manger ou de fumer en parlant.
- Maintenir le contact visuel.
- Éviter les environnements distrayants.
- Éviter les expressions inconsidérées que le client pourrait mal interpréter.
- Utiliser le toucher.
- Se tenir près de la meilleure oreille.
- Éviter d'éclairer par derrière la personne qui parle.

Aides verbales
- Parler normalement et lentement.
- Ne pas trop exagérer les expressions faciales.
- Ne pas prononcer exagérément.
- Utiliser des phrases simples.
- Reformuler les phrases ; utiliser d'autres mots.
- Éviter de crier.
- Parler d'une voix normale, directement dans la meilleure oreille.

M O T S   C L É S

BIBLIOGRAPHIE
Version originale

1. Thompson JM and others, editors: *Mosby's clinical nursing,* ed 4, St. Louis, 1997, Mosby.
2. Guyton AC, Hall JE, editors: *Textbook of medical physiology,* ed 9, Philadelphia, 1996, Saunders.
3. Schull P, editor: *Mastering geriatric care,* Springhouse, Penn, 1997, Springhouse.
4. Browstein B, Bronner S, editors: *Functional movement in orthopaedic and sports physical therapy,* New York, 1997, Churchill Livingstone.
5. Mead MD, Sieck EA, Steinert RF: Optical rehabilitation of aphakia. In Albert DM, Jakobiec FA, editors: *Principles and practice of ophthalmology: clinical practice,* vol 2, Philadelphia, 1994, Saunders.
6. Tortora CM, Hersh PS, Blaker JW: Optics of intraocular lenses. In Albert DM, Jakobiec FA, editors: *Principles and practice of ophthalmology: clinical practice,* ed 2, vol 5, Philadelphia, 1999, Saunders.
7. McGhee et al: *Excimer in lasers in ophthalmology: principles and practice,* Oxford, 1997, Butterworth-Heinemann.
8. Kraut JA, McCabe CP: The problem of low vision: definition and common problems. In Albert DM, Jakobiec FA, editors: *Principles and practice of ophthalmology: clinical practice,* ed 2, vol 5, Philadelphia, 1999, Saunders.
9. Brandt JT, Nason FE: Community resources for the ophthalmic practice. In Albert DM, Jakobiec FA, editors: *Principles and practice of ophthalmology: clinical practice,* ed 2, vol 5, Philadelphia, 1999, Saunders.
10. Bajart AM: Lid inflammations. In Albert DM, Jakobiec FA, editors: *Principles and practice of ophthalmology: clinical practice,* ed 2, vol 5, Philadelphia, 1999, Saunders.
11. Pavan-Langston D: Viral disease of the cornea and external eye. In Albert DM, Jakobiec FA, editors: *Principles and practice of ophthalmology: clinical practice,* ed 2, vol 5, Philadelphia, 1999, Saunders.

12. Avery RK, Baker AS: Chlamydial disease. In Albert DM, Jakobiec FA, editors: *Principles and practice of ophthalmology: clinical practice,* vol 5, Philadelphia, 1994, Saunders.

13. Adamis AP, Schein OD: *Chlamydia* and *Acanthamoeba* infections of the eye. In Albert DM, Jakobiec FA, editors: *Principles and practice of ophthalmology: clinical practice,* vol 5, Philadelphia, 1994, Saunders.

14. Foulks GN: Bacterial infections of the conjunctiva and cornea. In Albert DM, Jakobiec FA, editors: *Principles and practice of ophthalmology: clinical practice,* vol 5, Philadelphia, 1994, Saunders.

15. Talamo JH, Steinert RF: Keratorefractive surgery. In Albert DM, Jakobiec FA, editors: *Principles and practice of ophthalmology: clinical practice,* vol 5, Philadelphia, 1994, Saunders.

16. Boruchoff SA: Penetrating keratoplasty. In Albert DM, Jakobiec FA, editors: *Principles and practice of ophthalmology: clinical practice,* ed 2, vol 5, Philadelphia, 1999, Saunders.

17. Streeten BW: Pathology of the lens. In Albert DM, Jakobiec FA, editors: *Principles and practice of ophthalmology: clinical practice,* vol 5, Philadelphia, 1994, Saunders.

18. Haynie GD, D'Amico DJ: Scleral buckling surgery. In Albert DM, Jakobiec FA, editors: *Principles and practice of ophthalmology: clinical practice,* vol 5, Philadelphia, 1994, Saunders.

19. Vingerling JR and others: Age-related macular degeneration and smoking, *Ach Ophthalmol* 114:1193, 1996.

20. Capone A, editor: Alternative therapies in macular degeneration, *Semin Ophthalmology,* 112:1997.

21. Thomas JV: Primary open-angle glaucoma. In Albert DM, Jakobiec FA, editors: *Principles and practice of ophthalmology: clinical practice,* vol 5, Philadelphia, 1994, Saunders.

22. Richter CU: Laser therapy of open-angle glaucoma. In Albert DM, Jakobiec FA, editors: *Principles and practice of ophthalmology: clinical practice,* ed 2, vol 5, Philadelphia, 1999, Saunders.

23. Neff C, Sprag M: *Maternal and child health nursing,* Philadelphia, 1996, Lippincott.

24. Novy M: The normal puerperium. In DeCherney A, Pernoll M, editors: *Current obstetric and gynecologic diagnosis and treatment,* ed 8, Norwalk, Conn, 1994, Appleton & Lange.

25. Northern J: *Hearing disorders,* Boston, 1996, Allyn & Bacon.

26. Roland PS, Marple BF: Disorders of inner ear, eighth nerve, and CNS. In Roland PS, Marple BF, Mererhoff WL, editors: *Hearing loss,* New York, 1997, Thieme.

27. Parisier SC, Kimmelman CP, Hanson MB: Diseases of the external auditory canal. In Hughes GB, Pensak ML, editors: *Clinical otology,* New York, 1997, Thieme.

28. Bluestone CD, Klein JO, *Otitis media in infants and children,* Philadelphia, 1995, Saunders.

29. Healy GB : Otitis media and middle ear effusions. In Ballenger JJ, Snow JB, editors: *Otorhinolaryngology,* ed 15, Baltimore, 1996, Williams & Wilkins.

30. Thompson J and others, editors: *Mosby's clinical nursing,* St Louis, 1997, Mosby.

31. Schuller DE, Schleuning AJ: *DeWeese and Saunders' Otolaryngology—head and neck surgery,* ed 8, St. Louis, 1994, Mosby.

32. Telischi F, Hodges A, Balkany T: Cochlear implants for deafness, *Hosp Pract* 29:55, 1994.

Édition de langue française

1. Institut de la statistique du Québec. *Niveau 1 Caractéristiques de l'individu* [En ligne], 2003. [http://www.stat.gouv.qc.ca] (Page consultée le 22 avril 2003).

2. ORDRE DES AUDIOPROTHÉSISTES DU QUÉBEC. *Les différents types de prothèses* (en ligne), juin 2003 (Page consultée le 25 juillet 2003). [http://www.ordreaudio.qc.ca/aide_prothese.htm#type].

Monique Bédard
B. Sc. inf.
Cégep de Limoilou

Pauline Audet
M. Sc. inf.
Cégep de Limoilou

Chapitre 49

ÉVALUATION DE L'APPAREIL TÉGUMENTAIRE

OBJECTIFS D'APPRENTISSAGE

APRÈS AVOIR LU CE CHAPITRE, VOUS DEVRIEZ ÊTRE EN MESURE :

- DE DÉCRIRE LES STRUCTURES ET LES FONCTIONS DE L'APPAREIL TÉGUMENTAIRE ;

- DE DÉCRIRE LES CHANGEMENTS LIÉS À L'ÂGE QUI SURVIENNENT DANS L'APPAREIL TÉGUMENTAIRE AINSI QUE LES DIFFÉRENCES ENTRE LES RÉSULTATS DES EXAMENS ;

- DE DÉCRIRE LES DONNÉES SUBJECTIVES ET OBJECTIVES SIGNIFICATIVES RELIÉES À L'APPAREIL TÉGUMENTAIRE QUI PEUVENT ÊTRE RECUEILLIES CHEZ UN CLIENT ;

- DE DÉCRIRE LES DONNÉES SPÉCIFIQUES QUI DOIVENT ÊTRE RECUEILLIES AU COURS DE L'EXAMEN PHYSIQUE DE LA PEAU ET DES ANNEXES ;

- D'EXPLIQUER LES ÉLÉMENTS CRITIQUES QUI ENTRENT DANS LA DESCRIPTION D'UNE LÉSION ;

- DE DÉCRIRE LES MÉTHODES UTILISÉES POUR L'EXAMEN PHYSIQUE DE L'APPAREIL TÉGUMENTAIRE ;

- D'EXPLIQUER LES DIFFÉRENCES DANS LA STRUCTURE ET L'EXAMEN DE LA PEAU FONCÉE ;

- D'ÉTABLIR LA DIFFÉRENCE ENTRE LES RÉSULTATS NORMAUX ET ANORMAUX COURANTS D'UN EXAMEN PHYSIQUE DE L'APPAREIL TÉGUMENTAIRE ;

- DE DÉCRIRE LES RESPONSABILITÉS DE L'INFIRMIÈRE, AINSI QUE LE BUT DES ÉPREUVES DIAGNOSTIQUES ET L'IMPORTANCE DE LEURS RÉSULTATS RELATIVEMENT À L'APPAREIL TÉGUMENTAIRE.

49.1 STRUCTURES ET FONCTIONS DE LA PEAU ET DES ANNEXES

49.1.1 Structures

L'épiderme est la couche extérieure de la peau. Le derme, deuxième couche de la peau, comprend une structure de tissus conjonctifs hautement vascularisés. L'hypoderme est principalement composé de tissus adipeux et conjonctifs.

Épiderme. L'épiderme, couche superficielle et avasculaire de la peau, est composé d'une partie extérieure, morte et cornée, qui joue le rôle d'une barrière protectrice et d'une partie vivante, plus profonde, qui s'étend jusque dans le derme. Ensemble, ces couches ont une épaisseur qui peut aller de 0,05 à 0,1 mm. L'épiderme est nourri par les vaisseaux sanguins du derme. Tous les 30 jours, l'épiderme est remplacé par de nouvelles cellules. Les deux types de cellules de l'épiderme sont les mélanocytes (5 %) et les kératinocytes (95 %).

Les **mélanocytes** sont dispersés dans la couche basale de l'épiderme. Ils sécrètent la mélanine, un pigment qui donne à la peau et au système pileux leur coloration et qui protège l'organisme des dommages causés par les rayons ultraviolets (UV) du soleil. La production de mélanine est stimulée par la lumière du soleil et les hormones. Toutes les races ont approximativement le même nombre de mélanocytes. La grande variété de colorations des différents types de peau et des systèmes pileux est due à la quantité de mélanine qui est produite : plus il y a de mélanine, plus la peau est foncée.

Les **kératinocytes** sont synthétisés à partir des cellules de l'épiderme dans la couche basale. Au départ, ces cellules sont toutes identiques, mais quand elles arrivent à maturité (qu'elles deviennent kératinisées), elles atteignent la surface, où elles s'aplatissent et meurent pour former la couche extérieure de la peau (**couche cornée**). Les kératinocytes produisent une protéine spécialisée, la **kératine**, qui est essentielle pour maintenir la fonction de barrière protectrice de la peau. Le déplacement ascendant des kératinocytes de la membrane basale à la couche cornée dure environ quatre semaines. Lorsque les cellules mortes muent trop rapidement, la peau apparaît mince et érodée. Par contre, si la vitesse de formation des nouvelles cellules est plus rapide que la disparition des vieilles cellules, la peau devient squameuse et s'épaissit. Les changements dans les cycles cellulaires sont la cause de nombreux troubles dermatologiques.

Derme. Le derme est la couche de tissu conjonctif de soutien située sous l'épiderme. L'épaisseur du derme varie de 1 à 4 mm. Le derme est hautement vascularisé et joue un rôle dans la régulation de la température corporelle et de la pression artérielle. Le collagène, en plus de former la plus grande partie du derme, est responsable de la force mécanique de la peau. On trouve aussi dans le derme des fibres d'élastine, des nerfs, des vaisseaux lymphatiques, des follicules pileux et sébacés ainsi que des glandes sébacées.

Le derme est divisé en deux couches, une couche **papillaire** supérieure et une couche **réticulaire**, plus profonde et plus épaisse. La couche papillaire est repliée dans des arêtes, ou papilles, qui s'étendent jusque dans la couche épidermique supérieure. Ces arêtes exposées à la surface forment des schémas congénitaux que l'on appelle empreintes digitales et empreintes pédieuses. La couche réticulaire contient du collagène ainsi que des fibres élastiques et réticulaires qui apportent un soutien à la peau.

Hypoderme (tissus sous-cutanés). L'hypoderme ne fait pas véritablement partie de la peau. On l'y associe souvent parce qu'il fixe la peau aux tissus et aux organes sous-jacents ; de plus, les tissus conjonctifs flasques et les cellules adipeuses ont une fonction isolante. La répartition anatomique des tissus sous-cutanés varie selon le sexe, l'hérédité, l'âge et l'état nutritionnel. Cette couche emmagasine aussi des lipides, règle la température corporelle et absorbe les chocs.

Annexes de la peau ou phanères. Les annexes de la peau comprennent le système pileux, les ongles et les glandes (sébacées, apocrines et eccrines). Ces structures se développent à partir des couches épidermiques et sont localisées dans l'épiderme et dans le derme. Elles reçoivent des nutriments, des électrolytes et des liquides du derme. Le système pileux et les ongles sont formés à partir d'une kératine spécialisée qui durcit.

Les **poils** poussent sur la majorité des parties du corps à l'exception des lèvres, de la paume des mains, de la plante des pieds et des parties externes des organes reproducteurs. La coloration des cheveux, qui résulte de l'hérédité, est déterminée par le type et la quantité de mélanine qu'on retrouve dans la tige pilaire. La croissance des cheveux est d'environ 1 cm par mois ; on perd entre 50 et 100 cheveux chaque jour, et leur vitesse de croissance n'est pas affectée lorsqu'on les coupe. La calvitie survient lorsque les cheveux perdus ne sont pas remplacés. Cette absence de cheveux peut être reliée à une maladie ou à un traitement, ou encore causée par l'hérédité, particulièrement chez les hommes.

L'appareil tégumentaire, qui comprend la peau, le système pileux, les ongles et les glandes, est le plus grand organe du corps humain. La peau se divise en trois couches : l'épiderme, le derme et l'hypoderme (tissus sous-cutanés) (voir figure 49.1).

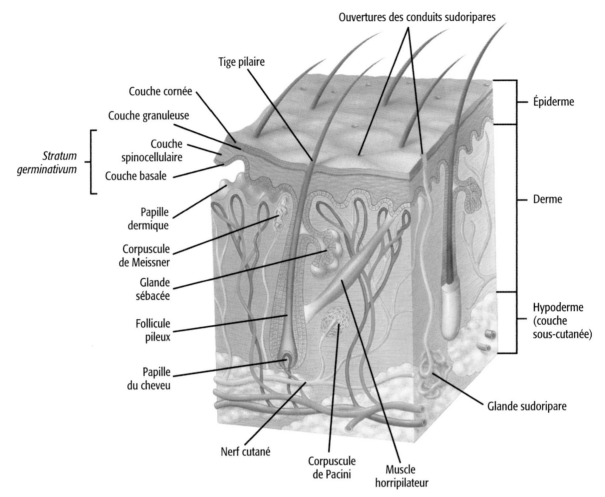

FIGURE 49.1 Vue microscopique de la peau en section longitudinale. Dans un des coins, l'épiderme est soulevé pour illustrer les crêtes dans le derme.

Les **ongles** croissent à partir de la matrice, la partie blanche en forme de croissant qui s'étend sous le sillon latéral intérieur de l'ongle, ou **lunule** (voir figure 49.2). La **cuticule** est la partie de la couche cornée qui couvre la racine de l'ongle. Les ongles des doigts poussent de 1 mm par semaine, mais les ongles d'orteils poussent un peu moins vite. Généralement, un ongle perdu se régénère 3 à 6 mois plus tard, mais il faut compter jusqu'à 12 mois pour qu'un ongle d'orteil se régénère complètement. La partie viable d'un ongle se trouve dans la matrice, derrière la lunule. Tant que la matrice demeure intacte, l'ongle continue de pousser. La croissance des ongles peut varier selon l'âge et l'état de santé de l'individu. La coloration des ongles peut être rose, jaune ou brune, selon la couleur de la peau. Les ongles peuvent être lésés par des traumatismes directs.

Les glandes sébacées, apocrines et eccrines sont toutes issues de la couche épidermique et sont situées dans le derme. Les **glandes sébacées** sécrètent du sébum, qui est excrété dans la tige pilaire. Le sébum est en quelque sorte bactériostatique et il est principale-ment composé de lipides. Ces glandes dépendent des hormones sexuelles, particulièrement de la testostérone, pour régler la sécrétion et la production de sébum. Au cours de l'existence, la sécrétion de sébum varie selon les taux d'hormones sexuelles. On retrouve les glandes sébacées sur toutes les régions de la peau, sauf la paume des mains et la plante des pieds. De plus, ces glandes sont plus nombreuses et plus grosses sur le visage, le cuir chevelu, la partie supérieure de la poitrine et le dos.

Les **glandes apocrines** sont principalement situées sur les aisselles, les aréoles mammaires, la région ano-génitale, l'oreille externe et les paupières. Ces glandes sudoripares sécrètent une substance laiteuse qui devient odoriférante lorsqu'elle est altérée par des bactéries à la surface de la peau. L'activité de ces glandes est contrôlée par le système nerveux sympathique.

On retrouve les **glandes eccrines** sur toute la surface du corps, plus particulièrement sur le front, le dos, la paume des mains et la plante des pieds. Dans 6,45 cm² (1 po²) de peau, on compte environ 3000 glandes sudo-ripares. La sueur, ou transpiration, est composée de

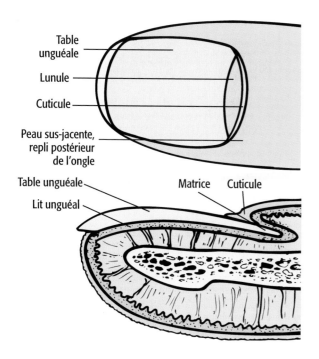

Table
unguéale

Lunule

Cuticule

Peau sus-jacente,
repli postérieur
de l'ongle

Table unguéale

Matrice   Cuticule

Lit unguéal

FIGURE 49.2 Structure de l'ongle

sels, d'ammoniac, d'urée et d'autres déchets. Ces glandes servent à rafraîchir l'organisme par évaporation, à excréter les déchets par les pores de la peau et à hydrater les cellules de surface.

49.1.2 Fonctions de l'appareil tégumentaire

La fonction principale de la peau est de protéger les tissus sous-jacents de l'organisme en jouant le rôle d'une barrière de surface contre l'environnement extérieur. La peau est également une barrière contre l'invasion des bactéries et la perte d'eau excessive.

Par ailleurs, les terminaisons nerveuses et les récepteurs spéciaux de la peau permettent de percevoir les stimuli sensoriels de l'environnement. Ces terminaisons nerveuses hautement spécialisées fournissent des informations au cerveau relativement à la douleur, à la chaleur, au froid, au toucher, à la pression et aux vibrations. Grâce à sa capacité de répondre aux changements de température internes et externes par vasoconstriction et vasodilatation, la peau contrôle la thermorégulation du corps. La fonction d'excrétion de la peau est reliée à

GÉRONTOLOGIE

Effets du vieillissement sur l'appareil tégumentaire

ENCADRÉ 49.1

- Le vieillissement modifie la peau de l'individu. Bien qu'un grand nombre de ces changements n'aient pas de conséquences majeures, exception faite de leurs effets esthétiques, d'autres ont des répercussions plus graves et nécessitent une évaluation rigoureuse. Le tableau 49.1 présente les changements liés à l'âge de l'appareil tégumentaire.
- La vitesse à laquelle s'opèrent les changements de la peau liés à l'âge est influencée par l'hérédité et les antécédents personnels, en ce qui concerne l'exposition au soleil, les mesures d'hygiène, la nutrition et l'état de santé. Ces changements comprennent le déclin de la fermeté et de l'élasticité, l'assèchement, la rugosité, ainsi que l'apparition de rides et de tumeurs bénignes.
- La jonction entre le derme et l'épiderme s'aplatit, et la quantité de mélanocytes dans l'épiderme baisse. De plus, le volume du derme et la quantité de vaisseaux sanguins qu'il renferme diminuent. Les poils du cuir chevelu, du pubis et des aisselles perdent leur pigmentation et s'éclaircissent. Les cheveux gris sont causés par une perte de mélanine. La table unguéale s'amincit ; les ongles deviennent cassants et plus épais, et sont plus susceptibles de se fendre et de jaunir.
- L'exposition chronique aux rayons ultraviolets est la cause principale de l'apparition des rides. Les dommages du soleil sur la peau sont cumulatifs. L'apparition de rides sur les régions exposées au soleil, comme le visage, est plus accentuée que sur les régions protégées du soleil, comme les fesses. Une nutrition déficiente, faible en pro-

téines, en calories et en vitamines, contribue au vieillissement de la peau. Avec l'âge, les fibres de collagène se raidissent, les fibres élastiques dégénèrent et la quantité de tissu sous-cutané diminue. Ces changements, combinés aux effets de la gravité, provoquent l'apparition des rides (voir figure 49.3, A et B).
- Des tumeurs bénignes liées au processus du vieillissement peuvent apparaître sur la peau. Elles comprennent les verrues séborrhéiques, les taches rubis et les acrochordons. La kératose sénile, une lésion précancéreuse courante, apparaît sur les régions ayant subi une exposition chronique au soleil, particulièrement chez les individus qui ont un teint clair et des yeux de couleur pâle (bleu, vert ou noisette). Ces lésions cutanées augmentent les risques d'apparition de cellules squameuses et de carcinomes basocellulaires chez l'individu. L'individu vieillissant est plus susceptible d'être atteint d'un cancer de la peau, puisque la capacité de son organisme de réparer les dommages cellulaires (ADN) causés par l'exposition au soleil a diminué.
- La diminution de la quantité de tissus adipeux sous-cutanés entraîne un risque plus élevé de lésions causant un traumatisme, d'hypothermie et de déchirures de la peau, ce qui peut entraîner l'apparition de plaies de pression. La diminution de la vitesse de croissance du système pileux et des ongles est causée par l'atrophie des structures qui en sont responsables. Une carence en vitamines peut rendre les cheveux secs et cassants et provoquer leur chute.

EXAMEN CLINIQUE ET GÉRONTOLOGIQUE

TABLEAU 49.1   Appareil tégumentaire

Changements	Observations
Peau	
Diminution de la quantité de tissus adipeux sous-cutanés, relâchement des muscles, dégénérescence des fibres élastiques, accroissement de la rigidité du collagène.	Augmentation du nombre de rides, affaissement de la poitrine et de l'abdomen, replis cutanés péri-oculaires, lenteur de la peau à reprendre sa forme initiale lorsqu'on la pince (turgescence).
Diminution de la quantité de liquide extracellulaire et de lipides de surface, déclin de l'activité des glandes sébacées.	Peau sèche et écaillée qui peut présenter des signes d'excoriation causés par le grattage.
Diminution de l'activité des glandes apocrines et sébacées.	Peau sèche ne transpirant peu ou pas.
Augmentation de la fragilité et de la perméabilité capillaires.	Signes évidents de contusions.
Augmentation de la quantité de mélanocytes dans la couche basale et accumulation de pigments.	Lentigo sénile sur le visage et le dos des mains.
Diminution d'apport sanguin.	Déclin de l'apparence rosée de la peau et des muqueuses ; la peau est fraîche au toucher ; diminution de la sensation de la douleur, du toucher, de la température et des vibrations périphériques.
Diminution de la capacité de prolifération.	Déclin de la vitesse de cicatrisation.
Diminution de la compétence immunitaire.	Apparition de tumeurs.
Système pileux	
Diminution de la quantité de mélanine et de mélanocytes.	Cheveux grisonnants.
Diminution de la quantité d'huile.	Peau sèche et rugueuse ; cuir chevelu squameux.
Diminution de la densité des follicules pileux.	Éclaircissement et perte des cheveux ; chute des poils du tiers ou de la moitié des sourcils.
Effets cumulatifs de l'androgène ; diminution du taux d'œstrogène.	Visage hirsute ; calvitie.
Ongles	
Diminution de l'apport sanguin périphérique.	Ongles épais et cassants, poussant moins rapidement.
Augmentation de la quantité de kératine.	Formation de crêtes.
Diminution de la circulation sanguine.	Lorsqu'on presse les ongles pour les faire blanchir, le retour veineux prend plus de temps qu'auparavant.

sa fonction de thermorégulation. L'organisme perd quotidiennement entre 600 et 900 ml d'eau par transpiration imperceptible. De plus, le sébum et la sueur sont sécrétés par la peau et lubrifient sa surface. La synthèse endogène de la vitamine D, qui est cruciale dans le métabolisme du calcium et du phosphore, a lieu dans l'épiderme. La vitamine D est synthétisée par l'action des rayons ultraviolets sur les précurseurs de la vitamine D dans les cellules épidermiques.

Les fonctions esthétiques de la peau comprennent sa capacité de refléter diverses émotions, telles que la colère ou l'embarras, et d'afficher l'identité d'une personne. Le rôle d'absorption de la peau fait l'objet de nombreuses recherches, et de plus en plus de médicaments sont administrés efficacement sous forme de timbres qu'on applique directement sur la peau.

49.2 ÉVALUATION DE L'APPAREIL TÉGUMENTAIRE

L'évaluation de la peau commence dès le premier contact avec le client et se poursuit tout au long de l'examen. On examine des zones précises de la peau au cours de l'examen d'autres régions du corps, sauf si la plainte principale est de nature dermatologique. On doit consigner une description générale de l'état de la peau

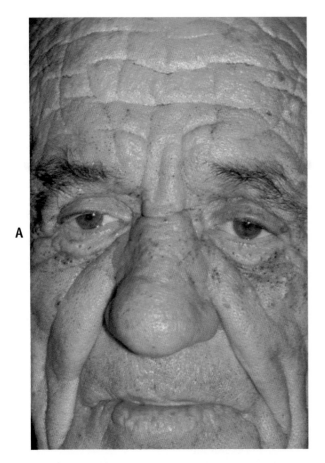
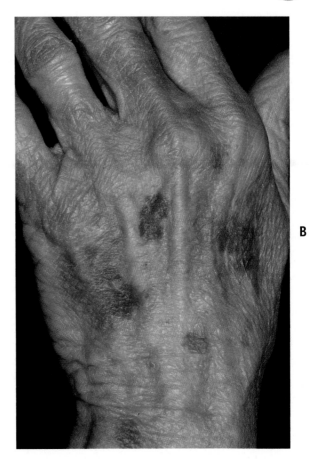

FIGURE 49.3 A. Apparition de rides causée par une exposition chronique au soleil. B. Un saignement survient à la suite d'une lésion mineure sur la surface de la peau ayant subi des dommage causés par le soleil.

(voir encadré 49.2) ainsi que des affections cutanées reliées à un système donné. De plus, les questions qui concernent les antécédents de santé, présentées dans l'encadré 49.3, doivent être posées lorsqu'on décèle une dermatose.

49.2.1 Données subjectives

Information importante concernant la santé

Antécédents de santé. Les antécédents de santé fournissent des indications sur les traumatismes, les chirurgies

> **Résultats normaux de l'examen de l'appareil tégumentaire**   ENCADRÉ 49.2
>
> - Peau : tiède au toucher et teint uniforme ; bonne élasticité ; ne présente pas de pétéchies, de purpura, de lésions ni d'excoriations.
> - Ongles : roses, ronds et mobiles, avec un angle de 160 °.
> - Système pileux : luisant avec du corps ; quantité et répartition appropriées selon l'âge et le sexe du client ; cuir chevelu, front et pavillon de l'oreille exempts de desquamations.

ou les maladies qui ont affecté la peau. L'infirmière doit demander au client s'il a remarqué des signes dermatologiques d'affection systémique, comme l'ictère (affection hépatique), une cicatrisation retardée (diabète), une cyanose (trouble respiratoire) et une peau pâle (anémie). On retrouve la liste des signes dermatologiques d'affections systémiques au tableau 50.13. On doit aussi obtenir des informations précises sur les allergies aux aliments, aux animaux de compagnie et aux médicaments ainsi que sur les réactions cutanées aux piqûres et aux morsures d'insectes. Les antécédents d'expositions chroniques ou non protégées aux rayons ultraviolets et les traitements de radiothérapie doivent également être consignés.

Médication. On doit interroger le client au sujet de dermatoses qui sont survenues après la prise de médicaments sur ordonnance ou en vente libre. Il est important de consigner tous les antécédents pharmacologiques, notamment les vitamines, les corticostéroïdes, les hormones, les antibiotiques et les antimétabolites, parce que ces médicaments peuvent souvent avoir des effets secondaires au niveau cutané.

L'infirmière doit documenter la consommation de médicaments sur ordonnance ou en vente libre utilisés

ANTÉCÉDENTS DE SANTÉ

Appareil tégumentaire

Mode perception et gestion de la santé
- Décrivez vos habitudes d'hygiène quotidiennes.
- Quels produits pour la peau utilisez-vous présentement ?
- Décrivez toute affection cutanée dont vous souffrez actuellement, notamment les premiers signes de l'affection, son évolution et son traitement (s'il y a lieu).
- Avez-vous des animaux ?

Mode nutrition et métabolisme
- Décrivez tout changement dans l'état de votre peau, de votre système pileux, de vos ongles et de vos muqueuses.
- Les affections sont-elles reliées à des changements dans votre régime alimentaire, notamment un supplément de vitamines et de minéraux ?*
- Avez-vous remarqué des changements dans la façon dont les lésions guérissent ?*

Mode élimination
- Avez-vous remarqué des changements, tels qu'une transpiration excessive, une peau sèche ou gonflée ?

Mode activité et exercice
- Vos loisirs entraînent-ils l'utilisation de produits chimiques qui peuvent être toxiques pour la peau ?*
- Quels moyens utilisez-vous pour vous protéger du soleil ?

Mode sommeil et repos
- Votre affection cutanée vous empêche-t-elle de dormir ou vous réveille-t-elle une fois que vous êtes endormi ?

Mode cognition et perception
- Ressentez-vous la chaleur, le froid ou le toucher d'une manière inhabituelle ?*

- Votre affection de la peau s'accompagne-t-elle de douleurs ?*
- Souffrez-vous de douleurs articulaires ?*

Mode perception et concept de soi
- Votre affection cutanée change-t-elle la perception que vous avez de vous-même ?

Mode relation et rôle
- Votre affection cutanée a-t-elle modifié vos relations avec les autres ?*
- Avez-vous modifié votre mode de vie en raison de votre affection cutanée ?*
- Y a-t-il des irritants cutanés environnementaux dans votre maison ou votre lieu de travail actuel ou précédent ?*

Mode sexualité et reproduction
- Votre affection cutanée a-t-elle entraîné des changements dans vos relations intimes avec les autres ?*
- Si vous utilisez une méthode contraceptive, avez-vous remarqué l'apparition d'une affection cutanée ?*

Mode adaptation et tolérance au stress
- Avez-vous remarqué des situations particulières ou des agents stressants qui altèrent votre affection cutanée ?*
- Croyez-vous que le stress joue un rôle dans votre affection cutanée ?*
- Comment gérez-vous votre stress ?

Mode valeurs et croyances
- Avez-vous des croyances culturelles qui influencent l'opinion que vous avez de votre affection cutanée ?*
- Êtes-vous opposé à l'utilisation de certains traitements ?*

* Dans l'affirmative, demandez au client de décrire la situation.

pour traiter une dermatose primaire, comme l'acné, ou une dermatose secondaire, comme du prurit. Lorsque le client utilise une préparation, on doit consigner le nom, la durée d'utilisation, le mode d'application et l'efficacité du médicament.

Chirurgie ou autres traitements. Il est important de savoir si une intervention chirurgicale, notamment une chirurgie esthétique, a été pratiquée. Dans le cas d'une biopsie, son résultat doit être consigné. On doit noter tout traitement spécifique à une dermatose, tel que la photothérapie, ou à une autre maladie, tel que la radiothérapie. De plus, on doit également documenter les traitements effectués dans un but esthétique, tels que les salons de bronzage ou les *peelings* (dermabrasions).

Modes fonctionnels de santé

Mode perception et gestion de la santé. L'infirmière doit s'informer des habitudes d'hygiène du client relativement au système tégumentaire. La fréquence d'utilisation de crèmes solaires et le facteur de protection

solaire (FPS) de ces produits doivent être indiqués. Des données doivent être recueillies sur l'utilisation de produits de soins personnels (p. ex. les shampooings, les crèmes hydratantes et les cosmétiques), notamment la marque des produits, la quantité utilisée et la fréquence d'utilisation. On doit consigner une description de toute dermatose présente chez le client, à savoir l'apparition de la maladie, ses symptômes, son évolution et son traitement.

On doit obtenir des renseignements sur les antécédents familiaux en matière de dermatoses, notamment les maladies congénitales et familiales (p. ex. l'alopécie et le psoriasis), ainsi que les affections systémiques comportant des signes dermatologiques (p. ex. le diabète, la maladie thyroïdienne, les maladies cardiovasculaires et les troubles du système immunitaire). De plus, il faut noter les antécédents personnels et familiaux de cancer de la peau, en particulier dans les cas où il y avait présence de mélanomes.

Mode nutrition et métabolisme. L'infirmière doit interroger le client au sujet de tout changement de l'état de la peau, des cheveux, des ongles et des muqueuses et elle doit savoir si ces changements sont reliés à des changements de régime alimentaire. Les antécédents alimentaires révèlent le caractère adéquat des nutriments essentiels à une peau en bonne santé, tels que les vitamines A, D, E et C, les gras alimentaires et les protéines. Les allergies alimentaires qui provoquent des réactions cutanées doivent également être notées. On doit demander au client obèse si des régions corporelles sont irritées ou macèrent souvent en raison de l'accumulation d'humidité dans les replis cutanés, et s'il a remarqué des changements quant au temps de cicatrisation d'une blessure. Les réponses doivent être consignées.

Mode élimination. On doit interroger le client à propos de ses affections cutanées, telles que la déshydratation, l'œdème et le prurit, qui peuvent indiquer un déséquilibre hydrique. Si le client souffre d'incontinence, il faut déterminer l'état de la peau au niveau des régions anale et périnéale.

Mode activité et exercice. On doit obtenir des renseignements au sujet des risques environnementaux liés aux passe-temps et aux activités récréatives du client, notamment l'exposition à des agents cancérogènes, des produits chimiques irritants et des allergènes connus. On doit demander au client si un changement s'est produit dans l'état de sa peau au cours d'une activité physique ou autre.

Mode sommeil et repos. On doit interroger le client à propos des troubles du sommeil causés par une affection cutanée. Par exemple, le prurit peut être pénible et entraîner d'importantes altérations dans les habitudes normales de sommeil. De plus, le manque de sommeil et la fatigue qui en résulte se manifestent souvent sur le visage du client par des cernes foncés sous les yeux et une diminution de la fermeté de la peau du visage.

Mode cognition et perception. L'infirmière doit s'assurer que le client a une bonne perception de la chaleur, du froid, de la douleur et du toucher. Le malaise associé à une affection cutanée doit être noté, particulièrement lorsque la peau du client est intacte. On doit aussi consigner les douleurs articulaires liées à l'affection cutanée du client.

Mode perception et concept de soi. On doit recueillir des données sur les sentiments de tristesse, d'anxiété ou de désespoir relativement à l'affection cutanée du client. Une attention particulière doit être prêtée à des signes de diminution de l'estime de soi du client ou à une perturbation de son image corporelle.

Mode relation et rôle. Il est important de déterminer la manière dont l'affection cutanée du client modifie ses relations avec les membres de sa famille, ses pairs et ses compagnons de travail. On doit recueillir des données sur les changements dans le mode de vie du client causés par son affection cutanée.

On doit interroger le client au sujet des conséquences des facteurs environnementaux sur sa peau, telles que l'exposition professionnelle à des irritants, au soleil et à des conditions exceptionnellement froides ou non hygiéniques. La dermite de contact causée par des allergies et des irritants est une dermatose professionnelle courante.

Mode sexualité et reproduction. En usant de tact, l'infirmière doit poser des questions et examiner les conséquences de l'affection cutanée du client sur son activité sexuelle. L'infirmière doit également prendre note du désir de reproduction manifesté par la cliente de sexe féminin à cause des effets de certains traitements. Par exemple, l'isotrétinoïne (Accutane), utilisée dans le traitement de l'acné, est un médicament tératogène qui entraîne un développement anormal du fœtus et, par conséquent, qui ne devrait pas être prescrit à une femme susceptible de devenir enceinte.

Mode adaptation et tolérance au stress. Il est important que l'infirmière pose des questions au client et examine le rôle que peut jouer le stress dans l'apparition ou l'aggravation d'une affection cutanée. L'infirmière doit interroger le client afin de connaître les stratégies d'adaptation qu'il emploie pour traiter l'affection cutanée.

Mode valeurs et croyances. L'infirmière doit interroger le client au sujet de ses croyances culturelles ou religieuses qui pourraient influencer l'image qu'il a de lui-même relativement à l'affection cutanée. Elle doit également recueillir des données sur les valeurs et les croyances qui pourraient influencer ou limiter le choix des options de traitement.

49.2.2 Données objectives

Examen physique. On retrouve les caractéristiques des **lésions cutanées primaires** à la figure 49.4 et celles des **lésions cutanées secondaires** à la figure 49.5. Les principes généraux d'un examen de la peau sont les suivants :

- utiliser une salle d'examen privée, où la température est modérée et la lumière suffisante ; il est préférable d'utiliser une salle exposée à la lumière du soleil ;
- s'assurer que le client est bien installé et qu'il est vêtu d'une jaquette afin de pouvoir accéder facilement à toutes les régions de la peau ;
- être systématique ; commencer par la tête et finir par les pieds ;
- comparer les parties symétriques ;
- faire une inspection générale, puis un examen particulier des lésions ;

- utiliser le système métrique lorsqu'il est nécessaire de prendre des mesures ;
- utiliser la terminologie et la nomenclature appropriées lors de la rédaction de rapports ou de tout autre document.

Les photographies sont utiles lorsque des résultats précis sont requis.

Inspection. L'infirmière doit inspecter la peau pour vérifier sa coloration et sa pigmentation, sa vascularisation ou un signe d'hémorragie et la présence de lésions ou de décolorations. Le changement constitue le facteur critique dans l'examen de la coloration de la peau. Une coloration normale de la peau chez un client donné peut être un signe d'une affection pathologique chez un autre client. La coloration de la peau dépend de la quantité de mélanine (brune), de carotène (jaune), d'oxyhémoglobine (rouge) ou de la diminution d'hémoglobine (rouge bleuté) chez le client à un moment particulier. Les parties du corps les plus fiables pour faire un examen de la coloration sont celles qui sont les moins pigmentées, telles que la sclérotique, la conjonctive, les lits unguéaux, les lèvres et la muqueuse buccale. La coloration de la peau peut être directement affectée par l'activité, les émotions, la fumée de cigarette, l'œdème, ainsi que les troubles respiratoires, rénaux, cardiovasculaires et hépatiques. Le

tableau 49.2 décrit les variations dans les données chez les individus qui ont une peau claire et ceux qui ont une peau foncée.

L'infirmière doit examiner la peau afin de déceler des problèmes potentiels liés à sa vascularisation, comme les parties contusionnées, et les lésions vasculaires ou purpuriques, comme l'angiome, les pétéchies et le purpura. L'infirmière doit noter les réactions à des pressions directes. Si une lésion blanchit lorsqu'on applique une pression directe, puis se remplit, la rougeur est due à des vaisseaux sanguins dilatés. Si la lésion demeure décolorée, c'est le résultat d'un saignement sous-cutané ou intradermique. L'infirmière doit prendre note de la configuration des contusions, par exemple la forme d'une main ou des doigts ou encore des contusions se trouvant à divers stades de guérison. Cela peut indiquer d'autres problèmes de santé ou des abus et doit faire l'objet d'un examen approfondi.

Il est important de consigner la coloration des lésions observées sur la peau, leur taille, leur répartition, leur localisation et leur forme. Les lésions cutanées sont généralement décrites par des termes qui indiquent leur forme (voir tableau 49.3) et leur répartition (voir tableau 49.4).

Au cours de l'inspection systématique, il est important de noter toute odeur inhabituelle. Les lésions colonisées et les callosités envahies par des levures, ou les régions **intertrigineuses** (propices à l'inflammation au

Macule
Décoloration circonscrite et aplatie qui peut être brune, bleue, rouge ou hypopigmentée.

Vésicule
Ensemble de liquides libres circonscrits dont le diamètre peut atteindre 0,5 cm.

Plaque
Lésion circonscrite, élevée, superficielle et solide dont le diamètre dépasse 0,5 cm, souvent formée par la confluence des papules.

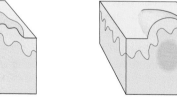

Nodule
Lésion circonscrite, élevée, solide dont le diamètre dépasse 0,5 cm ; un gros nodule est appelé tumeur.

Papule
Lésion élevée et solide dont le diamètre peut atteindre 0,5 cm ; sa couleur peut varier ; les papules peuvent confluer et former des plaques.

Pustule
Ensemble circonscrit de leucocytes et de liquides libres dont la taille peut varier.

Papule ortiée
Plaque œdémateuse ferme qui résulte de l'infiltration de liquide dans le derme ; les papules ortiées sont transitoires et peuvent ne rester que quelques heures.

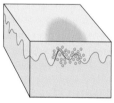

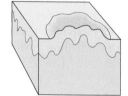
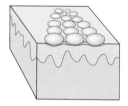

FIGURE 49.4 Caractéristiques des lésions cutanées primaires

Squame
Cellules épidermiques mortes en quantité excessive qui sont le produit d'une kératinisation et d'une mue anormales.

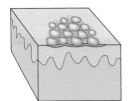

Cicatrice
Formation anormale de tissus conjonctifs impliquant des dommages faits au derme ; à la suite d'une lésion ou d'une chirurgie, les cicatrices sont d'abord roses et épaisses, mais elles deviennent blanches et atrophiées.

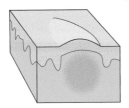

Érosion
Perte focale de l'épiderme ; l'érosion ne pénètre pas sous la jonction dermo-épidermique et guérit donc sans cicatriser.

Ulcère
Perte focale de l'épiderme et du derme ; l'ulcère guérit en cicatrisant.

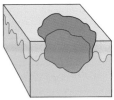

Fissure
Perte linéaire de l'épiderme et du derme qui présente des parois bien définies, presque verticales.

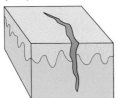

Atrophie
Dépression dans la peau causée par l'amincissement de l'épiderme et du derme.

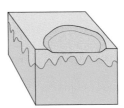

Croûte
Ensemble de sébum séché et de débris cellulaires ; gale.

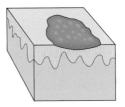

FIGURE 49.5 Caractéristiques des lésions cutanées secondaires

TABLEAU 49.2 Variations entre les personnes à la peau claire et à la peau foncée

Signe clinique	Peau claire	Peau foncée
Cyanose	Ton gris-bleu, particulièrement sur les lits unguéaux, les lobes des oreilles, les lèvres, les muqueuses ainsi que la paume des mains et la plante des pieds.	Coloration cendrée ou grise surtout observée sur la conjonctive de l'œil, les muqueuses buccales et les lits unguéaux.
Ecchymose (contusion)	Coloration rouge foncée, jaune ou verte, selon l'âge des contusions.	Ton bleu foncé ou noir ; difficile à voir à moins qu'il se présente sur une région légèrement pigmentée.
Érythème	Ton rougeâtre, peut s'accompagner d'une augmentation de la température de la peau consécutive à une inflammation localisée.	Peau brun foncé ou mauve foncé accompagnée d'une augmentation de sa température à la suite d'une inflammation.
Ictère	Coloration jaunâtre de la peau, de la sclérotique, des ongles, de la paume des mains et des muqueuses buccales.	Coloration vert-jaune de la peau facilement observable sur la sclérotique de l'œil (ne pas confondre avec la pigmentation jaune de l'œil chez les clients à la peau foncée), la paume des mains et la plante des pieds.
Pâleur	Coloration pâle de la peau qui peut sembler blanche ou cendrée, facilement observable sur les lèvres, les lits unguéaux et les muqueuses.	Absence du ton rouge sous-jacent sur la peau brune ou noire. La peau des gens de race noire à la peau claire peut être brun-jaune ; celle de ceux à la peau foncée peut sembler cendrée ou grise.
Pétéchies	Lésions ressemblant à de petits points mauves et rougeâtres, surtout sur l'abdomen et les fesses.	Difficile à voir ; peut être observée sur les muqueuses buccales ou la conjonctive de l'œil.
Éruption cutanée	Observable et sentie en palpant légèrement.	Difficilement observable, mais peut être sentie en palpant légèrement.
Cicatrice	Guérit généralement en laissant une cicatrice étroite.	Apparition fréquente de chéloïdes, qui cause l'épaississement et le gonflement de la cicatrice.

TABLEAU 49.3	Termes indiquant la forme d'une lésion
Nom	**Aspect**
Annulaire ou urcinée	En forme d'anneau
En spirale	En forme de spirale
Circulaire	Anneaux concentriques ou « cible »
Linéaire	En ligne droite
Nummulaire, discoïde	En forme de pièce de monnaie
Polymorphe	Sous plusieurs formes
Punctiforme	Marquée par des points
Serpigineuse	En forme de serpent

TABLEAU 49.4	Termes indiquant la répartition d'une lésion
Terme	**Description**
Asymétrique	Répartition unilatérale
Confluente	Se fond dans une autre lésion
Diffuse	Répartition diffuse
Discrète	Séparée des autres lésions
Généralisée	Répartition étendue
Regroupée	Groupe de lésions
Localisée	Parties du corps atteintes, limitées et clairement définies
Satellite	Lésion seule à proximité d'un groupe important de lésions
Isolée	Lésion seule
Symétrique	Répartition bilatérale
Zostériforme	Répartition en bande le long d'un dermatome

niveau des plis cutanés), sont souvent associées à des odeurs distinctives. Les tatouages et les marques d'aiguille doivent être examinés, et leur localisation doit être notée, ainsi que les caractéristiques des régions cutanées qui les entourent.

L'inspection pilaire doit comprendre un examen de toutes les régions poilues du corps. L'infirmière doit noter la répartition, la texture et la quantité de poils. Des changements dans la répartition et la croissance normale du système pileux peuvent indiquer des troubles endocriniens.

L'inspection des ongles doit comprendre un examen minutieux de la forme, l'épaisseur, la courbe et la surface des ongles. On doit prendre note de tout signe de rainure, d'érosion ponctuée ou de crête. Des changements dans l'aspect lisse et l'épaisseur de l'ongle peuvent être causés par l'anémie, le psoriasis et la diminution de la circulation vasculaire.

Palpation. L'infirmière doit palper la peau afin d'obtenir des informations sur sa température, son élasticité, sa mobilité, son humidité et sa texture. Le dos de la main est le meilleur endroit pour vérifier la **température** de la peau. La peau doit être tiède, et non chaude. La températurede la peau augmente en même temps que la circulationsanguine dans le derme. Les parties de la peau brûlées ou atteintes d'une inflammation locale ont une température plus élevée. La fièvre cause une augmentation générale de la température. Une diminution de la température corporelle peut être provoquée par un choc, par un refroidissement ou par un traumatisme émotionnel.

Le **signe du pli cutané** (turgor ou turgescence) et la **mobilité** s'appliquent à l'élasticité de la peau. L'infirmière examine l'élasticité en pinçant légèrement une partie de la peau sous la clavicule. Une peau ayant une bonne élasticité doit bouger aisément lorsqu'elle est pincée de la sorte et doit immédiatement retrouver sa position initiale lorsqu'on la relâche. La déshydratation et le vieillissement provoquent une perte d'élasticité de la peau.

L'humidité de la peau représente la moiteur ou la sécheresse de la peau. Elle augmente dans les parties intertrigineuses et lorsqu'il y a un fort taux d'humidité. La quantité d'humidité présente sur la peau varie selon la température environnementale, l'activité musculaire, le poids de l'individu et la température corporelle. La peau doit être intacte et ne présenter aucune croûte, aucun squame ni aucune fissure. En général, la peau s'assèche avec l'âge.

La **texture** de la peau peut être fine ou grossière. La peau doit être lisse et ferme au toucher ; son épaisseur doit être uniforme sur la plupart des parties du corps. Il est normal que la plante des pieds et la paume des mains présente des cals plus épais ; ces derniers sont liés aux articulations portantes. L'augmentation de l'épaisseur de la peau est souvent liée à la profession de la personne et résulte d'une pression excessive. Les anomalies courantes de la peau décelées au cours de l'examen physique figurent au tableau 49.5.

49.2.3 Examen de la peau foncée

Ce sont des facteurs génétiques qui déterminent la coloration de la peau d'un individu. Les tons les plus foncés

ANOMALIES COURANTES DÉCELÉES AU COURS DE L'EXAMEN PHYSIQUE

TABLEAU 49.5 Appareil tégumentaire

Observations	Description	Étiologie et signification possible
Alopécie	Chute des cheveux (localisée ou générale).	Hérédité, friction, frottement, traction, traumatisme, stress, infection, inflammation, chimiothérapie, grossesse, choc émotionnel, teigne, facteurs immunologiques.
Angiome	Tumeur composée de vaisseaux sanguins ou lymphatiques.	Augmentation normale causée par le vieillissement, maladie du foie, grossesse, varices.
Caroténémie (caroténose)	Décoloration jaune de la peau, aucun jaunissement de la sclérotique, surtout observée sur la paume des mains et la plante des pieds.	Légumes contenant de la carotène (p. ex. carottes, courges), hypothyroïdie.
Comédon (points noirs et points blancs)	Présence de kératine, de microorganismes sébacés et de débris épithéliaux dans une ouverture folliculaire dilatée.	Acné simple
Cyanose	Décoloration légèrement gris bleuâtre ou mauve foncé de la peau et des muqueuses causée par la diminution excessive d'hémoglobine dans les capillaires.	Troubles cardiorespiratoires ; vasoconstriction, asphyxie, anémie, leucémie et tumeurs malignes.
Kyste	Sac contenant des liquides ou des matériaux semi-solides.	Obstruction d'un conduit ou d'une glande, infection parasitaire.
Dépigmentation (vitiligo)	Perte de mélanine congénitale ou acquise causant l'apparition de régions blanches et dépigmentées sur la peau.	Agents génétiques, chimiques et pharmacologiques, facteurs nutritionnels et endocriniens, brûlures et traumatismes, inflammations et infections.
Ecchymose	Grosse lésion semblable à une contusion causée par une accumulation de sang extravasculaire dans le derme et les tissus sous-cutanés.	Traumatismes, troubles d'hémorragie.
Érythème	Rougeurs de taille et de forme variables.	Chaleur, consommation de certains médicaments et d'alcool, rayons ultraviolets, maladies causant une dilatation des vaisseaux sanguins.
Excoriation	Excavations superficielles de l'épiderme.	Prurit, traumatismes.
Hématome	Extravasation de sang d'une taille suffisante pour causer l'apparition d'un œdème visible.	Traumatismes, troubles de la coagulation.
Hirsutisme	Répartition masculine du système pileux chez la femme.	Anomalies des gonades et des glandes surrénales, diminution du taux d'œstrogènes, hérédité.
Intertrigo	Dermite des surfaces de la peau se chevauchant.	Humidité, obésité, infections moniliasiques.
Ictère	Décoloration jaune (chez les gens de race blanche) ou brun jaunâtre (chez les gens de race noire) de la peau, facilement observable sur la sclérotique à la suite d'une augmentation de la bilirubine dans le sang.	Maladie du foie, hémolyse des globules rouges ; cancer du pancréas, obstruction du canal cholédoque.
Chéloïde	Cicatrice hypertrophiée qui dépasse la taille de l'incision ou du traumatisme.	Trouble plus courant chez les gens de race noire.
Lichénification	Épaississement de la peau accompagné de marques accentuées sur la peau.	Grattage, frottement et irritations répétés.
Môle (nævus mélanocytique)	Envahissement bénin des mélanocytes.	Anomalies du développement ; présence d'un trop grand nombre de môles irréguliers de taille importante, souvent héréditaire.

ANOMALIES COURANTES DÉCELÉES AU COURS DE L'EXAMEN PHYSIQUE

TABLEAU 49.5　Appareil tégumentaire *(suite)*

Observations	Description	Étiologie et signification possible
Pétéchie	Dépôts discrets de sang ayant la forme de petits points de 1 à 2 mm dans les tissus extravasculaires, visibles sur la peau ou les muqueuses.	Inflammation, dilatation marquée, traumatisme des vaisseaux sanguins, dyscrasie sanguine causant une diathèse hémorragique (p. ex. la thrombopénie).
Télangiectasie	Petits vaisseaux sanguins superficiels et cutanés, visiblement dilatés qu'on retrouve couramment sur le visage et les cuisses.	Vieillissement, acné, exposition au soleil, alcool, insuffisance hépatique, médicaments corticostéroïdiens, radiothérapie, certaines maladies systémiques, tumeurs cutanées ; variantes normales.
Faible turgescence	La peau ne reprend pas immédiatement sa forme normale après un léger pincement.	Vieillissement, déshydratation, cachexie.
Varicosité	Proéminence accrue des veines superficielles.	Interruption du retour veineux (p. ex. causée par une tumeur, des valves incompétentes ou une inflammation).

résultent de la réflexion de la lumière qui frappe les pigments cutanés sous-jacents. Les colorations de peau les plus foncées sont le résultat de l'augmentation de la quantité de pigments de mélanine produits par les mélanocytes. Cette augmentation de la quantité de mélanine forme un écran solaire naturel chez les gens à la peau foncée et réduit l'incidence du cancer de la peau chez ces individus.

Les structures de la peau foncée ne sont pas différentes de celles de la peau plus claire, mais il est souvent plus difficile d'en faire l'examen (voir tableau 49.2). L'examen de la coloration est plus facile à faire sur les régions du corps où l'épiderme est mince, telles que les lèvres et les muqueuses. Les érythèmes sont souvent difficiles à observer et il peut être nécessaire de les palper.

Les individus de race noire sont prédisposés à certaines affections cutanées, notamment la pseudo-folliculite, les chéloïdes et les taches mongoliques. Chez certains individus à la peau foncée, la coloration ne peut être utilisée en tant qu'indicateur d'une affection systémique (p. ex. une peau qui rougit à cause de la fièvre). Un ton bleuâtre peut être facilement remarqué sur les gencives et la peau d'un individu à la peau foncée.

49.3 ÉPREUVES DIAGNOSTIQUES DE L'APPAREIL TÉGUMENTAIRE

Les épreuves diagnostiques fournissent des informations importantes à l'infirmière afin de l'aider à surveiller l'état du client et à planifier des interventions appropriées. Ces épreuves sont considérées comme des données objectives. Le tableau 49.6 comprend des épreuves diagnostiques courantes qui concernent le système tégumentaire.

Pour ce qui est des dermatoses, les méthodes principales de diagnostics consistent à inspecter la lésion du client et à consigner minutieusement tout renseignement concernant cette lésion. S'il est impossible d'établir un diagnostic définitif en se servant de ces méthodes, on peut procéder à d'autres examens. On utilise fréquemment la lampe de Wood pour diagnostiquer certaines maladies qui affectent la peau et le système pileux. La **biopsie** est l'une des épreuves diagnostiques les plus courantes utilisées pour évaluer une lésion cutanée. Il est recommandé de procéder à une biopsie pour toute affection où l'on soupçonne la présence de malignité ou lorsqu'un diagnostic est discutable. Une biopsie peut être effectuée à l'emporte-pièce, par incision, par exérèse et par rasage. La méthode préconisée dépend de la localisation de la biopsie, des résultats esthétiques désirés et du type de tissus à prélever.

D'autres méthodes diagnostiques utilisées comprennent les colorations et les cultures d'infections fongiques, bactériennes et virales. L'**immunofluorescence** est une méthode spéciale utilisée sur les échantillons de biopsie prélevés pouvant être recommandée pour le traitement de certaines affections, telles que les maladies bulbeuses et le lupus érythémateux disséminé. Le **test épicutané** et le **test photoépicutané** peuvent être utilisés dans l'évaluation de la dermite de contact, la dermite photoallergique et la dermite photodistribuée.

ÉPREUVES DIAGNOSTIQUES

TABLEAU 49.6 Appareil tégumentaire

Épreuves	Description et objectif	Responsabilités infirmières
Biopsie		
À l'emporte-pièce	Utilisation d'un poinçon de biopsie à l'emporte-pièce de taille appropriée. On effectue une rotation à un niveau approprié afin d'inclure un prélèvement de derme et de tissus adipeux. Des sutures peuvent être faites ou non.	Vérifier si le formulaire de consentement a été signé (s'il y a lieu). Aider à la préparation du site, l'anesthésie, l'opération et l'hémostase. Faire un pansement et donner des instructions postopératoires au client. Identifier les échantillons adéquatement.
Par exérèse	Épreuve utile lorsque le client désire de bons résultats esthétiques ainsi qu'une ablation totale de la lésion. La peau est refermée à l'aide de sutures sous-cutanées et cutanées.	Voir ci-dessus.
Par incision	Dans le cas de lésions trop grosses pour qu'on en fasse l'ablation, on pratique une incision elliptique. On prélève un échantillon adéquat sans causer un dommage esthétique important.	Voir ci-dessus.
Par rasage	Lésions rasées à l'aide d'une lame de rasoir à un tranchant. Épreuve pratiquée sur les lésions superficielles. Fournit un échantillon de toute l'épaisseur de la couche cornée.	Voir ci-dessus.
Tests au microscope		
Hydroxyde de potassium (KOH)	On examine le système pileux, les squames ou les ongles pour y déceler des signes d'infection fongique. On place l'échantillon sur une lame de verre et on y ajoute une concentration de 10 à 40 % d'hydroxyde de potassium.	Informer le client de l'objectif du test. Préparer la lame.
Cytodiagnostic de Tzanck (sérodiagnostic de Wright et coloration de Giemsa)	On examine les liquides et les cellules provenant des vésicules et des bulles. Épreuve utilisée pour diagnostiquer le virus de l'herpès. L'échantillon est placé sur une lame, coloré, puis examiné au microscope.	Informer le client de l'objectif du test. Utiliser une technique stérile pour recueillir le liquide.
Culture	Test pour détecter les organismes fongiques, bactériens et viraux. Dans le cas des champignons, on pratique un grattage si le champignon est systémique et s'il affecte la peau. Dans le cas des bactéries, on obtient des échantillons des pustules, des vésicules ou des abcès intacts. Dans le cas des virus, on pratique un grattage et on prélève l'exsudat au centre de la lésion.	Informer le client de l'objectif de l'épreuve et de son déroulement. Identifier les échantillons adéquatement. Si les échantillons ne sont pas envoyés au laboratoire, suivre les instructions d'entreposage.
Lames enduites d'huile minérale	Pour vérifier s'il y a infestation, on place les produits de grattage sur une lame enduite d'huile minérale.	Informer le client de l'objectif du test. Préparer la lame.
Épreuves par immuno-fluorescence	Certaines maladies cutanées présentent des protéines anticorps anormaux et spécifiques qui peuvent être décelées par des épreuves par fluorescence. On peut examiner la peau ou le sérum.	Informer le client de l'objectif du test. Aider à l'obtention de l'échantillon.
Divers		
Lampe de Wood	Au cours de l'examen de la peau à l'aide d'une lumière ultraviolette de grande longueur d'onde, des substances spécifiques deviennent fluorescentes (p. ex. *Pseudomonas*, les infections fongiques et le vitiligo).	Expliquer l'objectif du test au client. L'informer que la procédure n'est pas douloureuse.
Diascopie	Examen de la peau en la pressant légèrement à l'aide d'un objet transparent afin d'observer la vascularisation de la lésion.	Expliquer le déroulement de l'épreuve au client.
Test épicutané	Épreuve utilisé pour déterminer si un client est allergique à une substance utilisée dans les tests. Une petite quantité d'une substance pouvant être allergène est appliquée sous l'occlusion, la plupart du temps sur la peau du dos.	Informer le client de l'objectif de l'épreuve et de son déroulement. Demander au client de revenir dans 48 heures pour qu'on enlève les substances allergènes et qu'on procède à l'évaluation. Si une autre évaluation est nécessaire 96 heures après l'épreuve, en informer le client.

MOTS CLÉS

BIBLIOGRAPHIE
Version originale

1. Thibodeau G, Patton K: *Anatomy and physiology,* ed 4, St. Louis, 1999, Mosby.
2. Sauer G, Hall J: *Manual of skin diseases,* ed 7, Philadelphia, 1996, Lippincott-Raven.
3. Sanders S: *Integumentary system.* In Lueckenotte A: Textbook of gerontologic nursing, St. Louis, 1996, Mosby.
4. Diepgen T, Coenraads P: *Inflammatory skin diseases,* II: Contact dermatitis. In Williams H, Strachan D, editors: *The challenge of dermato-epidemiology,* Boca Raton, Fla, 1997, CRC Press.
5. Thompson J, Wilson S: *Health assessment for nursing practice,* St. Louis, 1996, Mosby.
6. Fitzpatrick T and others, editors: *Color atlas and synopsis of clinical dermatology,* ed 2, New York, 1994, McGraw-Hill.
7. Goldsmith L, Lazarus G, Thorp M: *Adult and pediatric dermatology,* Philadelphia, 1997, FA Davis.

Chapitre **50**

Monique Bédard
B. Sc. inf.
Cégep de Limoilou

Pauline Audet
M. Sc. inf.
Cégep de Limoilou

Troubles Tégumentaires

Objectifs d'apprentissage

Après avoir lu ce chapitre, vous devriez être en mesure :

De décrire les pratiques de promotion de la santé reliées aux soins de la peau ;

D'expliquer l'étiologie, les manifestations cliniques, les traitements et les soins en collaboration des troubles dermatologiques les plus courants ;

De décrire les effets psychologiques et physiologiques des affections dermatologiques chroniques ;

D'expliquer l'étiologie, les manifestations cliniques et le traitement des tumeurs malignes de la peau ;

D'expliquer l'étiologie, les manifestations cliniques et le traitement des infections bactériennes, virales et fongiques des téguments ;

D'expliquer l'étiologie, les manifestations cliniques et le traitement des infestations et des morsures d'insectes ;

D'expliquer l'étiologie, les manifestations cliniques et le traitement des troubles dermatologiques reliés aux allergies ;

D'expliquer l'étiologie, les manifestations cliniques et le traitement des troubles dermatologiques bénins ;

De décrire les manifestations dermatologiques des maladies systémiques les plus courantes ;

D'expliquer les indications et les soins infirmiers reliés à la chirurgie plastique et aux greffes de peau ;

D'expliquer l'étiologie, les manifestations cliniques et le traitement des escarres de décubitus.

*L*es problèmes de peau sont souvent difficiles à traiter. Les vêtements et les cosmétiques peuvent en effet cacher ou couvrir certains troubles cutanés, même si de nombreux troubles ne peuvent pas être dissimulés aussi facilement. Les conséquences affectives des troubles cutanés sont souvent plus pénibles que le trouble lui-même. L'acné est tout au plus une maladie mineure sur le plan de la santé. Mais pour l'adolescent qui essaie d'acquérir une identité personnelle et de construire son estime de soi, l'acné peut constituer un obstacle qui l'empêche de s'intégrer au sein du groupe formé par ses pairs et de participer à des activités de loisir. La sévérité d'un trouble cutané et ses conséquences psychologiques ou affectives sont en général deux problèmes distincts.

Dans le présent chapitre, les soins infirmiers et le processus thérapeutique des troubles tégumentaires sont abordés avant que ne soient décrits précisément les troubles dermatologiques, car ils s'appliquent au traitement de la plupart d'entre eux.

50.1 TROUBLES TÉGUMENTAIRES

50.1.1 Promotion de la santé

Quand elles sont associées à la prévention et au traitement des troubles cutanés, les interventions reliées à la promotion de la santé sont souvent les mêmes que les interventions préconisées pour le maintien de la santé en général. La peau est le reflet d'un bien-être physique et psychologique. Les interventions reliées à la promotion de la santé qui visent à assurer le maintien d'une peau saine visent également la prévention des risques environnementaux, préconisent un repos suffisant et la pratique d'activités physiques adéquates, le respect d'une hygiène appropriée et d'une alimentation équilibrée, ainsi que la prudence dans les tentatives d'auto-traitement.

Risques environnementaux

Exposition au soleil. La plupart des gens ignorent qu'une exposition prolongée au soleil durant des années a des effets cumulatifs dangereux. Les rayons ultraviolets (UV) du soleil provoquent des altérations du derme qui génèrent un vieillissement prématuré de la peau (c.-à-d. perte de l'élasticité, amincissement, plissement et assèchement). L'exposition prolongée et répétée aux rayons du soleil est un des principaux facteurs responsables des lésions précancéreuses et cancéreuses. Les lésions actiniques, les kératoses actiniques, les carcinomes basocellulaires et spinocellulaires ainsi que les mélanomes malins sont des affections dermatologiques directement ou indirectement attribuables à l'exposition au soleil.

Les infirmières doivent jouer un rôle de premier plan pour promouvoir l'adoption de comportements responsables face à l'exposition au rayonnement solaire. La vitamine D_3, est produite par la peau et est nécessaire à la synthèse de la vitamine D. Une exposition au soleil d'une durée de quelques minutes sur des parties circonscrites du corps suffit à combler les besoins en vitamine D_3. Les diverses longueurs d'onde des rayons solaires (voir tableau 50.1) ont des effets différents sur la peau. Les rayons ultraviolets B (UVB) semblent être le principal facteur responsable du développement des cancers de la peau, tandis que les rayons ultraviolets A (UVA) accroissent les effets cancérogènes des UVB. Le bronzage est la réaction de la peau aux lésions provoquées par le soleil et correspond à une augmentation de la production de mélanine. Lorsqu'il y a exposition abusive au rayonnement solaire, le temps de réaction de la peau est réduit, ce qui provoque une perte de l'épiderme par plaques ou lamelles. Les personnes à la peau claire doivent particulièrement éviter de trop s'exposer au soleil, car elles ne produisent qu'une faible quantité de mélanine, barrière naturelle de la peau.

Les écrans solaires peuvent filtrer les rayons ultraviolets UVA et UVB. Il existe deux types d'écrans solaires : les écrans chimiques et les écrans physiques. Les **écrans solaires chimiques** sont conçus pour absorber ou filtrer les particules de lumière ultraviolette, réduisant ainsi la pénétration des rayons UV dans l'épiderme. Épais et opaques, les **écrans solaires physiques** réfléchissent les rayons UV. Ils bloquent tous les UVA et les UVB ainsi que les particules de lumière visible.

Les écrans solaires les plus vendus sont classés en fonction de leur **facteur de protection solaire (FPS)**. Cette méthode permet de mesurer l'efficacité des écrans solaires, c'est-à-dire leur pouvoir de filtration et d'absorption des rayons UVB. Il n'existe aucun classement équivalent des produits destinés à protéger contre les UVA. Dans ces conditions, on doit apprendre aux clients à vérifier si la mention « à large spectre » figure sur la notice de

DIVERSITÉ CULTURELLE

Troubles tégumentaires   ENCADRÉ 50.1

- L'incidence des cancers de la peau est moins élevée parmi les gens de race noire et les Amérindiens qu'au sein de la population blanche, chez qui elle est importante, surtout dans les régions ensoleillées.
- Il n'est pas toujours facile de faire un examen cutané chez les personnes à la peau foncée. Les muqueuses de la bouche et la conjonctive sont des zones où la pâleur, la cyanose et l'ictère peuvent être plus facilement dépistés. Les paumes de la main et la plante des pieds peuvent également être examinées pour poser un diagnostic.

TABLEAU 50.1 Effets des longueurs d'onde du soleil sur la peau

Longueur d'onde	Mesure en nanomètres	Effets
Courte (UVC)	Inférieure à 290	N'atteint pas la Terre ; bloquée par l'atmosphère.
Moyenne (UVB)	280 à 320	Provoque des coups de soleil et endommage la peau après une exposition répétée pendant plusieurs années.
Longue (UVA)	320 à 400	Peut compromettre l'élasticité tissulaire et provoquer une actinodermatose ; favorise le développement du cancer de la peau.

important de savoir que les rayons du soleil sont plus dangereux entre 10 heures et 14 heures, temps universel, ou en été à l'heure avancée, entre 11 heures et 15 heures, quelle que soit la latitude. Il est possible d'attraper un coup de soleil, même si le temps est couvert, puisque plus de 80 % des rayons UV peuvent traverser les nuages. La haute altitude, la neige, parce qu'elle réfléchit 85 % des rayons solaires, et le fait de se trouver dans l'eau ou à proximité constituent d'autres facteurs de risque. Les clients doivent aussi être mis en garde contre les salons de bronzage et les lampes solaires, qui sont d'importantes sources de rayons UVA. À l'heure actuelle, aucun écran solaire mis sur le marché ne peut bloquer tous les UVA.

Certains médicaments topiques ou systémiques accentuent l'action des rayons solaires même lors d'une courte période d'exposition. Les catégories de médicaments susceptibles de contenir plusieurs agents photosensibilisants courants sont énumérées dans le tableau 50.3. L'infirmière doit savoir que de nombreux médicaments appartiennent à ces catégories, aussi est-il important de déterminer la photosensibilité de chaque médicament administré. Les agents chimiques de tels médicaments absorbent la lumière et libèrent une énergie qui endommage les cellules et les tissus. L'aspect clinique de la photosensibilisation médicamenteuse est celui d'un coup de soleil intense : érythème, papule, lésions en plaques et vésicules. Les personnes exposées à des réactions photosensibles peuvent se protéger en utilisant des écrans solaires. Il revient à l'infirmière d'informer les clients des effets photosensibilisants des médicaments prescrits.

Agents irritants et allergènes. Certains clients présentent des dermites causées par des agents irritants ou des allergènes, qui produisent deux types de dermites de contact. La **dermite de contact irritante** consiste en une lésion directe de la peau sous l'action d'une substance chimique et n'a pas de cause immunologique.

l'écran solaire ; cette mention indique que le produit est conçu pour absorber une large gamme de rayons, en particulier les longueurs d'onde des rayons UVB.

La plupart des écrans solaires sur le marché ne contiennent plus d'acide 4-aminobenzoïque (PABA) parce que ce produit tache les vêtements et peut entraîner des réactions allergiques, notamment des dermites de contact.

Les consommateurs doivent choisir les écrans solaires qui correspondent le mieux à leurs besoins. Le PABA, les esters de PABA, les cinnamates et les salicylés bloquent les UVB. Le parsol bloque les rayons UVA et est ajouté à cette fin à certains écrans solaires. Les benzophénones bloquent à la fois les rayons UVA et UVB (voir tableau 50.2). Les écrans solaires hydrofuges sont spécialement conçus pour les nageurs et les personnes qui transpirent abondamment. Il est important de suivre les instructions fournies dans la notice de certains produits, car le délai recommandé pour l'application du produit avant l'exposition au soleil varie d'un produit à l'autre.

Il est généralement recommandé d'utiliser quotidiennement un écran solaire ayant un FPS de 15 ou plus. Les écrans solaires dont le FPS est supérieur ou égal à 15 filtrent 92 % des rayons UVB responsables de l'érythème et permettent d'éviter les coups de soleil chez la plupart des individus lorsqu'ils sont appliqués en suivant les instructions. L'Association canadienne de dermatologie fournit une liste des écrans solaires reconnus.

L'infirmière peut aussi informer le client sur les autres moyens de protection contre les effets nocifs du soleil que sont les chapeaux à larges bords, les chemises à manches longues en tissu léger et les parasols. Il est

TABLEAU 50.2 Composition des écrans solaires et protection contre les ultraviolets

Ingrédients	Protection contre les ultraviolets (UV)
Ingrédients chimiques	
Benzophénones	UVA et UVB
PABA et esters PABA	UVB
Cinnamates	UVB
Salicylés	UVB
Divers	
Anthranilate de méthyle	UVB
Parsol	UVA
Écrans solaires physiques	
Dioxyde de titane	UVA et UVB
Oxyde de zinc	UVA et UVB

PHARMACOTHÉRAPIE

TABLEAU 50.3	Catégorie de médicaments susceptibles de causer des réactions photosensibles
Catégories	**Exemples**
Antinéoplasiques	Méthotrexate, vinorelbine (Navelbine)
Antidépresseurs	Amitriptyline (Elavil), clomipramine (Anafranil), doxépine (Sinéquan)
Antiarythmiques	Quinidine, amiodarone (Cordarone)
Antihistaminiques	Diphenhydramine (Benadryl), chlorphéniramine, clémastine (Tavist)
Antimicrobiens	Tétracycline, triméthoprime, sulfaméthoxazole (Septra), azithromycine (Zithromax), ciprofloxacine (Cipro)
Antifongiques	Griséofulvine (Fulvicin U/F), kétoconazole (Nizoral)
Antipsychotiques	Chlorpromazine (Largactil), halopéridol (Haldol)
Diurétiques	Furosémide (Lasix), hydrochlorothiazide (HydroDiuril)
Hypoglycémiants	Tolbutamide, chlorpropamide
Anti-inflammatoires non stéroïdiens	Diclofénac (Voltaren), piroxicam (Feldene), sulindac

La **dermite de contact allergique** est une réaction d'hypersensibilité retardée de type IV induite par un agent spécifique. Cette réaction nécessite une sensibilisation préalable et ne survient que chez les individus qui sont génétiquement prédisposés à réagir à un antigène particulier (voir chapitre 7).

L'infirmière doit conseiller à ses clients d'éviter les agents irritants connus (p. ex. l'ammoniaque et les détergents forts). Les tests épicutanés (l'application d'allergènes sur une zone limitée de la peau) sont nécessaires pour déceler l'agent causal le plus susceptible d'induire la sensibilisation. En règle générale, l'infirmière est le premier intervenant à détecter les allergies de contact provoquées par divers sparadraps, gants (latex) et adhésifs. L'infirmière doit également savoir que les médicaments topiques et systémiques vendus sur ordonnance ou en vente libre pour traiter différentes affections peuvent provoquer des réactions dermatologiques.

Radiation. Même si la plupart des services de radiologie veillent tout particulièrement à protéger leur personnel et leurs clients contre les effets de la radiation excessive, l'infirmière doit aider les clients à prendre des décisions avisées en ce qui concerne les examens radiologiques. Bien que les radiographies puissent jouer un rôle inestimable pour diagnostiquer et traiter les affections, leur usage inconsidéré peut occasionner des effets secondaires cutanés sévères ainsi que d'autres troubles de santé. L'acné cystique était traitée, il y a 30 ans, par radiation. Il est important de savoir que les clients qui ont subi ce traitement ont un taux d'incidence élevé de carcinomes basocellulaires.

Repos et sommeil. Le repos et le sommeil sont des éléments importants dans la promotion de la santé relié aux troubles cutanés. Bien que les effets précis du repos ne soient pas connus, on admet qu'il joue un rôle dans la régénération de la peau. Il réduit l'intensité des épisodes de démangeaison et les risques de lésions cutanées liés au grattage.

Activité physique. L'activité physique augmente la circulation et dilate les vaisseaux sanguins. Outre l'éclat de santé qu'elle procure, les effets psychologiques de l'activité physique améliorent l'apparence physique et l'état d'esprit. Il faut néanmoins éviter une exposition prolongée à la chaleur, au froid et au soleil au cours des exercices en plein air ou se protéger des effets d'une telle exposition.

Hygiène. Les règles d'hygiène doivent être adaptées au type de peau, au mode de vie et à la culture du client. Les personnes à la peau grasse doivent laver leur peau avec un agent asséchant plus fréquemment que les sujets à la peau sèche. Les savons hyperhydratants ainsi que d'autres mesures destinées à accroître l'hydratation de la peau, telles que l'application de produits hydratants, peuvent être bénéfiques pour les peaux sèches.

Le niveau d'acidité normal de la peau (pH 4,2 à 5,6) et la transpiration préviennent la prolifération bactérienne. Cependant, la plupart des savons sont alcalins et provoquent une neutralisation de la surface de la peau et de la protection naturelle. L'utilisation de savons plus neutres et le fait d'éviter de se laver à l'eau chaude et de se frotter trop vigoureusement atténuent les irritations et les inflammations locales.

En règle générale, on doit laver la peau et les cheveux assez souvent pour enlever le surplus de gras et les secrétions et éliminer les mauvaises odeurs. Les personnes âgées doivent éviter d'utiliser des savons et des shampooings forts, car leur peau est plus sèche. Les produits hydratants doivent être appliqués après le bain ou la douche, alors que la peau est encore humide, et ce, de manière à préserver cette humidité.

Nutrition. Un régime bien équilibré comprenant tous les groupes alimentaires assure une peau, des cheveux et des ongles sains. Certains éléments, dont les suivants, sont particulièrement importants pour le maintien d'une peau saine.

- La vitamine A est essentielle à l'intégrité de la structure normale des cellules, surtout des cellules épithéliales. Elle est nécessaire au processus de guérison normal des plaies. La carence en vitamine A provoque la sécheresse de la conjonctive et une mauvaise cicatrisation des plaies.
- Le complexe de la vitamine B est essentiel aux fonctions métaboliques complexes. Les carences en niacine et en pyridoxine se traduisent par des symptômes dermatologiques, comme les érythèmes, les papules, les vésicules ou les bulles et les lésions séborrhéiques.
- La vitamine C (acide ascorbique) est essentielle à la formation des tissus conjonctifs et au processus de cicatrisation normal des plaies. La carence en vitamine C provoque le scorbut, notamment des pétéchies, une hémorragie des gencives et le purpura.
- La carence en vitamine K empêche la prothrombine d'être synthétisée normalement dans le foie et peut induire un purpura cutané.
- Les protéines sont indispensables à la croissance et à la préservation des cellules lorsqu'elles sont en quantité suffisante. Elles sont également essentielles au processus normal de cicatrisation des plaies.
- Les acides gras non saturés sont nécessaires à la préservation de la fonction et de l'intégrité des membranes cellulaires et subcellulaires dans le métabolisme des tissus ; les acides linoléiques et arachidoniques sont à cet égard particulièrement importants.

L'obésité est dommageable pour la peau. L'augmentation du volume des tissus adipeux sous-cutanés peut provoquer un étirement de la peau et un accroissement excessif de sa température. Cette hausse marquée de la température, associée à l'isolement accru créé par l'accumulation de tissus adipeux, stimule la transpiration, ce qui a un effet défavorable sur la peau normale ou enflammée. L'obésité peut aussi avoir une influence sur le développement du diabète de type 2 et des complications cutanées qui y sont associées (voir chapitre 40).

Autotraitement. Il est important de mettre le client en garde contre les dangers de l'autodiagnostic et de l'auto-traitement. La multitude de produits pour la peau en vente libre peut être déconcertante pour le consommateur. En donnant des conseils d'ordre général à son client, l'infirmière pourra insister sur la durée du traitement et la nécessité de suivre à la lettre les instructions consignées dans la notice. Les troubles cutanés se développent souvent dans un premier temps de façon asymptomatique et guérissent lentement. Si la notice d'un médicament en vente libre indique que l'utilisation ne doit pas dépasser sept jours, il est primordial de tenir compte de cet avertissement. De même, s'il est précisé qu'il faut une application biquotidienne, il importe de ne pas céder à la tentation de doubler la dose en vue d'accélérer la guérison. Si le moindre signe systémique d'inflammation ou d'augmentation du trouble cutané apparaît (p. ex. une augmentation du nombre de lésions ou de l'étendue d'un érythème ou encore du volume de la zone œdémateuse), le client doit cesser l'autotraitement et consulter un professionnel de la santé.

50.2 SOINS GÉNÉRAUX DES AFFECTIONS DERMATOLOGIQUES AIGUËS

50.2.1 Épreuves diagnostiques

Il est primordial de bien connaître les antécédents de santé avant de poser un diagnostic de trouble cutané. Le praticien doit avoir les compétences nécessaires pour déceler tout indice qui lui permettrait de déterminer la cause de l'affection parmi la multitude de dermatoses possibles. Après la collecte des antécédents de santé et l'examen physique, les lésions sont examinées une à une. C'est à partir des épreuves diagnostiques, des antécédents de santé et de l'examen physique que le traitement médical ou chirurgical, ou encore une combinaison des deux, est planifié.

50.2.2 Processus thérapeutique

Les dermatologues ont recours à plusieurs méthodes thérapeutiques, dont certaines sont spécifiques, tandis que d'autres ont un champ d'action plus large. Les progrès thérapeutiques ont permis de traiter avec succès de nombreuses maladies chroniques auparavant incurables. Un grand nombre de ces traitements reposent sur l'emploi d'un équipement spécialisé et sont habituellement administrés uniquement par les dermatologues. La plupart des praticiens optent pour la pharmacothérapie. L'efficacité de la pharmacothérapie peut dépendre de la substance utilisée dans la fabrication du médicament, c'est-à-dire de sa base (son véhicule). Le tableau 50.4 présente une liste des agents couramment utilisés comme véhicules dans les préparations topiques et leurs propriétés thérapeutiques.

Photothérapie. Deux types de lumière ultraviolette, ou une combinaison des deux (UVA, UVB), sont utilisés dans le traitement de nombreuses affections dermatologiques. Les longueurs d'ondes des rayons ultraviolets sont responsables de l'érythème, de la desquamation et de la pigmentation de la peau et peuvent provoquer un arrêt temporaire de la mitose des cellules basales suivi, par compensation, d'une accélération du renouvellement des cellules.

L'association d'un photosensibilisant, comme le psoralène, et des rayons ultraviolets constitue une forme de photothérapie. Le photosensibilisant est administré 90 minutes avant que le client soit exposé aux rayons UVA afin d'améliorer l'effet des ultraviolets du spectre des UVA. Un agent hydratant, ou une préparation au goudron, est généralement appliqué en fine couche sur la zone affectée avant de l'exposer aux rayons UVB. Les affections qui répondent bien à l'action des longueurs d'ondes en présence ou non de médicaments sont la dermite atopique, le lymphome cutané des cellules T, le prurit, le psoriasis et le vitiligo.

La lumière ultraviolette et ses longueurs d'ondes peuvent être produites artificiellement. On peut doser à des fins thérapeutiques les rayons UVA et UVB pour traiter les maladies induites par les variations du spectre lumineux (voir figure 50.1). La peau des sujets traités doit être fréquemment examinée. Une surexposition à la lumière ultraviolette peut entraîner un carcinome basocellulaire ou spinocellulaire, de même que des rougeurs

FIGURE 50.1 La photothérapie sert à traiter les maladies induites par les rayons du spectre lumineux. Les yeux du client doivent être protégés pendant les séances de photothérapie. La photographie montre le service de PUVA thérapie.

ou des brûlures sévères. Il convient donc de mettre en garde les clients au cours du traitement de photothérapie contre les risques possibles associés à l'utilisation d'agents chimiques photosensibilisants et à une exposition prolongée aux rayons UV du soleil ou de la lumière ultraviolette artificielle. Le port de lunettes protectrices bloquant tous les rayons de lumière ultraviolette s'impose pour les clients en PUVA (psoralène ultraviolet A) thérapie, car le psoralène est absorbé par le cristallin. Ces lunettes préviennent la formation de cataractes. Les clients doivent les porter pendant 24 heures après la prise du psoralène lorsqu'ils sont à l'extérieur ou près d'une fenêtre éclairée, puisque les UVA peuvent traverser le verre. La découverte récente des effets immunodépresseurs de la PUVA thérapie impose un suivi plus rigoureux des clients.

Radiothérapie. L'utilisation de la radiation dans le traitement des tumeurs de la peau varie considérablement en fonction de la disponibilité d'un tel traitement et de son usage dans le milieu médical. Même si la radiothérapie est prévue, une biopsie doit être pratiquée avant que soit établi un diagnostic pathologique. L'irradiation des lésions cutanées cancéreuses constitue un traitement indolore dont le coût se compare à celui de la chirurgie. La radiothérapie n'atteint que partiellement les tissus adjacents. Elle s'avère particulièrement efficace

TABLEAU 50.4	**Préparations courantes des agents topiques**
Agent	**Considérations thérapeutiques**
Poudre	Maintient la peau sèche, favorise l'évaporation, peut absorber l'humidité ; préparation courante des antifongiques.
Lotion	Suspension de poudres insolubles dans l'eau ; rafraîchit et sèche la peau en laissant un film de poudre après évaporation de l'eau ; efficace pour soulager les éruptions prurigineuses sous-cutanées.
Crème	Émulsion d'huile et d'eau ; base la plus répandue pour les agents topiques ; lubrifie et protège la peau.
Onguent	Huile mêlée à différentes quantités d'eau ajoutées à la suspension ; lubrifie et prévient la déshydratation ; la vaseline est la forme la plus courante.
Pâte	Mélange de poudre et d'onguent ; convient pour sécher la peau, car l'humidité est absorbée.

pour traiter les personnes âgées et les clients affaiblis qui ne peuvent supporter la moindre intervention chirurgicale, ainsi que les régions, telles que le nez, les paupières et le canthus, pour lesquelles il est primordial de préserver les tissus avoisinants. Une protection rigoureuse est nécessaire pour prévenir une atteinte du cristallin lorsque la région irradiée est située autour des yeux.

En règle générale, la radiothérapie nécessite plusieurs visites. C'est le traitement de choix pour les lésions localisées au-dessus du cou. Elle entraîne la chute définitive des poils (alopécie) des zones irradiées. Les effets indésirables sont notamment la télangiectasie, l'atrophie, l'hyperpigmentation, la dépigmentation, l'ulcération, la radiodermite et le carcinome spinocellulaire. Le chapitre 9 traite de la radiothérapie.

L'irradiation totale (le corps entier est soumis à des rayons d'électrons à haute intensité) peut être envisagée comme traitement de première ligne ou traitement adjuvant des lymphomes cutanés des cellules T. Il s'agit d'un traitement de longue durée et l'intoxication des organes internes doit être évitée. Les clients perdent leurs cheveux et sont atteints de radiodermite à différents degrés. On constate également une inhibition temporaire du fonctionnement des glandes sudoripares. Ce traitement fait vieillir la peau d'environ 20 ans.

Traitement au laser. Le laser est un outil efficace de plus en plus répandu en chirurgie pour traiter un grand nombre d'affections dermatologiques. Les lasers peuvent cibler de façon mesurable, uniforme et répétée les tissus à traiter. Ils peuvent couper, faire coaguler et faire évaporer jusqu'à un certain degré les tissus. La longueur d'ondes détermine le type d'appareil laser utilisé et l'intensité de l'énergie déployée.

La chirurgie au laser nécessite l'emploi d'une lentille de focalisation qui permet de produire un mince faisceau d'énergie à haute intensité que l'on peut diriger avec précaution sur le site de l'intervention chirurgicale. Les directives et les procédures observées doivent porter sur les mesures de sécurité à suivre en employant les lasers et être passées en revue par le personnel affecté à l'utilisation de ce type d'appareil. Étant donné qu'elle ne s'accumule pas dans les cellules somatiques, la lumière laser ne peut pas provoquer de mutations cellulaires ni endommager les cellules.

Plusieurs types de laser sont utilisés dans la plupart des cabinets de médecin et des hôpitaux. Le laser à gaz carbonique est le plus courant. Ce type de laser a de nombreuses applications et assure aussi bien la pulvérisation que l'ablation de la plupart des tissus. Les lasers à argon émettent une lumière qui est surtout absorbée par l'hémoglobine et aident au traitement des affections vasculaires et des autres lésions liées à la pigmentation. On se sert également de lasers moins courants comme les lasers à vapeur de cuivre et les lasers à vapeur d'or, les lasers à colorant et les lasers au néodymium (laser au grenat d'yttrium et d'aluminium dopé au néodyme). En dermatologie, les lasers ont plusieurs applications : ils servent notamment à faire coaguler les lésions vasculaires, à enlever les tatouages, à traiter le carcinome basocellulaire, les condylomes, les verrues plantaires et les chéloïdes.

Pharmacothérapie

Antibiotiques. Les antibiotiques sont employés aussi bien comme agents topiques que comme agents systémiques pour le traitement des troubles dermatologiques et sont généralement combinés à un autre agent. Les antibiotiques topiques, lorsqu'ils sont administrés, doivent être appliqués sur une peau nettoyée au préalable. La bacitracine et la polymixine B sont les antibiotiques topiques en vente libre les plus employés. La mupirocine (utilisée contre *Staphylococcus*), la gentamicine (utilisée contre *Staphylococcus* et la plupart des microorganismes à Gram négatif) et l'érythromycine (employée contre les cocci à Gram positif [staphylocoques et streptocoques] et à Gram négatif, et contre les bacilles) sont des antibiotiques topiques prescrits. Les préparations topiques d'érythromycine et de clindamycine (en solution ou en gel) sont utilisées pour le traitement de l'acné juvénile (vulgaire). Un grand nombre d'antibiotiques systémiques plus connus ne sont pas appliqués comme agents topiques en raison des risques de dermite de contact allergique.

En présence de signes d'infection systémique, le recours à un antibiotique systémique est à privilégier. Ce type d'antibiotique est utilisé efficacement pour le traitement des infections bactériennes et de l'acné juvénile (vulgaire). Les antibiotiques systémiques les plus employés sont la pénicilline de synthèse, l'érythromycine et la tétracycline. Ces médicaments sont particulièrement efficaces contre l'érysipèle, la cellulite, les furoncles et l'eczéma aigu et infecté. La culture et la sensibilité de la lésion peuvent orienter le choix de l'antibiotique administré. Le client doit recevoir des explications détaillées sur la méthode d'administration de l'antibiotique. Par exemple, il doit éviter de manger et de consommer des produits laitiers avant de prendre la tétracycline par voie orale, car ces aliments diminuent l'absorption du médicament.

Corticostéroïdes. Les corticostéroïdes sont très efficaces pour traiter une vaste gamme d'affections dermatologiques. Ils peuvent être appliqués comme agents topiques ou systémiques et par voie intralésionnelle. Les **corticostéroïdes topiques** sont utilisés en raison de leur action anti-inflammatoire localisée et de leurs effets antiprurigineux. Il est important de définir la nature de la lésion avant d'appliquer la préparation corticoïde, dans la mesure où celle-ci masquera les manifestations cliniques. Les corticostéroïdes donnent de bons résultats dans le traitement de multiples troubles dermatologiques.

Après avoir administré une dose suffisante, il faut circonscrire la durée et la fréquence du traitement. L'efficacité de la préparation est déterminée par la concentration de l'agent actif qui s'y trouve. L'utilisation prolongée des préparations corticoïdes les plus puissantes peut provoquer l'arrêt de l'activité des glandes surrénales, surtout avec l'utilisation de pansements occlusifs. Les corticostéroïdes très puissants peuvent entraîner des réactions indésirables lorsque leur utilisation est prolongée, comme l'atrophie de la peau provoquée par le dérèglement de la mitose cellulaire, la fragilisation des capillaires et la propension de la peau à s'ecchymoser. En général, l'atrophie du derme et de l'épiderme ne se produit qu'après deux ou trois semaines d'administration des corticostéroïdes. La guérison survient généralement après plusieurs semaines lorsque le traitement est interrompu aux premiers signes d'atrophie. Des éruptions rosacées, une exacerbation aiguë de l'acné et des infections dermatophytes peuvent aussi apparaître. La récidive de la dermite n'est pas rare après l'arrêt du traitement, mais le risque peut être réduit en dosant la concentration des corticostéroïdes.

Les corticostéroïdes à faible puissance, tels que l'hydrocortisone, agissent plus lentement, mais peuvent être employés plus longtemps sans entraîner d'effets secondaires graves. Ces corticostéroïdes peuvent être appliqués sans risque sur le visage et les surfaces intertrigineuses (surfaces de la peau chevauchantes, telles que les aisselles). La puissance d'une préparation donnée dépend de la concentration du principe actif qu'elle contient. Les onguents à base de corticostéroïdes sont plus efficaces que les autres modes de traitement. Les crèmes et les onguents sont appliqués en fine couche sur le site visé, que l'on masse doucement, une à trois fois par jour, tel qu'indiqué. L'application consciencieuse d'un médicament topique donne souvent de bons résultats.

Les **corticostéroïdes intralésionnels** sont injectés directement dans la lésion ou juste au-dessous de celle-ci. Cette réserve de médicaments *in situ* procure un effet qui peut s'étendre sur plusieurs semaines, voire sur plusieurs mois. Les injections intralésionnelles sont généralement utilisées dans le traitement du psoriasis, de la pelade (alopécie en plaques), de l'acné kystique, des cicatrices hypertrophiques et des chéloïdes. Pour ce type d'injection, on utilise une dose moyenne de 2,5 à 10 mg/ml d'une suspension d'acétonide de triamcinolone (Kenalog) qu'on injecte en petites quantités dans le site de chaque lésion.

S'il peuvent donner d'excellents résultats dans le traitement d'affections cutanées, les **corticostéroïdes systémiques** s'accompagnent souvent de réactions systémiques indésirables (voir chapitre 41). Les corticostéroïdes peuvent être administrés à court terme pour traiter des affections aiguës, comme les dermites de contact causées par l'herbe à puces. Le traitement prolongé par corticostéroïdes est réservé aux maladies bulleuses chroniques

et à la correction des effets systémiques sévères dus au collagène et aux réactions immunologiques. On administre également ce type de traitement en dernier recours, lorsque les autres modalités thérapeutiques se sont avérées inefficaces.

Les effets secondaires des traitements prolongés par corticostéroïdes, aussi bien des traitements topiques que des traitements systémiques, doivent toujours être pris en considération lorsqu'on envisage le recours à ce type de thérapie pour soigner les maladies chroniques de la peau. Les risques que présente l'administration de corticostéroïdes topiques ont déjà été abordés dans cette section.

Antihistaminiques. Les antihistaminiques oraux sont utilisés dans le traitement d'affections qui se traduisent par l'urticaire, une angioneurose cutanée (œdème de Quincke), un prurit associé à de multiples troubles dermatologiques, tels qu'une dermite atopique, le psoriasis ou une dermite de contact. Ils sont aussi employés dans le traitement d'autres réactions allergiques de la peau. Les antihistaminiques se fixent sur les récepteurs aux dépens de l'histamine pour en neutraliser l'action. Les antihistaminiques peuvent avoir des effets anticholinergiques, antiprurigineux ou sédatifs. Avant d'obtenir un résultat satisfaisant, il est parfois nécessaire d'essayer plusieurs types d'antihistaminiques. Les clients préfèrent le plus souvent les antihistaminiques aux effets sédatifs en raison du soulagement symptomatique que procurent la sédation et les effets calmants. Il convient d'informer le client des risques associés à l'action sédative des antihistaminiques, surtout au regard de la conduite automobile ou de la conduite de machinerie lourde. La nouvelle génération d'antihistaminiques se lie aux récepteurs périphériques de l'histamine, provoquant une action antagoniste sans sédation. L'administration d'antihistaminiques à une personne âgée nécessite une surveillance accrue à cause de la longue demi-vie du médicament et de son action anticholinergique.

Fluorouracile topique. Le fluorouracile (5-FU) est un agent cytotoxique topique qui a un effet toxique spécifique sur les cellules altérées par les rayons solaires. Le 5-FU se présente sous trois concentrations (1 %, 2 % et 5 %) et est utilisé pour traiter les tumeurs précancéreuses de la peau, notamment les kératoses actiniques. L'absorption systémique du médicament étant minime, les risques de réactions indésirables de nature systémique sont pratiquement inexistants. En général, on n'emploie pas le 5-FU pour traiter les cancers de la peau lorsque le diagnostic a été confirmé.

L'observance du traitement est le principal problème relié à l'utilisation du 5-FU. Le médicament produit des zones douloureuses et érodées sur la surface de la peau atteinte en quatre jours. Le traitement doit être poursuivi

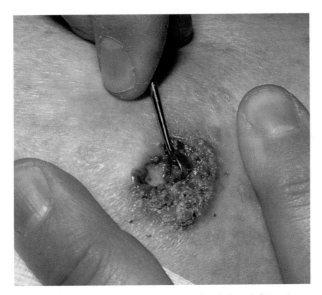

FIGURE 50.2 Curetage d'une kératose séborrhéique inflammée

à raison de une à deux applications quotidiennes pendant deux à quatre semaines. La guérison peut ne survenir que trois semaines après la fin du traitement. Le 5-FU étant un photosensibilisateur, il faut recommander au client d'éviter de s'exposer à la lumière du soleil pendant le traitement. Le personnel soignant doit informer le client des effets secondaires et des réactions indésirables associés à ce médicament et lui indiquer que son état s'aggravera avant que ne se produise une amélioration. Le client doit prendre des précautions particulières en ce qui concerne ses sorties et activités sociales, car le fluorouracile cause des dermites. Au terme du traitement, la peau aura un aspect lisse et ne présentera plus de kératoses actiniques, bien qu'un second traitement soit parfois nécessaire.

50.2.3 Diagnostic et traitement chirurgical

Grattage cutané. Réalisé au moyen d'un scalpel, le grattage sert à prélever des cellules cutanées superficielles afin de les analyser au microscope et de poser un diagnostic.

Électrodessiccation et électrocoagulation. On peut transformer l'énergie électrique en chaleur en utilisant l'extrémité d'une électrode. Les tissus sont alors détruits en brûlant. La principale utilité de ce type de traitement est de permettre la coagulation locale des vaisseaux sanguins pour provoquer une hémostase et la destruction des petites télangiectasies.

L'**électrodessiccation** entraîne généralement une destruction plus superficielle. Pour ce faire, on emploie une électrode unipolaire. L'**électrocoagulation** a, quant à elle, un effet plus prononcé, qui provoque une hémostase plus importante et offre de meilleures chances de cicatri-

sation. L'électrocoagulation nécessite l'emploi d'une électrode bipolaire.

Curetage. Le **curetage** consiste à exciser des tissus à l'aide d'un instrument à bout tranchant et arrondi muni d'une poignée (voir figure 50.2). Même si elle n'est généralement pas assez tranchante pour couper la peau saine, la curette est utile pour l'excision de nombreux types de petites tumeurs cutanées, comme les verrues, l'acné varioliforme (*molluscum contagiosum*), les kératoses séborrhéiques et les petits carcinomes basocellulaires et spinocellulaires. Avant l'intervention, on procède à une anesthésie locale. On prévient l'hémorragie du site en employant l'une des méthodes suivantes : l'électrocoagulation, le sulfate basique de fer (solution de Monsel), la mousse gélatineuse, le chlorure d'aluminium ou une compresse de gaze. Une petite cicatrice peut se former. L'échantillon peut ensuite être envoyé au laboratoire pour une biopsie.

Biopsie à l'emporte-pièce. La **biopsie à l'emporte-pièce** est une intervention dermatologique fréquemment employée pour prélever des échantillons de tissus afin d'en faire l'étude histologique ou pour exciser des lésions de petite taille (voir figure 50.3). Cette biopsie sert généralement à prélever des échantillons de tissus sur des lésions de moins de 0,5 cm. Avant de procéder à l'anesthésie, il faut prendre soin de délimiter la région à exciser pour éviter que les points de repère ne soient masqués par l'agent anesthésiant. Grâce à ses arêtes tranchantes, le trocart permet de prélever, quand on le roule entre les doigts, un échantillon de peau de forme cylindrique. L'échantillon est prélevé sur les tissus adipeux sous-cutanés et conservé soigneusement pour être examiné. On provoque une hémostase en appliquant les méthodes employées pour réaliser un curetage, à la seule différence que les lésions de plus de 3 mm sont fermées le plus souvent avec des points de suture. D'autres types de biopsie sont présentés au chapitre 49 et dans le tableau 49.6.

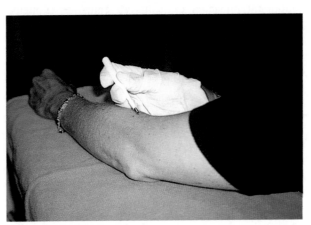

FIGURE 50.3 Biopsie à l'emporte-pièce pour prélever un échantillon de tissus

Cryochirurgie. On a parfois recours à la congélation pour détruire certaines lésions cutanées. La cryochirurgie est une technique qui repose habituellement sur l'utilisation d'azote liquide en application locale pour traiter les lésions. Même si le mécanisme d'action de cet agent n'est pas encore bien connu, on sait que l'azote liquide détruit les cellules cutanées traitées.

L'azote liquide peut être appliqué localement (directement sur une lésion bénigne ou précancéreuse) à plusieurs reprises avec un coton-tige ou un contenant spécialement conçu à cet effet (Cry-AC). Avant l'intervention, on informe le client qu'il ressentira une sensation de froid. La lésion deviendra d'abord enflée et rouge, et il est même possible qu'une cloque se forme. Une croûte apparaîtra ensuite sur la plaie et tombera au bout de une à trois semaines. La lésion cutanée disparaîtra en même temps que la croûte, marquant le début de la cicatrisation. La cryochirurgie permet de traiter avec succès les différents types de verrues dont les verrues vénériennes, les taches sur la peau, les kératoses séborrhéiques et actiniques, et bien d'autres troubles cutanés moins fréquents. La cryochirurgie a pour avantage d'être peu coûteuse et rapide, et de ne laisser que de légères cicatrices. Le principal inconvénient de ce traitement vient du fait qu'il ne permet pas de prélever des échantillons de tissus et qu'il peut occasionner la destruction des tissus sains adjacents.

Excision. On doit envisager l'**excision** lorsque la lésion visée touche le derme. On obtiendra de bons résultats sur le plan esthétique si la région excisée se referme complètement après le traitement.

La **chirurgie micrographique de Mohs** s'effectue sous contrôle microscopique et constitue un autre type d'excision de tumeurs cutanées malignes. Lors de l'intervention, l'échantillon chirurgical est sectionné horizontalement de manière à ce que toutes ses extrémités puissent être examinées. Le cas échéant, si la première excision ne suffit pas, on pourra enlever le reste de la tumeur en pratiquant plusieurs excisions au cours de la même journée. L'avantage d'un tel traitement est qu'il permet de préserver les tissus sains et de réduire au minimum la taille de la plaie. Le client est traité en clinique externe sous anesthésie locale.

50.3 SOINS INFIRMIERS : TROUBLES DERMATOLOGIQUES

50.3.1 Soins ambulatoires et soins à domicile

Les clients présentant des troubles dermatologiques ne font généralement pas l'objet d'une hospitalisation. Toutefois, même si ces troubles ne constituent pas la principale raison de leur hospitalisation, ils nécessitent pour de nombreux clients une intervention infirmière et un enseignement spécifique.

Lorsque le client est admis dans un établissement de soins de courte durée, c'est à l'infirmière que revient la tâche de donner les traitements et l'enseignement nécessaires. Dans le cas de soins à domicile, son attention se concentre plutôt sur l'enseignement, l'infirmière profitant de toutes les occasions pour montrer au client comment appliquer le traitement. Ses autres visites lui permettront de déterminer si le client a bien compris ses instructions et si le traitement est efficace.

Les interventions infirmières liées au traitement des affections dermatologiques sont classées en différentes catégories. Ces interventions touchent de nombreux troubles cutanés présents aussi bien chez les clients hospitalisés que chez ceux en consultation externe. Le plan thérapeutique infirmier (voir encadré 50.2) présente les soins offerts à un client souffrant de lésions cutanées chroniques.

Pansements humides. Les pansements humides sont souvent utilisés pour traiter les lésions exsudatives, soulager les démangeaisons, supprimer les inflammations et débrider les plaies. Ils permettent, de plus, d'accroître la pénétration des médicaments topiques, d'améliorer le sommeil en soulageant la douleur et de débarrasser la peau des squames, des croûtes et des exsudats. On peut utiliser différents types de matériaux pour fabriquer des pansements : des linges de coton minces, des compresses de gaze, des sous-vêtements thermaux et des bas de soutien. On doit souvent faire preuve d'ingéniosité lorsqu'il faut couvrir certaines parties du corps.

Les pansements prescrits doivent d'abord être placés dans une solution physiologique fraîche, puis être retirés et essorés jusqu'à ce que l'excédent de liquide soit évacué. Ils doivent ensuite être appliqués sur les régions atteintes. On doit laisser les pansements en place pendant une période de 15 à 30 minutes avant de les remplacer par de nouveaux pansements. Le traitement peut être répété de deux à quatre fois par jour ou de façon continue. En cas de macération de la peau, il faudra cesser d'appliquer des pansements pendant deux ou trois heures. On doit veiller au bien-être du client et empêcher qu'il prenne froid en utilisant des alèses, des draps et des couvertures.

On emploie généralement l'eau du robinet, à la température de la pièce, lorsque sa qualité le permet. L'eau distillée et les solutions salines peuvent être indiquées dans certaines situations. Le permanganate de potassium doit être complètement dissous avant son utilisation, car les cristaux qui ne le seraient pas risqueraient de brûler la peau. Cette solution doit être fraîchement préparée pour qu'elle puisse conserver ses propriétés

Plan de soins infirmiers

Client souffrant de lésions cutanées chroniques

DIAGNOSTIC INFIRMIER : perturbation du bien-être due au prurit* reliée à la présence de lésions cutanées, qui se manifeste par le grattage, des zones excoriées, de l'agitation et de l'anxiété par rapport aux de démangeaisons.

PLANIFICATION

Résultat escompté
- Le prurit du client diminuera de façon satisfaisante.

INTERVENTIONS	Justifications
• Réduire le nombre d'irritants reliés à l'environnement (chaleur, couverture irritante, etc.).	• Limiter la vasodilatation et la stimulation sensorielle.
• Utiliser des agents topiques ou des corticostéroïdes systémiques.	• Réduire l'inflammation.
• Assurer un environnement frais, donner des bains d'eau froide ou appliquer des débarbouillettes d'eau froide.	• Favoriser la vasoconstriction.
• Administrer au besoin des antihistaminiques par voie orale.	• Diminuer le prurit.
• Proposer au client des activités distrayantes.	• Lui faire oublier son malaise ou ses démangeaisons.

DIAGNOSTIC INFIRMIER : risque d'infection relié à une lésion ouverte et à la présence d'agents pathogènes environnants.

PLANIFICATION

Résultat escompté
- Le client ne présentera aucun signe d'infection secondaire, tel que de la rougeur, de l'œdème ou la présence d'exsudat.

INTERVENTIONS	Justifications
• Surveiller les lésions ouvertes purulentes ; l'apparition d'une rougeur, d'un œdème et d'une douleur au site de la lésion ; les signes d'adénopathie et de fièvre ; les traces de grattage.	• Déceler les signes d'infection.
• Enseigner au client à se laver les mains et prendre son bain soigneusement, et suivre ces consignes en dispensant des soins. Se débarrasser des pansements et enlever les draps contaminés de façon sécuritaire.	• Éviter des infections secondaires.
• Garder les ongles du client courts.	• Éviter l'excoriation de la peau consécutive au grattage.

DIAGNOSTIC INFIRMIER : atteinte à l'intégrité de la peau reliée à la déshydratation, à l'humidification et au séchage fréquents de la peau ainsi qu'à la sécheresse de la peau provoquée par le traitement médicamenteux, qui se manifeste par la destruction des couches cutanées.

PLANIFICATION

Résultat escompté
- Le client aura une peau non altérée, hydratée et bien lubrifiée.

INTERVENTIONS	Justifications
• Assurer un niveau d'apport liquidien suffisant (2000 à 3000 ml/jour).	• Maintenir un état d'hydratation normal.
• Éviter de mouiller et de sécher la peau fréquemment sans appliquer convenablement des agents lubrifiants topiques.	
• Inciter le client à utiliser un savon gras.	• Éviter le dessèchement de la peau et faciliter la rétention de l'humidité.
• Appliquer une lotion, une crème ou un onguent pour la peau immédiatement après le bain.	• Retenir l'humidité et limiter le dessèchement.

* Ce diagnostic infirmier n'est pas reconnu actuellement par l'ANADI, mais il est à l'étude.

➡ Plan de soins infirmiers

Client souffrant de lésions cutanées chroniques (*suite*)

DIAGNOSTIC INFIRMIER : diminution situationnelle de l'estime de soi reliée à la présence de lésions disgracieuses, qui se manifeste par la verbalisation de sentiments de dégoût envers soi et de désespoir par rapport à l'aspect des lésions, à l'isolement, à la réticence à regarder les lésions et à participer aux soins.

PLANIFICATION
Résultats escomptés
• Le client aura des attentes réalistes par rapport à la cicatrisation des lésions ouvertes.
• Le client maintiendra son réseau social.

INTERVENTIONS	Justifications
• Discuter du problème ouvertement.	• Aider le client à exprimer ses sentiments.
• Éviter de manifester de la surprise ou du dégoût à la vue des lésions.	• Éviter d'accroître les sentiments négatifs du client.
• Offrir du *counseling*, si cela est indiqué.	• Aider le client à accepter la situation.

DIAGNOSTIC INFIRMIER : maintien inefficace de l'état de santé relié au manque de connaissances sur l'évolution de la maladie, les soins, la prévention des cicatrices et l'utilisation de médicaments en vente libre, qui se manifeste par les questions du client sur les soins.

PLANIFICATION
Résultats escomptés
• Le client sera capable de se soigner et pourra envisager des solutions chirurgicales.
• Le client comprendra le processus morbide et le plan de soins.

INTERVENTIONS	Justifications
• Répondre franchement aux questions.	• Fournir des informations pertinentes.
• Informer le client à propos du processus morbide, des soins et du traitement des lésions.	• Favoriser l'autonomie du client et accroître sa confiance dans sa capacité à participer aux soins.
• Discuter des possibilités de chirurgie esthétique.	• Permettre au client de prendre une décision éclairée.
• Recommander au client d'observer attentivement la posologie des médicaments en vente libre.	• Prévenir une médication inadéquate ou une aggravation de l'affection.

DIAGNOSTIC INFIRMIER : isolement social relié à l'abandon d'activités sociales, consécutif à une image de soi négative, à la peur du rejet et au manque de connaissances sur les techniques de maquillage qui se manifeste par l'absence d'activités sociales, la verbalisation d'un sentiment d'insatisfaction à l'égard de la vie sociale.

PLANIFICATION
Résultat escompté
• Le client éprouvera du plaisir à participer à des activités sociales.

INTERVENTIONS	Justifications
• Encourager le client à participer à des activités sociales selon ses champs d'intérêt.	• Atténuer le sentiment d'isolement et d'inutilité.
• Enseigner au client des techniques de maquillage et d'habillement.	• Améliorer son apparence personnelle et faciliter sa participation à des activités sociales.

oxydantes. On doit refaire une nouvelle solution de permanganate de potassium et se débarrasser de l'ancienne dès qu'elle devient brunâtre. L'acide borique n'est pas recommandé pour les solutions utilisées dans la préparation des pansements humides, car il présente, surtout dans le cas de plaies ouvertes, un risque de toxicité sys-

témique dû à l'absorption percutanée. L'eau froide est la meilleure solution à utiliser sur les yeux.

Les pansements humides n'ont pas besoin d'être stériles. Pour obtenir un effet anti-inflammatoire, des pansements frais conviennent. On appliquera plutôt des pansements tièdes pour débrider une lésion croûtée et infectée. Les pansements humides sont un excellent moyen de débarrasser la peau des squames qui se sont formées sur la plaie à la suite de l'accumulation de débris.

Bains thérapeutiques.

Les bains thérapeutiques sont particulièrement utiles pour traiter de grandes régions du corps. Ils ont aussi un effet sédatif et antiprurigineux. Certains médicaments comme l'huile de farine d'avoine (Aveeno), le permanganate de potassium et le bicarbonate de soude peuvent être ajoutés directement à l'eau du bain. Pour ce faire, on peut mélanger une tasse du produit à deux tasses d'eau et verser la préparation dans l'eau du bain. La quantité d'eau contenue dans le bain doit permettre de couvrir toutes les régions affectées. L'eau du bain aussi bien que la solution prescrite doivent être à une température qui permet au client de se sentir à l'aise. Le client peut rester dans le bain de 15 à 20 minutes et répéter l'opération 3 à 4 fois par jour, selon la gravité de la dermite et le degré de malaise qu'il ressent. Il est absolument essentiel de lui expliquer qu'il doit, à la sortie du bain, sécher doucement sa peau en la tapotant avec une serviette au lieu de la frotter au risque d'accentuer l'irritation et l'inflammation. On doit éviter d'ajouter de l'huile de bain, car cela rend les parois du bain extrêmement glissantes. Cependant, si on utilise de l'huile de bain, il est indispensable de prendre toutes les précautions nécessaires pour éviter les accidents pendant le transfert du client. Afin de conserver l'action émolliente du traitement, on doit appliquer un agent lubrifiant ou un onguent à la sortie du bain. Cela permettra de retenir l'humidité de la peau.

Médicaments topiques.

On doit appliquer une mince couche de pommade, de crème ou de lotion sur la peau propre du client en l'étendant uniformément sur le corps, de haut en bas. Une autre méthode consiste à appliquer le médicament directement sur le pansement. Les pâtes sont destinées à protéger la région affectée. Elles doivent être appliquées généreusement à l'aide d'un abaisse-langue ou en utilisant des gants. Les lésions suintantes et celles qui sont traitées avec un médicament gras peuvent être recouvertes d'un léger pansement pour s'assurer que les vêtements du client ne seront pas salis. On doit enseigner au client comment appliquer convenablement les médicaments topiques prescrits.

Traitement du prurit.

Le **prurit** (démangeaison) peut être causé par tout agent irritant chimique ou physique, tel que les médicaments, les insectes ou l'assèchement de la peau. Les sensations de démangeaison provoquées par le prurit sont transmises au cerveau par les mêmes fibres nerveuses amyéliniques qui servent à la transmission de la douleur. Lorsque la couche épidermique est lésée ou absente, la sensation ressentie s'apparentera davantage à une douleur qu'à une démangeaison.

Le cycle de la démangeaison et du grattage doit être enrayé de manière à prévenir l'excoriation ou la lichénification de la peau. Cette intervention est d'autant plus importante qu'il est difficile de poser un diagnostic lorsque la lésion est excoriée ou inflammée.

Certains facteurs aggravent la démangeaison. Ainsi, tous les facteurs qui causent la vasodilatation, tels que la chaleur ou le frottement, doivent être évités. La sécheresse de la peau affaiblit la tolérance du client et accentue la sensation de démangeaison. Tout facteur interne ou externe qui augmente l'irrigation de la zone affectée est susceptible d'accentuer les démangeaisons.

L'infirmière peut employer différentes méthodes pour arrêter le cycle des démangeaisons et les enseigner au client. Un milieu frais assure la vasoconstriction et permet d'enrayer les démangeaisons. Bien que l'utilisation de corticostéroïdes réduise l'inflammation et provoque un effet vasoconstricteur, ce type de traitement doit être réservé à certains troubles dermatologiques précis. Le menthol, le camphre et le phénol peuvent être utilisés pour engourdir les récepteurs de la démangeaison. On peut employer, le cas échéant, des antihistaminiques systémiques pour soulager le client lorsque la cause sous-jacente du prurit a été détectée et qu'un traitement a été prescrit. La plupart des antihistaminiques ont pour effet secondaire la somnolence, ce qui peut, dans certains cas, être un avantage puisque les effets du prurit sont plus intolérables durant la nuit et dérangent au sommeil.

Les pansements humides peuvent aider à soulager efficacement le prurit. Pour ce faire, on utilise des linges de coton léger ou des sous-vêtements thermaux que l'on plonge dans l'eau tiède et que l'on essore avant de les poser sur la région atteinte. On retire ensuite les pansements au bout de 10 ou 15 minutes, puis on essuie la peau délicatement en la tapotant. On applique enfin un hydratant ou le médicament prescrit. L'opération peut être répétée aussi souvent que nécessaire.

Prévention de la propagation.

Bien que la plupart des problèmes cutanés ne soient pas contagieux, il importe tout de même de prendre certaines précautions de base : par exemple, porter des gants pour soigner les plaies ouvertes ou en présence de saignements. Ces précautions doivent être expliquées au client, notamment lorsque ce dernier est porté à se démoraliser. Toutefois, dans le doute, l'infirmière doit porter des gants jusqu'à ce qu'un diagnostic ait été établi. Les lésions contagieuses les plus fréquentes, visées par de telles précautions, sont l'impétigo, la présence de staphylocoques, la pyodermie, le chancre syphilitique, ainsi que les lésions secondaires associées à la syphilis, la gale et la pédiculose. Se brosser les mains avec soin et se débarrasser des pansements souillés de façon sécuritaire sont les meilleurs moyens de prévenir la propagation des troubles cutanés.

Prévention des infections secondaires.

Les plaies ouvertes sont des portes d'entrée possibles pour les organismes viraux, bactériens ou fongiques. Avoir une hygiène scrupuleuse, se nettoyer les mains et changer fréquemment les pansements sont des moyens essentiels pour prévenir les infections secondaires. On doit aussi déconseiller au client de gratter ses lésions pour éviter des excoriations et créer ainsi une porte d'entrée pour les agents pathogènes. Le client doit avoir les ongles courts pour atténuer les effets traumatiques du grattage.

Soins spécifiques de la peau.

C'est à l'infirmière que revient souvent la tâche d'enseigner au client comment prendre soin de sa peau après avoir subi une simple intervention chirurgicale cutanée, telle qu'une biopsie, une excision ou une cryochirurgie. Le suivi du client doit être personnalisé. Quant aux instructions qui lui sont données, elles portent habituellement sur la manière de changer les pansements, l'utilisation des antibiotiques topiques et la reconnaissance des signes et symptômes d'infection. Après chaque traitement dermatologique, les plaies suintantes doivent être nettoyées avec une solution saline. Une pommade antibiotique peut ensuite être appliquée sur la plaie à l'aide d'un pansement absorbant, mais non adhérent.

Les plaies couvertes et bien hydratées guérissent plus rapidement et cicatrisent mieux. Il est recommandé de ne pas enlever les croûtes afin qu'elles protègent la peau lésée qu'elles recouvrent. Pour des raisons esthétiques, on peut couvrir les croûtes pendant la journée. Durant la nuit, il s'agira d'éviter que les croûtes ne tombent prématurément sous l'effet du frottement des draps. Celles-ci tomberont d'elles-mêmes quand l'épiderme sera guéri.

Les plaies qui ont nécessité des points de suture peuvent être couvertes avec différents types de pansement. En général, les points de suture sont enlevés après une période de 4 à 10 jours. Parfois, certains points de suture sont retirés au bout de trois jours. Les lignes d'incision doivent être nettoyées tous les jours, le plus souvent en utilisant l'eau du robinet. On peut appliquer, le cas échéant, un antibiotique topique sur la plaie qui, selon le cas, sera recouverte d'un pansement stérile ou laissée découverte. Au cours des premières 24 heures, la plaie peut présenter de l'inflammation, et le client risque de ressentir de la douleur qui peut être soulagée par un analgésique de force modérée, tel que l'acétaminophène. Le client doit être capable de reconnaître les signes et symptômes liés à l'inflammation que sont la rougeur, la fièvre ou une augmentation de la douleur et de l'œdème. Les signes d'infection, comme un écoulement purulent, doivent également être surveillés. En présence de tels signes, le client doit aviser son médecin.

Effets psychologiques des troubles dermatologiques chroniques.

Les clients souffrant de troubles cutanés chroniques, tels que le psoriasis, la dermite atopique ou l'acné sévère, connaissent parfois une tension émotionnelle. La perte d'un emploi et les problèmes financiers qui y sont associés, la perception négative de l'image corporelle, les problèmes liés à la sexualité et la frustration grandissante sont au nombre des séquelles laissées par ce type d'affections. L'absence de diagnostics d'une maladie systémique de forme connue et la présence de lésions cutanées visibles sont souvent un réel problème pour le client.

L'infirmière doit demeurer optimiste et aider le client à observer le traitement prescrit. Le client doit avoir la possibilité d'exprimer ses inquiétudes et de poser des questions comme « pourquoi moi ? », même s'il n'existe pas vraiment de réponse à ce genre de questions. Le renforcement des mesures d'hygiène et des modalités de traitement prescrites est une part importante de la gestion des soins infirmiers. Le site Internet de l'Association canadienne de dermatologie (ACD) fournit une liste des groupes de soutien destinés aux clients souffrant de troubles dermatologiques. Ces groupes sont extrêmement utiles grâce au matériel éducatif qu'ils distribuent et au soutien qu'ils apportent.

De nombreuses lésions peuvent être maquillées en utilisant habilement des cosmétiques. On doit toujours tenir compte de la sensibilité des clients à certains ingrédients quand on choisit ces produits. Il existe sur le marché des produits sans huile et hypoallergènes qui peuvent être bénéfiques pour les clients allergiques. Certains cosmétiques utilisés après l'application de traitements permettent de camoufler ou d'atténuer les lésions provoquées par le vitiligo ou le mélasme (taches marron ou noires sur le visage), et favorisent, dans d'autres cas, la cicatrisation de certaines plaies postopératoires. Ces produits commerciaux ne tachent pas et sont opaques et hydrofuges.

Outre les troubles cutanés spécifiques qui tendent à être chroniques, d'autres facteurs peuvent influer sur l'évolution des troubles dermatologiques à long terme. Parmi ces facteurs, on trouve le type de peau, les antécédents dermatologiques et familiaux, les complications, l'intolérance au traitement, les facteurs environnementaux, le non-respect du traitement prescrit, les facteurs endocriniens et les facteurs psychologiques. Les lésions chroniques sont souvent accompagnées d'une lichénification et de cicatrices.

Effets physiologiques des troubles dermatologiques chroniques.

Les **cicatrices** et la **lichénification** sont les conséquences de dermatoses chroniques. Les cicatrices, qui apparaissent lorsque des ulcérations se forment, reflètent l'état du processus de guérison de la région concernée. Roses et vasculaires au début, elles deviennent avec le temps avasculaires, blanches et plus dures. Les différentes parties du corps ne cicatrisent pas de la même manière : le visage et le cou cicatrisent relativement mieux en raison du meilleur apport sanguin.

Le site de la cicatrice est le facteur le plus déterminant sur le plan esthétique. Parce qu'elles sont visibles, les cicatrices au visage sont les plus éprouvantes au niveau psychologique. L'utilisation de cosmétiques peut améliorer de façon significative l'apparence, car ces produits permettent de camoufler les cicatrices laissées sur la peau par les affections cutanées chroniques. Le meilleur traitement consiste à éviter les cicatrices en soignant l'affection cutanée dans sa phase aiguë.

La lichénification est une autre conséquence de dermatoses chroniques. Elle est caractérisée par l'épaississement de la peau, qui survient à la suite de la prolifération des kératinocytes, et s'accompagne d'une exagération des plis cutanés. Causée par le frottement ou le grattage de la peau, la lichénification est souvent associée aux dermatoses atopiques et prurigineuses. Même si toutes les parties du corps peuvent être affectées, elle atteint fréquemment les mains et les avant-bras. Il importe de traiter la cause des démangeaisons pour prévenir la lichénification. Conséquence du prurit, les excoriations sont particulièrement apparentes sur la peau épaissie.

50.4 TROUBLES DE L'APPAREIL TÉGUMENTAIRE

50.4.1 Affections cancéreuses

Les néoplasmes cutanés malins présentent les caractéristiques de toutes les affections cancéreuses (voir chapitre 9). Les tumeurs malignes de la peau grossissent généralement lentement (voir figure 50.4). La présence d'une lésion qui ne guérit pas est particulièrement symptomatique d'une tumeur maligne et doit faire l'objet d'une biopsie. Un traitement adéquat et précoce permet souvent d'obtenir une guérison complète. La présence de lésions cutanées visibles favorise le dépistage et le diagnostic précoces. Les clients doivent donc être incités à examiner leur peau régulièrement.

Facteurs de risque. Parmi les facteurs de risque favorisant l'apparition de tumeurs malignes cutanées, on note les facteurs suivants : une peau claire (notamment chez les personnes blondes ou rousses aux yeux bleus ou verts), l'exposition prolongée au soleil, des antécédents familiaux de cancer de la peau, la pratique d'activités extérieures et l'exposition au phénol et à des produits à base d'arsenic. De plus, les risques de contracter un mélanome malin de la peau au cours de sa vie sont plus grands si l'on a été brûlé gravement par le soleil à 3 reprises avant l'âge de 20 ans. Les personnes à

la peau foncée sont moins susceptibles de développer un cancer de la peau à cause de la mélanine, présente en plus grande quantité, qui constitue l'écran solaire le plus efficace. L'incidence de contracter un cancer de la peau augmente chez les gens vivant près de l'équateur (latitude) ou chez ceux vivant en haute altitude, car ils sont davantage exposés aux rayons UVB. L'appauvrissement de la couche d'ozone est aussi un des facteurs responsables de l'augmentation des cas de cancer de la peau.

Cancers de la peau non mélanocytaires. Les cancers cutanés non mélanocytaires sont la forme la plus courante de néoplasmes dans les pays où une grande partie de la population est de race blanche et où les habitants sont particulièrement exposés aux rayons ultraviolets. Aux États-Unis et dans la plupart des pays du globe, il y aurait plus d'un demi-million de nouveaux cas chaque année. Les cancers de la peau non mélanocytaires se développent généralement sur les parties du corps exposées au soleil, c'est-à-dire sur le visage, la tête, le cou, le dos des mains et les bras. On doit effectuer une biopsie pour confirmer le diagnostic avant d'entreprendre le traitement.

Même si le nombre de décès attribuable à ces types de cancer est faible, les tumeurs peuvent causer, par leur seule présence, une destruction locale complète des cellules de la peau, défigurer irrémédiablement et rendre invalide. L'exposition solaire chronique, le facteur étiologique le plus fréquent, devrait être évitée avec soin en utilisant des écrans solaires ou en se couvrant adéquatement.

Kératose actinique. La **kératose actinique** est une forme précancéreuse de carcinome spinocellulaire qui touche presque toutes les populations âgées de race blanche. La kératose actinique, aussi appelée kératose solaire, se traduit par l'apparition de papules et de plaques

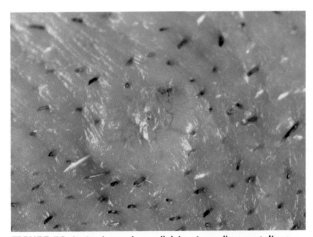

FIGURE 50.4 Carcinome basocellulaire. Agrandissement d'une lésion sur la lèvre supérieure, découverte au stade préliminaire, lors d'un examen approfondi du visage. On peut observer le contour perlé typique de cette affection.

hyperkératosiques sur les parties du corps découvertes. La manifestation clinique de la kératose actinique peut prendre diverses formes. Les lésions types sont généralement de formes irrégulières et plates, avec des macules ou papules légèrement érythémateuses, dont les contours imprécis sont recouverts de squames ou d'une corne kératosique dure. De nombreux types de traitement sont administrés : cryochirurgie, 5-FU, ablation, trétinoïne (acide rétinoïque) et agents de dermabrasion chimique.

Carcinome basocellulaire. Le **carcinome basocellulaire** est une tumeur effractive locale qui s'attaque aux cellules basales de l'épiderme. Ses manifestations cliniques sont décrites dans le tableau 50.5. Il existe différentes modalités de traitement, qui varient en fonction de la localisation de la tumeur, de son sous-type histologique, de l'existence ou non d'une récidive et des caractéristiques du client. Ces modalités comprennent l'électrodessiccation et le curetage, l'excision, la cryochirurgie, la radiothérapie, la chirurgie micrographique de Mohs, la chimiothérapie locale et l'interféron alpha par voie intralésionnelle.

Carcinome spinocellulaire. Le carcinome spinocellulaire est un néoplasme malin qui touche les cellules épidermiques kératinisées. Il apparaît fréquemment chez les sujets dont la peau a été atteinte par des brûlures, des cicatrices et des rayons. Contrairement au carcinome basocellulaire, le carcinome spinocellulaire peut entraîner la formation de métastases. Ses manifestations cliniques sont décrites dans le tableau 50.5. Les modalités de traitement sont les suivantes : ablation chirurgicale, radiothérapie et chirurgie micrographique de Mohs. La cryochirurgie, l'électrodessiccation et le curetage ont déjà été utilisés avec succès sur de petites tumeurs primaires. Le pronostic est excellent quand le carcinome est diagnostiqué et traité précocement.

Mélanome malin. Le **mélanome malin** est une tumeur qui apparaît dans les cellules responsables de la production de mélanine, habituellement les mélanocytes cutanés. Le mélanome malin peut entraîner la formation de métastases dans n'importe quel organe, y compris au niveau du cerveau et du cœur. C'est le cancer de la peau le plus mortel. En outre, il connaît la croissance la plus marquée du nombre de cas à l'échelle mondiale par rapport à l'ensemble de tous les cancers. Les facteurs de risque qui peuvent expliquer cette augmentation sont l'exposition aux rayons UV, la sensibilité de la peau, les facteurs génétiques et hormonaux et les changements dans les habitudes de loisir qui favorisent une exposition plus grande au rayonnement solaire. Le mélanome malin peut être traité avec succès par excision dans pratiquement tous les cas, s'il est diagnostiqué au moment où les cellules malignes sont encore dans l'épiderme. C'est la taille de la tumeur au moment du diagnostic qui détermine en tout premier lieu le pronostic. Si les ganglions lymphatiques avoisinants sont atteints, le client n'aura que 50 % de chances de survivre 5 ans. En présence de métastases, le traitement administré sera avant tout palliatif.

On distingue quatre types de mélanomes cutanés : le **mélanome superficiel extensif (SMM)**, le **lentigo malin (LMM)**, le **mélanome des extrémités (ALM)** et le **mélanome nodulaire (NM)**. Le mélanome superficiel extensif apparaît couramment au niveau des régions souvent découvertes, telles que les jambes et le haut du dos. Le lentigo malin touche généralement le visage. Le mélanome des extrémités se développe sur la plante des pieds, les paumes, les muqueuses et l'extrémité des phalanges. Ce type de mélanome est plus répandu chez les populations asiatiques et noires. Le mélanome nodulaire, à dominance masculine, peut se manifester sur n'importe quelle partie du corps. C'est le type de mélanome le plus mal diagnostiqué, car il ressemble à une vésicule cutanée ou à un polype. Les clients doivent consulter immédiatement un médecin, si leurs grains de beauté ou leurs lésions présentent l'une des caractéristiques cliniques présentées à la figure 50.5.

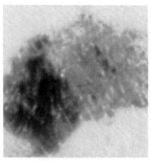

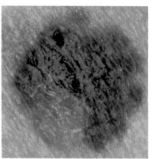

A. Asymétrie   B. Bord   C. Couleur   D. Diamètre

FIGURE 50.5 Les quatre caractéristiques du mélanome. A. Asymétrie : une moitié diffère de l'autre moitié. B. Bord : irrégulier, dentelé ou mal défini. C. Couleur : varie d'une région à l'autre ; nuances de brun clair à brun foncé ; noir ; parfois blanc, rouge ou bleu ; changement de forme et de dimension du nævus pigmentaire. D. Diamètre : selon la règle, doit être supérieur à 6 mm (la taille d'une gomme à effacer sur un crayon).

TABLEAU 50.5   Affections cutanées précancéreuses et cancéreuses

Étiologie et physiopathologie	Manifestations cliniques	Traitement et pronostic
Kératose actinique Lésions actiniques (causées par le soleil) qui sont des signes précurseurs du carcinome spinocellulaire.	Plates ou légèrement surélevées, sèches ; papules squameuses hyperkératosiques ; squames adhérentes, verruqueuses, rugueuses et parfois plates qui ont tendance à réapparaître lorsqu'elles sont enlevées ; souvent en grand nombre ; squames rugueuses et rouges à la base, souvent situées sur des régions érythémateuses exposées au soleil ; prolifère avec l'âge.	Curetage, électrochirurgie, cryochirurgie, caustiques chimiques, application locale de 5-FU sur la totalité de la région affectée pendant une période de 14 à 21 jours ; aucun effet sur la peau saine et sur d'autres lésions, récidives possibles même si le traitement est adéquat ; les lésions non traitées peuvent se transformer en carcinome spinocellulaire dans 1 % des cas.
Syndrome du nævus dysplasique Morphologiquement entre le nævus et le mélanome commun ; précurseur histogénétique d'un mélanome malin cutané.	Diamètre souvent supérieur à 5 mm ; contour irrégulier et parfois dentelé ; coloration multiple variant entre le beige, le brun, le noir, le rouge et le rose sur un seul nævus ; présence d'au moins une section plate située souvent à l'extrémité du nævus ; généralement accompagné d'autres nævi ; rare avant la puberté ; situé généralement dans le dos, et aussi parfois dans des régions peu communes, telles que sur la tête ou les fesses.	Anomalie cutanée qui augmente les risques de développer un mélanome ; une attention particulière doit être accordée aux clients chez qui une prédisposition héréditaire peut être soupçonnée en ce qui a trait aux mélanomes ou aux syndromes du nævus dysplasique, et ce, afin d'augmenter les chances de diagnostiquer précocement le mélanome ; il est recommandé de pratiquer une excision en présence de lésions suspectes.
Carcinome basocellulaire Changement dans les cellules basales ; aucune maturation ou kératinisation normale ; division basocellulaire constante et formation d'une masse hypertrophiée ; maladie reliée à une surexposition au soleil, prédisposition génétique de certains types de peau, exposition à des produits contenant de l'arsenic et aux rayons X, cicatrices, et quelques types de nævi ; pigmentation basocellulaire probable quoique absente dans les nævi.	**Nodulaire et ulcéreux** Papule de petite taille qui croit lentement ; contour semi-translucide ou perlé ; accompagnée de télangiectasie ; centre érodé, ulcéré et creux ; perte des taches cutanées de la peau saine. **Superficiel** Érythémateux, nettement défini ; plaques multinodulaires à peine surélevées accompagnées de différentes formes de squames ou de croûtes ; semblable à l'eczéma, mais non prurigineux.	Ablation chirurgicale, chimiochirurgie, électrochirurgie, cryochirurgie ; taux de guérison de 95 % ; tumeur à croissance lente qui s'étend aux tissus environnants ; les métastases sont rares.
Carcinome spinocellulaire Se produit souvent sur une peau déjà lésée (c.-à-d. endommagée par l'exposition au rayonnement solaire et aux rayons X ou cicatrisée) ; tumeur maligne des cellules de la couche profonde de l'épiderme (taches de rousseur) ; invasion du derme et de la peau environnante ; métastases possibles.	**Précoce** Nodules fermes aux contours mal définis, accompagnés de squames et d'ulcérations ; opaque. **Tardif** Lésion recouverte de squames ou de corne cutanée reliées à la kératinisation ; apparaît généralement sur des parties découvertes comme le visage et les mains.	Ablation chirurgicale, cryochirurgie, radiothérapie, chimiochirurgie, chirurgie micrographique de Mohs, électrodessiccation et curetage ; les lésions non traitées peuvent occasionner des métastases qui atteignent les ganglions lymphatiques ; taux de guérison élevé si le diagnostic et le traitement sont précoces.
Lymphome cutané à cellule T Débute sous la peau ; maladie chronique à progression lente avec un pronostic défavorable ; causes probables reliées, toxines dans l'environnement et exposition aux produits chimiques.	Prédominance masculine de la maladie (deux fois plus d'hommes que de femmes sont atteints) ; se développe habituellement en trois phases : taches, plaques et tumeurs ; antécédents d'éruption maculaire persistante suivie d'une apparition graduelle de plaques indurées.	Application locale de moutarde azotée, radiothérapie, chimiothérapie systémique, PUVA+ thérapie, photophérèse extracorporelle ; espérance de vie de cinq ans dans les cas de manifestations cutanées non traitées ; net recul de l'espérance de vie si l'on note une érythrodermie généralisée avec exfoliation et la présence de cellules anormales dans le flux sanguin.

TABLEAU 50.5	Affections cutanées précancéreuses et cancéreuses *(suite)*	
Étiologie et physiopathologie	**Manifestations cliniques**	**Traitement et pronostic**
Mélanome malin Croissance néoplasique des mélanocytes sur n'importe quel site de la peau, sur les yeux ou les muqueuses, classement en fonction du principal modèle histologique de propagation, infiltration possible et métastases très répandues.	Coloration et surface irrégulières ; contour irrégulier ; coloration différente qui inclut le rouge, le blanc, le bleu, le noir, le gris et le brun ; plate ou surélevée ; érodée et ulcérée ; taille souvent inférieure à 1 cm ; le dos est le site de prédilection, autant chez l'homme que chez la femme ; chez la femme, la poitrine et les jambes sont aussi des régions qui peuvent être affectées.	Large excision, ablation chirurgicale érythrodermique, corrélation entre le taux de survie et le niveau d'extension de la tumeur ; mauvais pronostic sauf si le diagnostic et le traitement sont précoces ; propagation par extension locale, par les vaisseaux lymphatiques régionaux et par le système sanguin ; un traitement adjuvant peut être nécessaire après une chirurgie, si la profondeur de la lésion est supérieure à 1,5 mm.
Sarcome de Kaposi* Néoplasmes multicentriques plus fréquents chez des clients infectés par le VIH ; prédominance masculine et homosexuelle ; de multiples nodules vasculaires apparaissent sur la peau, sur les muqueuses et sur les viscères ; gravité variant de faible à extrême avec atteinte cutanée et viscérale étendue.	Peut se présenter sous différentes formes ; au départ, présence de petits nodules rougeâtres ou violacés sur la peau ; la taille des lésions varie de quelques millimètres à plusieurs centimètres ; peut causer un lymphœdème ou la défiguration, particulièrement lorsque la maladie est confluente ; lorsqu'elle est de nature systémique, les symptômes se manifestent au niveau des organes (p. ex. les poumons et l'essoufflement).	Diagnostic basé sur une biopsie des lésions suspectes ; traitement selon la gravité des lésions et le statut immunologique du client ; éviter autant que possible les traitements immunodépresseurs ; parmi les traitements envisageables se trouvent la radiothérapie locale, l'administration de vinblastine par voie intralésionnelle, l'interféron alpha et une combinaison de chimiothérapie et de cryothérapie.

* Voir chapitre 8 pour des informations supplémentaires.
+ PUVA : psoralène ultraviolet A.

Le traitement initial du mélanome malin est l'excision chirurgicale d'une grande partie de la peau, incluant une partie saine. Les autres modalités de traitement, telles que la chimiothérapie, l'immunothérapie non spécifique, la chimio-immunothérapie et la radiothérapie peuvent être envisagées en fonction du stade de développement de la maladie. La thérapie génique fait actuellement l'objet de recherches (voir chapitre 7).

Syndrome du nævus dysplasique. Le développement anormal d'un nævus, appelé **syndrome du nævus dysplasique**, augmente les risques de contracter un mélanome. Il existe deux sous-catégories de syndrome du nævus dysplasique : les nævi familiaux et les nævi sporadiques. L'augmentation du nombre de nævi morphologiquement normaux, qui se produit environ entre l'âge de 2 et 6 ans, est un des premiers signes du syndrome et peut être décelé au cours d'un examen clinique. Une autre prolifération se produit à l'adolescence, puis de nouveaux nævi apparaissent tout au long de la vie. Afin de relever les cas de mélanome et de syndrome du nævus dysplasique, il est primordial, pour le médecin, de connaître les antécédents familiaux du client.

50.4.2 Infections

Infections bactériennes. La peau est couverte d'un grand nombre de microorganismes, notamment de bactéries. Le *Staphylococcus epidermidis* et les bacilles diphtéroïdes sont les bactéries les plus communes sur la peau. La peau est un milieu idéal pour la croissance des bactéries, car elles y trouvent la chaleur, les nutriments et l'eau dont elles ont besoin.

Les infections bactériennes surviennent lorsque l'équilibre entre l'hôte et les microorganismes est rompu, donnant lieu à une première infection provoquée par une rupture de la peau. On parle d'infection secondaire quand elle survient sur une peau déjà lésée. Les infections bactériennes peuvent être également le signe d'une maladie systémique (voir tableau 50.6).

Les gens en bonne santé peuvent développer des infections bactériennes cutanées. Le niveau d'humidité, l'obésité, la présence d'affections cutanées, l'emploi de corticostéroïdes et d'antibiotiques systémiques, les maladies chroniques et le diabète sont des facteurs qui favorisent les infections. Des soins d'hygiène appropriés et un bon état de santé diminuent les risques de contracter une infection bactérienne. Les infections bactériennes donnant lieu à des écoulements contagieux, il est nécessaire de prodiguer des soins d'hygiène méticuleux et de mettre en place des mesures pour lutter contre l'infection afin d'éviter la propagation.

Les traumatismes favorisent aussi les infections cutanées. Le tableau 50.7 présente les soins d'urgence requis en présence d'une plaie cutanée superficielle.

Infections virales. Les infections virales de la peau sont aussi difficiles à traiter que n'importe quelle autre

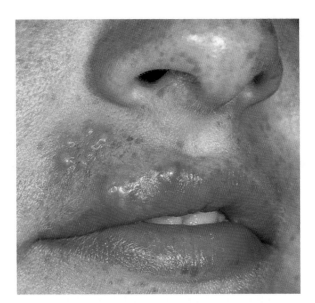

FIGURE 50.6 Vésicules typiques d'herpès sur la lèvre avec extension à la peau avoisinante

infection virale ailleurs dans l'organisme. L'infection d'une cellule par un virus peut provoquer une lésion (voir figure 50.6), mais les lésions peuvent aussi être la conséquence du processus inflammatoire qui accompagne l'infection virale. L'herpès simplex, le zona et les verrues sont les infections virales cutanées les plus courantes (voir tableau 50.8).

Infections fongiques. Il est pratiquement impossible de ne pas être exposé à certaines variétés pathologiques de champignons, car le nombre de ces organismes est particulièrement élevé. De nombreux champignons jouent un rôle important dans la préparation de certains aliments (moisissures du fromage) et dans la composition de certains médicaments (pénicilline). Les infections fongiques les plus courantes sont présentées dans le tableau 50.9.

Pour diagnostiquer la présence de champignons, une méthode simple et peu coûteuse consiste à examiner au microscope, dans 10 ou 20 % d'hydroxyde de potassium, un échantillon de peau prélevé sur une lésion cutanée suspecte. L'apparition d'hyphes (ramifications filamenteuses tubulaires) signale la présence d'une infection fongique.

50.4.3 Infestations et piqûres d'insectes

Les risques d'exposition à des piqûres et à des infestations d'insectes sont pratiquement illimités. Dans nombre de cas, une réaction allergique au venin joue un rôle déterminant dans la manifestation clinique, tandis que, dans d'autres cas, une réaction à la présence d'œufs, d'excréments ou de parties du corps du parasite peut être notée. Parfois, on constate une réaction d'hypersensibilité sévère (anaphylaxie) potentiellement mortelle.

La prévention des piqûres d'insectes, que ce soit en évitant les endroits infestés ou en utilisant des insectifuges, donne d'assez bons résultats. L'incidence des piqûres d'insectes peut être aussi réduite en maintenant les articles personnels, les vêtements et les draps scrupuleusement propres. L'examen et le nettoyage des animaux domestiques ainsi que le choix méticuleux des partenaires sexuels peuvent également contribuer à diminuer l'incidence de telles piqûres. Un examen de routine s'impose en cas de risque d'exposition aux piqûres de tiques et à la maladie de Lyme (voir tableau 50.10).

50.4.4 Réactions allergiques dermatologiques

Les troubles dermatologiques associés aux réactions allergiques et à l'hypersensibilité posent un véritable défi au médecin (voir tableau 50.11). La physiopathologie des dermites allergiques et des dermites de contact est traitée au chapitre 7. En cas de réaction allergique, on peut obtenir des informations précieuses en recueillant les antécédents familiaux et en posant au client des questions sur les sources possibles d'agression. On peut aussi procéder à un test épicutané qui consiste à appliquer des allergènes sur la surface de la peau (en général sur le dos) pendant 48 heures, puis à examiner les sites sensibilisés en recherchant des érythèmes, des papules ou des vésicules. Le test épicutané permet d'identifier les agents allergènes, ce qui est primordial pour le client. Le meilleur moyen de traiter une dermite allergique est d'éviter l'exposition à l'agent allergène en cause. Un prurit intense, typique des dermites de contact, et le risque de chronicité qui y est associé en font un problème frustrant pour le client, l'infirmière et le dermatologue.

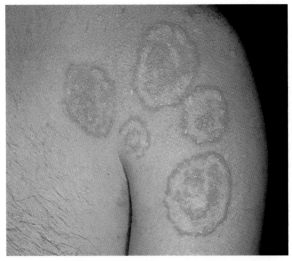

FIGURE 50.7 Herpès circiné (dermatomycose). Présentation typique sous forme de taches érythémato-squameuses aux bords nets, circulaires, vésiculaires et d'évolution extensive.

TABLEAU 50.6   Infections bactériennes cutanées courantes (pyodermites)

Étiologie et physiopathologie	Manifestations cliniques	Traitement et pronostic
Impétigo Streptocoques bêta-hémolytiques du groupe A, staphylocoques, ou combinaison des deux ; associé à une mauvaise hygiène et un faible statut socioéconomique ; infection primaire ou secondaire ; contagieux.	Lésion vésiculopustuleuse qui devient épaisse, avec une croûte de couleur dorée (comme du miel) entourée d'un érythème ; accompagné de prurit ; apparaît habituellement sur le visage.	**Antibiotiques systémiques** Pénicilline par voie orale, benzathine pénicilline G, érythromycine. **Traitement local** Bain thérapeutique dans une solution saline tiède ou dans une solution d'acétate d'aluminium suivi d'un bain à l'eau et au savon pour retirer les croûtes ; crème antibiotique appliquée localement ; en l'absence de traitement et de souches néphritogéniques de streptocoques, le risque de glomérulonéphrite n'est pas à écarter ; le respect d'une hygiène scrupuleuse est essentiel.
Folliculite Habituellement liée aux staphylocoques ; située sur les parties du corps soumises à de la friction, où il y a de l'humidité, de l'huile ou de gras.	Petite pustule à l'entrée du follicule pileux qui présente un érythème léger ; formation de croûtes ; généralement sur la tête, la barbe et les extrémités chez l'homme ; sensible au toucher.	Nettoyage à l'eau et au savon, application d'un antibiotique topique (p. ex. Bactroban) ; application de compresses d'eau tiède ou d'une solution d'acétate d'aluminium ; guérison généralement sans cicatrices ; si les lésions sont étendues et profondes, des cicatrices et la perte des follicules pileux atteints sont possibles.
Furoncle Infection profonde avec staphylocoques, localisée autour d'un follicule pileux, souvent associée à l'acné sévère ou aux dermites séborrhéiques.	Région érythémateuse sensible autour du follicule pileux ; écoulement de pus et de bourbillons de débris nécrosés lors de la rupture ; habituellement sur le visage, le dos de la main, les aisselles, la poitrine, les fesses, le périnée et les cuisses ; douloureux.	Incision et drainage, parfois administration d'antibiotiques ; entretien méticuleux de la peau affectée ; application fréquente de pansements humides tièdes.
Furonculose Augmentation de l'incidence chez les sujets obèses, les personnes souffrant de maladies chroniques ou régulièrement exposées à la graisse ou à l'huile ou atteinte de diabète.	Même lésions que pour le furoncle ; malaise, adénopathie locale, température élevée.	Pansements tièdes, antibiotiques systémiques après une culture et une épreuve de sensibilité de l'écoulement (habituellement antibiotique d'hémisynthèse, résistant à la pénicillinase, pénicilline par voie orale comme la cloxacilline et l'oxacilline) ; mesures pour réduire les staphylocoques à la surface de la peau, notamment crème antimicrobienne pour les narines, les aisselles et les aines, et antiseptique sur le reste du corps ; souvent récurrent et accompagné de cicatrices ; incision et drainage des lésions molles ; prévention ou correction des facteurs en cause ; hygiène personnelle méticuleuse.
Anthrax Furoncles multiples et communiquants.	Nombreuses pustules apparaissant dans des régions érythémateuses ; plus fréquent à la base du cou.	Le traitement est le même que pour les furoncles ; souvent récurrent malgré la production d'anticorps ; guérison lente avec formation de cicatrices.

TABLEAU 50.6	Infections bactériennes cutanées courantes (pyodermites) *(suite)*	
Étiologie et physiopathologie	**Manifestations cliniques**	**Traitement et pronostic**
Cellulite Inflammation des tissus sous-cutanés ; probablement liée à des complications secondaires ou à une infection primaire ; survient souvent à la suite d'un déchirement de la peau ; *S. aureus* et streptocoques généralement en cause ; inflammation profonde des tissus sous-cutanés consécutive à la production d'enzymes bactériens.	Région chaude, sensible, érythémateuse et œdémateuse aux bords irréguliers ; malaise et fièvre.	Chaleur humide, immobilisation et élévation, traitement aux antibiotiques systémiques, hospitalisation pour les cas graves, évolution possible vers la gangrène en l'absence de traitement.
Érysipèle Cellulite superficielle qui touche principalement le derme ; streptocoques bêta-hémolytiques du groupe A.	Plaques rouges, chaudes, nettement démarquées, indurées et douloureuses ; bactériémie possible ; plus fréquent sur le visage et les extrémités ; signes de toxicité tels que fièvre, augmentation du nombre de leucocytes, céphalées et malaises.	Antibiotiques systémiques, habituellement de la pénicilline ; l'hospitalisation s'impose souvent.

SOINS D'URGENCE

TABLEAU 50.7	Lésions cutanées superficielles	
Étiologie	**Données recueillies**	**Interventions**
Traumatisme contondant Coup porté directement sur la peau (p. ex. avec le poing, un bâton de baseball ou une pierre). Coup porté indirectement sur la peau (p. ex. avec le recul d'une arme à feu). **Traumatisme pénétrant** Perforation ou coupure de la peau superficielle (p. ex. à l'aide d'un couteau, d'un bâton ou d'un morceau de vitre).	• Contusion • Lacération • Avulsion • Abrasion • Saignement • Douleur • Atteinte neurovasculaire	**Interventions immédiates** • Vérifier les voies respiratoires, la respiration et la circulation sanguine avant de soigner la plaie superficielle. • Repérer et traiter toute autre blessure grave. • Arrêter le saignement en exerçant directement une pression ou à l'aide d'un pansement. • Vérifier s'il n'y a pas d'objets, de morceaux de verre ou de débris à l'intérieur de la blessure. • Ne pas enlever immédiatement les débris à l'intérieur de la blessure. Stabiliser le client afin de procéder à l'extraction dans un environnement stérile. • Nettoyer les plaies avec soin en utilisant une solution isotonique. Recouvrir ensuite toute la surface de la plaie avec un pansement humide, préalablement trempé dans une solution saline, jusqu'à la cicatrisation. • Raser le moins de cheveux possible autour des plaies situées sur la tête. • Ne jamais raser les sourcils. • Essayer de remettre en place les lambeaux de peau, puis arrêter le saignement. Appliquer un pansement stérile épais sur le site et immobiliser la partie du corps lésée. • Vérifier si le client est vacciné contre le tétanos. • Utiliser la partie collante d'un ruban adhésif pour enlever les éclats de verre à la surface de la peau. **Surveillance continue** • Vérifier les signes vitaux et les signes neurovasculaires au niveau des extrémités lésées.

TABLEAU 50.8   Infections virales cutanées courantes

Étiologie et physiopathologie	Manifestations cliniques	Traitement et pronostic
Virus de l'herpès simplex de type 1 (HSV1)* En règle générale, infection virale par voie orale ; le virus demeure dans la racine d'un ganglion nerveux et retourne probablement sur la peau pour une nouvelle récidive lorsqu'il est exacerbé par le soleil, un traumatisme, les menstruations, le stress et une infection systémique ; contagieux pour ceux qui n'ont pas été infectés préalablement ; augmentation de la gravité avec l'âge, transmission par les gouttelettes expulsées lors de la respiration ou par des liquides qui contiennent le virus, telles la salive ou les sécrétions du col utérin ; les autres régions ne sont pas protégées des infections subséquentes lorsque les symptômes apparaissent dans une région.	**Première apparition** Symptômes apparaissant entre 3 et 7 jours après le premier contact ; réaction locale douloureuse ; vésicules groupées sur un fond érythémateux ; symptômes généraux (fièvre, malaise) ou apparition asymptomatique possibles. **Récurrence** Faible ; récurrence dans les mêmes régions ; vésicules caractéristiques groupées sur un fond érythémateux.	Médication symptomatique ; pansements rafraîchissants et humides ; application de vaseline sur les lésions ; cicatrisation peu fréquente ; agents antiviraux tels que l'acyclovir (Zovirax), le famciclovir (Famvir) et le valacyclovir (Valtrex).
Virus de l'herpès simplex virus de type 2 (HSV2) En règle générale, infection sur les organes génitaux ; récurrence plus fréquente que pour les infections orales et labiales.	Manifestations cliniques identiques à celles de l'herpès simplex virus de type 1 (HSV1).	Le traitement est le même que pour l'HSV1.
Herpès zoster (zona) Activation du virus de la varicelle-zona ; se produit souvent chez les clients immunodéprimés ; potentiellement contagieux pour les personnes n'ayant jamais contracté la varicelle ou qui sont immunodéprimés.	Éruptions de vésicules disposées linéairement ou en grappe le long d'un dermatome ; habituellement unilatérales et situées sur le tronc ; accompagnées de sensations de brûlure, de douleur et de névralgie qui précèdent l'éruption ; des douleurs de modérées à intenses accompagnent l'éruption.	Symptomatique ; agents antiviraux tels que l'acyclovir, le famciclovir et le valacyclovir ; pansements humides ; application de vaseline sur les lésions, analgésiques ; sédatifs légers au coucher ; corticostéroïdes systémiques pour réduire l'évolution de la maladie et diminuer les risque d'une algie postzona (controversé) ; guérison généralement sans complications mais peut laisser des cicatrices ; risque d'algie postzona.
Verrue vulgaire Causée par le papillomavirus humain (PVH) ; une résolution spontanée après 1 à 2 ans est possible ; légèrement contagieuse par auto-inoculation ; réaction spécifique en fonction de la partie du corps affectée.	Circonscrite, hypertrophiée, papule de couleur chair limitée à l'épiderme ; douloureuse lorsqu'on exerce une pression latérale.	Traitements multiples, dont la chirurgie, l'ablation cutanée avec des ciseaux et une curette ; traitement à l'azote liquide, emplâtres, cantharidine, agents kératolytiques, acide salicylique ; traitement au laser à gaz carbonique ; le traitement peut causer des cicatrices.
Verrue plantaire Causé par le papillomavirus humain (PVH).	Verrues situées à la surface de la peau de la plante des pieds ; croissance vers l'intérieur à cause de la pression occasionnée par la marche ou la station debout ; douloureuses lorsqu'elles subissent une pression ; cicatrices rupturées ; en forme de cône et accompagnées de points noirs (vaisseaux thrombosés) lorsqu'elles sont coupées.	Le traitement de choix est l'azote liquide ou le parage, c'est-à-dire le grattage progressif suivi de l'application de pansements imprégnés de produits chimiques pour prévenir le retour de la verrue ; une destruction trop agressive des tissus peut causer des cicatrices douloureuses et hypertrophiées.

* Le chapitre 44 traite de l'herpès simplex.

TABLEAU 50.9	Infections fongiques de la peau et des muqueuses	
Étiologie et physiopathologie	Manifestations cliniques	Traitement et pronostic
Candidose Causée par *Candida albicans*; aussi connu sous le nom de moniliase; 50 % des porteurs adultes ne manifestent aucun symptôme; les zones de prédilection sont les régions humides et chaudes de l'organisme, telles que la région crurale, les muqueuses buccales et les plis de la région mammaire; l'infection au VIH, la chimiothérapie, la radiothérapie et les greffes d'organes causent une dépression du système immunitaire rendant les levures pathogènes; l'apparition des symptômes est consécutive au déséquilibre entre l'hôte et la faune normale des voies gastro-intestinales, de la bouche et du vagin.	**Bouche** Coloration blanchâtre, plaques ressemblant à du fromage et causant une érosion lorsqu'elles sont retirées. **Vagin** Vaginite, parois vaginales douloureuses, œdémateuses et rougeâtres; plaques blanchâtres; écoulement vaginal; prurit; miction et coït douloureux. **Peau** Éruptions érythémateuses papulaires et diffuses accompagnées de lésions satellites en pointe d'épingle, situées à la périphérie des régions affectées.	Examen microscopique et cultures, application de nystatine ou d'un autre type de médicament spécifique comme les suppositoires vaginaux ou des tablettes; l'abstinence ou l'utilisation d'un condom est recommandée; éradication de l'infection à l'aide de la médication appropriée; maintien d'une bonne hygiène corporelle afin de s'assurer que la région affectée est propre et sèche; la poudre de mycostatin donne de bons résultats sur les lésions cutanées; les lubrifiants doivent être évités.
Herpès circiné Recouvre différents types de dermatophytes; communément appelé dermatomycose (voir figure 50.7).	Plaque caractéristique en forme d'anneau, avec un contour bien défini, accompagnée d'une squame ressemblant à du papier à cigarette, érythémateuse.	Pansements humides tièdes, application d'antifongiques topiques sur les plaques isolées; utilisation de crèmes ou de solutions de miconazole (Monistat) et de clotrimazole (Canesten).
Eczéma marginé Désigne différents types de dermatophytes, communément appelé épidermomycose du pli inguinal.	Contour bien défini, situé dans la région de l'aine.	Application de crèmes ou de lotions antifongiques.
Onychomycose Comprend différents types de dermatophytes.	Seuls quelques ongles de la main sont atteints; les ongles des orteils peuvent aussi être affectés; squames fongiques situées aux abords de la lésion, ongles cassants, plutôt épais et en mauvais état accompagnés d'une décoloration blanchâtre ou jaunâtre.	Application de crèmes ou de lotions antifongiques; l'utilisation de la griséofulvine sur les ongles de la main donne d'assez bons résultats; peu d'effets sur les ongles des orteils; le débridement des ongles des orteils est recommandé pour les cas problématiques afin de redonner au pourtour de l'ongle une apparence normale.
Épidermophytie plantaire Différents types de dermatophytes, communément appelée pied d'athlète.	Squame interdigitale et macération, érythème et formation d'ampoules, prurit et douleur.	Application de crème ou de lotion antifongique.

50.4.5 Troubles dermatologiques mineurs

Bien que la liste des dermatoses bénignes soit très longue, certains des troubles cutanés les plus courants et les plus perturbants sont résumés dans le tableau 50.12.

50.5 MANIFESTATIONS DERMATOLOGIQUES DE MALADIES SYSTÉMIQUES

Les manifestations dermatologiques de maladies systémiques peuvent être spécifiques ou non. Les affections spécifiques de la peau présentent le même processus physiopathologique que le processus morbide interne. Les affections non spécifiques ne ressemblent pas aux troubles internes, mais ils aident à établir un diagnostic. Devant une dermatose, un médecin ne doit jamais écarter la possibilité d'une manifestation associée à un trouble interne moins évident.

Certaines étapes du développement humain s'accompagnent de changements dermatologiques connus. À la puberté, la croissance des poils est une caractéristique secondaire des attributs sexuels qui différencient les hommes et les femmes. L'augmentation de l'activité des glandes apocrines peut accentuer l'odeur corporelle, tandis que l'activité accrue des glandes sébacées sous l'action des androgènes peut provoquer une séborrhée ou l'acné.

TABLEAU 50.10	Infestations et morsures d'insectes courantes		
Nom	**Étiologie et physiopathologie**	**Manifestations cliniques**	**Traitement et pronostic**
Abeilles et guêpes	*Hymenoptera*	Douleur intense, vive et localisée ; œdème et démangeaison ; hypersensibilité grave susceptible de provoquer une réaction anaphylactique.	Compresse d'eau froide ou glaçon (Beers et Berkow, 1999) et tenter d'enlever le dard si possible ; application locale de lotion antiprurigineuse ; antihistaminique si indiqué ; habituellement sans séquelles.
Punaises	*Cimicidae* ; morsure périodique, généralement nocturne ; présentes dans les meubles et les murs pendant le jour.	Papule ortiée entourée d'un érythème prononcé ; urticaire franche qui se transforme en lésions persistantes ; prurit grave ; papules se regroupant volontiers par trois en zone découverte.	Les lésions ne demandent habituellement pas de traitement ; démangeaison grave nécessitant parfois l'emploi d'antihistaminiques ou de stéroïdes topiques.
Pédiculoses Poux de la tête Poux du corps Morpion	*Pediculus humanus var. capitis* ; *Pediculus humanus var. corporis* ; *Phtirius pubis* ; parasites se nourrissant de sang, laissant des excréments et des œufs sur la peau, vivant dans les coutures des vêtements (s'il s'agit de poux du corps) et dans les cheveux à l'état de lentes ; transmission des poux pubiens (morpions) essentiellement par contact sexuel.	Petits points rouges non inflammés qui rougissent la peau ; donnent des lésions papulaires urticariennes ; démangeaisons ; excoriation secondaire volontiers linéaire en bandes parallèles dans la région interscapulaire ; poux solidement accrochés aux cheveux et aux poils.	Gamma-hexachlorure de benzène ou perméthrine pour le traitement des différentes parties du corps ; application selon la posologie ; examen des partenaires sexuels, des proches, des brosses à cheveux et des peignes.
Gales	*Sarcoptes scabiei* ; la femelle creuse une galerie dans la couche superficielle de l'épiderme (stratum corneum) pour y déposer ses œufs ; la présence des œufs, des excréments et des acariens provoquent une réaction allergique ; transmission par contact direct et, exceptionnellement, par contact des effets personnels.	Démangeaison intense à prédominance nocturne qui épargne généralement le visage ; présence de sillons, particulièrement dans les espaces interdigitaux, dans les plis de flexion du poignet et les creux axillaires ; rougeur, œdème, formation de vésicules.	Cromatiton (application locale en crème à 10 %), Gamma-hexachlorure de benzène, benzoate de benzyle de 12 à 25 % ; éradication complète possible et réinfestation aussi ; traiter le partenaire sexuel si la présence d'aca-riens, d'œufs et de fèces confirme sans équivoque le diagnostic de gale ; usage d'antibiotiques en cas de dermite et d'infections secondaires.
Tiques	*Borrelia burgdorferi* (spichorète transmise dans certaines régions par les tiques) responsable de la maladie de Lyme ; détectée au Québec, endémique aux États-Unis dans les États du Nord-Est et de la région centrale du littoral atlantique ainsi que dans certaines régions du Midwest et de l'ouest (voir chapitre 59).	Éruptions annulaires extensives apparaissant 3 à 4 semaines après la piqûre ; localisées surtout dans l'aine, sur les fesses, les aisselles, le tronc, les avant-bras et les jambes ; éruptions chaudes au toucher, prurigineuses ou douloureuses ; symptômes grippaux ; atteintes cardiaques, articulaires et neuroméningées possibles ; épreuves de laboratoire non concluantes ; pas d'immunité acquise.	Antibiotiques oraux tels que la doxycycline et la tétracycline ; antibiotiques intraveineux pour les symptômes articulaires, neuroméningés et cardiaques ; repos et alimentation équilibrée.

La grossesse se caractérise par des changements cutanés de nature physiologique, en particulier par l'hyperpigmentation et une augmentation de la transpiration. La ménopause s'accompagne souvent de bouffées de chaleur, d'une augmentation de la diaphorèse, d'une croissance du duvet du visage et de la perte des cheveux à différents degrés. Les troubles cutanés reliés au vieillissement comprennent la sécheresse de la peau, les rides, l'hyperpigmentation et les changements actiniques. Le tableau 50.13 présente les manifestations dermatologiques des maladies systémiques.

50.6 CHIRURGIE PLASTIQUE

50.6.1 Chirurgie esthétique élective

Le nombre de changements esthétiques qu'une intervention chirurgicale permet d'effectuer est quasiment illimité. La chirurgie esthétique regroupe des opérations telles que l'augmentation du volume des seins, la réduction mammaire, le déridage (*lifting*) chimique, mécanique et chirurgical du visage, la correction des paupières,

TABLEAU 50.11   Réactions allergiques cutanées courantes

Étiologie et physiopathologie	Manifestations cliniques	Traitement et pronostic
Dermite de contact Manifestation d'hypersensibilité retardée ; l'agent absorbé se comporte comme un antigène ; sensibilisation après plusieurs expositions ; apparition des lésions de 2 à 7 jours après le contact avec l'allergène.	Plaques et papules rouges en essaim ; nettement circonscrites avec quelques vésicules ; les parties découvertes sont les plus atteintes ; habituellement prurigineuses ; lien avec un agent (p. ex. allergie au métal et dermite à l'annulaire).	Corticostéroïdes topiques, antihistaminiques ; lubrification de la peau ; élimination des allergènes de contact ; protection des zones irritées ; corticostéroïdes systémiques en cas de sensibilité grave.
Urticaire Réaction généralement allergique ; œdème dans la région supérieure du derme (couche papillaire) causé par une perméabilité accrue des capillaires, en général sous l'action de l'histamine.	Soulèvement spontané et circiné de taille variable, généralement multiple.	Élimination de la source ; traitement aux antihistaminiques.
Réaction médicamenteuse Tout médicament qui agit comme un antigène et provoque une réaction d'hypersensibilité est à soupçonner ; certains médicaments sont plus susceptibles de causer des réactions (p. ex. pénicilline) médiées par des anticorps circulants.	Toutes formes d'éruptions ; souvent rouges, maculées et papulaires, semi-confluantes, éruptions généralisées qui se déclenchent brusquement ; apparaît aussi tardivement que 14 jours après l'interruption du traitement médicamenteux ; parfois prurigineuses.	Interruption du médicament en cause si possible ; antihistaminiques ; les corticostéroïdes en application locale ou systémique sont parfois nécessaires.
Dermite atopique Étiologie inconnue, débute souvent au cours de la première enfance et connaît un déclin de l'incidence avec l'âge ; associée à des allergies ; hausse fréquente du niveau d'immunoglobines E (IgE) ; facteurs héréditaires en cause, antécédents familiaux fréquents ; baisse de l'intensité des démangeaisons ; le stress et le contact fréquent avec de l'eau ou une source d'humidité (p. ex. lavages de mains fréquents, suçage du pouce) sont en cause, autres facteurs suspects.	Lésions squameuses et circonscrites de couleur rouge ou rouge foncé ; accentuation des cicatrices ; prurigineuses ; éruptions symétriques localisées surtout dans les plis de flexion chez l'adulte : coudes et creux poplités.	Corticostéroïdes topiques, photothérapie, thérapie au goudron, corticostéroïdes intralésionnels, lubrification de la peau sèche, corticostéroïdes systémiques dans les cas sévères, réduction du stress, antibiotiques pour les infections secondaires.

la greffe des cheveux, la correction du nez, l'ablation du double menton, la correction du menton fuyant ou proéminent, l'abdominoplastie, la plastie des cuisses, la diminution du volume des fesses, le recollement des oreilles et la liposuccion de nombreuses autres parties du corps.

Les raisons qui motivent une chirurgie esthétique sont aussi nombreuses que les types d'opérations pratiquées. L'amélioration de leur apparence est la principale motivation des clients et justifie à leurs yeux la douleur et la dépense (la plupart des chirurgies plastiques ne sont pas couvertes par la RAMQ et les régimes d'assurance) que représente une chirurgie esthétique. Les clients projettent leur propre image corporelle ; s'ils se sentent mieux après une opération réussie, ils agiront souvent avec davantage d'assurance. La position sociale et la situation économique sont des facteurs à considérer. La longévité accrue de la population augmente le nombre de candidats, pour qui la chirurgie esthétique constitue une perspective intéressante.

Quelle que soit la raison invoquée par le client, l'infirmière doit apporter son aide et demeurer neutre. La décision du client de remodeler son corps en réparant ce qu'il considère être un trait disgracieux est une décision personnelle et doit être respectée par l'infirmière.

Exfoliation chimique (*peeling*). L'exfoliation chimique du visage consiste à appliquer des produits chimiques sur la peau pour provoquer une brûlure circonscrite qui détruit en surface les couches superficielles de la peau et resserre les couches profondes. Cette intervention est employée le plus souvent pour corriger les troubles pigmentaires, éliminer les taches de rousseur, les cicatrices superficielles dues à l'acné, de même que les kératoses actiniques et séborrhéiques.

Pour ce faire, on applique sur la peau une solution (phénol tamponné, acide trichloracétique ou un autre acide exfoliant) en prenant soin de ne pas toucher les yeux. Les soins postopératoires sont déterminés par le médecin. Le client devra sans doute éviter de faire certaines activités, de parler et de mâcher de la gomme. Le médecin peut également prescrire l'application de compresses et de pommades. On note parfois une légère inflammation et des croûtes à la surface de la peau pendant la première semaine. Une nouvelle peau apparaît

TABLEAU 50.12   Affections cutanées bénignes les plus courantes

Étiologie et physiopathologie	Manifestations cliniques	Traitement et pronostic
Acné Trouble inflammatoire des glandes sébacées, fréquent à la puberté, mais pouvant aussi apparaître à l'âge adulte ; ce trouble peut persister à l'âge adulte ; il peut être la conséquence secondaire de l'absorption d'iode, de brome, de corticostéroïdes ou de contraceptifs oraux à forte concentration en hormones androgènes.	Lésions non inflammatoires comprenant des comédons (points noirs) et des comédons obturés (comédons aux saillies blanchâtres) ; lésions inflammatoires comprenant des papules et des pustules ; localisées généralement au visage, au cou et dans le haut du dos.	Ablation manuelle des lésions multiples à l'aide d'un instrument permettant l'extraction des comédons ; peut être réalisée après que le comédon a été incisé à l'aide d'une aiguille fine ou d'une lame ; application locale de peroxyde de benzoyle utilisé comme antibactérien et comme agent de desquamation ; utilisation d'un agent de desquamation ou d'un agent irritant comme l'acide rétinoïque ; traitement à long terme aux antibiotiques (topiques ou systémiques) ; photothérapie ; le but de ces traitements est d'empêcher la formation de nouvelles lésions ; possibilité d'une rémission spontanée ; l'exposition au soleil permet généralement d'améliorer l'état de la peau. L'utilisation de l'isotrétinoïne (Accutane) pour les cas aigus d'acné kystique permet parfois la rémission permanente ; traitement contre-indiqué chez la femme enceinte et chez celle qui a l'intention de le devenir en cours de traitement ; surveillance des fonctions hépatiques, tests de grossesse, bilan des taux de cholestérol et de triglycérides.
Nævus pigmentaire Regroupement de cellules normales de la peau, issues des précurseurs des cellules mélanocytaires ; prédisposition héréditaire possible.	Régions hyperpigmentées dont la coloration et la forme varient ; plates, légèrement surélevées, circinées, verruciformes, polypoïdes, en forme de dôme, sessiles ou papillomateuse ; conservation des lignes de la peau saine ; présence de poils sur les lésions dans certains cas.	Aucun traitement n'est nécessaire sauf pour des raisons esthétiques ; une biopsie cutanée est indiquée à des fins diagnostiques.
Psoriasis Dermite chronique caractérisée par le développement extrêmement rapide des cellules de l'épiderme ; prédisposition familiale.	Plaques squameuses nettement délimitées et localisées sur la tête, les coudes et les genoux ; les paumes, la région plantaire et les ongles des doigts peuvent aussi être affectés ; locales ou généralisées ; chroniques ou intermittentes.	Le but est de ralentir le développement des cellules de l'épiderme ; prise en charge médicamenteuse difficile. En règle générale, on emploie des corticostéroïdes, du goudron, de l'anthralin, des injections intralésionnelles de corticostéroïdes pour les plaques chroniques ; l'exposition au soleil et aux ultraviolets, seule ou accompagnée d'une potentialisation topique ou systémique, est recommandée ; incurable ; peut être contrôlé ; l'utilisation d'antimétabolites (notamment le méthotrexate) est recommandée pour les cas rebelles.
Kératose séborrhéique Excroissance bénigne et génétiquement déterminée ; l'augmentation du nombre de lésions est liée au vieillissement ; l'exposition solaire n'est pas en cause.	Papules ou plaques plutôt plates, de forme irrégulière, circulaires ou ovales ; la surface est généralement verruciforme ; apparaissant comme collées ; accentuation de la pigmentation à mesure que la lésion vieillit ; lésions habituellement multiples et parfois prurigineuses.	Ablation par curetage ou par cryochirurgie pour des raisons esthétiques ou pour éliminer la cause des irritations ; cicatrices discrètes.

| TABLEAU 50.12 | Affections cutanées bénignes les plus courantes *(suite)* | |
Étiologie et physiopathologie	Manifestations cliniques	Traitement et pronostic
Acrochordon Apparaît fréquemment sur le cou, les aisselles et le haut du tronc après la cinquantaine.	Papules de petite taille, molles et pédiculées, de même couleur que la peau.	Aucun traitement, sauf pour des raisons esthétiques ou en raison de traumatismes répétés ; une ablation chirurgicale peut être pratiquée (à la demande du client) ; l'excision de l'acrochordon se fait généralement sans anesthésie.
Lipome Tumeur bénigne du tissu adipeux, généralement sous-cutanée ; touche surtout les sujets âgés de 40 à 60 ans.	Masses circinées et caoutchouteuses de tissus adipeux pouvant être compressées ; lésions isolées ou multiples de taille variable pouvant être extrêmement grandes ; les sites de choix sont le tronc, la région cervicale et les avants-bras.	Ne nécessite habituellement aucun traitement ; une biopsie peut cependant être pratiquée afin de s'assurer qu'il ne s'agit pas d'un liposarcome ; le traitement standard est l'excision (si indiqué).
Vitiligo Étiologie inconnue ; facteur héréditaire, incidence plus marquée chez les sujets à la peau foncée et les personnes à la peau bronzée ; absence totale de mélanocytes ; non contagieuse.	Dyschromie partielle ou dépigmentation totale (absence totale de pigment mélanique) ; macules ; taches de taille et de localisation variables, habituellement symétriques et permanentes.	Essais de repigmentation par photothérapie associée à la prise de psoralène ; dépigmentation tendant à se généraliser dans les cas de vitiligo généralisé (touche plus de 50 % du corps) ; emploi de cosmétiques et de colorants pour masquer la dépigmentation des zones vitiligineuses et atténuer le contraste.
Lentigo Augmentation du nombre de mélanocytes normaux dans la couche basale de l'épiderme ; lentigos séniles (taches de vieillesse) liés au vieillissement et à l'exposition solaire.	Taches hyperpigmentées, brunes ou noires, lésions plates apparaissant en général sur les parties exposées aux rayons du soleil.	Traitement à des fins purement esthétiques, nitrogène liquide ; récurrence possible après 1 ou 2 ans.

après sept à huit jours. La guérison sera complète au bout de 10 jours. Cependant, le client aura la peau du visage rouge durant six à huit semaines, et son teint demeurera rosé pendant plusieurs mois. Après la guérison, le visage semblera rajeuni en raison de la présence d'une nouvelle couche superficielle de l'épiderme.

Puisque cette intervention réduit la quantité de mélanine présente dans la peau, on doit recommander au client d'éviter toute exposition au soleil pendant une durée de six mois afin de prévenir une hyperpigmentation disgracieuse. L'exfoliation chimique est indiquée dans le traitement des rides et de certains problèmes d'hyperpigmentation.

Trétinoïne topique. L'application de trétinoïne topique (acide rétinoïque) permet de corriger en partie les lésions de la peau photoexposée et les effets du vieillissement normal. Ce médicament est indiqué pour traiter les ridules et les rides sévères. Il produit une diminution du nombre de lentigos (taches de vieillesse) et une décoloration partielle des taches de rousseur. Il entraîne également une réduction du nombre de kératoses actiniques. La trétinoïne est généralement inefficace dans le traitement des rides profondes et des lignes d'expression. Le principal effet secondaire est une réaction cutanée qui se traduit par un érythème, une inflammation et la desquamation, que l'on peut corriger le plus souvent en appliquant des émollients, en réduisant à 48 heures la fréquence d'application de la trétinoïne ou en arrêtant complètement le traitement.

La réaction à la trétinoïne semble dépendre de la concentration, qui est habituellement de 0,025 %, de 0,05 % ou de 0,1 % sous forme de crème ou de gel. On introduit progressivement la trétinoïne en l'appliquant à tous les 48 heures pour parvenir à une application nocturne si le client la tolère. L'arrêt du traitement n'est indiqué qu'en cas d'inflammation sévère. La réaction au traitement est optimale après une période de 8 à 12 mois. Un traitement d'entretien de trois à quatre applications hebdomadaires permet de maintenir les résultats obtenus. L'application d'un écran solaire est nécessaire lorsqu'on utilise la trétinoïne afin de prévenir l'apparition d'autres lésions solaires et de protéger la peau contre la photosensibilité accrue qu'elle provoque.

Alphahydroxyacides. Les alphahydroxyacides topiques ont une activité comparable à la trétinoïne topique. La détermination des doses optimales est encore en cours d'étude, mais leur emploi semble présenter moins de risques d'érythème.

TABLEAU 50.13   Manifestations dermatologiques de maladies systémiques*

Trouble systémique	Manifestations dermatologiques
Système endocrinien	
Hyperthyroïdie	Augmentation de la transpiration, peau moite accompagnée de constantes bouffées de chaleur, ongles fragiles, vitiligo et alopécie, cheveux fins et doux
Hypothyroïdie	Peau froide, sèche avec une coloration pâle ou jaunâtre, épiderme légèrement hyperkératosé avec des obstructions folliculaires, œdème généralisé sans formation de godets, cheveux secs, rêches et cassants, pousse des ongles ralentie
Hypercorticisme glycocorticoïde endogène ou exogène (syndrome de Cushing)	Atrophie ; stries ; amincissement de l'épiderme ; télangiectasie ; acné, réduction du tissu adipeux sous-cutané aux extrémités ; derme mince et relâché ; guérison de plaie compromise ; plus grande fragilité vasculaire ; léger hirsutisme, accumulation excessive de graisse sur les clavicules, dans la région cervicale, sur le tronc et le visage ; incidence plus élevée de pyodermie
Maladie d'Addison	Perte de poils, notamment dans la région des aisselles, hyperpigmentation généralisée (surtout dans les plis cutanés)
Hyperandrogénie	Agrandissement des pores de la peau du visage, masculinisation, acné, accélération de la croissance des cheveux rêches
Hypoandrogénie postpubaire	Pilosité du corps faiblement développée ; réduction significative de la production de sébum
Hypoparathyroïdie	Ongles cassants et opaques avec des stries transversales ; chevelure rêche affectée d'une alopécie en plaques (pelade) ; dermite exfoliative et eczémateuse ; éruptions hyperkératosées et maculopapuleuses
Hyperpituitarisme (acromégalie)	Peau rugueuse, rides accentuées ; exsudation abondante et augmentation de la production de sébum ; acné ; augmentation du nombre de nævus ; hyperpigmentation ; hypertrichose
Hypopituitarisme (syndrome de Fröhlich)	Peau glabre ; croissance des cheveux ralentie, obésité, ongles des doigts fragiles
Diabète	Augmentation du nombre de xanthomes et de la production de carotène ; taches sur les tibias, nécrobiose lipoïdique des diabétiques ; guérison des plaies retardée
Appareil gastro-intestinal	
Colite ulcéreuse, maladie de Crohn	Pyodermite phagédénique, ulcères buccaux
Maladie du foie et obstruction des voies biliaires	Ictère, prurit, anomalies pigmentaires ; changements de l'état des ongles et des cheveux ; angiomes stellaires et télangiectasie
Carence en acides gras essentiels	Peau squameuse
Syndrome de malabsorption	Ichthyose acquise
Fibrose kystique	Fonctionnement anormal des glandes sudoripares qui empêche la transformation du sodium
Appareil locomoteur et tissus conjonctifs	
Lupus érythémateux disséminé (LED)	Éruption semi-confluente maculopapuleuse (éruption en ailes de papillon)
Sclérodermie	Peau rigide qui épaissit et qui a l'apparence du cuir
Dermatomyosite	Œdème, coloration de rougeâtre à violacée au-dessus des paupières, éruption en ailes de papillon, peau squameuse, érythème maculaire sur les articulations, télangiectasie linéaire localisée dans les plis des ongles de la main
Système métabolique	
Lipoïdose	Xanthomes
Carence en vitamine A	Hyperkératoses sèches généralisées
Hypervitaminose A	Perte de cheveux, peau sèche
Carence en vitamines B$_1$ (thiamine)	Œdème, rougeur sur la plante des pieds

TABLEAU 50.13   Manifestations dermatologiques de maladies systémiques* *(suite)*

Trouble systémique	Manifestations dermatologiques
Carence en vitamine B^2 (riboflavine)	Crevasses rougeâtres aux commissures des lèvres de la bouche, glossite
Carence en acide nicotinique (niacine)	Pellagre, rougeur sur la région exposée des mains et des pieds, du visage et du cou ; dermite infectieuse
Système immunitaire Sensibilité aux médicaments	Éruption de toutes sortes
Maladie du sérum	Prurit
Cancer du sein, de l'estomac, des poumons, de l'utérus, du foie, des ovaires, du côlon et de la vessie	Métastases cutanées
Maladie de Hodgkin	Prurit et érythème non spécifique
Lymphomes	Papules, nodules, plaques et prurit
Appareil cardiovasculaire Artériosclérose	Diminution de l'oxygénation qui favorise la gangrène
Cardite rhumatismale	Pétéchies, urticaires, nodules rhumatoïdes, érythème noueux et multiforme
Périartérite noueuse	Périartérite noueuse
Thrombo-angéite oblitérante (maladie de Buerger)	Thrombophlébite migratrice superficielle, pâleur ou cyanose de la peau, gangrène et ulcération
Appareil respiratoire Oxygénation insuffisante secondaire à une maladie respiratoire	Cyanose
Système hématologique Anémie	Pâleur, hyperpigmentation, pâleur des muqueuses, alopécie, dystrophie des ongles
Troubles de la coagulation	Purpura, pétéchies, ecchymoses
Système rénal Insuffisance rénale chronique	Peau sèche, prurit, calculs urinaires, pâleur, hématomes
Appareil reproducteur Syphilis primaire	Chancre
Syphilis secondaire	Lésions cutanées généralisées
Syphilis tardive bénigne	Gommes
Maladie de Paget	Zones eczémateuses sur les mamelons et les aréoles
Système neurologique Syringomyélie, polyneuropathies sensorielles chroniques, traumatisme médullaire	Changements trophiques de la peau produits par la dénervation, les escarres de décubitus, l'anesthésie, la paresthésie

* Voir les maladies systémiques pour des informations plus précises.

Dermabrasion. La **dermabrasion** consiste à enlever l'épiderme et une partie de la couche superficielle du derme, tout en conservant suffisamment d'annexes de l'épiderme pour favoriser une réépithélisation spontanée de la surface abrasée. La dermabrasion est indiquée dans le traitement des cicatrices laissées par l'acné, des cicatrices hypertrophiques, des brûlures causées par le soleil et des rides. La dermabrasion sert aussi à corriger les anomalies pigmentaires que l'on retrouve habituellement sur le visage.

En général, les instructions données au client visent à prévenir l'assèchement de la peau. L'usage d'émollients

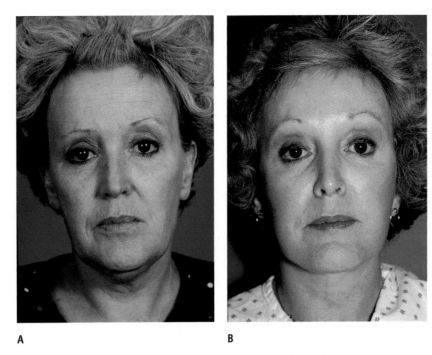

A   **B**

FIGURE 50.8 Cliente ayant subi un déridage (*lifting*). A. Avant l'opération. B. Après l'opération.

ou de pommades antibiotiques et de gazes humides est recommandé. Ils doivent être appliqués à intervalles réguliers après l'intervention. On recommande aux clients d'appliquer généreusement l'émollient lorsqu'ils n'utilisent pas de gazes humides. Les instructions données pour les soins postopératoires varient de façon notable d'un médecin à l'autre. Il est important que le client comprenne bien les soins particuliers qui lui sont recommandés. À l'extérieur, les clients doivent utiliser des écrans solaires (FPS 30). L'hyperpigmentation, l'hypopigmentation, les chéloïdes, l'herpès simplex, l'acné miliaire, l'érythème tenace, la télangiectasie et l'infection sont les complications les plus courantes.

Déridage (*lifting* facial). Le **déridage** (rhytidectomie) consiste à décoller la majeure partie de la peau du visage et du cou et à la replacer pour embellir l'apparence (voir figure 50.8). Cette intervention est indiquée dans les cas suivants :

- excès de tissus mous résultant d'une maladie (variole ou cicatrices d'acné) ;
- excès asymétrique de tissus mous (paralysie faciale) ;
- excès de tissus mous à la suite d'un traumatisme ;
- lésions préauriculaires ;
- excès de tissus mous causé par une élastose solaire (affaissement de la peau provoqué par l'action nocive des rayons du soleil), par une variation pondérale et sous l'effet de la gravité ;
- restauration de l'image corporelle.

L'approche chirurgicale et les lignes d'incision dépendent de la nature de la difformité et de la position de la ligne de démarcation des cheveux et du front. Le médecin doit surtout éviter la formation d'hématomes pendant la phase postopératoire. Pour ce faire, il applique des pansements compressifs pour 24 à 48 heures. Des complications peuvent survenir chez les fumeurs et les personnes qui font un effort violent. Une douleur ténue persiste après que l'on a enlevé le pansement. Les points de suture sont retirés entre le cinquième et le dixième jour suivant l'opération. La décision d'administrer des antibiotiques est laissée à la discrétion du chirurgien. L'infection n'est pas une complication courante.

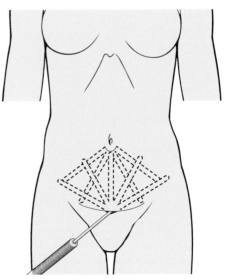

FIGURE 50.9 Site de l'incision et tunnélisation pratiquée pour une liposuccion abdominale

Liposuccion. La **liposuccion** est une opération qui consiste à enlever les tissus adipeux sous-cutanés afin d'embellir le visage et de remodeler la silhouette. Même si elle ne remplace pas le régime et l'exercice, la liposuccion permet de retirer la graisse de pratiquement n'importe quelle région du corps, inaccessible aux autres techniques.

Bien que cette intervention présente relativement peu de complications, elle est contre-indiquée avec l'emploi d'anticoagulants et pour les sujets présentant des antécédents de maladie inflammatoire, d'hypertension incontrôlée, de diabète et un bilan cardiovasculaire défavorable. Même si les sujets de moins de 40 ans ayant une bonne élasticité de la peau sont les meilleurs candidats, la liposuccion peut produire de bons résultats chez les clients de 16 à 70 ans.

L'intervention est pratiquée habituellement en clinique externe sous anesthésie locale. Il peut être nécessaire de pratiquer plus d'une opération selon l'importance de la région à opérer. On insère une canule dont le bout est émoussé dans une incision de 1,25 cm de diamètre de façon à infiltrer la graisse et à la séparer du stroma fibreux. Les infiltrations répétées rompent la masse graisseuse et créent des tunnels (voir figure 50.9). La graisse ainsi dégagée est aspirée au moyen d'une pompe puissante. La zone opérée est ensuite recouverte de bandelettes que l'on serre afin d'aider à remodeler la peau et à réduire les risques d'hémorragie postopératoire ainsi que l'accumulation de liquide. Les résultats définitifs ne paraîtront qu'après plusieurs mois.

50.6.2 Soins infirmiers

La plupart des opérations de chirurgie plastique sont effectuées dans des unités de chirurgie ambulatoire ou dans des cliniques privées spécialisées. Quel que soit le lieu où l'intervention est pratiquée, plusieurs types de soins infirmiers sont dispensés aux clients qui subissent ce type de chirurgie.

Soins préopératoires. Obtenir le consentement éclairé du client et l'amener à avoir des attentes réalistes à l'égard des résultats que peut produire la chirurgie esthétique sont des préoccupations de premier ordre. Bien que le chirurgien soit responsable de fournir ce type d'informations, l'infirmière peut et devrait apporter des renseignements supplémentaires, répondre aux questions du client et le rassurer. Le déridage n'a aucun effet ou peu d'effets, par exemple, sur les rides saillantes du front et des tempes, les sillons nasolabiaux ou les rides verticales de chaque côté des lèvres. Les photographies de cas similaires prises avant et après l'intervention peuvent aider la cliente à nourrir des attentes réalistes.

Il est aussi important que la cliente comprenne bien les délais de guérison. En effet, les résultats définitifs peuvent n'apparaître que un an après la chirurgie. Les suintements et les croûtes causés par l'effet abrasif de l'opération doivent être expliqués au client afin qu'il prévoit des journées de congé, le cas échéant. Le résultat final de l'opération est conditionné par l'âge du client, son état de santé et son type de peau. Lorsque le client présente un problème de santé, il est primordial de corriger ou de régler ce problème avant de procéder à l'opération.

Soins postopératoires. La plupart des chirurgies esthétiques ne sont pas très douloureuses, de telle sorte que des analgésiques de force modérée suffisent à assurer au client le bien-être nécessaire.

Même si l'infection est une complication rarissime en phase postopératoire, l'infirmière doit s'assurer que le champ chirurgical ne présente aucun signe d'infection. Le client doit demeurer vigilant à cet égard et signaler immédiatement tout signe ou symptôme d'infection pour que soient administrés les antibiotiques appropriés.

Si la chirurgie entrave la vascularisation de la peau comme c'est le cas pour un déridage, on devra surveiller plus particulièrement la circulation sanguine dans la région opérée. Ainsi, une peau rosée de température moyenne, qui blanchit sous la pression des doigts, est un signe de guérison.

50.7 GREFFES DE PEAU

50.7.1 Utilité

Les greffes de peau peuvent servir à protéger les structures sous-jacentes ou à réparer des régions de l'organisme à des fins esthétiques ou reconstructives. À la différence des autres plaies, les lésions de grande taille, consécutives à une chirurgie ou à un traumatisme, ne peuvent pas guérir spontanément, car elles provoquent de larges destructions de tissus. Il en va de même des lésions chroniques. Les greffes de peau peuvent s'avérer alors nécessaires. Les progrès de la chirurgie permettent aujourd'hui de greffer de la peau et de transplanter des os, du cartilage, du tissu adipeux, du fascia, des muscles et des nerfs. Pour des considérations esthétiques, la couleur, la texture et la pilosité du greffon doivent correspondre à celles de la zone receveuse (voir chapitre 51).

50.7.2 Types

On distingue deux types de greffe : les greffes de peau libre et les greffes de lambeaux pédiculés. Les **greffes de peau libre** sont classées en fonction de la méthode de vascularisation utilisée pour alimenter le greffon. L'une de ces méthodes consiste à transférer directement le fragment de peau (comprenant l'épiderme et une partie du derme ou tout le derme) du site donneur au site receveur. S'il s'agit d'une autogreffe (greffon prélevé sur l'individu receveur) ou d'une isogreffe (greffon prélevé sur un jumeau génétiquement identique), le greffon sera revascularisé sur le nouveau site et pleinement intégré. Le chapitre 51 présente en détail les greffes de peau libre, totales et partielles. La microchirurgie reconstructive constitue une autre technique utilisée dans le cadre des greffes de peau libre. Elle permet de revasculariser immédiatement les lambeaux de peau libre par l'anastomose des vaisseaux sanguins du site receveur au moyen d'un microscope chirurgical.

La greffe de **lambeaux pédiculés** consiste à transférer une partie de la peau et des tissus sous-cutanés d'une région du corps à une autre en maintenant la peau attachée au site donneur. On appelle le groupement d'éléments vasculaires un **pédicule**. Les lambeaux pédiculés sont utilisés pour recouvrir une plaie ayant un faible lit vasculaire, lorsqu'un remplissage est nécessaire, ou pour couvrir une plaie au niveau d'un cartilage ou d'un os. Il est parfois nécessaire de placer le lambeau pédiculé sur un site intermédiaire avant de le greffer sur le site receveur, lorsque celui-ci est éloigné du site donneur. Ainsi, un greffon prélevé sur une cuisse doit, pour être greffé sur la tête, être greffé sur un site intermédiaire. Le lambeau pédiculé est déplacé vers le site receveur, lorsque la vascularisation est bien assurée au niveau du site intermédiaire. Le type de lambeau pédiculé et la voie de transfert dépendent des besoins du client et de la nature du défaut à corriger.

L'expansion des tissus mous est une technique qui permet d'obtenir de la peau pour recouvrir un défaut, tel qu'une cicatrice laissée par une brûlure, enlever une marque défigurante comme un tatouage ou préparer une reconstruction mammaire. On place sous la peau un expanseur de tissu sous-cutané de la taille et de la forme appropriées, généralement en consultation externe. L'expansion de la peau au moyen d'une solution saline peut être effectuée chaque semaine par un intervenant dans un établissement de santé ou par le client à domicile. L'opération est répétée jusqu'à ce que la peau atteigne la taille désirée pour le recouvrement, ce qui peut nécessiter plusieurs semaines, voire trois ou quatre mois. Lorsque la peau a atteint la taille optimale, on ouvre l'ancienne incision et on retire l'expanseur. Le tissu mou obtenu peut alors servir de lambeau d'avancement. L'expanseur de tissu placé près du défaut à corriger en garde la couleur et la texture, c'est-à-dire les principales caractéristiques tissulaires.

50.7.3 Soins infirmiers

Plusieurs aspects doivent être surveillés en phase postopératoire dont, prioritairement, la vascularisation du site de la greffe. Si le site n'est pas recouvert d'un pansement, il convient de l'examiner régulièrement pour surveiller sa couleur, sa température, la reconstitution des vaisseaux capillaires et le signe du pli cutané. Si la région greffée est recouverte d'un pansement, celui-ci devra être laissé en place jusqu'à ce que le chirurgien le retire. On doit surveiller les signes systémiques d'infection comme la fièvre et la douleur.

L'infirmière ne doit pas hésiter à soulager la douleur du client, lorsque cela est nécessaire, ou même si celle-ci ne constitue pas un problème d'importance. Parler avec le client, le distraire, masser son corps, à l'exclusion du site opéré, et lui administrer des médicaments sont des moyens de choix pour favoriser son bien-être. L'immobilisation qu'imposent certaines greffes amène un risque de complications, telles que la pneumonie, l'embolie pulmonaire et les escarres de décubitus. Le personnel infirmier doit donc prendre les mesures appropriées pour prévenir de telles complications.

Les greffes de peau nécessitent parfois une longue hospitalisation et présentent constamment le risque d'une nécrose du greffon. L'infirmière doit apporter son soutien au client et faire preuve de compréhension, car il s'agit d'une intervention extrêmement éprouvante. De plus, le client doit avoir des attentes réalistes à l'égard des résultats de sa greffe pour éviter qu'une déception trop grand ne provoque une dépression. Les proches aussi ont besoin de recevoir le soutien du personnel et des explications sur les interventions et les limites imposées par la greffe.

50.8 ESCARRES DE DÉCUBITUS

50.8.1 Étiologie et physiopathologie

L'escarre de décubitus est une nécrose tissulaire localisée, due à une compression continue des tissus – les tissus exposés glissant sur des couches tissulaires sous-jacentes (friction et cisaillement) – et à un excès d'humidité. Les facteurs de risque comprennent la mauvaise circulation, l'obésité, l'hyperthermie, l'anémie, les contractures, les troubles mentaux, la perte d'autonomie, l'immobilisation, l'incontinence et le vieillissement. Des maladies systémiques comme le diabète, la collagénose, les maladies vasculaires et la lèpre, de même que les troubles neurologiques qui neutralisent la sensation, augmentent les risques d'ulcères. Dans 95 % des cas, les escarres de décubitus apparaissent au niveau des saillies osseuses, surtout à la ceinture pelvienne. Elles sont classées en quatre stades selon le degré de gravité des lésions cutanées (voir encadré 50.3).

50.8.2 Manifestations cliniques

Les manifestations cliniques des escarres de décubitus sont présentées à la figure 50.10. Il n'est pas toujours

Description des stades des escarres de décubitus
ENCADRÉ 50.3

Stade I
- Au stade I, une escarre de décubitus se manifeste par une lésion apparente de la peau saine, comparativement aux parties adjacentes ou opposées du corps, qui se caractérise sous la pression par un ou plusieurs des changements suivants :
  - la température de la peau (chaude ou froide) ;
  - la texture des tissus (dure ou molle) ;
  - une sensation (douleur, démangeaison).
- On observe une zone de rougeur persistante, entourée d'une légère pigmentation. Chez les personnes à la peau plus foncée, la peau atteinte prend des tons rouges, bleutés ou violacés.

Stade II
- Destruction partielle de l'épaisseur de l'épiderme ou du derme, ou des deux. L'escarre est superficielle et se traduit

par une abrasion de la peau, un bouton ou un cratère.

Stade III
- Disparition de la peau consécutive à une atteinte ou à une nécrose des tissus sous-cutanés qui peut s'étendre, mais sans le traverser, au fascia sous-jacent. L'escarre prend la forme d'un cratère profond qui touche ou non les tissus adjacents.

Stade IV
- Disparition de la peau accompagnée d'une destruction étendue, d'une nécrose des tissus, de l'atteinte des muscles, des os ou des structures conjonctives (tendon, capsule articulaire). Les perforations indéterminées et sinueuses peuvent aussi être associées aux escarres de stade IV.

Source : Fifth National NPUAP Conference: *Task Force on Darkly Pigmented Skin and Stage I Pressure Ulcers*, Approved Feb. 1998, and Bergstrom N and others: *Treatment of pressure ulcers*, Clinical Practice Guideline, n° 15. Rockville, Md: US Department of Health and Human Services, Public Health Service, Agency for Health Care Policy and Research. AHCPR Publication n° 95-0652, Dec. 1994.

---

facile de reconnaître une escarre de stade I chez les sujets à la peau foncée (voir figure 50.11). Selon le National Pressure Ulcer Advisory Panel (NPUAP), la détermination précise du degré de gravité d'une escarre n'est possible qu'après le débridement. L'infection peut se traduire par une leucocytose, de la fièvre, une augmentation de la superficie de la plaie ou de l'exsudat, et une odeur plus prononcée. On note également la présence de tissus nécrosés, indurés, chauds et douloureux. La chronicité est la complication la plus courante.

50.8.3 Soins infirmiers et processus thérapeutique

La prise en charge des clients présentant des escarres de décubitus repose sur l'application de soins locaux et de mesures de soutien, comme l'amélioration de l'alimentation et l'élimination de la pression. On préconise actuellement de conserver l'escarre relativement humide pour stimuler la réépithélisation. Outre l'infirmière, les autres membres de l'équipe soignante (p. ex. le chirurgien plasticien, le diététiste, le physiothérapeute et l'ergothérapeute) contribuent de façon notable aux soins complexes indispensables pour prévenir et traiter les escarres de décubitus. Des stratégies de soins conservateurs et chirurgicaux sont appliquées concurremment dans le traitement des escarres de décubitus selon le degré de gravité et l'état de l'ulcère. Les mesures thérapeutiques et

les soins infirmiers sont établis en collaboration puisque ces deux types d'interventions sont intimement liés.

Collecte de données. L'examen des clients, avant leur admission puis périodiquement, est primordial, car il permet d'évaluer les risques de développer une escarre de décubitus. Cette évaluation doit reposer sur l'utilisation d'instruments adéquats comme les échelles de Braden, de Norton ou de Gossnell*. Les données subjectives et objectives à recueillir dans les cas d'escarre de décubitus sont répertoriées dans l'encadré 50.5.

Diagnostics infirmiers. Les diagnostics infirmiers pour le client souffrant d'escarres de décubitus comprennent, entre autres, ceux présentés dans l'encadré 50.6.

Planification. Les objectifs ou les résultats escomptés chez le client souffrant d'escarres de décubitus sont les suivants :
- prévenir l'aggravation de l'état de la plaie ;
- limiter ou éliminer les facteurs de risque ;
- prévenir l'infection au niveau de l'escarre de décubitus ;
- éviter la récurrence.

Exécution

Promotion de la santé. Il est primordial pour l'infirmière d'identifier les clients susceptibles de développer

---

* Les différentes échelles d'évaluation des risques d'escarres sont présentées au chapitre 47 des *Soins infirmiers* de Patricia A. Potter et Anne G. Perry, Groupe Beauchemin, Laval, 2002, 1617 p.

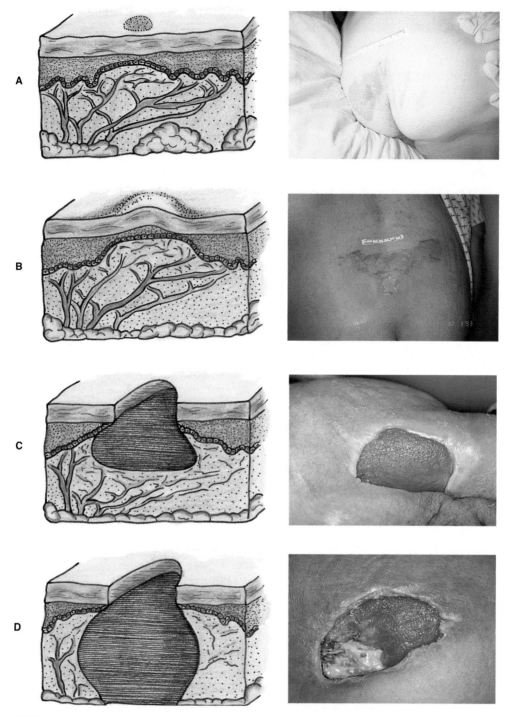

FIGURE 50.10 Illustrations et photographies des quatre stades des escarres de décubitus. A. Escarre de stade I. B. Escarre de stade II. C. Escarre de stade III. D. Escarre de stade IV.

des escarres de décubitus. La prévention demeure le meilleur traitement. Pour ce faire, on emploie divers moyens, comme des matelas réducteurs de pression, des matelas de mousse suffisamment rigides et épais, des coussins pour chaises roulantes, des sièges rembourrés, des bottes en mousse et des piqués de soulèvement, pour réduire la pression et le cisaillement. Cependant, le repositionnement du client à intervalles réguliers est le meilleur moyen de prévention. Des stratégies de prévention doivent être mises en place dès que les clients à risque ont été dépistés. L'encadré 50.7 indique quels sont les soins à dispenser au client et à sa famille dans le cadre de soins à domicile.

Intervention en phase aiguë. Dès qu'une escarre de décubitus est découverte, l'infirmière doit prendre les mesures appropriées selon le stade et la taille de l'escarre et la présence ou non d'une infection. La taille de l'escarre doit être bien décrite. Pour ce faire, on peut utiliser une règle en plastique ou une carte afin de mesurer la longueur et la largeur maximales des ulcères en centimètres. Pour mesurer la profondeur de l'ulcère, on place soigneusement un coton-tige dans la zone la plus profonde de l'ulcère. On mesure ensuite la longueur de la partie du coton-tige utilisée pour examiner l'escarre. Afin d'évaluer la cicatrisation, on peut prendre des photographies de l'escarre de décubitus lors du premier examen, puis périodiquement au cours du traitement. Il convient de réévaluer au moins chaque semaine l'état de la plaie.

FIGURE 50.11 Comparaison de l'apparence des escarres de stade I chez des clients à peau claire et à peau foncée

Les soins locaux peuvent comprendre le débridement, le nettoyage de la plaie et l'application de pansements. La présence de tissus nécrotiques ou d'escarre (à l'exception des talons nécrotiques à l'état stable et sans exsudat) justifie l'ablation des tissus par des moyens chirurgicaux, mécaniques ou enzymatiques ou encore par un débridement autolytique. Une fois que l'escarre de décubitus a été débridée avec succès et qu'elle possède à sa base du tissu de granulation sain, il faut maintenir un milieu humide afin de favoriser la cicatrisation et de prévenir la rupture des tissus de granulation nouvellement formés. Dans certains cas, l'utilisation de moyens chirurgicaux s'impose pour reconstituer le site atteint. Au nombre de ces interventions se trouvent la greffe de peau, la greffe de lambeaux de peau, de lambeaux musculocutanés et de lambeaux de peau libre.

RECHERCHE

Prévention des escarres de décubitus

ENCADRÉ 50.4

- **Article:** Pieper B, Mattern J: Critical care nurses' knowledge of pressure ulcer prevention, staging, and description, *Ostomy/Wound Management,* 43:2, 1997.
- **Objectif:** évaluer les connaissances des infirmières en soins intensifs dans la prévention, l'évolution et la description des escarres.
- **Méthodologie:** étude transversale portant sur 75 infirmières en soins intensifs. Les infirmières ont répondu à un questionnaire élaboré à partir du guide de l'Agency for Health Care Policy and Research (AHCPR) sur la détermination des risques et la prévention des escarres. Le questionnaire portait sur l'évaluation des risques reliés au développement des escarres de décubitus, leur prévention, leur évolution et leur description. Il présentait aussi des informations considérées comme essentielles du point de vue des soins infirmiers.
- **Résultats et conclusion:** le pourcentage total de réponses exactes variait de 15 à 83 %. Les erreurs les plus courantes portaient sur la description des lésions. Le type de formation reçue en soins infirmiers ou le nombre d'années d'expérience n'avaient pas d'incidence sur le pointage final. Seules 12 % des infirmières avaient pris connaissance du guide de l'AHCPR sur les escarres de décubitus. Le manque de connaissances sur les escarres était flagrant.
- **Incidences sur la pratique:** pour limiter l'incidence des escarres, il est nécessaire que les infirmières sachent comment les prévenir et connaissent les facteurs de risque. La formation continue des infirmières doit porter sur l'évaluation des risques, la prévention et la prise en charge des escarres. La prévention de l'apparition des escarres dans l'ensemble de la clientèle, et surtout parmi les sujets à haut risque et chez les personnes gravement malades, doit être, par souci d'efficacité, le principal objectif du personnel infirmier. La diminution de l'incidence des escarres entraîne des économies et reflète une amélioration de la qualité des soins. La prise en charge des escarres constitue une priorité nationale, et les moyens de les prévenir doivent être diffusés parmi les infirmières et intégrés dans les plans de soins.

COLLECTE DE DONNÉES

Escarres de décubitus
ENCADRÉ 50.5

Données subjectives

Information importante concernant la santé

- Antécédents de santé : infarctus, lésion médullaire ; alitement ou immobilisation prolongée ; troubles circulatoires ; malnutrition ; état de conscience altéré ; antécédents d'escarres ; anomalies immunologiques ; âge avancé ; diabète ; anémie ; traumatisme.
- Médication : administration de narcotiques, d'hypnotiques, de corticostéroïdes systémiques.
- Chirurgie et autres traitements : chirurgie récente.

Modes fonctionnels de santé

- Mode nutrition et métabolisme : obésité, émaciation ; apport liquidien, calorique ou protéique réduit ; carence vitaminique et minérale ; malnutrition cliniquement significative, qui se traduit par un faible taux d'albumine sérique, baisse du nombre total de lymphocytes et du poids corporel (poids inférieur de 15 % du poids corporel idéal).
- Mode élimination : incontinence urinaire ou fécale.
- Mode activité et exercice : faiblesse, débilité, incapacité à se tourner et à changer de position ; contractures.
- Mode cognition et perception : douleur ou insensibilité du site atteint ; insensibilité progressive de certaines régions du corps ; observance du traitement.

Données objectives

Généralités

- Hyperthermie

Système tégumentaire

- Diaphorèse, œdème et dépigmentation, notamment dans les régions osseuses, telles que la région sacrée, les hanches, les coudes, les talons, les genoux, les chevilles, les épaules et le bord de l'oreille (hélix), évoluant vers une destruction étendue des tissus caractéristiques des stades de l'escarre*.

Résultats possibles

- Leucocytose, cultures positives des micro-organismes présents dans l'escarre.

* Voir figure 50.10.

On doit nettoyer les escarres de décubitus avec une solution non cytotoxique pour ne pas détruire ni altérer les cellules telles que les fibroblastes. Il faut donc éviter d'utiliser des solutions comme la solution de Dakin (solution d'hypochlorite de sodium), de l'acide acétique, de la polyvidone iodée et du peroxyde d'hydrogène, qui sont cytotoxiques. En l'irriguant, il est nécessaire d'appliquer suffisamment de pression sur la plaie pour la nettoyer convenablement, mais sans l'endommager ni causer de traumatisme.

Après avoir nettoyé l'escarre, on veillera à la recouvrir du pansement indiqué. Le choix d'un pansement est motivé par certains facteurs : maintien d'un milieu humide, prévention de la dessiccation (dessèchement) de la lésion, propriétés absorbantes du pansement, présence d'exsudats, emplacement de la lésion, disponibilité de l'intervenant, coût du pansement, présence ou non d'une infection, avantages comparés d'un pansement stérile ou propre, milieu de soins. On ne doit jamais appliquer de pansements humides sur une escarre de décubitus nettoyée en granulation, car ces pansements sont réservés pour les opérations de débridement mécanique (voir le chapitre 6 pour les différents types de pansement, de même que le tableau 6.18).

Aux stades II, III et IV, les escarres de décubitus sont considérées comme contaminées ou colonisées par des bactéries. Il est important de se rappeler que chez les sujets ayant des lésions chroniques ou les personnes immunodéficientes, les manifestations cliniques d'infection (pus, exsudat, odeur, érythème, chaleur et sensibilité de la peau, œdème, douleur, fièvre et augmentation du nombre de leucocytes) peuvent être absentes, même en cas d'infection.

Le maintien d'une alimentation équilibrée est primordial. Les clients atteints d'escarres sont souvent épuisés et ont peu d'appétit du fait de leur inactivité. L'apport calorique, indispensable pour corriger un déficit nutritionnel et maintenir un équilibre alimentaire, peut s'élever à 4200 calories par jour (176 kilojoules). L'alimentation par voie orale doit être riche en calories et en protéines et être complétée par des suppléments de vitamines et de minéraux. L'alimentation à l'aide d'une sonde nasogastrique peut compléter l'alimentation par voie orale. S'il y a lieu, pour les sujets chez qui les apports alimentaires sont insuffisants par voie orale ou nasogastrique, l'alimentation parentérale, consistant en un mélange de solutions glucosées et d'acides aminés, est indiquée. Les soins dispensés au client souffrant d'escarre de décubitus sont résumés dans l'encadré 50.6.

Soins ambulatoires et soins à domicile. La récurrence étant fréquente chez les sujets souffrant d'escarres, l'enseignement au client et à sa famille et la connaissance par le personnel soignant des moyens de prévention sont indispensables (voir encadré 50.7). Le professionnel de la santé doit également connaître l'étiologie des escarres de décubitus, les manifestations cliniques précoces qui y sont associées, les mesures nutritionnelles et les méthodes de soins appropriées. Puisque le client souffrant d'escarre de décubitus nécessite souvent des soins prolongés pour des troubles de santé concomitants, il est important que l'infirmière aide l'aidant naturel en se chargeant du traitement des escarres.

Évaluation. Les résultats escomptés chez le client souffrant d'escarre de décubitus sont présentés dans l'encadré 50.6.

Plan de soins infirmiers

Client présentant une escarre de décubitus

DIAGNOSTIC INFIRMIER : atteinte à l'intégrité de la peau reliée à la pression et à une mauvaise vascularisation se manifestant par la présence d'une escarre.

Résultats escomptés
- Le client aura une peau saine.
- La cicatrisation des lésions cutanées ne présentera pas de complications.

INTERVENTIONS	Justifications
• Déceler les facteurs en cause tels que l'activité, la mobilité, la présence ou non de troubles sensoriels, l'état nutritionnel et d'hydratation, la circulation et l'oxygénation, et l'humidité de la peau.	• Réduire et éliminer les facteurs concourant à la formation et à l'aggravation de l'escarre.
• Examiner et documenter régulièrement la lésion en notant son emplacement, sa longueur, sa largeur, sa profondeur, la quantité de tissus de granulation visibles ou l'état d'épithélialisation, la présence ou non de tissus nécrosés, le type d'infection (locale ou systémique), la présence et la nature de l'exsudat, notamment son volume, sa couleur, son aspect et son odeur.	• Recueillir des données initiales et en cours d'évolution pour surveiller les modifications de l'escarre.
• Préciser le stade de la lésion.	
• Utiliser des accessoires réducteurs de pression (p. ex. bottes en mousse, coussins pour chaises roulantes).	
• Changer le client de position toutes les deux heures.	• Éviter une pression prolongée sur une seule partie du corps.
• Garder ses talons hors du lit.	
• Relever la tête du lit selon un angle égal ou inférieur à 30° ou le maintenir en position horizontale s'il n'y a pas de contre-indications.	• Éviter la pression sur la région sacrée et le siège.
• Utiliser des oreillers ou de la mousse.	• Éviter que les proéminences osseuses (genoux, chevilles) ne soient en contact direct.
• Utiliser des aides techniques.	• Faciliter la mobilisation du client (trapèze, drap de soulèvement, lève-personne).
• Protéger la peau du client de l'excès d'humidité.	• Prévenir la macération des tissus.
• Instaurer un régime quotidien de 2000 à 3000 cal, soit 83,5 à 125,5 kJ (davantage en cas d'augmentation des besoins métaboliques) et un apport liquidien de 2000 ml/jour.	• Fournir à l'organisme l'apport calorique, protéique et liquidien indispensable à la cicatrisation.
• Corriger les carences.	• Donner des suppléments de vitamines et de minéraux.
• Démarrer le traitement local adapté aux caractéristiques de l'escarre et conforme aux directives de l'AHCPR*.	
• Renseigner le client et sa famille sur la cause, la prévention et le traitement de l'escarre.	• Prévenir la récurrence.
• Limiter les facteurs qui contribuent à l'aggravation de l'escarre.	
• Prévenir la malnutrition, la pression constante, les forces de cisaillement et l'humidité.	

Pressure ulcer treatment : Clinical practice guideline, Agency for Health Care Policy and Research, US Department of Health and Human Services, N° 95-0653, Dec. 1994.

Escarre de décubitus ENCADRÉ 50.7

- Indiquer et expliquer au client et à sa famille les facteurs de risque et les causes des escarres de décubitus.
- Examiner tous les clients à risque au moment de leur admission à l'hôpital ou lors de la première visite à domicile, puis périodiquement.
- Enseigner à la famille du client des techniques de prise en charge de l'incontinence. En cas d'incontinence, nettoyer immédiatement la peau souillée, appliquer un agent topique pour protéger la peau de l'humidité et utiliser des culottes absorbantes.
- Montrer au client à adopter de bonnes positions pour ne pas léser la peau. Demander à la famille de changer le client de position au moins toutes les deux heures s'il est alité et, à chaque heure, s'il est dans une chaise roulante (voir encadré 50.6).
- Évaluer les ressources (disponibilité et compétences des intervenants, ressources financières, matériel) à la disposition des clients dont les escarres sont traitées à domicile. Le coût du pansement et la disponibilité des intervenants sont des données qui déterminent le choix des pansements utilisés dans le traitement des escarres.
- Enseigner au client ou à l'intervenant à changer les pansements en employant une technique stérile. Montrer à la famille du client comment se débarrasser des pansements souillés.
- Montrer au client et à sa famille comment faire un examen quotidien de la peau. Examiner les escarres et les documenter au moins une fois par semaine ; pour ce faire, il est parfois nécessaire de demander l'aide du client et de sa famille.
- Évaluer l'efficacité du plan de soins infirmiers pour prévenir et traiter les escarres de décubitus.

Adapté de Potter P, Perry A : *Fundamentals of nursing*, ed 4, St. Louis, Mosby, 1997, et *AHCPR Panel for the Treatment of pressure ulcers*, AHCPR Publication N° 95-9652, Rockville, Md, Agency for Health Care Policy and Research, Public Health Service, US Department of Health and Human Services, Clinical Practice Guideline, N° 15, 1994.

MOTS CLÉS

BIBLIOGRAPHIE
Version originale
1. Marks R: *An overview of skin cancers,* Cancer Suppl 75:607, 1995.
2. Wentzell JM: *Sunscreen: the ounce of prevention,* Am Fam Phys 4:1713, 1996.
3. Taylor CR, Sober AS: *Sun exposure and skin disease,* Ann Rev Med 47:181, 1996.
4. Rhodes A: *Public education and cancer of the skin,* Cancer 75:613, 1995.
5. Marks JG, DeLeo VA: *Contact and occupational dermatology,* ed 2, St. Louis, 1997, Mosby.
6. Memon A, Friedman P: *Studies on the reproducibility of allergic contact dermatitis,* Br J Dermatol 134:208, 1996.
7. Skidmore-Roth L: *Mosby's 1999 Nursing drug reference,* St. Louis, 1999, Mosby.
8. Varricchio C, editor: *Cancer source book for nurses,* ed 7, Sudbury, Mass, 1997, Jones & Bartlett.
9. Teofoli P and others: *Itch and pain,* Int J Dermatol 35:159, 1996.
10. Schucter L and others: *A prognostic model for predicting 10-year survival in patients with primary melanoma,* Ann Intern Med 125:369, 1996.
11. Gallagher RD and others: *Chemical exposure, medical history and risk of SCC and BCC,* Cancer Epidem 5:419, 1996.
12. Markey A: *Etiology and pathogenesis of squamous cell carcinoma,* Clin Dermatol 13:537, 1995.
13. Landis S and others: *Cancer statistics 1998,* CA Cancer J Clin 48:6, 1998.
14. Fleming I and others: *Principles of management of basal and squamous cell carcinoma of the skin,* Cancer 75:699, 1995.
15. Sober AJ, Burstein JM: *Precursors to skin cancer,* Cancer 75:645, 1995.
16. Rigel D: *Malignant melanoma: perspectives on incidence and its effects on awareness, diagnosis, and treatment,* CA Cancer J Clin 46:195, 1996.
17. Habif TP: *Clinical dermatology: a color guide to diagnosis and therapy,* ed 3, St. Louis, 1996, Mosby.
18. Gale D, Kiley K: *Malignant melanoma and adjuvant alpha interferon-2b for patients at high risk of relapse,* Clin J Oncol Nurs 2:5, 1998.
19. Noble S, Wagstaff AJ: *Tretinoin: A review of its pharmacological properties and clinical efficiency in the topical treatment of photodamaged skin,* Drugs Aging 6:479, 1995.

20. Ditre CM and others: *Effects of alpha-hydroxy acids on photoaged skin: a pilot clinical, histological and ultrastructural study,* J Am Acad Derm 34:187, 1996.

21. Maklebust J, Sieggreen M: *Pressure ulcers–guidelines for prevention and nursing management,* ed 2, Springhouse, Penn, 1996, Springhouse.

22. Barczak CA and others: *Fourth national pressure ulcer prevalence survey,* Adv Wound Care 10:18, 1997.

23. Henderson CT and others: *Draft definition of stage I pressure ulcers: inclusion of persons with darkly pigmented skin,* Adv Wound Care 10:16, 1997.

24. Bergstrom N and others: *Treatment of pressure ulcers, Clinical practice guidelines,* no 15, Rockville, Md: US Department of Health and Human Services, Public Health Service, Agency for Health Care Policy and Research, AHCPR Publication No 95-0652, 1994.

25. Xakellis GC, Frantz RA: *Pressure ulcer healing: what is it? what influences it? how is it measured?* Adv Wound Care 10:20, 1997.

26. Barr JE: *Principles of wound cleansing,* Ostomy/Wound Management 41:155, 1995.

Édition de langue française

1. BEERS M.H, BERKOW R. *The Merck Manual of Diagnosis and Therapy,* 17e éd. Whitehouse Station, N.J.: Merck Research Laboratories, 1999, 2833 p.

2. POTTER,Patricia A. et PERRY, Anne G. *Soins infirmiers,* Groupe Beauchemin, Laval, 2002, 1617 p.

Lectures complémentaires

1. MOULIN, Yvette. « Le soin des plaies », *L'infirmière du Québec,* vol. 9, nos 1 à 6 (2001-2002), série d'articles.

2. AERTS, Anne, NEVELSTEEN, Dorine et RENARD, Françoise. *Soins de plaies,* Paris, De Boerk & Larcier s.a., 1998, 409 p.

Danièle Dallaire
M. Sc. inf.
Hôpital de l'Enfant-Jésus du CHA

BRÛLURES

OBJECTIFS D'APPRENTISSAGE

APRÈS AVOIR LU CE CHAPITRE, VOUS DEVRIEZ ÊTRE EN MESURE :

- DE DÉCRIRE LES CAUSES ET LES MESURES DE PRÉVENTION DES BRÛLURES ;

- DE DÉCRIRE LE SYSTÈME DE CLASSIFICATION DES BRÛLURES ;

- DE DÉCRIRE LA RELATION ENTRE LES STRUCTURES ATTEINTES ET L'APPARENCE CLINIQUE DES BRÛLURES D'ÉPAISSEUR PARTIELLE ET DE PLEINE ÉPAISSEUR ;

- DE NOMMER LES PARAMÈTRES UTILISÉS POUR DÉTERMINER LA GRAVITÉ DES BRÛLURES ;

- DE DÉCRIRE LA PHYSIOPATHOLOGIE, LES MANIFESTATIONS CLINIQUES, LES COMPLICATIONS ET LE PROCESSUS THÉRAPEUTIQUE, ET CE, POUR CHAQUE PHASE DE BRÛLURE ;

- D'EXPLIQUER LES MODIFICATIONS HYDROÉLECTROLYTIQUES QUI SE PRODUISENT PENDANT LA PHASE DE RÉANIMATION ET LA PHASE AIGUË D'UNE BRÛLURE ;

- DE DÉCRIRE LES BESOINS NUTRITIONNELS DU CLIENT BRÛLÉ POUR CHACUNE DES TROIS PHASES DE BRÛLURES ;

- D'EXPLIQUER LES ASPECTS PHYSIQUES ET PSYCHOSOCIAUX DE LA RÉADAPTATION DES CLIENTS BRÛLÉS ;

- DE DÉCRIRE LES SOINS INFIRMIERS QUANT AUX BESOINS AFFECTIFS DU CLIENT BRÛLÉ ET DE SA FAMILLE ;

- DE DISCUTER DE L'ÉVOLUTION DE L'ÉTAT DU CLIENT BRÛLÉ EN VUE DE SON RETOUR À LA MAISON ;

- DE DÉCRIRE LES INTERVENTIONS INFIRMIÈRES UTILISÉES AFIN DE SOULAGER LA DOULEUR DU CLIENT BRÛLÉ.

*L*es **brûlures** *se produisent lorsque les tissus entrent en contact avec une source d'énergie telle que la chaleur, les produits chimiques, le courant électrique ou la radiation. Les conséquences qui en résultent dépendent de l'intensité de l'énergie, de la durée de l'exposition et du type de tissu atteint.*

On estime que 2,5 millions d'Américains consultent un médecin à la suite de brûlures chaque année. De ce nombre, environ 100 000 sont hospitalisés et 70 000 nécessitent des soins intensifs. Près de 12 000 d'entre eux meurent annuellement à la suite de leurs brûlures et environ un million souffriront d'invalidités graves ou permanentes. Les enfants (d'âge préscolaire en particulier) et les personnes âgées représentent plus des deux tiers du nombre total de décès liés aux brûlures.

La principale cause des incendies à domicile est attribuable à la négligence des fumeurs. Les autres causes sont liées à l'eau chaude provenant des chauffe-eau réglés à plus de 60 °C, aux accidents ménagers, aux chaufferettes d'appoint, aux combustibles tels que l'essence et les accélérateurs, à la vapeur des radiateurs et aux produits chimiques.

La plupart des brûlures peuvent être prévenues. L'infirmière, en tant que citoyenne et membre de l'équipe soignante, est bien placée pour évaluer la sécurité des domiciles et sensibiliser les gens aux brûlures avant que les accidents ne surviennent. Les mesures de sécurité à la maison comprennent l'utilisation de détecteurs de fumée et d'extincteurs. Les familles doivent faire des exercices d'évacuation et chaque membre doit savoir où aller et quoi faire en cas de feu. Les pompiers peuvent informer le grand public des normes de prévention des incendies et faire des inspections de sécurité des domiciles.

Connaître les sources possibles de brûlures aide à les prévenir (voir encadré 51.1 et tableau 51.1). En outre, il est possible de prévenir les brûlures en enseignant aux personnes la façon d'utiliser adéquatement les appareils à risques (p. ex. chaufferettes d'appoint), les fils électriques, les câblages, les prises de courant, les barbecues et les chauffe-eau. L'infirmière peut jouer un rôle déterminant pour enseigner les soins à produiger à domicile dans les cas de brûlures bénignes. L'infirmière en milieu industriel doit enseigner la prévention des brûlures en milieu de travail.

51.1 TYPES DE BRÛLURES

51.1.1 Brûlures thermiques

Le type de brûlure le plus fréquent est la brûlure thermique, qui peut être provoquée par les flammes, les

---

ENCADRÉ 51.1 — Exposition toxique pour le développement humain

Risques professionnels
- Tuyaux à vapeur
- Produits chimiques
- Métaux chauds
- Goudron
- Électricité des lignes à haute tension
- Combustibles

Risques à la maison et lors d'activités récréatives
- Chauffe-eau réglés à plus de 60 °C
- Plusieurs rallonges sur une même prise électrique
- Fils électriques effilochés ou défectueux
- Autocuiseur
- Aliments cuits au four à micro-ondes
- Radiateurs
- Chaufferettes d'appoint
- Négligence avec les cigarettes ou les allumettes
- Utilisation inadéquate de barbecues
- Utilisation inadéquate de produits inflammables (p. ex. accélérateurs, essence, pétrole)
- Graisse chaude ou liquides de cuisson
- Exposition excessive au soleil
- Orages électriques

---

explosions, un liquide bouillant ou un contact avec des objets chauds (voir tableau 51.1 et figure 51.1).

51.1.2 Brûlures chimiques

Les brûlures chimiques résultent d'une lésion et d'une destruction tissulaires dues à des substances nécrosantes. Dans les cas de brûlures chimiques, il est important d'éloigner la personne de l'agent chimique ou d'enlever l'agent en lavant la région atteinte à grande eau. Tout vêtement imbibé de produit chimique doit être retiré, car le processus de brûlure se poursuit aussi longtemps que le produit chimique est en contact avec la peau. La destruction des tissus peut se prolonger jusqu'à 72 heures après une lésion chimique.

TABLEAU 51.1 Causes de brûlures

Causes	Exemples
Flammes	Vêtements enflammés
Flammèches	Flammes causées par une explosion (combustibles)
Liquides bouillants	Eau chaude du bain Boissons chaudes renversées Graisse chaude ou liquides de cuisson Brûlures dues à la vapeur (autocuiseur, aliments cuits au four à micro-ondes, radiateurs d'automobile)
Contact	Métal chaud (barbecues) Goudron chaud et collant

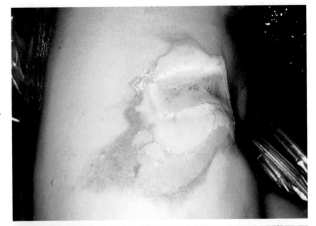

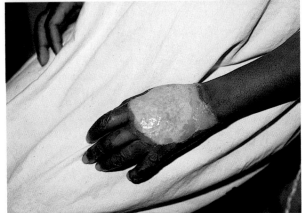

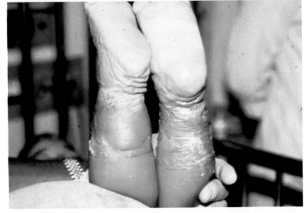

FIGURE 51.1 Types de brûlures. A. Client souffrant d'une brûlure thermique d'épaisseur totale (3ᵉ degré). B. Brûlure d'épaisseur partielle (2ᵉ degré profond) de la main. C. Brûlure d'épaisseur partielle causée par une immersion en eau chaude.

Les produits chimiques peuvent entraîner des problèmes respiratoires et d'autres manifestations systémiques, ainsi que des lésions oculaires ou cutanées. Lorsqu'une personne inhale du chlore, le gaz toxique occasionne une détresse respiratoire. Les substances produites lors de la combustion (p. ex. le carbone) sont toxiques pour la muqueuse respiratoire qui est sensible.

Les brûlures chimiques sont souvent causées par les acides. Cependant, il peut arriver que des substances alcalines provoquent des brûlures. Celles-ci sont plus difficiles à traiter que les brûlures causées par les acides puisque les liquides interstitiels ont plus de difficulté à les neutraliser que les substances acides. Les substances alcalines adhèrent aux tissus, causant ainsi l'hydrolyse et la liquéfaction des protéines. Cette atteinte se poursuit même lorsque l'alcalin est retiré. Les agents nettoyants, les produits pour nettoyer les drains et les produits de lessive sont des exemples d'alcalins responsables de brûlures.

51.1.3 Brûlures ou lésions par inhalation

L'inhalation d'air chaud ou de produits chimiques nocifs peut causer des lésions aux tissus et aux voies respiratoires. Bien que la muqueuse respiratoire puisse être lésée, cela se produit rarement puisque les cordes vocales et la glotte se ferment en guise de mécanisme de protection. Les gaz sont refroidis et équilibrent la température corporelle avant qu'ils n'atteignent le tissu pulmonaire. Les brûlures et lésions par inhalation de fumée constituent un facteur déterminant de la mortalité constatée chez les victimes d'incendie. En effet, les lésions par inhalation sont présentes chez 20 à 30 % des clients admis dans les centres de brûlés et sont responsables de 60 à 70 % des décès.

Il existe trois types de brûlures ou de lésions par inhalation :

- Intoxication au monoxyde de carbone (CO). L'intoxication et l'asphyxie résultant de l'inhalation de monoxyde de carbone sont les principales causes de décès dans les cas d'incendie. Le monoxyde de carbone est produit par la combustion incomplète de substances qui brûlent. Il est par la suite inhalé et remplace l'oxygène (O_2) sur la molécule d'hémoglobine, causant ainsi l'hypoxie, l'intoxication et enfin la mort lorsque les taux de CO sont élevés. Les victimes d'incendie, notamment celles qui sont coincées dans un espace clos, présentent souvent une carboxyhémoglobinémie élevée. Lorsqu'une intoxication au monoxyde de carbone est soupçonnée, le client doit être traité rapidement avec de l'oxygène humidifié à 100 % et la carboxyhémoglobinémie doit être mesurée lorsque cela est possible. L'intoxication au monoxyde de carbone peut se produire en l'absence de brûlures cutanées.

- Brûlures par inhalation au-dessus de la glotte. Ces brûlures peuvent être causées par l'inhalation d'air chaud, de vapeur ou de fumée. Les brûlures des muqueuses de l'oropharynx et du larynx se manifestent par des rougeurs, la formation de phlyctènes et de l'œdème. Une obstruction mécanique peut se produire rapidement, ce qui constitue une véritable urgence médicale. Les brûlures au visage, le roussissement des poils du nez, l'enrouement, la dysphagie et la présence de muqueuses buccale et nasale noircies sont souvent des indices fiables de manifestation de ce type de brûlure.

- Lésions par inhalation au-dessous de la glotte. Un principe général dont il faut se rappeler est que la lésion par inhalation au-dessus de la glotte est causée par la chaleur, alors que la lésion au-dessous de la glotte est généralement occasionnée par les produits chimiques. Les lésions tissulaires des voies respiratoires inférieures sont liées à la durée d'exposition à la fumée ou aux émanations toxiques. Il est possible que les manifestations cliniques ne surviennent que de 12 à 24 heures après la brûlure et qu'elles se produisent sous la forme du syndrome de détresse respiratoire aiguë (SDRA) (voir chapitre 28).

Pour augmenter leurs chances de survie, ces clients doivent être surveillés étroitement et traités rapidement. Tout signe de détresse ou d'atteinte respiratoire doit être noté. Les complications respiratoires dues aux brûlures sont approfondies plus loin dans le présent chapitre.

51.1.4 Brûlures électriques

Les brûlures électriques résultent d'une nécrose de coagulation causée par la chaleur intense générée par un courant électrique (voir figure 51.2). Elles peuvent également être provoquées par l'atteinte directe des nerfs et des vaisseaux, ce qui entraîne l'anoxie tissulaire et la mort. La gravité des brûlures électriques dépend de plusieurs facteurs : l'intensité du voltage, la résistance des tissus, le trajet effectué par le courant, la surface en contact avec le courant et la durée pendant laquelle le courant a circulé. Par ailleurs, la densité des tissus offre différentes intensités de résistance au courant électrique. Par exemple, la graisse et les os offrent une plus grande résistance, tandis que les nerfs et les vaisseaux sanguins en ont une plus faible. De plus, le courant qui passe à travers les organes vitaux (p. ex. le cerveau, le cœur, les reins) entraîne des lésions plus graves que celui qui circule dans les autres tissus. Enfin, les étincelles peuvent enflammer les vêtements de la victime, causant ainsi une combinaison de brûlures thermiques et électriques.

L'évaluation infirmière du client souffrant de brûlures électriques doit être effectuée en profondeur, car les plaies d'entrée et de sortie du courant électrique sont souvent les seules visibles, ce qui dissimule la possibilité de lésions tissulaires sous-jacentes parfois importantes. L'infirmière aura plus de facilité à évaluer les structures sous-jacentes pouvant être atteintes si elle connaît la position du client au moment où il a subi ses blessures. Elle sera ainsi en mesure de déceler les plaies

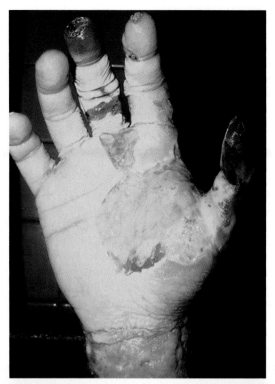

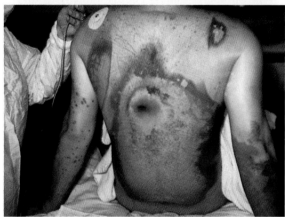

FIGURE 51.2 Les brûlures électriques entraînent une coagulation thermique de l'apport sanguin et de la surface de contact au moment où le courant électrique traverse la peau. A. Main. B. Dos.

d'entrée et de sortie. Le contact avec un courant électrique peut occasionner des contractions musculaires tétaniques assez fortes pour fracturer les os longs et les vertèbres. Une chute constitue une autre raison de soupçonner des fractures des os longs ou de la colonne vertébrale. La plupart des lésions électriques se produisent lorsque la victime se trouve au-dessus du sol (p. ex. un monteur de ligne) et qu'elle entre en contact avec une source de courant. C'est pourquoi tous les clients atteints de brûlures électriques doivent être considérés comme pouvant souffrir de lésions cervicales potentielles. Par conséquent, la colonne cervicale doit être immobilisée lors du transport, et ce, jusqu'à ce que des radiographies de la colonne vertébrale éliminent toute possibilité de lésion.

Les lésions électriques prédisposent le client à un arrêt cardiaque ou à de l'arythmie, à de l'acidose métabolique grave et à de la myoglobulinurie, pouvant par la suite entraîner une nécrose tubulaire aiguë. De plus, le choc électrique peut entraîner une asystolie ou une fibrillation ventriculaire. Si cela se produit, on doit amorcer la réanimation cardiorespiratoire immédiatement. Des troubles du rythme, voire un arrêt cardiaque, peuvent également survenir à retardement sans signe avant-coureur au cours des premières 24 à 48 heures suivant la lésion. Le client doit donc être surveillé continuellement. En raison de l'importante destruction tissulaire sous-jacente et de la rupture cellulaire, une acidose métabolique grave peut se manifester en quelques minutes après la lésion, même en l'absence d'arrêt cardiaque. La gazométrie du sang artériel (gaz artériel) doit être effectuée pour évaluer l'équilibre acidobasique. On peut administrer du bicarbonate de sodium en quantités suffisantes pour maintenir le pH sanguin près des limites de la normale.

Lorsque les muscles sont gravement atteints, la myoglobine est libérée dans la circulation à partir du tissu musculaire. Elle est ensuite acheminée vers les reins où elle peut bloquer les tubules rénaux mécaniquement en raison de sa grande taille. Ce processus peut entraîner une nécrose tubulaire aiguë et, par la suite, une insuffisance rénale aiguë si la nécrose tubulaire aiguë n'est

pas traitée adéquatement (voir chapitre 38). Le traitement consiste à injecter une solution de Lactate Ringer à un débit suffisant pour maintenir l'excreta urinaire entre 75 et 100 ml par heure jusqu'à ce que l'analyse des échantillons d'urine indique que la myoglobine a été éliminée de l'appareil circulatoire. Des diurétiques osmotiques (p. ex. du mannitol) peuvent également être administrés pour maintenir le débit urinaire.

51.1.5 Lésions thermiques par le froid

Les lésions thermiques par le froid, ou engelures, sont abordées au chapitre 30.

51.2 CLASSIFICATION DES BRÛLURES

Le traitement des brûlures est lié à la gravité de la blessure. La gravité est déterminée par la profondeur de la brûlure, l'étendue de la brûlure calculée en pourcentage de la surface corporelle totale, la localisation de la brûlure et les facteurs de risque du client.

51.2.1 Profondeur

Les brûlures entraînent la destruction de l'appareil tégumentaire. La peau se divise en trois couches : l'épiderme, le derme et le tissu sous-cutané (voir figure 51.3). L'épiderme, la couche extérieure ne contenant pas de

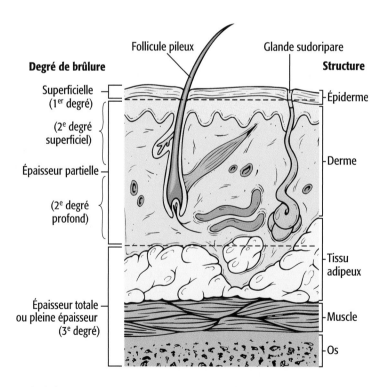

FIGURE 51.3 Coupe transversale de la peau montrant les degrés de brûlure et les structures touchées

vaisseaux sanguins, est sensiblement de la même épaisseur qu'une feuille de papier. Il se compose de nombreuses couches de cellules épithéliales qui protègent la peau, retiennent les liquides organiques et les électrolytes, régularisent la chaleur et empêchent les agents nocifs de l'environnement extérieur de léser le corps ou de pénétrer dans l'organisme. Le derme, qui se trouve sous l'épiderme, est environ de 30 à 45 fois plus épais que ce dernier. Il renferme des tissus conjonctifs, des vaisseaux sanguins et des structures très spécialisées telles que les follicules pileux, les terminaisons nerveuses, les glandes sudoripares et les glandes sébacées. Sous le derme, se trouve le tissu sous-cutané, qui contient des réseaux vasculaires importants, du tissu adipeux, des nerfs et des vaisseaux lymphatiques. Le tissu sous-cutané agit comme un amortisseur et un isolant pour les structures sous-jacentes, qui comprennent les muscles, les tendons, les os et les organes internes.

On définit les brûlures selon leur degré : brûlures du premier, du deuxième superficiel et profond et du troisième degré. L'American Burn Association recommande cependant une définition plus précise qui classe la brûlure selon la profondeur de la destruction de la peau : brûlure d'épaisseur partielle et brûlure de pleine épaisseur. Le tableau 51.2 présente une classification de la profondeur des brûlures.

51.2.2 Étendue

Deux méthodes fréquemment utilisées pour déterminer l'étendue d'une brûlure sont la table de Lund et Browder (voir figure 51.4, A) et la règle des 9 de Wallace (voir figure 51.4, B). (Seules les brûlures du 2e degré superficiel et profond et du 3e degré sont comprises dans le calcul de la surface corporelle totale.) On estime que la table de Lund et Browder est la plus précise, car elle tient compte de l'âge du client par rapport à sa surface corporelle. Elle est davantage utilisée en recherche. Cependant, la règle des 9 est plus facile à se rappeler et est considérée comme satisfaisante lors de l'examen initial d'un client adulte ayant subi des brûlures. Dans les cas de brûlures de forme irrégulière ou anormale, on considère que la surface palmaire de la main du client représente environ 1 % de la surface corporelle totale. L'étendue d'une brûlure est souvent réévaluée lorsque l'œdème a diminué et que la démarcation des zones de lésion est apparue.

51.2.3 Localisation

La localisation de la brûlure a un lien direct avec sa gravité. Les brûlures au visage et au cou, de même que les brûlures circonférentielles au niveau du thorax, peuvent entraver la fonction respiratoire en raison de l'obstruction mécanique causée par la formation d'œdème ou d'escarres. Ces lésions peuvent également indiquer la possibilité de lésion par inhalation ou d'atteinte des muqueuses respiratoires.

Les brûlures aux mains, aux pieds, aux articulations et aux yeux sont inquiétantes, car elles rendent impossibles les autosoins et compromettent ultérieurement leurs fonctions. Les mains et les pieds sont difficiles à traiter médicalement en raison des systèmes vasculaire superficiel et nerveux.

TABLEAU 51.2	Classification de la profondeur des brûlures		
Classification	**Aspect clinique**	**Cause**	**Structure**
Destruction partielle de la peau			
Superficielle (1er degré)	Érythème, blancheur sous la pression, douleur et léger œdème, aucune vésicule ni phlyctènes (toutefois, des phlyctènes peuvent apparaître après 24 heures et peler)	Coup de soleil superficiel Éclair thermique (étincelle de courte durée)	Seules la dévitalisation superficielle et l'hyperémie sont manifestes. Perception tactile et perception de la douleur intactes
Profonde (2e degré superficiel et profond)	Vésicules remplies de liquide, rouges, brillantes, suintantes (si des vésicules ont éclaté) ; douleur intense causée par des lésions nerveuses ; œdème léger à modéré	Flamme Flammèche Liquide bouillant Goudron chimique Brûlure par contact	L'épiderme et le derme sont touchés à des profondeurs variables. Certains éléments de la peau, à partir desquels la régénération épithéliale peut se produire, demeurent viables
Destruction totale de la peau (3e et 4e degrés)	Peau sèche, blanche cireuse, tannée ou dure ; vaisseaux thrombosés visibles, insensibilité à la douleur et à la pression due à la destruction des nerfs ; atteinte possible des muscles, des tendons et des os	Flamme Liquide bouillant Produit chimique Goudron Courant électrique	Tous les éléments de la peau et les terminaisons nerveuses sont détruits. Présence de nécrose de coagulation

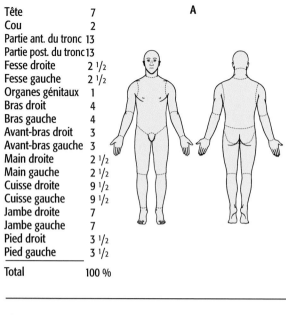

Tête	7
Cou	2
Partie ant. du tronc	13
Partie post. du tronc	13
Fesse droite	2 1/2
Fesse gauche	2 1/2
Organes génitaux	1
Bras droit	4
Bras gauche	4
Avant-bras droit	3
Avant-bras gauche	3
Main droite	2 1/2
Main gauche	2 1/2
Cuisse droite	9 1/2
Cuisse gauche	9 1/2
Jambe droite	7
Jambe gauche	7
Pied droit	3 1/2
Pied gauche	3 1/2
Total	**100 %**

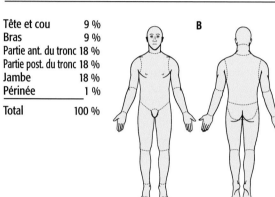

Tête et cou	9 %
Bras	9 %
Partie ant. du tronc	18 %
Partie post. du tronc	18 %
Jambe	18 %
Périnée	1 %
Total	**100 %**

FIGURE 51.4 A. Table de Lund et Browder. Par convention, les surfaces de brûlures d'épaisseur partielle sont colorées en bleu et les surfaces de brûlures d'épaisseur totale, en rouge. Les brûlures superficielles ne sont pas prises en considération. B. Règle des 9 de Wallace.

Les oreilles et le nez, composés principalement de cartilages, sont prédisposés à l'infection puisque l'apport sanguin vers les cartilages est faible. Les brûlures aux fesses et aux organes génitaux risquent fortement de s'infecter. Quant aux brûlures circonférentielles des extrémités, elles peuvent porter atteinte à la circulation en aval de la brûlure et détériorer les nerfs.

51.2.4 Facteurs de risque

Comparativement à un jeune adulte, une personne âgée guérira plus lentement et la réadaptation sera plus difficile à la suite d'une brûlure. Les complications fréquemment observées chez le client âgé sont l'infection de la brûlure et la pneumonie.

Tout client souffrant déjà d'une maladie cardiovasculaire, pulmonaire ou rénale fait face à un pronostic plus sombre de guérison en raison des demandes importantes générées par la brûlure sur l'organisme. Un client souffrant de diabète ou de maladie vasculaire périphérique court un risque élevé de gangrène et de mauvaise cicatrisation, notamment dans les cas de brûlures aux pieds et aux jambes. L'affaiblissement physique général causé par une maladie chronique, y compris l'alcoolisme, la toxicomanie et la malnutrition, rendent le client moins apte physiquement à faire face à une brûlure. De plus, le pronostic de guérison du client brûlé sera moins favorable s'il souffre aussi de fractures, d'un traumatisme crânien ou d'autres traumatismes.

51.2.5 Brûlures mineures versus brûlures graves

L'*American Burn Association* (ABA) classe les brûlures comme étant mineures, modérées sans complication ou graves ; en fonction de leur profondeur, leur étendue, leur localisation et des facteurs de risque (voir tableau 51.3).

TABLEAU 51.3	Classification des brûlures chez l'adulte selon l'*American Burn Association*		
Gravité de la brûlure	Épaisseur partielle* (2e degré)	Épaisseur totale ou pleine épaisseur* (3e degré)	Autres facteurs
Mineure	<15 %	<2 %	Ne touche pas aux régions exigeant des soins spéciaux (yeux, oreilles, visage, mains, pieds, périnée) ; exclut les brûlures électriques, les lésions par inhalation, les lésions avec complication (fractures), tous les clients à risque élevé (très jeune ou très âgé, maladie concomitante).
Modérée sans complication	15-25 %	<10 %	Exclut les brûlures électriques, les lésions par inhalation, les lésions avec complication, tous les clients à risque élevé, ne touche pas aux régions exigeant des soins spéciaux.
Grave ou majeure	>25 %	>10 %	Comprend toutes les brûlures touchant les mains, le visage, les yeux, les oreilles, les pieds ou le périnée ; comprend les lésions par inhalation, les brûlures électriques, les brûlures avec complication et tous les clients à risque élevé ; le client doit être transféré dans un centre pour grands brûlés.

* Les chiffres indiquent le pourcentage de surface corporelle totale atteinte.

Elle recommande que les brûlures graves soient traitées dans les centres de grands brûlés qui possèdent l'équipement et le personnel nécessaires pour traiter de tels traumatismes.

51.3 PHASES DE TRAITEMENT D'UNE BRÛLURE

Le traitement des brûlures peut être classé en trois phases : la phase de réanimation, la phase aiguë et la phase de réadaptation. Les soins préhospitaliers seront également abordés brièvement dans la section suivante.

51.3.1 Soins préhospitaliers

Lorsqu'on doit secourir une victime brûlée, il faut tout d'abord impérativement l'éloigner de la source de brûlure et freiner le processus de brûlure. De plus, la personne qui apporte de l'aide doit éviter de devenir elle-même victime de l'accident. Dans les cas de brûlures électriques, la démarche initiale consiste à demander à une personne expérimentée de couper le contact avec la source de courant. La plupart des brûlures chimiques sont mieux traitées en délogeant les particules solides de la peau à l'aide d'une brosse, puis d'un lavage à grande eau. (En ce qui a trait à la manipulation de produits chimiques particuliers, il est préférable de consulter un ouvrage sur les matières dangereuses.) Les petites brûlures thermiques (couvrant moins de 10 % de la surface corporelle totale) peuvent être recouvertes d'une serviette propre et mouillée avec l'eau froide du robinet, afin de soulager le client et de protéger la brûlure jusqu'à ce que des soins médicaux puissent être dispensés. On estime que le refroidissement de la zone atteinte (si elle est petite) dans la première minute suivant la brûlure permet de minimiser la profondeur de la brûlure. Il est possible d'utiliser l'eau du robinet pour nettoyer une brûlure. En effet, on ne doit pas perdre de temps à tenter de trouver de l'eau stérile, une solution saline ou un antidote.

Lorsque la zone de brûlure thermique est étendue, les voies respiratoires, la respiration et la circulation constituent les priorités (l'ABC) :
- voies respiratoires (A) : vérifier la perméabilité des voies respiratoires, s'il y a de la suie autour des narines ou si les poils des narines sont roussis ;
- respiration (B) : vérifier les capacités ventilatoires ;
- circulation (C) : vérifier la présence et la régularité des pouls.

Lorsque la brûlure couvre une grande surface, il n'est pas recommandé d'immerger la partie brûlée dans l'eau

---

SOINS D'URGENCE

TABLEAU 51.4 Brûlures chimiques

Causes	Constatations	Interventions
Acides Alcalins Substances corrosives Composés organophosphorés	Brûlure Rougeur, œdème des tissus atteints Dégénération des tissus exposés Décoloration de la peau lésée Douleur localisée Œdème des tissus avoisinants Détresse respiratoire en cas d'inhalation de produits chimiques Diminution de la coordination musculaire (dans le cas des composés organophosphorés) Paralysie	**Interventions initiales** S'assurer que les voies respiratoires sont libres. Vérifier les voies respiratoires, la respiration et la circulation avant d'entreprendre les procédures de décontamination. Brosser les produits chimiques secs sur la peau avant l'irrigation. Rincer la plaie et la région avoisinante abondamment avec une solution saline physiologique ou de l'eau. Enlever les vêtements, y compris les chaussures, les montres, les bijoux et les lentilles de contact si le visage a été exposé. Établir un accès intraveineux avec au moins un cathéter de gros calibre si la surface corporelle totale de la brûlure est supérieure à 15 %. Sécher la peau en l'épongeant avec des serviettes propres. Ne *pas* frotter. Couvrir les régions brûlées avec un pansement sec ou un drap propre et sec. Prévoir une intubation si la lésion par inhalation est grave. Communiquer avec un centre antipoison pour demander de l'aide. **Surveillance continue** Surveiller les voies respiratoires si elles ont été exposées à des produits chimiques.

SOINS D'URGENCE

TABLEAU 51.5 Lésions par inhalation

Causes	Constatations	Interventions
Exposition des voies respiratoires à une chaleur intense ou aux flammes Inhalation de produits chimiques nocifs, de fumée ou de monoxyde de carbone	Polypnée superficielle Enrouement allant en augmentant Toux Poils des narines ou du visage légèrement brûlés Haleine sentant la fumée Expectorations carbonées Toux productive accompagnée d'expectorations noires, grises ou d'hémoptysie Irritation des voies respiratoires supérieures ou sensation de brûlure dans la gorge ou la poitrine Difficulté à avaler Agitation, anxiété Perturbation de l'état mental, y compris la confusion et le coma Diminution de la saturation en oxygène du sang Arythmies	**Interventions initiales** S'assurer que les voies respiratoires sont libres. Administrer de l'oxygène à haut débit à l'aide d'un masque. Enlever les vêtements du client. Établir un accès intraveineux avec au moins un cathéter de gros calibre. Placer le client en position Fowler, à moins de soupçonner une lésion médullaire. Vérifier s'il y a des brûlures ou d'autres traumatismes au visage ou au cou. Mesurer le gaz artériel et la carboxyhémoglobinémie et prendre une radiographie pulmonaire. **Surveillance continue** Prendre les signes vitaux, surveiller l'état de conscience, la saturation en oxygène du sang, l'état respiratoire et le rythme cardiaque. Anticiper le besoin d'une cricothyroïdotomie ou d'une trachéotomie en cas d'œdème laryngé. Anticiper le besoin d'une bronchoscopie ou d'une intubation si une détresse respiratoire se manifeste.

SOINS D'URGENCE

TABLEAU 51.6 Brûlures électriques

Causes	Constatations	Interventions
Courant alternatif Fils électriques Fils tout usage **Courant continu** Foudre Défibrillateur	Peau blanche, carbonisée, aspect du cuir Odeur de brûlé Altération du sens du toucher Douleur minime ou absente Arythmies Arrêt cardiaque Plaies d'entrée et de sortie Diminution de la circulation périphérique dans les extrémités atteintes Brûlures thermiques si les vêtements prennent feu Fractures et dislocations dues à la force du courant Traumatismes crâniens dans le cas d'une chute Difficulté à voir la profondeur et l'étendue de la plaie ; la lésion peut être plus importante qu'elle n'apparaît Les effets différés comprennent l'amnésie prolongée et des cataractes	**Interventions initiales** L'éloignement de la victime de la source de courant doit être fait par du personnel formé et muni d'équipement spécial afin d'éviter toute blessure au secouriste. Évaluer et traiter le client *après* que ce dernier a été enlevé de la source de courant. S'assurer que les voies respiratoires sont libres. Stabiliser la colonne cervicale. Administrer de l'oxygène à haut débit à l'aide d'un masque. Établir l'accès intraveineux avec au moins un cathéter de gros calibre. Enlever les vêtements du client. Prendre le pouls en aval des brûlures. Couvrir les régions des brûlures avec des compresses humides de NaCl à 0,9 % et un pansement sec. Évaluer s'il y a d'autres types de blessures (p. ex. fractures, traumatismes crâniens). **Surveillance continue** Surveiller les arythmies, les signes vitaux, l'état de conscience, la saturation en oxygène du sang, l'état neuro-vasculaire des membres atteints. Surveiller le débit urinaire pour s'assurer qu'il est adéquat. Examiner l'urine pour vérifier si une myoglobulinurie due à la dégradation musculaire se développe. Prévoir l'administration de mannitol en cas de myoglobulinurie et d'hémoglobinurie.

froide afin d'éviter toute perte de chaleur importante. On ne doit jamais appliquer de glace sur une brûlure. Dans la mesure du possible, on doit tenter d'enlever les vêtements de la personne brûlée. Le client doit être enveloppé dans une couverture ou un drap sec et propre pour éviter d'aggraver la contamination de la plaie et pour conserver la chaleur.

Le client brûlé peut également avoir subi d'autres blessures qui sont prioritaires par rapport à la brûlure. Il est important que la personne impliquée dans la phase préhospitalière de traitement de la brûlure décrive correctement les circonstances de la brûlure au personnel hospitalier qui l'accueille. Les données sont particulièrement importantes si le client s'est retrouvé emprisonné dans un espace clos, a été en contact avec des produits chimiques dangereux ou s'il a subi un traumatisme.

Les soins préhospitaliers d'un client souffrant de différents types de brûlures sont présentés dans les tableaux qui décrivent les brûlures chimiques (voir tableau 51.4), les lésions par inhalation (voir tableau 51.5), les brûlures électriques (voir tableau 51.6) et les brûlures thermiques (voir tableau 51.7).

51.3.2 Phase de réanimation

La phase de réanimation représente la période de temps requise pour résoudre les problèmes immédiats causés par la brûlure. Cette phase est amorcée dès le début de la brûlure et peut se prolonger pendant plus de cinq jours. Cependant, elle dure habituellement de 24 à 48 heures. La phase commence par la perte liquidienne et la formation d'œdème et se poursuit jusqu'au début de la mobilisation des liquides et de la diurèse.

Physiopathologie

Modifications hydroélectrolytiques. Initialement, le choc hypovolémique constitue le principal danger chez le client souffrant d'une brûlure grave. Il est causé par le passage massif du liquide intravasculaire vers le compartiment extravasculaire qui est précipité par l'augmentation de la perméabilité capillaire. À mesure que les parois capillaires deviennent plus perméables, l'eau, le sodium, puis les protéines plasmatiques (notamment l'albumine) se déplacent dans les espaces interstitiels et les tissus avoisinants (voir figure 51.5). La pression oncotique diminue en raison des pertes progressives de protéines provenant de l'espace vasculaire. Ceci entraîne une augmentation du passage des liquides, de l'espace vasculaire à l'espace interstitiel. L'accumulation des liquides dans l'espace interstitiel se nomme deuxième espace. Le liquide se déplace également dans des zones qui n'ont généralement que peu ou pas de liquide, il s'agit du phénomène appelé : troisième espace. La formation de phlyctènes et d'exsudats en est un exemple.

Ce passage des liquides se solde par la déplétion du volume intravasculaire. L'œdème, la diminution de la pression artérielle, l'augmentation du pouls et d'autres manifestations du choc hypovolémique sont des signes cliniquement observables (voir chapitre 27). Ces manifestations peuvent entraîner un choc irréversible et même la mort si elles ne sont pas corrigées.

Les pertes insensibles par évaporation de grandes surfaces corporelles dénudées sont une autre cause de pertes liquidiennes. Elles sont normalement de l'ordre de 30 à 50 ml par heure et peuvent atteindre 200 à 400 ml par heure chez un grand brûlé.

La circulation est également perturbée à cause de l'hémolyse des érythrocytes produite par un facteur circulant qui est libéré au moment de la brûlure, de même que par l'agression directe de celle-ci. La thrombose des capillaires dans les tissus brûlés entraîne une perte supplémentaire d'érythrocytes circulants. Une augmentation de l'hématocrite est souvent provoquée par l'hémoconcentration due à la perte liquidienne. Une fois que l'équilibre hydrique a été rétabli, on peut observer une diminution de l'hématocrite consécutive à la dilution et déceler plus facilement un état anémique.

Le sodium et le potassium jouent un rôle important dans les échanges électrolytiques. En effet, le sodium se déplace rapidement dans les espaces interstitiels et y

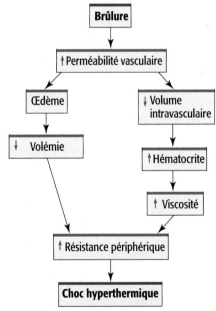

FIGURE 51.5 Au moment où se produit une brûlure grave, il y a une augmentation de la perméabilité capillaire. Tous les composants liquides du sang commencent à fuir dans l'espace interstitiel pulmonaire, ce qui cause de l'œdème et une diminution du volume sanguin. Les érythrocytes et les leucocytes ne fuient pas ; par conséquent, l'hématocrite augmente et le sang devient visqueux. Cette combinaison de diminution du volume sanguin et d'augmentation de la viscosité entraîne une hausse de la résistance vasculaire. Le choc hyperthermique, un type de choc hypovolémique, s'ensuit rapidement et se poursuit pendant environ 24 heures.

SOINS D'URGENCE

TABLEAU 51.7 Brûlures thermiques

Causes	Constatations	Interventions
Liquides ou solides chauds Flammèche Flamme nue Vapeur Surface chaude Rayons ultraviolets	**Brûlure d'épaisseur partielle (2e degré superficiel)** Rougeur Douleur Sensibilité à la pression modérée à intense Œdème léger Blancheur à la pression **Brûlure d'épaisseur partielle (2e degré profond)** Bulles d'emphysème suintantes, phlyctères Tachetures blanches, roses à rouge cerise Hypersensibilité au toucher ou à l'air Douleur modérée à intense Blancheur à la pression **Brûlure d'épaisseur totale (3e degré)** Escarres sèches et d'aspect comme le cuir Apparence blanche, cireuse, brun foncé ou carbonisée Forte odeur de brûlé Sensation altérée au toucher Absence de douleur accompagnée de douleur intense aux tissus avoisinants Absence de blancheur à la pression	**Interventions initiales** S'assurer que les voies respiratoires sont libres. Freiner le processus de brûlure. Examiner le visage et le cou pour vérifier la présence de poils des narines légèrement brûlés, d'enrouement, de stridor, de suie dans les expectorations. Administrer de l'oxygène à haut débit à l'aide d'un masque. Établir l'accès intraveineux avec au moins un cathéter de gros calibre. Commencer rapidement un remplacement liquidien. Enlever les vêtements et les bijoux. Déceler les blessures associées et les traiter (p. ex. côtes fracturées, pneumothorax). Déterminer la profondeur, l'étendue et la gravité de la brûlure. Administrer une analgésie par voie intraveineuse. Couvrir les grandes brûlures avec des pansements secs. Anticiper l'intubation en cas d'une lésion par inhalation importante. Appliquer des compresses d'eau froide ou immerger les surfaces atteintes dans l'eau froide dans le cas de lésions légères (moins de 10 % de surface corporelle totale brûlée). Insérer une sonde urinaire dans le cas de brûlures graves. Empêcher la perte de chaleur corporelle. Conduire le client vers un centre de brûlés le plus tôt possible. Ne pas débrider les brûlures ni appliquer de médicaments topiques avant le transfert du client au centre de brûlés. Administrer une prophylaxie antitétanique s'il y a lieu. **Surveillance continue** Prendre les signes vitaux, surveiller l'état de conscience, la saturation en oxygène du sang, le débit urinaire. Surveiller la température. Surveiller la douleur et administrer des médicaments au besoin.

reste jusqu'à ce que cesse la formation d'œdème (voir figure 51.6). En même temps, le potassium intra-cellulaire est libéré dans l'espace extracellulaire puisque les cellules lésées et les érythrocytes hémolysés deviennent perméables. Le sodium remplace alors le potassium en traversant la membrane cellulaire altérée.

Normalement, la perméabilité de la membrane capillaire se rétablit vers la fin de la phase de réanimation si le remplacement liquidien est adéquat. La perte liquidienne et la formation d'œdème cessent. Le liquide interstitiel retourne graduellement dans l'espace intravasculaire (voir figure 51.6). Cliniquement, on peut constater une diurèse de faible densité. Les taux de potassium sérique

peuvent être très élevés au début lorsque la mobilisation liquidienne transporte le potassium de l'espace interstitiel vers l'espace intravasculaire. Il est possible qu'une hypokaliémie se manifeste plus tard en raison de la perte de potassium engendrée par la diurèse et le retour du potassium vers les cellules. Les taux de sodium sérique augmentent au moment où le sodium retourne dans l'espace intravasculaire. Les valeurs de sodium sérique présent dans le sang reviennent à la normale une fois qu'il est éliminé dans l'urine.

Inflammation et cicatrisation. Les brûlures entraînent une nécrose de coagulation qui détruit les tissus et les

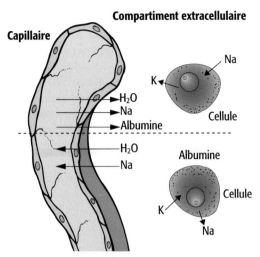

Compartiment extracellulaire

Capillaire

Na

K

H₂O
Na
Albumine

Cellule

H₂O

Albumine

Na

Cellule

K

Na

FIGURE 51.6 Les effets du choc hyperthermique pendant les premières 24 heures sont illustrés au-dessus de la ligne pointillée. Une fois la perméabilité capillaire brisée, l'œdème interstitiel se forme. L'intégrité des cellules est également modifiée en raison du sodium (Na) qui les pénètre en quantités anormales et du potassium (K) qui les quitte. Les échanges se produisant après les premières 24 heures sont montrés sous la ligne pointillée. L'eau et le sodium reviennent dans le volume de sang circulant par le capillaire. L'albumine demeure dans l'espace interstitiel. Le potassium est transporté vers la cellule et le sodium en sort une fois l'intégrité des cellules rétablie.

vaisseaux. Les leucocytes polynucléaires et les monocytes s'accumulent au siège de la lésion. Les fibroblastes et les fibrilles de collagène nouvellement formées apparaissent et commencent à réparer la plaie dans les six à douze heures suivant la lésion (voir le chapitre 6 pour la réaction inflammatoire).

Modifications immunitaires. Les brûlures entraînent un affaiblissement général du système immunitaire. En effet, la barrière cutanée empêchant la pénétration des organismes envahisseurs est détruite, les taux d'immunoglobulines chutent et de nombreuses modifications des leucocytes se produisent, tant sur le plan de leur quantité que de leur qualité. Après une brûlure, on peut observer une réduction de l'activité chimiotactique, phagocytique et bactéricide des granulocytes neutrophiles. Les altérations des populations lymphocytaires sont liées à la taille de la brûlure et elles comprennent une diminution des lymphocytes T auxiliaires et une augmentation des lymphocytes T suppresseurs. De plus, on peut également constater une diminution des taux d'interleukine 1 (produite par les macrophages) et d'interleukine 2 (produite par les lymphocytes) chez certains clients souffrant de brûlures. Toutes ces modifications immunitaires peuvent davantage prédisposer le client brûlé à l'infection.

Manifestations cliniques. Il est possible que la douleur et l'hypovolémie entraînent un état de choc chez le client brûlé. Souvent, les zones de brûlures d'épaisseur partielle profonde ou totale (2ᵉ degré profond et 3ᵉ degré) sont d'abord insensibles parce que les terminaisons nerveuses ont été détruites. Les brûlures d'épaisseur partielle superficielles (du 1ᵉʳ degré et du 2ᵉ degré superficiel) sont douloureuses. Des phlyctènes remplies de liquide et de protéines peuvent apparaître. Il n'y a pas réellement de perte de liquide organique, ce dernier étant plutôt emprisonné dans les espaces interstitiels et le troisième espace. Il est difficile de déceler les signes de déshydratation grave chez un client qui présente beaucoup d'œdème. Le client peut manifester des signes d'iléus paralytique en raison de la réaction de l'organisme à un traumatisme massif et des modifications des taux sériques de potassium. Il peut aussi éprouver des tremblements à la suite du refroidissement causé par la perte de chaleur, l'anxiété ou la douleur.

Enfin, le client peut éprouver de la difficulté à se rappeler du déroulement des événements qui ont précédé sa brûlure. Cependant, la perte de conscience ou sa perturbation ne sont généralement pas provoquées par la brûlure, mais par l'hypoxie combinée à l'inhalation de fumée. Un traumatisme crânien ou un surdosage de sédatifs ou d'analgésiques constituent d'autres raisons pouvant expliquer cet état.

Complications. Les trois principaux appareils susceptibles d'être affectés pas des complications lors de la phase de réanimation sont les appareils cardiovasculaire, respiratoire et urinaire.

Appareil cardiovasculaire. Les complications de l'appareil cardiovasculaire comprennent les arythmies et le choc hypovolémique, qui peut se transformer en choc irréversible. La circulation vers les extrémités peut être gravement entravée par des brûlures circonférentielles et par la formation d'œdème. Ces processus interrompent l'apport sanguin et causent l'ischémie, la nécrose et finalement la gangrène. Souvent, on pratiquera une escarrotomie (incision des escarres) afin de rétablir la circulation des extrémités atteintes (voir figure 51.7).

Au début, la viscosité sanguine augmente lorsqu'il y a une brûlure en raison de la perte liquidienne qui se produit pendant la phase de réanimation. La microcirculation est perturbée à cause des lésions aux structures cutanées qui contiennent les microsystèmes capillaires. Ces deux manifestations sont à l'origine d'un phénomène nommé agrégation. L'agrégation peut être corrigée par un remplacement liquidien adéquat.

Appareil respiratoire. L'appareil respiratoire est particulièrement vulnérable à deux types de lésions : les brûlures des voies respiratoires supérieures causant la

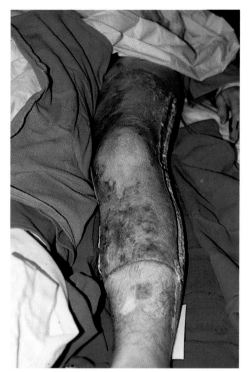

51.7 Escarrotomie du membre inférieur

formation d'œdème et l'obstruction des voies respiratoires ; et les lésions par inhalation (voir encadré 51.2). La détresse des voies respiratoires supérieures peut se produire avec ou sans inhalation de fumée et les lésions respiratoires, peu importe leur degré, peuvent se produire en l'absence de brûlures cutanées.

Lésions des voies respiratoires supérieures. Les lésions des voies respiratoires supérieures sont provoquées par des brûlures thermiques directes ou par la formation d'œdème. Elles peuvent entraîner l'obstruction mécanique des voies respiratoires et l'asphyxie. L'œdème associé à une brûlure des voies respiratoires supérieures peut être

---

Manifestations cliniques des atteintes respiratoires liées aux brûlures

ENCADRÉ 51.2

Atteintes des voies respiratoires supérieures
Œdème, enrouement, difficulté à avaler, sécrétions abondantes, stridor, tirage sus-sternal et intercostal, obstruction complète des voies respiratoires.

Lésions par inhalation
Absence initiale possible de manifestations ; forte suspicion si le client a été enfermé dans un endroit en feu, s'il a des brûlures au visage ou que les poils des narines et du visage sont légèrement brûlés ; dyspnée, expectorations carbonées, respiration sifflante (*wheezing*), enrouement, perturbation de l'état mental.

---

massif ou apparaître insidieusement et il se manifeste chez la plupart des clients souffrant de brûlures thermiques graves. L'obstruction mécanique des voies respiratoires ne survient pas uniquement chez le client atteint de brûlures des voies respiratoires supérieures causées par des flammes. En effet, l'œdème accompagnant les brûlures au visage et au cou causées par un liquide bouillant peut également être létal lorsque la pression exercée par l'œdème accumulé comprime les voies respiratoires de l'extérieur. Notons que les brûlures au cou et au thorax causées par des flammes peuvent également favoriser l'apparition de troubles respiratoires puisque l'escarre est rigide et qu'il peut comprimer les tissus et structures lors de l'apparition d'un œdème sous-jacent.

Lésions par inhalation. Une lésion par inhalation relève d'une atteinte directe des alvéoles due à l'inhalation d'émanations chimiques ou de fumée. Cette lésion entraîne de l'œdème interstitiel qui empêche la diffusion de l'oxygène à partir des alvéoles vers le système circulatoire. Il arrive souvent qu'un client atteint d'une lésion par inhalation ne présente aucune manifestation physique pendant les premières 24 heures suivant une brûlure grave. Le seul indicateur diagnostique peut être l'exposition prolongée à la fumée ou à des émanations toxiques. Par conséquent, l'infirmière doit être particulièrement attentive aux signes de détresse respiratoire tels qu'une augmentation de l'agitation ou un changement de la fréquence ou de la qualité de la respiration. On peut parfois observer des expectorations carbonées. En général, il n'y a aucune corrélation entre l'étendue de la surface corporelle brûlée et la gravité des lésions par inhalation puisqu'une lésion par inhalation dépend de la durée de l'exposition, de même que du type et de la densité de la substance inhalée. La radiographie pulmonaire initiale peut sembler normale et les valeurs du gaz sanguin peuvent se situer à l'intérieur des valeurs normales.

La perturbation des échanges gazeux liée à l'intoxication au monoxyde de carbone (CO) est souvent occasionnée par l'inhalation de fumée. L'inhalation de CO peut causer une hypoxémie importante. Notons que le CO, produit par la combustion incomplète de substances contenant du carbone, a une affinité chimique avec l'hémoglobine qui est 200 fois supérieure à celle de l'oxygène. La carboxyhémoglobinémie doit être mesurée dès l'arrivée du client au centre hospitalier. Une carboxyhémoglobinémie élevée révèle que le client a inhalé une quantité considérable de fumée. La principale caractéristique d'une intoxication carbonée, c'est-à-dire une coloration rouge cerise de la peau et des muqueuses, peut être absente chez le client brûlé en état de choc puisqu'il y a diminution du débit sanguin vers la peau.

Autres troubles respiratoires. Le client souffrant de troubles respiratoires préexistants (p. ex. BPCO) est davantage prédisposé à l'apparition d'une infection respiratoire. La pneumonie est une complication fréquente des brûlures graves (notamment chez les personnes âgées) à cause de l'affaiblissement général de la personne, de la flore microbienne abondante et de l'immobilité du client. L'œdème pulmonaire peut apparaître chez un client à la suite d'une réanimation liquidienne particulièrement intensive.

Appareil rénal. La complication rénale la plus fréquente liée à une brûlure pendant la phase de réanimation est la nécrose tubulaire aiguë. Le débit sanguin qui circule dans les reins diminue en raison de l'hypovolémie, ce qui occasionne de l'ischémie rénale. Si cette situation se prolonge, une insuffisance rénale aiguë peut se manifester.

Dans les cas de brûlures de pleine épaisseur (3e degré) et de brûlures électriques, la myoglobine (provenant de la dégradation des cellules musculaires) et l'hémoglobine (provenant de la dégradation des érythrocytes) sont libérées dans la circulation sanguine et oblitèrent les tubules rénaux. Un remplacement liquidien adéquat et des diurétiques peuvent neutraliser l'obstruction des tubules par la myoglobine et l'hémoglobine.

Soins infirmiers et processus thérapeutique : phase de réanimation.

Au cours de la phase de réanimation, la survie du client dépend d'une évaluation et d'une intervention rapides et minutieuses. L'infirmière peut faire l'évaluation initiale de la profondeur, du degré et du pourcentage de la brûlure, puis coordonner les interventions de l'équipe soignante. Dès l'arrivée du client, et ce, jusqu'à ce que son état se soit stabilisé, les soins infirmiers en collaboration consistent essentiellement à effectuer les soins respiratoires, surveiller et administrer la thérapie liquidienne et soigner les plaies (voir encadré 51.3). Consulter le plan de soins infirmiers (voir encadré 51.4).

Soins respiratoires. Une intubation nasotrachéale ou endotrachéale précoce est nécessaire avant que les voies respiratoires ne soient véritablement altérées. L'intubation précoce permet d'éviter une trachéotomie d'urgence une fois que les problèmes respiratoires sont manifestes. En général, les clients souffrant de blessures graves impliquant des brûlures au visage et au cou requièrent une intubation dans les deux heures suivant la brûlure. (Le chapitre 29 traite de l'intubation nasotrachéale et endotrachéale.) Après l'intubation, le client peut être placé sous ventilation mécanique et la concentration d'oxygène délivrée est déterminée en évaluant les valeurs de la gazométrie sanguine. L'extubation peut être indiquée lorsque l'œdème a diminué, habituellement de

PROCESSUS DIAGNOSTIQUE ET THÉRAPEUTIQUE

Client atteint de brûlures ENCADRÉ 51.3

Phase de réanimation
- Thérapie liquidienne
  - Évaluer les besoins liquidiens.*
  - Commencer un remplacement liquidien par voie IV.
  - Insérer une sonde vésicale à demeure.
  - Surveiller le débit urinaire.
- Soin des plaies
  - Commencer l'hydrothérapie (douche) ou le nettoyage.
  - Débrider la plaie, si nécessaire.
  - Évaluer l'étendue et la profondeur des brûlures.
  - Commencer une antibiothérapie topique.
  - Administrer le vaccin antitétanique ou une injection d'immunoglobulines tétaniques.

Phase aiguë
- Thérapie liquidienne
  - Remplacer les liquides selon les besoins individuels du client.
- Soin des plaies
  - Évaluer la plaie quotidiennement.
  - Observer la plaie pour vérifier s'il y a des complications.
  - Continuer l'hydrothérapie (douche) et le nettoyage.
  - Continuer le débridement (si nécessaire).
- Débridement et greffe précoces
  - Fournir des allogreffes.
  - Fournir des autogreffes.
  - Soigner le site donneur.

Phase de réadaptation
- Fournir des conseils et donner un enseignement au client et à sa famille.
- Encourager le client et l'aider à reprendre la gestion des autosoins.
- Commencer la physiothérapie pour maintenir et améliorer les mouvements.
- Corriger les contractures et les cicatrices (chirurgie, physiothérapie ou utilisation d'orthèses de positionnement).
- Discuter des chirurgies esthétiques ou reconstructives possibles.

* Voir tableaux 51.8 et 51.10.
IV : intraveineuse.

trois à six jours suivant la brûlure, à moins qu'il n'y ait des lésions respiratoires graves. Une escarrotomie peut s'avérer nécessaire pour soulager la détresse respiratoire causée par des brûlures circonférentielles au cou et au tronc.

Dans les six à douze heures suivant une lésion attribuable à l'inhalation de fumée, le client devra subir une bronchoscopie afin que ses voies respiratoires inférieures soient évaluées. Des données significatives comprennent du matériel d'apparence carbonée, de l'œdème muqueux, des vésicules, de l'érythème, des hémorragies et des ulcérations.

Le traitement des lésions par inhalation comprend l'administration d'air humidifié et d'oxygène à 100 %,

Plan de soins infirmiers

Client présentant des brûlures

DIAGNOSTIC INFIRMIER : risque de déficit du volume liquidien relié à l'évaporation, aux pertes de plasma et au passage des liquides dans l'espace interstitiel à la suite de la brûlure.

PLANIFICATION

Résultats escomptés

- Débit urinaire >30 à 50 ml/h
- Signes vitaux stables
- Alerte et orienté
- Natrémie et kaliémie dans les limites de la normale
- PA systolique >90 mmHg

INTERVENTIONS	Justifications
Phase de réanimation	
• Évaluer aux une à deux heures : pouls, pression artérielle, signes neurovasculaires des extrémités, état de conscience, ingesta et excreta, fonction pulmonaire.	• Déterminer l'état des principaux systèmes de l'organisme.
• Surveiller le poids quotidiennement.	• Évaluer l'état hydrique et nutritionnel.
• Surveiller les résultats des examens de laboratoire.	• Déterminer l'état hydroélectrolytique.
• Donner des liquides selon les besoins du client.	
Phase aiguë	
• Utiliser les interventions de la phase de réanimation au besoin.	
• Surveiller le taux d'électrolytes régulièrement.	
• Donner des liquides PO au client s'il est capable de boire.	• Augmenter son apport hydrique et son confort.
Phase de réadaptation	
• Aucune intervention n'est requise.	

DIAGNOSTIC INFIRMIER : douleur reliée à la brûlure et au traitement, se manifestant par de l'inconfort et de la douleur.

PLANIFICATION

Résultat escompté

- Satisfaction avec le niveau d'analgésie.

INTERVENTIONS	Justifications
Phase de réanimation	
• Administrer l'analgésique par voie IV au besoin.	• Soulager la douleur.
• Administrer l'analgésique 30 min avant les interventions.	
• Évaluer l'efficacité du médicament.	
• Fournir un soutien émotionnel.	
• Mobiliser le client avec précaution en utilisant un drap afin de le positionner.	• Éviter d'aggraver les lésions cutanées.
Phase aiguë	
• Planifier suffisamment de périodes de repos.	• Faciliter l'adaptation.
• Administrer des médicaments avant les interventions.	
• Enseigner des techniques de relaxation, d'imagerie mentale et de distraction.	• Accroître les mesures de soulagement de la douleur.
• Planifier des activités.	• Distraire le client de sa situation actuelle.
Phase de réadaptation	
• Être conscient que la douleur du client peut être remplacée par des démangeaisons.	
• Garder la peau lubrifiée avec des lotions hydratantes non parfumées à base d'eau.	• Prévenir la sécheresse.
• Enseigner au client comment reconnaître tout signe de lésion sur la nouvelle peau.	

Plan de soins infirmiers

Client présentant des brûlures (*suite*)

DIAGNOSTIC INFIRMIER : déficit en autosoins relié à la douleur, à l'immobilité et à l'impuissance perçue, se manifestant par de l'incapacité ou de la réticence à participer à la gestion de ses autosoins.

PLANIFICATION
Résultat escompté
- Exécution optimale des autosoins.

INTERVENTIONS	Justifications
Phase de réanimation	
• Évaluer la capacité du client à exécuter les activités liées à ses autosoins.	
• Aider ou intervenir lorsque nécessaire.	
• Aider le client à maîtriser ses émotions.	• Diminuer son sentiment d'impuissance.
Phase aiguë	
• Augmenter les activités d'autosoins du client s'il y a lieu.	
• S'assurer que le client participe à la planification de ses soins dans la mesure de ses capacités.	• Augmenter son sentiment de contrôle.
Phase de réadaptation	
• En collaboration avec l'équipe interdisciplinaire, évaluer les conditions de logement et le mode de vie du client et y apporter les corrections nécessaires.	• Les adapter à une gestion optimale de ses autosoins.

DIAGNOSTIC INFIRMIER : déficit nutritionnel relié à l'augmentation des besoins caloriques et à l'incapacité d'ingérer plus de nourriture, se manifestant par la perte de poids et un bilan azoté négatif.

PLANIFICATION
Résultats escomptés
- Bilan azoté positif.
- Perte de poids ne dépassant pas 10 % du poids corporel.

INTERVENTIONS	Justifications
Phase de réanimation	
• Garder le client NPO et installer une sonde nasogastrique.	• Permettre la décompression de l'estomac.
• Évaluer le retour du péristaltisme.	• Déterminer le moment de la reprise de l'alimentation PO.
• Commencer une alimentation progressive.	• Satisfaire les besoins nutritionnels au retour du péristaltisme.
• Noter l'apport calorique.	• Vérifier si l'alimentation est adéquate.
Phase aiguë	
• Continuer à vérifier le péristaltisme.	
• Ajuster le gavage selon la tolérance du client.	• Prévenir la diarrhée.
• Offrir une alimentation riche en protéines et en glucides.	• Satisfaire l'augmentation des besoins nutritionnels.
• Évaluer les préférences alimentaires du client et lui offrir ses aliments favoris lorsqu'il est capable de manger.	
Phase de réadaptation	
• Continuer à satisfaire les besoins nutritionnels.	
• Une fois la cicatrisation complétée, réduire les calories parfumées à base d'eau.	• Prévenir une prise de poids excédentaire (s'il y a lieu).
• Enseigner au client comment reconnaître tout signe de lésion sur la nouvelle peau.	

DIAGNOSTIC INFIRMIER : risque d'infection relié à la détérioration de l'intégrité cutanée, à la flore endogène et à la suppression de la réponse immunitaire.

PLANIFICATION
Résultats escomptés
- Plaie exempte de débris et de tissus nécrosés mous.
- Absence d'infection de plaie.

Plan de soins infirmiers

Client présentant des brûlures (*suite*)

INTERVENTIONS

Phase de réanimation

- Utiliser une technique adéquate de lavage des mains.
- Utiliser une technique aseptique lors de l'application de l'antibiotique topique et lors des changements de pansements.
- Raser les régions appropriées.
- Évacuer le liquide des phlyctènes importantes et enlever les tissus dévitalisés.
- Appliquer un antibiotique topique ou des pansements stériles comme indiqué ; commencer l'antibiothérapie systémique par voie IV (s'il y a lieu).
- Donner le vaccin antitétanique au besoin.
- Observer la plaie quotidiennement et en vérifier le pourtour.

- Surveiller les signes vitaux et la température.

Phase aiguë

- Surveiller le pourtour de la plaie.

- Observer tout changement de comportement ou d'état de conscience.
- Effectuer l'hydrothérapie (douche) et le débridement avec précaution.
- Surveiller la température corporelle et vérifier la numération leucocytaire et le débit urinaire.
- Surveiller les sites donneurs.

Phase de réadaptation

- Enseigner au client et à sa famille les signes et les symptômes d'infection.
- Enseigner aux membres de la famille la façon de changer les pansements.

Justifications

- Diminuer la contamination de la zone brûlée.

- Diminuer la contamination.
- Éliminer des milieux propices à la croissance bactérienne.

- Diminuer la contamination.

- Vérifier s'il y a modification des escarres et détecter tout signe de cellulite.

- Détecter tout signe d'infection tel que drainage purulent, œdème, rougeur.

- Enlever les débris de la plaie et la nettoyer efficacement.

- Détecter tout signe de septicémie.

- Détecter toute infection possible.

- Amorcer un traitement précoce.

- S'assurer qu'ils possèdent une technique adéquate et augmenter leur sentiment de contrôle.

DIAGNOSTIC INFIRMIER : anxiété reliée à la douleur, à la culpabilité associée à la brûlure, au manque de connaissances concernant le traitement et ses résultats, aux besoins financiers et à l'apparence, se manifestant par des questions à propos du traitement et du pronostic, un comportement renfermé ou coléreux et l'expression de préoccupations concernant la cicatrisation.

PLANIFICATION

Résultats escomptés

- Diminution de l'anxiété.
- Langage corporel indiquant le repos et le confort.
- Capacité de parler des changements d'image de soi.

INTERVENTIONS

Phase de réanimation

- Administrer des analgésiques et en évaluer l'efficacité.
- Encourager les visites de la famille et sa participation aux soins.
- Être ouvert à l'expression des sentiments du client au sujet de sa brûlure.
- Décrire le processus de brûlure et les progrès cliniques au client et à sa famille.
- Expliquer les interventions thérapeutiques, les précautions de base et de contact utilisées (p. ex. l'habillement, le lavage des mains).

Justifications

- Augmenter le sentiment de soutien.

- Lui permettre d'exprimer ses émotions.

- Obtenir la coopération et diminuer l'anxiété.

Plan de soins infirmiers

Client présentant des brûlures (*suite*)

Phase aiguë
- Aider le client et sa famille à se fixer des attentes réalistes quant aux progrès du client.
- Songer à une consultation psychiatrique pour le client et sa famille qui présentent des symptômes du syndrome de stress post-traumatique.

Phase de réadaptation
- Fournir des moyens au client et à sa famille pour garder contact avec l'équipe de soins après la sortie.
- Envisager d'orienter le client vers un groupe de soutien.
- Planifier de l'aide psychologique au besoin.

- Favoriser la continuité des soins et minimiser l'anxiété.

DIAGNOSTIC INFIRMIER : perturbation de l'image corporelle reliée au défigurement causé par les brûlures, se manifestant par des commentaires négatifs exprimés sur son apparence et l'indisposition à se regarder ou à participer à ses autosoins.

PLANIFICATION

Résultats escomptés
- Objectifs réalistes quant au mode de vie futur.
- Acceptation d'un changement d'image corporelle.

INTERVENTIONS

Phase de réanimation
- Rassurer le client et sa famille en leur disant que l'œdème diminuera dans deux à quatre jours.

Phase aiguë
- Planifier l'interaction familiale.

- Expliquer les résultats escomptés au cours des traitements.
- Être réaliste et positif pendant les interventions.
- Fixer des objectifs réalistes.

Phase de réadaptation
- Évaluer le besoin d'aide psychologique professionnelle et offrir les ressources s'y rattachant si cela est approprié.
- Rassurer le client en lui disant que l'apparence des plaies continuera de s'améliorer même après la cicatrisation.

Justifications

- Leur faire comprendre qu'il n'est pas permanent.

- Favoriser le sentiment de soutien et réduire le sentiment d'isolement.
- Diminuer les idées fausses.

- Faire ressentir au client un sentiment d'accomplissement.

- Réduire les conséquences de la brûlure sur la vie du client.

IV : intraveineuse ; NPO : *nil per os* (rien par la bouche) ; PA : pression artérielle ; PO : *per os* (par voie orale).

---

comme prescrit. Le client doit être placé en position Fowler haute (à moins que cette position ne soit contre-indiquée si une lésion médullaire est soupçonnée) afin de faciliter l'expansion pulmonaire. On doit l'encourager à tousser et à respirer profondément aux heures, le changer de position aux une à deux heures, effectuer de la physiothérapie respiratoire et l'aspirer au besoin. Lorsqu'une insuffisance respiratoire est imminente, l'intubation nasotrachéale ou endotrachéale doit être effectuée et le client doit être placé sous ventilation mécanique. La pression positive en fin d'expiration (PEEP) peut être employée pour prévenir le collapsus alvéolaire et l'insuffisance respiratoire progressive (voir chapitre 29). Des bronchodilatateurs peuvent être administrés par voie intraveineuse pour traiter les broncho-

spasmes importants. L'intoxication au monoxyde de carbone est traitée en administrant de l'O_2 à 100 % jusqu'à ce que la carboxyhémoglobinémie revienne à la normale. Bien qu'il n'y ait pas de preuves scientifiques, l'oxygénothérapie par chambre hyperbare peut également s'avérer utile pour accélérer l'excrétion de CO. Cependant, si pour ce faire le client doit être transporté vers une autre unité de soins du centre hospitalier ou même vers un autre établissement, cela peut retarder indûment le traitement de la phase de réanimation.

Thérapie liquidienne. Dès que le client arrive au centre hospitalier, au moins un (et habituellement deux) cathéter intraveineux de gros calibre est mis en place, préférablement par voie périphérique. Si cela est impossible, un cathéter jugulaire ou sous-clavière est inséré préférablement dans les tissus qui ne sont pas brûlés, sinon via les tissus brûlés. La dénudation veineuse est une mesure définitive, mais elle est rarement employée à cause de la forte incidence d'infection et de septicémie. Il est essentiel d'établir un accès intraveineux pouvant permettre la perfusion de grandes quantités de liquide.

L'étendue des brûlures chez l'adulte doit être évaluée en se servant de la règle des 9 (voir figure 51.4). Cette dernière permet d'estimer les besoins en **réanimation liquidienne**.

Une thérapie liquidienne par voie intraveineuse est généralement administrée aux clients atteints de brûlures couvrant plus de 20 % de la surface corporelle totale. Le type de remplacement liquidien est déterminé par la surface et la profondeur de la brûlure, l'âge du client et les facteurs individuels tels que la déshydratation prémorbide ou la présence d'une maladie chronique préexistante. Chaque centre de brûlés utilise un schéma thérapeutique de remplacement. Le remplacement liquidien s'effectue par l'utilisation de solutions de cristalloïdes (solution saline physiologique, solution de Lactate Ringer ou solution saline ou à 5 % de dextrose), de colloïdes (albumine, dextran ou autres solutions préparées commercialement).

Parmi les nombreuses formules employées pour le remplacement liquidien, la formule de Brooke et la formule de Parkland (Baxter) sont les plus fréquentes (voir tableau 51.8). Toutes les formules sont des estimations des besoins. Si la formule de Parkland est souvent utilisée, c'est qu'elle est facile à calculer et à surveiller et qu'elle constitue une méthode sûre de remplacement liquidien pour la plupart des clients.

La formule de Parkland, présentée à l'encadré 51.5, se calcule de la façon suivante : 4 ml de solution de Lactate Ringer par kilogramme de poids corporel par pourcentage de surface corporelle totale brûlée. Cette quantité est calculée pour les premières 24 heures ; la moitié de la quantité totale doit cependant être administrée pendant les huit premières heures après la brûlure puisque c'est pendant cette période que la perte liquidienne est la plus grande. (Note : la période de 24 heures est calculée à partir du moment où a eu lieu la brûlure et non à partir de l'admission au centre hospitalier.) Le quart de la quantité totale est ensuite administré dans la seconde période de huit heures, et le reste (1/4), dans la dernière période de huit heures.

Réanimation liquidienne à l'aide de la formule de Parkland (Baxter)* — ENCADRÉ 51.5

Formule
- 4 ml de solution de Lactate Ringer

par
- kg de poids corporel

par
- % de surface corporelle totale brûlée

= besoin total en remplacement liquidien pendant les premières 24 heures après la brûlure

Application
- 1/2 du volume total calculé pendant les huit premières heures
- 1/4 du volume total calculé pendant les huit heures suivantes
- 1/4 du volume total calculé pendant les huit heures restantes

Exemple
- Pour un client pesant 70 kg et ayant une surface corporelle totale brûlée de 50 % :
  - 4 ml × 70 kg × 50 % = 14 000 ml
    - = 14 L pendant 24 heures
  - 1/2 du volume total calculé pendant les huit premières heures = 7000 ml (875 ml/h)
  - 1/4 du volume total calculé pendant les huit heures suivantes = 3500 ml (436 ml/h)
  - 1/4 du volume total calculé pendant les huit heures restantes = 3500 ml (436 ml/h)

* Les formules servent de lignes directrices. Le liquide est administré à une vitesse visant à produire un débit urinaire de 30 à 50 ml par heure.

TABLEAU 51.8 Formules pour estimer le remplacement liquidien chez un client brûlé adulte

Formule	Premières 24 heures		24 heures suivantes
	Cristalloïdes	Colloïdes	Glucose dans l'eau
Formule de Brooke (modifiée)	Solution de Lactate Ringer : 2,0 ml/kg/% brûlé ; une moitié administrée pendant les 8 premières heures, l'autre moitié administrée pendant les 16 prochaines heures	0,3 à 0,5 ml/kg/% brûlé	Quantité pour remplacer les pertes estimées par évaporation
Formule de Parkland (Baxter)	Solution de Lactate Ringer : 4 ml/kg/% brûlé ; une moitié administrée pendant les 8 premières heures, un quart administré aux 8 heures par la suite	20 à 60 % de volume plasmatique calculé	Quantité pour remplacer les pertes estimées par évaporation

Lors de la seconde période de 24 heures de la réanimation liquidienne, on doit s'assurer d'administrer une quantité suffisante de solution dextrosée afin de maintenir un taux de sodium sérique inférieur à 140 mmol/L. Les solutions de colloïdes (p. ex. Pentaspan et l'albumine) sont également administrées régulièrement. Leur quantité est calculée à l'aide d'une formule et selon le poids corporel du client, ce qui permet de prévoir le volume de remplacement. En général, les solutions de colloïdes ne sont pas administrées avant la deuxième période de 24 heures, au moment où la perméabilité capillaire commence à se rétablir, car la perfusion prématurée de solutions de colloïdes peut entraîner une fuite des liquides hors de l'espace intravasculaire et augmenter la perméabilité capillaire. Après cette période, le plasma demeure dans l'espace intravasculaire et augmente la volémie.

Il est préférable d'utiliser plusieurs paramètres pour évaluer la quantité adéquate de remplacement liquidien. Le débit urinaire est le paramètre le plus fréquemment utilisé. Les paramètres d'évaluation sont les suivants :
- le débit urinaire : de 30 à 50 ml/h chez l'adulte ;
- les facteurs cardiorespiratoires : pression artérielle (PA) (systolique >90 à 100 mm Hg), fréquence cardiaque (<100), respiration (16 à 20 respirations par minute) (La PA est plus juste lorsqu'elle est mesurée par voie artérielle. La vasoconstriction et l'œdème entraînent souvent une mesure périphérique erronée.) ;
- l'état de conscience : vérifier si le client est alerte et orienté dans le temps et l'espace et s'il reconnaît les personnes.

Soins des plaies. On doit s'assurer que les voies respiratoires du client sont perméables, que la circulation est bonne et que le remplacement liquidien est suffisant avant d'entreprendre les soins des plaies. Les brûlures de pleine épaisseur (3e degré) présentent un aspect sec, d'une coloration blanc cireux à brun foncé et sont très peu ou aucunement douloureuses puisque les terminaisons nerveuses sont détruites. Les brûlures d'épaisseur partielle (2e degré) sont de ton rose à rouge cerise, humides, brillantes et présentent un exsudat séreux. Ces plaies peuvent présenter des phlyctènes intactes ou non et sont douloureuses au toucher ou si elles sont exposées à l'air.

Selon la surface, la profondeur, le taux de guérison des plaies et l'autonomie du client, le nettoyage et le débridement peuvent être effectués dans une civière-douche, dans une baignoire ordinaire, sous la douche ou dans le lit. Le débridement peut parfois être effectué dans la salle d'opération (voir figure 51.8). Au cours de ces procédures, la peau molle et nécrosée est retirée. Les grosses phlyctènes (>2 cm) peuvent être enlevées afin d'éliminer d'éventuels milieux de croissance bacté-

rienne. On doit raser toutes les parties poilues qui sont brûlées (à l'exception des sourcils), y compris la tête et le périnée. Par la suite, un rasage quotidien sera nécessaire pour minimiser l'accumulation d'organismes pathogènes. Des précautions doivent être prises afin de dispenser ces soins le plus rapidement et habilement possible. L'immersion dans une baignoire est aujourd'hui fortement remise en question par les spécialistes en prévention des infections qui s'appuient sur les plus récentes données de recherche. Il est en effet prouvé que l'immersion et le trempage dans l'eau augmentent les risques de contamination croisée entre les différentes plaies du corps. C'est d'ailleurs pour cela que plusieurs établissements préfèrent doucher le client plutôt que de lui donner un bain. Notons qu'il n'est pas nécessaire que l'eau soit stérile. En effet, on peut utiliser l'eau du robinet à une température inférieure à 40 °C. Habituellement, la douche devrait durer une vingtaine de minutes afin d'éviter le refroidissement du client. L'utilisation de la douche permet également le nettoyage des plaies par action mécanique. Le client peut être douché deux fois par jour afin de restreindre la croissance bactérienne. Cependant, la fréquence de cette activité est souvent trop douloureuse et exigeante psychologiquement pour de nombreux clients. Bon nombre de centres de brûlés préfèrent l'hydrothérapie (douche) une fois par jour, suivie d'un changement de pansements dans la chambre du client.

Pour les clients gravement brûlés, l'utilisation de civières-douche connaît un certain essor dans les centres de brûlés spécialisés. Il s'agit essentiellement d'une civière dont le fond s'abaisse légèrement, permettant ainsi de doucher le client par le biais d'un système d'eau fixé au mur d'une pièce dédiée. Il n'y a pas de trempage et l'eau s'évacue de la civière à mesure qu'elle s'y écoule. La physiothérapie peut être effectuée lors de la procédure ou immédiatement après celle-ci.

FIGURE 51.8 Le débridement chirurgical de brûlures d'épaisseur totale est nécessaire pour préparer la plaie à la greffe.

Pour les clients brûlés mais ambulants, la douche traditionnelle est de mise.

L'infection risque d'aggraver les lésions tissulaires et de déclencher le développement d'une septicémie. La survie des clients est directement liée à la prévention de la contamination des plaies. Les sources d'infection des brûlures proviennent de la flore du client, essentiellement de la peau, des voies respiratoires et du tractus gastro-intestinal. La prévention de la contamination croisée d'un client à l'autre constitue donc une priorité des soins infirmiers.

Les deux méthodes de traitement des plaies utilisées pour lutter contre l'infection sont la méthode ouverte et la méthode fermée. Dans le cas de la méthode ouverte, la brûlure du client est couverte d'un antibiotique topique et aucun pansement n'est appliqué. La méthode fermée consiste à utiliser des pansements de compresses stériles enduites d'un antibiotique topique ou recouvrant un antibiotique topique. Ces pansements peuvent être changés deux à trois fois par 24 heures.

L'utilisation de literie et de lingerie stériles dans le soin des clients brûlés n'a plus cours actuellement. Il est prouvé qu'une brûlure est contaminée dans les premières 24 heures suivant le traumatisme. Cependant, la propreté est de rigueur et la contamination par un surplus de manipulations est à éviter. Les blouses utilisées pour la réfection des pansements sont donc non stériles. Des gants de nitrile, non stériles et sans poudre, dédiés exclusivement aux pansements sont utilisés. La boîte qui les contient fait l'objet de soins particuliers afin d'éviter leur contamination. En tout temps, la meilleure prévention dans une unité de brûlés est le lavage méticuleux des mains et l'utilisation rigoureuse de rince-mains antiseptique.

Le personnel soignant doit porter un bonnet, un masque, une blouse et des gants jetables non stériles sans poudre lorsque les plaies du client sont exposées. L'infirmière qui doit enlever les pansements et nettoyer les plaies doit porter des gants non stériles. Elle doit les changer lorsqu'elle applique des onguents et des pansements stériles et dès qu'elle croit s'être contaminée. De plus, la température de la pièce doit être chaude (environ 29,4 °C). L'infirmière doit changer de blouse avant de traiter un autre client. Le lavage des mains ou l'utilisation de rince-mains antiseptique sont essentiels afin de prévenir la contamination croisée. Une fois que le client a été douché, la civière-douche ou la douche sont désinfectées avec une préparation chimique.

Le recouvrement rapide des surfaces brûlées est l'objectif premier du traitement des plaies. Étant donné qu'il y a rarement suffisamment de peau intacte chez les grands brûlés pour procéder à une greffe immédiate, on doit utiliser d'autres méthodes de fermeture temporaire de plaies. L'allogreffe cutanée, ou homogreffe cutanée (généralement prélevée sur un cadavre), est parfois

TABLEAU 51.9	Sources de greffons	
Source	**Nom du greffon**	**Couverture**
Peau d'origine porcine	Hétérogreffe ou xénogreffe (espèces différentes)	Temporaire (de trois jours à deux semaines)
Peau de cadavre	Homogreffe ou allogreffe (mêmes espèces)	Temporaire (de trois jours à deux semaines)
Peau du client	Autogreffe	Permanente
Peau et culture cellulaire du client	Greffe autologue de cultures épithéliales	Permanente

utilisée pour la fermeture de plaies (voir tableau 51.9). Cependant, il arrive souvent qu'un rejet se produise puisque le système immunitaire de l'hôte réagit contre le corps étranger.

Autres soins. Les soins des zones particulières sont donnés par l'infirmière. Le visage est constitué de nombreux vaisseaux et est davantage prédisposé à l'œdème. La méthode ouverte est utilisée pour les soins du visage, car les pansements appliqués sur le visage entraînent une désorientation et une confusion. Les soins des yeux, dans le cas de brûlures ou d'œdème de la cornée, sont dispensés à l'aide d'une solution saline physiologique légèrement tiède toutes les heures. L'œdème périorbitaire peut empêcher les yeux de s'ouvrir. Cette situation peut être angoissante pour le client, mais l'infirmière doit le rassurer en lui expliquant que l'œdème n'est pas permanent et que sa vue sera bientôt rétablie. L'instillation de gouttes de méthylcellulose ou de larmes artificielles pour hydrater les yeux offre un confort supplémentaire et prévient les abrasions cornéennes.

Les mains et les bras doivent être étendus et soulevés par des oreillers ou des écharpes afin de minimiser l'œdème. Les mains et les pieds peuvent être immobilisés dans des attelles pour les maintenir en position fonctionnelle.

Les oreilles ne doivent subir aucune pression puisqu'elles sont peu vascularisées et sont prédisposées aux infections. Le client atteint de brûlures à l'oreille ne doit pas utiliser d'oreillers, car l'oreille risque d'adhérer à la taie d'oreiller, ce qui pourrait entraîner des saignements, de la douleur ou de l'infection au cartilage de l'oreille. Le client atteint de brûlures au cou ne doit pas utiliser d'oreillers non plus pour éviter toute contraction de la plaie.

On doit maintenir le périnée propre et aussi sec que possible. En plus de fournir un débit urinaire horaire, l'insertion d'une sonde à demeure prévient la contamination de la région du périnée par l'urine. Il est indispensable de nettoyer fréquemment le périnée et la sonde.

Des examens de laboratoire sont régulièrement effectués pour surveiller l'équilibre électrolytique. Du sang peut être prélevé pour mesurer la gazométrie sanguine et déterminer si la ventilation et la perfusion pulmonaire sont suffisantes.

La physiothérapie doit commencer aussitôt que possible. Des exercices précoces d'amplitude de mouvement sont nécessaires pour faciliter le retour du liquide extracellulaire vers le compartiment intravasculaire. Les exercices permettent également de maintenir les fonctions corporelles du client et le rassurent quant à sa mobilité.

Pharmacothérapie

Analgésiques et sédatifs. Les analgésiques sont prescrits pour favoriser le confort du client. Tôt après la brûlure, des analgésiques doivent être administrés par voie intraveineuse pour les raisons suivantes : la fonction gastro-intestinale est ralentie ou perturbée en raison d'un choc ou d'un iléus paralytique ; les injections intramusculaires ne sont pas bien absorbées dans les régions brûlées ou œdémateuses, ce qui entraîne une accumulation de médicaments dans les tissus. Par conséquent, lorsque la mobilisation des liquides commence, le client pourrait se retrouver en surdose en raison de l'accumulation de médicaments dans l'espace interstitiel.

PHARMACOTHÉRAPIE

TABLEAU 51.10	Médicaments fréquemment employés dans le traitement des brûlures	
Types et noms des médicaments		**Usage**
Soutien nutritionnel		
Vitamines A, C et E et multivitamines		Favorise la cicatrisation des plaies
Minéraux : zinc, folate, fer (sulfate ferreux, gluconate ferreux)		Favorise l'intégrité cellulaire et la formation d'hémoglobine
Analgésiques et sédatifs		
Morphine		Diminue la perception de la douleur
Mépéridine (Demerol)		Diminue la perception de la douleur
Fentanyl		Diminue la perception de la douleur
Halopéridol (Haldol)		Produit des effets antipsychotiques et sédatifs, favorise le sommeil
Midazolam (Versed)		Possède des propriétés amnésiques de courte durée
Soutien gastro-intestinal		
Ranitidine (Zantac)		Diminue l'incidence de l'ulcère de Curling
Nystatine (Mycostatin)		Prévient la prolifération de *Candida albicans* sur la muqueuse buccale
Hydroxyde d'aluminium et de magnésium (Maalox)		Neutralise l'acide gastrique

Les narcotiques fréquemment utilisés pour soulager la douleur sont énumérés dans le tableau 51.10. Le besoin d'analgésie doit être évalué. Bien que l'analgésique de premier choix soit la morphine, on peut également administrer de l'hydromorphone (Dilaudid), de la mépéridine (Demerol) et du fentanyl. Ces médicaments produisent une analgésie suffisante et un effet sédatif. Le client dont les brûlures couvrent une grande surface peut souffrir atrocement (surtout s'il s'agit principalement de brûlures d'épaisseur partielle). Refuser d'administrer des analgésiques lors des premières phases après une brûlure est non seulement inhumain, mais aussi contraire à la déontologie.

Vaccination antitétanique. Le vaccin antitétanique (D2T5) est administré systématiquement à tous les clients brûlés à cause du risque de contamination anaérobie des plaies, et ce, le plus tôt possible, habituellement dans les trois jours après la brûlure. Si le client a été vacciné depuis plus de cinq ans, si son calendrier de vaccination est incomplet (moins de trois doses reçues) ou s'il présente une histoire immunologique inconnue, la Direction de la santé publique du Québec recommande la complétion ou la reprise complète de la vaccination antitétanique, selon le cas, et l'ajout de doses d'immunoglobulines tétaniques.

Agents antimicrobiens. Une fois la plaie nettoyée, des agents antimicrobiens sont appliqués et la plaie peut être recouverte d'un pansement ou laissée à l'air libre. En général, l'antibiothérapie systémique n'est pas utilisée pour contrôler la flore de la brûlure, surtout après 48 heures, parce que l'apport sanguin vers l'escarre est minime ou absent et, par conséquent, l'antibiotique ne peut pas atteindre la plaie. Les agents topiques, pour leur part, pénètrent l'escarre et inhibent ainsi l'invasion bactérienne de la plaie (voir tableau 51.11). La sulfadiazine d'argent (Flamazine) est fréquemment utilisée parce qu'elle est efficace et n'entraîne pas de douleur. La septicémie demeure l'une des principales causes de décès chez les clients atteints de brûlures graves, car les microorganismes résistants se multiplient à mesure que les bactéries sont exposées à des agents topiques. La plupart des centres de brûlés emploient presque exclusivement un seul agent topique et le changent pour un autre au premier signe de résistance bactérienne. Une antibiothérapie systémique est amorcée une fois qu'un diagnostic clinique de septicémie originant de la brûlure a été établi ou lorsqu'une autre source de septicémie est décelée (p. ex. une pneumonie).

Les pansements d'argent (Acticoat, Silverleaf) semblent être une avenue prometteuse dans le soin des brûlures. En effet, l'argent est un inhibiteur de la croissance bactérienne en plus d'être un stimulant du processus de la cicatrisation. Ces pansements sont faciles à employer et offrent l'avantage de demeurer de

PHARMACOTHÉRAPIE

TABLEAU 51.11 Traitement par antibiotiques topiques

Antibiotique topique	Indications	Avantages	Inconvénients
Sulfadiazine d'argent (Flamazine)	Bactéries Gram positif et négatif, *Candida albicans*	Action antibactérienne à large spectre Ne limite pas les mouvements Possibilité d'appliquer un léger pansement ou aucun Rapide, sans douleur, facile à appliquer	Possibilité d'une diminution de la formation des granulocytes Possibilité d'une réaction allergique
Bacitracine (Baciguent)	Brûlures superficielles Staphylocoques Brûlures au visage	Peut être utilisé sans danger sur les autogreffes et les homogreffes Sans douleur Peu coûteux Ne requiert qu'une application par jour	Peut causer des démangeaisons ou un érythème
Mupirocine (Bactroban)	Efficace contre de nombreuses bactéries résistantes à la sulfadiazine d'argent Usage fondé sur les résultats de sensibilité	Sans douleur Sans danger sur la greffe autologue de cultures épithéliales Inhibe la synthèse des bactéries et des protéines	Possibilité de démangeaisons, de brûlure, d'érythème Possibilité de toxicité rénale si employé sur une région étendue

trois à quatre jours sur les plaies, ce qui diminue d'autant la douleur du client reliée aux nombreux changements de pansements. Les pansements d'argent peuvent être employés prégreffe et postgreffe. Ils sont d'une efficacité remarquable sur les brûlures d'épaisseur partielle (2ᵉ degré profond). Selon le pansement employé, celui-ci devra être placé sur une plaie plus ou moins débridée afin d'être efficace et humidifié aux huit à douze heures avec de l'eau stérile.

Souvent, une infection à champignons se développe sur les muqueuses (de la bouche et des organes génitaux) en raison des traitements aux antibiotiques et de la faible résistance de l'hôte. Le germe en cause est habituellement *Candida albicans*. Une infection buccale est traitée avec un rince-bouche à la nystatine (Mycostatin). Lorsque le client peut se nourrir normalement, on peut lui donner du yogourt ou des produits à base de lactobacilles pour rétablir la flore intestinale normale détruite par le traitement d'antibiotiques.

Recommandations nutritionnelles. Le remplacement liquidien a priorité sur les besoins nutritionnels au début de la phase de réanimation. Souvent, un iléus paralytique se manifestera en l'espace de quelques heures chez le client ayant des brûlures graves, à la suite de la réaction de l'organisme en réponse à une lésion importante. Une sonde nasogastrique est insérée et raccordée à un dispositif d'aspiration afin de favoriser la décompression. Une fois les bruits intestinaux rétablis,

48 à 72 heures après la brûlure, on peut commencer l'alimentation avec des liquides clairs et progresser vers une alimentation riche en protéines et en calories.

Une réaction hypermétabolique proportionnelle à la taille de la plaie est observée. Dans le cas de brûlures graves, la dépense métabolique au repos peut augmenter jusqu'à deux fois la normale. La température centrale s'élève. Les catécholamines plasmatiques, qui stimulent la production de chaleur et la mobilisation des substrats, augmentent. Le catabolisme massif se caractérise par la protéolyse et une augmentation de la gluconéogénèse. Les besoins caloriques se situent souvent autour de 5000 kcal/jour. Le fait de ne pas avoir un apport suffisamment élevé en calories et en protéines entraîne une malnutrition et retarde la cicatrisation. Éventuellement, cela engendre une perte de la masse musculaire. On ne permet pas au client de boire autant d'eau qu'il le désire, car il est préférable de lui donner des liquides riches en calories en raison de son besoin calorique accru et du risque potentiel d'intoxication hydrique.

Des progrès importants ont été faits dans le domaine des suppléments nutritionnels sous forme liquide (voir chapitre 32). Une mince sonde d'alimentation (tube nasoentérique de type Corpak ou Keofeed) peut être introduite sous fluoroscopie dans le duodénum à l'aide d'un gastroscope. Ce procédé permet une absorption rapide des nutriments et une diminution des nausées et des vomissements liés au gavage. Ainsi, le client peut recevoir une alimentation continue, qui n'a pas besoin d'être interrompue en cas d'intervention chirurgicale (p. ex. débridement, greffe). Étant donné que le gavage est administré au-delà du sphincter pylorique, le client n'est pas tenu de rester à jeun en période préopératoire ni de ne pas boire d'eau pendant de longues périodes, comme cela est nécessaire lorsque la sonde est insérée dans l'estomac. L'alimentation entérale précoce et continue favorise la cicatrisation des plaies et améliore l'immunocompétence. En raison de son effet direct sur la morbidité et la mortalité, l'alimentation entérale précoce et continue est fortement recommandée après une brûlure.

Les suppléments multivitaminiques et de minéraux peuvent être administrés dès la phase de réanimation selon la biochimie sanguine. Cependant, ce besoin ne se fait habituellement pas ressentir avant la phase aiguë.

51.3.3 Phase aiguë

La phase aiguë commence par la mobilisation du liquide extracellulaire et la diurèse qui en résulte. La phase aiguë se termine quand la région brûlée est complètement recouverte ou lorsque les plaies sont cicatrisées. Cela peut prendre des semaines ou de nombreux mois.

Physiopathologie. Une brûlure implique des changements physiopathologiques de nombreux systèmes anatomiques. La diurèse se produit à la suite de la mobilisation des liquides alors que l'œdème a diminué considérablement. Les zones de brûlures d'épaisseur partielle ou de pleine épaisseur sont plus manifestes. Les bruits intestinaux reviennent. Le client est maintenant conscient de l'énormité des changements corporels qui l'affectent et de la présence de la douleur. Le processus de cicatrisation commence une fois que les leucocytes entourent la plaie et que la phagocytose débute. Les tissus nécrosés commencent à se détacher. Les fibroblastes se déposent sur les matrices des précurseurs de collagène qui forment enfin le tissu de granulation. Protégée de l'infection, une brûlure profonde cicatrisera par les bords et les tissus sous-jacents ; cependant, les brûlures de pleine épaisseur, à moins qu'elles ne soient infiniment petites, doivent être recouvertes par une greffe de peau. Souvent, le temps de cicatrisation et la durée d'hospitalisation peuvent être raccourcis grâce à une excision des tissus nécrosés et une greffe précoces.

Manifestations cliniques. Les brûlures de pleine épaisseur ont une apparence sèche de ton blanc cireux à brun foncé. Elles sont peu douloureuses ou indolores du fait que les terminaisons nerveuses ont été détruites. Les brûlures d'épaisseur partielle (2ᵉ degré profond) ont un ton rose à rouge cerise. Elles sont suintantes, brillantes et s'accompagnent d'exsudat séreux. Ces plaies peuvent présenter des phlyctènes intactes ou non. Elles sont douloureuses au toucher ou si elles sont exposées à l'air. Avec le temps, les bords des brûlures de pleine épaisseur commencent à se séparer, ce qui permet le débridement de la plaie. Habituellement, ces brûlures nécessitent un débridement chirurgical et une greffe de peau pour accélérer le processus de cicatrisation.

Les brûlures d'épaisseur partielle (2ᵉ degré superficiel) forment aussi des escarres ; cependant, étant donné qu'elles ne sont pas aussi profondes, elles commencent à se séparer plus tôt et guérissent plus rapidement. Une fois que l'escarre est enlevée, l'épithélisation commence à partir des bords de la plaie et le tissu cicatriciel a un ton rosé. Les bourgeons épithéliaux se referment finalement sur la plaie et celle-ci guérit spontanément sans intervention chirurgicale. Ce processus prend normalement de 10 à 14 jours.

Données de laboratoire. Étant donné que l'organisme tente de rétablir son homéostasie (équilibre hydro-électrolytique) au début de la phase aiguë, il est important de surveiller étroitement les taux sériques d'électrolytes.

Sodium. L'hyponatrémie peut se produire pendant le traitement avec des crèmes topiques à base d'argent (antibiotiques topiques d'argent) en raison de la perte sodique via l'escarre. Un drainage gastro-intestinal excessif, la diarrhée et un excès d'apport hydrique constituent d'autres causes d'hyponatrémie. Les symptômes d'hyponatrémie comprennent la faiblesse, les étourdissements, les crampes musculaires, la fatigue, les céphalées, la tachycardie et la confusion. Le client brûlé peut également développer une hyponatrémie par dilution nommée intoxication hydrique. Afin de prévenir cet état pathologique, on doit lui donner des liquides autres que l'eau, tels que des jus, des boissons gazeuses ou des suppléments alimentaires.

L'hypernatrémie peut se manifester après un remplacement liquidien réussi si de grandes quantités de solutions hypertoniques ont été nécessaires. Une alimentation entérale inadéquate ou une mauvaise administration de liquides sont d'autres causes d'hypernatrémie. Les symptômes de l'hypernatrémie comprennent la soif, une langue épaisse et sèche, la léthargie, la confusion et parfois même des convulsions.

Potassium. L'hyperkaliémie peut se manifester lorsque le client souffre d'insuffisance rénale ou corticosurrénalienne ou d'une lésion musculaire profonde et massive accompagnée d'une libération de grandes quantités de potassium à partir des cellules lésées. L'arythmie et l'insuffisance ventriculaire peuvent se produire s'il y a une hausse excessive (taux de potassium >7 mmol/L). Une faiblesse musculaire et des changements électrocardiographiques peuvent être observés cliniquement (voir chapitre 10).

L'hypokaliémie peut se manifester lors de traitements au nitrate d'argent. Les vomissements, la diarrhée, une aspiration gastro-intestinale prolongée et un traitement par voie intraveineuse sans apport complémentaire de potassium constituent d'autres causes de ce déficit. Il peut aussi y avoir des pertes constantes de potassium par la brûlure.

Complications

Infection. La peau, qui constitue la première barrière de défense de l'organisme, a été détruite par la brûlure. Les micro-organismes pathogènes parviennent souvent à proliférer avant que la phagocytose ne soit adéquatement amorcée. Par conséquent, la plaie s'infecte lorsque la densité bactérienne à la jonction de l'escarre et des tissus viables s'élève à plus de 10^5/g. En présence d'une infection, on peut observer une inflammation localisée, une induration et une exsudation sur les bords de la brûlure. Les brûlures d'épaisseur partielle (2e degré profond) peuvent se transformer en brûlures de pleine épaisseur en présence d'infection. Le moyen le plus fiable de différencier la colonisation des tissus non viables d'une infection invasive des tissus viables consiste à effectuer un examen histologique de la biopsie de la brûlure. Une infection de plaie invasive est habituellement traitée par une antibiothérapie systémique ou moins fréquemment par des antibiotiques topiques, et ce, selon les résultats des cultures.

Une infection de plaie peut évoluer vers une bactériémie transitoire, causée par la manipulation de la plaie (p. ex. après le débridement ou l'hydrothérapie). Le client peut développer une infection invasive ou une septicémie. Les symptômes de septicémie comprennent une élévation de la température, une augmentation de la fréquence du pouls et de la fréquence respiratoire, une diminution de la pression artérielle et du débit urinaire. Le client peut éprouver une légère confusion, des frissons, un malaise et une perte d'appétit. La numération des leucocytes se situe habituellement entre 10 000/μL (10×10^9/L) et 20 000/μL (20×10^9/L). Des anomalies fonctionnelles sont décelées dans les leucocytes et le client est immunosupprimé pendant un certain temps après la brûlure. En général, les agents pathogènes de la septicémie sont des bactéries Gram négatif (p. ex. *Pseudomonas*, *Proteus*) qui prédisposent davantage le client au choc septique.

Lorsqu'une septicémie est soupçonnée, on doit immédiatement prélever des cultures de différentes sources : urine, oropharynx, expectorations, sites d'insertion des cathéters et plaie. Cependant, on ne doit pas attendre les résultats des cultures ni des épreuves de sensibilité avant de commencer le traitement. En effet, le traitement débute par l'administration d'antibiotiques appropriés à la flore résiduelle du client en fonction des médicaments utilisés par chaque centre de brûlés.

L'antibiotique topique utilisé peut être maintenu ou changé pour un autre médicament. À ce stade, l'état du client est critique et ses signes vitaux doivent être surveillés étroitement.

Appareil cardiovasculaire. Dans la phase aiguë, les complications pouvant se manifester dans les appareils cardiovasculaire et respiratoire sont identiques à celles de la phase de réanimation.

Système nerveux. Sur le plan neurologique, le client ne démontre aucun problème physique à moins que ne se produise une hypoxie grave causée par des lésions respiratoires ou des complications dues à des brûlures électriques. Cependant, on peut parfois observer un phénomène qui n'a pas encore été élucidé ; c'est-à-dire que le client peut devenir extrêmement désorienté, il peut se replier sur lui-même ou devenir agressif, avoir des hallucinations ou des épisodes cauchemardesques fréquents. Le délire est plus aigu pendant la nuit et il est observé plus souvent chez le client âgé. Il s'agit d'un état transitoire pouvant durer de une à deux journées ou même plusieurs semaines. Différentes causes ont été retenues, dont le déséquilibre électrolytique, le stress, l'œdème cérébral, la septicémie, le syndrome de psychose de l'unité de soins intensifs et la prise d'analgésiques ou d'anxiolytiques.

Appareil locomoteur. L'appareil locomoteur est au premier plan des complications lors de la phase aiguë. Étant donné que les brûlures commencent à guérir et que le tissu cicatriciel se forme, la peau est moins souple. L'amplitude des mouvements peut être limitée et des contractures peuvent se produire. À cause de la douleur, le client préfère souvent adopter une position fléchie pour être plus à l'aise.

Appareil gastro-intestinal. Des complications de l'appareil gastro-intestinal peuvent également se manifester pendant la phase aiguë. L'iléus paralytique résulte parfois d'une septicémie. Cependant, la diarrhée est plus fréquente que l'iléus et peut être causée par le recours à l'alimentation entérale ou la prise d'antibiotiques. La constipation peut être un effet secondaire des analgésiques narcotiques et d'une diminution de la motilité intestinale. L'ulcère de Curling, type d'ulcère gastroduodénal associé aux brûlures sévères, se caractérise par des lésions superficielles diffuses, dont l'érosion muqueuse. Il est provoqué par une réponse généralisée au stress qui entraîne une diminution de la production de mucus et une augmentation de la sécrétion de l'acide gastrique. La prévention est le meilleur traitement contre l'ulcère de Curling. L'usage prophylactique d'antiacides et d'inhibiteurs des récepteurs H_2 de l'histamine (p. ex. ranitidine [Zantac]) inhibe l'histamine et la stimulation de la sécrétion d'acide chlorhydrique (HCl). De nombreux grands brûlés présentent aussi du sang occulte dans leurs selles pendant la phase aiguë.

Système endocrinien. Le diabète de stress peut être transitoire en raison de l'augmentation de la production de cortisone et de la libération de catécholamines, qui mènent à une augmentation de la mobilisation des réserves en glycogène, à la glycogénolyse et à la production ultérieure de glucose. On observe aussi une augmentation de la production et de la libération d'insuline. Cependant, l'efficacité de l'insuline est réduite en raison d'une insensibilité relative à son égard, qui est à l'origine d'une augmentation de la glycémie. Par la suite, l'hyperglycémie peut être causée par un apport calorique énorme, nécessaire pour satisfaire les besoins métaboliques. Une augmentation des doses d'insuline constitue le traitement de cette hyperglycémie, car on ne doit pas diminuer l'apport calorique. Les doses d'insuline sont ajoutées selon les résultats de la glycémie. Des vérifications fréquentes sont effectuées par ponction veineuse ou à l'aide du glucomètre. Cependant, les résultats des prélèvements de glucose sérique sont plus précis que l'analyse capillaire à l'aide d'un glucomètre. À mesure que les besoins métaboliques du client sont satisfaits et que le système subit moins de stress, cet état induit par le stress se rétablit.

Soins infirmiers et processus thérapeutique : phase aiguë.

Les interventions thérapeutiques prédominantes de la phase aiguë sont les suivantes : le remplacement liquidien ; la physiothérapie ; le soin des plaies ; le débridement et la greffe précoces ; le soulagement de la douleur.

Remplacement liquidien. Le remplacement liquidien se poursuit de la phase de réanimation à la phase aiguë en fonction des besoins du client. La thérapie intraveineuse est dispensée pour remplacer les pertes liquidiennes, administrer des médicaments et donner des transfusions. Le type de remplacement liquidien dépend des besoins particuliers du client. Les types de solutés fréquemment utilisés sont la solution saline normale (NaCl à 0,9 %), la solution de Lactate Ringer et les différentes concentrations de glucose dans une solution saline (Mixte 0,9 % ou 0,45 %) ou dans l'eau (Dextrose 5 %). Le culot globulaire et le plasma frais congelé sont également souvent administrés à ce stade.

Physiothérapie. La physiothérapie est impérative pour maintenir une fonction articulaire optimale. Elle doit donc être accomplie avec soin. Le moment idéal pour s'exercer a lieu pendant et après la séance de douche lorsque la peau est souple et que les gros pansements sont enlevés. Des exercices articulaires passifs et actifs

doivent être effectués pour exercer toutes les articulations. Le client souffrant de brûlures au cou doit dormir sans oreiller ou de façon à faire pendre sa tête légèrement à l'extrémité du matelas pour favoriser l'hyperextension. Des attelles doivent être utilisées afin de maintenir les articulations en position fonctionnelle et vérifiées souvent pour assurer un ajustement optimal et éviter des plaies additionnelles.

Soin des plaies. Le soin des plaies vise à : nettoyer et débrider la zone de tissus nécrosés et les débris qui favorisent la croissance bactérienne ; minimiser la destruction de la peau viable ; favoriser la réépithélialisation ou le succès de la greffe de peau ; favoriser le confort du client.

Le soin des plaies consiste à observer, évaluer, nettoyer et débrider quotidiennement les plaies. Les soins commencés au cours de la phase de réanimation se poursuivent pendant la phase aiguë.

Le débridement, les changements de pansements, l'antibiothérapie topique, les soins de la greffe (site receveur) et de la zone de prélèvement (site donneur) peuvent être effectués une à deux fois par jour. Certains produits de débridement enzymatique peuvent être employés pour le débridement des brûlures (voir tableau 51.12). Si la plaie de la greffe n'est pas laissée à l'air libre, elle doit être protégée par une compresse de tulle gras avant d'appliquer d'autres pansements. Un pansement de type « Jelonet » (compresse de tulle gras imbibée de paraffine), et parfois « Bactigras » (tulle gras imbibé de chlorhexidine à 0,5 %), peut être utilisé sur les zones de greffe. Ce pansement empêche la compresse d'adhérer aux zones de greffe.

Les couches de peau servant à la greffe doivent être exemptes de collections séreuses et de bulles d'emphysème, car ces dernières empêchent la greffe de se fusionner à la plaie et de croître. L'évacuation des bulles d'emphysème se fait par aspiration à l'aide d'une seringue à tuberculine ou encore en piquant ou en coupant les bords de la bulle. Le liquide est ensuite évacué à l'aide d'un coton-tige stérile à partir du centre de la bulle vers l'orifice de sortie. Une bulle d'emphysème ne doit jamais être évacuée du côté de la greffe.

Les méthodes utilisées pour le soin des zones de prélèvement (sites donneurs) font l'objet de controverses depuis de nombreuses années. Bien que la majorité des centres de brûlés continuent à couvrir les zones de prélèvement avec des pansements de tulle gras pour faciliter le séchage, beaucoup de nouvelles méthodes sont actuellement évaluées. La durée moyenne de cicatrisation d'une zone de prélèvement est de 10 à 14 jours. Il existe plusieurs nouvelles méthodes qui peuvent potentiellement raccourcir ce temps de cicatrisation, ce qui permet d'effectuer plus rapidement d'autres prélèvements de peau précoces sur cette zone.

TABLEAU 51.12	Produits de débridement enzymatique utilisés pour le traitement des brûlures		
Agent topique	**Indications**	**Avantages**	**Inconvénients**
Collagénase (Santyl)	Débridement agressif des tissus nécrosés sur les brûlures profondes	Ne lèse pas les tissus sains Digère le collagène dénaturé dans les tissus dévitalisés	Protection antimicrobienne limitée Sensibilité allergique rare Coûteux N'est efficace que lorsque le pH est de 6 à 8.
Accuzyme	Débridement des tissus nécrosés sur les brûlures profondes Liquéfaction du drainage purulent	Extrait de la papaye ; digère des matières protéiniques non viables Ne lèse pas les tissus sains Compatible avec d'autres médicaments topiques	Brûlure Sensation de piqûre Coûteux

Une nouvelle méthode de traitement permettant la cicatrisation humide des plaies se fait en protégeant la zone de prélèvement avec des pansements d'alginate de calcium et d'hydrofibres. Ce premier pansement, recouvert d'un pansement secondaire, est changé les premières 24 heures, puis au bout de quelques jours.

Certains centres utilisent un pansement transparent qui adhère à la périphérie de la zone de prélèvement. Ceci permet d'avoir une occlusion de la plaie qui demeure cependant visible. La peau de porc, de cadavre et la sulfadiazine d'argent (Flamazine) sont aussi utilisées et procurent différents taux de réussite. Les soins infirmiers dispensés sont spécifiques à chaque pansement appliqué sur les sites de prélèvements et l'usage des pansements varie selon les centres de brûlés.

Débridement et greffe. Le traitement actuel des brûlures nécessite l'ablation précoce des tissus nécrosés suivie de l'application d'une autogreffe de peau. Ce traitement a permis de modifier les soins dispensés aux clients brûlés de même que le taux de mortalité. Auparavant, le taux de survie était faible chez les grands brûlés, car la cicatrisation et la couverture des plaies prenaient tellement de temps que le client succombait généralement à une infection ou à la malnutrition. Aujourd'hui, le taux de mortalité est beaucoup moindre et le taux de morbidité peut être réduit grâce à des interventions précoces. Les clients pouvant subir un débridement et une greffe précoces sont ceux dont l'appareil cardiovasculaire est relativement stable après la réanimation liquidienne initiale.

Pendant la procédure de **débridement** et de **greffe**, l'escarre est enlevée jusqu'au tissu sous-cutané ou fascia, selon le degré de profondeur de la brûlure. Le greffon doit être placé sur des tissus propres et viables pour avoir une bonne adhérence. L'homéostase est assurée par une pression et l'application de thrombine (Thrombostat) ou d'épinéphrine topique, après quoi la plaie est couverte avec l'autogreffe de peau (voir le tableau 51.9). La fonction est rétablie grâce à une excision précoce et la formation de tissus cicatriciels est minimisée. Une hémorragie importante est anticipée étant donné que les tissus morts sont enlevés jusqu'aux tissus viables, ce qui peut entraîner un problème lors de la greffe. Les caillots qui se forment entre le greffon et la plaie l'empêchent d'adhérer à la plaie. Une façon de résoudre le problème de coagulation consiste à débrider la plaie et à implanter le greffon quelques jours plus tard.

La peau servant à la greffe est prélevée sur le client à l'aide d'un dermatome, qui enlève une fine couche de peau (d'épaisseur partielle) à partir d'une région qui n'a pas été brûlée (voir figure 51.9). On peut faire des mailles à la peau servant à la greffe pour permettre une plus grande couverture de la plaie (greffes ajourées 2:1, 3:1...), ou elle peut être appliquée comme une feuille de greffe pour donner de meilleurs résultats esthétiques dans le cas de greffes au visage, au cou et aux mains.

Greffes autologues de cultures épithéliales. Il est possible que le client atteint de brûlures couvrant une grande surface corporelle n'ait pas suffisamment de peau non brûlée pouvant servir de zone de prélèvement pour la greffe ou que cette peau ne convienne pas au prélèvement. La greffe autologue de cultures épithéliales est devenue un moyen très utile d'obtenir des tissus cutanés d'une personne ayant peu de peau pouvant servir au prélèvement. La greffe autologue de culture épithéliale est cultivée à partir de biopsies prélevées sur la peau du client. La première étape de ce procédé consiste à prélever par biopsie un ou deux petits spécimens (de 2 à 3 cm de long et de 1 cm de large) sur la peau non brûlée (habituellement à l'aine ou à l'aisselle).

Cette procédure est pratiquée dès qu'on sait que le client est un candidat pour ce type de greffe. En

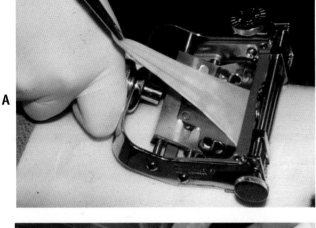

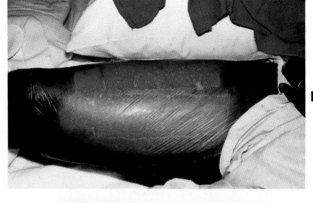

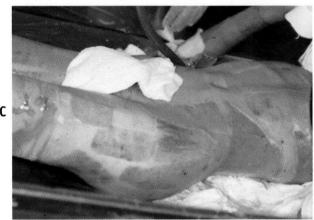

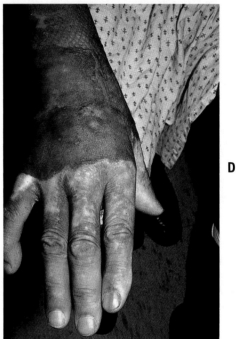

FIGURE 51.9 A. Le chirurgien prélève la peau de la cuisse d'un client à l'aide d'un dermatome. B. Apparence du site donneur après le prélèvement d'une greffe de peau d'épaisseur partielle. La zone de prélèvement est couverte d'un pansement semi-occlusif transparent. C. Zones donneuses cicatrisées. D. Greffe de peau cicatrisée sur une brûlure d'épaisseur partielle.

général, elle se fait au chevet du client sous anesthésie locale. Le spécimen est envoyé à un laboratoire, où les spécimens de biopsie cutanée sont subdivisés en cellules simples et sont par la suite cultivés dans un milieu de culture qui contient un facteur de croissance épidermique. Pendant les 18 à 25 jours suivants, les kératinocytes cultivés au départ se multiplient jusqu'à 10 000 fois, jusqu'à ce qu'ils forment des couches qui se rejoignent. Ils pourront alors être utilisés comme greffons de peau. Les greffons cultivés sont retournés au centre de brûlés où ils sont greffés aux plaies débridées du client. Étant donné que les greffes autologues de cultures épithéliales ne contiennent que des cellules épidermiques, des soins méticuleux sont nécessaires pour prévenir des lésions par cisaillement ou une infection.

Les greffes autologues de cultures épithéliales fournissent une couverture permanente de la peau puisqu'elles proviennent des cellules du client. Ce type de greffe est appliqué chirurgicalement en utilisant la même procédure que l'autogreffe de peau. Les greffes autologues de cultures épithéliales forment généralement un tissu cutané de remplacement lisse et uniforme (voir figure 51.10) et jouent un rôle important dans la survie du client atteint de brûlures graves qui dispose de peu de peau pouvant servir au prélèvement. Il est possible de cultiver en 24 jours suffisamment de greffe autologue de cultures épithéliales pour couvrir la surface entière du corps. Les problèmes liés à ce type de greffe comprennent la peau mince et friable (causée par un manque de cellules dermiques) et l'apparition de contractures.

Peau artificielle. Il est reconnu que toute peau artificielle doit être en mesure de remplacer toutes les fonctions de la peau et avoir une partie dermique et une partie épidermique. Le modèle de régénération du

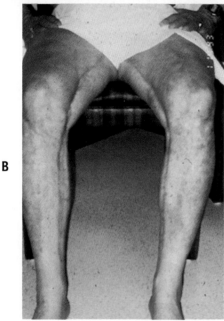

FIGURE 51.10 Client ayant reçu une greffe autologue de cultures épithéliales. A. Application peropératoire d'une greffe autologue de cultures épithéliales. B. Apparence d'une greffe autologue de cultures épithéliales cicatrisée.

derme par peau artificielle Transcyte est un exemple des nouveaux systèmes de remplacement cutané offerts pour les soins des brûlures (pas encore utilisé au Canada). On le recommande pour le traitement post-débridement des brûlures (d'épaisseur partielle ou de pleine épaisseur) extrêmement graves pour lesquelles l'autogreffe conventionnelle est déconseillée.

Ce substitut cutané, pur produit de la biotechnologie, est constitué d'une membrane de polymère (silicone) et de cellules (fibroblastes) de prépuces de nouveau-nés cultivées dans des conditions aseptiques *in vitro* et déposées sur une mèche de nylon. Avant que ne se produise la croissance cellulaire, la mèche est enrobée de collagène issu de derme porcin et liée à la membrane siliconée. Cette couche externe est semi-perméable. Une fois mise en place, elle protègera la surface de la plaie et permettra de la conserver humide, ce qui favorisera la guérison. À mesure que les fibroblastes se multiplient dans la couche interne, ils sécrètent du collagène humain, des protéines et des facteurs de croissance pour faciliter la guérison des brûlures. Transcyte est par la suite congelé à −70 °C jusqu'à son application sur une brûlure.

Plusieurs autres produits sont actuellement en voie d'étude et d'évaluation dans les centres de brûlés partout en Amérique du Nord, dont le Biofill. Une évaluation approfondie est nécessaire pour déterminer l'usage de ces produits et leur efficacité dans le soin des brûlures.

Soulagement de la douleur. L'une des fonctions les plus importantes que l'infirmière doit accomplir est l'évaluation de la douleur et son soulagement. Il devient difficile pour l'infirmière qui travaille auprès des personnes brûlées de distinguer l'empathie de la sympathie et d'agir correctement quand le client est si vulnérable et malade. Pratiquement toutes les interventions que subit le client sont douloureuses. Bien que le client puisse éprouver quelques rares moments de confort, il sait qu'ils ne dureront pas. L'infirmière doit comprendre les principes fondamentaux de la douleur physique et psychologique (voir chapitre 5). Permettre au client d'exprimer ses sentiments de colère, d'hostilité et de frustration l'aide à exprimer sa douleur. Il est important d'évaluer la douleur de chaque client sur une base personnelle et continue.

Il existe plusieurs interventions que l'infirmière peut faire pour aider le client à vivre avec sa douleur. L'infirmière peut également adapter ces interventions selon la douleur qu'elles entraînent.

La première intervention consiste à administrer une médication analgésique toutes les une à trois heures par exemple. Pour cela, il est utile que le client ait une ordonnance indiquant une posologie variable de narcotique (p. ex. de 5 à 10 mg de sulfate de morphine par voie intraveineuse). Une telle ordonnance offre donc une certaine liberté à l'infirmière afin qu'elle puisse administrer au client la dose appropriée en fonction de ses réactions au médicament. Par exemple, l'infirmière peut trouver que l'administration de 5 mg de morphine par heure est plus efficace que 10 mg aux trois heures. Cette méthode doit tenir compte des commentaires du client si ce dernier est éveillé. Elle lui procure également un certain pouvoir sur sa douleur. Lorsque le client est incapable de parler, l'infirmière doit évaluer la réaction au médicament en mesurant les paramètres vitaux (c.-à-d. la fréquence cardiaque, la pression artérielle et la fréquence respiratoire).

La deuxième intervention est l'administration de combinaisons de médicaments. Ceci comprend l'administration de morphine combinée à l'halopéridol (Haldol), le diazépam (Valium) ou le midazolam (Versed). Le midazolam a pour effet d'entraîner l'amnésie à court terme. Par conséquent, en l'administrant de 15 à 20 minutes avant un changement de pansements, il est possible que le client ne se souvienne plus de l'intervention. Les effets du midazolam durent de 30 à 60 minutes après son administration.

Le travail de collaboration entre l'infirmière et le client est une troisième intervention permettant de trouver des moyens de soulager la douleur. L'infirmière peut enseigner au client comment faire de la visualisation, de l'imagerie mentale, de la rétroaction biologique, de la méditation et de la relaxation au moyen d'audiocassettes. Ces techniques alternatives sont employées comme thérapie complémentaire au traitement traditionnel avec des analgésiques. Elles ne visent pas exclusivement à soulager la douleur chez le client brûlé.

L'infirmière travaille avec le client afin de trouver la meilleure façon de soulager la douleur à l'aide d'une ou de plusieurs techniques. La visualisation et l'imagerie mentale peuvent servir aussi bien à l'infirmière qu'au client. Bien que ces deux techniques puissent être effectuées de différentes façons, la méthode la plus simple consiste à poser des questions au client sur ses passe-temps favoris ou ses dernières vacances. L'infirmière peut ensuite explorer ces domaines en profondeur en posant des questions précises qui permettent au client de visualiser et de décrire ce passe-temps ou ces vacances. Cette méthode permet à l'infirmière et au client de se concentrer sur autre chose que la tâche en cours (p. ex. un changement de pansements) pour alimenter la conversation. L'infirmière est tenue d'entretenir la discussion. Les cassettes de relaxation sont également utiles, surtout le soir pour aider le client à s'endormir. L'utilisation de ces techniques permet à l'infirmière d'entretenir une relation étroite avec le client tout en leur procurant à tous deux un sentiment d'accomplissement.

L'élément fondamental à se rappeler à propos du soulagement de la douleur est que le client parvient davantage à apaiser sa douleur en étant impliqué dans le processus. Une tendance actuelle est orientée vers l'utilisation des pompes à analgésie contrôlée par le patient (ACP). Une solution intraveineuse préparée d'avance contient une certaine dose de narcotiques par millilitre (p. ex. 2 mg/ml de morphine) et est placée sur la pompe. Le client dispose d'une commande qu'il actionne pour recevoir une dose préétablie de narcotiques par voie intraveineuse à une certaine fréquence (voir chapitres 5 et 13). Étant donné que l'appareil est bloqué à cette dose, le client ne peut s'administrer de doses plus fortes que celles qui sont prescrites.

Recommandations nutritionnelles. Les objectifs nutritionnels du client brûlé pendant la phase aiguë consistent à satisfaire les besoins énergétiques en fournissant une quantité suffisante de calories et de protéines pour favoriser la cicatrisation. Le client brûlé se trouve dans **un état hypermétabolique et hautement catabolique.** Il est possible d'optimiser son confort et son énergie corporelle en réduisant la libération de catécholamines, ce qui minimise la douleur, la peur, l'anxiété et le refroidissement. L'infection augmente également le taux et la dépense métaboliques.

Il est aussi indispensable de satisfaire les besoins caloriques quotidiens. L'estimation des besoins énergétiques pour une période de 24 heures chez un adulte atteint de brûlures couvrant plus de 20 % de la surface corporelle totale peut être calculée selon la formule suivante (formule modifiée de Curreri) :

$$(B \text{ kcal} \times \text{kg de poids corporel à l'admission}) +$$
$$(40 \text{ kcal} \times \% \text{ de surface corporelle totale brûlée})$$

$$(B = 25 \text{ kcal chez l'adulte et } 30 \text{ à } 100 \text{ kcal}$$
$$\text{chez l'enfant, selon son âge})$$

Les besoins caloriques peuvent atteindre 5000 kcal par jour, mais excèdent rarement le double du métabolisme basal. Les besoins nutritionnels du client doivent être comblés le plus tôt possible. On doit encourager le client à manger des aliments riches en protéines (25 % de l'énergie totale) et en glucides (un apport idéal de 7g/kg est suggéré) afin de satisfaire ses besoins. Le client ne devrait pas perdre plus de 10 % du poids qu'il avait avant la brûlure. Les besoins caloriques doivent être recalculés régulièrement par le nutritionniste afin d'éviter la perte de poids ou de prévenir la suralimentation et le gain de poids qui en découle.

Idéalement, lorsque son état permet l'extubation, le client peut s'alimenter par voie orale dès que sa fonction intestinale se rétablit. Si cela est impossible ou si les besoins sont trop importants, on peut insérer un tube nasoentérique (p. ex. Keofeed) et administrer une alimentation liquide complète. En fait, le support nutritionnel peut se faire par voie entérale ou parentérale totale ou les deux à la fois. De plus, on doit encourager les membres de la famille à apporter au client ses aliments favoris. Étant donné qu'une diminution de l'appétit est fréquente, on doit stimuler le client à s'alimenter afin qu'il obtienne un apport nutritionnel suffisant.

51.3.4 Phase de réadaptation

Par définition, la phase de réadaptation commence lorsque la brûlure est couverte de peau ou cicatrisée et que le client est capable d'assumer certaines activités d'autosoins. Cette phase peut durer aussi peu que deux semaines ou s'échelonner sur deux ou trois mois après la brûlure. Les objectifs de cette période sont d'aider le client à reprendre un rôle fonctionnel dans la société et à parvenir à une reconstruction fonctionnelle et esthétique.

Changements physiopathologiques et manifestations cliniques. La brûlure se cicatrise soit par première intention, soit par greffe. Les couches d'épithélialisation commencent à reconstruire la structure des tissus détruits par la brûlure. Les fibres de collagène présentes dans le nouveau tissu cicatriciel favorisent la cicatrisation et renforcent les zones affaiblies. Après la cicatrisation, la nouvelle peau semble mince et rose. Ensuite, la zone s'élève et devient hyperémiée après quatre à six semaines. Les nouveaux tissus se contracteront et, par conséquent, entraîneront des contractures si le client ne fait pas les exercices d'amplitude articulaire nécessaires. La cicatrisation mature se manifeste en l'espace de six mois à deux ans, lorsque la peau a repris sa souplesse et que sa couleur rose ou rouge a pâli pour devenir légèrement plus pâle que le tissu avoisinant non brûlé. La peau plus pigmentée met plus de temps à retrouver sa couleur foncée puisque beaucoup de mélanocytes sont détruits. Souvent, elle ne retrouve jamais sa pigmentation originale.

La cicatrisation a deux aspects : la décoloration et le contour. La décoloration des cicatrices diminue avec le temps. Cependant, le tissu cicatriciel a tendance à présenter des contours modifiés ; c'est-à-dire que le contour n'est plus plat ou légèrement élevé, mais il augmente en largeur et en hauteur au-dessus de la zone originale de brûlure. La pression peut aider à éviter l'hypertrophie cicatricielle. Une légère pression à l'aide de vêtements compressifs est maintenue sur la brûlure cicatrisée. Ces vêtements doivent être portés 24 heures sur 24 et pendant une période de un an ou deux après la brûlure. Ils peuvent être enlevés pendant de courtes périodes pour les soins d'hygiène.

Le client éprouvera tôt ou tard de l'inconfort causé par les démangeaisons où se fait la cicatrisation. La lotion Glaxal base ou Nivea ou des lotions semblables non parfumées et de la diphenhydramine (Benadryl) servent à calmer les démangeaisons. Étant donné que le « vieil » épithélium est remplacé par de nouvelles cellules, une desquamation se produira. La peau nouvellement formée est extrêmement fragile et se lèse facilement. Des phlyctènes sont susceptibles de se former en présence d'une légère pression ou de friction. De plus, ces zones nouvellement cicatrisées peuvent être hypersensibles ou hyposensibles au froid, à la chaleur ou au toucher. Les régions greffées sont plus susceptibles d'être hyposensibles tant que la régénération des nerfs périphériques ne s'est pas effectuée. Les régions brûlées cicatrisées doivent être protégées de la lumière directe du soleil pendant un an pour prévenir l'hyperpigmentation et les coups de soleil.

Complications. Les complications les plus fréquentes d'une brûlure sont les rétractions de la peau, les contractures articulaires et la cicatrisation hypertrophique (voir figure 51.11). En raison de la douleur, le client préfère adopter une position fléchie qui lui offre un meilleur confort. Or, cette position prédispose les plaies aux rétractions. Le positionnement, la posture antalgique et les exercices doivent donc être pratiqués pour minimiser cette complication. Ces procédures doivent être maintenues jusqu'à ce que la nouvelle peau parvienne à maturité.

Les régions les plus susceptibles aux rétractions sont les côtés et le devant du cou, les aisselles, les plis des coudes, les doigts, la région de l'aine, le creux poplité et les chevilles. Ces régions comprennent les principales articulations. Bien que les rétractions se manifestent au niveau de la peau qui couvre ces régions, les tissus sous-jacents, tels que les ligaments et les tendons, ont aussi tendance à raccourcir lors du processus de cicatrisation. Par conséquent, le traitement doit viser à étirer les parties du corps puisque les muscles fléchisseurs sont plus forts que les muscles extenseurs. Les jambes doivent être enveloppées de bandages élastiques avant le début de la marche, une fois la greffe faite et la cicatrisation de la zone de prélèvement complétée, afin de prévenir la formation de phlyctènes et de favoriser le retour veineux. Une fois la peau complètement cicatrisée, les vêtements compressifs peuvent remplacer les bandages des jambes sur les zones greffées.

Soins infirmiers et processus thérapeutique : phase de réadaptation. Les membres de l'équipe soignante partagent la responsabilité d'aider le client à retrouver ses fonctions optimales pendant la phase de réadaptation. En raison de l'impact psychologique grave suscité par la brûlure, le personnel soignant doit être sensible aux sentiments du client et à l'écoute de ceux-ci. Il doit aider le client à s'adapter psychologiquement en l'en-

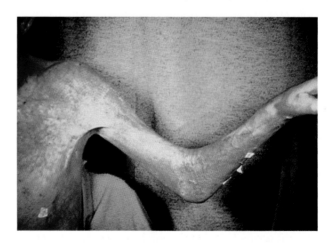

FIGURE 51.11 Contracture de l'aisselle

courageant à exprimer ses craintes à la suite de la perte d'une fonction, de la déformation, du défigurement et du fardeau financier encouru. Il doit aussi prendre des mesures pour satisfaire les besoins spirituels et culturels propres à chaque client. Une fois que le client a exprimé ses craintes, l'infirmière peut ensuite l'aider à évaluer les situations particulières de façon réaliste, en mettant l'accent sur ce qu'il peut faire, et non sur ce qui ne peut pas être fait. Si le client éprouve des difficultés particulières d'ordre psychologique, une référence en psychologie est à considérer.

Une brûlure a habituellement des conséquences défavorables sur l'estime de soi d'une personne. Ainsi, certains peuvent faire face à une forte angoisse à l'idée de se trouver rejetés par leur entourage familial ou social, et ce, en raison d'un défigurement physique réel ou perçu. Dans une société qui valorise la beauté physique, les altérations de l'image corporelle mènent souvent à la détresse psychologique. Permettre au client d'avoir une certaine indépendance, de reprendre ses activités et l'encourager à parler à d'autres victimes de brûlures l'engagera dans des activités qui peuvent l'aider à retrouver son estime de soi. L'aide psychologique doit se poursuivre lorsque le client retourne à la maison. Les clients ont besoin d'être rassurés et de savoir que leurs sentiments pendant cette période d'ajustement sont normaux et qu'ils doivent s'attendre à éprouver de la frustration au moment où ils tentent de reprendre un mode de vie normal.

Pendant la phase de réadaptation, le client et sa famille apprennent activement comment soigner les plaies en voie de cicatrisation. Étant donné qu'il est possible que le client retourne à la maison avec des zones qui ne sont pas cicatrisées, l'infirmière devra lui enseigner comment changer les pansements et soigner les plaies. Une crème émolliente à base d'eau (p. ex. la lotion Vaseline soins intensifs pour peau sensible ou Nivea) doit être appliquée régulièrement sur les zones cicatrisées pour garder la peau souple, calmer les démangeaisons et diminuer la desquamation. Le client peut prendre de la diphenhydramine (Benadryl). Lui et sa famille auront besoin de conseils d'ordre préventif afin de savoir à quoi ils doivent s'attendre physiquement et psychologiquement pendant la période de convalescence.

La chirurgie esthétique ou reconstructive est souvent nécessaire en cas de brûlures graves. Il est important que le client soit informé de la nécessité ou de la possibilité d'une chirurgie reconstructive, et ce, avant de quitter le centre hospitalier.

On n'insistera jamais assez sur le rôle de l'exercice et d'une physiothérapie appropriée. La progression de la thérapie physique, en débutant par l'hydrothérapie et en passant par les exercices de mouvements articulaires passifs, les exercices de mouvements articulaires actifs, les étirements, la marche jusqu'au rétablissement d'une fonction, est un processus long et douloureux qui dure au moins un an après la brûlure. Du réconfort et des encouragements constants sont nécessaires pour que le client garde un bon moral. Le client doit percevoir la physiothérapie comme une partie intégrante du traitement.

Recommandations nutritionnelles. À cette étape du rétablissement du client, le bilan azoté négatif devrait avoir été corrigé. Cependant, il est toujours important de poursuivre une alimentation riche en calories et en protéines. Le problème de perte d'appétit diminue à ce stade. À mesure que l'alimentation par voie orale augmente (apport fournissant plus de la moitié des besoins en calories), l'alimentation par sonde ou gavage est diminuée progressivement, puis interrompue. Le client atteint d'un problème fonctionnel lié à l'alimentation (notamment de brûlures aux mains) peut bénéficier de services d'ergothérapie qui l'aideront à utiliser des appareils pour corriger ou atténuer le problème. Souvent, le client a seulement besoin d'entourer le manche de la fourchette ou de la cuillère de plusieurs couches de compresses pour obtenir une meilleure préhension. Vers la fin de l'hospitalisation, le client aura encore besoin des services d'une nutritionniste. Étant donné qu'on a stimulé les clients à s'alimenter davantage pendant la longue période de cicatrisation des plaies, certains peuvent éprouver des difficultés à maîtriser leur appétit et à éviter un gain de poids indésirable au moment où le processus de cicatrisation s'achève. De plus, plusieurs clients devront être référés à des nutritionnistes (dans un Centre local de services communautaires [CLSC] de leur région) pour un suivi nutritionnel adéquat.

GÉRONTOLOGIE
Brûlures | ENCADRÉ 51.6

Le client âgé présente de nombreux défis pour l'équipe de soins aux personnes brûlées. Le vieillissement normal prédispose le client au risque de blessures à cause d'une démarche parfois instable et d'une baisse de la vue et de l'ouïe. Une fois blessée, la personne âgée présente davantage de complications pendant la phase de réanimation et la phase aiguë à cause des problèmes médicaux préexistants dont elle peut souffrir. Par exemple, un client âgé atteint de diabète, d'insuffisance cardiaque congestive ou de maladie pulmonaire obstructive chronique présentera des taux de morbidité et de mortalité supérieurs à ceux d'un client en bonne santé et plus jeune. Chez le client âgé, la pneumonie est une complication fréquente, les plaies mettent plus de temps à se cicatriser et les interventions chirurgicales sont moins bien tolérées. Par conséquent, les stratégies visant à prévenir les brûlures sont particulièrement importantes chez cette population.

51.4 BESOINS AFFECTIFS DU CLIENT ET DE SA FAMILLE

Étant donné que l'infirmière est celle qui entretient la plus longue relation avec le client et sa famille, il est naturel pour elle d'être considérée comme une source importante de soutien affectif. Elle est une ressource précieuse pour aider le client à maintenir son estime de soi et à retrouver une image corporelle satisfaisante. L'infirmière doit faire preuve d'une patience et d'une compréhension presque sans limites. Souvent, le travailleur de la santé est la cible de la colère et de l'hostilité de la part du client qui est désœuvré ou qui est incapable d'exprimer ses sentiments. De plus, travailler avec la famille peut représenter une difficulté pour l'infirmière.

Les membres de la famille doivent comprendre l'importance de rétablir l'indépendance du client et l'apprécier. Étant donné qu'ils sont déconcertés par tous les changements qu'ils voient pendant les différentes phases du processus de guérison, il peut être bénéfique de leur réexpliquer ce à quoi ils doivent s'attendre pendant le rétablissement du client. Il peut aussi être utile pour certains membres de la famille d'observer les plaies fréquemment afin de voir l'évolution de la cicatrisation. L'infirmière doit encourager les membres de la famille à faire partie de l'équipe soignante pendant l'hospitalisation du client.

Le stress de la brûlure précipite parfois des troubles psychiatriques. Si cette situation se manifeste, on recommande la consultation d'un psychiatre, qui pourra prescrire des psychotropes. Une intervention psychiatrique précoce est également cruciale si le client a déjà été traité pour des problèmes psychiatriques ou si la brûlure est la conséquence d'une tentative de suicide.

La fréquence du diagnostic du syndrome de stress post-traumatique augmente chez la population de clients brûlés. Une intervention précoce de la part de professionnels compétents est liée à l'amélioration des résultats.

Le caractère soudain et la gravité du traumatisme causé par une brûlure plongent le client et sa famille dans une souffrance à la fois physique et affective. Le personnel soignant doit être préparé à évaluer les signes psychoaffectifs et à dispenser les soins appropriés au cours du rétablissement.

Le client peut éprouver des pensées et des sentiments alarmants et perturbants, comme de la culpabilité reliée à l'accident ayant causé les brûlures, revivre l'expérience, avoir peur de la mort et être préoccupé par les traitements futurs et la douleur qui y est reliée. Il est possible que les membres de la famille partagent aussi l'un ou l'ensemble de ces sentiments. Parfois, ils se sentiront impuissants en tentant d'aider leur proche.

Pendant cette période d'adaptation, l'infirmière doit permettre au client et à sa famille de passer du temps seuls. Elle peut également demander aux membres de la famille de l'aider pour les changements de position et les repas, s'ils le désirent.

Afin de gérer adéquatement les nombreuses réactions affectives que peut éprouver le client brûlé, l'infirmière doit comprendre les circonstances de la brûlure, ses relations antérieures avec la famille et ses expériences d'adaptation antérieures aux stimuli stressants. Le client peut en tout temps éprouver diverses réactions affectives de peur, d'anxiété, de colère, de culpabilité et de dépression (voir tableau 51.13).

La régression est une réaction affective fréquente. Dans ce cas, le client adopte un comportement qui l'a aidé à faire face à des situations stressantes dans le passé. On peut également observer une psychose franche. À moins que le client n'ait éprouvé des problèmes psychologiques avant la brûlure, la psychose est habituellement passagère. Le client et sa famille sont confrontés à des tâches affectives intenses. À mesure que le client retrouve son autonomie, il est confronté à de nouvelles peurs : « Puis-je le faire ? », « Suis-je un partenaire désirable maintenant ? ». La communication ouverte entre le client, les membres de la famille, les amis et les membres de l'équipe soignante est essentielle.

À ce stade, l'intervention thérapeutique ne nécessite pas forcément les services d'un psychiatre. Les infirmières, les médecins, les travailleurs sociaux et toute personne qui entretient une bonne relation avec le client et possède une bonne compréhension de ses sentiments personnels dans une telle situation peuvent lui être bénéfiques. Parfois, le client a plus de facilité à communiquer certaines de ces émotions négatives, mais normales, à

TABLEAU 51.13	Réactions affectives des clients brûlés
Émotion	Expression verbale possible
Peur	Vais-je mourir ? Qu'arrivera-t-il ensuite ? Serai-je défiguré ? Mon épouse ou mes amis m'aimeront-ils toujours ?
Anxiété	Je sens que je perds le contrôle. Qu'est-ce qui m'arrive ? Quand cela se terminera-t-il ?
Colère	Pourquoi est-ce arrivé à moi ? Ces infirmières aiment me faire mal.
Culpabilité	Si seulement j'avais été plus prudent. J'ai été puni parce que j'ai été méchant.
Dépression	Cela ne sert à rien de continuer comme ça. Je me fiche de ce qui m'arrive. J'aimerais que les gens me laissent tranquille.

un membre du personnel soignant à qui il peut se confier. Reconnaître que les sentiments du client sont réels et compréhensibles peut être d'une grande aide pour ce dernier. L'infirmière ne doit pas dénigrer ni mépriser la régression d'un client, mais elle doit faire preuve de fermeté et de constance pour l'aider à s'en sortir.

La question délicate de la sexualité doit être abordée avec honnêteté. L'apparence physique sera altérée chez le client ayant subi une brûlure grave. L'acceptation de ce changement est d'abord difficile pour le client et son partenaire. La nature de la lésion cutanée en elle-même entraîne des modifications dans le traitement des stimuli sexuels. Le toucher est un élément important de la sexualité. Un tissu cicatriciel immature peut procurer une sensation tactile déplaisante ou une insensibilité. Cette situation est habituellement passagère, mais le client et ses proches doivent savoir que cela est normal et recevoir des conseils d'ordre préventif du personnel soignant pour éviter des tensions affectives excessives.

Les groupes de soutien aux clients et à leur famille peuvent être bénéfiques dans la satisfaction de leurs besoins émotionnels. En effet, parler avec d'autres personnes ayant subi des brûlures peut être positif pour eux, car cela leur permet de se sentir normal et de partager de précieux conseils.

51.5 BESOINS SPÉCIAUX DU PERSONNEL INFIRMIER

Le traumatisme affectif de l'infirmière fait partie du développement logique du traumatisme affectif éprouvé par le client. L'infirmière doit s'occuper de clients qui sont parfois déplaisants et hostiles et doit dispenser des soins qui sont pratiquement toujours douloureux dans le cas de brûlures. Elle voit parfois de nombreuses heures de soins dispensés anéanties par une septicémie et par la mort. En raison du long séjour au centre hospitalier et d'un contact privilégié, il arrive que l'infirmière et le client tissent des liens solides pouvant être sains et favoriser la guérison ou sinon être destructeurs et épuisants. Le client brûlé peut manifester une attitude exigeante ou punitive pouvant démotiver l'infirmière dans la dispensation de ses soins. L'infirmière et le client peuvent également établir une relation chaleureuse et de confiance, mutuellement satisfaisante, non seulement pendant l'hospitalisation, mais aussi pendant la longue période de réadaptation. Parfois, le lien peut être si fort que le client éprouve de la difficulté à quitter le centre hospitalier et à se séparer du personnel. Les contacts fréquents et intenses avec la famille peuvent à la fois être valorisants et épuisants pour l'infirmière. Les nouveaux arrivants aux centres de brûlés ont souvent de la difficulté à s'adapter aux déformations causées par la brûlure, de même qu'à l'odeur, la vue désagréable de la plaie et la réalité de la douleur causée par la brûlure.

Beaucoup d'infirmières estiment que les soins qu'elles prodiguent sont indispensables pour aider le client à survivre et à s'adapter à une lésion grave et multifacettaire. C'est cette croyance qui convainc les infirmières de continuer à prodiguer des soins aux clients brûlés et à leur famille.

RECHERCHE

Sexualité après une brûlure   ENCADRÉ 51.7

Article : Bianchi TL : Aspects of sexuality after a burn injury. Outcomes in men, *Burn Care Rehabil* 18:183, 1997.

Objectif : étudier les aspects suivants : la relation entre la gravité de la brûlure et l'estime sexuelle, la dépression sexuelle et la préoccupation sexuelle d'hommes victimes de brûlures ; la relation entre les variables sociodémographiques et l'estime sexuelle, la dépression sexuelle et la préoccupation sexuelle.

Méthodologie : des questionnaires ont été fournis à un échantillon (n = 40) d'hommes ayant survécu à des brûlures, âgés de 19 à 39 ans, qui ont été traités et qui ont quitté un centre de brûlés dans le sud-est des États-Unis. Les données socio-démographiques ont été recueillies à l'aide de l'« Instrument for Sociodemographic Data Collection » (instrument de collecte de données sociodémographiques). La « Sexuality Scale » (échelle de sexualité) et un questionnaire de 30 questions basé sur une échelle de Likert en cinq points ont été utilisés pour obtenir de l'information portant sur trois sous-échelles : l'estime sexuelle, la dépression sexuelle et la préoccupation sexuelle.

Résultats et conclusion : l'étude a démontré des relations statistiquement significatives positives entre la préoccupation sexuelle et l'estime sexuelle. Des relations inverses ont été démontrées entre l'âge et la préoccupation sexuelle et entre l'estime sexuelle et la dépression sexuelle. Il n'y a pas de relation entre la gravité de la brûlure et l'estime sexuelle, la dépression sexuelle et la préoccupation sexuelle.

Incidences sur la pratique : grâce à l'amélioration du taux de survie après une brûlure, on doit s'attarder davantage à la qualité de vie. Les changements quant à l'image corporelle et l'estime de soi sont les conséquences les plus dévastatrices des brûlures et peuvent avoir un effet direct sur la sexualité. La réadaptation des clients brûlés doit tenir compte des questions relatives à la sexualité. Les infirmières doivent reconnaître que même les petites brûlures peuvent provoquer une détresse psychologique importante. Les résultats de cette étude renforcent le besoin de recherches approfondies dans le domaine de l'adaptation après une brûlure, notamment en ce qui concerne la sexualité.

Les services de soutien pour les infirmières travaillant avec des brûlés, offerts sous forme de rencontres animées par un psychiatre, un psychologue, une infirmière spécialisée en soins psychiatriques ou une travailleuse sociale, peuvent être utiles. On les appelle des séances de « debriefing ». Les groupes d'entraide peuvent également aider les infirmières à faire face aux sentiments difficiles qu'elles peuvent avoir éprouvés en soignant un client brûlé. L'infirmière peut ressentir le besoin d'exprimer des sentiments de colère et d'hostilité à une personne impartiale. Ce procédé de communication thérapeutique peut faire la différence entre l'infirmière qui dispense des soins efficaces et celle qui ne fait que dispenser des soins d'assistance.

MOTS CLÉS

BIBLIOGRAPHIE

Version originale

1. American Burn Association, New York.
2. Monafo WW: Initial management of burns, *N Engl J Med* 335:1581, 1996.
3. Gordon M, Goodwin CW: Burn management. Initial assessment, management, and stabilization, *Nurs Clin North Am* 32:237, 1997.
4. Crawford ME, Rask H: Prehospital care of the burned patient, *Eur J Emerg Med* 3:247, 1996.
5. Staley M, Richard R: Management of the acute burn wound: an overview, *Adv Wound Care* 10:39, 1997.
6. Sparkes BG: Immunological responses to thermal injury, *Burns* 23:106, 1997.
7. Jordan BS, Harrington DT: Management of the burn wound, *Nurs Clin North Am* 32:251, 1997.
8. Shirani KZ and others: Update on current therapeutic approaches in burns, *Shock* 5:4, 1996.
9. Mann R, Heimbach D: Prognosis and treatment of burns, *West J Med* 165:215, 1996.
10. Greenfield E, McManus AT: Infectious complications: prevention and strategies for their control, *Nurs Clin North Am* 32:297, 1997.
11. Byers JF, Flynn MB: Acute burn injury: a trauma case report, *Crit Care Nurse* 16:55, 1996.
12. Mayes T: Enteral nutrition for the burn patient, *Nutr Clin Pract* 12(1 suppl):S43, 1997.
13. Rose JK and others: Advances in burn care, *Adv Surg* 30:71, 1996.
14. Wilson RE: Care of the burn patient, *Ostomy Wound Manage* 42:16, 1996.
15. Hansbrough W, Dore C, Hansbrough JF: Management of skin-grafted burn wounds with Xeroform and layers of dry coarse-mesh gauze dressing results in excellent graft take and minimal nursing time, *J Burn Care Rehabil* 16:531, 1995.
16. Hansbrough W: Nursing care of donor site wounds, *J Burn Care Rehabil* 16:337, 1995.
17. Raghunath M, Meuli M: Cultured epithelial autografts: diving from surgery into matrix biology, *Pediatric Surgery International* 12:478, 1997.
18. Cameron S: Changes in burn patient care, *Br J Theatre Nurs* 7:5, 1997.
19. Latarjet J, Choinere M: Pain in burn patients, *Burns* 21:344, 1995.
20. Davis ST, Sheely-Adolphson P: Burn management. Psychosocial interventions: pharmacologic and psychologic modalities, *Nurs Clin North Am* 32:331, 1997.
21. Pessina MA, Ellis SM: Burn management. Rehabilitation, *Nurs Clin North Am* 32:365, 1997.
22. Richard RL, Staley MJ: *Burn care and rehabilitation: principles and practice,* Philadelphia, 1994, Davis.
23. Steeves RH and others: Tasks of bereavement for burn center staffs, *J Burn Care Rehabil* 14:386, 1993.

Édition de langue française

1. Demling, R. H. (2003) Burn Care in the Immediate Ressuscitation Period in *ACS Surgery: Principles and Practice.* New York: WebMD. Chap. I-3.
2. Demling, R. H. (2003) Burn Care in the Early Postresuscitation Period in *ACS Surgery: Principles and Practice.* New York: WebMD. Chap. III-12.
3. Demling, R. H. (2003) Burn Care after the First Postborn Week in *ACS Surgery: Principles and Practice.* New York: WebMD. Chap. III-13.
4. Demling, R. H. (2003) Miscelleneous Thermal Injuries in *ACS Surgery: Principles and Practice.* New York: WebMD. Chap. III-14.
5. Demling, R. H. (2003) Rehabilitation of the Burn Patient in *ACS Surgery: Principles and Practice.* New York: WebMD. Chap. VIII-14.
6. Flynn, M. B. (2002). Burn Injuries in: McQuillan, K. A., Von Rueden, K. T., Hartsock, R. L., Flynn, M. B. & Whalen, E. *Trauma Nursing from Ressuscitation through Rehabilitation.* 3e édition. Philadelphia: W. B. Saunders Company. Chap. 31.
7. Direction générale de la Santé publique (1999). *Protocole d'immunisation.* Ministère de la Santé et des services sociaux. Gouvernement du Québec. Chap. 7, p. 115.
8. Wraa, C. (1998). Burns in: Emergency Nurse Association. *Sheehy's Emergency Nursing Principles and Practice.* 4e édition. St. Louis: Mosby. Chap. 29.

PARTIE XII
Soins infirmiers reliés aux troubles de mobilité et de coordination

Chapitre 52

ÉVALUATION DU SYSTÈME NERVEUX

Monique Bédard
B. Sc. inf.
Cégep de Limoilou

Lucie Maillé
Inf., B. Sc.
Collège Édouard-Montpetit

OBJECTIFS D'APPRENTISSAGE

APRÈS AVOIR LU CE CHAPITRE, VOUS DEVRIEZ ÊTRE EN MESURE :

- DE DÉCRIRE LES FONCTIONS DES NEURONES ET DE LA NÉVROGLIE ;

- D'EXPLIQUER LES ASPECTS ÉLECTROCHIMIQUES DE LA TRANSMISSION DES IMPULSIONS NERVEUSES ;

- D'EXPLIQUER L'EMPLACEMENT ANATOMIQUE ET LES FONCTIONS DES HÉMISPHÈRES CÉRÉBRAUX, DU TRONC CÉRÉBRAL, DU CERVELET, DE LA MOELLE ÉPINIÈRE, DES NERFS PÉRIPHÉRIQUES ET DU LIQUIDE CÉPHALORACHIDIEN ;

- DE CITER LES PRINCIPALES ARTÈRES QUI ALIMENTENT LE CERVEAU ;

- DE DÉCRIRE LES FONCTIONS DES 12 NERFS CRÂNIENS ;

- DE COMPARER LES FONCTIONS DES DEUX PARTIES DU SYSTÈME NERVEUX AUTONOME ;

- DE DÉCRIRE LES EFFETS DU VIEILLISSEMENT SUR LE SYSTÈME NERVEUX ET LES VARIATIONS DANS LES RÉSULTATS DES ÉVALUATIONS ;

- DE RECONNAÎTRE LES DONNÉES SUBJECTIVES ET OBJECTIVES IMPORTANTES RELATIVES AU SYSTÈME NERVEUX QUI DOIVENT ÊTRE RECUEILLIES AUPRÈS DU CLIENT ;

- DE DÉCRIRE LES TECHNIQUES UTILISÉES LORS DE L'ÉVALUATION PHYSIQUE DU SYSTÈME NERVEUX ;

- DE FAIRE LA DISTINCTION ENTRE LES RÉSULTATS NORMAUX ET LES RÉSULTATS ANORMAUX COURANTS LORS DE L'ÉVALUATION PHYSIQUE DU SYSTÈME NERVEUX ;

- DE DÉCRIRE LE BUT DES ÉPREUVES DIAGNOSTIQUES DU SYSTÈME NERVEUX, L'IMPORTANCE DES RÉSULTATS ET LES RESPONSABILITÉS CORRESPONDANTES DE L'INFIRMIÈRE.

52.1 STRUCTURES ET FONCTIONS DU SYSTÈME NERVEUX

Le système nerveux humain est un système hautement spécialisé qui assure la maîtrise et l'intégration des nombreuses activités de l'organisme. On peut le diviser en deux parties, soit le **système nerveux central** (SNC) et le **système nerveux périphérique** (SNP). Le SNC comprend le cerveau et la moelle épinière tandis que le SNP comprend les nerfs crâniens et rachidiens ainsi que les éléments périphériques du **système nerveux autonome** (SNA). Avant d'étudier en détail les structures et leurs fonctions, nous allons examiner les éléments cellulaires et la transmission des impulsions nerveuses.

52.1.1 Cellules du système nerveux

Le système nerveux est formé de deux types de cellules : les **neurones** et les **cellules névrogliques**. Les cellules névrogliques sont plus nombreuses, mais elles jouent avant tout un rôle de soutien pour les neurones, qui sont les principaux éléments fonctionnels du système nerveux. Les neurones sont généralement non mitotiques, c'est-à-dire qu'ils ne se répliquent pas et qu'ils sont incapables de se régénérer en cas de lésion. Par contre, les cellules névrogliques sont mitotiques et capables de se répliquer.

Neurones. Les neurones du système nerveux sont de formes et de tailles différentes mais ils ont tous des caractéristiques communes :
- l'excitabilité ou la capacité de produire une impulsion nerveuse ;
- la conductivité ou la capacité de transmettre l'impulsion à d'autres parties de la cellule ;
- la capacité d'influencer d'autres neurones, des cellules musculaires et des cellules glandulaires en leur transmettant les impulsions nerveuses.

Un neurone comprend un corps cellulaire, un axone et plusieurs dendrites (voir figure 52.1). Le corps cellulaire contenant le noyau et le cytoplasme est le centre métabolique du neurone. Les dendrites sont de courtes arborisations partant du corps de la cellule ; elles reçoivent les impulsions nerveuses provenant des axones ou d'autres neurones et les acheminent vers le corps de la cellule. L'**axone** nerveux est une extension dont la longueur varie de quelques micromètres à plus de un mètre. Il achemine les impulsions nerveuses aux autres neurones et aux organes récepteurs. Les organes récepteurs sont les muscles lisses ou striés et les glandes. Les axones peuvent être myélinisés ou non. De nombreux axones du SNC et du SNP sont recouverts d'une gaine de myéline formée de plusieurs segments et composée d'une substance grasse, blanche et isolante pour la conduction des impulsions. En général, les fibres plus petites ne sont pas myélinisées.

Névroglie. La **névroglie** désigne les cellules gliales qui soutiennent, nourrissent et protègent les neurones. Elles constituent près de la moitié de la masse du cerveau et de la moelle épinière et sont de 5 à 10 fois plus nombreuses que les neurones. Il existe différents types de cellules gliales, notamment l'oligodendroglie, les astrocytes, les cellules épendymaires et la microglie, ayant chacune leurs fonctions propres. L'oligodendroglie produit la gaine de myéline des fibres nerveuses dans le SNC (les cellules de Schwann myélinisent les fibres nerveuses en périphérie) et se trouve principalement dans la matière blanche du SNC. Les astrocytes, dont l'importance physiologique n'est pas bien connue, se trouvent surtout dans la matière grise. On pense qu'ils assurent le soutien structurel des neurones et de leurs

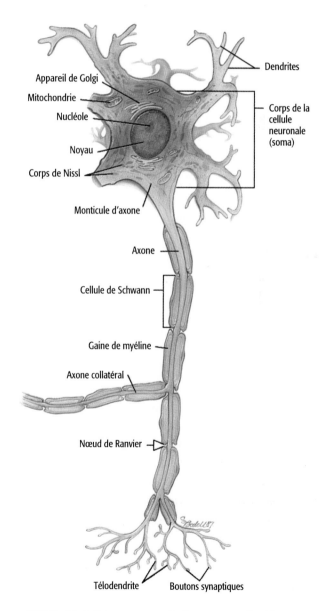

Appareil de Golgi
Mitochondrie
Nucléole
Noyau
Corps de Nissl
Dendrites
Corps de la cellule neuronale (soma)
Monticule d'axone
Axone
Cellule de Schwann
Gaine de myéline
Axone collatéral
Nœud de Ranvier
Télodendrite
Boutons synaptiques

FIGURE 52.1 Éléments structurels des neurones : dendrites, corps cellulaires et axones

délicates arborisations, qu'ils forment la barrière héma-toencéphalique avec l'endothélium des vaisseaux sanguins et qu'ils jouent un rôle indirect dans la transmission synaptique (conduction des impulsions entre les neurones). En cas de lésion au cerveau, les astrocytes jouent le rôle de phagocytes pour les résidus de neurones ; ils aident à restaurer le milieu neurochimique et facilitent la réparation. La prolifération des astrocytes contribue à la formation de tissu cicatriciel (gliose) dans le SNC. Les cellules épendymaires tapissent les ventricules cérébraux et favorisent la sécrétion du liquide céphalorachidien. La microglie est un type de macrophage relativement rare dans les tissus normaux du SNC. Ces cellules migrent vers les zones des lésions du SNC, agissent comme des phagocytes et jouent un rôle important dans la défense de l'hôte.

La névroglie intervient dans la plupart des tumeurs primaires du SNC. Les malignités primaires font rarement intervenir les neurones car ces cellules sont généralement non mitotiques.

52.1.2 Régénération des nerfs

Généralement, lorsqu'un neurone meurt, il n'est pas remplacé, mais si seul l'axone de la cellule nerveuse est endommagé, la cellule tentera de se réparer. Lorsqu'elles sont endommagées, toutes les cellules nerveuses essaient de trouver leurs destinations initiales en produisant de nombreux bourgeons aux extrémités endommagées de leurs axones. Malheureusement, les axones du SNC se régénèrent moins facilement que les axones périphériques, peut-être à cause du tissu cicatriciel dense qui se forme dans le SNC et qui devient un obstacle. Les fibres nerveuses qui se régénèrent grandissent de quatre millimètres par jour.

Dans le SNP (en dehors du cerveau et de la moelle épinière), les fibres nerveuses endommagées réussissent à se régénérer en repoussant à l'intérieur de la gaine protectrice de myéline des cellules de Schwann (qui assurent le soutien) si le corps de la cellule est intact. Le résultat final de la régénération dépend du nombre de bourgeons d'axones qui se raccordent aux colonnes des cellules de Schwann appropriées et innervent à nouveau les organes récepteurs correspondants.

52.1.3 Impulsion nerveuse

Le neurone sert à émettre, à recevoir et à traiter des messages concernant des événements internes et externes de l'organisme. L'émission d'un message nerveux (**impulsion nerveuse**) fait intervenir la création d'un potentiel d'action. Dès que ce potentiel est créé, une série de potentiels d'action circule le long de l'axone, jusqu'à ce que l'impulsion atteigne l'extrémité de la fibre nerveuse, où elle est transmise à la jonction entre cellules nerveuses (synapse) par l'interaction chimique des neurotransmetteurs. Cette interaction produit une autre série de potentiels d'action dans le neurone suivant. Ce processus se répète jusqu'à ce que l'impulsion nerveuse parvienne à destination.

Potentiel d'action. Lorsque les cellules nerveuses sont au repos (inactives), une charge électrique négative circule de l'intérieur à l'extérieur du corps de la cellule. La concentration des ions sodium (Na^+) est élevée à l'extérieur de la cellule, tandis que celle des ions potassium (K^+) est élevée à l'intérieur de la cellule. La différence de potentiel électrique entre les deux faces de la membrane cellulaire est appelée *potentiel de la membrane au repos* (voir figure 52.2). Il y a création d'un **potentiel d'action** lorsqu'un stimulus a une amplitude suffisante pour perturber le potentiel de la membrane.

En présence d'un potentiel d'action, la membrane de la cellule devient plus perméable aux ions Na^+ et les laisse facilement pénétrer dans la cellule. La variation résultante de tension entre les deux faces de la membrane est appelée *dépolarisation* (l'intérieur de la cellule devient momentanément positif par rapport à l'extérieur). Après une dépolarisation rapide, la *repolarisation* (l'intérieur de la cellule devient négatif par rapport à l'extérieur) est facilitée par une augmentation plus lente de la perméabilité aux ions K^+ ; cette perméabilité étant elle-même causée par la dépolarisation qui accompagne l'arrivée des ions Na^+ dans la cellule. L'ensemble du processus de dépolarisation et de repolarisation de la membrane des cellules nerveuses ne dure que de une à deux millisecondes. Des potentiels d'action répétés entraînent une accumulation d'ions Na^+ dans les cellules. Il faut un processus métabolique actif pour les faire sortir de la cellule et y faire entrer les ions K^+ ; ce processus est accompli par la pompe Na^+ - K^+, dont l'énergie provient de la décomposition de l'adénosine triphosphate (ATP).

Le potentiel d'action a la propriété d'être autonome, c'est-à-dire qu'une fois que la cellule se dépolarise suffisamment pour créer un potentiel d'action, l'amplitude du potentiel ne dépend pas de l'intensité du stimulus. Lorsqu'il est créé en un point d'un neurone, le potentiel d'action est transmis le long de l'axone sans perte d'intensité.

À cause de ses propriétés isolantes, la **myéline** des axones nerveux facilite la transmission des potentiels d'action. De nombreux axones périphériques ont des espaces, appelés *nœuds de Ranvier*, à intervalles réguliers dans la gaine de myéline qui les recouvre. Lorsqu'un potentiel d'action descend le long d'un axone, il saute d'un nœud à l'autre sans traverser le segment de la membrane isolante entre les nœuds, ce qui lui permet de progresser plus rapidement : ce processus est appelé *conduction saltatoire* (ou saut). Dans une fibre non myélinisée, la vague de dépolarisation traverse l'axone

Potentiel de la membrane au repos

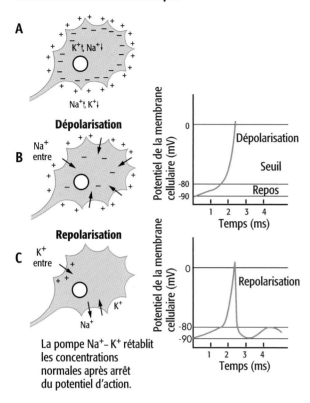

A

Dépolarisation

B

Repolarisation

C

La pompe Na⁺– K⁺ rétablit les concentrations normales après arrêt du potentiel d'action.

FIGURE 52.2 A. Potentiel de la membrane au repos. B. Dépolarisation. C. Repolarisation.

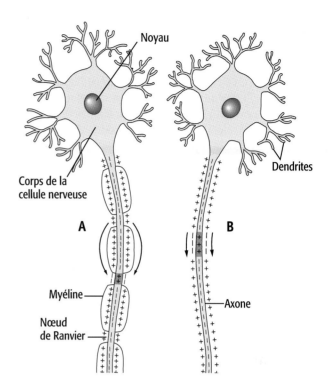

FIGURE 52.3 A. Conduction saltatoire dans un nerf myélinisé. B. Dépolarisation dans une fibre non myélinisée.

sur toute sa longueur et chaque portion de la membrane se dépolarise à son tour. La figure 52.3 compare les transmissions des impulsions nerveuses de fibres myélinisées et non myélinisées.

Synapse. Une **synapse** est la jonction structurelle et fonctionnelle entre deux neurones par laquelle est transmise l'impulsion nerveuse entre neurones, ou du neurone à l'arrivée, c'est-à-dire à l'organe effecteur. Les principales structures d'une transmission synaptique sont un terminal présynaptique, une fente synaptique et un site récepteur sur la cellule postsynaptique (voir figure 52.4). Lorsqu'une impulsion nerveuse arrive à l'extrémité de

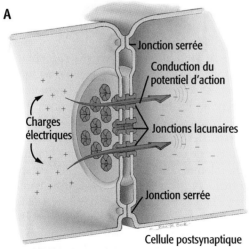

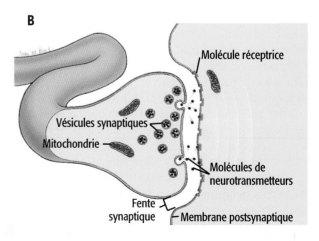

FIGURE 52.4 Synapses électriques et chimiques. A. Les synapses électriques font intervenir des jonctions lacunaires qui permettent au courant électrique de circuler entre les cellules et aux potentiels d'action de passer directement d'une cellule à une autre. B. Les synapses chimiques font intervenir des transmetteurs chimiques (neurotransmetteurs) qui signalent les cellules postsynaptiques et qui induisent un potentiel d'action.

l'axone (terminal présynaptique), elle provoque la libération d'une substance chimique (neurotransmetteur) par de minuscules vésicules situées dans l'extrémité de l'axone. Cette libération dépend de l'apport en calcium (Ca^+) amorcé par la dépolarisation du terminal nerveux. Le neurotransmetteur franchit alors l'espace microscopique (la fente synaptique) entre les deux neurones et s'attache aux sites récepteurs du neurone receveur (postsynaptique). Cela altère la perméabilité de la membrane de la cellule postsynaptique aux ions spécifiques tels que Na^+ et K^+, ce qui provoque un changement dans le potentiel électrique de la membrane.

Neurotransmetteurs. Les **neurotransmetteurs** sont des substances chimiques qui interviennent dans la transmission d'une impulsion à travers la fente synaptique. Certains neurotransmetteurs sont excitants : ils accroissent la perméabilité au Na^+ de la membrane cellulaire postsynaptique et augmentent la probabilité de créer un potentiel d'action. Ce type d'information synaptique entraîne un potentiel postsynaptique d'excitation. D'autres neurotransmetteurs sont inhibiteurs : ils entraînent une augmentation de perméabilité aux ions K^+ et Cl^-, ce qui diminue la probabilité de créer un potentiel d'action. Ce type d'information synaptique entraîne un potentiel postsynaptique d'inhibition.

Les centaines ou les milliers de connexions d'un neurone agissent toutes sur ce neurone. L'effet net des informations est soit excitant, soit inhibant. En général, l'effet net est fonction du nombre de neurones présynaptiques qui libèrent des neurotransmetteurs à la cellule postsynaptique. Une cellule présynaptique qui libère un neurotransmetteur excitant n'entraîne pas toujours une dépolarisation suffisante de la cellule postsynaptique pour créer un potentiel d'action. Cependant, si suffisamment de cellules présynaptiques libèrent des neurotransmetteurs excitants sur un seul neurone, la somme de leurs informations peut alors créer un potentiel d'action. L'information présynaptique est soit la somme des cellules présynaptiques qui libèrent des neurotransmetteurs (sommation spatiale), soit la somme de neurotransmetteurs libérés par une seule cellule (sommation temporelle). En général, les deux événements participent à la génération de l'information.

L'effet excitant ou inhibant d'un neurotransmetteur dépend de son influence sur les canaux ioniques de la membrane postsynaptique. On sait que chez les mammifères, l'acétylcholine, la norépinéphrine, la sérotonine, la dopamine, le glutamate et l'histamine sont en général des neurotransmetteurs à influence excitatrice. L'acide gamma-amino-butyrique (GABA) et la glycine sont en général des neurotransmetteurs à influence inhibitrice.

Les neurotransmetteurs continuent de se combiner avec les sites de réception jusqu'à ce que des enzymes les désactivent ou jusqu'à ce qu'ils soient absorbés par les extrémités présynaptiques ou encore, jusqu'à ce qu'ils quittent la région synaptique par diffusion. De plus, les médicaments et les toxines peuvent affecter les neurotransmetteurs en modifiant leur fonction ou en bloquant leur liaison aux sites récepteurs de la membrane postsynaptique. Les enképhalines et les endorphines, qui sont des substances à actions opioïdes, sont également considérées comme des neurotransmetteurs. Elles se trouvent en de multiples endroits du SNC et du SNP et ont un effet antalgique (voir chapitre 5).

52.1.4 Système nerveux central

Les principales structures du SNC sont la moelle épinière et le cerveau, qui comprend les hémisphères cérébraux, le cervelet et le tronc cérébral.

Moelle épinière. La **moelle épinière** est une extension du tronc cérébral qui quitte la cavité crânienne à travers le trou occipital. Une coupe de la moelle épinière montre au centre la matière grise en forme de H et entourée de matière blanche (voir figure 52.5). Cette matière grise contient les corps cellulaires des neurones de motricité volontaire, les neurones moteurs autonomes préganglionnaires ainsi que les corps cellulaires des neurones de jonction (interneurones). La matière blanche renferme quant à elle les axones des fibres ascendantes sensorielles et descendantes motrices (suprasegmentaires). La myéline entourant ces fibres leur donne une couleur blanche. Dans cette matière blanche, on peut distinguer des voies ascendantes et descendantes spécifiques. Ces voies spinales sont déterminées d'après leur point d'origine et leur destination (voie spinocérébelleuse [ascendante] et voie corticorachidienne [descendante]). La figure 52.5 présente les principales voies rachidiennes.

Voies ascendantes. En général, les voies ascendantes transportent l'information sensorielle spécifique vers les niveaux plus élevés du SNC. Cette information provient d'extrémités sensorielles spéciales (récepteurs) situées dans la peau, les muscles, les articulations, les viscères et les vaisseaux sanguins ; elle pénètre dans la moelle épinière par les racines dorsales des nerfs rachidiens. Le faisceau gracile et le faisceau cunéiforme (communément appelés colonne dorsale ou postérieure) transportent de l'information et transmettent des impulsions relatives au toucher, à la pression, à la vibration, au sens de la position et à la kinesthésie (estimation du mouvement, du poids et des différentes parties du corps). La voie spinocérébelleuse achemine jusqu'au cervelet l'information subconsciente sur la tension musculaire et la position du corps pour la coordination du mouvement. Cette information n'est pas perçue de façon consciente. Le faisceau spinothalamique

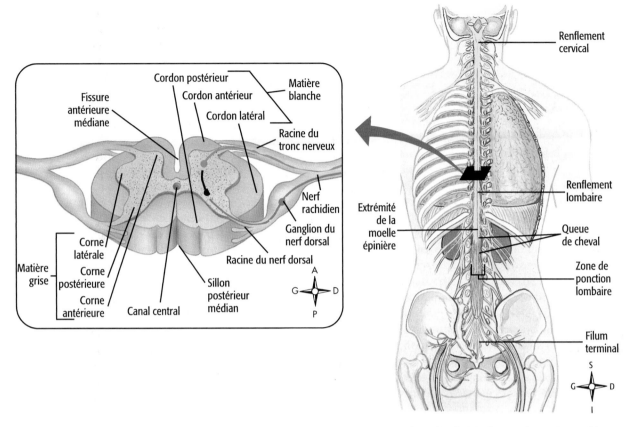

FIGURE 52.5 Moelle épinière. L'encadré présente une coupe transversale de la moelle épinière à l'endroit indiqué sur la vue d'ensemble.

transporte les sensations de douleur et de température. En conséquence, les voies ascendantes sont regroupées autant de manière sensorielle qu'anatomique. Bien que l'on admette généralement les fonctions de ces voies, d'autres voies ascendantes peuvent aussi transporter des modalités sensorielles. Les symptômes de plusieurs maladies nerveuses laissent suggérer qu'il existe d'autres voies pour le toucher, le sens de la position et la vibration.

Voies descendantes. Les voies descendantes acheminent les impulsions responsables des mouvements musculaires. Les voies corticobulbaire et corticorachidienne font partie des voies descendantes les plus importantes et constituent ce que l'on appelle la *voie pyramidale*. Ces voies acheminent respectivement des impulsions volontaires du cortex vers les nerfs crâniens et périphériques. Un autre groupe de voies descendantes motrices achemine les impulsions du système extrapyramidal; ce groupe comprend l'ensemble des systèmes moteurs (à l'exception du système pyramidal) reliés au mouvement volontaire et inclut les voies descendantes provenant du tronc cérébral, des noyaux gris centraux et du cervelet. L'information motrice sort de la moelle épinière par les racines ventrales des nerfs rachidiens.

Neurones moteurs inférieurs et supérieurs. Les neurones moteurs inférieurs (NMI) sont la voie commune terminale par laquelle les voies motrices descendantes agissent sur les muscles du squelette, qui sont les organes effecteurs du mouvement. Les corps cellulaires des NMI, dont les axones innervent les muscles des bras, du tronc et des jambes, sont logés dans la corne antérieure du segment correspondant de la moelle épinière (les segments cervicaux contiennent les NMI des bras). Les NMI des muscles oculaires, de la figure, de la bouche et du cou sont logés dans les segments correspondants du tronc cérébral. Ces corps cellulaires et leurs axones forment les composants somatiques moteurs des nerfs crâniens. Les lésions NMI sont souvent les causes de faiblesse ou de paralysie, d'atrophie par dénervation, d'hyporéflexie ou d'aréflexie et de diminution du tonus musculaire (flaccidité).

Les neurones moteurs supérieurs (NMS) proviennent du cortex cérébral et s'étendent vers le bas. La voie corticobulbaire s'arrête au tronc cérébral et la voie corticorachidienne descend dans la moelle épinière. Ces neurones agissent sur les mouvements de l'appareil locomoteur. Les lésions NMS sont en général des causes de faiblesse ou de paralysie, d'atrophie sclérosante, d'hyperréflexie et d'augmentation du tonus musculaire (spasticité).

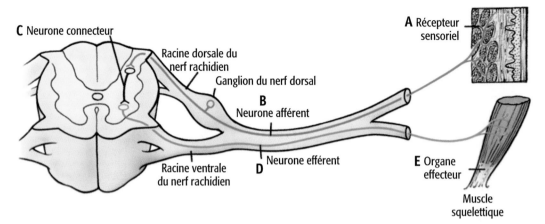

FIGURE 52.6 Schéma simplifié d'un arc réflexe. A. Récepteur sensoriel. B. Neurone afférent. C. Neurone connecteur. D. Neurone efférent. E. Organe effecteur.

Arc réflexe. Par définition, un **réflexe** est la réaction involontaire à un stimulus. Les composants d'un arc réflexe monosynaptique (le type d'arc réflexe le plus simple) sont l'organe récepteur, un neurone afférent, un neurone efférent et un organe effecteur (un muscle du squelette). Il y a synapse entre le neurone afférent et le neurone efférent dans la matière grise de la moelle épinière. La figure 52.6 représente un arc réflexe. Dans les arcs réflexes plus complexes, d'autres neurones (interneurones), en plus du neurone afférent, agissent sur le neurone efférent. Les arcs réflexes jouent un rôle important dans la moelle épinière pour le maintien du tonus musculaire essentiel à la posture corporelle.

Cerveau. Le **cerveau** comprend trois composants principaux : les **hémisphères cérébraux**, le **tronc cérébral** et le **cervelet**.

Hémisphères cérébraux. Les hémisphères cérébraux droit et gauche font partie du télencéphale et se divisent en quatre lobes principaux : frontal, temporal, pariétal et occipital (voir figure 52.7). Ces divisions servent à délimiter les zones du néocortex (matière grise) qui constitue la couche extérieure des hémisphères cérébraux. Les neurones situés dans des endroits spécifiques du néocortex sont essentiels pour les aspects sophistiqués et hautement complexes du fonctionnement mental tels que le langage, la mémoire et l'évaluation des relations oculospatiales.

Les fonctions des hémisphères cérébraux sont multiples et complexes ; des zones spécifiques du cortex cérébral sont associées à des fonctions spécifiques. Le tableau 52.1 résume les emplacements et les fonctions des différentes parties des hémisphères cérébraux.

Les noyaux gris centraux, le thalamus, l'hypothalamus et le système limbique sont également situés dans les hémisphères cérébraux. Les noyaux gris centraux sont un groupe de structures paires situées au centre des

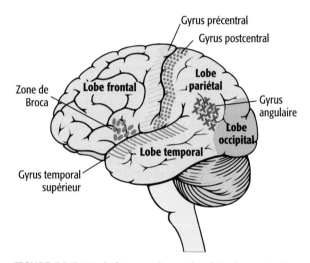

FIGURE 52.7 Hémisphère gauche : surface latérale montrant les lobes principaux et les zones du cerveau

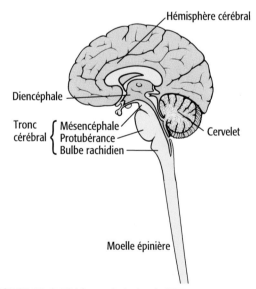

FIGURE 52.8 Divisions principales du SNC

TABLEAU 52.1 Emplacement et fonction des parties des hémisphères cérébraux

Parties	Emplacement	Fonctions
Zones corticales		
Moteur		
Primaire	Gyrus précentral	Commande l'initiation du mouvement du côté opposé du corps.
Supplémentaire	Gyrus antérieur à précentral	Facilite l'activité du muscle proximal, dont les activités de posture et de démarche et le mouvement et la coordination spontanés.
Sensoriel		
Somatique	Gyrus postcentral	Enregistre les sensations de l'organisme (température, toucher, pression, douleur) du côté opposé du corps.
Visuel	Lobe occipital	Enregistre les images visuelles.
Auditif	Gyrus temporal supérieur	Enregistre les données auditives.
Zones d'associations	Lobe pariétal	Intègre les renseignements somatiques et sensoriels spéciaux.
	Lobe temporal postérieur	Intègre les renseignements visuels et auditifs pour la compréhension du langage.
	Lobe temporal antérieur	Intègre les expériences passées.
	Lobe frontal antérieur	Commande les processus d'ordre supérieur (jugement, compréhension intuitive, raisonnement, résolution de problèmes, planification).
Langage		
Compréhension	Gyrus angulaire	Intègre le langage parlé (compréhension des mots prononcés).
Expression	Zone de Broca	Régule l'expression orale.
Noyau gris central	Ventricules latéraux près des deux hémisphères cérébraux	Commande et facilite les mouvements automatiques appris.
Thalamus	Sous le noyau gris central	Relaye les renseignements sensoriels et moteurs au cortex et à d'autres parties des hémisphères cérébraux.
Hypothalamus	Sous le thalamus	Régule les fonctions endocrine et autonome (alimentation, sommeil, réactions émotives et sexuelles).
Système limbique	À côté de l'hypothalamus	Influence le comportement affectif (émotionnel) et les pulsions de base comme l'alimentation et le comportement sexuel.

hémisphères cérébraux et du mésencéphale ; la plupart se situent de part et d'autre du thalamus. Ils servent à moduler l'initiation, l'exécution et la mise en œuvre des mouvements volontaires et automatiques associés à l'activité de l'appareil locomoteur, comme le balancement des bras pendant la marche, la déglutition de la salive et le clignement des yeux.

Le **thalamus** (qui fait partie du diencéphale) est situé directement au-dessus du tronc cérébral (voir figures 52.8 et 52.9) et constitue le principal centre relais pour les informations sensorielles ou afférentes (cérébelleuses) vers le cortex cérébral. L'hypothalamus est situé juste en dessous du thalamus, légèrement devant le mésencéphale. Il régule le système nerveux autonome et le système endocrinien. Le système limbique est, du point de vue phylogénétique, une ancienne partie des hémisphères cérébraux humains. Il se situe près des surfaces intérieures

des hémisphères cérébraux (voir figure 52.10) et joue un rôle dans les émotions, l'agression, le comportement alimentaire et la réaction sexuelle.

Tronc cérébral. Le tronc cérébral comprend le mésencéphale, le pont de Varole (ou la **protubérance**) et la médulla oblongata (ou le **bulbe rachidien**) (voir figures 52.8 et 52.9). Les fibres ascendantes et descendantes traversent le tronc cérébral en provenance ou à destination des hémisphères cérébraux et du cervelet. Les corps cellulaires (ou noyaux des nerfs crâniens III à XII) sont logés dans le tronc cérébral ainsi que la formation réticulée. Cette formation est constituée d'un groupe de neurones et d'axones associés, arrangés de façon diffuse et reliant le bulbe rachidien au thalamus et à l'hypothalamus. Elle a comme fonctions de relayer des informations sensorielles, d'influencer les contrôles exciteurs et inhibiteurs des neurones moteurs rachidiens

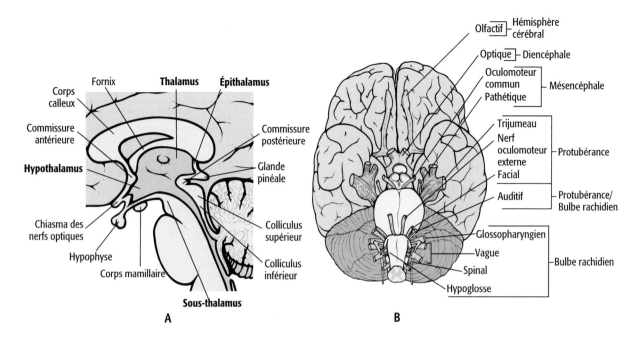

FIGURE 52.9 A. Diencéphale (thalamus et hypothalamus). B. Nerfs crâniens.

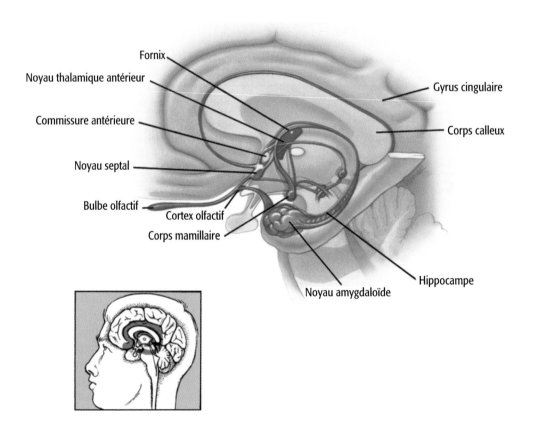

FIGURE 52.10 Structures du système limbique

et de contrôler l'activité vasomotrice et respiratoire. Le système d'activation réticulée fait partie de la formation réticulée ; c'est le système régulateur de l'activation, un composant de la conscience.

Les centres vitaux responsables des fonctions respiratoires, vasomotrices et cardiaques sont situés dans le bulbe rachidien. Le tronc cérébral contient également les centres de l'éternuement, de la toux, du hoquet, du vomissement, de la succion et de la déglutition.

Cervelet. Le cervelet est situé dans la partie postérieure de la fosse crânienne, avec le tronc cérébral, sous le lobe occipital des hémisphères cérébraux. Il coordonne les mouvements volontaires et maintient la stabilité du tronc et l'équilibre. Il influence l'activité motrice par ses connexions d'axones vers le cortex moteur, le noyau du tronc cérébral et leurs voies descendantes. Pour remplir ces fonctions, le cervelet reçoit des informations en provenance du cortex cérébral, des muscles, des articulations et de l'oreille interne.

Ventricules et liquide céphalorachidien. Plusieurs structures de support situées dans le SNC sont importantes du point de vue de la régulation des fonctions neuronales et du support physique au cerveau. Les **ventricules** sont quatre cavités du cerveau interconnectées remplies

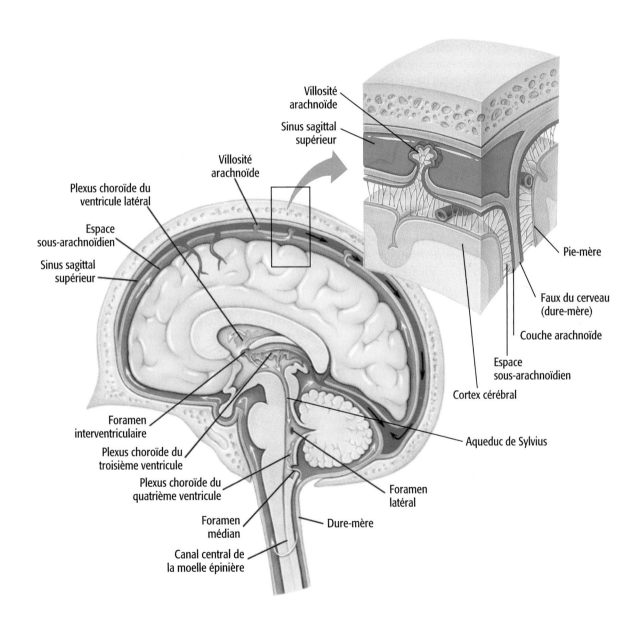

FIGURE 52.11 Circulation du liquide céphalorachidien. Le liquide est produit par filtration du sang dans les plexus choroïdes de chaque ventricule et circule vers le bas à travers les ventricules latéraux, le foramen interventriculaire, le troisième ventricule, l'aqueduc de Sylvius, le quatrième ventricule et l'espace sous-arachnoïdien pour se jeter dans le sang.

de liquide et également connectées au canal rachidien. La figure 52.11 montre les ventricules et la circulation du **liquide céphalorachidien** dans le SNC.

Les ventricules et le canal rachidien contiennent environ 135 ml de liquide céphalorachidien (LCR). Ce liquide circule dans l'espace sous-arachnoïdien qui entoure le cerveau, le tronc cérébral et la moelle épinière. Il protège le cerveau et la moelle épinière, permet le transfert de liquides de la cavité crânienne à la cavité spinale et transporte des substances nutritives. La formation du LCR dans les plexus choroïdes des ventricules se fait par diffusion passive et par transport actif de substances. Le LCR ressemble à une ultrafiltration du sang. Il est généré en permanence et les taux d'absorption et de formation font intervenir de nombreux facteurs physiologiques.

Le LCR circule dans les ventricules et s'infiltre dans l'espace sous-arachnoïdien entourant le cerveau et la moelle épinière. Il est absorbé principalement par les villosités arachnoïdiennes (minuscules projections dans l'espace sous-arachnoïdien), dans les sinus veineux intraduraux et, finalement, dans le système veineux. L'analyse de la composition du LCR procure d'utiles renseignements diagnostiques pour certaines maladies du système nerveux. On mesure parfois la pression du LCR chez les clients atteints ou soupçonnés d'être atteints d'une maladie intracrânienne. L'augmentation de la pression intracrânienne, indiquée par une augmentation de la pression du LCR, peut provoquer une hernie cérébrale (engagement) et la compression de structures vitales du tronc cérébral. Les signes correspondants à cet état font partie du syndrome de l'engagement (voir chapitre 53).

52.1.5 Système nerveux périphérique

Le SNP comprend toutes les structures neuronales situées en dehors du SNC, soit les nerfs rachidiens et crâniens, leurs ganglions (groupes de corps cellulaires) et des parties du SNA.

Nerfs rachidiens. La moelle épinière est formée d'une série de segments rachidiens placés l'un au-dessus de l'autre. En plus des corps cellulaires, chaque segment contient une paire de fibres nerveuses sensorielles dorsales (afférentes) ou racines, et des fibres ou racines motrices ventrales (efférentes) qui innervent une région spécifique du cou, du tronc ou des côtes. Ce nerf mixte sensorimoteur est appelé **nerf rachidien** (voir figure 52.12). Les corps cellulaires du système moteur autonome (non volontaire) sont situés dans la partie antérolatérale de la matière grise de la moelle épinière. Les corps cellulaires des fibres sensorielles sont situés dans le ganglion dorsal, juste à l'extérieur de la moelle épinière, dans le trou de conjugaison. En quittant la colonne vertébrale, chaque nerf rachidien se divise en rameaux ventral et

dorsal, un assemblage de fibres sensorielles et motrices qui rejoignent les structures périphériques (la peau, les muscles, les viscères). Les ganglions sympathiques sont rattachés au rameau ventral des nerfs rachidiens par des rameaux communicants gris et blancs.

Un dermatome est la zone cutanée dont l'innervation est assurée par les fibres sensorielles d'une seule racine dorsale d'un nerf rachidien. Un myotome est un groupe de muscles innervé par les neurones moteurs primaires d'une seule racine ventrale. Ce sont des composants simples de l'état embryonnaire du développement humain. Cependant, chez l'adulte, les dermatomes et les myotomes d'un segment rachidien donné se recoupent avec ceux des segments adjacents à cause du développement des branches collatérales montantes et descendantes des fibres nerveuses. Les dermatomes fournissent une image générale de l'innervation sensorielle somatique par les segments rachidiens.

Nerfs crâniens. Les **nerfs crâniens** (NC) sont les 12 paires de nerfs composés de corps cellulaires dont les fibres sortent de la cavité crânienne. Contrairement aux nerfs rachidiens, qui ont toujours des fibres afférentes sensorielles et efférentes motrices, certains NC n'ont

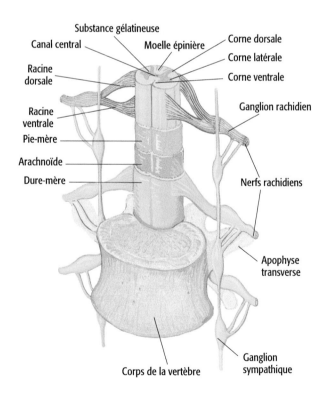

FIGURE 52.12 Coupe de la moelle épinière montrant les connexions des nerfs rachidiens et les enveloppes de la moelle épinière

que des fibres afférentes ou efférentes, alors que d'autres possèdent les deux. Le tableau 52.2 résume les composants moteurs et sensoriels des NC. La figure 52.9 montre l'emplacement des NC par rapport au cerveau et à la moelle épinière. Les corps cellulaires (noyaux) des nerfs crâniens sont situés dans des segments spécifiques du cerveau, tout comme les corps cellulaires des nerfs rachidiens sont situés dans des segments spécifiques de la moelle épinière. Les noyaux des nerfs optiques et olfactifs font toutefois exception : les corps cellulaires

primaires des nerfs olfactifs sont logés dans l'épithélium nasal et ceux du nerf optique, dans la rétine. Le NC XI (spinal) est à la fois un nerf crânien et rachidien, car certaines de ses fibres efférentes naissent des cellules du bulbe rachidien, alors que d'autres fibres naissent du cordon antérieur de la moelle épinière cervicale.

Système nerveux autonome. Le SNA gouverne les fonctions involontaires des muscles cardiaques, des muscles lisses (involontaires) et des glandes. On pensait

TABLEAU 52.2　Nerfs crâniens		
Nerf	**Connexion au cerveau**	**Fonctions**
I. Nerfs olfactifs et voie	Région cérébrale ventro-antérieure	Sensorielle : de l'épithélium olfactif de la cavité nasale supérieure
II. Nerf optique	Corps genouillé latéral du thalamus	Sensorielle : de la rétine des yeux
III. Nerf oculomoteur commun	Mésencéphale	Motrice : des quatre muscles de mouvement de l'œil et du muscle releveur de la paupière Parasympathique : muscle lisse du globe oculaire
IV. Nerf pathétique	Mésencéphale	Motrice : vers le muscle de mouvement d'un œil, le supérieur oblique
V. Nerf trijumeau 　Branche ophtalmique	Protubérance	Sensorielle : du front, de l'œil, de la cavité nasale supérieure
Branche maxillaire	Protubérance	Sensorielle : de la cavité nasale inférieure, dents supérieures, muqueuse supérieure de la bouche
Branche mandibulaire	Protubérance	Sensorielle : des surfaces des mâchoires, dents inférieures, muqueuse inférieure de la bouche et de la langue antérieure Motrice : vers les muscles de la mastication
VI. Nerf oculomoteur externe	Protubérance	Motrice : vers le muscle de mouvement d'un œil, le muscle droit latéral
VII. Nerf facial	Jonction protubérance et bulbe rachidien	Motrice : vers les muscles de l'expression faciale et le muscle de la joue, le muscle buccinateur Sensorielle : goût des deux tiers antérieurs de la langue
VIII. Nerf auditif 　Branche vestibulaire	Jonction protubérance et bulbe rachidien	Sensorielle : de l'organe sensoriel de l'équilibre, l'appareil vestibulaire
Branche cochléaire	Jonction protubérance et bulbe rachidien	Sensorielle : de l'organe sensoriel auditif, la cochlée
IX. Nerf glossopharyngien	Bulbe rachidien	Sensorielle : du pharynx et de la partie postérieure de la langue, incluant le goût Motrice : muscles pharyngiens supérieurs
X. Nerf vague	Bulbe rachidien	Sensorielle : la plupart des viscères du thorax et de l'abdomen Motrice : larynx et muscles pharyngiens médian et inférieur Parasympathique : cœur, poumons, une grande partie du système gastro-intestinal
XI. Nerf spinal	Bulbe rachidien et segments rachidiens supérieurs	Motrice : vers plusieurs muscles cervicaux, sterno-cléido-mastoïdiens et trapèzes
XII. Nerf hypoglosse	Bulbe rachidien	Motrice : vers les muscles intrinsèque et extrinsèque de la langue

encore récemment que ces fonctions ne pouvaient pas être consciemment maîtrisées. Cependant, les travaux de recherche en rétroaction biologique indiquent que nombre de ces fonctions involontaires peuvent être affectées volontairement.

Le SNA a deux composants anatomiquement et fonctionnellement différents : le **sympathique** et le **parasympathique**. Ensemble, ces deux systèmes assurent l'équilibre de l'environnement interne. Le SNA est essentiellement considéré comme un système efférent composé de nerfs préganglionnaires et postganglionnaires.

Les corps cellulaires du système nerveux sympathique (SNS) sont situés dans les segments rachidiens T1 à L2. Les ganglions sympathiques, qui contiennent les corps cellulaires des neurones postganglionnaires, sont situés près de la colonne vertébrale, le long des vertèbres, dans les rameaux communicants. Ces ganglions et les nerfs connecteurs sont appelés *chaîne paravertébrale*. Le principal neurotransmetteur libéré par les fibres postganglionnaires du système nerveux sympathique (SNS) est la norépinéphrine ; les fibres préganglionnaires, quant à elles, libèrent de l'acétylcholine. Par contraste, les corps cellulaires préganglionnaires du système parasympathique (SNPS) sont situés dans le tronc cérébral et dans les segments rachidiens sacraux (S2 à S4). Les ganglions parasympathiques sont situés à l'intérieur ou près des structures qu'ils innervent. L'acétylcholine est le neurotransmetteur libéré aux extrémités préganglionnaires et postganglionnaires.

Le SNA fournit une innervation double, et souvent réciproque, à de nombreuses structures. Par exemple, il augmente le taux et la force de la contraction cardiaque tandis que le SNPS les diminue. Le SNS dilate les bronches et les bronchioles des poumons alors que le SNPS les contracte. Certaines structures ne sont innervées que par un seul système (par exemple, les follicules pileux et les glandes sudoripares ne sont innervés que par le SNS). Le tableau 52.3 compare le SNS au SNPS.

La stimulation du SNS active les mécanismes de la *réaction de lutte* ou *de fuite* qui a lieu dans tout l'organisme. Par contraste, le SNPS n'agit que dans des régions localisées et discrètes où il conserve et réalimente les réservoirs d'énergie de l'organisme.

52.1.6 Circulation cérébrale

L'alimentation en sang du cerveau provient des artères carotides internes (circulation antérieure) et des artères vertébrales (circulation postérieure), comme le montre la figure 52.13. Pour comprendre et évaluer les signes et les symptômes des maladies et traumatismes vasculocérébraux, il faut connaître la distribution des artères principales du cerveau et des zones qu'elles alimentent.

Chaque artère carotide interne alimente l'hémisphère ipsilatéral, alors que l'artère basilaire, formée par la jonction des deux artères vertébrales, alimente la fosse postérieure (cervelet et tronc cérébral). L'hexagone de Willis, formé de l'artère basilaire et des deux artères carotides internes, agit comme une soupape de sécurité lorsque les deux artères ne sont pas à la même pression (voir figure 52.14). Il fonctionne également comme un chemin anastomosé lorsqu'il y a occlusion d'une artère principale d'un côté du cerveau. En général, les deux artères cérébrales antérieures alimentent la partie médiane des lobes frontaux, tandis que les deux artères cérébrales moyennes alimentent les parties extérieures des lobes frontaux, pariétaux et temporaux supérieurs. Les deux artères cérébrales postérieures alimentent quant à elles les parties médianes des lobes occipitaux et temporaux inférieurs. La figure 52.13 représente les principales artères cérébrales. Le sang veineux est drainé du cerveau vers les sinus duraux, formant quatre canaux qui se jettent dans les deux veines jugulaires.

Barrière hémato-encéphalique. La barrière hémato-encéphalique est une barrière physiologique entre les capillaires sanguins et les tissus du cerveau. La structure des capillaires cérébraux est différente de celle des autres capillaires : certaines substances, qui normalement passent facilement dans la plupart des tissus, ne peuvent pas pénétrer dans les tissus cérébraux. Cette barrière protège donc le cerveau contre certaines substances nocives tout en permettant l'entrée aux nutriments et aux gaz. Comme la barrière hémato-encéphalique influe sur la pénétration des substances pharmacologiques, seuls quelques médicaments peuvent pénétrer dans le SNC par la voie sanguine. Les composés liposolubles entrent aisément dans le cerveau, alors que les médicaments solubles dans l'eau et les médicaments ionisés ne peuvent entrer que lentement dans le cerveau et la moelle épinière. Les lésions de la barrière hémato-encéphalique autorisent l'entrée de médicaments et d'autres substances dans les tissus cérébraux.

52.1.7 Structures de protection

Méninges. Les **méninges** sont trois membranes superposées qui recouvrent le cerveau et la moelle épinière. L'épaisse dure-mère est la couche extérieure, les deux autres couches étant l'arachnoïde et la pie-mère. Le faux du cerveau est un pli de la dure-mère séparant les deux hémisphères cérébraux. La dure-mère empêche également l'expansion du tissu cervical en cas de tumeur à croissance rapide ou d'hémorragie. Le cerveau en expansion est prisonnier de cette structure et le déplacement se fait du côté opposé à la lésion. La tente du cervelet est un pli de la dure-mère qui sépare les hémisphères cérébraux de la fosse cérébrale postérieure (qui renferme le tronc cérébral et le cervelet). Les expansions

TABLEAU 52.3　Effets des systèmes nerveux sympathique et parasympathique

Effecteur viscéral	Effet du système nerveux sympathique*	Effet du système nerveux parasympathique[+]
Cœur	Augmentation du taux et de la force des pulsations cardiaques (récepteurs-β)	Diminution du taux et de la force des pulsations cardiaques
Muscles lisses des vaisseaux sanguins Vaisseaux sanguins de la peau	Constriction (récepteurs-α)	Sans effet
Vaisseaux sanguins de l'appareil locomoteur	Dilatation (récepteurs-β)	Sans effet
Vaisseaux sanguins coronaires	Dilatation (récepteurs-β), constriction (récepteurs-α)	Dilatation
Vaisseaux sanguins de l'abdomen	Constriction (récepteurs-α)	Sans effet
Vaisseaux sanguins de l'appareil génital externe	Éjaculation (contraction du muscle lisse dans les canaux masculins [épididyme, canal déférent])	Dilatation des vaisseaux sanguins provoquant une érection chez l'homme
Muscles lisses des organes creux et des sphincters Bronches	Dilatation (récepteurs-β)	Constriction
Voies gastro-intestinales, sauf sphincters	Diminution du péristaltisme (récepteurs-β)	Augmentation du péristaltisme
Sphincters des voies gastro-intestinales	Contraction (récepteurs-α)	Relaxation
Vessie	Relaxation (récepteurs-β)	Contraction
Sphincters des voies urinaires	Contraction (récepteurs-α)	Relaxation
Œil Iris	Contraction du muscle radial, dilatation de la pupille	Contraction du muscle circulaire, constriction de la pupille
Corps ciliaire	Relaxation, accommodation à la vision éloignée	Contraction, accommodation à la vision proche
Système pileux	Contraction donnant la chair de poule ou horripilation (récepteurs-α)	Sans effet
Glandes Sudoripares	Augmentation de la transpiration (neurotransmetteur, acétylcholine)	Sans effet
Gastro-intestinales (p. ex. salivaires, gastriques)	Diminution de la sécrétion salivaire ; inconnu pour les autres	Augmentation de la sécrétion salivaire et de l'acide gastrique HCl
Pancréas, incluant les îlots	Diminution de la sécrétion	Augmentation du liquide pancréatique et de l'insuline
Foie	Augmentation de la glycogénolyse (récepteurs-β), augmentation de la concentration de glucose dans le sang	Sans effet
Médullosurrénale [‡]	Augmentation de la sécrétion d'épinéphrine	Sans effet

Adapté de Thibodeau GA et K Patton. *Anatomy and physiology,* 4e éd., St. Louis, Mosby, 1999.

* Le neurotransmetteur est la norépinéphrine, sauf indication contraire.

+ Le neurotransmetteur est l'acétylcholine, sauf indication contraire.

‡ Les axones sympathiques préganglionnaires se terminent aux cellules sécrétrices de la médullosurrénale. La médullosurrénale fonctionne donc comme un gigantesque neurone sympathique postganglionnaire.

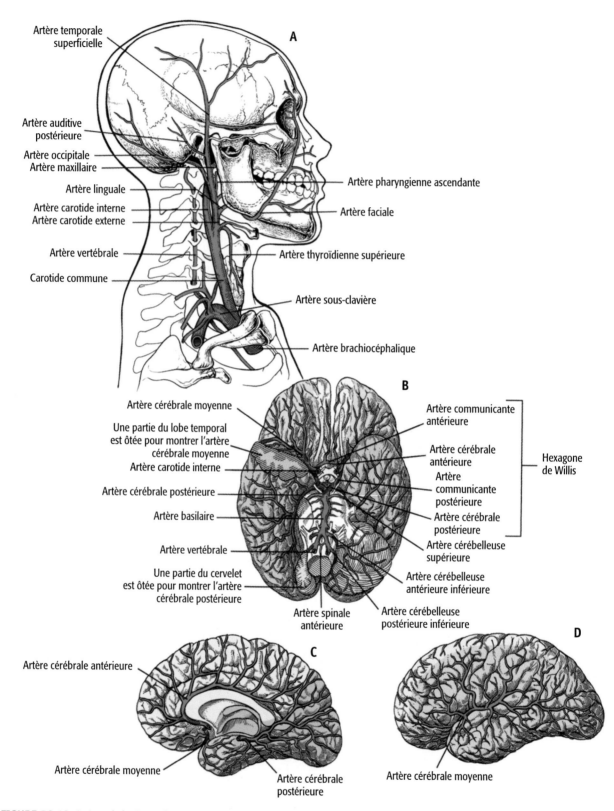

FIGURE 52.13 Artères de la tête et du cou. A. L'artère brachiocéphalique, l'artère carotide commune droite, l'artère sous-clavière droite et leurs branches. Les principales artères de la tête sont les artères carotides communes et les artères vertébrales. B. Vue inférieure du cerveau montrant les artères basilaires vertébrales, carotides internes et leurs branches. C. Vue médiane du cerveau montrant les artères cérébrales antérieures moyennes, antérieures et postérieures et leurs branches. D. Vue latérale du cerveau montrant la distribution de l'artère cérébrale moyenne. B à D. Les couleurs indiquent les régions du cerveau alimentées par les différentes artères – jaune, cérébrale antérieure ; orange, cérébrale moyenne ; violet, cérébrale postérieure.

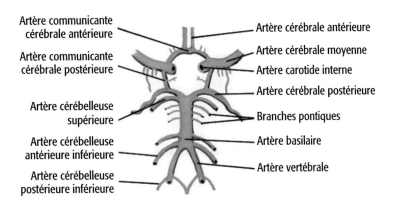

FIGURE 52.14 Artères de la base du cerveau. Les deux artères cérébrales antérieures connectées l'une à l'autre par les artères communicantes cérébrales antérieures, et aux deux artères cérébrales postérieures par les artères communicantes cérébrales postérieures, forment l'hexagone de Willis.

des lésions du cervelet créent une hernie du cerveau (engagement) par l'ouverture du tronc cervical. C'est ce que l'on appelle une *hernie tentoriale*.

La couche **arachnoïde** est une membrane fragile et imperméable située entre l'épaisse **dure-mère** et la **pie-mère**. Elle recouvre directement le cerveau et la moelle épinière. L'espace sous-arachnoïdien, rempli de LCR, se situe entre la couche arachnoïde et la pie-mère. Les structures reliées au cerveau et au crâne ou à ses trous de conjugaison (trous du compartiment intracrânien par lesquels passent les vaisseaux sanguins et les nerfs) doivent franchir l'espace sous-arachnoïdien. En conséquence, toutes les artères cérébrales, les veines et les nerfs se trouvent dans cet espace. L'espace sous-arachnoïdien est plus grand au niveau des troisième et quatrième vertèbres lombaires; c'est dans cette région que l'on procède à une ponction lombaire pour prélever du LCR. L'extrémité de la moelle épinière se situe entre la première et la deuxième vertèbre lombaire.

Crâne. Le crâne osseux protège le cerveau contre les chocs. Il comprend 8 os crâniens et 14 os faciaux. La physiologie des blessures à la tête s'explique par la structure de la cavité crânienne (voir chapitre 53). L'intérieur du crâne est relativement lisse à la partie supérieure et sur les côtés, par contre la surface inférieure est irrégulière et comporte de multiples arêtes, proéminences et orifices. Le trou **occipital** est le plus gros orifice; c'est par lui que passe le tronc cérébral pour former la moelle épinière. Ce foramen est l'unique large espace pouvant atténuer la pression intracrânienne en cas d'expansion cérébrale.

Colonne vertébrale. La colonne vertébrale protège la moelle épinière, soutient la tête et assure la flexibilité. Elle comprend 33 vertèbres, dont 7 cervicales, 12 thoraciques, 5 lombaires et 5 sacrées (fusionnées en une

seule), ainsi que 4 vertèbres coccygiennes (fusionnées en une seule). La moelle épinière passe par l'orifice central de chaque vertèbre. Les vertèbres sont reliées entre elles

GÉRONTOLOGIE

Effets du vieillissement sur le système nerveux

ENCADRÉ 52.1

- Plusieurs parties du système nerveux sont affectées par le vieillissement. Dans le SNC, la perte de neurones touche certaines régions du tronc cérébral, du cervelet et du cortex cérébral. Il s'agit là d'un processus graduel qui commence au début de l'âge adulte. La perte de neurones s'accompagne d'un élargissement ou d'une augmentation du volume des ventricules et, en conséquence, le poids du cerveau diminue. Le débit sanguin cérébral et la production de liquide céphalorachidien diminuent.

- Dans le SNP, les changements se produisent dans les cellules de la corne antérieure, dans les nerfs périphériques et dans l'organe cible, le muscle. Les changements dégénératifs de myéline entraînent une réduction de la conduction nerveuse. Le vieillissement altère les activités neuromusculaires coordonnées comme le maintien de la tension artérielle au passage de la position couchée à la position debout. En conséquence, les adultes âgés ont davantage de problèmes d'hypotension orthostatique. De même, le maintien d'une température corporelle constante est moins efficace avec le vieillissement. Les adultes âgés s'adaptent moins facilement aux températures extrêmes et sont davantage susceptibles de souffrir d'hypothermie ou d'hyperthermie. Les autres effets notables du vieillissement sont la détérioration de la mémoire, de la vision, de l'ouïe, du goût, de l'odorat, de la sensibilité vibratoire et posturale, de la force musculaire et du temps de réponse.

- Les variations des résultats d'évaluation résultent de l'effet du vieillissement sur les divers éléments du système nerveux. Les effets du vieillissement sur le système nerveux et sur les résultats des évaluations sont présentés au tableau 52.4.

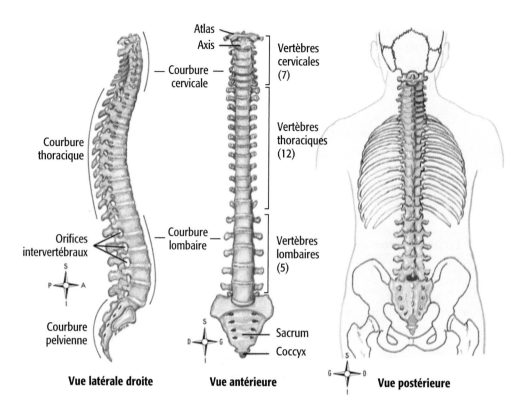

Atlas
Axis
Courbure cervicale
Vertèbres cervicales (7)
Courbure thoracique
Vertèbres thoraciques (12)
Orifices intervertébraux
Courbure lombaire
Vertèbres lombaires (5)
Courbure pelvienne
Sacrum
Coccyx

Vue latérale droite   **Vue antérieure**   **Vue postérieure**

FIGURE 52.15 Trois vues de la colonne vertébrale

par une série de ligaments et séparées par les disques intervertébraux. La figure 52.15 montre l'emplacement de la colonne vertébrale par rapport au tronc.

52.2 COLLECTE DES DONNÉES DU SYSTÈME NERVEUX

52.2.1 Données subjectives

Information importante concernant la santé

Antécédents de la santé. Lorsque l'on se renseigne sur les antécédents d'un client atteint de problèmes neurologiques, trois aspects sont à considérer. En premier lieu, il faut veiller à ne pas lui suggérer certains symptômes en lui posant des questions comme « Vos maux de tête sont-ils pulsatiles ? » ou « Votre côté droit est-il faible ? ». Il est préférable de poser des questions non directives comme « Comment sont vos maux de tête ? » ou « Quelque chose vous gêne-t-il au côté droit ? ». En second lieu, il faut savoir que le mode d'apparition et le développement de la maladie sont des aspects importants à considérer. Souvent, on peut décrire le processus morbide neurologique par ces seules observations ; l'infirmière doit donc recueillir tout renseignement pertinent concernant les affections dont a souffert le client, particulièrement ceux se rapportant aux caractéristiques et à la progres-

sion des symptômes. Le troisième aspect concerne l'état mental du client qui peut être affecté par la maladie neurologique : il faut s'assurer de son état mental avant de considérer les renseignements fournis par le client. Si ce dernier n'est pas fiable, il faut obtenir ses antécédents de santé d'une personne bien informée des problèmes et des plaintes du client. Malheureusement, il est souvent impossible d'obtenir les antécédents santé ; le clinicien doit alors se contenter des renseignements objectifs.

Les antécédents de santé permettent de guider l'approche de l'examen neurologique : ils peuvent mener le clinicien à évaluer de manière plus approfondie certaines parties du système nerveux. Si la sensation de vertige est ce dont le client se plaint le plus, l'examen peut se concentrer sur les fonctions visuelles, vestibulaires et cérébrales plutôt que sur les fonctions somatiques motrices et sensorielles.

Le clinicien doit être alerté sur la nécessité de procéder à un examen neurologique détaillé lorsque le client lui fait part de multiples plaintes, incluant les changements de comportement, l'altération des niveaux de conscience, les problèmes de développement, les désordres paroxystiques, les processus infectieux, la douleur, les anomalies motrices ou sensorielles et les traumatismes. Les problèmes neurologiques, même s'ils constituent la principale plainte, sont souvent la conséquence d'autres problèmes, comme l'alcoolisme ou les lésions métastasiques.

EXAMEN CLINIQUE ET GÉRONTOLOGIQUE

TABLEAU 52.4 Système nerveux

Composants	Changements	Différences dans les résultats d'évaluation
Système nerveux central Cerveau	Diminution du débit sanguin cérébral et du métabolisme	Altérations sélectives du fonctionnement mental
	Diminution de l'efficacité du mécanisme de régulation de la température	Diminution de la température de l'organisme, défaut d'adaptabilité à la température ambiante
	Diminution du contenu neurotransmetteur, dérèglement de l'intégration suite à la perte de neurones	Mouvements répétitifs, tremblements
	Diminution de l'apport en oxygène, altération des ganglions basilaires causée par des modifications vasculaires	Changements dans la démarche et la marche (extrapyramidale, démarche du type Parkinson); diminution du sens kinesthésique
Système nerveux périphérique Nerfs crâniens et nerfs rachidiens	Perte de myéline et diminution du temps de conduction dans certains nerfs	Diminution du temps de réaction des nerfs spécifiques
	Dégénérescence cellulaire, mort des neurones	Diminution de la vitesse et de l'intensité des réflexes neuronaux
Divisions fonctionnelles Moteur	Diminution de la masse musculaire	Diminution de l'agilité et de la force
	Diminution de l'activité électrique	Diminution du temps de réaction et de mouvement
Sensoriel*	Diminution des récepteurs sensoriels causée par des changements dégénérescents et l'involution des petits corpuscules des terminaisons nerveuses	Diminution du sens du toucher; incapacité à localiser les stimulis; diminution de l'appréciation du toucher, de la température et des vibrations périphériques
	Diminution de l'activité électrique	Ralentissement ou altération de la réception sensorielle
	Atrophie des papilles gustatives	Signes de malnutrition, perte de poids
	Dégénérescence et perte de fibres dans le bulbe olfactif	Diminution du sens olfactif
	Dégénérescence des cellules nerveuses du système vestibulaire de l'oreille interne, du cervelet et des voies proprioceptives du système nerveux	Difficulté à maintenir l'équilibre, démarche incertaine
Réflexes	Diminution probable des réflexes tendineux profonds	Résultat ou temps de réflexes inférieur à la moyenne
	Diminution de la vitesse de conduction sensorielle due à la détérioration de la gaine de myéline	Réflexes mous, augmentation du temps de réaction
Formation réticulaire Système d'activation réticulaire	Modification des fonctions hypothalamiques, réduction du stade IV du sommeil	Augmentation de la fréquence des réveils spontanés couplée à de la fatigue, du sommeil interrompu, de l'insomnie
Système nerveux autonome SNS et SNPS	Caractéristiques morphologiques des ganglions, réactions du SNA ralenties	Hypotension orthostatique, hypertension systolique

* Les changements spécifiques oculaires et auditifs se trouvent respectivement aux tableaux 47.1 et 47.5.
SNA : système nerveux autonome ; SNPS : système nerveux parasympathique ; SNS : système nerveux sympathique.

Lorsqu'elle recueille des renseignements sur les antécédents médicaux, l'infirmière doit poser des questions précises sur le diabète, l'anémie pernicieuse, le cancer, les infections, les maladies thyroïdiennes, la toxicomanie et l'hypertension, car tous ces aspects peuvent affecter le système nerveux. Elle doit aussi noter toutes les hospitalisations, blessures ou chirurgies liées au système nerveux.

Médicaments. Il faut prêter une attention particulière aux antécédents pharmacothérapeutiques, spécialement à l'usage de substances sédatives, narcotiques, tranquillisantes ou psychotropes. Si un médicament a comme effet secondaire de donner des vertiges, il faut le noter. Si ce médicament ne peut pas être remplacé, il faudra enseigner au client comment lutter contre le vertige et éviter les chutes.

En général, les clients atteints de troubles neurologiques chroniques prendront des médicaments pour traiter la maladie ou combattre ses symptômes. Par exemple, de nombreux clients ayant des problèmes neurologiques prendront des médicaments anticonvulsivants comme le phénytoïne (Dilantin), la carbamazépine (Tegretol) et le phénobarbital. L'infirmière doit s'informer sur les effets secondaires courants comme la diplopie, la somnolence, l'ataxie et le ralentissement cérébral.

Si le client souffre de céphalée, il faut analyser le médicament couramment utilisé pour résoudre le problème. De nombreux médicaments contre les céphalées provoquent souvent des effets secondaires dangereux comme le saignement gastrique et des anomalies de coagulation. Il faut noter la présence de ces effets secondaires.

Interventions chirurgicales et autres traitements. L'infirmière doit se renseigner sur les interventions chirurgicales effectuées sur tout composant du système nerveux comme la tête, la colonne vertébrale ou les organes sensoriels. En présence d'un client ayant subi une telle intervention, il faut en obtenir la date, la raison, la procédure, le processus de rétablissement et la condition actuelle.

Les antécédents périnataux peuvent révéler l'exposition à des substances toxiques comme les virus, l'alcool, le tabac, les médicaments et l'irradiation, dont on sait qu'elles compromettent le développement du système nerveux. Ils peuvent aussi révéler un accouchement difficile ayant pu entraîner des lésions cérébrales provoquées par l'hypoxémie, les forceps ou une incompatibilité rhésus. Il n'est cependant pas très utile de poser ces questions au client âgé.

Les antécédents de croissance et de développement peuvent être importants pour déterminer si le dysfonctionnement du système nerveux remonte au jeune âge. L'infirmière doit se renseigner sur les étapes de développement importantes telles que la marche et la parole. D'autres données utiles à collecter sont les résultats scolaires ou les problèmes décelés dans un milieu éducatif. Souvent, le client âgé n'est pas en mesure de fournir ces renseignements. Le cas échéant, l'infirmière doit poursuivre la collecte d'antécédents et éviter de stresser le client en insistant.

Modes fonctionnels de santé. L'encadré 52.2 présente les questions importantes à poser au client atteint d'un problème neurologique.

Mode perception et gestion de la santé. L'infirmière doit s'enquérir des habitudes de santé du client liées au système nerveux, comme l'abus de drogue et de tabac, le maintien d'une alimentation saine, la participation raisonnable à des activités physiques et récréatives, l'usage de la ceinture automobile et du casque protecteur lors d'activités physiques, et la maîtrise de l'hypertension. Elle doit déterminer si le client a déjà été hospitalisé pour des problèmes neurologiques. Des antécédents familiaux précis permettent de savoir si le problème neurologique est d'ordre héréditaire ou congénital. En particulier, il faut questionner le client sur les antécédents familiaux de troubles tels que l'épilepsie, la sclérose latérale amyotrophique, la sclérose en plaques, la maladie de Huntington, la dystrophie musculaire, la déficience mentale, la démence, l'accident vasculaire cérébral et le cancer.

Si le client est atteint d'un problème neurologique, l'infirmière doit lui demander en quoi ce problème affecte ses activités quotidiennes et s'il l'empêche de prendre soin de lui-même. Après avoir minutieusement analysé les renseignements, l'infirmière doit demander à un proche du client s'il a constaté un changement dans les aspects physique et mental du client. Le client atteint d'un problème neurologique peut ne pas en être conscient ou être incapable de fournir suffisamment de renseignements spécifiques pour faciliter le diagnostic.

Mode nutrition et métabolisme. Les troubles neurologiques peuvent provenir d'une alimentation inadéquate. En effet, les problèmes liés à la mastication, à la déglutition, à la paralysie du nerf facial et à la coordination musculaire peuvent rendre difficile l'ingestion adéquate d'aliments. De plus, certaines vitamines comme la thiamine (B_1), la niacine et la pyridoxine (B_6) étant essentielles au maintien de la santé du SNC, une déficience d'une ou de plusieurs de celles-ci peut entraîner des plaintes non spécifiques comme de dépression, d'apathie, de névrite, de faiblesse, de confusion mentale et d'irritabilité. De même, un déséquilibre électrolytique comme l'hypokaliémie ou l'hyperkaliémie, peut entraîner des désordres neurologiques.

Mode élimination. Les problèmes intestinaux et vésicaux sont souvent associés à des troubles neurologiques comme l'accident vasculocérébral, les blessures à la tête, les lésions de la moelle épinière, la sclérose en plaques et la démence. Il faut savoir si les problèmes intestinaux et vésicaux ont précédé l'événement neurologique afin de planifier des interventions appropriées. L'incontinence urinaire ou fécale et la rétention urinaire sont les problèmes d'élimination les plus couramment associés à un problème neurologique. Il est important de bien documenter les détails du problème en notant, par exemple, le nombre d'épisodes, les sensations qui les accompagnent ou l'absence de sensations, et les mesures prises pour maîtriser le problème.

ANTÉCÉDENTS DE SANTÉ

Système nerveux

Mode perception et gestion de la santé
- Quelles sont vos activités quotidiennes ?
- Consommez-vous des drogues à usage récréatif ?*
- Quelles mesures de sécurité adoptez-vous dans une voiture ? sur une motocyclette ? sur une bicyclette ?
- Souffrez-vous d'hypertension ? Si oui, comment la maîtrisez-vous ?
- Avez-vous déjà été hospitalisé pour un problème neurologique ?*
- Comment cela affecte-t-il vos activités quotidiennes ?

Mode nutrition et métabolisme
- Décrivez votre apport alimentaire des dernières 24 heures.
- Avez-vous des problèmes à vous alimenter de façon adéquate à cause de difficultés de mastication ou de déglutition, d'une paralysie du nerf facial ou d'une mauvaise coordination musculaire ?*
- Êtes-vous capable de vous alimenter par vous-même ?

Mode élimination
- Souffrez-vous d'incontinence intestinale ou urinaire ? Si oui, expliquez en détail l'origine et le déroulement du problème.
- Comment maîtrisez-vous l'incontinence ?
- Avez-vous des problèmes de retard à la miction, d'urgence ou de rétention ?*
- Retardez-vous la défécation ?*
- Un trouble neurologique vous empêche-t-il de vous rendre à la toilette lorsque cela est nécessaire ?
- Prenez-vous des médicaments pour traiter votre problème neurologique ? Si oui, lesquels ?

Mode activité et exercice
- Décrivez les problèmes que vous rencontrez dans vos activités habituelles et vos exercices qui sont reliés à votre problème neurologique.
- Souffrez-vous de faiblesse ou d'un manque de coordination à cause de votre problème neurologique ?*
- Un problème neurologique vous empêche-t-il de prendre soin de votre hygiène personnelle de façon autonome ?*

Mode sommeil et repos
- Décrivez tout problème de sommeil.
- Si vous avez du mal à vous endormir, que faites-vous ? (Posez des questions précises sur l'usage de somnifères.)

Mode cognition et perception
- Avez-vous noté des changements dans votre mémoire ?*
- Souffrez-vous de vertiges, de sensibilité au chaud et au froid, d'engourdissement ou de picotements ?*
- Décrivez les douleurs dont vous avez souffert au cours des six derniers mois.
- Avez-vous des difficultés à communiquer verbalement ou par écrit ?*

Mode perception et concept de soi
- Quelles ont été les effets de votre problème neurologique sur votre perception de vous-même ? de vos capacités ? de votre corps ?
- Décrivez votre comportement émotif général.

Mode relation et rôle
- Avez-vous noté des changements dans vos rôles d'époux ou d'épouse, de parent et de chef de famille à cause de votre maladie neurologique ?*
- Comment ressentez-vous ces changements ?

Mode sexualité et reproduction
- Votre activité sexuelle est-elle satisfaisante ? Décrivez tout problème relié à votre sexualité et à votre fonctionnement sexuel.
- Les problèmes reliés au fonctionnement sexuel entraînent-ils des tensions dans une relation importante ?*
- Ressentez-vous le besoin d'une consultation professionnelle pour votre fonctionnement sexuel ?*
- Utilisez-vous d'autres moyens pour satisfaire vos besoins sexuels ?

Mode adaptation et tolérance au stress
- Décrivez votre mode habituel d'adaptation au stress.
- Pensez-vous que votre méthode actuelle est adéquate pour vous adapter aux agents stressants de votre problème neurologique ?*
- Votre système de soutien répond-il à vos besoins ? Si non, quels sont vos besoins non satisfaits ?

Mode valeurs et croyances
- Décrivez toutes les croyances et attitudes culturelles spécifiques qui pourraient influencer le traitement de ce trouble neurologique.

* Dans l'affirmative, demander au client de décrire la situation.

Mode activité et exercice. De nombreux troubles neurologiques peuvent entraîner des problèmes de mobilité, de force et de coordination. Ces problèmes peuvent modifier les activités quotidiennes et les habitudes d'exercice du client et peuvent également provoquer des chutes. De nombreux aspects de la vie quotidienne peuvent être affectés et doivent être évalués comme se lever du lit ou d'une chaise, se déplacer, préparer les repas et veiller à l'hygiène personnelle. Le risque de se blesser peut augmenter à cause de l'incapacité à réaliser des tâches motrices minutieuses.

Mode sommeil et repos. De nombreux facteurs neurologiques peuvent perturber le sommeil. En effet, le sommeil peut être compromis par la douleur et l'incapacité de se mouvoir et de changer de position à cause de la faiblesse musculaire et de la paralysie. Le sommeil peut également être interrompu par des hallucinations provoquées par la démence ou les médicaments. L'infirmière doit prendre le plus grand soin à documenter le problème de sommeil et la méthode qu'utilise le client pour y remédier.

Mode cognition et perception. De nombreux troubles neurologiques affectent l'intégration sensorielle et cognitive car elle est maîtrisée par le système nerveux. L'infirmière doit évaluer la mémoire, le langage, la capacité de calcul, la capacité à résoudre des problèmes, l'intéroceptivité et le jugement. Pour évaluer ces fonctions et fournir des données de référence, on a souvent recours à un questionnaire portant sur l'état mental.

Il faut recueillir les données sur les changements des sens auditif, olfactif et tactile. De plus, il faut questionner le client sur les problèmes de vertige et sur sa sensibilité au chaud et au froid.

L'infirmière doit déterminer la capacité du client à s'exprimer et à comprendre le langage, car il s'agit d'une fonction cognitive. La qualité de ses réponses est un indicateur de ses capacités cognitive et perceptive.

La douleur est souvent associée aux problèmes de santé et c'est souvent la raison pour laquelle un client se fait soigner. Il faut analyser la douleur du client avec attention (voir chapitre 5).

Les troubles neurologiques et leurs traitements peuvent être complexes et déroutants. Il faut déterminer si le client a compris le traitement et s'il est capable de le suivre. Les changements cognitifs associés au troubles peuvent interférer avec la compréhension et l'observance.

Mode perception et concept de soi. Une maladie neurologique peut violemment perturber la maîtrise de sa propre vie et créer une dépendance vis-à-vis des tiers (pour la satisfaction des activités de la vie quotidienne AVQ). De plus, l'apparence physique et la maîtrise émotive du client peuvent être perturbés. L'infirmière doit questionner le client sur sa propre évaluation de sa confiance en soi, sa perception de ses capacités, son image corporelle et ses aspects émotifs généraux.

Mode relation et rôle. Il faut demander au client si les changements résultant d'un problème neurologique ont affecté ses rôles d'époux ou d'épouse, de parent et de chef de famille. Les déficiences physiques comme la faiblesse et la paralysie peuvent altérer ou limiter la participation aux activités ou aux rôles usuels, mais les changements cognitifs peuvent altérer de façon permanente la capacité d'une personne à assumer ses rôles habituels.

Mode sexualité et reproduction. Il faut évaluer la capacité à participer à des activités sexuelles car de nombreux troubles neurologiques affectent la réaction sexuelle. En effet, les lésions cérébrales inhibent la phase du désir ou les réactions réflexes de la phase d'excitation, tandis que les lésions du tronc cérébral et de la moelle épinière peuvent interrompre partiellement ou complètement les connexions entre le cerveau et les systèmes effecteurs nécessaires au rapport sexuel.

Les neuropathies et les lésions de la moelle épinière qui affectent la sensation, spécialement dans les zones érotiques, pourraient diminuer le désir. Les neuropathies du système autonome et les lésions de la moelle sacrée et de la queue de cheval peuvent empêcher les activités réflexes de la réaction sexuelle. L'infirmière doit déterminer le degré de satisfaction sexuelle du conjoint ou du partenaire du client. Il faut explorer l'usage et la nécessité de méthodes qui rendent la sexualité satisfaisante. Malgré les changements neurologiques affectant les relations sexuelles, nombreux sont les clients dont l'intimité et l'expression affective sont satisfaisantes.

Mode adaptation et tolérance au stress. Les séquelles physiques d'un trouble neurologique peuvent sérieusement éroder les capacités d'adaptation du client. Le trouble est souvent chronique et le client doit apprendre de nouvelles techniques d'adaptation. L'infirmière doit évaluer les modes d'adaptation habituels du client afin de déterminer leur efficacité.

Lorsque le trouble se traduit par une diminution du fonctionnement cognitif, le client et l'aidant naturel peuvent tous deux devenir sérieusement stressés. L'infirmière doit déterminer le risque de suicide, d'abus et d'épuisement des parties concernées. Dans une telle situation, il faut évaluer l'existence d'un réseau de soutien adéquat.

Mode valeurs et croyances. De nombreux troubles neurologiques ont de sérieux effets à long terme qui bouleversent l'existence. Ces effets peuvent exercer une forte pression sur le système de valeurs du client. L'infirmière doit déterminer si le plan de traitement risque d'entrer en contradiction avec les croyances religieuses ou culturelles.

52.2.2 Données objectives

Examen physique. L'examen neurologique standard a été mis au point par des médecins et des cliniciens pour déterminer l'existence, le site et la nature de la maladie du système nerveux. L'examen évalue six catégories de fonctions : l'état mental, la fonction des nerfs crâniens et les fonctions motrice, cérébelleuse, sensorielle et réflexe. La sélection de certaines parties de l'examen dépend de la raison pour laquelle on l'effectue. Par exemple, si l'on veut obtenir une évaluation de référence du fonctionnement neurologique, on réalisera toutes les composantes de l'examen. Cependant, si on ne veut évaluer qu'un problème spécifique, on se limitera à quelques composantes. Par exemple, si un client se plaint surtout d'un manque de sensation dans les pieds, l'examen se concentrera sur les mouvements et les sensations des membres inférieurs. De même, si un client arrive inconscient à l'urgence avec une blessure à la tête, l'examen sera limité puisque le client est dans l'impossibilité de répondre.

L'examen neurologique infirmier suit une approche différente. Son objectif principal est de déterminer les effets des dysfonctionnements neurologiques sur les activités quotidiennes, en regard de la capacité des parents et de la famille à compenser les déficits neurologiques. Même si la méthode de collecte de données est identique, l'interprétation des données diffère de celle du modèle médical. Pour les besoins infirmiers, on peut également utiliser le modèle médical standard d'examen neurologique. La responsabilité de l'évaluation du dysfonctionnement neurologique mettant la vie en danger est partagée par les infirmières et les médecins.

État mental. L'évaluation de l'état mental (fonctionnement cérébral) fournit un indice du fonctionnement global du client et de son adaptation à l'environnement. Cette évaluation comprend la détermination de fonctions cérébrales complexes et de niveau supérieur qui sont gouvernées par de nombreuses zones du cortex cérébral. Cet aspect est largement évalué pendant la collecte des antécédents, il n'est donc pas nécessaire de poursuivre plus avant. Par exemple, le langage et la mémoire sont évalués lorsque le client fournit des détails sur sa maladie et sur les événements passés importants. Pour évaluer l'état mental du client, il faut tenir compte de ses antécédents culturels et de son niveau de scolarité.

Les composants de l'examen de l'état mental sont :
- apparence générale et comportement : ce composant comprend l'activité motrice, la posture du corps, les vêtements, l'hygiène, l'expression faciale et la parole. Pour que d'autres fonctions puissent être évaluées, il faut que le client soit conscient ;
- état de conscience : l'infirmière doit noter la relation au temps, au lieu, aux personnes (orientation dans les trois sphères) et à la situation, ainsi que la mémoire, le niveau général de connaissances, l'intéroceptivité, le jugement, la capacité à résoudre des problèmes et le calcul mental. Les questions communes sont : « Quels sont les noms des trois derniers premiers ministres provinciaux ? », « Que signifie "Tout vient à point à qui sait attendre ?" » et « Ôtez 7 de 100 et continuez ainsi à soustraire 7. » L'infirmière doit évaluer la capacité du client à réaliser ses objectifs et à atteindre ses buts compte tenu de ses capacités physiques et mentales ;
- humeur et affect : l'infirmière doit noter l'agitation, la colère, la dépression ou l'euphorie et estimer si ces états correspondent bien à la situation. Les questions doivent permettre au client d'exprimer ses sentiments ;
- contenu de la pensée : l'infirmière doit noter les illusions, les hallucinations, les délires ou la paranoïa ;
- capacité intellectuelle : l'infirmière doit noter l'aliénation, la démence et l'intelligence.

Nerfs crâniens. Le test de chaque nerf crânien (NC) est un composant essentiel de l'examen neurologique (voir tableau 52.2).

Nerf olfactif. Après avoir vérifié la fonctionnalité des deux narines, on teste le nerf olfactif (NC I). Pour ce faire, on demande au client de se boucher une narine, de fermer les deux yeux puis de humer une bouteille contenant du café, une épice, du savon ou une substance dont l'odeur est facilement décelable. Le test est répété avec l'autre narine. Généralement, on ne teste l'odorat que si le client mentionne un trouble. La rhinite chronique, la sinusite et l'abus du tabac diminuent souvent le sens olfactif. Un trouble olfactif peut être associé à une tumeur du bulbe olfactif ou provenir d'une fracture basilaire du crâne qui a endommagé les fibres olfactives à l'endroit de leur passage à travers la fragile lame criblée du crâne.

Nerf optique. On évalue les champs de vision et l'acuité visuelle pour tester les fonctions du nerf optique (NC II). L'examinateur fait face au client ; il lui demande de fermer un œil, de regarder le bout de son nez (de l'examinateur) et de signaler l'apparition d'un objet (doigt, pointe de crayon, tête d'épingle) entrant à la périphérie de chacun des quatre quadrants visuels. L'examinateur sert de référence, son champ visuel étant le même que celui du client. Il faut se souvenir que le côté nasal du champ visuel est plus étroit à cause de la voûte du nez. Les défauts du champ visuel peuvent provenir de lésions du nerf optique, du chiasma optique ou des voies qui se prolongent à travers les lobes temporaux, pariétaux ou occipitaux. Les effets des lésions cérébrales sur le champ visuel sont en général l'hémianopsie (la moitié du champ visuel est affectée), l'hémianopsie en quadrant (un quart du champ visuel est affecté) ou monoculaire.

On vérifie l'acuité visuelle en demandant au client de lire une échelle de Snellen à six mètres de distance. On retient le numéro de la plus petite ligne que le client est capable de lire correctement à plus de 50 %. Si le client porte des lunettes, il doit les porter durant le test à moins qu'il ne les porte habituellement que pendant la lecture. Les yeux doivent être testés l'un après l'autre puis ensemble. Si on ne dispose pas d'une échelle de Snellen, on peut demander au client de lire un journal afin de déterminer grossièrement l'acuité visuelle. On note alors la distance à laquelle le client arrive à lire correctement le journal. L'acuité visuelle ne peut pas être testée à l'aide de cette méthode si le client ne sait pas lire le français ou s'il est aphasique.

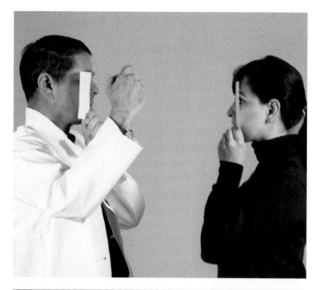

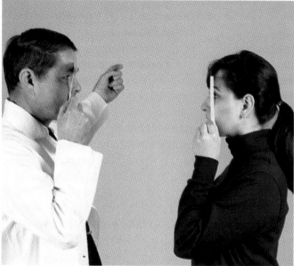

FIGURE 52.16 Évaluation des champs visuels par confrontation globale

L'ophtalmoscopie révèle l'état physique du disque optique (la tête du nerf optique), de la rétine et des vaisseaux sanguins. Cette procédure est couramment utilisée pour tester le nerf optique, dont elle permet de détecter l'atrophie ainsi que l'œdème papillaire.

Nerfs oculomoteur commun, pathétique et oculomoteur externe. Les nerfs oculomoteur commun (NC III), pathétique (NC IV) et oculomoteur externe (NC VI) sont testés ensemble car ils participent tous trois au mouvement de l'œil. Pour ce faire, on demande au client de suivre le doigt de l'examinateur, qui se déplace horizontalement et verticalement (en traçant une croix), puis diagonalement (en traçant un X). Si l'un des muscles d'un œil est faible ou paralysé, les yeux ne bougent pas ensemble et le regard du client est non coordonné. À ce moment, on note l'existence et la direction du nystagmus

(mouvements fins, rapides et saccadés des yeux), quoiqu'il soit plutôt indicatif de problèmes cérébello-vestibulaires.

On teste d'autres fonctions du nerf oculomoteur commun en vérifiant la constriction des pupilles, la convergence (les yeux se tournent vers l'intérieur) et l'accommodation (les pupilles se resserrent pour la vision rapprochée). Pour tester la constriction des pupilles, l'examinateur éclaire une des pupilles à l'aide d'une lampe et observe la constriction ipsilatérale de la même pupille et contralatérale (consensuelle) dans l'autre œil. Pour observer ce réflexe, il faut que le nerf optique soit intact. On note également la taille et la forme des pupilles. Le test de constriction des pupilles est particulièrement important pour l'évaluation neurologique des clients à risque du syndrome d'herniation (risque d'engagement) (voir chapitres 53 et 54). Le nerf oculomoteur commun peut facilement être comprimé par l'expansion des lésions massiques des hémisphères cérébraux, car il est situé en haut du tronc cérébral dans l'encoche tentoriale. Dans ce cas, la pupille ne se contracte pas à la lumière, elle peut même se dilater car l'information sympathique reçue par la pupille n'est pas opposée. On teste la convergence et l'accommodation en demandant au client de fixer le doigt de l'examinateur lorsque celui-ci le rapproche du nez du client. Le nerf oculomoteur commun a également comme fonction de garder ouverte la paupière. Le ptosis peut provenir d'un nerf endommagé (paupière tombante), d'anomalies de la pupille ou de la faiblesse des muscles oculaires.

Nerf trijumeau. On teste la composante sensorielle du nerf trijumeau (NC V) en demandant au client d'identifier des touchers légers (ouate) et des piqûres d'aiguille pour les trois branches (ophtalmique, maxillaire et mandibulaire) du nerf sur chaque côté de la face. Pendant cet examen, le client doit garder les yeux fermés. Pour la composante motrice, on demande au client de serrer les dents et on palpe les muscles masséters juste au-dessus de l'angle de la mandibule. Le test du réflexe cornéen, qui évalue simultanément le NC V et le NC VII, se pratique en attouchant la cornée avec un morceau d'ouate. La composante sensorielle de ce réflexe (sensation cornéenne) est innervée par la division ophtalmique du NC V, tandis que la composante motrice (clignement de l'œil) est innervée par le nerf facial (NC VII). Normalement, on ne teste pas ce réflexe chez des clients éveillés et alertes ; d'autres tests évaluent ces deux nerfs. Cependant, si le client a un faible niveau de conscience, le réflexe cornéen permet d'évaluer l'intégrité du tronc cérébral au niveau de la protubérance, les fibres des NC V et NC VII ayant des connexions dans cette zone.

Nerf facial. Le nerf facial (NC VII) innerve les muscles de l'expression faciale (mimique). On teste sa fonction en demandant au client de hausser les sourcils, de bien fermer les yeux, de retrousser les lèvres, de tirer les coins de la bouche dans un sourire exagéré et de plisser le front. L'examinateur doit noter toute asymétrie dans les mouvements faciaux car elle peut signaler une lésion du nerf facial. Une des fonctions de ce nerf est de distinguer les goûts sucrés et salés dans les deux tiers antérieurs de la langue ; néanmoins, le test n'est effectué que si l'on suspecte une lésion périphérique du nerf.

Nerf auditif. Pour tester la portion cochléaire du nerf auditif (NC VIII), on demande au client de fermer les yeux et de signaler le moment où il entend le tic-tac d'une montre qui se rapproche de son oreille ; à défaut de montre, l'examinateur peut frotter son ongle contre son doigt. Chaque oreille est testée individuellement et on note la distance à laquelle le client a perçu le son. Ce test ne peut déceler que les déficits d'audition majeurs. Pour une évaluation plus fine, on utilise un audiomètre (voir chapitre 47). La portion vestibulaire de ce nerf n'est testée que si le client se plaint d'étourdissements, de vertige, d'irrégularité ou de dysfonctionnement auditif. Dans ces cas, on peut effectuer un test calorique en plus des tests de routine.

Nerf glossopharyngien et nerf vague (ou pneumogastrique). Ces deux nerfs innervent le pharynx et sont testés ensemble. Le nerf glossopharyngien (NC IX) est principalement sensoriel. Dans le réflexe pharyngé (ou nauséeux) (contraction bilatérale des muscles du palais provoquée en percutant ou en touchant l'un des deux côtés du pharynx postérieur avec un abaisse-langue), la composante sensorielle est véhiculée par le NC IX et la composante motrice principale par le nerf vague (NC X). Il faut absolument évaluer le réflexe pharyngé des clients qui présentent un état de conscience réduit, une lésion du tronc cérébral ou une maladie affectant la musculature de la gorge. S'il n'y a pas de réflexe ou si le réflexe est faible, le client risque d'aspirer des aliments ou des sécrétions. Pour la même raison, il faut absolument tester la force et l'efficacité de la déglutition chez ces clients. Au client éveillé et coopératif, on fait dire « ah » et on note la symétrie bilatérale de l'élévation du palais mou. Toute asymétrie peut signifier une faiblesse ou une paralysie. On évalue également la déglutition en posant légèrement les mains de chaque côté de la gorge du client auquel on demande d'avaler. On note toute asymétrie.

Nerf spinal. On évalue le nerf spinal (NC XI) en demandant au client d'appuyer ses épaules contre un mur et de tourner la tête d'un côté, puis de l'autre. Cela doit provoquer une légère contraction des muscles sterno-cléido-mastoïdiens et du trapèze. À nouveau, il faut noter toute asymétrie, atrophie ou fasciculation du muscle.

Nerf hypoglosse. On teste le nerf hypoglosse (NC XII) en demandant au client de tirer la langue, qui doit être au plus haut dans l'axe médian. Le client doit également être capable de pousser un abaisse-langue latéralement, de chaque côté de la langue. De nouveau, il faut noter toute asymétrie, atrophie ou fasciculation.

Système moteur. L'examen du système moteur a pour but d'évaluer la masse, le tonus et la puissance des principaux groupes musculaires du corps, ainsi que l'équilibre et la coordination. La force est testée en demandant au client de pousser et de tirer sur le bras de l'examinateur qui s'oppose à la flexion et à la traction du muscle du client. La résistance du client est testée aux épaules, aux coudes, aux poignets, aux hanches, aux genoux et aux chevilles. On peut également tester la force de préhension du client. On peut tester une faiblesse légère des membres supérieurs en demandant au client d'étendre les deux bras vers l'avant au niveau des épaules, les paumes vers le haut et les yeux fermés. S'il y a légère faiblesse dans un bras, il dérivera vers le bas ou l'on observera une pronation de la paume (dérive de pronation). Il faut noter toute faiblesse ou asymétrie de force entre les groupes musculaires droits et gauches.

Pour vérifier le tonus des membres, on lève le bras ou la jambe du client en lui demandant de demeurer passif ; ces mouvements doivent offrir une résistance faible. L'hypotonie (flaccidité) ou l'hypertonie (spasticité) décrivent des tonus anormaux. Il faut noter les mouvements involontaires (les tics, les tremblements, la myoclonie, l'athétose, la chorée et la dystonie).

La fonction cérébelleuse est testée en évaluant l'équilibre et la coordination. L'observation de la stature (la posture debout) et de la démarche du client constitue un bon test de dépistage de l'équilibre et de la force musculaire. L'examinateur doit noter la vitesse de la marche et le balancement des bras, qui doivent bouger de façon symétrique et dans la direction opposée de la jambe située du même côté. La capacité du client à se déplacer est un facteur important de l'évaluation de ses besoins en soins et de son risque de blessure par chute. Un client atteint d'une maladie cérébelleuse peut avoir une démarche ataxique ou saccadée caractérisée par des pieds très séparés et des pas hésitants.

Il existe plusieurs façons simples de tester la coordination. Dans le test doigt au nez, on demande au client de toucher plusieurs fois le bout de son nez avec son index, puis le doigt de l'examinateur avec ce même index. L'examinateur repositionne son doigt lorsque le client touche son nez ; ce dernier doit alors ajuster la distance chaque fois qu'il va toucher le doigt de l'examinateur. Ces mouvements doivent se faire en douceur et avec précision. Dans d'autres tests, on demande au client de mettre les mains en pronation, puis de les retourner rapidement et de plier légèrement un genou, puis l'autre. Il faut également noter la dysarthrie (ou la parole brouillée), car c'est un signe de mauvaise coordination des muscles de la parole.

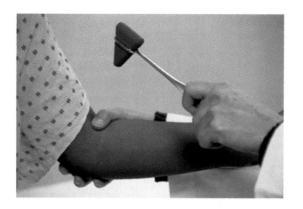
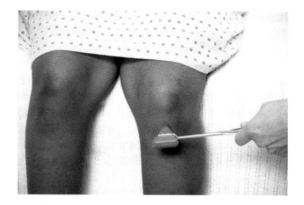

FIGURE 52.17 L'examinateur donne un coup sec sur un tendon étiré pour provoquer un réflexe d'étirement.

Pour le test talon-tibia, on demande au client de placer un talon sur le tibia de la jambe opposée, puis de le faire glisser jusqu'à la cheville. L'opération est répétée avec l'autre talon et l'autre jambe. Ces mouvements doivent être effectués en douceur, sans à-coups ni hésitation.

Résultats de l'examen neurologique normal*   ENCADRÉ 52.3

État mental
Alerte et orienté, processus de pensée organisé, humeur et affect appropriés

Nerfs crâniens⁺
Odorat intact au café et au savon ; champs visuels complets en confrontation ; acuité visuelle 20/20 pour les deux yeux ; mouvements extraoculaires intacts ; pas de nystagmus ; pupilles identiques, rondes, réagissent à la lumière et accommodantes ; sensation faciale intacte au toucher et à la piqûre ; mouvements faciaux complets ; réflexes pharyngé et de déglutition intacts ; élévation symétrique du palais mou ; force totale lorsque la tête tourne et que les épaules sont appuyées contre une résistance ; protrusion médiane de la langue

Système moteur
Allure et posture normales ; marche en tandem normale ; test de Romberg négatif ; masse musculaire, tonus et force normaux et symétriques ; mouvements doigt-nez et talon-tibia réguliers

Système sensoriel
Sensations au toucher doux, du sens de position, de vibration, de piqûre, de chaud et froid, de deux points discriminants intactes ; stéréognosie et graphesthésie intactes

Réflexes‡
Réflexes bilatéraux 2+ pour biceps, triceps, stylo-radial et tendon d'Achille ; les orteils descendent avec la stimulation plantaire

* Le cas échéant, il faut signaler les parties de l'examen neurologique qui ont été omises (p. ex. « Odorat non testé »).
+ Peut également être noté comme « NC I à XII » intacts.
‡ On peut également le noter sous la forme d'un bonhomme stylisé en indiquant la force des réflexes aux différents sites.

Système sensoriel. L'examen sensoriel teste plusieurs modalités. Pour chaque modalité, on remonte une voie spécifique le long de la moelle épinière avant d'atteindre le cortex sensoriel.

Il existe quelques guides généraux pour effectuer l'examen sensoriel. Le client doit toujours garder les yeux fermés pour éviter les indices visuels. L'examinateur doit éviter les indices oraux du type « Cela est-il coupant ? ». Le stimulus sensoriel doit surprendre le client ; l'examinateur doit donc éviter les stimuli réguliers. Pour l'examen neurologique de routine, les tests sensoriels des quatre extrémités suffisent. Cependant, si on décèle une anomalie dans les fonctions sensorielles de la peau, il faut bien délimiter l'étendue de cette anomalie.

Sensibilité tactile. La sensibilité tactile est testée en premier. L'examinateur touche délicatement les quatre extrémités avec une ouate et le client dit « touché » lorsqu'il détecte le stimulus. L'examen sensoriel du nerf trijumeau peut être reporté jusqu'à ce moment, car il requiert le même matériel.

Douleur et température. Pour tester la douleur, on touche la peau à l'aide d'un abaisse-langue coupé en deux. Ce stimulus est appliqué irrégulièrement en utilisant parfois l'extrémité arrondie, parfois l'extrémité coupée pour vérifier si le client note la différence entre les deux stimuli. Afin d'évaluer l'extinction ou l'inhibition, on stimule les deux côtés du corps simultanément et de façon symétrique par un stimulus douloureux ou léger. Normalement, le client doit percevoir les deux stimuli ; s'il n'en perçoit qu'un seul, il se peut que le lobe pariétal ait une lésion.

Pour tester la sensation de température, on pose des tubes chauds et froids sur la peau et le client doit reconnaître les stimuli. Si la sensation de douleur est intacte, il est inutile de procéder au test de température, car ces deux sensations empruntent les mêmes voies ascendantes.

ANOMALIES COURANTES DÉCELÉES AU COURS DE L'EXAMEN PHYSIQUE

TABLEAU 52.5 Système nerveux

Anomalie	Description	Étiologie possible et signification
Altération du niveau de conscience	Incapacité de parler, d'obéir à un ordre, d'ouvrir les yeux avec un stimulus oral ou douloureux	Lésions intracrâniennes, trouble métabolique, troubles psychiatriques
Anisocorie	Tailles des pupilles inégales	Lésion, blessure ou pression intracrânienne dans la région du mésencéphale
Agnosie	Incapacité de déterminer la signification ou l'importance d'un stimulus sensoriel	Lésion du cortex cérébral
Apraxie	Incapacité d'exécuter des mouvements appris, inefficacité de la planification motrice	Lésion du cortex cérébral
Aphasie	Perte de la faculté de langage (compréhension du langage, expression du langage ou les deux)	Lésion du cortex cérébral
Analgésie	Perte de la sensation de douleur	Lésion dans la voie spinothalamique ou dans le thalamus, absence ou extrémités des nerfs sensoriels endommagées
Anesthésie 　Hyperesthésie 　Hypoesthésie	Absence de sensation Augmentation de la sensation Diminution de la sensation	Lésions de la moelle épinière, du thalamus, du cortex sensoriel ou du nerf sensoriel périphérique
Anosognosie	Incapacité à reconnaître les anomalies de l'organisme ou la maladie	Lésions du cortex pariétal droit, fréquente dans AVC droit
Astéréognosie	Incapacité à reconnaître la forme d'un objet au toucher	Lésions dans le cortex pariétal
Ataxie	Absence de coordination dans les mouvements	Lésions dans les voies sensorielles ou motrices, dans le cervelet ; médicaments antiépileptiques, sédatif, toxicité d'un médicament hypnotique (incluant l'alcool)
Atrophie musculaire (atrophie de non-utilisation ou de dénervation)	Disparition ou diminution de la taille du muscle	Lésions suprasegmentaires (neurones moteurs supérieurs), lésions segmentaires (neurones moteurs inférieurs)
Dysfonctionnement vésical 　Atonique (autonome) 　Hypotonique 　Hypertonique	Absence de tonus musculaire et de contractilité, augmentation de capacité, pas de sensation d'inconfort, débordement avec beaucoup de résidus, incapacité à vider la vessie volontairement ou par réflexe Davantage d'habileté qu'avec une vessie atonique, mais inférieure à la normale Augmentation du tonus musculaire, capacité diminuée, réflexe de vidage, miction goutte à goutte, incontinence	Premiers stades d'une blessure à la moelle épinière Interruption des voies afférentes de la vessie Lésions des voies pyramidales (voies efférentes)
Diplopie	Vision double	Lésions affectant les nerfs des muscles extraoculaires, toxicité cérébelleuse
Dysarthrie	Absence de coordination dans l'expression orale	Lésions au cervelet ou aux voies des nerfs crâniens (y compris le tronc cérébral) ; médicament antiépileptique, sédatif ou toxicité d'un médicament hypnotique (incluant l'alcool)
Dyskinésie	Difficulté des mouvements volontaires entraînant des mouvements fragmentaires ou incomplets	Troubles des ganglions basilaires, réaction idiosyncrasique aux médicaments psychotropes
Dysphagie	Difficulté de déglutition	Lésions comprenant les voies motrices des NC IX et X (incluant le tronc cérébral inférieur)

ANOMALIES COURANTES DÉCELÉES AU COURS DE L'EXAMEN PHYSIQUE

TABLEAU 52.5 Système nerveux *(suite)*

Anomalie	Description	Étiologie possible et signification
Réaction de l'extenseur plantaire (signe de Babinski)	Orteils remontant après stimulation plantaire	Lésion suprasegmentaire ou des neurones moteurs supérieurs
Hémianopsie homonyme	Perte de la vision d'un côté du champ visuel	Blessure ou lésion dans la région des voies optiques ou de ses radiations vers le cortex occipital
Hémiplégie	Paralysie unilatérale	Accident vasculocérébral ou autres lésions impliquant les cortex moteurs
Nystagmus	Mouvements oculaires saccadés involontaires lorsque les yeux suivent un objet	Lésions du cervelet, du tronc cérébral, du système vestibulaire ; antiépileptique, sédatif ou toxicité hypnotique (incluant l'alcool)
Ophtalmoplégie	Paralysie des muscles oculaires	Lésions du tronc cérébral ou des NC III, IV et VI
Opisthotonos	Dos extrêmement arqué avec rétraction de la tête	Méningite, phase tonique de la crise épileptique tonico-clonique
Œdème papillaire	« Disque étouffé », tuméfaction du nerf optique	Augmentation de la pression intracrânienne
Paraplégie	Paralysie des membres inférieurs	Sectionnement de la moelle épinière ou lésion massique (région thoracolombaire)
Quadriplégie	Paralysie des membres	Sectionnement de la moelle épinière ou lésion massique (région cervicale) ou tronc cérébral

Sensibilité vibratoire. Pour évaluer la sensibilité vibratoire, on pose un diapason de 128 ou 256 Hz sur les ongles et les proéminences osseuses des mains et des pieds en s'assurant que le client garde les yeux fermés. L'examinateur s'assure que le client ressent la vibration, puis lui demande de signaler sa disparition. L'examinateur peut, à tout moment, interrompre la vibration avec la main.

Sensibilité posturale. Pour évaluer la sensibilité posturale, on place le pouce et l'index de chaque côté du gros orteil ou de l'index du client, qui doit détecter le sens de déplacement des doigts.

Le test de Romberg teste la sensibilité posturale des membres inférieurs. Le client se tient debout, les pieds serrés et les yeux fermés ; s'il est capable de maintenir son équilibre avec les yeux ouverts, mais non avec les yeux fermés (c'est-à-dire un test de Romberg positif), on peut suspecter un trouble dans les cordons postérieurs de la moelle épinière. Pendant ce test, l'infirmière doit assurer la sécurité du client.

Fonctions sensorielles corticales. Plusieurs tests permettent d'évaluer l'intégration des perceptions sensorielles corticales, qui se situent dans le lobe pariétal. On évalue la discrimination tactile en plaçant les deux pointes d'un compas calibré sur le bout des doigts et sur le bout des orteils. La séparation minimale détectable est de quatre à cinq millimètres pour les doigts et davantage ailleurs.

Ce test est important pour les maladies du cortex sensoriel et du nerf périphérique.

On teste la graphesthésie en demandant au client de reconnaître des nombres tracés sur la paume des mains. On teste la stéréognosie en demandant au client de reconnaître des objets placés dans sa main et facilement reconnaissables par leur forme (des pièces de monnaie, des clés, une épingle de sûreté). Pour évaluer l'extinction sensorielle ou l'inattention, on touche simultanément les deux côtés du corps. La réaction est anormale si le client ne perçoit le stimulus que d'un seul côté : l'autre stimulus est « éteint ».

Réflexes. Les récepteurs des tendons attachés aux muscles locomoteurs sont sensibles à l'étirement. Lorsque le tendon est étiré, le muscle subit un réflexe de contraction. En frappant sèchement avec un marteau à réflexe sur le tendon d'un muscle étiré, on provoque un réflexe d'étirement (voir figure 52.17). La réaction de la contraction musculaire du muscle correspondant est mesurée de la façon suivante : 0 = absence de réaction, 1 = réaction faible, 2 = réaction normale, 3 = réaction exagérée, 4 = hyperréflexie avec clonus. Le *clonus* est une réaction anormale qui se traduit par une contraction rythmique du muscle après stimulation.

En général, on teste les réflexes ostéotendineux suivants : le réflexe bicipital et tricipital, le réflexe stylo-radial, le réflexe rotulien et achilléen. Pour déclencher le réflexe bicipital, l'examinateur place son pouce sur le tendon du biceps dans l'espace antébrachial et frappe sur son pouce à l'aide d'un marteau à réflexe. Le bras du client doit être partiellement plié au coude, la paume de la main vers le haut. Dans une réaction normale, le bras doit fléchir au niveau du coude ou l'examinateur doit sentir la contraction du biceps avec son pouce.

Pour déclencher le réflexe tricipital, on frappe sur le tendon du triceps au-dessus du coude, le bras du client étant plié. Dans une réaction normale, le bras soit se déplier ou l'examinateur doit voir la contraction du triceps.

Le réflexe stylo-radial est déclenché en frappant le radius de trois à cinq centimètres au-dessus du poignet, le bras étant au repos. Dans une réaction normale, l'examinateur doit observer la flexion et la supination du bras au niveau du coude ou voir une contraction du muscle brachio-radial.

Catégories fonctionnelles lors de la collecte de données du système nerveux — ENCADRÉ 52.4

Conscience
- Excitation
- Conscience de soi

Processus mentaux
- Pensée
- Souvenir
- Perception
- Langage
- Résolution de problèmes

Mouvement
- Expression (faciale)
- Parole
- Marche
- Transfert
- Manger (mastiquer, avaler)
- Clignement (mouvement combiné et sensation)

Sensation
- Vision
- Odorat
- Audition
- Sensations (toucher, température, douleur, pression, position, forme, aspect)

Fonction régulante intégrée
- Alimentation (ingestion, digestion)
- Élimination
- Respiration
- Circulation
- Contrôle de la température
- Réaction sexuelle
- Émotion

Adaptation à l'invalidité
- Capacité à prendre soin de soi-même
- Capacité à remplir son rôle
- Adaptation (s'adapter, supporter, grandir)

Le réflexe rotulien est provoqué en frappant sur le tendon rotulien situé sous la rotule. Le client peut être assis ou couché à condition que la jambe soumise au test pende naturellement. Dans une réaction normale, la jambe se déplie et les quadriceps se contractent.

Le réflexe achilléen est déclenché en frappant sur le tendon d'Achille, la jambe du client étant pliée à la hauteur du genou et son pied, en flexion dorsale à la hauteur de la cheville. Dans une réaction normale, l'examinateur observe une flexion plantaire à la cheville.

L'encadré 52.3 est un exemple de notation d'une évaluation neurologique. Le tableau 52.5 présente les résultats anormaux d'évaluations neurologiques courantes.

Démarche de soins. Selon la prémisse de la démarche de soins, l'un des objectifs de l'infirmière est d'aider les clients à supporter leurs difficultés en soins personnels et de les aider dans leurs activités quotidiennes.

En conséquence, il faut considérer l'examen neurologique en termes d'incapacités fonctionnelles plutôt que de dysfonctionnements de certaines parties du système nerveux. Il faut se concentrer sur la capacité de la personne à s'occuper d'elle-même, à se mouvoir et à vaquer à ses activités quotidiennes. Cela inclut la compréhension, la communication, la remémoration, la vision, la parole, la sensation, le déplacement, la marche et l'usage de fonctions régulatrices intégrées comme l'élimination et la régulation de température. De plus, en fonction de la zone problématique et des fonctions qu'elle contrôle, l'infirmière doit poser des questions spécifiques et effectuer certains examens pour déterminer les conséquences de l'état du client sur sa vie quotidienne.

L'ensemble des fonctions du système nerveux peut se répartir en six régions : la conscience, le mental, le mouvement, la sensation, la régulation intégrée et l'adaptation à l'invalidité. L'encadré 52.4 présente les fonctions intervenant dans chaque catégorie et constitue donc la base de l'évaluation neurologique par l'infirmière.

52.3 ÉPREUVES DIAGNOSTIQUES DU SYSTÈME NERVEUX

Les épreuves diagnostiques fournissent d'importants renseignements à l'infirmière pour contrôler l'état du client et planifier les interventions. Ces épreuves tiennent lieu de données objectives. Le tableau 52.6 donne les épreuves diagnostiques relatives au système nerveux.

52.3.1 Analyse du liquide céphalorachidien

L'analyse du LCR fournit des renseignements sur un certain nombre de maladies du SNC. Le LCR est un liquide

ÉPREUVES DIAGNOSTIQUES

TABLEAU 52.6 Système nerveux

Épreuve	Description et objectif	Responsabilités infirmières
Analyse du liquide céphalo-rachidien Ponction lombaire	Pour évaluer de nombreuses maladies, on insère une aiguille dans l'espace L3-4 ou L4-5 pour aspirer le LCR (voir tableau 52-7).	Aider le client à prendre et à garder la position couchée latérale avec les genoux repliés. Assurer le maintien d'une stricte technique aseptique. Étiqueter les spécimens de LCR dans l'ordre correct. Garder le client couché pendant quelques heures suivant les directives du médecin. Encourager l'absorption de liquides. Surveiller l'état neurologique et les signes vitaux. Au besoin, administrer un analgésique.
Examens radiologiques Radiographie du crâne et de la colonne vertébrale	On fait une simple radiographie de la boîte crânienne et de la colonne vertébrale pour détecter les fractures, l'érosion des os, les calcifications et la vascularisation anormale.	Expliquer que la procédure n'est pas effractive (invasive). Expliquer la position à prendre.
Angiographie cérébrale	On effectue une série de radiographies des vaisseaux sanguins intra et extracrâniens pour détecter les lésions vasculaires et les tumeurs du cerveau. On utilise un opacifiant radiologique.	Le client ne doit pas s'alimenter avant l'examen. Lui expliquer qu'il aura des sueurs chaudes à la tête et au cou lorsque l'opacifiant sera injecté. Administrer la prémédication. Expliquer au client qu'il doit rester absolument immobile durant la procédure. Surveiller l'état neurologique, les signes vitaux et le site de ponction toutes les 15 à 30 min pendant les deux premières heures, puis toutes les heures pendant les six heures suivantes, puis toutes les deux heures pendant 24 h. Garder le client au lit jusqu'à ce qu'il redevienne alerte et que les signes vitaux soient stables. Signaler tout signe de changement d'état neurologique.
Tomographie assistée par ordinateur	On effectue une radiographie assistée par ordinateur de plusieurs niveaux de l'organisme, ou de minces couches de parties de l'organisme, pour détecter les problèmes tels qu'une hémorragie, une tumeur, un kyste, un œdème, un infarcissement, une atrophie cervicale et une hydrocéphalie.	Expliquer au client que la procédure n'est pas effractive (sauf si l'on utilise un opacifiant). Observer les réactions allergiques et noter le site de ponction si on utilise un opacifiant. Expliquer l'apparence du scanner. Expliquer au client qu'il doit rester absolument immobile pendant toute la procédure.
Myélographie	Les lésions de la moelle épinière sont détectées en injectant un opacifiant dans l'espace sous-arachnoïdien et en effectuant des radiographies de la colonne vertébrale et de la moelle épinière (rupture d'un disque, tumeur).	Administrer les sédatifs avant la procédure tels qu'ils ont été prescrits. Demander au client de vider sa vessie. Aviser le client que le test se fait sur une table inclinable qui sera déplacée durant le test. Encourager l'absorption de liquides. Surveiller l'état neurologique et les signes vitaux.
Imagerie par résonance magnétique (IRM)	L'intérieur de l'organisme est visualisé magnétiquement et à moins d'utiliser un opacifiant, la procédure n'est pas effractive.	Repérer la présence de parties métalliques ou d'un stimulateur cardiaque dans l'organisme du client. Aviser le client qu'il doit rester absolument immobile pendant une heure. Si le client est claustrophobe, des sédatifs peuvent être nécessaires.
Tomographie par émission de positrons (TEP)	Mesure l'activité métabolique des régions cervicales pour déterminer la mort et les lésions cellulaires. Utilise des substances radioactives.	Expliquer la procédure au client. Expliquer que deux cathéters IV vont être insérés. Demander au client de n'absorber ni sédatif ni tranquillisant. Vider la vessie avant la procédure. On peut demander au client d'effectuer différentes activités durant le test.
Examens électrographiques Électroencéphalographie (EEG)	Les électrodes placées sur le cuir chevelu mesurent l'activité électrique du cerveau pour évaluer les maladies cérébrales, les effets sur le SNC des maladies systémiques et la mort du cerveau.	Aviser le client que la procédure n'est pas douloureuse et qu'il ne risque pas d'être électrocuté. Supprimer les stimulants. Aviser le client qu'on peut lui demander d'effectuer différentes activités durant le test, notamment une hyperventilation. Déterminer si certains médicaments doivent être supprimés (tranquillisants, médicaments antiépileptiques). Reprendre l'administration des médicaments après le test. Aider le client à enlever la pâte à électrode de ses cheveux.

TABLEAU 52.6 Système nerveux *(suite)*

Épreuve	Description et objectif	Responsabilités infirmières
Électromyographie (EMG) / Conduction nerveuse	Pour détecter les maladies musculaires et celles du système nerveux périphérique, on relève l'activité électrique associée aux nerfs et aux muscles locomoteurs en insérant des aiguilles électrodes.	Aviser le client du léger inconfort lors de l'insertion des aiguilles.
Potentiels évoqués	On relève l'activité électrique associée à la conduction nerveuse le long des voies sensorielles en plaçant des électrodes sur la peau et sur le cuir chevelu. L'impulsion est générée par un stimulus. On utilise cette procédure pour diagnostiquer une maladie, localiser une lésion nerveuse et contrôler les fonctions pendant une opération.	Expliquer la procédure au client.
Potentiels visuels évoqués	On relève l'activité électrique des voies visuelles en inversant rapidement un damier sur un écran de télévision. On teste un œil à la fois.	Expliquer la procédure au client.
Potentiels auditifs du tronc cérébral évoqués	On relève l'activité électrique des voies auditives en utilisant des écouteurs émettant des clics. On teste une oreille à la fois.	Expliquer la procédure au client.
Potentiels somatosensoriels évoqués	On relève l'activité électrique de certaines voies nerveuses en utilisant des décharges électriques bénignes (plusieurs par seconde).	Aviser le client que le stimulus peut produire un léger inconfort ou une fibrillation musculaire.
Examens par échographie Doppler des carotides (duplex)	Les ondes sonores permettent de mesurer la vitesse du débit sanguin, qui indique la présence de maladies vasculaires occlusives.	Expliquer la procédure au client.
Doppler transcrânien	Même technologie que pour l'échographie, mais on évalue les vaisseaux intracrâniens.	Expliquer la procédure au client.

normalement transparent, exempt de globules rouges (GR) et contenant très peu de protéines. Le tableau 52.7 présente les valeurs normales du LCR.

Ponction lombaire. Le prélèvement du LCR se fait habituellement par **ponction lombaire**. Cependant, la ponction est contre-indiquée en cas de pression intracrânienne élevée ou d'infection au site de la ponction.

Les infirmières assistent souvent à cette procédure effectuée dans la chambre du client. Avant la procédure, l'infirmière doit demander au client de vider sa vessie. Puis, le client doit se coucher en position latérale, le dos aussi près que possible du bord du lit. L'infirmière aide le client à remonter ses genoux sur l'abdomen et à pencher sa tête vers la poitrine de manière à séparer les vertèbres et à faciliter l'introduction de l'aiguille.

En utilisant une technique stérile stricte, généralement après une anesthésie locale, le médecin enfonce une longue aiguille sous la troisième vertèbre lombaire, ce qui peut créer un certain inconfort. Comme l'extrémité de la moelle épinière se situe entre les première et deuxième vertèbres lombaires, elle ne risque pas d'être touchée. Cependant, le client peut ressentir une douleur qui se propage le long de la jambe ou sentir des secousses musculaires si l'aiguille irrite la racine spinale. L'infirmière peut rassurer le client en lui disant que cet état est temporaire et qu'il ne risque en aucun cas de paralyser.

L'aiguille est reliée à un manomètre sur lequel on lit la pression du LCR après avoir demandé au client de relaxer et d'étendre ses jambes. Si l'on ne procède pas ainsi, la pression paraîtra anormalement élevée. Une série de tubes sont remplis de LCR pour analyse. Certains examinateurs pensent que le client doit rester allongé pendant au moins quelques heures suivant la procédure afin d'éviter des céphalées spinales ; elles peuvent être

TABLEAU 52.7	Valeurs normales du liquide céphalorachidien
Paramètre	**Valeur normale**
Densité spécifique	1,0007
pH	7,35
Apparence	Clair, incolore
GR	Aucun
GB	0 à 8/µL (0 à 0,008 /L)
Protéine Lombaire Cisternale Ventriculaire	 15 à 45 mg/dl (0,15 à 0,45 g/L) 15 à 25 mg/dl (0,15 à 0,25 g/L) 5 à 15 mg/dl (0,05 à 0,15 g/L)
Glucose	45 à 75 mg/dl (2,5 à 4,2 mmol/L)
Micro-organismes	Aucun
Pression d'ouverture avec ponction lombaire	60 à 150 mm H_2O

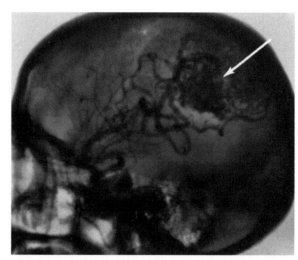

FIGURE 52.18 Angiographie cérébrale mettant en évidence une malformation artéroveineuse (indiquée par la flèche)

causées par la perte de l'effet de coussin du LCR due à l'épanchement de LCR au site de ponction. Il se peut que la position couchée soit efficace pour éviter un épanchement de LCR. Toutefois, d'autres cliniciens ne pensent pas que la position couchée soit nécessaire, car en dépit de ces précautions, certaines personnes ont tout de même des céphalées. Chez certains clients, on peut observer une irritation des méninges (rigidité de la nuque) ou des symptômes traumatiques locaux (hématomes, douleur).

52.3.2 Examens radiologiques

Angiographie cérébrale. Lorsque l'on suspecte des lésions vasculaires ou des tumeurs, il faut procéder à une angiographie cérébrale. Pour ce faire, on insère un cathéter dans l'artère fémorale (parfois brachiale). Il remonte ensuite vers l'arc aortique et dans la base d'une carotide ou d'une artère vertébrale, et on injecte alors l'opacifiant radiologique. Pour obtenir des images des artères, des petits vaisseaux et des veines, on prend une série de radiographies (voir figure 52.18). Cet examen sert à localiser les abcès, les anévrismes, les hématomes, les malformations artéroveineuses, les spasmes artériels ainsi que certaines tumeurs.

Il faut s'attendre à une réaction car la procédure est effractive. Le client peut avoir une réaction allergique à l'opacifiant (anaphylactique). Cette réaction se produit généralement immédiatement après l'injection de l'opacifiant et peut nécessiter des mesures de réanimation d'urgence en salle de radiologie. L'intervention infir-

mière après le retour du client dans sa chambre consiste à observer les signes d'apparition d'une hémorragie au site de ponction du cathéter (généralement à l'aine). Habituellement, on applique un pansement compressif au site de ponction pour accélérer l'hémostase et éviter la tuméfaction.

Tomodensitométrie. La tomodensitométrie est une procédure non intrusive, mais on a parfois recours à une injection intraveineuse d'opacifiant pour améliorer l'image des vaisseaux sanguins et déceler les ruptures de la barrière hémato-encéphalique. La tomodensitométrie peut s'effectuer en consultation externe. On réalise plusieurs radiographies balayant différents niveaux du cerveau ; ces clichés sont par la suite compilés par un ordinateur et présentés sous forme d'images en noir et blanc. Ces images, qui représentent des « tranches » du cerveau, font apparaître les hémorragies, les tumeurs, les kystes, les oedèmes, les infarcissements, l'atrophie du cerveau et l'hydrocéphalie. Néanmoins, les images de la fosse postérieure et de la base du cerveau obtenues par tomodensitométrie sont moins nettes que les images fournies par l'imagerie par résonance magnétique.

Imagerie par résonance magnétique. Depuis le milieu des années 1980, on dispose de l'imagerie par résonance magnétique (IRM). Cette méthode, au lieu d'employer des rayons X, utilise deux types de magnétismes. Le client est placé dans un champ magnétique intense qui aligne les protons des ions hydrogène des cellules de l'organisme (voir figure 52.19). Des décharges magnétiques de radiofréquences sont alors émises pour désaligner les protons, qui se réalignent dès que cessent les décharges. Le champ magnétique résultant est enregistré et analysé par un ordinateur qui produit alors de vives images en noir et blanc des tranches du cerveau.

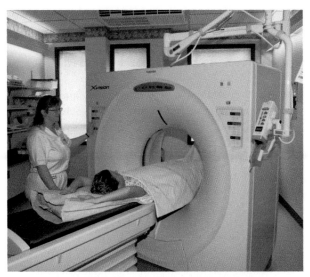

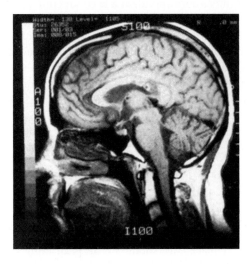

FIGURE 52.19 A. Installation clinique pour l'imagerie par réso-nance magnétique. B. Coupe sagittale du cerveau par IRM.

On utilise l'IRM pour évaluer les œdèmes du cerveau et de la moelle épinière, les hémorragies, les infarcis-sements, les vaisseaux sanguins, les néoplasmes et les lésions osseuses. Pour améliorer les images IRM, on injecte du gadolinium par voie intraveineuse (IV). L'IRM est la méthode diagnostique préférée pour de nombreuses maladies neurologiques, car le contraste qu'elle offre dans les tissus mous est supérieur à celui de la tomoden-sitométrie.

Tomographie par émission de positons. Le métabo-lisme régional du cerveau est déterminé à l'aide de la tomographie par émission de positons (TEP). La TEP est une procédure non effractive de détermination des pro-cessus biochimiques du cerveau. En clinique, on utilise de plus en plus la TEP pour suivre certains clients après un accident vasculocérébral, atteints de la maladie d'Alzheimer, d'épilepsie ou de la maladie de Parkinson.

Myélographie. La myélographie permet de visualiser la colonne vertébrale et l'espace sous-arachnoïdien lorsque l'on suspecte une lésion de la moelle épinière. Ce test est utilisé le plus fréquemment pour un disque inter-vertébral protubérant ou pour une hernie discale. On l'utilise également pour les tumeurs de la moelle épinière, les adhérences, la syringomyélie, les déforma-tions osseuses et les malformations artéroveineuses. Ce test utilise des radiographies de la colonne vertébrale après injection par un cathéter d'un opacifiant radio-logique dans l'espace sous-arachnoïdien.

Cette procédure se prépare comme une ponction lombaire. Avant d'injecter l'opacifiant, il faut demander au client s'il a eu des allergies avec d'autres opacifiants, ayant causé des réactions anaphylactiques ou hypoten-sives. Après la myélographie, le client doit demeurer couché pendant quelques heures.

Les céphalées, parfois accompagnées de nausées et occasionnellement de vomissements, sont les effets les plus courants après une myélographie. L'infirmière doit observer les changements de l'état neurologique du client et lui offrir un environnement calme et confortable après la procédure.

52.3.3 Examens électrographiques

Électroencéphalographie. Dans la technique de l'électro-encéphalographie (EEG), on enregistre l'activité élec-trique des neurones corticaux de surface du cerveau à l'aide de 8 à 16 électrodes placées en des endroits spéci-fiques de la boîte crânienne. Ce test évalue non seulement les maladies cérébrales, mais également les effets sur le SNC de nombreuses maladies métaboliques ou systé-miques et la mort du cerveau. Avec l'EEG, on évalue, entre autres, l'épilepsie, les lésions massiques (tumeur, abcès, hématomes), les lésions vasculocérébrales et les traumatismes au cerveau (voir figure 52.20). La procé-dure n'est pas effractive. Les clients pensent parfois que les électrodes vont les électrocuter ; il faut leur assurer que ce n'est pas le cas et que la procédure est similaire à celle de l'électrocardiogramme.

Électromyographie et épreuves de conduction ner-veuse. L'électromyographie (EMG) enregistre l'activité électrique des nerfs de l'appareil locomoteur. L'enre-gistrement est visualisé sur un oscilloscope à rayons cathodiques ; on peut également le restituer sous forme audible par l'intermédiaire d'un haut-parleur afin d'ef-fectuer une analyse simultanée. Comme l'enregistrement cutané est insuffisant, on insère des aiguilles électrodes dans le muscle pour mesurer des unités motrices spéci-fiques. Un muscle normal au repos n'a pas d'activité élec-trique ; celle-ci se produit lorsque le muscle se contracte. L'activité électrique est perturbée quand le muscle lui-même est malade (myopathie), ou lorsque qu'il y a un

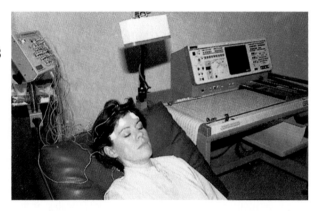

A

B

FIGURE 52.20 Électroencéphalogramme (EEG). A. Exemples d'ondes alpha, bêta, thêta et delta visualisées par un EEG.
B. Photographie d'une personne se prêtant à un test EEG. Noter les électrodes du cuir chevelu, qui détectent les variations de potentiel à l'intérieur du crâne.

trouble de l'innervation musculaire (lésions segmentaires ou neurones moteurs inférieurs, conditions neuropathiques périphériques). Seul l'EMG peut détecter les fibrillations qui sont des contractions spontanées et indépendantes de fibres musculaires. Elles apparaissent à l'EMG une à trois semaines après que le muscle ait perdu son alimentation nerveuse.

Le stimulus que l'on utilise pour étudier les conditions nerveuses est une brève décharge électrique à la partie distale d'un nerf sensoriel ou mixte ; on enregistre ensuite l'onde de dépolarisation résultante à un point proche de la stimulation. Par exemple, on peut appliquer un stimulus au bout d'un doigt et placer l'électrode enregistreuse sur le nerf médian du poignet pour mesurer

le temps compris entre le début du stimulus et l'apparition de l'onde de dépolarisation sur l'électrode ; ce terme est appelé *vitesse de conduction nerveuse*. La vitesse de conduction des nerfs endommagés est plus faible.

Potentiels évoqués. Les potentiels évoqués sont les enregistrements de l'activité électrique associée à la conduction nerveuse le long des voies sensorielles. On génère l'activité au moyen d'un stimulus sensoriel spécifique au type d'étude (damier pour potentiels visuels évoqués, sons de clic pour potentiels auditifs évoqués et légères impulsions électriques pour potentiels somatosensoriels évoqués). Les électrodes, placées en des endroits précis de la peau et du cuir chevelu, enregistrent l'activité électrique, puis les résultats sont stockés et moyennés par un ordinateur. Un graphe sous forme d'onde est imprimé sur une table traçante. Les pics des ondes correspondent à la conduction du stimulus à travers certains points le long de la voie sensorielle (nerf périphérique, tronc cérébral, zones corticales). Si le temps entre le stimulus et un pic donné augmente (temps de latence), on peut en déduire un ralentissement de la conduction nerveuse ou une lésion nerveuse. Ces tests permettent d'évaluer le nerf optique dans le cas de la sclérose en plaques (névrite optique), et le nerf auditif dans le cas du neurinome acoustique.

52.3.4 Examens par échographie Doppler (duplex)

Doppler des carotides. Une échographie duplex combine les ultrasons et la technologie Doppler pulsée. Un technicien place une sonde sur la peau au-dessus de l'artère carotide et la déplace lentement le long de la carotide commune jusqu'à la bifurcation des artères carotides externe et interne. Le signal ultrason émis par la sonde est renvoyé par les cellules du sang qui se déplacent dans la veine. La fréquence du signal réfléchi permet de déterminer la vitesse d'écoulement du sang. Le signal est amplifié et enregistré sur une table traçante sous forme de graphique ; le son est également enregistré. Une augmentation de la vitesse d'écoulement du sang peut faire suspecter la sténose du vaisseau. L'échographie duplex est une procédure non effractive qui évalue la maladie occlusive de la carotide.

Sonographie Doppler transcrânienne. La sonographie Doppler transcrânienne (SDT) utilise la même technologie que l'échographie duplex, mais l'applique à la mesure de la vitesse d'écoulement du sang dans les vaisseaux intracrâniens. La sonde est placée sur la peau à différentes fenêtres de la boîte crânienne (les parties de la boîte crânienne dont l'os est de faible épaisseur) pour enregistrer les vitesses des artères cérébrales médiane, antérieure et postérieure, de l'artère carotide terminale et parfois des artères communicantes antérieure et postérieure. On utilise les sites temporal, orbital et sous-occipital. Le signal ultrason reçu est restitué graphiquement sous forme d'onde. À partir de ces renseignements, on calcule la vitesse maximale d'écoulement du sang et les rapports systolique-diastolique. La SDT est une technique non effractive dont on se sert pour évaluer les spasmes vasculaires associés aux hémorragies sous-arachnoïdiennes, les altérations dynamiques du débit sanguin associées à la maladie vasculaire occlusive, l'autorégulation cérébrale, la présence d'embolies et la mort du cerveau.

MOTS CLÉS

BIBLIOGRAPHIE
Version originale
1. Bradley WG and others, editors: *Neurology in clinical practice,* ed 2, Boston, 1996, Butterworth-Heineman.
2. Haerer AF: *DeJong's the neurologic examination,* ed 5, Philadelphia, 1992, Lippincott.
3. Haines DE, editor: *Fundamental neuroscience,* New York, 1997, Churchill Livingstone.
4. Hickey JV: *The clinical practice of neurological and neurosurgical nursing,* ed 4, Philadelphia, 1997, Lippincott.
5. Mitchell PH and others: *Neurologic assessment for nursing practice,* Reston, Va, 1984, Reston.

Chapitre 53

Monique Bédard
B. Sc. inf.
Cégep de Limoilou

Lucie Maillé
Inf., B. Sc.
Collège Édouard-Montpetit

TROUBLES INTRACRÂNIENS

OBJECTIFS D'APPRENTISSAGE

APRÈS AVOIR LU CE CHAPITRE, VOUS DEVRIEZ ÊTRE EN MESURE :

DE DÉFINIR L'INCONSCIENCE ;

D'EXPLIQUER LE MÉCANISME DE L'INCONSCIENCE ;

DE DÉCRIRE LES SOINS INFIRMIERS À L'ÉGARD DU CLIENT INCONSCIENT ;

DE DÉFINIR LA PRESSION INTRACRÂNIENNE ET D'EN CONNAÎTRE LES VALEURS NORMALES ;

DE RECONNAÎTRE LES MÉCANISMES PHYSIOLOGIQUES D'ACCOMMODATION QUI MAINTIENNENT LA PRESSION INTRACRÂNIENNE NORMALE ;

DE RECONNAÎTRE LES ÉTIOLOGIES, LES MANIFESTATIONS CLINIQUES ET LES PROCESSUS THÉRAPEUTIQUES FRÉQUENTS DE L'AUGMENTATION DE LA PRESSION INTRACRÂNIENNE ;

DE DÉCRIRE LES SOINS INFIRMIERS À L'ÉGARD DU CLIENT SOUFFRANT D'UNE AUGMENTATION DE LA PRESSION INTRACRÂNIENNE ;

DE DIFFÉRENCIER LES TYPES DE TRAUMATISMES CRÂNIENS EN FONCTION DE LEURS MÉCANISMES DE LÉSION, DE LEURS MANIFESTATIONS CLINIQUES ET DE LEURS TRAITEMENTS ;

DE DÉCRIRE LE PROCESSUS THÉRAPEUTIQUE ET LES SOINS INFIRMIERS À L'ÉGARD DU CLIENT SOUFFRANT D'UN TRAUMATISME CRÂNIEN ;

DE COMPARER LES TYPES DE TUMEURS INTRACRÂNIENNES AINSI QUE LEURS MANIFESTATIONS CLINIQUES ET LEURS PROCESSUS THÉRAPEUTIQUES ;

DE DÉCRIRE LES PROBLÈMES ET LES SOINS INFIRMIERS À L'ÉGARD D'UN CLIENT ATTEINT D'UNE TUMEUR INTRACRÂNIENNE ;

DE DÉCRIRE LES SOINS INFIRMIERS À L'ÉGARD DU CLIENT SUBISSANT UNE CHIRURGIE CRÂNIENNE ;

DE COMPARER LES PRINCIPALES CAUSES, LES PROCESSUS THÉRAPEUTIQUES ET LES PRONOSTICS DES ENCÉPHALITES LES PLUS FRÉQUENTES ;

D'EXPLIQUER LES SOINS INFIRMIERS À L'ÉGARD D'UN CLIENT SOUFFRANT D'UNE ENCÉPHALITE.

53.1 INCONSCIENCE

L'**inconscience** est un état anormal dans lequel le client n'est pas conscient de lui-même ou de son environnement. Elle peut varier d'un bref épisode, comme un évanouissement, à un état d'inconscience prolongé, comme le coma, dont le client ne peut se sortir même avec des stimuli externes vigoureux. Entre ces deux extrêmes, il existe des degrés d'inconscience qui sont plus ou moins longs et plus ou moins graves. L'inconscience n'est ni un diagnostic ni une maladie, elle est plutôt une manifestation de nombreux processus physiopathologiques dont font partie les traumatismes, les perturbations métaboliques, les lésions de masse et les infections. Le processus thérapeutique vise à déterminer et à corriger la cause de l'inconscience, à maintenir les fonctions organiques et vitales du client ainsi qu'à le protéger contre les blessures et les risques en cas d'immobilité.

53.1.1 Étiologie

La conscience implique deux aspects : l'éveil et la cognition (ou contenu de la pensée). L'éveil s'applique à l'état d'éveil qui dépend de l'activité du système réticulé activateur (SRA). Ce système est composé d'un réseau de fibres nerveuses et de corps cellulaires, et se situe dans la formation réticulaire de la partie centrale du tronc cérébral qui possède des connexions neurales entre les différentes parties du système nerveux. Un SRA intact peut assurer le maintien d'un état d'éveil, même si le cortex n'est pas opérationnel. La cognition (contenu de la pensée) s'applique à l'habileté à raisonner, à penser, à sentir et à réagir aux stimuli avec détermination et de manière consciente. Ces activités sont commandées par les hémisphères cérébraux, communément appelés les centres supérieurs, qui contrôlent également les fonctions intellectuelles et affectives.

L'interruption des impulsions qui proviennent du SRA ou une altération du fonctionnement des hémisphères cérébraux peuvent entraîner un état d'inconscience. Toute affection qui modifie manifestement le fonctionnement des hémisphères ou qui déprime ou endommage le haut du tronc cérébral entraîne une altération de l'état de conscience. De nombreux événements étiologiques peuvent entraîner une perte de conscience. Les causes peuvent être regroupées en fonction des mécanismes physiopathologiques tels que les lésions de masse supratentorielles et sous-tentorielles et les lésions destructives, ou en fonction de troubles cérébraux métaboliques et diffus (voir encadré 53.1). Les troubles psychiatriques comme la dépression, la catatonie et la schizophrénie peuvent faire en sorte que le client ne réagisse pas à l'environnement.

Causes de l'inconscience   ENCADRÉ 53.1

Lésions de masse supratentorielles
- Hématome épidural
- Hématome sous-dural
- Hématome intracérébral
- Infarctus cérébral
- Tumeur cérébrale
- Abcès cérébral

Lésions sous-tentorielles
- Infarctus du tronc cérébral
- Tumeur du tronc cérébral
- Hémorragie du tronc cérébral
- Hémorragie cérébelleuse
- Abcès cérébelleux

Troubles cérébraux métaboliques et diffus
- Hypoxie ou anoxie
- État postictal et commotion
- Infection (méningite, encéphalite)
- Hémorragie sous-arachnoïdienne
- Exotoxines
- Surdose
- Intoxication alcoolique
- Saturnisme
- Endotoxines et carences
- Hypoglycémie
- Urémie
- Encéphalopathie hépatique
- Carence en vitamine B1

Les lésions de masse supratentorielles nuisent généralement à l'état de conscience en compressant et en déplaçant le contenu cérébral, ce qui provoque une pression sur la partie supérieure du tronc cérébral qui contient le SRA. Ces lésions, qui surviennent au-dessus du tentorium, peuvent, entre autres, comprendre des lésions attribuables à un traumatisme (p. ex. lacérations ou contusions, hématome sous-dural ou épidural), une hémorragie sous-arachnoïdienne, une hémorragie ou un infarctus intracérébral, une tumeur et un abcès. La conséquence la plus grave d'une lésion de masse supratentorielle est l'engagement de l'hémisphère cérébral dans le foramen ovale de Pacchioni, ce qui entraîne la compression du tronc cérébral. Une autre forme d'engagement peut survenir si le cerveau se déplace latéralement, ce qui a pour effet de déplacer la circonvolution du corps calleux sous la faux et de comprimer les vaisseaux sanguins et le tissu cérébral de l'hémisphère opposé. L'ischémie et l'infarctus irréversible sont le résultat final de l'engagement cérébral (voir figure 53.6).

Les masses sous-tentorielles et les lésions destructives survenant sous le tentorium nuisent aussi à l'état de conscience, car elles compriment ou détruisent le SRA situé au-dessus du mésencéphale. Une hémorragie, un infarctus, une tumeur ou un abcès pontique ou cérébelleux peuvent toucher la région sous-tentorielle du cerveau en raison d'une compression directe sur le cerveau, de l'engagement vers le haut dans le foramen ovale de Pacchioni ou de l'engagement vers le bas dans le trou occipital.

Les troubles cérébraux métaboliques et diffus d'origine intracrânienne ou extracrânienne peuvent entraîner des altérations de l'état de conscience. Ces troubles peuvent nuire au métabolisme cérébral et, par conséquent, altérer la régulation de la nutrition cellulaire, de l'oxygène et du gaz carbonique, l'équilibre électrolytique ainsi que le fonctionnement enzymatique. Les troubles métaboliques spécifiques pouvant provoquer un état d'inconscience sont l'urémie, le diabète, l'hypoglycémie, une intoxication alcoolique, une surdose de médicaments (p. ex. barbituriques) et le saturnisme.

Peu importe la cause de l'état d'inconscience, deux processus physiopathologiques affectent généralement le métabolisme cérébral : l'ischémie anoxique cérébrale et l'œdème cérébral. Un trouble physiopathologique fréquent dans les cas d'encéphalopathie métabolique est la diminution de la consommation d'oxygène. Afin de traiter l'ischémie anoxique cérébrale, à la fois focale et globale, des mesures doivent être établies pour assurer une circulation systémique adéquate. L'œdème cérébral et l'augmentation de la pression intracrânienne qui en résulte peuvent être traités au moyen d'agents hyperosmotiques ou de corticostéroïdes.

Les troubles psychiatriques ou psychogéniques peuvent provoquer un état d'inconscience. Bien que le système neurologique soit intact, le client ne réagit pas à l'environnement. Il est recommandé de consulter un psychiatre lorsque la possibilité d'une maladie organique est écartée.

53.1.2 État d'inconscience

L'état de conscience du client est à la fois défini par le comportement et par les variations de l'activité cérébrale enregistrées sur l'électroencéphalogramme (EEG). Lorsque le client est au stade le plus profond d'inconscience, celui-ci ne réagit pas aux stimuli douloureux, il n'a aucun réflexe cornéen ou pupillaire, il est incapable d'avaler ou de tousser, il souffre d'incontinence urinaire et fécale, et les variations de l'EEG révèlent une diminution ou l'absence d'une activité neuronale. Ce client est dans le coma.

Comportement. Il peut s'avérer utile pour l'infirmière de conceptualiser les états de conscience dans un continuum. Ce continuum de l'activité électrique cérébrale varie d'un état d'hyperexcitabilité (convulsion) à un état d'hypoexcitabilité (coma). Le niveau normal de vivacité d'esprit se situe entre ces deux états, les anomalies varient, allant de légères désorientations au coma. Une multitude de termes ont été utilisés pour

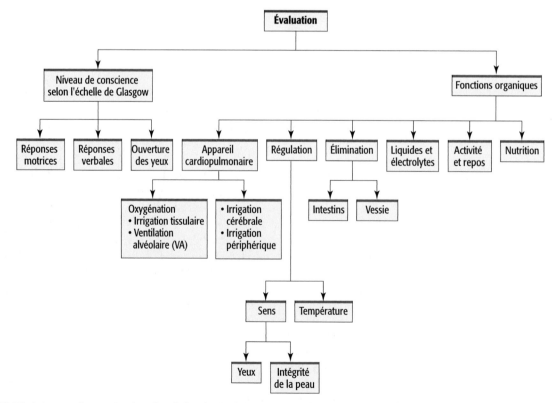

FIGURE 53.1 Intervention systématique lors de l'évaluation infirmière auprès d'un client inconscient

décrire les points du continuum, mais ils ont tendance à porter à confusion. Par exemple, il existe de nombreux sens au terme **léthargie**. Plutôt que de se fier à ces termes, l'infirmière doit apprendre les techniques d'évaluation appropriées et décrire le niveau de conscience en notant les comportements observés. Lorsque l'état de conscience diffère de l'état normal, l'infirmière doit entreprendre une méthode d'observation plus structurée. Cette approche systématique de l'évaluation infirmière est illustrée à la figure 53.1 et consiste à évaluer le niveau de conscience d'après l'échelle de Glasgow et d'après les fonctions organiques.

Échelle de Glasgow. L'échelle de Glasgow a été créée en 1974 en raison de la confusion et de l'ambiguïté qui entoure les termes servant à décrire l'altération des états de conscience. Les trois éléments évalués dans cette méthode correspondent à la définition du **coma** : l'incapacité du client à parler, à obéir à un ordre verbal ou à ouvrir les yeux lorsqu'un stimulus verbal ou douloureux est appliqué. Des examens précis servent à évaluer la réaction du client à divers degrés de stimuli. On y évalue trois indicateurs de réaction : 1) l'ouverture des yeux, 2) la meilleure réponse verbale, et 3) la meilleure réponse motrice (voir la figure 53.2). On attribue un score aux comportements observés en réaction au stimulus pour chacun de ces trois critères ; on peut également indiquer ces scores sur un graphique. La responsabilité du clinicien est d'obtenir la meilleure réponse à chacune de ces échelles : plus les résultats sont élevés, meilleur est le fonctionnement du cerveau. Le graphique sert à visualiser l'état de conscience pour déterminer si l'état du client est stable, s'il s'améliore ou s'il se détériore. Les résultats des sous-échelles sont particulièrement importants si l'état du client est instable dans une de ces catégories. Par exemple, un œdème périorbitaire grave peut faire en sorte que le client est incapable d'ouvrir les yeux. Le score total correspond à la somme des scores obtenus pour chacun des trois critères. Le score le plus élevé est de 15 et correspond à un client qui est parfaitement conscient tandis que le score le plus bas est de 3. Un score inférieur ou égal à 8 indique généralement un coma.

L'échelle de coma présente également plusieurs avantages lors de l'évaluation du client inconscient. Son contenu précis et structuré permet à différents cliniciens d'en arriver aux mêmes conclusions en ce qui concerne l'état du client. Elle permet aussi de faire gagner du temps puisque l'évaluation se note avec des chiffres au lieu de longues descriptions. L'échelle de Glasgow est également suffisamment précise pour établir une distinction entre des états différents et changeants.

On utilise l'échelle de Glasgow pour évaluer l'éveil lors de l'état de conscience. Les autres éléments de l'examen neurologique comprennent l'examen des pupilles, le test de force musculaire et, au besoin, le test de réflexe cornéen.

Surveillance des fonctions organiques. En plus d'évaluer l'état neurologique de l'inconscience du client, différentes fonctions organiques, comme la respiration et l'élimination, doivent également être surveillées (voir figure 53.1). Une circulation et une respiration adéquates sont primordiales et doivent toujours être évaluées en premier.

53.2 PRESSION INTRACRÂNIENNE

Il est important que l'infirmière comprenne les mécanismes associés à la pression intracrânienne (PIC) si elle doit prodiguer des soins à des clients souffrant de divers troubles neurologiques. Le crâne ressemble à une boîte fermée comportant trois éléments importants : le tissu cérébral, le sang et le liquide céphalorachidien (LCR) (voir figure 53.3). Le volume total du crâne est de 1900 ml. Les liquide intracellulaire et extracellulaire du tissu cérébral représentent environ 78 % de ce volume. Le sang des réseaux artériel, veineux et capillaire représente 12 % du volume, et le 10 % restant correspond au LCR. Dans des conditions normales, lorsque le volume intracrânien demeure plus ou moins constant, l'équilibre entre ces éléments maintient le niveau de la PIC. La loi modifiée de Monro-Kellie stipule que le volume total du contenu intracrânien demeure constant. Si le volume qui entre dans la voûte du crâne est égal au volume qui en sort, le volume intracrânien total ne changera pas. Cette hypothèse ne s'applique pas dans les cas où le crâne n'est pas rigide (p. ex. chez les nouveau-nés et chez les adultes qui ont des fractures du crâne non soudées).

Les autres facteurs qui influencent la PIC dans des conditions normales sont : 1) la pression artérielle ; 2) la pression veineuse ; 3) la pression intra-abdominale et intrathoracique ; 4) la posture ; 5) la température (en particulier l'hypothermie) ; 6) les gaz sanguins (notamment les taux de CO_2). Le degré auquel ces facteurs augmentent ou diminuent la PIC dépend de la capacité du cerveau à s'adapter aux changements.

53.2.1 Régulation et maintien de la pression intracrânienne

Pression intracrânienne normale. La PIC normale est la pression exercée par le volume total des trois éléments dans le crâne : le tissu cérébral, le sang et le LCR. La PIC peut être mesurée dans les ventricules, l'espace sous-arachnoïdien, l'espace sous-dural, l'espace

Hôpital Charles LeMoyne
Centre affilié universitaire
et régional de la Montérégie

SIGNES VITAUX ET
ÉVALUATION NEUROLOGIQUE

DATE :

HEURE :

Pupille	**Gauche**	Dimension	
		Réaction	
	Droite	Dimension	
		Réaction	
Moteur	**Étreinte de la main**	Gauche	
		Droite	
	Mouvement de la jambe	Gauche	
		Droite	
	État de conscience	Alerte	
		Orienté TEP	
		Hypervigilant	
		Léthargique	
		Stuporeux	
		Comateux	
		Sédationné	
Échelle de Glasgow	**Ouverture des yeux**	Spontanné 4	
		Sur ordre verbal 3	
		À la douleur 2	
		N'ouvre pas les yeux 1	
		Œdème des paupières 1	
	Réponse verbale	Orientée 5	
		Confuse 4	
		Parole inappropriées 3	
		Sons incompréhensibles 2	
		Aucune réponse 1	
		Intubé/trachéo 1	
	Réponse motrice	Obéit ordres simples 6	
		Localise (douleur) (dirigée) 5	
		Douleur Retrait (douleur) (non dirigée) 4	
		Décortication (flexion) 3	
		Décérébration (extension) 2	
		Aucune réponse 1	
	Total Glasgow		

Pression artérielle

∧
∨

230
220
210
200
190
180
170
160

Pouls
I = Irrégulier

150
140
130
120
110
100
90
80

Respiration
X

70
60
50
40
30
20
10

Température A R B

FIGURE 53.2 Signes vitaux et évaluation neurologique

Reproduit avec l'autorisation de la Direction des Soins infirmiers de l'Hôpital Charles-LeMoyne.

PUPILLES

DIMENSION :
(diamètre en mm)

1 mm   2 mm   3 mm   4 mm   5 mm   6 mm   7 mm   8 mm   9 mm

Réflexe photomoteur (réaction des pupilles à une lumière forte)

- -

RÉACTION :

N = normale
L = lente
F = fixe

RÉACTION À LA DOULEUR

Localise (douleur) (dirigée) :   le client **localise la douleur** et s'en éloigne ou s'en défend.

Retrait (douleur) (non dirigée) :   le client répond à la douleur, flexion ou **retrait,** sans la localiser.

Décortication (flexion) :   le client présente une flexion spastique des membres supérieurs
et une extension des membres inférieurs.

Décérébration (extension) :   le client présente une hyperextension spastique et une rotation interne
des membres supérieurs et inférieurs (les pieds en « pointes de ballet »).

Aucune réponse :   (par exemple, le client curarisé).

ÉTAT DE CONSCIENCE

Alerte :   éveillé.

Orienté TEP :   orienté dans le temps, l'espace et aux personnes.

Hypervigilant :   sursaute au moindre stimulus (verbal, toucher, etc.)

Léthargique :   somnolent, mais facile à éveiller, lent au niveau verbal et moteur.

Stuporeux :   difficile à éveiller.

Comateux :   inconscient.

MOTEUR

Étreinte de la main   V = vigoureux   F = faible
Mouvement de la jambe   M = modéré   A = absent

FIGURE 53.2 Signes vitaux et évaluation neurologique (*suite*)

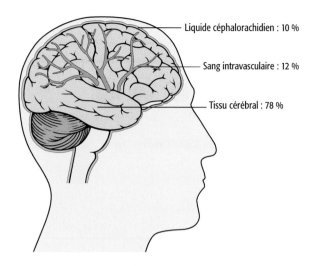

Liquide céphalorachidien : 10 %

Sang intravasculaire : 12 %

Tissu cérébral : 78 %

FIGURE 53.3 Composantes du cerveau

épidural ou le parenchyme cérébral en au moyen d'un manomètre à eau ou d'un capteur de pression. Lorsque le client est allongé sur le côté, la pression varie généralement entre 60 et 150 mm H_2O, si on utilise un manomètre à eau. Lorsque le client est couché, que sa tête est surélevée à 30 degrés et qu'on mesure la PIC à l'aide d'un capteur de pression, elle varie entre 0 et 15 mm Hg. Une pression soutenue supérieure à la limite est considérée comme anormale.

Adaptations compensatoires normales. En appliquant la loi modifiée de Monro-Kellie, l'organisme peut compenser pour les variations de volume des éléments du crâne afin de maintenir une PIC normale. L'organisme y parvient en apportant de légères modifications dans l'un ou l'autre des trois éléments. Les premiers mécanismes compensatoires comprennent l'augmentation de l'absorption du LCR, le déplacement du LCR dans l'espace sous-arachnoïdien et la rupture des veines cérébrales et des sinus duraux. Les autres mécanismes de compensation sont les suivants : 1) l'expansion de la dure-mère ; 2) l'élévation du flux veineux ; 3) la diminution de la production de LCR ; 4) les changements dans le volume sanguin intracrânien par le biais de la constriction et de la dilatation ; 5) une légère compression du tissu cérébral.

Au départ, une élévation du volume n'entraîne aucune augmentation de la PIC en raison d'un mécanisme compensatoire. Cependant, ces adaptations compensatoires aux variations de volume sont limitées et, au fur et à mesure que le volume continue d'augmenter, la PIC augmente et la décompensation survient, entraînant la compression et l'ischémie.

53.2.2 Débit sanguin cérébral

Le débit sanguin cérébral (DSC) est le volume de sang, en millilitres, circulant par 100 g de tissu cérébral en

une minute. Le DSC global est d'environ 50 ml à la minute par 100 g de tissu cérébral. Le DSC de la substance blanche diffère du DSC de la substance grise du cerveau, le premier étant plus faible que le second, soit respectivement environ 25 ml/100 g et 75 ml/100 g. Il est essentiel de maintenir le débit sanguin au cerveau, car celui-ci a constamment besoin d'un apport en oxygène et en glucides. Le cerveau utilise 20 % de l'oxygène et 25 % des glucides consommés par le corps.

Autorégulation du débit sanguin cérébral. Le cerveau est en mesure de réguler son propre débit sanguin en réponse à ses besoins métaboliques, et ce, en dépit des fluctuations importantes de la pression artérielle systémique. L'**autorégulation** est définie comme l'altération automatique du diamètre des vaisseaux sanguins cérébraux en vue de maintenir un débit sanguin constant au cerveau lors des variations de la pression artérielle systémique. Le but de l'autorégulation est d'assurer un débit sanguin cérébral constant afin de répondre aux besoins métaboliques et de maintenir la pression de perfusion cérébrale à un niveau normal. La limite minimale de la pression artérielle systémique à laquelle l'autorégulation est efficace chez un sujet normotendu est une pression artérielle moyenne (PAM) de 50 mm Hg. Sous ce niveau, le DSC diminue, et des symptômes d'ischémie cérébrale, comme la syncope et la vision trouble, font leur apparition. La limite maximale de la pression artérielle systémique à laquelle l'autorégulation est efficace est de 150 mm Hg. Lorsque la pression artérielle systémique est supérieure à cette limite, les vaisseaux sont rétrécis au maximum. Par conséquent, les réponses vasoconstrictives supplémentaires sont perdues et la barrière hémato-encéphalique est coupée, ce qui entraîne l'augmentation de la PIC.

La pression de perfusion cérébrale (PPC) est la pression nécessaire pour assurer un débit sanguin au cerveau. La PPC est égale à la PAM moins la PIC (PPC = PAM – PIC). Bien que cette formule soit cliniquement utile, elle ne tient pas compte de l'effet de résistance vasculaire systémique (RVS). À mesure que la PPC diminue, l'autorégulation fait défaut et le DSC diminue. Une PPC inférieure à

Calcul de la pression de perfusion cérébrale	**ENCADRÉ 53.2**

PPC = PAM – PIC

PAM = PAD + 1/2(PAS - PAD) ou $\dfrac{PAS + 2(PAD)}{3}$

Exemple : pression artérielle systémique = 122/84
PAM = 97
PIC = 12 mmHg
PPC = 85 mmHg

PAD : pression artérielle diastolique ; PAM : pression artérielle moyenne ; PAS : pression artérielle systolique ; PIC : pression intracrânienne ; PPC : pression de perfusion cérébrale.

30 mm Hg entraîne une ischémie cellulaire, et celle-ci est mortelle. L'encadré 53.2 présente la manière de calculer la PPC. Dans des circonstances normales, l'autorégulation maintient un DSC adéquat et une pression de perfusion selon trois mécanismes physiologiques : les variations de la PIC, la vasodilatation cérébrale et les facteurs métaboliques.

Changements dans la pression. La relation entre la pression et le volume est illustrée par la courbe de volume-pression. L'élastance et la compliance du cerveau affectent la courbe. L'**élastance** est la capacité du cerveau à s'adapter aux variations de volume, elle représente la raideur du cerveau. Lorsque l'élastance est élevée, on note une augmentation importante de la pression et une légère baisse du volume.

Élastance = Pression/Volume

La **compliance** est l'inverse de l'élastance, elle constitue la capacité d'expansion du cerveau. Elle est représentée par une augmentation du volume à mesure que la pression augmente. Une faible compliance est identique à une élastance élevée. Lorsque la compliance est faible, des changements importants au niveau de la pression surviennent à la suite de variations mineures dans le volume.

Compliance = Volume/Pression

Le concept de la courbe volume-pression peut être utilisé pour représenter les stades de l'augmentation de la PIC (hypertension intracrânienne) (voir figure 53.4). Au stade 1, on remarque sur la courbe une compliance importante et une faible élastance : le cerveau est en compensation totale, l'accommodation et l'autorégulation ne sont pas touchées. Une hausse du volume n'entraîne aucune augmentation de la PIC. Au stade 2, la compliance est plus faible et l'élastance augmente. Une hausse du volume prédispose le client à une augmentation de la PIC. Au stade 3, l'élastance est élevée et la compliance est faible. Toute hausse du volume, aussi petite qu'elle soit, entraîne une augmentation importante de la pression. On remarque une perte d'autorégulation, et des symptômes indiquant une augmentation de la PIC peuvent survenir, comme une hypertension systolique accompagnée d'une augmentation de la pression différentielle, une bradycardie et une baisse de la fréquence respiratoire (triade de Cushing). En raison de la perte de l'autorégulation et de l'augmentation de la pression systolique à la suite d'une triade de Cushing, il y a décompensation. La PIC imite passivement la pression artérielle. Finalement, lorsque le client est au stade 4, la PIC augmente au maximum, et on note une faible augmentation du volume. Un engagement cérébral se produit à mesure que le tissu cérébral se déplace d'un compartiment ayant une pression élevée vers un compartiment ayant une pression moindre.

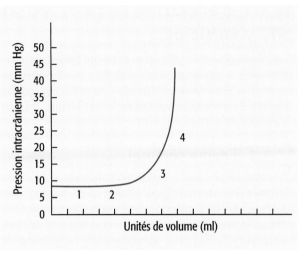

FIGURE 53.4 Courbe de volume-pression intracrânienne
Voir le texte pour la description des chiffres 1, 2, 3 et 4.

Facteurs influençant le débit sanguin cérébral. La pression en oxygène, la pression en gaz carbonique et la concentration d'ion hydrogène affectent le tonus des vaisseaux cérébraux. Les artères cérébrales se dilatent lorsque la pression en oxygène au niveau du cerveau chute sous 50 mm Hg. Cette dilatation entraîne une baisse de la résistance vasculaire cérébrale et une hausse du DSC afin d'augmenter la pression en oxygène. Si cette pression n'augmente pas, le métabolisme anaérobie survient, entraînant une accumulation d'acide lactique. Dans un milieu acide, une augmentation de la vasodilatation et une augmentation subséquente du débit sanguin surviennent. Une augmentation de la pression partielle artérielle en gaz carbonique ($PaCO_2$) constitue le vasodilatateur le plus efficace, car cette hausse permet de détendre les muscles lisses et de provoquer une diminution de la résistance vasculocérébrale ainsi qu'une augmentation du DSC. Une pression partielle artérielle en oxygène (PaO_2) très faible et une concentration d'ions hydrogène (acidose) élevée constituent également des vasodilatateurs efficaces.

Des changements cardiovasculaires extrêmes, comme une asystolie, et des états physiopathologiques, comme un coma diabétique, peuvent altérer ou supprimer tous les aspects de l'autorégulation. Les traumatismes et les tumeurs peuvent altérer localement l'autorégulation. Lorsqu'il y a perte d'autorégulation, le DSC n'est plus maintenu à un niveau constant et il est directement influencé par les variations de la pression artérielle systémique, l'hypoxie et les effets des catécholamines. L'augmentation de la PIC peut évoluer vers la perte de conscience, des modifications des fonctions neurologiques, un engagement cérébral et même conduire jusqu'à la mort.

53.3 AUGMENTATION DE LA PRESSION INTRACRÂNIENNE

L'augmentation de la PIC constitue un danger de mort attribuable à une augmentation de l'un ou des trois éléments du crâne (tissu cérébral, sang, LCR). L'œdème cérébral est un facteur important qui contribue à l'augmentation de la PIC.

53.3.1 Œdème cérébral

Une multitude d'affections sont reliées à l'œdème cérébral (voir encadré 53.3). Quelle qu'en soit la cause, l'œdème cérébral entraîne une augmentation du volume tissulaire, qui, à son tour, peut entraîner une augmentation de la PIC. L'ampleur et la gravité de l'agression d'origine sont des facteurs qui servent à déterminer le degré de l'œdème cérébral.

Trois types d'œdème cérébral ont été distingués, soit l'œdème cérébral vasogénique, l'œdème cytotoxique et l'œdème interstitiel. Il est possible que plus d'un type d'œdème survienne chez un même sujet à la suite d'une seule agression.

Œdème cérébral vasogénique. L'œdème cérébral vasogénique, le type d'œdème le plus fréquent, survient surtout au niveau de la substance blanche et est attribuable aux changements des capillaires cérébraux dans la muqueuse endothéliale. Ces changements permettent une fuite de macromolécules des capillaires dans l'espace extracellulaire qui l'entoure, entraînant un gradient osmotique qui favorise le déplacement de liquide de l'espace intravasculaire à l'espace extravascu-

laire. Un grand nombre d'affections, telles que les tumeurs cérébrales, les abcès et les toxines ingérées, peuvent entraîner une augmentation de la perméabilité de la barrière hémato-encéphalique et provoquer une augmentation du volume de liquide extracellulaire. La vitesse et l'ampleur de la propagation du liquide qui provient de l'œdème sont influencées par la pression artérielle systémique, le foyer de la lésion cérébrale et l'étendue du trouble de la barrière hémato-encéphalique. Ce type d'œdème peut provoquer un continuum de symptômes qui varient de déficits neurologiques focaux jusqu'aux troubles de la conscience, incluant le coma.

Œdème cérébral cytotoxique. L'œdème cérébral cytotoxique est attribuable à une perturbation de l'intégrité fonctionnelle ou morphologique des membranes cytoplasmiques, et survient principalement au niveau de la substance grise. L'œdème cérébral cytotoxique se manifeste à la suite de lésions destructives ou d'un traumatisme du tissu cérébral, entraînant une hypoxie ou une anoxie cérébrale, une déplétion sodique et le syndrome de sécrétion inappropriée d'hormone antidiurétique (SIADH). L'œdème cérébral se produit lorsque le liquide et les protéines passent directement de l'espace extracellulaire aux cellules, entraînant une tuméfaction et une perte de la fonction cellulaire.

Œdème cérébral interstitiel. L'œdème cérébral interstitiel est attribuable à une diffusion périventriculaire du LRC ventriculaire chez un client dont l'hydrocéphalie est non contrôlée. Il peut également être causé par une hypertrophie de l'espace extracellulaire à la suite d'un excès de liquide systémique (hyponatrémie). Les liquides se déplacent dans les cellules pour établir un équilibre avec le liquide interstitiel hypo-osmotique. Peu importe la cause de l'œdème cérébral, il y a manifestation d'une augmentation de la PIC, à moins que la compensation soit suffisante.

53.3.2 Troubles reliés à l'augmentation de la PIC

Une hausse soutenue de la PIC, au-dessus du seuil de 20 mm Hg, est associée à un mauvais pronostic. Divers troubles cliniques peuvent entraîner une augmentation de la PIC, dont une lésion de masse comme un hématome, une contusion, un abcès ou une tumeur qui évolue rapidement ; une hydrocéphalie, un traumatisme crânien ou une encéphalite ; ou une affection métabolique. Ces agressions cérébrales peuvent entraîner une hypercapnie, une acidose cérébrale, une mauvaise autorégulation et une hypertension systémique et favoriser la formation et la propagation d'un œdème cérébral. Ce type d'œdème déforme le tissu cérébral et augmente davantage la PIC, ce qui entraîne une plus grande hypoxie

---

Affections reliées à l'œdème cérébral   ENCADRÉ 53.3

Lésions de masse
- Tumeur (primaire et secondaire)
- Abcès
- Hémorragie (intracérébrale et extracérébrale)

Traumatismes crâniens
- Hémorragie
- Contusion
- Œdème cérébral post-traumatique

Chirurgie cérébrale

Infection

Accident vasculaire
- Infarctus (thrombolytique et embolique)
- Thrombose d'un sinus veineux
- Épisodes anoxiques et ischémiques

Affections encéphalopathiques, métaboliques ou toxiques
- Saturnisme ou arsénicisme
- Insuffisance rénale
- Insuffisance hépatique
- Syndrome de Reye-Johnson

tissulaire et accroît l'acidose. La figure 53.5 illustre la progression de l'augmentation de la PIC.

À moins que la PIC ne diminue, une compression du tronc cérébral se manifeste. À mesure que la masse intracrânienne augmente, l'engagement cérébral d'un compartiment à un autre peut survenir.

53.3.3 Complications

Les principales complications d'une augmentation non contrôlée de la PIC sont la perfusion cérébrale inadéquate et l'engagement cérébral (voir figure 53.6). Les trois principaux mécanismes de l'engagement cérébral supratentoriel sont l'engagement cingulaire (latéral et sous la faux du cerveau), l'engagement central ou transtentoriel (vers le bas) et l'engagement unciné (latéral et vers le bas). Ces mécanismes se distinguent par la direction de l'échange et par la structure cérébrale atteinte. Peu importe le type d'échange intracrânien, le déplacement et l'engagement entraînent un processus physiopathologique potentiellement réversible qui peut devenir irréversible. Par la suite, l'ischémie et l'œdème s'intensifient, aggravant les troubles préexistants. La compression du tronc cérébral et des nerfs crâniens peut être mortelle. La figure 53.7 illustre les symptômes de l'augmentation supratentorielle de la PIC, de la phase précoce à l'engagement cérébral.

Les engagements supratentoriel et infra-tentoriel forcent le cervelet et le tronc cérébral à se déplacer vers le bas dans le trou occipital. Par conséquent, un arrêt respiratoire peut survenir si la compression du tronc cérébral n'est pas soulagée.

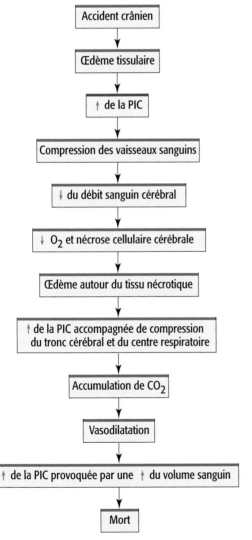

FIGURE 53.5 Évolution de l'augmentation de la pression intracrânienne sans compensation

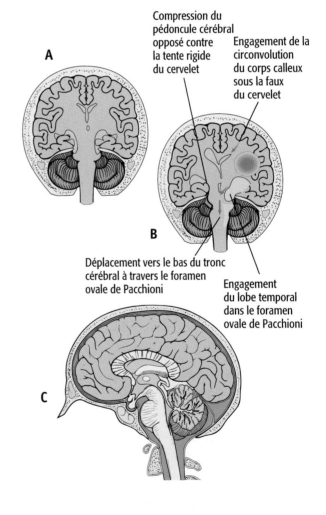

FIGURE 53.6 Engagement cérébral. A. Relation normale des structures intracrâniennes. B. Déviation des structures intracrâniennes. C. Engagement descendant des amygdales cérébelleuses dans le trou occipital.

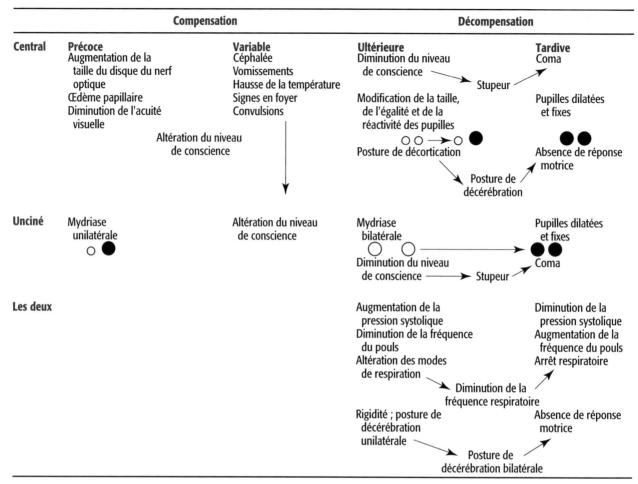

FIGURE 53.7 Signes et symptômes de l'augmentation de la pression intracrânienne supratentorielle

53.3.4 Manifestations cliniques

Les manifestations cliniques de l'augmentation de la PIC peuvent se présenter sous diverses formes, selon la cause, la localisation et la vitesse à laquelle l'augmentation de la pression survient. Plus l'affection est décelée et traitée rapidement, meilleur est le pronostic. Les manifestations cliniques de l'augmentation de la PIC associée à des lésions supratentorielles comprennent les suivantes :

- *Changements du niveau de conscience*. Le niveau de conscience est un indicateur sensible et important de l'état neurologique du client. Un changement de l'état de conscience peut être dramatique, comme dans le cas d'un coma, ou subtil, comme dans le cas d'un nivellement de l'affect, d'un changement de l'orientation ou d'une diminution du niveau d'attention. Les changements dans le niveau de conscience surviennent à la suite d'une diminution du débit sanguin cérébral, ce qui affecte les cellules du cortex cérébral et le système réticulé activateur.

- *Changements des signes vitaux*. Bien que l'on puisse noter la présence d'un complexe de l'augmentation de la pression systolique (élargissement de la pres-

sion différentielle), d'une bradycardie avec un pouls plein et capricant et de modes de respiration irrégulière (triade de Cushing), ces symptômes ne surviennent habituellement pas tant que la PIC n'est pas élevée depuis un certain temps ou qu'elle n'augmente pas subitement (p. ex. traumatisme crânien). Les changements dans les signes vitaux sont causés par la forte pression exercée sur le thalamus, l'hypothalamus, la protubérance et le bulbe rachidien. On peut également noter une variation de la température corporelle.

- *Signes oculaires*. La compression du nerf oculomoteur (nerf crânien III) entraîne la dilatation ipsilatérale de la pupille au niveau de la masse ou de la lésion, une diminution ou une absence de sensibilité à la lumière, une incapacité à lever les yeux et un ptosis. Ces signes peuvent être attribuables au déplacement du cerveau de la ligne médiane, un processus qui comprime le tronc du nerf crânien III et qui paralyse ainsi le sphincter de la pupille. Une pupille fixe et dilatée unilatéralement constitue une urgence neurologique qui indique un engagement transtentoriel du cerveau. D'autres nerfs crâniens peuvent également être affectés tels que le nerf optique (nerf crânien II), le nerf pathétique (nerf crânien IV) et le nerf oculomoteur externe (nerf crânien VI). Les signes de dysfonction des nerfs crâniens comprennent la vision trouble, la diplopie et les changements dans les mouvements extra-oculaires. L'engagement central peut d'abord se manifester par des pupilles sensibles, mais symétriques. L'engagement unciné peut entraîner une mydriase unilatérale. Un œdème papillaire, reflété par une stase papillaire décelée lors de l'examen de la rétine, peut également être présent et constitue un signe aspécifique associé à une augmentation de la PIC de longue date.

- *Diminution de la fonction motrice.* À mesure que la PIC augmente, on remarque des changements au niveau des capacités motrices du client. La présence d'une hémiparésie ou d'une hémiplégie controlatérale peut être notée selon la localisation de la source de l'augmentation de la PIC. Lorsque des stimuli douloureux sont utilisés pour obtenir une réponse motrice, il est possible que le client repère la localisation des stimuli ou qu'il se retire de ceux-ci. Le client peut également adopter une posture de décortication (flexion) ou une posture de décérébration (extension), en raison de stimuli nocifs (voir figure 53.8). Une posture de décortication est caractérisée par une rotation interne et un mouvement d'adduction des bras accompagné d'une flexion des coudes, des poignets et des doigts, en raison d'une interruption des voies motrices volontaires. On peut également remarquer une extension des jambes. Une posture de décérébration peut indiquer la présence d'une lésion plus grave et entraîner une rupture des fibres motrices du mésencéphale et du tronc cérébral. Dans cette position, les bras sont très raides et sont en adduction et en hyperpronation. On note également que les jambes sont en hyperextension et que les pieds sont en flexion plantaire.

- *Céphalées.* Bien que le cerveau lui-même soit insensible à la douleur, la compression des autres structures intracrâniennes, comme les parois artérielles et veineuses et les nerfs crâniens, peut provoquer des céphalées. Ces céphalées sont souvent continues, mais elles sont pires le matin. Les efforts et les mouvements peuvent accentuer la douleur.

- *Vomissements.* Les vomissements, qui ne sont généralement pas précédés de nausées, sont souvent un signe aspécifique d'une augmentation de la PIC. Ce phénomène, relié à la variation de pression dans le crâne, est appelé « vomissements inattendus ». Des vomissements en jet peuvent également être notés et sont reliés à l'augmentation de la PIC.

Il est souvent difficile de déterminer que l'augmentation de la PIC est la cause du coma. Étant donné que la perte de conscience complique également l'interprétation

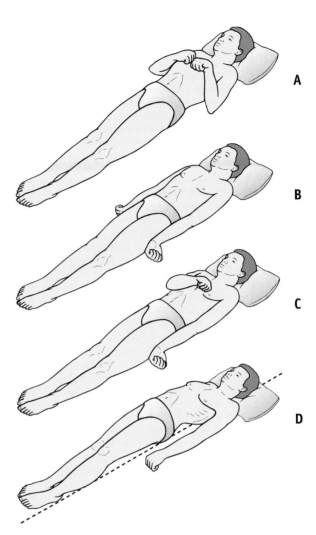

FIGURE 53.8 Posture de décortication et de décérébration. A. Réponse en décortication. Flexion des bras et des doigts et adduction des membres supérieurs. Extension, rotation interne et flexion plantaire des pieds. B. Réponse en décérébration. Extension rigide des bras et des jambes accompagnée de l'hyperpronation des avant-bras et de la flexion plantaire des pieds. C. Réponse en décortication du côté droit et réponse en décérébration du côté gauche. D. Posture opisthotonique.

des signes cliniques, il est plus difficile de suivre la progression de l'augmentation de la PIC.

53.3.5 Épreuves diagnostiques

Les épreuves diagnostiques visent à déterminer la présence de l'augmentation de la PIC et sa cause sous-jacente (voir encadré 53.4). L'imagerie par résonance magnétique (IRM) et la tomodensitométrie (TDM) ont permis de révolutionner le diagnostic de l'augmentation de la PIC. Ces examens sont utilisés pour distinguer les nombreuses affections pouvant entraîner une augmentation de la PIC et pour évaluer les choix de traitement.

PROCESSUS DIAGNOSTIQUE ET THÉRAPEUTIQUE

Augmentation de la pression intrâcranienne

ENCADRÉ 53.4

Diagnostic

- Antécédents de santé et examen physique
- Signes vitaux, évaluation neurologique, mesure de la PIC (au moyen d'un cathéter intraventriculaire, d'une vis ou d'un cathéter sous-durale ou d'un capteur de pression) à toutes les heures
- Radiographies des poumons, du crâne et de la colonne vertébrale
- IRM, TDM, EEG et angiographie
- Examen du débit sanguin cérébral et de la vitesse de propagation, TEP
- Analyses de laboratoire comprenant la FSC, le profil de coagulation, le bilan électrolytique, les taux de créatinine, des gazs artériels et d'ammoniac ; dépistage général de médicaments ; taux de protéines, de cellules et de glycémie dans le LCR
- ECG

Processus thérapeutique

- Élévation de la tête du lit de 30° en plaçant la tête en position neutre

- Intubation et ventilation contrôlée de la PaCO$_2$ entre 30 et 35 mm Hg
- Bonne vidange pulmonaire
- Maintien de l'équilibre hydrique et évaluation de l'osmolalité
- Maintien de la pression systolique entre 100 et 160 mm Hg
- Maintien de la PPC > 70 mm Hg
- Maintien de la PaO$_2$ supérieure ou égale à 100 mm Hg
- Maintien de la normothermie
- Sédation adéquate
- Pharmacothérapie
- Diurétiques osmotiques (mannitol)
- Diurétiques de l'anse (furosémide [Lasix], acide éthacrynique [Édecrin])
- Corticostéroïdes (méthylprednisone, dexaméthasone [Decadron])
- Prophylaxie contre les ulcères gastro-intestinaux (antagonistes des récepteurs H$_2$, p. ex. ranitidine [Zantac])
- Surveillance de la PIC

EEG : électroencéphalogramme ; FSC : formule sanguine complète ; GSA : gazométrie du sang artériel ; IRM : imagerie par résonance magnétique ; LCR : liquide céphalorachidien ; PaCO$_2$: pression partielle artérielle en gaz carbonique ; PaO$_2$: pression partielle artérielle en oxygène ; PIC : pression intracrânienne ; PPC : pression de perfusion cérébrale ; TDM : tomodensitométrie ; TEP : tomographie par émission de positons

Les autres examens pouvant également être effectués comprennent l'angiographie cérébrale, l'EEG, le DSC, l'échographie Doppler transcrânienne, la spectroscopie infrarouge qui vise à mesurer l'oxygénation cérébrale régionale, et l'examen des potentiels évoqués. La tomographie par émission de positons (TEP) peut s'avérer encore plus utile pour diagnostiquer la cause de l'augmentation de la PIC. On ne pratique habituellement pas de ponction lombaire lorsqu'une augmentation de la PIC est soupçonnée, car il est possible qu'un engagement cérébral relié à la perte soudaine de pression dans le crâne se manifeste dans la région au-dessus de la ponction lombaire.

53.3.6 Processus thérapeutique

Les objectifs du processus thérapeutique (voir encadré 53.4) consistent à déceler et à traiter les causes sous-jacentes de l'augmentation de la PIC et à soutenir la fonction cérébrale. La collecte minutieuse des antécédents de santé est un outil de diagnostic précieux visant à orienter les recherches des causes sous-jacentes.

Les mesures d'urgence à l'égard du client souffrant ou pouvant souffrir d'une augmentation de la PIC sont importantes pour prévenir les lésions secondaires au cerveau (voir tableau 53.1). Il est essentiel de procéder à un traitement agressif une fois que le client est arrivé à l'hôpital.

Tout en tentant de trouver la cause de l'augmentation de la PIC, l'état lui-même doit être traité agressivement afin de freiner le cycle. La première étape des mesures d'urgence consiste donc à assurer une oxygénation adéquate afin de soutenir la fonction cérébrale. Une intubation endotrachéale, ou une trachéostomie, peut s'avérer nécessaire pour assurer une ventilation adéquate. La gazométrie du sang artériel (GSA) permet de guider l'oxygénothérapie. L'objectif consiste à maintenir la PaO$_2$ à 100 mm Hg ou plus. Il est possible que le client doive être ventilé mécaniquement pour assurer une oxygénation adéquate.

Lorsque l'affection est causée par une lésion de masse, comme une tumeur ou un hématome, l'ablation de la masse est le meilleur traitement (voir la section sur les tumeurs intracrâniennes dans le présent chapitre). L'intervention non chirurgicale utilisée pour réduire le volume tissulaire relié à la tuméfaction du tissu cérébral et l'œdème cérébral comprend l'administration de diurétiques et de corticostéroïdes ainsi que la restriction liquidienne.

Pharmacothérapie. La pharmacothérapie joue un rôle important dans le traitement de l'augmentation de la PIC. Des diurétiques osmotiques et de l'anse sont utilisés pour diminuer le volume de liquide au cerveau. Même si on estime que les corticostéroïdes aident à contrôler l'œdème cérébral vasogène qui entoure les

SOINS D'URGENCE

TABLEAU 53.1 Client inconscient

Étiologie	Constatations	Interventions
Traumatisme Traumatisme crânien et au cou **Infection** Méningite Encéphalite **Empoisonnement** Surdose Exposition à des produits toxiques Intoxication oxycarbonée **Métabolique** Coma diabétique Choc insulinique Insuffisance hépatique Urémie Arrêt cardiaque Accident vasculaire cérébral (AVC)	Ne réagit ni à la parole ni à la douleur. Mydriase ou myosis (micropupilles), les pupilles peuvent ne pas réagir. Mouvements involontaires Flaccidité ou rigidité musculaire Réflexes déprimés ou hyperactifs Posture de décérébration ou de décortication Diaphorèse Hyperthermie Peau sèche et irritée Échelle de Glasgow < 12 Signes vitaux anormaux Arythmies Haleine d'alcool et d'acétone Marques de piqûres Signes de traumatisme Pétéchies ou érythèmes	**Intervention initiale** S'assurer que les voies respiratoires sont libres. Administrer de l'oxygène par une canule nasale ou par un masque sans réinspiration. Établir un accès IV à l'aide d'un cathéter de gros calibre pour administrer du NaCl Administrer du naloxone par voie IV si une surdose de narcotiques est soupçonnée. Administrer de la thiamine chez le client dénutri ou chez un alcoolique connu pour prévenir l'encéphalopathie de Gayet-Wernicke. Administrer une fiole de dextrose à 50 % par voie IV si la glycémie est < 60 mg/dl (3,3 mmol/L). Préparer l'administration d'insuline par voie IV si la glycémie est > 400 mg/dl (22,2 mmol/L). Relever la tête du lit ou placer le client sur le côté pour prévenir les risques d'aspiration, s'il n'y a pas de traumatisme. **Surveillance continue** Surveiller les signes vitaux, le niveau de conscience, la saturation en oxygène, le rythme cardiaque, l'échelle de Glasgow, le diamètre et la réactivité des pupilles et l'état respiratoire. Prévoir une intubation si le réflexe laryngé est absent. Prévoir un lavage gastrique dans un cas présumé de surdose.

tumeurs et les abcès, ils semblent peu efficaces pour traiter les clients qui ont subi un traumatisme crânien.

Diurétiques osmotiques. Les agents osmotiques sont utilisés depuis plus de 50 ans pour traiter les tuméfactions du tissu cérébral. Le principe qui régit l'usage des solutions hypertoniques consiste à retirer le liquide des tissus cérébraux en réaction à un gradient osmotique vasculaire établi entre le cerveau et le compartiment intravasculaire. Pour être efficace, l'agent doit demeurer dans le compartiment intravasculaire. Dans les cas de traumatisme crânien et de lésion à la barrière hémato-encéphalique, l'élimination osmotique s'effectue au niveau du tissu normal, où les vaisseaux et la barrière hémato-encéphalique sont intacts, plutôt qu'au niveau du tissu œdémateux. Les effets bénéfiques sont donc attribuables à une diminution de volume du tissu normal. Cependant, si une perturbation importante de la barrière hémato-encéphalique survient, cette forme de traitement peut s'avérer plus dangereuse que bénéfique, car la solution hypertonique peut passer à travers le tissu œdémateux et entraîner un phénomène de rebond.

L'osmothérapie a recours à des agents comme le mannitol (Osmitrol). Le mannitol (25 %) est l'agent le plus couramment utilisé et il est administré par voie intraveineuse dans des doses variant de 0,25 à 1 g/kg. Afin d'obtenir un effet optimal, il est recommandé d'administrer rapidement le médicament en prenant soin de prévenir les surcharges liquidiennes. Le mannitol a pour effet de diminuer la PIC de deux manières : par une expansion plasmatique et par un effet osmotique. On note un effet immédiat dans l'expansion plasmatique au moyen duquel il se produit une diminution de l'hématocrite et de la viscosité du sang qui fait augmenter le débit sanguin cérébral et l'oxygénation cérébrale. L'effet osmotique est retardé de 15 à 30 minutes jusqu'à ce que les gradients des vaisseaux et des tissus cérébraux soient rétablis. Par conséquent, la PIC se trouve modifiée par la diminution de la teneur en liquide du cerveau. L'état hydro-électrolytique doit être surveillé lorsque ces médicaments sont utilisés. Il est possible que le mannitol soit contre-indiqué en présence d'une néphropathie et d'une osmolalité sérique élevée.

Diurétiques de l'anse. Les diurétiques de l'anse tels le furosémide (Lasix), le bumétanide (Burinex) et l'acide éthacrynique (Édecrin) peuvent également être utilisés dans le traitement de l'augmentation de la PIC. Ces diurétiques inhibent la réabsorption de sodium et de chlorure dans la branche ascendante de l'anse de Henlé et ont pour effet de réduire le volume sanguin et le volume tissulaire. De plus, ces agents provoquent une diminution de la vitesse de production du LCR, ce qui contribue également à la diminution de la PIC.

Corticothérapie. La corticothérapie a fréquemment été utilisée pour traiter l'œdème cérébral. Bien que le mécanisme d'action des corticostéroïdes ne soit pas entièrement connu, on suppose que leur effet stabilisant agit sur la membrane cytoplasmique et qu'ils inhibent la synthèse de l'acide arachidonique des membranes cytoplasmiques, prévenant ainsi la formation de médiateurs proinflammatoires. On estime également que les corticostéroïdes améliorent la fonction rénale en augmentant le débit sanguin cérébral et en restaurant l'autorégulation.

Le stéroïde le plus fréquemment administré est le dexaméthasone (Decadron), un corticostéroïde hémisynthétique. Les corticostéroïdes sont plus efficaces pour les clients souffrant d'un œdème cérébral vasogène, comme une tumeur cérébrale accompagnée d'un œdème péritumoral. Cependant, il existe peu de preuves de l'efficacité de la corticothérapie dans les cas de traumatisme ou d'hémorragie. Dans les années 1980, des essais cliniques ont été menés sur la corticothérapie dans les cas de traumatisme crânien grave. En général, ces études ont démontré que la corticothérapie n'avait pas amélioré les résultats. Cependant, puisque certaines sous-populations ont démontré des améliorations, ces résultats justifient des recherches supplémentaires.

Les complications associées à la prise de corticostéroïdes comprennent l'hyperglycémie, l'augmentation de l'incidence des infections et les saignements gastro-intestinaux. Le client prenant des corticostéroïdes doit également prendre des antiacides ou des antagonistes des récepteurs H_2, tels que la ranitidine (Zantac) ou la famotidine (Pepcid), ou encore des inhibiteurs de la pompe à protons, tels que l'oméprazole (Losec) ou le pantoprazole (Pantoloc) pour prévenir les saignements gastro-intestinaux. L'apport liquidien doit également être surveillé en raison du risque d'hyponatrémie. Étant donné que l'hyperglycémie est également associée à la prise de corticostéroïdes, les taux de glycémie et de glycosurie doivent être surveillés régulièrement.

Autres pharmacothérapies. La pharmacothérapie utilisée pour réduire le métabolisme cérébral peut être efficace pour contrôler la PIC puisque la réduction du taux métabolique permet de diminuer le débit sanguin cérébral et, par conséquent, la PIC. De fortes dosesde barbituriques (p. ex. pentobarbital et thiopental sodique) sont aussi utilisées chez les clients souffrant d'une augmentation de la PIC qui est réfractaire au traitement. Les barbituriques entraînent une diminution du métabolisme cérébral et une diminution subséquente de l'augmentation de la PIC. Un des effets secondaires est la diminution de l'œdème cérébral et la production d'un apport sanguin plus uniforme au cerveau. Il est important de surveiller la PIC, le débit sanguin et le métabolisme du client lorsque ce traitement est utilisé. La phénytoïne (Dilantin), un anticonvulsivant, peut également être administrée, car les convulsions peuvent davantage augmenter la PIC.

Traitement par hyperventilation. Le traitement agressif par hyperventilation ($PaCo_2 < 25$ mmHg) a été fréquemment utilisé pour traiter l'augmentation de la PIC. La diminution de la $PaCO_2$ entraîne la constriction des vaisseaux cérébraux, ce qui a pour effet de réduire le débit sanguin cérébral et, par conséquent, la PIC. Toutefois, des données récentes laissent supposer que l'hyperventilation agressive augmente le risque d'ischémie cérébrale focale et qu'elle peut nuire aux résultats. On recommande donc d'éviter un traitement agressif et prolongé par hyperventilation lorsqu'il n'y a pas d'augmentation de la PIC, particulièrement dans les 24 premières heures suivant un traumatisme crânien ou lorsque le débit sanguin cérébral est faible. De brefs traitements par hyperventilation peuvent s'avérer utiles dans les cas d'hypertension intracrânienne réfractaire.

Recommandations nutritionnelles. Peu importe l'état de conscience ou de santé du client, il est important de satisfaire ses besoins nutritionnels. Une alimentation entérale précoce, à la suite d'un traumatisme crânien, contribue à l'amélioration des résultats. Le client souffrant d'une augmentation de la PIC est dans un état hypermétabolique et hypercatabolique et a besoin de glucose pour fournir l'énergie nécessaire au métabolisme du cerveau lésé. Il est important d'amorcer d'autres moyens pour répondre aux besoins nutritionnels du client, comme une alimentation entérale ou une alimentation parentérale totale (APT), si ce dernier ne peut ingérer un apport oral suffisant. L'alimentation de remplacement doit être amorcée dans les trois jours suivant la lésion afin que le remplacement nutritionnel complet soit atteint en moins de sept jours suivant la lésion (voir le chapitre 32). Étant donné que certains types d'alimentation ont un faible apport en sodium, il peut s'avérer nécessaire d'ajouter du sel. Une augmentation de l'apport hydrique peut également être nécessaire pour répondre aux besoins liquidiens du client. Il est indispensable d'assurer au client la meilleure alimentation possible, car la malnutrition contribue à la présence d'un œdème cérébral permanent.

L'utilité de maintenir ou non un état modéré de déshydratation chez le client souffrant d'œdème cérébral fait l'objet de controverses. D'un côté, on croit qu'un état modéré de déshydratation serait efficace pour réduire l'œdème cérébral. Dans ce cas, on restreindrait les liquides de 65 à 75 % des besoins normaux. Cependant, l'inquiétude porte sur le fait qu'une hypovolémie peut provoquer une diminution du débit cardiaque et de la pression artérielle, ce qui aurait un impact sur la perfusion cérébrale et sur l'oxygénation du cerveau. On s'inquiète également du fait que le client déshydraté réagisse mal aux médicaments vasoactifs. Pour cette raison, le traitement actuel vise le maintien de la normovolémie des clients. L'utilisation de la restriction liquidienne pour réduire le volume tissulaire doit être évaluée en fonction de facteurs cliniques tels que le débit urinaire, la perte liquidienne insensible, l'osmolalité sérique et urinaire ainsi que l'état du client.

Une diminution de l'osmolalité sérique et une augmentation de l'œdème cérébral se manifestent lorsque du dextrose 5 % dans l'eau est administré par tubulure en dérivation. Lorsqu'un médicament par voie intraveineuse est administré, la solution préférée est la solution de chlorure de sodium à 0,45 % ou à 0,9 %.

53.3.7 Soins infirmiers : augmentation de la pression intracrânienne

Quelle que soit la cause de l'inconscience, le client inconscient est traité en supposant que sa PIC est élevée ou qu'elle risque d'augmenter. Les principaux objectifs des soins infirmiers sont de : prévenir les lésions cérébrales secondaires ; maintenir les fonctions vitales ; prévenir les complications attribuables à l'immobilité et à la diminution du niveau de conscience.

Collecte de données. Les données subjectives pour le client inconscient peuvent être recueillies auprès des membres de la famille ou de personnes qui le connaissent bien. Il est important de connaître les événements qui ont précédé l'état d'inconscience. La figure 53.1 illustre une intervention systématique visant à évaluer le client inconscient. Ces renseignements, combinés aux données provenant de l'échelle de Glasgow (voir figure 53.2), permettent de rassembler les données fondamentales en vue d'établir un plan de soins infirmiers.

Il est important de surveiller continuellement l'augmentation de la PIC et de consigner les données afin d'évaluer les tendances et les réactions aux soins infirmiers. La figure 53.2 présente une grille d'évaluation neurologique typique utilisée pour visualiser l'évolution de l'état neurologique du client.

Le plan général de l'évaluation neurologique consiste à évaluer l'état mental, le fonctionnement des nerfs crâniens, la fonction motrice, l'état sensoriel, le fonctionnement cérébral et les réflexes du client. Ce schéma permet à l'infirmière de structurer l'évaluation pour recueillir les données nécessaires (voir chapitre 52 pour l'évaluation neurologique). En présence d'un client gravement malade, l'infirmière doit effectuer régulièrement une évaluation neurologique abrégée au moyen de l'échelle de Glasgow et d'un examen des pupilles, tout en évaluant certains nerfs crâniens.

Les pupilles sont comparées entre elles en fonction de leur taille, de leur mouvement et de leur réaction (voir figure 53.9). Lorsque le nerf oculomoteur est comprimé en raison de la pression supratentorielle, on note une mydriase du côté atteint (ipsilatérale). Si la PIC continue d'augmenter, les deux pupilles se dilatent.

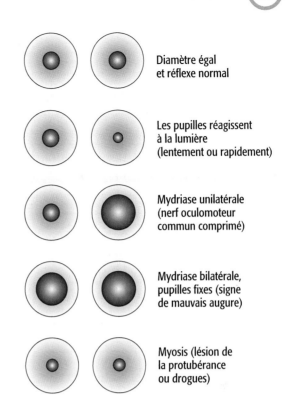

FIGURE 53.9 Examen du diamètre et du réflexe photomoteur de la pupille

Le réflexe photomoteur est évalué à l'aide d'une lampe de poche. La réaction normale se manifeste par une constriction rapide lorsque la lumière est pointée directement dans l'œil. Un réflexe pupillaire consensuel (une légère constriction de la pupille en réponse à une stimulation lumineuse de l'autre œil) devrait également être observé simultanément. Une faible réaction peut indiquer une pression précoce sur le nerf crânien III. Une pupille qui est fixe et qui ne réagit pas à la lumière indique généralement une augmentation de la PIC.

Les autres nerfs crâniens peuvent également être évalués lors de l'évaluation neurologique. Les mouvements oculaires contrôlés par les nerfs crâniens III, IV et VI peuvent être examinés chez le client éveillé afin d'évaluer la fonction du tronc cérébral. Les mouvements extraoculaires ne sont pas spécifiquement testés chez le client inconscient. Le fait de tester le réflexe cornéen fournit des renseignements sur le fonctionnement des nerfs crâniens V et VII. En l'absence de ce réflexe, des soins oculaires de routine doivent être entrepris pour prévenir les risques d'abrasion cornéenne (voir chapitres 47 et 48).

Les mouvements oculaires du client récalcitrant ou inconscient peuvent être provoqués par réflexe oculocéphalique (en bougeant la tête) ou par réflexe oculovestibulaire (par une stimulation calorique) (voir

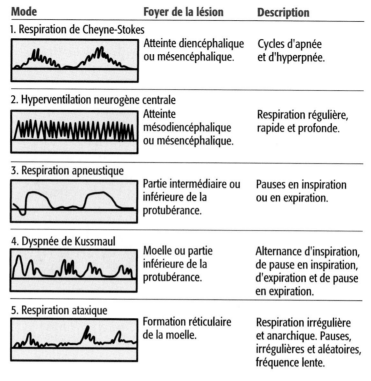

Mode	Foyer de la lésion	Description
1. Respiration de Cheyne-Stokes	Atteinte diencéphalique ou mésencéphalique.	Cycles d'apnée et d'hyperpnée.
2. Hyperventilation neurogène centrale	Atteinte mésodiencéphalique ou mésencéphalique.	Respiration régulière, rapide et profonde.
3. Respiration apneustique	Partie intermédiaire ou inférieure de la protubérance.	Pauses en inspiration ou en expiration.
4. Dyspnée de Kussmaul	Moelle ou partie inférieure de la protubérance.	Alternance d'inspiration, de pause en inspiration, d'expiration et de pause en expiration.
5. Respiration ataxique	Formation réticulaire de la moelle.	Respiration irrégulière et anarchique. Pauses, irrégulières et aléatoires, fréquence lente.

FIGURE 53.10 Principaux modes de respiration irrégulière associés au coma

chapitres 47 et 48). Afin de vérifier le réflexe oculocéphalique (phénomène des yeux de poupée), l'infirmière doit tourner brusquement la tête du client tout en maintenant ses paupières ouvertes. Une réaction positive consiste en un mouvement des yeux parallèle à la ligne médiane dans la direction opposée de la rotation. Ensuite, l'infirmière penche rapidement la tête vers l'avant et vers l'arrière. Le mouvement des yeux doit se faire dans la direction opposée aux mouvements de la tête, c'est-à-dire vers le haut lorsque la tête est penchée vers l'avant et vers le bas lorsqu'elle est penchée vers l'arrière. Les réactions anormales peuvent permettre de localiser la lésion intracrânienne. Cet examen ne doit pas être effectué lorsqu'une lésion à la colonne cervicale est soupçonnée. Le chapitre 47 traite du réflexe oculovestibulaire.

La force motrice est vérifiée en demandant au client éveillé de serrer la main de l'infirmière, afin de comparer la force des mains. Le phénomène de la pronation est un excellent moyen de mesurer la force des membres supérieurs. Le client lève les bras et place ses mains en supination. En présence d'une faiblesse des membres supérieurs, les mains qui étaient placées en supination redeviennent en pronation. Une bonne façon d'évaluer la force des membres inférieurs consiste à demander au client qui est couché de lever le pied ou de plier les genoux. La force au niveau des jambes

et des bras doit être évaluée et l'asymétrie des mouvements doit être notée.

La force motrice du client inconscient ou récalcitrant peut être évaluée en observant les mouvements spontanés. Lorsqu'il est impossible de noter un mouvement spontané, un stimulus douloureux doit être appliqué et la réaction du client doit être notée. La résistance au mouvement lors d'exercices d'amplitude articulaire passifs constitue un autre moyen de mesurer la force.

Les signes vitaux, y compris la pression artérielle, le pouls, la fréquence respiratoire et la température, doivent également être consignés de façon systématique. L'infirmière doit prêter une attention particulière à la triade de Cushing, puisqu'elle indique une augmentation importante de la PIC. En plus de noter la fréquence respiratoire, l'infirmière doit également noter les modes de respiration (voir figure 53.10).

Diagnostics infirmiers. Les diagnostics infirmiers sont appuyés par les données recueillies lors de la collecte de données et comprennent les données associées à l'augmentation de la PIC et à l'inconscience. Le client souffrant d'un de ces troubles graves, ou des deux, nécessite des soins infirmiers de haut niveau, car il est habituellement totalement dépendant de l'infirmière. Les diagnostics infirmiers reliés au client inconscient sont présentés dans l'encadré 53.5.

Plan de soins infirmiers

Client inconscient

DIAGNOSTIC INFIRMIER : dégagement inefficace des voies respiratoires relié à l'état d'inconscience et à la présence de sécrétions se manifestant par une toux inefficace, l'incapacité de dégager les sécrétions, la présence de râles crépitants à l'auscultation et de sécrétions épaisses.

PLANIFICATION

Résultats escomptés
- Améliorer des échanges gazeux mesurés par la gazométrie du sang artériel.
- Maintenir des bruits respiratoires normaux dans tous les lobes des poumons.

INTERVENTIONS	Justifications
• Maintenir le client en position couchée sur le côté et la tête du lit à 30°.	• Éviter que l'aspiration et la langue obstruent les voies respiratoires et favoriser la diminution de l'œdème cérébral.
• Aspirer au besoin.	• Enlever les sécrétions qui se sont accumulées, réduire le risque d'aspiration et s'assurer que les voies respiratoires sont dégagées.
• Effectuer une physiothérapie respiratoire toutes les quatre heures.	• Améliorer la ventilation et prévenir les complications pulmonaires.
• Surveiller le client pour déceler les signes de diminution de l'oxygénation, y compris les changements du niveau de conscience, la diminution de la PaO_2 ou de la saturation artérielle en oxygène (SaO_2), l'augmentation de la fréquence respiratoire et la cyanose.	• Car une faible PaO_2 et une forte concentration d'ion hydrogène (acidose) constituent des vasodilatateurs cérébraux potentiels qui font augmenter le débit sanguin cérébral et qui peuvent entraîner une augmentation de la PIC.

DIAGNOSTIC INFIRMIER : irrigation tissulaire cérébrale inefficace reliée à la tuméfaction du tissu cérébral se manifestant par l'altération de l'état mental, la pression intracrânienne >20 mm Hg, la PPC <60 mm Hg, la diminution du débit sanguin cérébral ou de l'oxymétrie.

PLANIFICATION

Résultats escomptés
- Aucune détérioration subséquente du niveau de conscience.
- Rétablir PIC <20 mm Hg, PPC <60 mm HG.
- Maintenir des signes vitaux stables.

INTERVENTIONS	Justifications
• Surveiller l'état neurologique du client au moins toutes les heures pour commencer, évaluer le niveau de conscience et consigner l'information.	• Évaluer la réaction du client face au traitement et le modifier au besoin.
• Surveiller la PIC et calculer la pression de perfusion cérébrale.	• Évaluer si l'irrigation cérébrale est adéquate, détecter la réaction du client face au traitement et disposer des renseignements nécessaires en vue de prendre des décisions cliniques.
• Limiter les activités de soins qui font augmenter la PIC (p. ex. aspiration, flexion des hanches).	• Prévenir les hausses de la PIC.
• Fournir des mesures de confort.	• Car la douleur, les nausées ou l'agitation font augmenter la PIC.
• Relever la tête du lit de 30 à 45°.	• Favoriser la diminution de l'œdème cérébral.
• Maintenir la $PaCO_2$ entre 30 et 35 mm Hg lorsque la PIC est > 20 mm Hg.	• Car le CO_2 est un vasodilatateur cérébral et l'hyperventilation diminue la $PaCO_2$.
• Surveiller le niveau d'oxymétrie cérébrale et vérifier les rapports du débit sanguin cérébral.	• S'assurer que les oxygénations cérébrale globale et régionale sont maintenues.
• Surveiller la réaction à tous les médicaments (notamment les diurétiques et les sédatifs).	• Rechercher les signes (changement au niveau de conscience) de diminution de l'œdème cérébral.
• Calibrer et maintenir en place le dispositif de surveillance intracrânien.	• Fournir un indicateur précis de la PIC.

Plan de soins infirmiers

Client inconscient *(suite)*

DIAGNOSTIC INFIRMIER : déficit nutritionnel relié à l'hypermétabolisme ou à l'incapacité d'ingérer des aliments ou des liquides se manifestant par une incapacité à s'alimenter, une hyperthermie (> 38,3 °C) des besoins métaboliques supérieurs à l'apport, une perte de poids.

PLANIFICATION

Résultats escomptés
- Assurer un apport calorique adéquat pour maintenir le poids.
- Maintenir un poids supérieur ou inférieur à 2,3 kg par rapport au poids à l'admission.

INTERVENTIONS	Justifications
• Évaluer l'état liquidien et consigner les ingesta et les excréta toutes les heures.	• Évaluer si l'irrigation rénale et les indicateurs de l'équilibre hydrique sont adéquats.
• Vérifier l'élasticité de la peau.	• Obtenir un indicateur de l'équilibre hydrique.
• Surveiller les électrolytes.	• Repérer les déséquilibres électrolytiques et entreprendre un traitement.
• Peser le client quotidiennement.	• Vérifier l'équilibre hydrique et l'état nutritionnel.
• Maintenir les restrictions liquidiennes telles qu'elles sont prescrites.	• Puisqu'il peut y avoir absence de réflexe pharyngé et que le client peut être incapable de déglutir.
• Évaluer les capacités à avaler.	• Pour réduire le risque d'aspiration lorsque l'apport oral est à nouveau permis.
• Administrer au client une alimentation riche en protéines et en calories (entérale ou orale) selon l'ordonnance.	• Fournir les éléments nutritifs nécessaires pour éviter la perte et un bilan azoté négatif.
• Ausculter les bruits intestinaux avant l'alimentation.	• S'assurer que le péristaltisme est présent.
• Relever la tête de lit pendant et après l'alimentation.	• Réduire les risques de régurgitation et d'aspiration.
• Fournir suffisamment d'eau s'il n'y a pas de contre-indications.	• Maintenir un apport liquidien important.

DIAGNOSTIC INFIRMIER : risque d'atteinte à l'intégrité de la peau relié à un déficit nutritionnel, à un manque d'autosoins et à l'immobilité.

PLANIFICATION

Résultats escomptés
- Maintenir l'absence de rupture de l'épiderme.
- Conserver une peau intacte.

INTERVENTIONS	Justifications
• Examiner souvent la peau, en particulier sur les protubérances osseuses et autour des parties génitales et des fesses.	• Repérer les troubles cutanés potentiels ou réels et élaborer un plan de soins.
• Tourner le client au moins toutes les deux heures selon l'ordonnance.	• Une pression prolongée réduit la circulation capillaire et entraîne une hypoxie et une nécrose tissulaire.
• Administrer des liquides.	• Prévenir la déshydratation.
• Utiliser un lit à air fluidisé tel qu'il est prescrit.	• Réduire la pression sur les protubérances osseuses en répartissant également le poids sur la longueur du corps.
• Nettoyer toutes les abrasions et les lacérations ; masser la peau tel qu'il est indiqué.	• Réduire les risques d'infection et stimuler la circulation.

Plan de soins infirmiers

Client inconscient *(suite)*

DIAGNOSTIC INFIRMIER : risque d'infection relié à l'immobilité, aux dispositifs de surveillance effractifs, aux lignes de perfusion et au système immunitaire déprimé.

PLANIFICATION
Résultats escomptés
- Prévenir toute infection de la plaie.
- Maintenir une température, une numération leucocytaire et une radiographie pulmonaire normales.

INTERVENTIONS	Justifications
• Vérifier la présence d'hyperthermie (température >38,4 °C) d'exsudat autour des points d'insertion de cathéter (IV, à demeure, intracrânien), de léthargie, de radiographie pulmonaire anormale, de bruits respiratoires et d'urine fétide.	• Déterminer s'il y a des risques d'infection.
• Observer une technique stérile stricte lorsqu'on aide à insérer ou à nettoyer les dispositifs de surveillance de la PIC et des lignes de perfusion ; maintenir l'intégrité de tous les systèmes fermés.	• Empêcher l'introduction de bactéries.

Planification. Les résultats escomptés chez le client inconscient souffrant d'une augmentation de la PIC sont les suivants : 1) diminuer la PIC à un niveau normal ; 2) maintenir les voies respiratoires libres ; 3) parvenir à un équilibre hydro-électrolytique normal.

Exécution

Intervention en phase aiguë
Maintien de la fonction respiratoire. La principale responsabilité infirmière est de maintenir les voies respiratoires libres chez le client souffrant d'une augmentation de la PIC. À mesure que le niveau de conscience diminue, le client court davantage de risques de subir une obstruction des voies respiratoires par sa langue qui peut être refoulée dans le fond de la gorge ou par une une accumulation de sécrétions. Il est possible que le mode de respiration devienne inefficace. Dans ce cas, le dégagement des voies respiratoires peut être maintenu en gardant le client couché sur le côté et en le changeant souvent de position. Les bruits de ronflement, pouvant indiquer une obstruction, doivent être surveillés. Au besoin, les sécrétions accumulées doivent être enlevées par aspiration. Une canule de ventilation facilite la respiration et fournit une meilleure voie d'aspiration au client comateux.

L'infirmière doit prendre des précautions pour prévenir l'hypoxie et l'hypercapnie. Il est important de bien positionner la tête du client. Le fait d'élever la tête de lit à 30° favorise les échanges respiratoires et aide à réduire l'œdème cérébral. L'aspiration et la toux peuvent provoquer une diminution transitoire de la PaO_2 et une augmentation de la PIC. L'aspiration doit être mini-male et doit durer moins de 10 secondes, et de l'oxygène pur doit être administré avant et après l'aspiration pour prévenir la diminution de la PaO_2. Afin d'éviter toute augmentation en chaîne de la PIC, l'infirmière doit se limiter à deux passages par séance d'aspiration. Les clients souffrant d'une augmentation de la PIC sont prédisposés à une diminution de la pression de perfusion cérébrale (PPC) lors de l'aspiration.

Il est important de prévenir la distension abdominale puisqu'elle peut nuire à la fonction respiratoire. L'insertion d'un tube nasogastrique pour aspirer le contenu de l'estomac peut aider à prévenir la distension, les vomissements et l'aspiration.

La gazométrie du sang artériel doit être mesurée et évaluée régulièrement (voir chapitre 14). Une ventilation assistée peut être ordonnée en fonction des valeurs de la PaO_2 et de la $PaCO_2$. L'infirmière doit savoir si une hyperventilation modérée ($PaCO_2$ de 30 à 35 mm Hg) est désirée.

À moins que le client ne soit sous ventilation assistée, l'usage d'analgésiques narcotiques et d'opiacés doit être évalué sur une base individuelle. En plus de provoquer une dépression respiratoire, ces agents peuvent également nuire au niveau de conscience du client. Lorsqu'il s'agit de soulager la douleur, il est important de choisir un narcotique qui n'entraîne pas d'augmentation de la PIC, de dépression respiratoire ou qui n'altère pas le niveau de conscience du client. Un analgésique non narcotique peut être administré au client souffrant d'une augmentation de la PIC pendant une longue période. Le degré d'agitation et d'instabilité psychomotrice du client doit être évalué et les médicaments appropriés doivent être administrés au besoin. Des narcotiques et des opiacés peuvent être administrés au client qui est sous ventilation assistée et chez qui on surveille également la PIC de manière continue. À l'occasion, il peut même s'avérer nécessaire d'utiliser des agents myorésolutifs comme le vécuronium (Norcuron) ou le curare afin d'assurer une ventilation assistée optimale (voir chapitre 29). Dans un tel cas, le client doit être surveillé continuellement.

Équilibre hydroélectrolytique. Les troubles hydroélectrolytiques peuvent avoir un effet indésirable sur la PIC. Les liquides IV doivent être surveillés étroitement à l'aide d'une pompe volumétrique pour plus de précision. Les ingesta et les excréta sont des paramètres importants, lors de l'évaluation de l'équilibre hydrique, qui doivent tenir compte des pertes insensibles et du poids quotidien.

Le taux d'électrolytes doit être mesuré quotidiennement et toute anomalie doit être signalée au médecin. Il est particulièrement important de surveiller le taux de glucose, de sodium et de potassium sérique ainsi que l'osmolalité sérique. Le débit urinaire doit être surveillé pour déceler tout trouble relié au diabète insipide (p. ex. augmentation du débit urinaire reliée à une diminution de la sécrétion d'hormone antidiurétique) et au syndrome de sécrétion inappropriée d'hormone antidiurétique (SIADH), qui entraînent une diminution du débit urinaire. De plus, le taux de sodium sérique et l'osmolalité sérique sont également utilisés pour diagnostiquer le diabète insipide et le SIADH. Le diabète insipide peut entraîner une déshydratation grave s'il n'est pas traité. Le remplacement liquidien, la vasopressine (Pressyn) ou l'acétate de desmopressine (DDAVP) sont les traitements généralement prescrits (voir chapitre 41). Le SIADH provoque une hyponatrémie de dilution pouvant entraîner un œdème cérébral, des changements dans le niveau de conscience, des convulsions et le coma (voir chapitre 41).

Surveillance de la pression intracrânienne. En 1960, Lundberg a raffiné une technique de surveillance continue de la PIC en insérant un cathéter dans les ventricules. Depuis les 35 dernières années, la technologie de surveillance de la PIC s'est grandement améliorée et elle est actuellement utilisée régulièrement chez les clients soupçonnés d'une augmentation de la PIC qui pourraient bénéficier d'un traitement et chez qui on estime que le processus sous-jacent est spontanément résolutif. La surveillance de la PIC ne doit pas être effectuée auprès de clients souffrant d'un processus pathologique irréversible ou d'une dégénérescence neurologique avancée causée par des lésions primaires ou des lésions métastatiques. La mesure de la PIC est très utile pour détecter l'augmentation précoce de la PIC et la réaction du client au traitement, ainsi que pour fournir les renseignements nécessaires aux décisions cliniques.

Il existe quatre systèmes de base pour surveiller la PIC : un appareil de surveillance de la pression ventriculaire, un système de surveillance de la pression sousarachnoïdienne, un appareil de surveillance de la pression épidurale et un appareil de surveillance de la pression parenchymale (voir chapitre 29).

Prévention des infections. Il est essentiel de prévenir toute infection en utilisant une technique d'asepsie rigoureuse lors du changement des pansements ou du prélèvement d'échantillons de LCR. Le maintien de l'intégrité de l'organisme est indispensable pour s'assurer que les mesures de la PIC sont précises, étant donné que le traitement est administré en fonction du niveau de la pression.

Positionnement du corps. Le client souffrant d'une augmentation de la PIC doit rester couché en maintenant la tête élevée. L'infirmière doit prendre soin d'éviter toute flexion extrême du cou qui pourrait entraîner une obstruction veineuse et contribuer à l'augmentation de la PIC. Le corps doit être aligné de façon à réduire la PIC autant que possible et à améliorer la PPC. L'intervention traditionnelle consiste à élever la tête du lit à au moins 30 degrés, à moins qu'une lésion cervicale concomitante n'ait été décelée. Les recherches semblent maintenant indiquer qu'il y a une réaction incohérente de la PIC et de la PPC lorsque la tête est relevée. L'élévation de la tête du lit réduit la pression des sinus sagittaux, favorise la circulation veineuse de la tête par la veine jugulaire et diminue la congestion vasculaire pouvant provoquer un œdème cérébral. Le fait d'élever la tête du lit peut diminuer la PPC. Cependant, il n'existe aucune preuve que l'élévation de la tête du lit diminue l'oxygénation du tissu cérébral. Il est nécessaire d'évaluer minutieusement les effets de l'élévation de la tête du lit sur la PIC ainsi que sur la PPC. Le lit doit être positionné de façon à réduire la PIC tout en maintenant la PPC et les autres indices de l'oxygénation cérébrale.

L'infirmière doit prendre soin de tourner le client lentement et en douceur, car des changements de position rapides peuvent faire augmenter la PIC. Le fait de tourner le client de façon continue lui permet de changer fréquemment de position et n'augmente pas la PIC. Des précautions doivent être prises pour prévenir l'inconfort lorsque le client est tourné ou changé de position, car la douleur ou l'agitation augmentent également la PIC. L'augmentation de la pression intrathoracique contribue également à l'augmentation de la PIC en empêchant le retour veineux. Par conséquent, le client doit éviter de tousser, de faire des efforts physiques et de pratiquer la manœuvre de Valsalva. Les flexions extrêmes au niveau de la hanche doivent également être évitées afin de réduire le risque d'augmentation de la pression intra-abdominale, ce qui peut réduire le mouvement du diaphragme et entraîner une détresse respiratoire. Le client devrait être tourné au moins toutes les deux heures.

La posture de décortication ou de décérébration est un réflexe automatique chez certains clients souffrant d'une augmentation de la PIC. Le fait de se tourner, de procéder aux soins de la peau et même de pratiquer des exercices d'amplitude articulaire passifs peuvent susciter le réflexe de posture. Des mesures doivent être prises pour assurer les soins physiques nécessaires afin de minimiser les complications reliées à l'immobilité comme l'atélectasie et les contractures. Dans les graves cas de réflexe de posture, ces soins doivent être effectués moins souvent, car la posture peut entraîner une augmentation de la PIC.

Protection contre les blessures et gestion du milieu environnant. Le client souffrant d'une augmentation de la PIC et dont le niveau de conscience est diminué doit être protégé afin qu'il ne puisse s'infliger des blessures. La confusion, l'agitation et la possibilité de convulsions peuvent exposer le client à des blessures. Des moyens de contention doivent être utilisés judicieusement chez un client agité. Lorsque de tels moyens sont nécessaires pour empêcher le client d'enlever les tubes et de tomber du lit, ceux-ci doivent être bien fixés pour être efficaces, et la peau doit être régulièrement examinée pour déceler tout signe d'irritation. Étant donné que le client peut être davantage agité lorsque de tels moyens sont utilisés, il est possible que des mesures supplémentaires doivent être prises pour protéger le client. Une légère sédation à l'aide d'agents tels l'halopéridol (Haldol) ou le lorazépam (Ativan) peut s'avérer nécessaire. Le fait qu'un membre de la famille soit au chevet du client peut avoir un effet calmant. Des précautions doivent être prises si le client est convulsif ou s'il est prédisposé à des convulsions. Ces mesures de précaution comprennent une canule de respiration à côté du lit, une administration précise d'anticonvulsivants au moment opportun et une surveillance étroite.

Le client aura tendance à mieux se sentir si le milieu environnant est calme et non stimulant. L'infirmière doit donc toujours procéder aux interventions de façon calme et rassurante. Le fait de toucher ou de parler à un client, même s'il est dans le coma, est une intervention appropriée. L'infirmière doit établir un juste équilibre entre la privation sensorielle et la surcharge sensorielle à l'égard du client souffrant d'une augmentation de la PIC.

Facteurs contribuant à l'augmentation de la PIC. Il existe un lien entre les soins infirmiers et l'augmentation de la PIC. L'encadré 53.6 présente une liste de certains fac-

---

Facteurs étiologiques de l'augmentation de la PIC — ENCADRÉ 53.6

- Hypercapnie ($PaCO_2 > 45$ mm Hg)
- Hypoxémie ($PaO_2 < 60$ mm Hg)
- Vasodilatateurs cérébraux (p. ex. Pentothal, antihistaminiques)
- Manœuvre de Valsalva
- Positionnement du corps (p. ex. décubitus ventral, flexion du cou, flexion extrême des hanches)
- Contractions musculaires isométriques
- Toux ou éternuement
- Nausées, vomissements
- Sommeil paradoxal
- Bouleversements affectifs
- Stimuli nuisibles
- Réveil nocturne
- Concentration d'activités

---

teurs qui pourraient contribuer à l'augmentation de la PIC. L'infirmière doit être consciente de ces facteurs et essayer de les minimiser. Les soins infirmiers auprès d'un client souffrant d'une augmentation de la PIC constituent l'un des principaux aspects des soins prodigués à ces clients.

Facteurs psychologiques. En plus de donner des soins physiques soigneusement planifiés au client souffrant d'une augmentation de la PIC, l'infirmière doit également être consciente du bien-être psychologique de ce client et de sa famille. L'anxiété reliée au diagnostic et au pronostic d'un client souffrant de troubles neurologiques peut être pénible pour le client, sa famille et le personnel soignant. La compétence et l'assurance dont fait preuve l'infirmière qui prodigue les soins nécessaires au client permettent de rassurer tous ceux qui sont impliqués de près ou de loin. Les explications brèves et simples sont appropriées et permettent au client et à sa famille d'obtenir les renseignements qu'ils veulent. Un soutien, des renseignements et une éducation sont à la fois nécessaires pour le client et sa famille qui sont nouvellement confrontés à un événement traumatique, et pour les années à suivre. L'infirmière doit évaluer le désir et le besoin des membres de la famille à aider aux soins du client et leur laisser la chance d'y participer au moment opportun.

Évaluation. Les résultats escomptés chez le client souffrant d'une augmentation de la PIC sont les suivants :

- avoir une PIC correspondant aux valeurs normales ;
- avoir les voies respiratoires dégagées ;
- ne présenter aucun signe d'infection ;
- avoir un équilibre hydro-électrolytique normal et une alimentation adéquate ;
- ne présenter aucun signe de rupture de l'épiderme.

Répercussions des lésions graves sur la famille

ENCADRÉ 53.7

Article : Leske JS, Jiricka MK : *Impact of family demands and family strengths and capabilities on family wellbeing and adaptation after critical injury, Am J Crit Care* 7 : 383,1998.

Objectif : examiner les exigences envers la famille, dont les agents stressants antérieurs et la gravité des lésions du client, les forces et les capacités de la famille telles que la tolérance, l'adaptation, la résolution de problèmes ainsi que le bien-être et la manière dont les familles se sont adaptées à la suite d'une maladie grave.

Méthodologie : les membres de diverses familles de clients qui se trouvaient dans 21 unités de soins intensifs ont été interrogés au moyen de questionnaires standards reliés aux demandes, aux forces et aux capacités de la famille, à leurs ressources, à leurs stratégies d'adaptation, ainsi qu'à leur manière de communiquer pour résoudre les problèmes. Les clients avaient été admis à l'unité de soins intensifs à la suite d'une blessure par balle ou d'un accident d'automobile. La plupart des 21 clients étaient des hommes (71 %) et la plupart des membres de la famille interrogés étaient des femmes (73 %).

Résultats et conclusion : Il n'y a eu aucun rapport significatif entre la gravité de la lésion du client et les résultats de bien-être et d'adaptation observés chez la famille. De plus, la tolérance de la famille, les ressources, les stratégies d'adaptation et la manière de communiquer pour résoudre les problèmes étaient reliés positivement aux capacités d'adaptation de la famille.

Incidences sur la pratique : les infirmières jouent un rôle important pour aider les familles à s'adapter à une maladie subite et grave. L'infirmière doit être attentive à l'impact négatif que peut avoir l'état du client sur la famille de manière à ce qu'elle puisse planifier de l'aide pour la famille. Les familles vulnérables doivent être repérées rapidement. Une bonne communication entre les membres de la famille et le personnel soignant peut renforcer la compréhension et réduire les tensions au sein de la famille.

53.4 TRAUMATISME CRÂNIEN

Le traumatisme crânien comprend tout type de traumatismes au cuir chevelu, au crâne ou au cerveau. Le terme **traumatisme crânien** est principalement utilisé pour désigner un traumatisme cranio-cérébral (TCC) comprenant une altération de l'état de conscience, peu importe la durée.

Le risque d'évolution défavorable est très élevé en présence d'un traumatisme crânien. Le décès causé par un traumatisme crânien peut survenir à trois moments différents après le traumatisme : immédiatement après, en l'espace de deux heures et environ trois semaines après. La plupart des décès consécutifs à un traumatisme crânien surviennent immédiatement après, soit en raison d'un traumatisme crânien direct ou d'une hémorragie massive et d'un choc. Les décès survenant à l'intérieur des quelques heures suivant le traumatisme sont causés par une aggravation progressive du traumatisme crânien ou par une hémorragie interne. Des changements au niveau de l'état neurologique sont constatés rapidement et une intervention chirurgicale s'avère essentielle pour prévenir le décès. Les décès qui surviennent plus de trois semaines après un traumatisme surviennent à la suite d'une insuffisance polysystémique. Des soins infirmiers spécialisés sont essentiels dans les semaines suivant un traumatisme afin de diminuer le risque de mortalité. Les facteurs reliés à un mauvais pronostic comprennent la présence d'un hématome intracrânien, l'âge avancé du client, des réponses motrices anormales, une altération ou une absence de mouvements oculaires ou du réflexe photomoteur, une hypotension permanente précoce, une hypoxémie ou une hypercapnie et une PIC supérieure à 20 mm Hg.

Les statistiques relatives à l'occurrence des traumatismes crâniens sont incomplètes, car de nombreuses victimes meurent sur les lieux de l'accident ou parce que leur état est jugé mineur et qu'ils ne demandent aucun soin de santé.
-   Toutes les quatre minutes, au Canada, une personne est victime d'une commotion cérébrale.
-   Chaque année, environ 144 000 Canadiennes et Canadiens subissent une commotion cérébrale complexe. (Ce chiffre ne tient pas compte des traumatismes crâniens graves résultant d'accidents d'automobile.)

Selon une étude effectuée à Halifax, il apparaît également que deux fois moins de cyclistes ont subi un traumatisme crânien après adoption d'une loi rendant obligatoire le port du casque. On note que 30 % des cyclistes canadiens portaient un casque en 1995, alors que 84 % en portent aujourd'hui.

Si le nombre de collisions provoquées par une mauvaise conception des routes et un mauvais entretien de la chaussée était réduit de 10 %, et en supposant que 20 % des personnes blessées soient hospitalisées, il y aurait 1100 décès de moins chaque année. Si on appliquait une stratégie de prévention mettant l'accent sur le port de la ceinture de sécurité, la conduite sans alcool, l'importance de réduire la vitesse et de se concentrer sur la route, le nombre des hospitalisations diminuerait de 2800, celui des blessures traitées à l'extérieur de l'hôpital de 19 000, et celui des blessures occasionnant un handicap permanent de 750. Les économies nettes pour les Canadiens s'élèveraient à plus de 500 millions de dollars par année.

53.4.1 Types de traumatismes crâniens

Lacérations du cuir chevelu. Les lacérations du cuir chevelu sont les traumatismes crâniens les moins graves. Comme le cuir chevelu contient de nombreux vaisseaux sanguins ayant une faible capacité de constriction, la majorité des lacérations du cuir chevelu sont associées à une hémorragie profuse. La principale complication associée à une lacération du cuir chevelu est l'infection.

Fractures du crâne. Les fractures du crâne surviennent souvent avec un traumatisme crânien. Les fractures du crâne peuvent être décrites de plusieurs façons, soit : 1) linéaire ou enfoncée ; 2) simple ou comminutive ; 3) fermée ou ouverte (voir tableau 53.2). Une fracture peut être fermée ou ouverte, selon la présence d'une lacération au cuir chevelu ou d'une extension de la fracture dans les sinus frontaux ou la dure-mère. Le type et la gravité des fractures du crâne dépendent de l'énergie cinétique du moment, de la direction de l'agent blessant et du site de l'impact. Les manifestations spécifiques d'une fracture du crâne sont généralement associées à la localisation du traumatisme (voir tableau 53.3).

Le foyer de la fracture altère la présentation des signes et des symptômes cliniques. Par exemple, on note un type précis de fracture linéaire lorsqu'une fracture survient à la base du crâne. Ce type de fracture traverse généralement un sinus et déchire la dure-mère

TABLEAU 53.3	Manifestations cliniques des fractures du crâne par foyer
Foyer	**Syndrome ou séquelle**
Fracture de l'os frontal	Exposition du cerveau à des contaminants par les sinus frontaux ; possibilité d'air dans les tissus du front, rhinorrhée cérébro-spinale ou pneumo-encéphale.
Fracture de l'orbite	Hématome périorbitaire (« en lunettes »).
Fracture de l'os temporal	Enfoncement du muscle temporal en raison de l'extravasation de sang, ecchymose ovale bénigne derrière l'oreille dans la région mastoïdienne (signe de Battle), otorrhée cérébro-spinale.
Fracture de l'os pariétal	Surdité, écoulement de LCR ou otorrhée, membrane du tympan bombée à la suite d'un écoulement de sang ou de LCR, paralysie faciale, agueusie, signe de Battle.
Fracture postérieure	Ecchymose de la région occipitale entraînant la cécité corticale, anomalie du champ visuel ; apparition rare d'ataxie ou d'autres signes cérébelleux.
Fracture de la base du crâne	Écoulement de LCR ou otorrhée, membrane du tympan bombée à la suite d'un écoulement de sang ou de LCR, signe de Battle, acouphène ou autre trouble auditif, paralysie faciale, déviation conjuguée des yeux, vertige.

TABLEAU 53.2	Types de fracture du crâne
Description	**Cause**
Linéaire Rupture de la continuité de l'os sans déplacement des fragments.	Choc de faible énergie cinétique
Enfoncée Déplacement des os crâniens vers l'intérieur.	Coup puissant
Simple Fracture du crâne linéaire ou enfoncée sans fragment ni lacération.	Impact léger à modéré
Comminutive Plusieurs fractures linéaires et de multiples fragments osseux.	Impact direct et violent
Ouverte Combinaison d'une fracture du crâne enfoncée et de lacération du cuir chevelu avec une communication vers la cavité intracrânienne.	Traumatisme crânien grave

(p. ex. frontal ou temporal) et est associé à l'écoulement de LCR. Une rhinorrhée (écoulement de LCR par le nez) ou une otorrhée (écoulement de LCR par les oreilles) confirme généralement que la fracture a traversé la dure-mère (voir figure 53.11). Deux méthodes peuvent être utilisées pour déterminer si l'écoulement de LCR provient du nez ou des oreilles. La première méthode consiste à effectuer un test avec une bande de Dextrostix ou une bande de Tes-Tape pour vérifier s'il y a présence de glucose. Un résultat positif de glucose peut être obtenu à partir du LCR. Cependant, s'il y a du sang dans le liquide, le test n'est pas fiable, car le sang contient du glucose. Dans ce cas, l'infirmière doit rechercher la présence des signes du halo ou de l'anneau (voir figure 53.11). Pour effectuer ce test, l'infirmière laisse du LCR s'écouler sur une compresse ou une serviette blanche et observe l'écoulement. Après

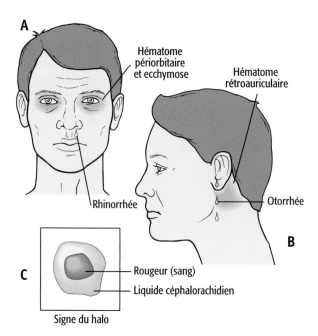

FIGURE 53.11   A. Hématome périorbitaire (« en lunettes ») et rhinorrhée. B. Signe de Battle (hématome rétroauriculaire) et otorrhée. C. Signe du halo ou signe de l'anneau (voir texte).

quelques minutes, s'il y a présence de LCR, le sang se coagule au centre et un anneau jaunâtre l'encercle. La couleur et l'apparence du liquide qui s'écoule ainsi que la quantité doivent être notées, car les deux tests peuvent donner un résultat faux positif.

Les principales complications possibles reliées aux fractures du crâne sont les infections intracrâniennes et les hématomes, ainsi que les lésions méningées et les lésions du tissu cérébral. Une fracture de l'os frontal ou de l'orbite peuvent présenter un écoulement de LCR ainsi qu'un hématome périorbitaire (« en lunettes »). Une fracture à la base du crâne peut provoquer un hématome rétro-auriculaire (signe de Battle) (voir figures 53.11, B et 53.12), une hémorragie conjonctivale ou un œdème périorbitaire.

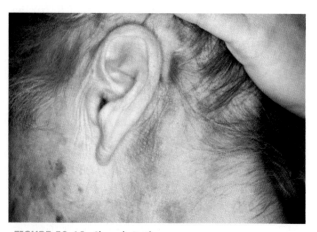

FIGURE 53.12   Signe de Battle

Traumatisme crânien mineur. Les traumatismes crâniens sont qualifiés de mineurs ou de graves. Une commotion (syndrome temporaire provoqué par un choc ou un ébranlement brutal, avec abolition de l'activité neuronale et changement dans le niveau de conscience) est considérée comme un traumatisme crânien mineur. Il est possible que le client ne devienne pas totalement inconscient avec ce type de traumatisme.

Les signes d'une commotion comprennent une brève perturbation du niveau de conscience, une amnésie reliée à l'événement (amnésie rétrograde) et une céphalée. Les manifestations sont généralement de courte durée. Lorsque le client n'a pas perdu connaissance, ou si la perte de conscience dure moins de cinq minutes, le client peut habituellement quitter l'unité de soins en étant informé d'aviser le médecin si les symptômes persistent ou s'il note des changements dans son comportement.

Le syndrome commotionnel peut se manifester dans les deux semaines à deux mois suivant la commotion. Les symptômes comprennent une céphalée continue, de la léthargie, des changements au niveau de la personnalité et du comportement, une durée d'attention raccourcie, une diminution de la mémoire à court terme et des changements au niveau des capacités intellectuelles. Ce syndrome peut affecter considérablement les capacités du client à effectuer ses activités de la vie quotidienne.

Bien qu'une commotion soit généralement considérée comme bénigne et qu'elle se résolve spontanément, les symptômes peuvent annoncer des troubles plus graves et évolutifs. Par conséquent, il est important de bien renseigner le client et sa famille concernant l'observation et le signalement précis des symptômes ou des modifications de l'état neurologique du client avant qu'il puisse quitter l'hôpital.

Traumatisme crânien grave. Les traumatismes crâniens graves comprennent les contusions et les lacérations. Ces deux blessures au cerveau représentent des traumatismes graves. Les contusions et les lacérations sont généralement associées aux lésions fermées.

Une **contusion** est une meurtrissure du tissu cérébral dans une région focale qui assure l'intégrité de la pie-mère et des couches arachnoïdiennes. Une contusion entraîne une nécrose, un infarctus, une hémorragie et un œdème. Une contusion survient souvent au niveau du foyer d'une fracture. En présence d'une contusion, on note souvent le phénomène de coup-contrecoup. Des lésions surviennent en raison du mouvement du cerveau à l'intérieur de la boîte crânienne. Les contusions ou les lacérations surviennent à la fois au cerveau, directement sous le point d'impact et du côté opposé à la collision, entraînant des contusions multiples. Les saignements autour de la région contusionnée sont généralement minimes et le sang se réabsorbe lentement. L'examen neurologique présente les observations focales et un trouble généralisé du niveau de conscience. Les convulsions sont des complications courantes de la contusion cérébrale.

Les **lacérations** impliquent le déchirement du tissu cérébral et sont souvent associées aux fractures enfoncées ou ouvertes et aux traumatismes pénétrants. Les lésions tissulaires sont graves et la réparation chirurgicale des lacérations est impossible en raison de la texture du tissu cérébral. Des signes focaux et généralisés sont notés si l'hémorragie est profonde dans le parenchyme cérébral.

Lorsqu'un traumatisme crânien grave survient, de nombreuses réactions tardives peuvent être observées incluant une hémorragie, la formation d'un hématome, des convulsions et un œdème cérébral. Une hémorragie intracérébrale est généralement associée à une lacération cérébrale. Ce type d'hémorragie se manifeste par un processus expansif accompagné d'un état d'inconscience, d'une hémiplégie du côté controlatéral et d'une mydriase ipsilatérale. Au fur et à mesure que l'hématome prend de l'expansion, les symptômes d'augmentation de la PIC s'accentuent. Le pronostic est généralement sombre pour le client souffrant d'une hémorragie intracérébrale importante. L'hémorragie sous-arachnoïdienne et une hémorragie intraventriculaire peuvent également survenir à la suite d'un traumatisme crânien.

Lésion axonale diffuse. Une **lésion axonale diffuse** (LAD) est une lésion axonale très répandue qui survient à la suite d'un traumatisme crânien mineur, modéré ou grave. Les lésions surviennent principalement autour des axones dans la substance blanche sous-corticale des hémisphères cérébraux, des noyaux gris centraux, du thalamus et du tronc cérébral. À l'origine, on croyait que la LAD survenait en raison des forces de traction du traumatisme qui rompent les axones, entraînant ainsi une déconnexion axonale. Des données de plus en plus nombreuses révèlent que la lésion axonale n'est pas précédée d'un déchirement immédiat des axones lors de l'impact traumatique, mais que c'est plutôt le traumatisme qui modifie le fonctionnement des axones, entraînant la tuméfaction des axones (gonflement axonal) et la rupture. Ce processus met de 12 à 24 heures à se développer et peut durer plus longtemps.

L'imagerie par résonance magnétique (IRM) est plus efficace que la tomodensitométrie (TDM) pour déceler les petites LAD en raison du manque de changements pathologiques importants du tissu cérébral. Les signes et les symptômes cliniques, comprenant une diminution du niveau de conscience, une augmentation de la PIC, une position de décérébration ou de décortication et un œdème cérébral, sont des indicateurs importants.

53.4.2 Complications

Hématome épidural. Un hématome épidural survient à la suite d'une hémorragie entre la dure-mère et la surface interne du crâne. Un hématome épidural est une urgence neurologique et est généralement associé à une fracture linéaire traversant la principale artère de la dure-mère, causant un déchirement. L'hématome peut être d'origine veineuse ou artérielle. Les hématomes épiduraux veineux sont associés à un déchirement du sinus veineux dural et se développent lentement. Dans le cas d'un hématome artériel, l'artère méningée moyenne, située sous l'os temporal, est souvent rompue. L'hémorragie survient dans l'espace épidural qui se situe entre la dure-mère et la surface interne du crâne (voir figure 53.13, A). Étant donné qu'il s'agit d'une hémorragie artérielle, l'hématome se forme rapidement et sous une forte pression. Les symptômes comprennent habituellement l'inconscience sur les lieux, avec un bref moment de lucidité suivi d'une diminution du niveau de conscience. Les autres symptômes peuvent comprendre la céphalée, les nausées et les vomissements ou les observations focales. Une intervention chirurgicale rapide dans le but de prévenir l'engagement cérébral améliore considérablement l'évolution. Le taux de mortalité est plus important chez les clients âgés de plus de 65 ans souffrant d'une augmentation de la PIC que chez des clients plus jeunes.

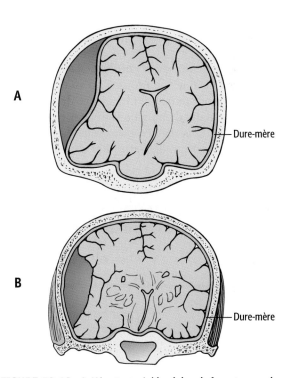

FIGURE 53.13 A. Hématome épidural dans la fosse temporale, généralement provoqué par la lacération de l'artère méningée moyenne. B. Hématome sous-dural, généralement provoqué par la lacération des veines sous-durales.

Hématome sous-dural. Un hématome sous-dural survient à la suite d'une hémorragie entre la dure-mère et l'espace sous-arachnoïdien de la surface méningée du cerveau. Un hématome sous-dural est généralement causé par une lésion à la substance cérébrale et à ses vaisseaux parenchymateux (voir figure 53.13, B). Les veines qui drainent la surface du cerveau dans le sinus sagittal sont la source de la plupart des hématomes sous-duraux. Étant donné qu'un hématome sous-dural est généralement d'origine veineuse, l'hématome met plus de temps à apparaître dans une masse qui est suffisamment large pour produire des symptômes. Cependant, un hématome sous-dural peut provoquer une hémorragie artérielle et, dans ce cas, se développer plus rapidement. Les hématomes sous-duraux peuvent être aigus, subaigus ou chroniques (voir tableau 53.4).

Après la première hémorragie veineuse, un hématome sous-dural peut se former et s'agrandir avec le temps à mesure que la dégradation des produits sanguins laisse du liquide s'infiltrer dans l'espace sous-dural pour atteindre l'isotonie. Les signes de l'hématome sous-dural chronique apparaissent moins de 48 heures après le traumatisme. Les signes et les symptômes sont semblables à ceux associés à la compression du tissu cérébral en présence d'une augmentation de la PIC et comprennent une diminution du niveau de conscience et des céphalées. Le client semble somnolent et confus. La pupille ipsilatérale se dilate et devient fixe. Un hématome sous-dural subaigu survient généralement dans les 2 à 14 jours suivant le traumatisme. Le fait que le client ne reprenne pas conscience laisse envisager cette possibilité.

Un hématome sous-dural chronique peut se développer dans les semaines ou les mois suivant un traumatisme d'apparence mineure. L'incidence de pointe d'un hématome sous-dural chronique survient généralement entre 60 et 80 ans, car l'espace sous-dural est plus important en raison de l'atrophie du cerveau. En présence d'une atrophie, le cerveau demeure attaché aux structures de soutien, qui sont susceptibles de se déchirer lorsque la tension augmente. L'expansion de l'espace sous-dural serait davantage responsable de l'apparition de symptômes focaux que l'augmentation de la PIC. Les alcooliques chroniques sont également prédisposés à une atrophie cérébrale et à l'apparition subséquente d'un hématome sous-dural.

Le retard dans l'établissement du diagnostic chez une personne âgée est souvent attribué au fait que les symptômes s'apparentent aux autres troubles de santé chez les sujets de ce groupe d'âge, tels les affections vasculaires et la démence sénile. La somnolence, la confusion, la léthargie et les pertes de mémoire sont associées à des problèmes de santé autres que l'hématome sous-dural. Le client présente des antécédents de traumatisme crânien dans seulement 60 à 70 % des cas.

Hématome intracérébral. Un hématome intracérébral est causé par une hémorragie dans le parenchyme et survient dans environ 16 % des cas de traumatisme crânien. Ils surviennent généralement entre le lobe frontal et le lobe temporal et sont attribuables à la rupture des vaisseaux intracérébraux au moment du traumatisme. Une hémorragie intracérébrale est un hématome intracérébral qui est une extension d'une hémorragie sous-arachnoïdienne. On croit que ce type d'hématome cérébral est causé par une hémorragie des vaisseaux corticaux.

53.4.3 Épreuves diagnostiques et processus thérapeutique

Une craniographie est couramment prescrite au client souffrant d'un traumatisme cérébral. Cet examen est effectué pour écarter la possibilité d'une fracture du crâne. La craniographie est également utile pour repérer les fractures des orbites et les autres fractures faciales.

TABLEAU 53.4	Hématomes sous-duraux aigus, subaigus et chroniques		
Apparition après la lésion	**Évolution des symptômes**	**Traitement**	**Type de traumatisme**
Aigu 24 à 48 h	Détérioration immédiate	Craniotomie, évacuation et décompression	Grave
Subaigu 48 h à 2 semaines	Inconscience au départ, amélioration graduelle, détérioration avec le temps, dilatation des pupilles, ptosis	Évacuation et décompression	Grave
Chronique Semaines, mois (> 20 jours)	Évolution aspécifique, non localisée ; altération progressive du niveau de conscience	Évacuation et décompression, membranectomie	Mineur, inexistant ou oublié (seulement 60 à 70 % des clients se souviennent de l'incident)

La TDM et l'IRM sont considérées comme les meilleures épreuves diagnostiques pour repérer un traumatisme cranio-cérébral. La TDM et l'IRM permettent un diagnostic et une intervention rapides. La TEP et les examens de potentiel évoqué peuvent également être utilisés pour diagnostiquer et différencier les traumatismes crâniens. L'échographie Doppler transcrânienne permet, quant à elle, de mesurer la vitesse du débit sanguin cérébral. En général, les épreuves diagnostiques sont identiques à celles utilisées chez un client souffrant d'une augmentation de la PIC (voir encadré 53.4).

Les mesures d'urgence à prodiguer au client souffrant d'un traumatisme crânien sont présentées dans le tableau 53.5. En plus des mesures visant à prévenir les lésions secondaires en traitant l'œdème cérébral et l'augmentation de la PIC, le traitement principal du traumatisme crânien consiste à poser un diagnostic en temps opportun et à procéder à une chirurgie au besoin. Les principales interventions à effectuer chez le client souffrant d'une commotion et d'une contusion sont l'observation et le traitement de l'augmentation de la PIC.

Le traitement des fractures du crâne est généralement conservateur. Dans les cas de fractures enfoncées et de fractures avec fragments libres, une craniotomie est nécessaire afin de replacer l'os qui est enfoncé et d'enlever les fragments libres. Si une quantité importante de l'os est détruite, l'os peut être enlevé (craniectomie) et une cranioplastie sera éventuellement nécessaire (voir section 53.6 du présent chapitre).

En présence d'un hématome sous-dural aigu ou d'un hématome épidural, le sang doit être retiré. Une craniotomie est habituellement effectuée pour visualiser les vaisseaux hémorragiques de manière à contrôler l'hémorragie. Un trou de Trépan peut être effectué dans les cas d'urgence extrême afin de permettre une décompression plus rapide, puis une craniotomie est pratiquée pour freiner l'hémorragie. Un drain est habituellement mis en place pour plusieurs jours après la chirurgie afin de prévenir toute nouvelle accumulation de sang.

53.4.4 Soins infirmiers : traumatisme crânien

Collecte de données. Le client souffrant d'un traumatisme crânien est toujours prédisposé à une augmentation de la PIC. L'augmentation de la PIC est associée à un taux de mortalité plus élevé et à une évolution très défavorable. Les données recueillies comprennent généralement les renseignements obtenus quant à l'état du

---

SOINS D'URGENCE

TABLEAU 53.5 Traumatismes crâniens

Étiologie	Constatations	Interventions
Traumatisme contondant Collision automobile Impliquant un piéton Chute Agression Blessure sportive	**Constatations superficielles** Lacérations du cuir chevelu Fracture ou dépressions du crâne Ecchymoses ou contusions au visage, signe de Battle (hématome rétroauriculaire) Hématome périorbitaire	**Intervention initiale** S'assurer que les voies respiratoire sont libres. Immobiliser la colonne cervicale. Administrer de l'oxygène par une canule nasale ou par un masque sans réinspiration. Établir un accès IV à l'aide de deux cathéters de gros calibre pour administrer un soluté isotonique de chlorure de sodium ou un soluté lactate de Ringer. Contrôler le saignement externe en appliquant une compresse hémostatique stérile. Vérifier tout signe de rhinorrhée, d'otorrhée ou de lésion au cuir chevelu. Enlever les vêtements du client.
Traumatisme pénétrant Blessure par balle Flèche	**Appareil respiratoire** Hyperventilation neurogène centrale Respiration de Cheyne-Stokes Diminution de la saturation du sang en oxygène Œdème pulmonaire	
	Système nerveux central Asymétrie des pupilles ou mydriase Mouvements asymétriques du visage Conversation incompréhensible et langage inapproprié Confusion Diminution du niveau de conscience Combativité Mouvements involontaires Convulsions Incontinence fécale et urinaire Flaccidité Réflexes déprimés ou hyperactifs Posture de décérébration et de décortication Échelle de Glasgow <12 Écoulement de LCR par les oreilles ou par le nez	**Surveillance continue** Garder le client au chaud à l'aide de couvertures, de liquide intraveineux chaud, de lampes chauffantes suspendues et d'oxygène humidifié et réchauffé. Surveiller les signes vitaux, le niveau de conscience, la saturation en oxygène, le rythme cardiaque, l'échelle de Glasgow, le diamètre et la réactivité des pupilles. Prévoir une intubation si le réflexe laryngé est absent. Soupçonner une lésion au cou en présence d'un traumatisme crânien. Administrer des liquides avec précaution pour éviter les cas d'hyperhydratation et l'augmentation de la PIC.

client inconscient (voir figure 53.1). Les principaux aspects des données objectives consistent à noter le score à l'échelle de Glasgow (voir figure 53.2), à surveiller l'état neurologique (voir figure 53.2) et à déterminer s'il y a un écoulement de LCR.

Diagnostics infirmiers. Les diagnostics infirmiers reliés au client ayant subi un traumatisme crânien comprennent, entre autres, les suivants :

- irrigation tissulaire cérébrale inefficace reliée à l'interruption du débit sanguin cérébral associé à l'hémorragie, à l'hématome et à l'œdème cérébral ;
- hyperthermie reliée à la hausse du métabolisme, à l'infection et à la perte de la fonction intégrative cérébrale secondaire à une lésion hypothalamique ;
- troubles de la perception sensorielle reliés à un traumatisme crânien et à l'environnement de l'unité de soins intensifs ;
- douleur reliée aux céphalées, aux nausées et aux vomissements ;
- mobilité physique réduite reliée à une diminution du niveau de conscience et à l'alitement forcé ;
- risque de blessure aux yeux relié à la perte des réflexes de défense ;
- risque d'infection relié à une contamination du milieu secondaire à une plaie ouverte ;
- anxiété reliée à une dégradation rapide de l'état de santé, au milieu hospitalier et à un manque de connaissances de la gravité du problème de santé ;
- diminution situationnelle de l'estime de soi reliée à l'altération de l'apparence de la tête, du visage et au sentiment de dépendance envers les autres.

Planification. Les principaux objectifs ou résultats escomptés chez le client souffrant d'un traumatisme crânien sont les suivants : 1) maintenir une perfusion cérébrale adéquate ; 2) demeurer normothermique ; 3) ne plus ressentir de douleur, d'inconfort ni présenter d'infection ; 4) atteindre un fonctionnement maximal sur les plans cognitif, moteur et sensoriel.

Exécution

Promotion de la santé. L'une des meilleures façons de prévenir les traumatismes crâniens est de prévenir les accidents de voiture et de motocyclette. L'infirmière peut s'impliquer dans les campagnes de promotion de la sécurité routière et s'adresser aux apprentis conducteurs concernant les dangers d'une conduite dangereuse et de l'alcool au volant. Le port de la ceinture de sécurité en voiture ou du casque protecteur en motocyclette sont les moyens les plus efficaces pour augmenter les chances de survie à la suite d'un accident. Au Québec, en voiture, le port de la ceinture de sécurité est obligatoire. Le port du casque de sécurité est obligatoire pour les travailleurs forestiers, les travailleurs de la construc-

tion, les mineurs, les randonneurs équestres et il est très fortement recommandé aux cyclistes et aux parachutistes. L'infirmière doit connaître les données portant sur les risques entourant l'utilisation ou non de dispositifs de sécurité, particulièrement lorsqu'elle travaille auprès de personnes qui s'opposent aux lois en matière de sécurité, les considérant comme une atteinte à leur liberté personnelle. Les parents de jeunes enfants doivent recevoir un enseignement concernant l'usage adéquat des sièges d'auto et le port de la ceinture de sécurité pour les enfants. L'infirmière doit également enseigner aux enfants les mesures de sécurité concernant la randonnée à bicyclette, la pratique de la planche à roulettes et les sports de contact.

Intervention en phase aiguë. Les interventions effectuées sur les lieux de l'accident peuvent avoir des conséquences importantes sur l'évolution du traumatisme crânien. Les mesures d'urgence du traumatisme crânien sont traitées dans le tableau 53.5. Les objectifs généraux des soins infirmiers à l'égard du client souffrant d'un traumatisme crânien sont de maintenir l'irrigation cérébrale et de prévenir les ischémies cérébrales secondaires. Au début, les soins infirmiers peuvent être axés sur la surveillance des changements au niveau de l'état neurologique. Cette intervention est particulièrement importante, car l'état du client peut se détériorer rapidement et nécessiter une chirurgie d'urgence. Dans le cas d'une chirurgie, des interventions infirmières appropriées sont entreprises avant et après la chirurgie.

L'infirmière doit expliquer au client et à sa famille les raisons pour lesquelles on doit procéder à des examens neurologiques fréquents. Les manifestations comportementales associées au traumatisme crânien peuvent se solder par de la peur et une désorientation de la part du client qui est combatif et qui résiste aux soins. Il est important que l'infirmière fasse preuve de calme et de douceur dans ses interventions. Les moyens de contention doivent être évités autant que possible, car ils rendent le client agité, ce qui peut entraîner une augmentation de la PIC. Un membre de la famille peut demeurer au chevet du client et ainsi prévenir un surcroît d'anxiété et de peur. D'autres points d'enseignement sont présentés dans l'encadré 53.8.

Selon l'état du client, l'infirmière doit procéder à l'évaluation neurologique à intervalles réguliers. L'échelle de Glasgow est pratique pour évaluer le niveau d'éveil (voir figure 53.2). Toute indication d'une dégradation de l'état neurologique, comme une diminution de l'état de conscience ou de la force motrice, doit être signalée au médecin, et l'état du client doit être surveillé de près.

La principale tâche de l'infirmière consiste à vérifier l'état de conscience et l'augmentation de la PIC chez le client souffrant d'un traumatisme crânien (voir section Soins infirmiers : augmentation de la pression

Traumatisme crânien — ENCADRÉ 53.8

SOINS DANS LA FAMILLE

Il est important de renseigner le client et sa famille à propos des éléments suivants qui sont à observer au cours des trois premiers jours suivant un traumatisme crânien.

- Aviser immédiatement le médecin en présence de signes et de symptômes qui pourraient indiquer des complications telles que :
  - la somnolence (p. ex. difficulté à se lever, confusion) ;
  - des nausées et des vomissements ;
  - l'aggravation des céphalées ou torticolis ;
  - des convulsions ;
  - des troubles de la vue (p. ex. vision trouble) ;
  - des changements dans le comportement (p. ex. irritabilité, colère) ;
  - des troubles de motricité (p. ex. maladresse, difficulté à marcher, trouble de l'élocution, faiblesse aux bras et aux jambes) ;
  - des troubles sensoriels (p. ex. engourdissements) ;
  - une diminution de la fréquence cardiaque.
- Insister sur l'importance qu'un membre de la famille reste avec le client.
- S'abstenir de boire de l'alcool.
- Vérifier auprès du médecin avant de prendre des médicaments qui peuvent provoquer la somnolence, y compris des relaxants musculaires, des tranquillisants et des analgésiques narcotiques.
- Éviter de conduire de la machinerie lourde, de pratiquer des sports de contact et de prendre des bains chauds.

intracrânienne, dans le présent chapitre). Cependant, certains troubles particuliers peuvent nécessiter d'autres interventions de la part de l'infirmière.

Les troubles oculaires peuvent comprendre la perte du réflexe cornéen, un hématome et un œdème périorbitaire ainsi qu'une diplopie. Dans les cas de perte de réflexe cornéen, il peut s'avérer nécessaire d'administrer des gouttes ophtalmologiques, de coller les yeux avec du ruban adhésif ou de coudre les paupières afin de prévenir l'abrasion de la cornée. Bien que les hématomes et les œdèmes périorbitaires se résorbent spontanément, l'application de compresses froides, et, plus tard, de compresses chaudes, peut aider à soulager le client et à activer la résorption. Quant à la diplopie, elle peut être soulagée en utilisant un cache-oeil.

L'hyperthermie peut être causée par une infection ou une lésion de l'hypothalamus. La hausse du métabolisme secondaire à l'hyperthermie augmente les déchets métaboliques, ce qui provoque une vasodilatation cérébrale.

L'infirmière doit aviser le médecin immédiatement si une rhinorrhée ou une otorrhée se manifeste. Le client doit demeurer couché à plat sur le lit, à moins d'une contre-indication en raison de l'augmentation de la PIC.

La tête du lit peut être relevée pour diminuer la pression du LCR de manière à ce que la déchirure puisse se refermer. Un pansement lâche (moustache) peut être appliqué sous le nez ou sur les oreilles pour recueillir le liquide. Aucun pansement ne doit être appliqué dans les fosses nasales ni dans la cavité de l'oreille. Le client doit être informé de ne pas renifler et de ne pas se moucher. Il est recommandé de ne pas installer de tube nasogastrique pour ces clients et de ne pratiquer aucune aspiration nasotrachéale.

Il est également recommandé d'effectuer les interventions infirmières spécifiques lorsque le client est immobilisé, comme les soins reliés aux fonctions intestinales et urinaires, les soins de la peau et des infections. Dans le cas de nausées et de vomissements, ceux-ci peuvent être atténués par l'administration d'antiémétiques. Les céphalées peuvent généralement être soulagées avec de l'aspirine ou de petites doses de codéine.

Une chirurgie intracrânienne peut s'avérer nécessaire si l'état du client se détériore (voir section Chirurgie crânienne dans le présent chapitre). Un trou de Trépan, ou une craniotomie, peut être indiqué, selon le type de la lésion sous-jacente qui provoque les symptômes.

Puisqu'il arrive souvent que le client est inconscient avant la chirurgie, un membre de la famille doit signer le formulaire de consentement pour la chirurgie. Il est important que l'infirmière fasse preuve d'empathie, car il s'agit d'un moment difficile et éprouvant pour la famille du client. Le caractère soudain de la situation fait en sorte qu'il est particulièrement difficile pour la famille d'y faire face.

Il est possible que la préparation préopératoire habituelle soit modifiée en raison de la nature urgente de la chirurgie. L'infirmière doit alors consulter le neurochirurgien afin de connaître les interventions infirmières préopératoires particulières.

Soins ambulatoires et soins à domicile. Une fois l'état du client stabilisé, on le transfère habituellement aux soins de réadaptation afin de le préparer à réintégrer la collectivité. Comme pour tout traumatisme craniocérébral, il est possible que surviennent des troubles chroniques reliés à une déficience motrice ou sensorielle, à la communication, à la mémoire et à la fonction intellectuelle. De nombreux principes reliés à la planification des soins infirmiers auprès d'un client victime d'un accident vasculaire cérébral sont appropriés au traumatisé cranien (voir chapitre 54). Les affections pouvant nécessiter une intervention infirmière et thérapeutique comprennent le déficit nutritionnel, l'élimination intestinale et urinaire, la spasticité, la dysphagie, l'ossification hétérotomique (protubérance osseuse), la thrombophlébite profonde (TPP) et l'hydrocéphalie communicante. Cependant, de nombreux problèmes chroniques s'atténuent ou disparaissent avec le temps et de la patience. L'apparence du client n'est pas un bon indicateur de la manière dont fonctionnera le client à domicile ou au travail.

Des troubles épileptiques se manifestent chez environ 5 % des clients souffrant d'un traumatisme crânien non pénétrant. La période la plus à risque pour l'apparition de convulsions est durant la première semaine suivant le traumatisme crânien. Chez 25 % des clients qui développent des troubles épileptiques, l'apparition se fait quatre ans ou plus après le traumatisme initial. Les anticonvulsivants ne sont pas utilisés comme traitement prophylactique, mais sont généralement prescrits si le client est victime d'une convulsion ou si l'EEG démontre la présence de crises convulsives sous-cliniques. Cependant, il peut arriver que certains médecins recommandent la prise d'anticonvulsivants pendant la première semaine suivant le traumatisme et que la médication soit interrompue si aucune crise convulsive n'est observée. La phénytoïne (Dilantin) est l'anticonvulsivant de choix en présence de crises convulsives post-traumatiques.

Les séquelles mentales et affectives du traumatisme cérébral sont souvent les troubles les plus incapacitants. On estime que plus de 60 % des clients souffrant d'un traumatisme crânien et ayant été dans le coma pendant plus de six mois subissent certains changements de personnalité. Ils peuvent souffrir d'une perte de concentration ou de mémoire et avoir un processus mnémonique défaillant. Il est possible que le client se sente peu motivé et que l'apathie et la paresse apparente augmentent. On peut noter de l'euphorie et des sautes d'humeur, ainsi qu'un manque de conscience par rapport à la gravité du traumatisme chez les clients atteints. Le comportement du client peut indiquer une perte de retenue sociale, de jugement, de tact et de contrôle affectif.

Il est possible qu'un rétablissement progressif se poursuive pendant plus de six mois avant qu'un plateau ne soit atteint et qu'un pronostic de rétablissement puisse être posé. Les soins infirmiers particuliers lors de la phase post-traumatique dépendent des déficiences résiduelles spécifiques.

Peu importe le traumatisme crânien, il est important d'accorder une attention particulière à la famille, car les membres ont besoin de comprendre ce qui se passe et doivent apprendre les modes d'interaction appropriés. L'infirmière doit les guider et les orienter vers des services d'aide financière, de garderie et d'autres besoins personnels et elle doit leur enseigner comment impliquer le client dans les activités familiales lorsque cela est possible. Aider le client et la famille à développer et à garder espoir, ainsi qu'à entretenir une communication ouverte sont considérés par les familles comme des stratégies de soutien.

La famille a souvent des attentes irréalistes lorsque le client commence à sortir du coma. Elle espère qu'il retrouvera l'état qu'il avait avant le traumatisme. En réalité, le client connaît une diminution de la conscience et de la capacité à interpréter les stimuli provenant du milieu environnant. Par conséquent, l'infirmière doit préparer la famille à l'éventualité que le client sorte du coma et doit expliquer que le processus d'éveil peut prendre plusieurs semaines.

Au moment de planifier la sortie de l'hôpital, il est important de renseigner la famille et le client sur les soins posthospitaliers particuliers afin d'éviter les conflits entre le client et sa famille. Les consignes particulières énumérées par le neurochirurgien, le neuropsychologue et l'infirmière comprennent, entre autres, les suivantes : ne pas consommer d'alcool ; ne pas conduire de véhicule ; ne pas utiliser d'arme à feu ; ne pas manipuler d'outils ni d'équipement dangereux ; ne pas fumer sans surveillance. Les membres de la famille, notamment la conjointe ou le conjoint, sont souvent tenus de modifier leur rôle et d'adopter celui de soignant.

Évaluation. Les résultats escomptés chez le client souffrant d'un traumatisme crânien sont les suivants :
- maintenir une pression de perfusion cérébrale normale ;
- atteindre un fonctionnement maximal sur les plans cognitif, moteur et sensoriel ;
- ne présenter aucune infection, hyperthermie ou douleur.

53.5 TUMEURS INTRACRÂNIENNES

Au Canada, les tumeurs situées dans la cavité crânienne sont responsables d'environ 2 % de tous les décès. Au Québec, en 2002, selon la Société canadienne du cancer, le cancer du cerveau représentait environ 4 % du nombre de décès des suites d'un cancer. Le cerveau est également un foyer fréquent de métastases comparativement aux autres foyers. Les tumeurs cérébrales constituent la quatrième cause de décès reliés au cancer chez les sujets âgés de 35 à 54 ans.

53.5.1 Types de tumeurs intracrâniennes

Les tumeurs cérébrales sont dites primitives lorsqu'elles proviennent des tissus du cerveau, et secondaires lorsqu'elles surviennent à la suite d'une métastase provenant d'un néoplasme malin situé ailleurs dans l'organisme. Les tumeurs cérébrales sont généralement classées en fonction du tissu d'origine. Lorsque la tumeur est maligne, on lui attribue un degré de malignité selon la classification générale des cancers. Les tumeurs cérébrales peuvent être classées comme étant d'origine intracérébrale (p. ex. gliomes, tumeurs vasculaires) ou d'origine extracérébrale (p. ex. méningiomes, tumeurs des nerfs crâniens). Le glioblastome multiforme est la forme la plus courante des tumeurs, suivie du méningiome et de l'astrocytome. Plus de la moitié des tumeurs intracrâniennes sont malignes ; elles s'infiltrent dans le parenchyme cérébral et leur ablation complète est impossible. Les autres tumeurs peuvent être histologiquement bénignes, mais se situent à des endroits où il est impossible de les extraire complètement. Bien que les tumeurs cérébrales soient plus fréquentes chez les adultes d'âge moyen, elles peuvent survenir à tout âge.

À moins qu'elles ne soient traitées, les tumeurs intracrâniennes entraînent éventuellement la mort, car le volume de la tumeur augmente et cela entraîne une augmentation de la PIC. Les tumeurs cérébrales forment rarement des métastases à l'extérieur du système nerveux central (SNC), car elles sont retenues par les barrières structurelles (méninges) et les barrières physiologiques (hémato-encéphalique). Le tableau 53.6 énumère les principales tumeurs intracrâniennes. Un astrocytome est illustré à la figure 53.14.

53.5.2 Manifestations cliniques

Les manifestations cliniques des tumeurs intracrâniennes sont généralement causées par les effets destructeurs locaux de la tumeur, l'accumulation de métabolites qui en résulte, le déplacement des structures, l'obstruction du débit du LCR et les effets de l'œdème et de

TABLEAU 53.6	Principales tumeurs intracrâniennes			
Tumeur	Tissu d'origine	% de tumeurs cérébrales	Foyer courant	Maligne ou bénigne
Gliomes				
Astrocytome	Tissus de soutien, cellules gliales et astrocytes	20	Substance blanche du lobe frontal et temporal chez l'adulte, lobes latéraux des hémisphères cérébraux chez l'enfant.	Tumeur moyennement maligne, grade I et II.
Glioblastome multiforme	Cellule souche (glioblaste)	20	Hémisphères cérébraux.	Tumeur très maligne et infiltrante, grade III et IV.
Oligodendrogliome	Cellules gliales et dendrites	2	Hémisphères cérébraux, la majorité au lobe frontal, certains dans les noyaux gris centraux et le cervelet.	Tumeur bénigne (encapsulation et calcification).
Épendymome	Épithélium épendymaire	1	Ventricules latéraux et IVᵉ ventricule chez l'enfant et chez le jeune adulte (en général).	Tumeur bénigne à très maligne, la plupart sont bénignes et encapsulées.
Médulloblastome	Tissus de soutien	1	Fosse postérieure, IVᵉ ventricule, tronc cérébral chez l'enfant.	Tumeur très maligne et infiltrante, métastases à la moelle épinière et aux régions éloignées du cerveau.
Méningiome	Cellules endothéliales, tissus fibreux, cellules transitionnelles, angioblastes	20	Villosités arachnoïdiennes, dure-mère, la moitié sur la convexité de l'hémisphère et la moitié à la base de l'hémisphère.	Tumeur bénigne, encapsulation à l'extérieur du cerveau.
Neurome acoustique (neurofibrome)	Gaine du nerf auditif	5	Entre la protubérance et le cervelet.	Tumeur bénigne ou faible degré de malignité, encapsulation.
Adénome hypophysaire	Hypophyse antérieure	10	Hypophyse.	Tumeur généralement bénigne.
Tumeurs vasculaires Hémangioblastome Malformation artério-veineuse	Envahissement vasculaire artériel et veineux	3	Cortex pariétal près des vaisseaux cérébraux moyens.	Tumeur bénigne.
Métastases	Poumons, seins, reins, thyroïde, prostate	8	Cortex cérébral, diencéphale.	Tumeur maligne.

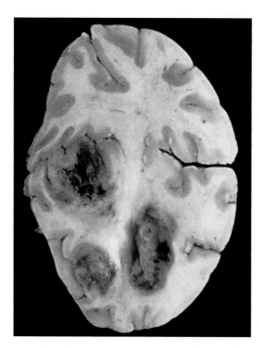

FIGURE 53.14 Astrocytome

l'augmentation de la PIC sur la fonction cérébrale. La vitesse de croissance et l'apparence des manifestations dépendent de la localisation, de la taille et de l'index mitotique des cellules du tissu d'origine. La figure 53.15 illustre les régions fonctionnelles du cortex cérébral et peut être utilisée comme guide pour mettre en corrélation les manifestations cliniques et la localisation de la tumeur.

Un large éventail de manifestations cliniques possibles est associé aux tumeurs cérébrales, la caractéristique principale étant la manifestation progressive des symptômes cliniques. Dans certains cas, le premier symptôme à apparaître peut être une légère diminution de l'acuité mentale. Si celle-ci n'est pas traitée, les

symptômes continuent d'évoluer jusqu'à la détérioration mentale ou jusqu'à un événement dramatique comme une convulsion. À mesure que la tumeur cérébrale prend de l'expansion, elle peut entraîner une augmentation de la PIC en raison de l'augmentation du volume de la tumeur, d'un œdème cérébral et de l'obstruction des voies de LCR. Finalement, les manifestations peuvent indiquer clairement la localisation de la tumeur par une altération de la fonction contrôlée par la région affectée (voir tableau 53.7).

53.5.3 Complications

Une dilatation ventriculaire (hydrocéphalie) peut survenir si la masse de la tumeur obstrue les ventricules ou la sortie. Un traitement chirurgical est alors nécessaire pour soulager la pression et requiert la mise en place d'une ventriculo-astriotomie ou d'une ventriculo-péritonéostomie. Un cathéter muni de valves antireflux est inséré dans le ventricule latéral et traverse la peau pour drainer le LCR dans l'oreillette droite ou dans le péritoine. Une décompression rapide de la PIC peut provoquer une prostration ou des céphalées qui peuvent être évitées en replaçant graduellement le client en position debout. Le client doit être informé d'éviter tout sport de contact pouvant entraîner un coup sur la valve ou couper le cathéter. Le médecin doit être avisé si des signes d'augmentation de la PIC se manifestent, comme une diminution du niveau de conscience, une instabilité psychomotrice, des céphalées, une vision trouble ou des vomissements sans nausée. Tout signe qui semble indiquer que la dérivation est infectée, comme la fièvre, les céphalées continues et les torticolis, doit être examiné en profondeur.

53.5.4 Épreuves diagnostiques

Une collecte détaillée des antécédents de santé et un examen neurologique en profondeur doivent être effectués lors du bilan du client chez qui on soupçonne une tumeur cérébrale. Les antécédents de santé et l'examen physique minutieux peuvent fournir des données concernant la localisation de la tumeur. Les épreuves diagnostiques sont comparables à celles utilisées chez le client souffrant d'une augmentation de la PIC (voir encadré 53.4). Grâce à la sensibilité de l'IRM, il est possible de détecter de très petites tumeurs. Les autres épreuves diagnostiques comprennent la TDM, la craniographie, l'angiographie cérébrale, l'EEG, la gammaencéphalographie, la TEP, la ponction lombaire et le myélogramme. La TDM et la gammaencéphalographie sont utilisées pour diagnostiquer la localisation de la lésion. De outils diagnostiques, comme la TEP et l'IRM, fournissent des renseignements plus fiables concernant le diagnostic. L'EEG est pratique, mais moins

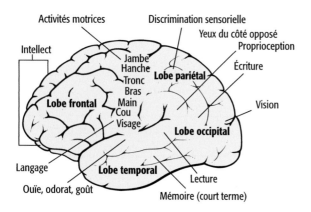

FIGURE 53.15 Chaque région du cerveau contrôle une activité précise.

TABLEAU 53.7 Foyer de la tumeur et des symptômes révélateurs associés

Foyer de la tumeur	Symptômes révélateurs
Hémisphère cérébral	
Lobe frontal (unilatéral)	Hémiplégie unilatérale ; convulsions ; défaut de mémoire ; changements de personnalité et de jugement ; trouble de la vue.
Lobe frontal (bilatéral)	Symptômes associés aux tumeurs du lobe frontal unilatéral ; démarche ataxique.
Lobe pariétal	Troubles du langage (si la tumeur est dans l'hémisphère dominant, incapacité à écrire, troubles de l'organisation spatiale ; héminégligence).
Lobe occipital	Cécité et convulsions.
Lobe temporal	Peu de symptômes ; convulsions, dysphagie
Sous-corticale	Hémiplégie ; autres symptômes peuvent dépendre du site d'infiltration.
Tumeurs méningées	Symptômes sont associés à la compression du cerveau et dépendent de la localisation de la tumeur.
Métastases	Céphalées, nausées ou vomissements en raison de la PIC ; les autres symptômes dépendent du foyer de la tumeur.
Tumeurs du thalamus et de la région sellaire	Céphalées, nausées, troubles de la vue, œdème papillaire, un nystagmus survient en raison d'une augmentation de la PIC ; risque de diabète insipide.
Tumeurs du IVe ventricule et cérébrales	Céphalées, nausées, œdème papillaire en raison de l'augmentation de la PIC, démarche ataxique et changements au niveau de la coordination.
Tumeurs de l'angle ponto-cérébelleux	Acouphène et vertige, cécité.
Tumeurs du tronc cérébral	Céphalée au lever, somnolence, vomissements, démarche ataxique, faiblesse des muscles faciaux, perte auditive, dysphagie, dysarthrie, strabisme convergent ou autres changements de la vue, hémiparésie.
Tumeurs médullaires	Dépend des nerfs qui sont impliqués. Nerf cervical : douleur, faiblesse musculaire ou amyotrophie aux bras, au dos, au cou ou aux jambes. Nerfs thoraciques : douleur accentuée lors de respirations profondes et de toux, risque de difficulté à maîtriser la miction et la défécation selon le foyer de la tumeur.

important. La ponction lombaire peut rarement fournir un diagnostic et comporte des risques d'engagement cérébral. L'angiographie peut être utilisée pour déterminer le débit sanguin vers la tumeur et pour localiser ensuite la tumeur. D'autres épreuves sont effectuées afin d'écarter toute lésion primaire ailleurs dans l'organisme. Les épreuves endocriniennes s'avèrent utiles lorsqu'un adénome hypophysaire est soupçonné (voir chapitre 41).

53.5.5 Processus thérapeutique

Le traitement vise à : 1) déterminer le type de la tumeur et à la localiser ; 2) enlever ou diminuer la masse tumorale ; 3) prévenir ou traiter l'augmentation de la PIC.

Traitement chirurgical. L'ablation est le traitement de choix en présence de tumeurs cérébrales (voir section Chirurgie crânienne dans le présent chapitre). La chirurgie stéréotaxique est effectuée plus fréquemment que la biopsie et elle permet l'ablation des petites tumeurs cérébrales. Cependant, le résultat du traitement chirurgical dépend du type, de la taille et de la localisation de la tumeur. L'ablation totale des méningiomes et des oligodendrogliomes est généralement possible alors que dans les cas de gliomes plus infiltrants, l'ablation ne peut être que partielle. La chirurgie permet de réduire la masse tumorale, ce qui diminue la PIC et soulage les symptômes en plus d'allonger la durée de vie. Les tumeurs situées dans les régions profondes de l'hémisphère dominant, du corps calleux postérieur ou de la partie supérieure du tronc cérébral provoquent des lésions neurologiques graves et sont considérées comme inopérables.

Radiothérapie et chimiothérapie. La radiothérapie prolonge la durée de vie du client atteint de gliomes malins, en particulier lorsqu'elle est combinée à une ablation partielle. Les clients atteints de tumeurs moins malignes réagissent à la radiothérapie en survivant plus longtemps et en ayant moins de chance de récurrence. Bien qu'un œdème cérébral accompagné d'une augmentation rapide de la PIC puisse refléter une complication possible de la radiothérapie, cet état peut être traité au moyen de doses massives de corticostéroïdes (dexaméthasone [Decadron], méthylprednisolone [Solu-Medrol]).

Normalement, la barrière hémato-encéphalique empêche la plupart des médicaments de pénétrer dans le parenchyme cérébral. Étant donné que les tumeurs malignes graves entraînent une détérioration de la barrière hémato-encéphalique dans la région de la tumeur, les agents chimiothérapeutiques peuvent être utilisés pour traiter la tumeur maligne. Un groupe de produits chimiothérapeutiques, appelé nitroso-urée (p. ex. carmustine [BiCNU], lomustine [CeeNU]), sont particulièrement efficaces pour traiter les tumeurs cérébrales. Les autres médicaments utilisés comprennent le méthotrexate et la procarbazine (Natulan). Il existe deux méthodes pour administrer des produits chimiothérapeutiques directement au SNC, soit par le réservoir d'Ommaya, soit par administration intrathécale. Les tumeurs cérébrales qui sont impossibles à extraire totalement peuvent être traitées avec une combinaison de corticostéroïdes, de chirurgie, de radiothérapie ou de chimiothérapie (voir chapitre 9).

Diverses techniques visant à contrôler et à traiter les tumeurs cérébrales sont actuellement à l'étude et comprennent la curiepuncture dans le lit tumoral, l'hyperthermie locale et les traitements biologiques. Bien que les progrès réalisés au niveau du traitement aient permis de prolonger la survie et d'améliorer la qualité de vie des clients atteints de gliomes, le pronostic demeure sombre.

53.5.6 Soins infirmiers : tumeur intracrânienne

Collecte de données. Les données subjectives et objectives du client atteint d'une tumeur cérébrale comprennent les données recueillies par l'infirmière chez le client inconscient. En plus des données de l'évaluation neurologique énumérées dans la figure 53.2, l'évaluation initiale doit être structurée de manière à obtenir des données de base de l'état neurologique et l'information nécessaire en vue d'élaborer un plan de soins réaliste et personnalisé. Les éléments à évaluer comprennent le niveau de conscience et son contenu, les capacités motrices, la perception sensorielle, les fonctions organiques (y compris la fonction intestinale et urinaire), l'équilibre et la proprioceptivité ainsi que les capacités d'adaptation du client et de la famille. Une façon pratique d'effectuer l'évaluation neurologique consiste à observer le client lors d'activités de la vie quotidienne et à écouter ses conversations. Le fait de demander au client ou à sa famille de décrire le problème peut être utile pour déterminer les limites du client et peut également renseigner l'infirmière sur la manière dont le client considère le problème. Toutes les données initiales doivent être consignées avec précision pour obtenir une base de comparaison afin de déterminer l'amélioration ou la détérioration de l'état du client.

Les données recueillies lors de la cueillette des antécédents de santé sont aussi importantes que celles de l'examen physique. Il est important de poser des questions concernant les antécédents médicaux, les capacités intellectuelles et le niveau d'instruction, ainsi que celles concernant les antécédents d'infection du système nerveux et de traumatisme. Le fait de déterminer s'il y a des manifestations de convulsions, de syncopes, de nausées ou de vomissements, de douleurs et de céphalées ou toute autre douleur est un aspect important dans la planification des soins du client.

Diagnostics infirmiers. Les diagnostics infirmiers pour le client atteint d'une tumeur cérébrale comprennent, entre autres, les suivants :

- irrigation tissulaire cérébrale inefficace reliée à un œdème cérébral ;
- douleur (céphalée) reliée à un œdème cérébral et à l'augmentation de la PIC ;
- déficits des soins d'hygiène reliés à une altération de la fonction neuromusculaire secondaire à une croissance tumorale et à un œdème cérébral ;
- anxiété reliée au diagnostic et au traitement ;
- problèmes traités en collaboration ;
- convulsions reliées à une activité électrique cérébrale anormale ;
- augmentation de la PIC reliée à la présence d'une tumeur et à une insuffisance des mécanismes compensateurs normaux.

Planification. Les résultats escomptés chez le client atteint d'une tumeur cérébrale sont les suivants : 1) maintenir une PIC normale ; 2) maximiser le fonctionnement neurologique ; 3) ne plus éprouver de douleur ni de malaise ; 4) être conscient des répercussions à long terme relativement au pronostic et au fonctionnement cognitif et physique.

Exécution. Une tumeur primaire ou métastatique du lobe frontal peut entraîner des changements au niveau du comportement et de la personnalité. La perte de contrôle sur le plan affectif, la confusion, la désorientation, la perte de mémoire et la dépression peuvent être des signes d'une lésion au lobe frontal. Il arrive souvent que ces changements ne soient pas perçus par le client, mais que les membres de la famille les trouvent perturbateurs et angoissants. Ces changements peuvent même amener la famille à se distancer du client. Aider les membres de la famille à comprendre ce qui arrive au client et les soutenir sont des interventions infirmières importantes.

Le client souffrant de confusion et d'instabilité comportementale peut rendre les soins infirmiers à prodiguer très difficiles. L'infirmière doit d'abord s'attarder à protéger le client contre toute automutilation. Il peut arriver que l'infirmière craigne pour sa propre sécurité lorsque le client manifeste de la rage et de l'agressivité. Les interventions essentielles utilisées pour prendre soin de ces clients consistent à surveiller leurs activités étroitement, à monter les ridelles du lit, à utiliser judicieusement les moyens de contention, à placer des coussinets sur les ridelles et à des endroits stratégiques autour du lit, à faire preuve de calme et à rassurer le client.

Les troubles de perception associés aux lobes frontal et pariétal contribuent à la désorientation et à la confusion du client. Il est donc important de minimiser les stimuli provenant du milieu environnant, d'établir une routine et d'intégrer des exercices de perception de la réalité dans le plan de soins du client confus.

Les convulsions sont fréquentes en présence d'une tumeur cérébrale et elles peuvent être contrôlées par la prise d'anticonvulsivants. Des précautions doivent être prises pour protéger le client lors de convulsions. Certaines modifications comportementales observées chez le client atteint d'une tumeur cérébrale sont causées par des troubles épileptiques et il est possible d'atténuer les convulsions par la médication (voir chapitre 55).

Les déficits moteurs et sensoriels sont des troubles qui nuisent aux activités de la vie quotidienne. L'altération de la mobilité physique doit être traitée et le client doit être incité à accomplir ses soins d'hygiène autant que possible. L'image de soi dépend souvent de la capacité du client à participer aux soins selon les limites imposées par la déficience physique.

Des troubles du langage peuvent également survenir chez les clients souffrant d'une tumeur cérébrale. L'aphasie motrice (expressive) ou l'aphasie sensorielle (réceptive) peut se manifester. Les troubles de la parole peuvent être frustrants pour le client, car l'infirmière peut avoir de la difficulté à comprendre ses besoins. Des efforts doivent être faits pour établir un système de communication pouvant être utilisé à la fois par le client, par le personnel et par la famille.

Il est possible que l'apport nutritionnel diminue en raison de l'incapacité du client à manger, de la perte d'appétit et de la perte de l'envie de manger. L'évaluation de l'état nutritionnel du client et le fait de s'assurer qu'il a un apport nutritionnel adéquat sont des aspects importants des soins. Le client peut avoir besoin d'encouragement pour manger ou, dans certains cas, peut devoir être alimenté par voie orale ou parentérale, par une sonde de gastrostomie ou nasogastrique ou par alimentation parentérale totale. Le client atteint d'une tumeur cérébrale et ayant subi une chirurgie crânienne nécessite des soins infirmiers complexes. La section suivante traite de ce sujet.

53.6 CHIRURGIE CRÂNIENNE

La cause ou l'indication pour une chirurgie crânienne peut être reliée à une tumeur cérébrale, à une infection du SNC (p. ex. abcès), à des anomalies vasculaires, à un traumatisme cranio-cérébral, à l'épilepsie et à une douleur rebelle (voir tableau 53.8).

53.6.1 Intervention chirurgicale

Les divers types de chirurgie crânienne sont présentés dans le tableau 53.9.

Chirurgie stéréotactique. Une chirurgie stéréotactique est une chirurgie d'une région précise du cerveau. Cette région est préalablement définie par ses coordonnées dans les trois plans de l'espace au moyen de l'imagerie (généralement TDM et IRM). Ces coordonnées indiquent l'endroit où la biopsie, la radiochirurgie ou la dissection doit être effectuée. Il s'agit d'une intervention couramment utilisée au moment du bilan diagnostique initial. Par exemple, une biopsie stéréotactique peut être effectuée pour prélever des échantillons de tissu dans le but de procéder à un examen histologique. La TDM et l'IRM permettent de déterminer précisément les sites pour le prélèvement d'un échantillon de la tumeur. Comme le client est sous anesthésie générale ou locale, le chirurgien perce un trou de Trépan ou crée un volet osseux afin de créer un orifice dans lequel il introduit une sonde et une aiguille à biopsie. Cette intervention est de plus en plus utilisée pour procéder à l'ablation d'une petite tumeur cérébrale ou d'abcès, au drainage des hématomes, à l'ablation des affections extrapyramidales (p. ex. maladie de Parkinson) et à la réparation de malformations artérioveineuses. Le principal avantage de la chirurgie stéréotactique est qu'elle permet de réduire les lésions aux tissus avoisinants.

La **radiochirurgie stéréotactique** est une chirurgie qui permet de détruire une lésion cérébrale en utilisant une radiation ionisante à l'aide d'un dispositif de guidage. Les trois techniques de radiochirurgie peuvent être pratiquées par protonthérapie, par accélérateur linéaire et au scalpel gamma. Lors de la radiochirurgie au scalpel gamma, une seule dose massive de cobalt est administrée pour détruire le tissu cible.

On peut recourir au laser chirurgical pour détruire les tumeurs en association avec une intervention stéréotatique conçue pour déterminer ou localiser l'emplacement de la tumeur. Trois lasers chirurgicaux sont actuellement utilisés : le laser à CO_2, le laser argon et le laser Nd-YAG (laser au grenat d'yttrium et d'aluminium dopé au néodyme). Ces trois lasers produisent une énergie thermale qui détruit le tissu vers lequel il est pointé. La lasérothérapie réduit également les lésions aux tissus avoisinants.

Craniotomie. Selon l'emplacement de l'affection pathologique, la craniotomie peut être frontale, pariétale, occipitale, temporale ou encore une combinaison de ces

TABLEAU 53.8   Indications pour la chirurgie crânienne

Indication	Cause	Manifestations	Intervention
Infection intracrânienne	Bactérie.	Observations précoces : torticolis, céphalées, fièvre, faiblesse, convulsions ; observations tardives : convulsions, hémiplégie, trouble du langage, troubles de la vue, changement dans le niveau de conscience.	Excision ou drainage de l'abcès.
Hydrocéphalie	Surproduction de LCR, obstruction du débit, réabsorption déficiente.	Observations précoces : changements mentaux, troubles de la démarche ; observations tardives : affaiblissement de la mémoire, incontinence urinaire, augmentation des réflexes tendineux.	Ventriculo-astriotomie ou ventriculo-péritonéostomie.
Tumeurs intracrâniennes	Croissance cellulaire bénigne ou maligne.	Changement dans le niveau de conscience, changement au niveau des pupilles, déficience sensorielle ou motrice, œdème papillaire, convulsions, changements de personnalité.	Excision ou résection partielle de la tumeur.
Saignement intracrânien	Rupture de vaisseaux cérébraux en raison d'un traumatisme ou d'un accident cardiovasculaire.	Épidural : inconscience momentanée ; période de lucidité, suivie d'une détérioration rapide ; sous-durale : céphalées, convulsions ; changement au niveau des pupilles.	Évacuation chirurgicale par les trous de Trépan ou par craniotomie.
Fractures du crâne	Traumatisme crânien.	Céphalées, écoulement de LCR, déficience du nerf crânien.	Débridement de fragments et de tissus nécrotiques, élévation et réalignement des fragments osseux.
Malformation artério-veineuse	Agglomération congénitale d'artères et de veines (souvent dans l'artère cérébrale moyenne).	Céphalées, hémorragie intracrânienne, convulsions, détérioration mentale.	Excision de la malformation.
Réparation d'un anévrisme	Dilatation de la région faible dans la paroi artérielle (généralement près de la partie antérieure de l'hexagone de Willis).	Avant la rupture : céphalée, léthargie, trouble de la vue ; après la rupture : céphalées violentes, diminution du niveau de conscience, troubles de la vue, déficience motrice.	Dissection et fissuration de l'anévrisme.

techniques. Une série de trous de Trépan sont percés et une scie est utilisée pour relier les trous afin de retirer le volet osseux. Des microscopes chirurgicaux servent par la suite à agrandir le site. Après la chirurgie, le volet osseux est soit ligaturé, soit suturé. Des drains sont parfois mis en place pour évacuer le liquide et le sang. Le client est habituellement soigné aux soins intensifs jusqu'à ce que son état se soit stabilisé.

53.6.2 Soins infirmiers : chirurgie crânienne

Collecte de données. Les données à recueillir auprès du client devant subir une chirurgie crânienne sont semblables à celles recueillies auprès du client souffrant

d'une augmentation de la PIC (voir section Soins infirmiers : augmentation de la PIC) ou atteint d'une tumeur intracrânienne (voir Section Soins infirmiers : tumeur intracrânienne).

Diagnostics infirmiers. Les diagnostics infirmiers reliés au client ayant subi une chirurgie crânienne comprennent, entre autres, ceux présentés dans l'encadré 53.9.

Planification. Les résultats escomptés chez le client ayant subi une chirurgie crânienne sont les suivants : 1) retrouver un état de conscience normal ; 2) ne plus éprouver de douleur ni de malaise ; 3) maximiser le fonctionnement neurologique ; 4) retrouver toutes ses capacités.

TABLEAU 53.9	Types de chirurgie crânienne
Type	**Description**
Trou de Trépan	Ouverture pratiquée dans le crâne à l'aide d'un foret; utilisé pour permettre l'évacuation du liquide et du sang qui se trouvent sous la dure-mère.
Craniotomie	Ouverture pratiquée dans le crâne pour retirer un volet osseux et pour ouvrir la dure-mère afin d'extraire une lésion, de réparer une région endommagée, de drainer du sang ou de réduire la PIC.
Craniectomie	Excision pratiquée dans le crâne pour retirer un volet osseux.
Cranioplastie	Réfection d'une brèche osseuse à la suite d'un traumatisme, d'une malformation ou d'une intervention chirurgicale antérieure; des matières synthétiques sont utilisées pour remplacer l'os endommagé ou manquant.
Stéréotaxie	Repérage extrêmement rigoureux d'une région précise du cerveau préalablement définie par ses coordonnées dans les trois plans de l'espace en utilisant un système avec ou sans cadre; intervention utilisée pour une biopsie, une radiochirurgie ou une dissection.
Dérivation	Technique chirurgicale permettant l'évacuation du liquide céphalo-rachidien d'une région à une autre au moyen d'un tube ou d'une prothèse; la ventriculo-péritonéostomie et le réservoir d'Ommaya en sont des exemples.

Exécution

Intervention en phase aiguë. Peu importe la cause de la chirurgie, les soins infirmiers préopératoires et postopératoires généraux à l'égard du client subissant une chirurgie crânienne sont semblables. Ces soins sont présentés dans l'encadré 53.9. Le client (s'il est conscient et cohérent) et sa famille seront grandement préoccupés par les problèmes physiques et émotionnels pouvant survenir à la suite de la chirurgie. L'infirmière doit faire preuve de compassion lorsqu'elle prodigue les soins en phase préopératoire, car le pronostic et les résultats sont encore incertains.

L'enseignement préopératoire est important afin que le client et sa famille puissent vaincre leurs peurs et qu'ils soient préparés à la phase postopératoire. L'infirmière doit leur expliquer les grandes lignes de la chirurgie qui sera effectuée et ce qui se passera immédiatement après la chirurgie. Par exemple, le client sera beaucoup moins préoccupé si on lui explique que ses cheveux seront rasés afin d'améliorer la visibilité du crâne et de prévenir l'infection. Le crâne est généralement rasé à la salle d'opération après avoir induit l'anesthésie. La famille doit également être avisée que le client sera transféré à l'unité de soins intensifs ou à une unité de soins spéciaux après la chirurgie.

Le principal objectif des soins après la chirurgie crânienne est de prévenir l'augmentation de la PIC. Le fait de tourner le client et de le changer de position dépend parfois du champ opératoire. Le client est habituellement placé à plat sur le lit ou avec la tête légèrement relevée (de 10° à 15°) lorsque l'intervention chirurgicale est pratiquée dans la fosse postérieure. On évite autant que possible de coucher le client sur le dos et de plier le cou afin de protéger la ligne de suture. La tuméfaction maximale au niveau de la région opérée survient dans les 24 à 48 heures suivant la chirurgie.

À la suite d'une incision pratiquée sur le crâne au niveau de la fosse cérébrale antérieure ou moyenne, la tête du client doit demeurer élevée dans un angle de 30° à 45°. Lorsqu'un volet osseux a été retiré (craniotomie), l'infirmière doit prendre soin de ne pas positionner le client du côté opéré.

L'infirmière doit examiner le pansement pour déterminer la couleur, l'odeur et la quantité de l'écoulement. Le médecin doit être avisé immédiatement s'il y a présence de saignement ou d'écoulement clair abondant. Il est également important de vérifier la manière dont les drains sont placés et d'examiner la région autour du pansement.

Il est important d'évaluer fréquemment l'état neurologique du client pendant les premières 48 heures. De plus, l'équilibre hydro-électrolytique et le niveau d'osmolalité doivent être attentivement surveillés afin de déceler tout changement au niveau de la régulation du sodium, de l'apparition du diabète insipide ou d'une hypovolémie grave.

Les pansements doivent habituellement demeurer en place pendant trois à cinq jours. Les soins au cuir chevelu comprennent le nettoyage méticuleux de l'incision pour prévenir une infection de la plaie. La région doit être nettoyée à l'aide de povidone-iode (Betadine) ou de l'antiseptique recommandé par l'établissement de santé. Un onguent antibiotique peut ensuite être appliqué selon la procédure habituelle de l'hôpital. Une fois le pansement retiré, un savon antiseptique peut s'avérer bénéfique pour nettoyer le cuir chevelu. Les répercussions psychologiques de la calvitie peuvent être

→ **Plan de soins infirmiers**

Client ayant subi une chirurgie crânienne

DIAGNOSTIC INFIRMIER : échanges gazeux perturbés reliés à la diminution du niveau de conscience et à l'immobilité se manifestant par l'instabilité psychomotrice, l'irritabilité et la gazométrie du sang artériel (GSA) anormale.

PLANIFICATION
Résultats escomptés
- Maintenir les voies respiratoires libres.
- Obtenir des résultats de GSA normaux.
- N'observer aucune détresse respiratoire.

INTERVENTIONS	Justifications
• Évaluer tous les paramètres respiratoires q2h pendant 72 h, puis q4h-q8h.	• Établir une base de référence pour déterminer si des troubles respiratoires surviennent.
• Prélever et évaluer la GSA régulièrement.	• Guider l'oxygénothérapie et évaluer la réaction au traitement.
• Administrer de l'oxygène à l'aide d'une canule ou d'une lunette nasale, ou d'un ventilateur mécanique jusqu'à ce que la GSA soit stable pendant au moins 24 à 72 h.	• Maintenir une oxygénation cérébrale stable.
• Encourager le client à tousser et à se tourner doucement et le placer sur le côté, la tête légèrement en hyperextension si le niveau de conscience est diminué.	• Améliorer la ventilation, prévenir l'atélectasie ainsi que le risque d'aspiration des sécrétions ou l'obstruction des voies respiratoires.
• Aspirer doucement et pendant moins de 10 à 15 secondes seulement au besoin.	• Minimiser le risque d'hypoxémie et prévenir l'augmentation de la PIC.
• Hyperoxygéner avant et après avoir toussé ou aspiré.	• Prévenir le risque d'hypoxie qui nuit à l'irrigation cérébrale.
• Vérifier les signes de distension gastrique, insérer une sonde nasogastrique (au besoin) et en maintenir la perméabilité.	• Réduire la pression sur le diaphragme et le risque d'aspiration.
• Signaler toute altération dans le mode de respiration, comme l'apnée ou une ventilation irrégulière et rapide.	• Assurer une intervention médicale immédiate.
• Être prêt pour le besoin éventuel d'une intubation.	• Afin que la ventilation mécanique puisse être entreprise rapidement si l'état se détériore.

DIAGNOSTIC INFIRMIER : douleur reliée à une craniotomie, au positionnement et à des stimuli provenant de l'environnement se manifestant par le signalement de céphalées, le fait de se tenir la tête ou l'expression de la douleur.

PLANIFICATION
Résultats escomptés
- Diminuer les plaintes de douleur.
- Soulager de façon satisfaisante la douleur.

INTERVENTIONS	Justifications
• Examiner le foyer, le type, la durée, le degré et la gravité de la douleur.	• Évaluer si le client a besoin d'un traitement ou sa réaction au traitement.
• Administrer les analgésiques prescrits.	• Réduire la douleur.
• Évaluer les effets.	• Déterminer l'efficacité du traitement.
• Positionner le client le mieux possible.	• Soulager l'inconfort causé par la position en raison de la localisation de l'incision.
• Maintenir le milieu silencieux, obscurcir la chambre et appliquer une compresse froide sur les yeux du client.	• Favoriser le confort en réduisant les stimuli provenant de l'environnement.

DIAGNOSTIC INFIRMIER : déficit nutritionnel relié à l'incapacité de s'alimenter, à la difficulté à avaler et à la diminution du niveau de conscience se manifestant par un poids corporel égal ou inférieur à 20 % du poids idéal, une faiblesse musculaire et un faible taux de protéines sériques.

PLANIFICATION
Résultats escomptés
- Maintenir le poids.
- Obtenir des taux normaux de protéines sériques et d'albumine.

Plan de soins infirmiers

Client ayant subi une chirurgie crânienne *(suite)*

INTERVENTIONS	Justifications
• Évaluer la capacité du client à déglutir.	• La voie d'alimentation est déterminée par la capacité à déglutir.
• Administrer de petits repas fréquents riches en protéines et en calories selon la tolérance du client.	• Prévenir un bilan azoté négatif et une perte de poids excessive et pour éviter une pression sur le diaphragme et une sensation de ballonnement.
• Nourrir le client au besoin.	• S'assurer que l'apport nutritionnel est adéquat si le client est incapable de s'alimenter seul.
• Si le client est incapable de manger, utiliser une alimentation entérale ou une alimentation parentérale totale, telle qu'elle est prescrite.	• Assurer un apport adéquat de liquides, d'électrolytes, de calories et de protéines jusqu'à ce que le client puisse s'alimenter.

DIAGNOSTIC INFIRMIER : image corporelle perturbée reliée à l'apparence physique après une chirurgie se manifestant par un refus de se regarder ou de participer aux autosoins, des pleurs ou de la colère concernant son apparence, un retrait social.

PLANIFICATION
Résultats escomptés
- Acceptation temporaire de l'apparence naturelle.
- Maintien des activités normales.

INTERVENTIONS	Justifications
• Encourager le client à exprimer ses sentiments au sujet de son apparence.	• Lui permettre de reconnaître ses sentiments et de commencer à les accepter.
• Expliquer la vitesse à laquelle les cheveux repoussent, soit de 13 à 19 mm/mois.	• Que le client ait des attentes réalistes.
• Fournir des renseignements concernant les perruques ou les postiches.	• Que le client connaisse quelles sont ses choix.
• Encourager le port du foulard chez la femme et du chapeau chez l'homme.	• Améliorer l'apparence, augmenter l'estime de soi ainsi que minimiser l'embarras.
• Rassurer le client quant à sa confiance en lui.	• Augmenter son estime de soi et sa capacité d'adaptation.

DIAGNOSTIC INFIRMIER : troubles de la perception sensorielle reliés à un changement dans l'acuité sensorielle, la transmission ou l'intégration secondaire à une neurochirurgie se manifestant par une désorientation possible, une altération de la vue, de l'ouïe, du goût ou de l'odorat, une diminution du niveau de conscience.

PLANIFICATION
Résultat escompté
- Maintien du plus haut niveau d'interaction possible avec le milieu.

INTERVENTIONS	Justifications
• Évaluer la capacité du client à parler, à voir, à entendre, à goûter et à sentir.	• Permettre une planification appropriée des soins.
• Orienter le client dans le milieu environnant : décrire le milieu lorsque la vue est déficiente.	• Augmenter la perception et diminuer l'anxiété et le risque de blessure.
• Éliminer les bruits parasites.	• Réduire l'anxiété et la confusion causées par une surcharge sensorielle.
• Stimuler tous les sens.	• Aider à conserver la chaîne sensorielle et à intégrer la réception et l'interprétation des stimuli.

DIAGNOSTIC INFIRMIER : déficit de soins personnels relié à une diminution du niveau de conscience, une faiblesse ou à un état postopératoire se manifestant par l'incapacité ou le refus d'effectuer les activités de la vie quotidienne.

PLANIFICATION
Résultat escompté
- Satisfaire tous les besoins d'autosoins.

Plan de soins infirmiers

Client ayant subi une chirurgie crânienne *(suite)*

INTERVENTIONS	Justifications
• Évaluer la capacité du client à effectuer ses autosoins.	• Déterminer le niveau de soins nécessaire et planifier les interventions appropriées.
• Assurer les besoins d'autosoins du client, y compris les soins d'hygiène et de la peau et l'alimentation par sonde ou l'alimentation parentérale totale.	• S'assurer de satisfaire tous les besoins de la vie quotidienne.
• Tourner le client au moins q2h.	• Favoriser une bonne circulation et une bonne ventilation et pour prévenir la rupture de l'épiderme.
• Maintenir la perméabilité de la sonde à demeure.	• Faciliter la vidange de la vessie.
• Évaluer si le client a besoin d'un lavement ou d'un suppositoire.	• Favoriser l'élimination intestinale.
• Maintenir une amplitude articulaire de toutes les articulations.	• Prévenir les contractures.
• Prodiguer les soins bucco-dentaires q2h.	• Prévenir les stomatites et favoriser le confort.
• Maintenir les yeux du client fermés ou utiliser des larmes artificielles si le client est inconscient ou incapable de cligner des yeux.	• Prévenir les lésions cornéennes.

Processus thérapeutique

COMPLICATION POSSIBLE : augmentation de la PIC reliée à un œdème cérébral.

PLANIFICATION
Objectifs
- Surveiller les signes d'augmentation de la PIC.
- Signaler les écarts quant aux paramètres acceptables.
- Effectuer les interventions médicales et infirmières appropriées.

INTERVENTIONS	Justifications
• Vérifier tout signe d'augmentation de la PIC (p. ex. altération du niveau de conscience, céphalées, pupilles asymétriques, diminution de la fréquence respiratoire et du pouls, pression systolique élevée et élargissement de la pression différentielle, inflammation autour du site opératoire, élévation d'un volet osseux).	• Afin de les signaler immédiatement en vue de l'établissement d'un traitement.
• Évaluer la fonction neurologique dès que le client revient de la salle d'opération.	• Établir des paramètres de base.
• Signaler les variations importantes.	• Permettre une intervention rapide et prévenir les complications graves.
• Calibrer les appareils de surveillance de la PIC et les garder en bon état de marche.	• S'assurer de la fiabilité des lectures.
• Respecter les conditions d'asepsie aux points d'insertion.	• Prévenir les infections et l'augmentation subséquente de la PIC provoquées par l'exsudat.
• Administrer des diurétiques et des corticostéroïdes tels qu'ils ont été prescrits.	• Réduire l'œdème cérébral.
• Positionner le client avec la tête du lit surélevée à 30 degrés.	• Favoriser le drainage veineux de la tête afin de réduire l'œdème cérébral.
• Éviter les flexions du cou et des hanches.	• Prévenir l'obstruction veineuse et diminuer le risque d'augmentation de la pression intra-abdominale qui restreint le mouvement du diaphragme, le risque d'augmentation la $PaCO_2$ qui contribue à l'augmentation du DSC et qui, en bout de ligne, entraîne un œdème cérébral.
• Prévenir la constipation et l'effort à la défécation.	• Éviter une augmentation de la PIC causée par la manœuvre de Valsalva.
• Traiter la température élevée.	• Elle peut faire augmenter le métabolisme cérébral et entraîner une augmentation de la PIC.

Plan de soins infirmiers

Client ayant subi une chirurgie crânienne *(suite)*

COMPLICATION POSSIBLE : écoulement de LCR par le nez ou les oreilles relié à une incision chirurgicale.

PLANIFICATION

Objectifs
- Surveiller et signaler les signes d'écoulement de LCR.
- Effectuer les interventions médicales et infirmières appropriées.

INTERVENTIONS	Justifications
• Vérifier tout signe d'écoulement de liquide jaunâtre des oreilles et du nez.	• Indicateurs d'un écoulement de LCR qui augmente le risque d'infection.
• Vérifier la glycémie à partir de l'écoulement ou effectuer le test de l'anneau, aviser le médecin si le test est positif.	• Confirmer qu'il s'agit d'un écoulement de LCR.
• Prélever un échantillon de l'écoulement qui provient des oreilles ou du nez.	• Écarter la possibilité de la contamination de l'écoulement.
• Ne pas mettre d'ouate dans les oreilles ou le nez, utiliser des compresses de gaze stériles pour le confort (changer fréquemment).	• Permettre un écoulement libre jusqu'à ce que la lésion soit refermée.
• Vérifier l'élévation de la température, l'irritabilité, les céphalées ou la raideur de la nuque et les signaler immédiatement.	• Ils sont des indicateurs précieux de la méningite.
• Administrer des antibiotiques selon l'ordonnance.	• Traiter l'infection.

atténuées par le port d'une perruque, d'un turban ou d'une casquette une fois que l'incision est complètement refermée. L'usage d'un écran solaire et d'un chapeau doit être préconisé si le client recevant de la radiothérapie prévoit une exposition au soleil.

Soins ambulatoires et soins à domicile. Le potentiel de réadaptation d'un client après une chirurgie crânienne dépend du motif de la chirurgie, du cheminement postopératoire et de l'état de santé général du client. Les interventions infirmières doivent être fondées sur une évaluation réaliste de ces facteurs. L'objectif général des soins infirmiers est d'encourager l'autonomie maximale le plus longtemps possible.

Toutefois, il est impossible de déterminer le potentiel de réadaptation spécifique tant que l'œdème cérébral et l'augmentation de la PIC n'ont pas diminué. L'infirmière doit s'attarder à maintenir autant que possible les fonctions du client en employant des mesures telles qu'un bon positionnement, des soins méticuleux de la peau et de la bouche, des exercices d'amplitude articulaire, les soins de l'élimination intestinale et vésicale et une alimentation adéquate.

Le client peut également être adressé à d'autres spécialistes de l'équipe de soins. Par exemple, l'orthophoniste peut aider le client qui présente des troubles du langage. Les besoins et les problèmes de chaque client doivent être abordés individuellement en raison des nombreuses variables pouvant affecter le plan.

Le client et la famille acceptent souvent plus difficilement les déficiences résiduelles mentales et affectives que les pertes motrices ou sensorielles. Il est donc important que l'infirmière leur apporte de l'aide et du soutien pendant la phase d'adaptation et au moment de la planification à long terme.

La détérioration mentale et physique du client, comprenant les convulsions, la personnalité déviante, l'apathie et l'émaciation, est une période pénible pour la famille et les professionnels de la santé. Le pronostic demeure toujours sombre, même si des progrès scientifiques sont continuellement réalisés en vue d'aider le client atteint d'une tumeur cérébrale au moyen de la chimiothérapie, de la radiothérapie conventionnelle ou interstitielle et de traitements biologiques.

Évaluation. Les résultats escomptés chez le client souffrant d'une tumeur intracrânienne sont les suivants :
- retrouver un fonctionnement maximal sur les plans cognitif, moteur et sensoriel ;
- ne présenter aucune infection ;
- ne plus éprouver de douleur ni de malaise.

53.7 AFFECTIONS INFLAMMATOIRES DU CERVEAU

La méningite, l'encéphalite et les abcès de cerveau sont les affections inflammatoires du cerveau et de la moelle épinière les plus courantes. Une inflammation peut être causée par des bactéries, des virus, des champignons ou des produits chimiques (p. ex. un produit de contraste utilisé dans les épreuves diagnostiques ou du sang dans l'espace sous-arachnoïdien) (voir tableau 53.10). Cependant, il est possible que les infections du SNC proviennent de la circulation sanguine, par extension d'un site primaire, par extension le long des nerfs crâniens et des nerfs rachidiens ou in utero. Les infections bactériennes sont les plus fréquentes et les micro-organismes habituellement en cause sont *Streptococcus pneumoniæ*, *Hæmophilus influenzæ*, *Neisseria meningitides* et *Staphylococcus aureus*. Le taux de mortalité est élevé, et 50 % des survivants présentent des troubles neurologiques à long terme. La méningite bactérienne a le plus haut taux de mortalité et est considérée comme une urgence médicale.

53.7.1 Méningite

Étiologie et physiopathologie. La **méningite** est une inflammation aiguë de la pie-mère et de la membrane arachnoïdienne qui enveloppe le cerveau et la moelle épinière. Par conséquent, la méningite est toujours une infection céphalorachidienne. Bien que les microorganismes pénètrent habituellement dans le SNC par les voies respiratoires supérieures ou par la circulation sanguine, ils peuvent aussi pénétrer dans l'organisme par une plaie perforante au niveau du crâne ou par les sinus fracturés.

La méningite survient généralement en automne et en hiver, ou au début du printemps, et elle est souvent consécutive à une maladie respiratoire virale. Les enfants âgés de moins de six ans, les personnes âgées et les sujets affaiblis sont les plus touchés par cette affection. Environ 30 % des infections sont causées par le *Streptococcus pneumoniæ*.

La réaction inflammatoire à l'infection tend à hausser la production de LCR et à augmenter modérément la pression. Une méningite bactérienne produit une sécrétion purulente qui se propage rapidement aux autres régions du cerveau par le LCR. Lorsque ce processus parvient à atteindre le parenchyme cérébral, ou s'il y a présence d'une encéphalite concomitante, l'œdème cérébral et l'augmentation de la PIC peuvent poser un problème. Les clients souffrant de méningite doivent être surveillés attentivement en vue de déceler tout signe d'augmentation de la PIC, qui pourrait être attribuable à la tuméfaction entourant la dure-mère, à l'augmentation du volume de LCR ou aux endotoxines synthétisées par la bactérie.

Manifestations cliniques. La fièvre, la céphalée sévère, les nausées, les vomissements et la raideur de la nuque (résistance à la flexion du cou) sont des signes importants de la méningite. On peut également noter un signe positif de Kernig ou de Brudzinski (voir chapitre 52), une photophobie, une diminution du niveau de conscience et des signes d'une augmentation de la PIC. Le coma est associé à un mauvais pronostic et survient chez 5 à 10 % des clients atteints d'une ménin-

TABLEAU 53.10	Affections inflammatoires au cerveau		
	Méningite bactérienne*	**Encéphalite**	**Abcès cérébral**
Agents causaux	Bactérie (pneumocoque, méningocoque, streptocoque).	Bactéries, champignons, parasites, virus herpétique et autres virus.	Streptocoque, staphylocoque dans la circulation sanguine.
LCR			
Pression (normale, 60-150 mm H_2O)	Augmentation	Normal à légèrement plus important avec l'augmentation de la PIC.	Élevée
Numération des leucocytes (normale, 0-8/µl)	>500/µl (principalement des CPN)	<500/µl, CPN (précoce), lymphocytes (tardifs).	25-300/µl (CPN)
Protéine (normale, 15-45 mg/dl {0,15-0,45 g/L})	Élevée	Légèrement plus important	Normal
Glucose (normal, 45-75 mg/dl {2,5-4,2 mmol/L})	Faible ou absent	Normal	Faible ou absent
Apparence	Trouble	Transparent	Transparent
Épreuves diagnostiques	Coloration de Gram, frottis et culture	Analyses des virus, IRM ACP pour le taux de VHS	TDM, EEG, craniographie
Traitement	Antibiotiques avec antibiogrammes, soins de soutien, prévention des symptômes de l'augmentation de la PIC.	Soins de soutien, prévention des symptômes de l'augmentation de la PIC, acyclovir (Zovirax) contre le VHS.	Antibiotiques, incision et drainage Soins de soutien

*La méningite peut également être causée par un virus, une levure ou un champignon.
CPN : cellules polynucléaires ; ACP : amplification en chaîne par polymérase.

gite bactérienne. Les convulsions surviennent dans 20 % des cas. En présence d'une méningite, la céphalée s'aggrave et peut être accompagnée de vomissements et d'irritabilité. Une éruption cutanée est courante et des pétéchies peuvent être observées lorsque le micro-organisme infectieux est un méningocoque.

Complications. La complication la plus fréquente de la méningite est un dysfonctionnement neurologique résiduel. Le dysfonctionnement des nerfs crâniens survient souvent au niveau des nerfs crâniens III, IV, VI, VII ou VIII en présence d'une méningite bactérienne. Cette dysfonction disparaît généralement en quelques semaines. Une perte auditive permanente peut survenir à la suite d'une méningite bactérienne, mais n'est pas une complication de la méningite virale.

L'irritation des nerfs crâniens peut provoquer de graves séquelles. Le nerf optique (NC II) est comprimé en raison d'une augmentation de la PIC. Un œdème papillaire est souvent présent et la cécité peut survenir. Lorsque les nerfs oculomoteur commun (NC III), pathétique (NC IV) et oculomoteur externe (NC VI) sont irrités, les mouvements oculaires sont touchés. Un ptosis, une asymétrie des pupilles et une diplopie sont fréquents. L'irritation du nerf trijumeau (NC V) est marquée par des pertes sensorielles et une perte du réflexe cornéen, l'irritation du nerf facial (NC VII) entraîne une parésie faciale. L'irritation du nerf auditif (NC VIII) provoque de l'acouphène, des vertiges et de la surdité.

Il est également possible qu'une hémiparésie, une dysphasie et une hémianopsie surviennent. Ces signes disparaissent généralement avec le temps. Par contre, s'ils ne disparaissent pas, cela suggère un abcès au cerveau, un empyème sous-dural, un épanchement sous-dural ou une méningite persistante. Un œdème cérébral aigu peut survenir en présence d'une méningite bactérienne et entraîner des convulsions, la paralysie du NC III, une bradycardie, un coma hypertensif et la mort.

Une hydrocéphalie non communiquante peut survenir si l'exsudat entraîne des adhérences empêchant le débit normal du LCR à partir des ventricules. La réabsorption du LCR par les villosités arachnoïdiennes peut également être obstruée par l'exsudat. L'implantation d'une dérivation constitue le seul traitement possible.

Une des complications de la méningite méningococcique est le syndrome de Waterhouse-Friderichsen. Ce syndrome se manifeste par des pétéchies, une coagulation intravasculaire disséminée (CIVD) et une hémorragie surrénale. La CIVD est une complication grave de la méningite (voir chapitre 19); elle peut entraîner la mort chez 1 % des clients atteint d'une méningite.

Épreuves diagnostiques. L'analyse du LCR est un outil diagnostique précieux. Le diagnostic est établi par une culture positive de LCR dans 90 % des cas. Les varia-

tions dans le LCR dépendent des agents étiologiques. Les taux de protéines dans le LCR sont généralement élevés, et ils le sont davantage dans les cas de méningite bactérienne que dans les cas de méningite virale. La diminution du taux de glucose dans le LCR est fréquente dans le cas d'une méningite bactérienne et peut être normale dans le cas d'une méningite virale. Le LCR est purulent et trouble dans le premier cas et peut être purulent ou clair dans le cas d'une méningite virale. Les leucocytes prédominant dans le LCR en présence d'affection inflammatoire du cerveau sont les cellules polynucléaires (voir tableau 53.10). Des échantillons de sang, d'expectorations et de sécrétions rhinopharyngées sont prélevés pour déterminer quel est l'agent causal avant d'entreprendre l'antibiothérapie.

La craniographie peut indiquer une infection des sinus. Les résultats de la TDM sont habituellement normaux dans les cas de méningite non complexe. Dans les autres cas, la TDM peut révéler la présence d'une augmentation de la PIC ou d'une hydrocéphalie.

Processus thérapeutique. Un diagnostic rapide fondé sur les antécédents de santé et l'examen physique est crucial, car le client est généralement dans un état critique lorsqu'il arrive à l'hôpital. Lorsqu'une méningite est soupçonnée, une antibiothérapie est amorcée après le prélèvement des échantillons et avant même que le diagnostic soit confirmé. Les méthodes diagnostiques comprennent la ponction lombaire et l'analyse du LCR. Avant d'effectuer une ponction lombaire permettent de détecter la possibilité d'une augmentation de la PIC, le fond de l'œil doit être examiné à l'aide d'un ophtalmoscope pour déceler un œdème papillaire.

Les médicaments de choix pour traiter la méningite sont l'ampicilline, la pénicilline, une céphalosporine de troisième génération, habituellement la ceftriaxone (Rocephin) ou la céfotaxime (Claforan). Ces médicaments sont efficaces en raison de leur capacité à pénétrer dans la barrière hémato-encéphalique. Le processus thérapeutique des affections inflammatoires du cerveau est présenté dans l'encadré 53.10.

53.7.2 Soins infirmiers : méningite

Collecte de données. Les données initiales doivent comprendre les signes vitaux, l'évaluation neurologique, les ingesta et les excréta et l'évaluation des plages pulmonaires et de la peau. La fièvre, la céphalée sévère, les nausées, les vomissements et la raideur de la nuque sont des symptômes courants chez les clients souffrant d'une méningite.

Diagnostics infirmiers. Quelques-uns des diagnostics infirmiers pour le client atteint d'une méningite sont présentés dans l'encadré 53.11.

Planification. Les résultats escomptés chez le client atteint d'une méningite sont les suivants : retrouver une fonction neurologique maximale ; ne plus avoir d'infection ; éprouver moins de douleur et de malaise.

Exécution

Promotion de la santé. La prévention des infections respiratoires, par le biais des programmes de vaccination contre la méningite, la pneumonie à pneumocoques et la grippe, doit être appuyée par les infirmières. De plus, il est important de traiter rapidement et agressivement toute infection des voies respiratoires et du conduit auditif. Les sujets ayant été en contact avec une personne atteinte d'une méningite doivent recevoir une antibioprophylaxie.

Intervention en phase aiguë. Le client atteint d'une méningite est habituellement gravement malade. Il a une fièvre élevée et souffre de céphalée sévère. L'irritation du cortex cérébral peut provoquer des convulsions. Les changements dans l'état mental et le niveau de conscience dépendent du degré de l'augmentation de la PIC. La prise des signes vitaux, l'évaluation neurologique, l'évaluation des ingesta et des excréta ainsi qu'une évaluation des plages pulmonaires et de la peau doivent être effectuées et consignées soigneusement à intervalles réguliers.

Il est important d'accorder une attention particulière à la céphalalgie et à la cervicalgie consécutives aux mouvements. Chez la plupart des clients, la codéine permet de soulager la douleur sans sédation exagérée. L'infirmière doit aider le client à adopter une position confortable, qui est souvent la position du fœtus avec le

---

PROCESSUS DIAGNOSTIQUE ET THÉRAPEUTIQUE

Affections inflammatoires au cerveau ENCADRÉ 53.10

Diagnostic
- Antécédents de santé et examen physique
- Analyse du LCR
- FSC, bilan de coagulation, taux d'électrolytes, glycémie, numération des plaquettes
- Analyse d'urine de routine
- Hémoculture
- TDM, IRM
- EEG
- Craniographie
- Gammaencéphalographie

Processus thérapeutique
- Alitement strict
- Liquides IV
- Ampicilline, pénicilline IV
- Céfotaxime (Claforan), ceftriaxone (Rocephin)
- Codéine pour la céphalée
- Acétaminophène ou aspirine lorsque la température est supérieure à 38 °C
- Hypothermie
- Liquides transparents si désirés ou tolérés
- Phénytoïne IV (Dilantin)
- Furosémide (Lasix) ou mannitol pour la diurèse

FSC : formule sanguine complète.

---

cou légèrement en extension. Lorsque cela est permis, la tête du lit peut être légèrement relevée après une ponction lombaire. Une chambre sombre et une compresse froide appliquée sur les yeux permettent de soulager l'inconfort relié à la photophobie.

 Plan de soins infirmiers

ENCADRÉ 53.11

Client atteint d'une infection inflammatoire au cerveau

DIAGNOSTIC INFIRMIER : troubles de la perception sensorielle reliés à la diminution du niveau de conscience se manifestant par une mauvaise interprétation du milieu, des signes de peur et d'anxiété, une désorientation, une instabilité psychomotrice et par des hallucinations auditives et visuelles.

PLANIFICATION

Résultats escomptés
- Réduire la désorientation.
- N'observer aucun signe d'agitation.

INTERVENTIONS	Justifications
• Évaluer le niveau de conscience.	• Déterminer l'ampleur du trouble.
• Administrer des sédatifs selon l'ordonnance.	• Réduire la peur et l'anxiété.
• Garder la chambre silencieuse et tamiser la lumière, utiliser une approche calme et rassurante.	• Éviter de stimuler ou d'effrayer le client.
• Ne pas utiliser de moyens de contention.	• Éviter de rendre le client plus anxieux et de donner lieu à un comportement combatif.
• Aider et soutenir le client lors des interventions qui sont inconfortables et angoissantes, demander aux membres de la famille d'être au chevet du client lorsque cela est possible.	• Aider le client à s'orienter et à réduire son anxiété.

Plan de soins infirmiers

Client atteint d'une infection inflammatoire au cerveau *(suite)*

DIAGNOSTIC INFIRMIER : douleur reliée à la céphalée, à la myalgie et à l'arthralgie, ainsi qu'aux malaises se manifestant par un inconfort général au niveau de la tête, des articulations et des muscles, par l'apathie et par le fait de grimacer lors des mouvements.

PLANIFICATION
Résultats escomptés
- Soulager de façon satisfaisante la douleur.
- Augmenter la participation au plan thérapeutique.

INTERVENTIONS	Justifications
• Administrer un faible analgésique au besoin, aider le client à se positionner confortablement dans le lit.	• Soulager la douleur.
• Encourager les exercices légers d'amplitude articulaire et les exercices pour les jambes.	• Réduire la raideur des articulations et favoriser la circulation.
• Masser les muscles au besoin ou à la demande.	• Favoriser le confort et faire preuve d'empathie.
• Contrôler le milieu pour favoriser le repos.	• La douleur peut épuiser le client.

DIAGNOSTIC INFIRMIER : prise en charge inefficace du programme thérapeutique reliée à des séquelles possibles de l'état se manifestant par des troubles moteurs et sensoriels et par des limitations d'activités.

PLANIFICATION
Résultat escompté
- Favoriser la prise en charge satisfaisante de l'état par le client et par d'autres personnes.

INTERVENTIONS	Justifications
• Surveiller les effets résiduels des affections comme les troubles de la vue, de l'ouïe, de la motricité et les troubles cognitifs.	• Adresser le client aux bons spécialistes.
• Informer le client et la famille que les troubles résiduels s'améliorent souvent avec le temps.	• Réduire l'anxiété.
• Planifier des soins à domicile au besoin.	• Répondre aux besoins du client.

DIAGNOSTIC INFIRMIER : hyperthermie reliée à une infection et à une mauvaise régulation de la température par l'hypothalamus en raison d'une augmentation de la PIC se manifestant par une augmentation de la température et par des frissons.

PLANIFICATION
Résultats escomptés
- Maintenir une température corporelle normale.
- Effectuer les interventions nécessaires pour soigner le client fiévreux.

INTERVENTIONS	Justifications
• Utiliser des couvertures hypothermiques pour diminuer la température, si elles sont prescrites.	• Une température élevée fait augmenter le métabolisme cérébral et augmente également les risques de convulsions ou d'hypertension intracrânienne.
• Diminuer la température graduellement.	• Prévenir les tremblements qui peuvent causer un effet rebond et faire augmenter la température plutôt que la faire diminuer.

Processus thérapeutique

COMPLICATION POSSIBLE : convulsions reliées à une irritabilité cérébrale.

PLANIFICATION
Objectifs
- Surveiller les convulsions.
- Effectuer les interventions médicales et infirmières appropriées.
- Signaler toute convulsion et la consigner au dossier.

Plan de soins infirmiers

Client atteint d'une infection inflammatoire au cerveau *(suite)*

INTERVENTIONS

- Surveiller les convulsions.
- Garder les ridelles relevées et appliquer des coussinets protecteurs.
- Administrer des sédatifs et des anticonvulsivants selon l'ordonnance.
- Diminuer la fièvre.
- Effectuer les interventions pour traiter les causes sous-jacentes de l'affection inflammatoire au cerveau.

Justifications

- Afin que les interventions soient entreprises immédiatement.
- Protéger le client en cas de convulsions.

- Contrôler et prévenir les convulsions.

- Réduire la consommation d'oxygène du cerveau.
- Prévenir les convulsions.

COMPLICATION POSSIBLE : augmentation de la PIC reliée à un exsudat infectieux, augmentation de l'écoulement LCR (voir encadré 53.9).

Pour le client qui délire, un éclairage encore plus tamisé peut s'avérer nécessaire afin de réduire ses hallucinations. Étant donné que tous les clients souffrent d'un certain degré de distorsion mentale et d'hypersensibilité, il est possible qu'ils soient craintifs ou qu'ils interprètent mal l'environnement. Aucun effort ne doit être ménagé pour minimiser les stimuli provenant de l'environnement et les perceptions exagérées qui en résultent. Les moyens de contention doivent être évités. Afin de réduire les blessures, des coussinets doivent être installés sur les ridelles et des draps doivent être attachés aux quatre coins du lit pour empêcher le client d'en sortir. Des attelles de bras, fixées à l'aide de nombreuses couches de bande élastique (p. ex. Kerlix), peuvent protéger le site de perfusion intraveineuse. La présence d'une personne familière au chevet du client peut avoir un effet calmant. Même si l'infirmière doit être efficace lorsqu'elle prodigue des soins, elle doit aussi faire preuve d'une attitude bienveillante et de douceur. Le fait de toucher le client et de prendre une voix douce pour lui expliquer des activités peut s'avérer fort utile. Les observations appropriées doivent être faites et des mesures de sécurité doivent être prises lorsque des convulsions surviennent. Des anticonvulsivants, comme la phénytoïne (Dilantin), doivent être administrés selon l'ordonnance. Les problèmes reliés à l'augmentation de la PIC doivent être également traités (voir section sur l'augmentation de la pression intracrânienne dans le présent chapitre).

La fièvre doit être traitée agressivement, car elle contribue à l'augmentation de l'œdème cérébral et à la fréquence des convulsions. En outre, des lésions neurologiques peuvent être causées par une température très élevée sur une longue période. L'acétaminophène, ou l'aspirine, peut être utilisée pour réduire la fièvre.

Cependant, des moyens plus agressifs doivent être entrepris si la fièvre ne parvient pas à baisser avec la médication. Dans certains cas, une couverture refroidissante peut être prescrite pour diminuer la forte fièvre. Cependant, des précautions doivent être prises pour éviter d'abaisser la température trop rapidement, car cela pourrait provoquer des frissons qui, à leur tour, peuvent entraîner un effet rebond et une hausse de la température. Les extrémités du corps devraient être enveloppées dans une peau de mouton, une serviette douce ou une couverture et recouvertes d'un drap afin de les protéger des engelures. Les soins de la peau doivent être faits fréquemment pour prévenir la rupture de l'épiderme. Un bain à l'éponge avec de l'eau tiède peut être efficace pour abaisser la température, si une couverture refroidissante n'est pas disponible ou souhaitable. Il est important de protéger la peau contre la sécheresse excessive ou les lésions.

Étant donné qu'une fièvre élevée fait augmenter considérablement le métabolisme basal et, par conséquent, les pertes liquidiennes insensibles, il est important de vérifier si le client est déshydraté et si l'apport liquidien est suffisant. La diaphorèse fait également augmenter les pertes liquidiennes, qui doivent être estimées et notées dans le relevé des ingesta et des excréta. Les liquides de remplacement doivent être calculés en fonction de 800 ml/jour pour les pertes respiratoires et de 100 ml pour chaque degré de température supérieur à 38 °C. Il est possible qu'une alimentation complémentaire par sonde nasogastrique ou par voie orale soit nécessaire pour maintenir un apport alimentaire adéquat. Le schéma posologique de l'antibiothérapie doit être suivi pour maintenir les concentrations sanguines thérapeutiques. Des observations doivent être faites pour déceler les effets secondaires des médicaments qui sont utilisés.

Dans la majorité des cas, la méningite ne nécessite plus de mise en quarantaine, sauf dans les cas de méningite méningococcique. Cependant, une bonne technique d'asepsie est essentielle pour protéger le client et l'infirmière.

Soins ambulatoires et soins à domicile. Une fois la période aiguë terminée, plusieurs semaines de convalescence sont nécessaires avant que le client ne puisse reprendre ses activités régulières. Une alimentation équilibrée doit être préconisée pendant cette période et de petits repas fréquents, riches en protéines et en calories, doivent être recommandés.

La raideur musculaire peut se poursuivre au niveau de la nuque et du derrière des jambes. Des exercices d'amplitude articulaire et des bains chauds peuvent aider à soulager cette raideur. Bien que les activités doivent être augmentées graduellement selon la tolérance du client, l'infirmière doit l'inciter à se reposer au lit et à dormir adéquatement. Des activités calmes, en fonction des intérêts du client, doivent être planifiées en vue de prévenir l'ennui.

Les effets résiduels sont peu fréquents dans les cas de méningite méningococcique. Toutefois, la méningite à pneumocoques peut causer des séquelles comme de la démence, des convulsions, de la surdité, une hémiplégie et de l'hydrocéphalie. Il est important de procéder à un examen de la vue, de l'ouïe, des aptitudes cognitives et des capacités motrices et sensorielles après la phase de rétablissement et d'adresser le client à un spécialiste, s'il y a lieu. Chez le nourrisson, la méningite peut avoir des séquelles neurologiques « silencieuses » qui se manifesteront par des troubles d'apprentissage et de comportement lorsqu'il atteindra l'âge scolaire.

Pendant toute la durée de la période aiguë et de convalescence, l'infirmière devrait être consciente de l'anxiété et du stress que vivent les proches du client.

Évaluation. Les résultats escomptés chez le client atteint d'une méningite sont les suivants :
- retrouver la meilleure fonction neurologique possible ;
- ne plus éprouver de douleur ni de malaise.

53.7.3 Encéphalite

L'**encéphalite** est une inflammation aiguë du cerveau qui est généralement causée par un virus. Elle peut être attribuable à divers virus, dont certains sont associés aux saisons ou sont endémiques à certaines régions géographiques. L'encéphalite épidémique est transmise par les tiques et les moustiques. L'encéphalite non épidémique peut être secondaire à la rougeole, à la varicelle ou aux oreillons.

L'encéphalite est une affection grave et parfois mortelle. Le taux de mortalité varie entre 5 et 20 %, et le plus haut taux de décès est causé par les virus de l'herpès simplex (VHS), de l'encéphalite équine de l'Est (virus EEE) et de l'encéphalite équine du Venezuela. Malheureusement, l'encéphalite herpétique est la forme la plus courante d'encéphalite virale. L'encéphalite à cytomégalovirus est la complication la plus fréquente chez les clients atteints du SIDA.

Les manifestations ressemblent à celles de la méningite, mais leur apparition est plus graduelle. Elles comprennent les céphalées, la forte fièvre, les convulsions et un changement dans le niveau de conscience.

Il est essentiel de diagnostiquer et de traiter rapidement l'encéphalite virale afin de pouvoir obtenir une évolution favorable. Les résultats des épreuves diagnostiques reliées à l'encéphalite virale sont présentés dans tableau 53.10. Les techniques d'imagerie du cerveau comme l'IRM et la TEP, ainsi que les tests d'amplification en chaîne par polymérase (ACP) pour le taux de VHS dans le LCR, permettent un dépistage précoce de l'encéphalite virale.

Le processus thérapeutique et les soins infirmiers sont prodigués en fonction des symptômes et des besoins du client. Des diurétiques (mannitol) et des corticostéroïdes (dexaméthasone [Decadron]) sont administrés pour contrôler l'oedème cérébral, principale complication de l'encéphalite. L'affection se caractérise par une lésion diffuse des cellules nerveuses du cerveau, une infiltration cellulaire périvasculaire, une prolifération des cellules gliales et une augmentation de l'œdème cérébral. Les séquelles de l'encéphalite comprennent la détérioration mentale, l'amnésie, les changements de personnalité et l'hémiparésie.

L'acyclovir (Zovirax) est utilisé pour traiter l'encéphalite causée par une infection au VHS. L'acyclovir a peu d'effets secondaires et est souvent le traitement de choix. L'utilisation de ces antiviraux a contribué à réduire le taux de mortalité de 70 à 30 %, même si les complications neurologiques ne peuvent pas être réduites. Les symptômes à long terme comprennent les troubles de la mémoire, l'épilepsie, l'anosmie, les changements de personnalité, les troubles de comportement et la dysphasie. Pour de meilleurs résultats, la prise d'antiviraux doit commencer avant l'apparition du coma.

53.7.4 Abcès cérébral

L'abcès cérébral est une accumulation de pus dans le tissu cérébral qui peut être causée par une infection locale ou systémique (voir figure 53.16). L'extension directe d'une infection aux oreilles, à une dent, à la mastoïde ou aux sinus en est la cause principale. Les autres causes de la formation d'un abcès cérébral comprennent la thrombose veineuse septique secondaire à une infection pulmonaire, l'endocardite bactérienne,

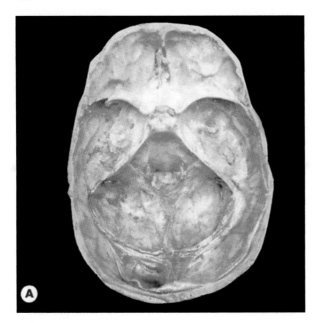
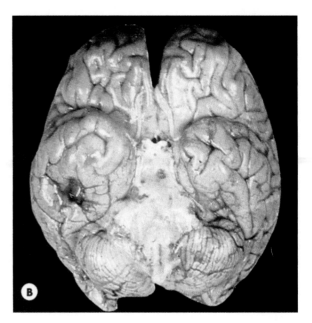

FIGURE 53.16 A. Cerveau normal avec la majeure partie de la dure-mère intacte. B. Cerveau avec des abcès.

une fracture du crâne et une intervention neurologique non stérile. Les streptocoques et les staphylocoques sont les principaux micro-organismes infectieux.

Les manifestations sont semblables à celles de la méningite et de l'encéphalite et comprennent la céphalée et la fièvre. Les signes d'une augmentation de la PIC peuvent se manifester par la somnolence, la confusion et les convulsions. Des symptômes focaux peuvent être présents et refléter la région locale de l'abcès. Par exemple, des anomalies du champ visuel ou des convulsions psychomotrices sont fréquentes en présence d'un abcès au lobe temporal alors que des troubles visuels et des hallucinations peuvent être présents lors d'un abcès occipital.

Le principal traitement dans le cas d'abcès cérébral est le traitement antimicrobien. Les autres manifestations sont traitées selon les symptômes. Lorsque la pharmacothérapie est inefficace, il est possible qu'un drainage ou que l'ablation de l'abcès soient nécessaires, si ce dernier est encapsulé. Le taux de mortalité est pratiquement de 100 % si l'abcès n'est pas traité. Des convulsions surviennent dans environ 30 % des cas. Les interventions infirmières sont semblables à celles préconisées pour le traitement de la méningite ou de l'augmentation de la PIC. Les soins infirmiers sont semblables à ceux prescrits pour une chirurgie crânienne si un drainage ou une ablation de l'abcès est le traitement de choix.

Les autres infections du cerveau comprennent l'empyème sous-dural, l'ostéomyélite des os crâniens, l'abcès épidural et les thromboses veineuses cérébrales consécutives à une cellulite périorbitale.

MOTS CLÉS

BIBLIOGRAPHIE

Version originale

1. Plum F, Posner J: *The diagnosis of stupor and coma*, ed 3, Philadelphia, 1980, FA Davis.
2. Jennett B, Teasdale G: *Aspects of coma after severe head injury*, Lancet 23:878, 1977.
3. Cushing H: *Studies in intracranial physiology and surgery*, London, 1925, Oxford University Press.
4. Go KG: *The normal and pathological physiology of brain water*, Adv Tech Stand Neurosurg 23:47, 1997.
5. Betz AL, Crockard A: *Brain edema and the blood-brain barrier*. In Crockard A and others, editors: *Neurosurgery: the scientific basis of clinical practice*, Boston, 1992, Blackwell Scientific.
6. Ropper AH: *Coma and acutely raised intracranial pressure*. In Asbury AK and others, editors: *Diseases of the nervous system: clinical neurobiology*, Philadelphia, 1992, Saunders.

7. Gilman AG: *Goodman and Gilman pharmacological basis of therapeutics,* New York, 1993, McGraw-Hill.
8. Visweswaran P, Massin EK, Dubose TD: *Mannitol-induced acute renal failure,* J Am Soc Nephrol 8:1028, 1997.
9. Prough DS, DeWitt DS: *Cerebral protection.* In Chernow B, editor: *The pharmacologic approach to the critically ill patient,* ed 3, Baltimore, 1994, Williams & Wilkins.
10. Cooper PR and others: *Dexamethasone and severe head injury. A prospective double-blind study,* J Neurosurg 51:307, 1979.
11. Dearden NM and others: *Effect of high-dose dexamethasone on outcome from severe head injury,* J Neurosurg 64:81, 1986.
12. Hickey JV: *Neurological and neurosurgical nursing,* ed 4, Philadelphia, 1997, Lippincott.
13. Silvestri S, Aronson S: *Severe head injury: prehospital and emergency department management,* Mt Sinai J Med 64:329, 1997.
14. Roberts P: *Nutrition in the head-injured patient,* New Horizons 3:506, 1995.
15. Kerr ME and others: *Effect of short-duration hyperventilation during endotracheal suctioning on intracranial pressure in severe head injured adults,* Nurs Res 48:195, 1997.
16. Kerr ME and others: *Head injured adults: recommendations for endotracheal suctioning,* J Neurosci Nurs 25:86, 1993.
17. Lundberg N: *Continuous recording and control of ventricular fluid pressure in neurosurgical practice,* Acta Psychiatr Neurol Scand 36:1, 1960.
18. Unterberg AW and others: *Multimodal monitoring in patients with head injury: evaluation of the effects of treatment on cerebral oxygenation,* J Trauma 42 (5 suppl) S32, 1997.
19. Simmons BJ: *Management of intracranial hemodynamics in the adult: a research analysis of head positioning and recommendations for clinical practice and future research,* J Neuroscience Nurs 29:44, 1997.
20. Tillett JM and others: *Effect of continuous rotational therapy on intracranial pressure in the severely brain-injured patient,* Crit Care Med 21:1005, 1993.
21. Quigley MR and others: *Defining the limits of survivorship after very severe head injury,* J Trauma 42:7, 1997.
22. Marmarou A and others: *Impact of ICP instability and hypotension on outcome in patients with severe head trauma,* J Neurosurg 75:S59, 1991.
23. National Safety Council: *Accident facts,* Chicago, 1997, National Safety Council.
24. Sosin DM, Sniezek JE, Waxweiler RJ: *Trends in death associated with brain injury,* JAMA 278:1778, 1995.
25. Povlishock JT: *Traumatic brain injury: the pathobiology of injury and repair.* In Gorio A, editor: *Neuroregeneration,* New York, 1993, Raven Press.
26. Walleck C: *Patients with head injury and brain dysfunction.* In Clochesy JM and others, editors: *Critical care nursing,* ed 2, Philadelphia, 1997, Saunders.
27. Celli P, Fruin A, Cervoni L: *Severe head trauma. Review of factors influencing the prognosis,* Minerva Chir 52:1467, 1997.
28. Rordorf G and others: *Patients in poor neurological condition after subarachnoid hemorrhage: early management and long-term outcome,* Acta Neurochir 139:1143, 1997.
29. Acorn S, Roberts E: *Head injury: impact on the wives,* J Neurosci Nurs 24:324, 1992.
30. Landis SH and others: *Cancer statistics, 1998,* CA Cancer J Clin 48:6, 1998.
31. Wildemann B and others: *Quantification of herpes simplex virus type 1 DNA in cells of cerebrospinal fluid of patients with herpes simplex virus encephalitis,* Neurology 48:1341, 1997.
32. McGrath and others: *Herpes simplex encephalitis treated with acyclovir: diagnosis and long term outcomes,* J Neurol Neurosurg Psychiatry 63:321, 1997.

Monique Bédard
B. Sc. inf.
Cégep de Limoilou

Lucie Maillé
Inf., B. Sc.
Collège Édouard-Montpetit

Chapitre **54**

ACCIDENT VASCULAIRE CÉRÉBRAL

OBJECTIFS D'APPRENTISSAGE

APRÈS AVOIR LU CE CHAPITRE, VOUS DEVRIEZ ÊTRE EN MESURE :

- DE DÉCRIRE LA FRÉQUENCE ET LES FACTEURS DE RISQUE RELIÉS À L'ACCIDENT VASCULAIRE CÉRÉBRAL ;

- D'EXPLIQUER LES MÉCANISMES POUVANT AVOIR DES CONSÉQUENCES SUR LE DÉBIT SANGUIN CÉRÉBRAL ;

- DE COMPARER LA PHYSIOPATHOLOGIE DES ACCIDENTS VASCULAIRES CÉRÉBRAUX CAUSÉS PAR UNE THROMBOSE, UNE EMBOLIE OU UNE HÉMORRAGIE INTRACRÂNIENNE ;

- D'ÉTABLIR UNE CORRÉLATION ENTRE LES MANIFESTATIONS CLINIQUES D'UN ACCIDENT VASCULAIRE CÉRÉBRAL ET LA PHYSIOPATHOLOGIE SOUS-JACENTE ;

- DE DÉCRIRE LES ANOMALIES HABITUELLEMENT DÉCELÉES LORS DES ÉPREUVES DIAGNOSTIQUES CHEZ LES CLIENTS VICTIMES D'UN ACCIDENT VASCULAIRE CÉRÉBRAL ;

- DE DÉCRIRE LE PROCESSUS THÉRAPEUTIQUE, LA PHARMACOTHÉRAPIE ET LA DIÉTOTHÉRAPIE DU CLIENT VICTIME D'UN ACCIDENT VASCULAIRE CÉRÉBRAL ;

- DE DÉCRIRE LES SOINS INFIRMIERS DONNÉS AU CLIENT VICTIME D'UN ACCIDENT VASCULAIRE CÉRÉBRAL ;

- DE DÉCRIRE LES SOINS INFIRMIERS DE RÉADAPTATION DONNÉS AU CLIENT VICTIME D'UN ACCIDENT VASCULAIRE CÉRÉBRAL ;

- D'EXPLIQUER L'IMPACT PSYCHOSOCIAL D'UN ACCIDENT VASCULAIRE CÉRÉBRAL SUR LE CLIENT ET SA FAMILLE.

L'accident vasculaire cérébral (AVC) (également appelé congestion cérébrale ou « attaque cérébrale ») est une expression vague englobant diverses affections qui entravent la circulation sanguine au niveau du cerveau et entraînent des déficits neurologiques. Le bon fonctionnement du cerveau dépend d'un apport sanguin suffisant pour acheminer l'oxygène et le glucose nécessaires à l'activité neuronale et pour éliminer les métabolites. Un AVC survient lorsque le cerveau reçoit un apport sanguin insuffisant (ischémie cérébrale) ou lorsqu'il y a une hémorragie cérébrale. Peu importe la cause, le cerveau lésé n'est plus en mesure d'effectuer ses fonctions cognitives, sensorielles, motrices ou émotionnelles. Les répercussions d'un AVC peuvent se traduire par une invalidité allant de mineure à grave.

L'accident vasculaire cérébral est la troisième cause de décès et la première cause d'invalidité sérieuse à long terme aux États-Unis et au Canada. L'AVC est considéré comme un problème de santé publique majeur relativement à la mortalité et à la morbidité ; on signale annuellement 40 000 à 50 000 nouveaux cas d'AVC au Canada et 16 000 décès. On observe qu'un plus grand nombre de femmes que d'hommes décèdent à la suite d'un AVC. De plus, environ 300 000 Canadiens vivent avec les séquelles d'un AVC. Après 55 ans, le risque de subir un AVC double tous les 10 ans. Il est à noter que la probabilité de faire un nouvel AVC au cours des 2 années qui suivent la première attaque est de 20 %. Pour 100 personnes hospitalisées pour un AVC, 20 meurent après leur séjour à l'hôpital, 10 suivent un programme de réadaptation et 15 nécessitent des soins de longue durée.

Les accidents vasculaires cérébraux ont des répercussions économiques importantes sur le client, la famille et l'ensemble de la collectivité. On estime que les coûts directs et indirects reliés aux AVC sont de 2,7 milliards de dollars annuellement au Canada et que le nombre de journées d'hospitalisation imputables aux AVC est de l'ordre de 3 millions de jours (Fondation des maladies du cœur, 2002). L'invalidité, la perturbation des vies et la diminution de la qualité de vie des clients victimes d'un AVC sont des conséquences importantes pour cette clientèle et entraînent une importante souffrance humaine (Fondation des maladies du cœur, 2002).

54.1 FACTEURS DE RISQUE RELIÉS AUX ACCIDENTS VASCULAIRES CÉRÉBRAUX

Les facteurs de risque reliés aux AVC peuvent être classés en facteurs non modifiables et en facteurs potentiellement modifiables. Le risque de souffrir d'un AVC augmente chez les personnes qui présentent plus d'un facteur de risque.

Les facteurs de risque non modifiables comprennent le sexe, l'âge, la race et l'hérédité. La fréquence de l'AVC est plus élevée chez les hommes que chez les femmes et elle augmente jusqu'à l'âge de 75 ans. Le taux d'AVC chez les adultes âgés de 55 à 74 ans est de 15,1 %, comparativement à 5,6 % chez les adultes âgés de plus de 75 ans. La fréquence de l'AVC chez les personnes de race noire est plus élevée en raison de leur taux élevé d'hypertension. Les personnes ayant des antécédents familiaux d'AVC ou d'accidents ischémiques transitoires sont aussi davantage prédisposées aux AVC.

Les facteurs de risque modifiables sont ceux qui peuvent être changés et qui réduisent, par le fait même, le risque d'AVC. Les habitudes de vie, notamment la consommation excessive d'alcool, le tabagisme, l'obésité, l'alimentation riche en matières grasses et la consommation de drogues prédisposent davantage les personnes aux AVC. De nombreuses affections pathologiques peuvent également augmenter le risque d'un AVC : une maladie cardiaque, le diabète, l'hypertension, les migraines, les états d'hypercoagulabilité (p. ex. taux élevés de fibrinogène sérique et d'hématocrite), la polycythémie et la drépanocytose. Environ 9 % des hommes et 18 % des femmes ayant eu un infarctus du myocarde seront victimes d'un AVC au cours des 6 années suivant cet infarctus. Selon les spécialistes, la régulation de l'hypertension s'avère être le meilleur traitement pour prévenir les AVC. Les fumeuses courent cinq fois plus de chances de subir un AVC que les nonfumeuses. Par ailleurs, la femme est davantage prédisposée à un AVC si elle fume et prend des contraceptifs oraux à base d'œstrogène. Le traitement et la prévention précoces de ces maladies connexes et des mauvaises habitudes de vie permettront de diminuer la fréquence de l'AVC.

54.2 ÉTIOLOGIE ET PHYSIOPATHOLOGIE

54.2.1 Régulation et débit sanguin cérébral

Étant donné que les neurones sont incapables de se régénérer, il est important d'éviter toute lésion cérébrale afin de prévenir les déficits neurologiques. Le débit sanguin doit donc être maintenu entre 750 et 1000 ml/min (55 ml/100g de tissu cérébral) ou à 20 % du débit cardiaque afin d'assurer un fonctionnement cérébral optimal. Lorsque la circulation sanguine vers le cerveau est totalement interrompue, comme dans le cas d'un arrêt cardiaque, le métabolisme neurologique est altéré en 30 secondes, puis il s'arrête 2 minutes plus tard, et la mort cellulaire s'ensuit dans les 5 minutes.

Le système vasculocérébral a une grande capacité d'adaptation. Il est en mesure de maintenir une circulation sanguine régulière au niveau du cerveau, même s'il y a des modifications importantes dans la circulation systémique. Les facteurs touchant le débit sanguin cérébral peuvent être classés en facteurs extracrâniens ou intracrâniens.

Facteurs extracrâniens. Les facteurs extracrâniens sont principalement reliés au système circulatoire et comprennent la pression sanguine systémique, le débit cardiaque et la viscosité sanguine. Au cours des diverses activités de la vie quotidienne (AVQ), les besoins locaux en oxygène varient énormément. Les modifications au niveau du débit cardiaque, du tonus vasomoteur et de la distribution du débit sanguin permettent de maintenir une perfusion cérébrale régulière. La pression artérielle moyenne doit être inférieure à 70 mm Hg ou supérieure à 160 mm Hg, avant que le débit sanguin cérébral ne soit altéré, et le débit cardiaque doit diminuer d'un tiers, avant que le débit sanguin cérébral ne soit réduit. Le débit sanguin cérébral augmente ou diminue selon la viscosité sanguine. Par conséquent, le débit sanguin cérébral augmente en présence d'anémie et diminue en présence de polycythémie.

Facteurs intracrâniens

Facteurs métaboliques. Les altérations métaboliques sont des facteurs intracrâniens importants contribuant à la régulation du débit sanguin cérébral. Les facteurs métaboliques provoquant une vasodilatation accompagnée d'une restauration du débit sanguin à un niveau normal contiennent une forte concentration de dioxyde de carbone et une faible concentration d'oxygène. Par ailleurs, le dioxyde de carbone est le meilleur régulateur du débit sanguin cérébral et une augmentation de la concentration en ions d'hydrogène permet aussi d'augmenter le débit sanguin cérébral. Ces facteurs métaboliques, seuls ou combinés, peuvent donc maintenir un débit sanguin cérébral suffisant dans des situations normales.

Vaisseaux sanguins. L'état des vaisseaux sanguins qui alimentent le cerveau détermine aussi le débit sanguin cérébral (voir chapitre 52). De nombreuses personnes souffrent d'anomalies congénitales au niveau du système vasculocérébral. Ces anomalies comprennent la tortuosité, l'enroulement, le tortillement ainsi que les malformations artérioveineuses. Ces anomalies congénitales peuvent nuire au débit sanguin cérébral et constituent des sites courants d'apparition des maladies athéroscléreuses. L'athérosclérose, peu importe sa cause, augmente la résistance des vaisseaux sanguins et réduit davantage le débit sanguin.

La circulation collatérale (circulation de suppléance pour compenser la diminution du débit sanguin) est un autre facteur relié au débit sanguin cérébral. La circulation collatérale apparaît pour corriger la diminution du débit sanguin normal. L'hexagone de Willis est composé de nombreuses liaisons circulatoires collatérales et est en grande partie responsable de la circulation collatérale (voir figure 54.1). Ces vaisseaux collatéraux peuvent maintenir le débit sanguin cérébral dans le cas d'une lésion au niveau du principal apport sanguin. Les différences individuelles constatées chez chaque client par rapport à l'état de la circulation collatérale au moment de l'AVC déterminent, en partie, le degré de la perte fonctionnelle.

Pression intracrânienne. La pression intracrânienne (PIC) est un autre facteur qui détermine le débit sanguin cérébral (voir chapitre 53). Parmi les causes de l'augmentation de la PIC, on trouve l'AVC, les néoplasmes, l'inflammation, le traumatisme et l'hydrocéphalie. L'augmentation de la PIC compresse le cerveau et réduit le débit sanguin cérébral. Une baisse importante du débit sanguin cérébral peut entraîner un infarctus cérébral.

Il est possible que des facteurs extracrâniens et intracrâniens contribuent à un AVC. L'agression initiale peut être reliée à un ou plusieurs de ces facteurs : par exemple, lorsque la continuité du système vasculaire est interrompue en présence d'une hémorragie intracrânienne. La perte de sang et l'œdème cérébral, survenant à la suite du processus inflammatoire, contribuent à faire augmenter la pression intracrânienne. Cela nuit à l'irrigation cérébrale et amplifie les concentrations en dioxyde de carbone et en ions d'hydrogène, ce qui entraîne une dilatation accrue des vaisseaux cérébraux et une augmentation de la pression intracrânienne.

Athérosclérose. On constate souvent la présence d'athérosclérose, un processus physiopathologique courant de l'AVC, lors de l'apparition d'une thrombose et d'un AVC par embolie (voir chapitre 22 et figure 22.7). Au début, une infiltration anormale de lipides se manifeste dans l'intima des artères. Ces stries lipidiques

DIVERSITÉ CULTURELLE

Accident vasculaire cérébral   ENCADRÉ 54.1

- Le taux élevé de mortalité reliée aux AVC chez les gens de race noire pourrait être attribuable à la fréquence élevée d'hypertension dans ce groupe.
- Les AVC ischémiques sont deux fois plus fréquents chez les gens de race noire que chez les gens de race blanche.
- Les AVC hémorragiques sont trois fois plus courants chez les gens de race noire que chez les gens de race blanche.

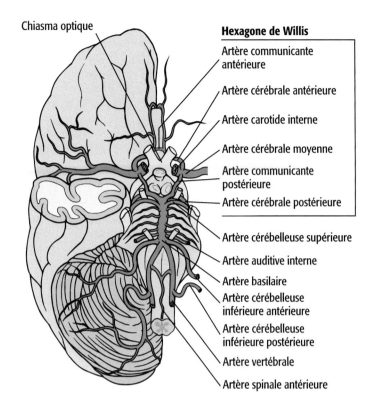

Chiasma optique

Hexagone de Willis

Artère communicante antérieure

Artère cérébrale antérieure

Artère carotide interne

Artère cérébrale moyenne

Artère communicante postérieure

Artère cérébrale postérieure

Artère cérébelleuse supérieure

Artère auditive interne

Artère basilaire

Artère cérébelleuse inférieure antérieure

Artère cérébelleuse inférieure postérieure

Artère vertébrale

Artère spinale antérieure

FIGURE 54.1 Hexagone de Willis et circulation vertébrobasilaire. Les lobes temporaux ont été enlevés pour montrer le trajet de l'artère cérébrale moyenne.

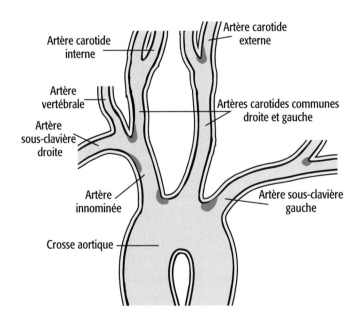

Artère carotide interne

Artère carotide externe

Artère vertébrale

Artères carotides communes droite et gauche

Artère sous-clavière droite

Artère innominée

Artère sous-clavière gauche

Crosse aortique

FIGURE 54.2 Foyers courants d'apparition de l'athérosclérose dans les artères extracrâniennes et intracrâniennes. Les principaux foyers sont situés juste au-dessus de la bifurcation carotidienne commune (le foyer le plus courant) et à la base des branches de l'aorte, dans les artères innominées et les artères sous-clavières.

peuvent former une plaque athéroscléreuse. Ces plaques se forment souvent dans les endroits où il y a une turbulence sanguine accrue, comme à la bifurcation d'une artère ou dans une région tortueuse (voir figure 54.2). La turbulence peut éventuellement endommager la plaque athéroscléreuse, ce qui se traduit par la perte de la continuité intimale ou de l'ulcération. Les plaquettes et la fibrine s'agglomèrent sur la surface rugueuse. Des fragments peuvent se détacher de cette plaque et s'infiltrer dans une artère distale plus étroite. L'infarctus cérébral survient à l'endroit où l'apport sanguin est interrompu.

54.3 TYPES D'ACCIDENTS VASCULAIRES CÉRÉBRAUX

Selon la physiopathologie sous-jacente, les AVC sont classés en trois catégories : AVC thrombotique, AVC embolique ou AVC hémorragique (voir figure 54.3). L'AVC ischémique, qui se caractérise par une diminution du débit sanguin au niveau du cerveau à la suite d'une occlusion partielle ou complète d'une artère, survient beaucoup plus souvent que l'AVC hémorragique. L'AVC ischémique est principalement de type thrombotique ou de type embolique (voir tableau 54.1). Un AVC

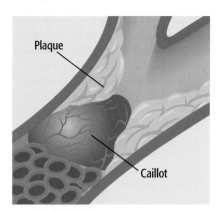

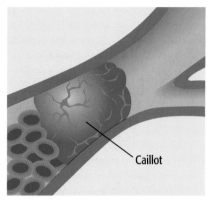

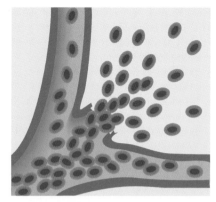

A. AVC thrombotique. La thrombose cérébrale est un rétrécissement de l'artère par des dépôts graisseux appelés *plaque*. La plaque peut entraîner la formation d'un caillot qui bloque le passage du sang dans l'artère.

B. AVC embolique. Un embole est un caillot sanguin ou tout autre débris circulant dans le sang. Lorsqu'il atteint une artère du cerveau qui est trop étroite pour le laisser passer, l'embole se loge à cet endroit et bloque le débit sanguin.

C. AVC hémorragique. Un vaisseau sanguin qui éclate peut permettre au sang de s'infiltrer dans le tissu cérébral et de le léser jusqu'à ce que la coagulation arrête la fuite.

FIGURE 54.3 Trois types d'AVC

hémorragique est généralement attribuable à une hémorragie spontanée dans le tissu cérébral (hémorragie intracérébrale ou intraparenchymateuse) ou dans l'espace sous-arachnoïdien ou les ventricules (hémorragie sous-arachnoïdienne).

54.3.1 Accident vasculaire cérébral thrombotique

Une **thrombose** est la formation d'un caillot sanguin ou d'une coagulation qui entraîne un rétrécissement (sténose) de la lumière d'un vaisseau sanguin, puis une occlusion. Il s'agit de la principale cause de l'infarctus cérébral. Les deux tiers des AVC thrombotiques sont associés à l'hypertension ou au diabète. Ces deux affections accélèrent le processus athéroscléreux. D'autres facteurs de risque associés aux AVC thrombotiques comprennent les contraceptifs oraux, les troubles de coagulation, la maladie de Vaquez, l'artérite, l'hypoxie chronique et la déshydratation.

La thrombose se manifeste rapidement dans les régions où la plaque athéromateuse est déjà constituée de vaisseaux sténosés. La thrombose rétrécit davantage la lumière du vaisseau et provoque de l'hypoperfusion, de l'ischémie et l'infarctus. Une cascade d'événements biochimiques survient incluant la libération d'acides aminés excitateurs (p. ex. le glutamate et la glutamine). L'effet direct des acides aminés excitateurs sur les neurones peut davantage compromettre la capacité des neurones à survivre à la suite d'une ischémie et d'un infarctus.

Dans 30 à 50 % des cas, un AVC thrombotique est précédé de signes prodromiques (symptômes indiquant le début de la maladie) survenant des heures ou des mois avant l'AVC. Les signes prodromiques sont considérés comme étant des accidents ischémiques transitoires et durent normalement de 5 à 30 minutes. Ces signes ne laissent aucun déficit résiduel. Les signes prodromiques, qui comprennent la parésie (diminution de la force et du mouvement d'un membre), l'aphasie (trouble de la fonction du langage), la paralysie, la confusion mentale ou les troubles visuels, laissent présager l'atteinte des artères carotidiennes et des artères cérébrales moyennes. Quant aux signes qui comprennent des étourdissements, de la diplopie (vision double), des engourdissements, des troubles oculaires, des céphalées ou de la dysarthrie (trouble de l'élocution), ils peuvent indiquer l'atteinte des artères vertébrales et basilaires (système vertébrobasilaire).

L'AVC thrombotique est caractérisé par l'un des éléments suivants : 1) une seule attaque accompagnée de symptômes qui durent plusieurs heures ; 2) une évolution intermittente vers l'AVC qui dure plusieurs heures ou plusieurs jours ; 3) un AVC partiel accompagné de déficits neurologiques permanents ; 4) une série d'accidents ischémiques transitoires suivis d'un AVC et de déficits neurologiques permanents. La gravité de l'AVC dépend de la vitesse à laquelle il est apparu, de la taille de la lésion et de la présence d'une circulation collatérale. Les traits caractéristiques de l'AVC sont des signes et des symptômes qui atteignent leur paroxysme dans les 72 heures suivant leur apparition, soit lorsque l'œdème augmente dans les zones cérébrales atteintes par l'infarctus. Les signes et les symptômes s'estompent habituellement dans un délai de deux semaines suivant la résorption de l'œdème.

En résumé, le client victime d'un AVC thrombotique présente normalement des signes avant-coureurs

TABLEAU 54.1 Types d'AVC

Type	Sexe/Âge	Signes avant-coureurs	Moment d'apparition	Évolution/Pronostic
AVC ischémique Thrombotique	Davantage chez les hommes que chez les femmes, d'âge moyen à avancé	ICT (30 à 50 % des cas)	Pendant ou après le sommeil	Évolution graduelle ; les signes et symptômes apparaissent lentement ; possibilités de certaines améliorations ; récidive chez 20 à 25 % des survivants.
Embolique	Davantage chez les hommes que chez les femmes	ICT (rare)	Sans relation avec l'activité, début soudain	Un seul événement ; les signes et symptômes apparaissent rapidement ; possibilités de certaines améliorations ; récidive courante sans traitement agressif de la maladie sous-jacente.
AVC hémorragique Intracérébral	Légèrement plus élevé chez les femmes	Céphalée (25 % des cas)	Activité (souvent)	Évolution pendant 24 h ; pronostic défavorable ; mortalité probable en présence d'un coma.
Sous-arachnoïdien	Légèrement plus élevé chez les femmes, de très jeune âge à l'âge moyen	Céphalée (courante)	Activité (souvent), début soudain Plus souvent lié à un traumatisme crânien	Souvent un seul événement soudain ; mortalité probable en présence d'un coma.

ICT : ischémie cérébrale transitoire.

(accidents ischémiques transitoires) qui peuvent être moins graves en présence d'une circulation sanguine collatérale et qui peuvent s'estomper à mesure que l'œdème se résorbe.

54.3.2 Accident vasculaire cérébral embolique

L'embolie cérébrale est l'occlusion d'une artère cérébrale par un embole, ce qui se traduit par de la nécrose et de l'œdème au niveau de la zone irriguée par le vaisseau sanguin atteint. L'embolie est la deuxième cause d'AVC. La plupart des emboles naissent dans la paroi endocardique (couche interne) du cœur, après que des plaques ou des tissus endocardiques se sont détachés de la paroi et se sont infiltrés dans la circulation. L'embole s'introduit dans des petits vaisseaux et obstrue les zones où il y a un rétrécissement vasculaire ou une bifurcation. Les emboles sont associés aux cardiopathies, telles que la fibrillation auriculaire, l'infarctus du myocarde, l'endocardite infectieuse, le rhumatisme cardiaque, les prothèses valvulaires et les communications interauriculaires. Les causes moins fréquentes de l'embolie comprennent l'air, les lipides provenant d'une fracture d'un

os long (fémur), le liquide amniotique après l'accouchement et les tumeurs.

Dans la plupart des cas, les manifestations cliniques graves apparaissent rapidement chez le client victime d'un AVC embolique. Les AVC emboliques peuvent toucher n'importe quel groupe d'âge. Ce type d'AVC peut être consécutif à un rhumatisme cardiaque chez les jeunes adultes et les adultes d'âge moyen. Par contre, ce sont principalement les personnes âgées qui sont victimes d'une embolie attribuable à un détachement de la plaque athéroscléreuse. Les signes avant-coureurs sont plus rares dans le cas d'un AVC embolique que celui d'un AVC thrombotique. L'AVC embolique apparaît souvent soudainement et peut ou non être relié à l'activité. Bien que le client puisse ressentir une céphalée du côté où l'embole est logé, il ne présente habituellement aucune perte de conscience. Le pronostic est relié à la quantité de tissu cérébral privé d'apport sanguin. Par exemple, l'AVC embolique touche normalement l'artère cérébrale moyenne, qui est une continuation directe de l'artère carotide interne. Les répercussions de l'embolie se caractérisent, au début, par de graves déficits neurologiques pouvant être temporaires si le caillot se détache et permet au sang de circuler. De plus petits emboles continuent donc d'obstruer de plus petits vaisseaux, ce qui a pour effet de porter atteinte à des zones cérébrales plus petites et d'entraîner des déficits moins importants. Étant donné que l'AVC embolique survient souvent rapidement, l'organisme n'a pas le temps de s'adapter à la formation de la circulation collatérale. Le risque de récidive d'un AVC embolique est courant à moins que la cause sous-jacente ne soit traitée agressivement.

54.3.3 Accident vasculaire cérébral hémorragique

L'hémorragie intracérébrale est un saignement dans le cerveau causé par la rupture de vaisseaux et pouvant durer de quelques minutes à quelques jours. L'hypertension est généralement à l'origine de l'hémorragie intracérébrale. D'autres causes d'hémorragie intracérébrale comprennent une tumeur cérébrale, un traumatisme, les médicaments thrombolytiques et une rupture d'anévrisme. L'hypertension et l'athérosclérose engendrent des modifications dégénératives dans les parois artérielles pouvant entraîner une rupture et une hémorragie ultérieure. L'hémorragie apparaît souvent pendant une période d'activité, sans qu'il y ait de signes avant-coureurs. La gravité des symptômes varie selon la quantité et la durée du saignement. Le sang qui se trouve dans la zone fermée du cerveau forme une masse hydrique qui exerce une pression sur le tissu cérébral. À son tour, la pression déplace le tissu cérébral et diminue le débit sanguin au cerveau. On associe ces symptômes à l'ischémie et à un infarctus..

Les principaux foyers d'hémorragie intracérébrale sont le putamen et la capsule interne (50 %), la substance blanche centrale, le thalamus, les hémisphères cérébelleux et la protubérance. Au début, le client souffre d'une céphalée sévère, accompagnée de nausées et de vomissements. Les manifestations cliniques reliées à une hémorragie au niveau du putamen et de la capsule interne comprennent une faiblesse unilatérale, incluant le visage, les bras et les jambes, des troubles de l'élocution et une déviation oculaire. L'évolution des manifestations reliées à une hémorragie grave comprend une hémiplégie, des pupilles dilatées ou fixes, une posture corporelle anormale et le coma. L'hémorragie thalamique entraîne une hémiplégie causant davantage de pertes sensorielles que de pertes motrices. Un saignement dans les zones sous-thalamiques du cerveau provoque des troubles de la vision et du mouvement oculaire. Les hémorragies cérébelleuses se caractérisent par des céphalées sévères, des vomissements, une incapacité à marcher, de la dysphagie, de la dysarthrie et des troubles du mouvement oculaire. L'hémorragie la plus sérieuse se situe dans la protubérance en raison de l'atteinte rapide des fonctions vitales (p. ex. la respiration). De plus, cette hémorragie est parfois caractérisée par une hémiplégie donnant lieu à une paralysie complète, à une posture corporelle anormale, à des pupilles fixes, à de l'hyperthermie et à la mort.

Le pronostic de l'accident vasculaire cérébral hémorragique est mauvais, car 70 % des clients meurent peu de temps après. Cependant, le pronostic est meilleur si la zone de saignement est minimale, car la faible hémorragie peut être résorbée. En résumé, le client souffrant d'une hémorragie intracérébrale ne présente aucun signe avant-coureur, il éprouve des symptômes sévères qui apparaissent rapidement lors d'une activité et reçoit un mauvais pronostic de rétablissement.

54.3.4 Hémorragie sous-arachnoïdienne

Les causes de l'hémorragie sous-arachnoïdienne comprennent les anévrismes (débilité acquise ou congénitale et dilatation des vaisseaux), les malformations artérioveineuses, les traumatismes et l'hypertension. Les anévrismes cérébraux touchent les personnes âgées entre 20 et 70 ans. Ils sont associés à de l'athérosclérose, à un traumatisme, à de l'hypertension ou à des malformations congénitales. Les médicaments tels que les anticoagulants, les thrombolytiques et les sympathomimétiques peuvent parfois être à l'origine d'une hémorragie. Le client peut présenter des signes avant-coureurs si le ballonnement ou la dilatation exerce une pression sur le tissu cérébral. L'anévrisme peut aussi se rompre soudainement et causer rapidement des modifications neurologiques. La plupart des anévrismes (85 %) ont lieu dans l'hexagone de Willis. Les anévrismes peuvent être sacciformes et mesurer de quelques millimètres à 20 ou même 30 mm, ou il peut s'agir d'anévrismes athéroscléreux fusiformes.

Les céphalées peuvent être associées à une faible quantité de sang s'écoulant de l'anévrisme. La rupture d'un anévrisme provoque une hémorragie et une pression dans l'espace sous-arachnoïdien, ce qui peut engendrer des céphalées, de la léthargie, de la confusion, des nausées, des vomissements, de la fièvre, une douleur cervicale et des maux de dos, une paralysie, le coma et la mort.

Il y a hémorragie massive lorsque la personne perd de 30 à 50 ml de sang. Dans un premier temps, un caillot se forme au site de la rupture de l'anévrisme. Lorsque le caillot commence à se dissoudre et que les vasospasmes disparaissent, les risques de reprise du saignement augmentent. Le pronostic à l'égard des clients victimes d'une hémorragie sous-arachnoïdienne est réservé puisqu'ils sont nombreux (30 %) à éprouver d'autres saignements dans les deux semaines suivant la première hémorragie sous-arachnoïdienne. Des interventions chirurgicales, telles que le clampage et l'enrobage de l'anévrisme (voir figure 54.4), ont permis de diminuer le taux de mortalité de ces clients. On peut également procéder à l'embolisation de l'anévrisme

54.3.5 Manifestation d'un accident vasculaire cérébral temporal

Les AVC temporaux sont classés selon leur manifestation et comprennent l'ischémie cérébrale transitoire, le déficit ischémique neurologique réversible, l'AVC évolutif et l'AVC complet (AVC stable). Il est utile de connaître cette classification afin de pouvoir planifier les soins infirmiers.

Ischémie cérébrale transitoire. Une ischémie cérébrale transitoire (ICT) est caractérisée par de brefs épisodes de manifestations neurologiques entièrement régressifs en moins de 24 heures. Les déficits neurologiques présents au moment de l'ICT disparaissent sans laisser d'effets résiduels. Les personnes qui présentent une ischémie cérébrale transitoire sont classées en trois catégories : un tiers ne fera aucune autre ICT, un tiers aura d'autres ICT et un tiers sera victime d'un AVC.

On estime que les ICT sont attribuables à des microemboles provenant de plaques athéroscléreuses présentes dans les artères extracrâniennes qui évoluent vers une ischémie cérébrale temporaire. Les ICT doivent être perçus comme un signe avant-coureur d'une maladie cérébrovasculaire évolutive. Les signes et symptômes des ICT varient selon la zone cérébrale atteinte. Le siège anatomique du déficit neurologique peut être déterminé à partir de manifestations cliniques. Lorsque le système carotidien est atteint, le client peut présenter une perte visuelle temporaire au niveau d'un œil, une hémiparésie transitoire ou une incapacité soudaine à parler. Les manifestations courantes de l'ICT reliées à l'insuffisance vertébro-basilaire sont l'acouphène, le vertige, une vision assombrie ou trouble, une diplopie, une dysphagie et un engourdissement ou une faiblesse unilatérale ou bilatérale.

Il est important de distinguer l'ICT des autres causes d'ischémie cérébrale, telles que la formation d'un hématome sous-dural ou l'augmentation d'une masse tumorale. La surveillance et les tests cardiaques révèlent souvent un état cardiaque sous-jacent responsable de la formation d'un caillot. Il est possible que des médicaments prévenant l'agrégation plaquettaire, tels que l'aspirine, le dipyridamole (Persantine) et les anticoagulants, soient prescrits comme traitement à long terme à la suite d'une ICT.

Déficit ischémique neurologique réversible. On utilise parfois le terme **déficit ischémique neurologique réversible** pour désigner un déficit neurologique qui persiste plus de 24 heures sans laisser de signes ni de symptômes résiduels après quelques jours ou quelques

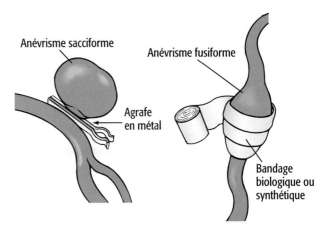

FIGURE 54.4 Clampage et enrobage d'un anévrisme

semaines. Certaines personnes estiment qu'il s'agit d'un AVC complet avec peu ou pas de déficit résiduel.

Accident vasculaire cérébral évolutif. Un AVC évolutif se manifeste en quelques heures ou en quelques jours. Ce mode d'évolution est caractéristique d'un thrombus intra-artériel. Une progression séquentielle ou intermittente de la détérioration des paramètres neurologiques est courante. L'évolution se poursuit en raison du tissu ischémique qui se transforme en tissu infarci. Les manifestations d'un AVC évolutif ne se résorbent pas (comparativement à celles d'une ICT) et laissent des effets résiduels neurologiques.

Accident vasculaire cérébral complet. Le terme **AVC complet** (ou AVC stable) désigne un déficit neurologique qui reste stable pendant une période de deux à trois jours. Le début d'un AVC embolique peut présenter cette caractéristique. À l'exception d'un AVC consécutif à la rupture d'un anévrisme, un AVC complet indique que le client est prêt à commencer un traitement de réadaptation plus agressif. Si on soupçonne une rupture d'anévrisme, il est possible que les activités du client soient restreintes pendant trois à quatre semaines afin de diminuer le risque d'hémorragie.

54.4 MANIFESTATIONS CLINIQUES

Un AVC finit par affecter de nombreuses fonctions du corps, notamment l'activité neuromotrice, l'élimination, la fonction intellectuelle, la fonction proprioceptive, la personnalité et l'affect, la sensation ainsi que la communication. Les fonctions cérébrales atteintes sont directement reliées à la zone cérébrale irriguée par l'artère touchée (voir encadré 54.2). La figure 54.5 présente les séquelles des lésions dans chacun des deux hémisphères cérébraux.

Manisfestations cliniques : atteinte spécifique de l'artère cérébrale | ENCADRÉ 54.2

Atteinte de l'artère cérébrale moyenne
- Blocage du tronc principal
- Paralysie controlatérale (hémiplégie)
- Anesthésie controlatérale ; perte de proprioception, de la motricité fine, de la perception spatiale (hémiparésie)
- Hémisphère dominant : aphasie
- Hémisphère non dominant : négligence de l'hémicorps, dysmétrie
- Hémianopsie homonyme, paralysie conjuguée du regard

Atteinte de l'artère cérébrale antérieure
- Occlusion du tronc*
- Occlusion en aval ou antérieure de l'artère communicante
- Composante sensorielle controlatérale et déficits moteurs du pied et de la jambe
- Faiblesse controlatérale de l'extrémité supérieure proximale
- Incontinence urinaire (probablement non reconnue par le client)
- Présence possible des réflexes de préhension controlatérale et de succion
- Apraxie
- Changement de personnalité : affect diminué, perte de spontanéité, distractivité
- Déficience intellectuelle possible

Atteinte de l'artère cérébrale postérieure**
- Occlusion de la branche thalamogéniculée

- Perte sensorielle controlatérale
- Hémiparésie temporaire
- Hémianopsie homonyme
- Occlusion de la branche paramédiane : cerveau moyen central et sous-thalamus
- Syndrome de Weber : paralysie du nerf oculomoteur et hémiplégie controlatérale
- Occlusion corticale : lobes temporal et occipital
- Hémianopsie homonyme incomplète
- Hémisphère dominant : aphasie, anomie
- Hémisphère non dominant : désorientation
- Occlusion basilaire supérieure (bilatérale)
- Troubles visuels (cécité, hémianopsie homonyme, hallucinations visuelles, apraxie des mouvements oculaires)
- Aphasie amnésique : objets et incapacité de compter
- Perte de mémoire possible

Atteinte de l'artère vertébro-basilaire
- Déficits sensoriels et moteurs bilatéraux de tous les membres
- Syndrome de Horner ipsilatéral : myosis, ptosis, diminution de la transpiration
- Enrouement
- Dysphagie
- Nystagmus, diplopie, cécité
- Nausées, vomissements
- Ataxie

* Il n'y a habituellement aucun problème si le tronc est occlus près de l'artère communicante antérieure puisque l'irrigation du côté opposé est maintenue.

** Le foyer de l'occlusion, l'origine des artères basilaires et l'état de l'hexagone de Willis font partie du type de déficit présent. Cela peut être attribuable à un thrombus ou à un embole.

54.4.1 Fonction neuromotrice

Les déficits moteurs sont les répercussions les plus évidentes de l'AVC. Les troubles associés aux déficiences de la fonction neuromotrice comprennent des altérations au niveau de la mobilité, de la fonction respiratoire, de la déglutition et du langage, du réflexe pharyngé et des capacités d'autosoins. Les symptômes sont causés par la destruction des neurones moteurs situés dans la voie pyramidale (fibres nerveuses allant du cerveau aux cellules motrices en passant par la moelle épinière). Les déficits moteurs caractéristiques comprennent l'impossibilité d'exercer un mouvement volontaire (akinésie), la difficulté à intégrer les mouvements et les altérations du tonus musculaire et des réflexes. Pour la plupart des clients, l'hyporéflexie initiale (diminution des réflexes) évolue vers une surréflectivité (réflexes hyperactifs).

Les déficits moteurs survenant à la suite d'un AVC présentent des schémas caractéristiques. Étant donné que les voies pyramidales se croisent au niveau du bulbe rachidien, une lésion sur un côté du cerveau aura des conséquences sur la fonction motrice de l'autre côté du cerveau (controlatéral). Le bras et la jambe de l'hémicorps atteint peuvent être affaiblis ou paralysés à dif-

férents degrés selon la région et l'étendue de la circulation cérébrale compromise. Un AVC touchant l'artère cérébrale moyenne entraîne une plus grande faiblesse au niveau des membres supérieurs qu'au niveau des membres inférieurs. L'épaule atteinte tend à effectuer une rotation vers l'intérieur et la hanche, une rotation vers l'extérieur. Le pied touché présente une flexion plantaire et une inversion. Une période initiale de flaccidité peut durer de quelques jours à quelques semaines et est reliée à des lésions nerveuses. La spasticité musculaire se manifeste après la phase de flaccidité et est reliée à l'interruption de l'influence des neurones moteurs supérieurs.

54.4.2 Communication

L'hémisphère gauche domine en ce qui a trait à la compétence linguistique chez tous les droitiers et la plupart des gauchers. Les troubles du langage englobent l'emploi et la compréhension du vocabulaire écrit et parlé. Le client peut présenter une aphasie (perte totale de la compréhension et de l'utilisation du langage) lorsqu'un AVC lèse l'hémisphère dominant du cerveau. L'aphasie est un dysfonctionnement relié à la compréhension ou à

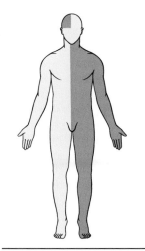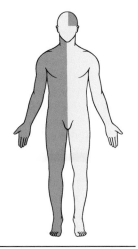

Lésions cérébrales droites
(AVC de l'hémisphère cérébral droit)

- Hémicorps gauche paralysé : hémiplégie
- Négligence de l'hémicorps gauche
- Déficits proprioceptifs
- Tendance à nier ou minimiser les troubles
- Exécution rapide, temps de concentration court
- Troubles de sécurité et d'impulsivité
- Altération du jugement
- Altération des concepts temporels

Lésions cérébrales gauches
(AVC de l'hémisphère cérébral gauche)

- Hémicorps droit paralysé : hémiplégie
- Difficulté de l'élocution/aphasie
- Altération de la discrimination droite et gauche
- Exécution lente, prudence
- Altération de la parole et du langage
- Conscient des déficits : dépression, anxiété
- Altération de la compréhension reliée au langage et aux mathématiques

FIGURE 54.5 Séquelles d'un AVC au niveau des deux hémisphères cérébraux

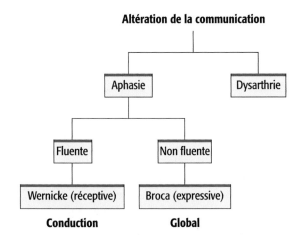

FIGURE 54.6 Types d'altérations de la communication verbale courantes après un AVC

l'utilisation du langage et est attribuable à une perturbation ou à une perte partielle. Les types d'aphasies peuvent différer selon la zone cérébrale atteinte par l'AVC et sont classés comme non fluentes (élocution minime et lente qui demande beaucoup d'efforts) ou fluentes (l'élocution est présente, mais le discours est peu rationnel). La plupart des aphasies sont accompagnées d'altérations au niveau de l'expression et de la compréhension. Un AVC massif peut se traduire par une aphasie globale caractérisée par une perte de la communication et des fonctions réceptives.

Les AVC touchant l'aire cérébrale de Wernicke provoquent des symptômes d'aphasie sensorielle lorsque le client est incapable de comprendre ni les sons émis ni leur signification. Les lésions au niveau de l'aire de Wernicke altèrent la compréhension du client quant au langage parlé et écrit. Les AVC affectant l'aire cérébrale de Broca causent une aphasie motrice (difficulté à parler et écrire).

De nombreux clients victimes d'un AVC présentent aussi une dysarthrie, un trouble au niveau de la maîtrise musculaire de l'élocution, se traduisant par une altération de la prononciation, de l'articulation et de la phonation. Bien qu'elle affecte les mécanismes de l'élocution, la dysarthrie n'altère pas la signification de la communication ni la compréhension du langage. Certains clients peuvent présenter à la fois une aphasie et une dysarthrie (voir figure 54.6).

54.4.3 Affect (labilité)

Les clients ayant été victimes d'un AVC sont parfois incapables de maîtriser leurs émotions. Les réactions affectives peuvent être exagérées ou imprévisibles en raison de la dépression reliée aux changements de l'image corporelle et de la perte de fonctions. Ces clients peuvent également éprouver de la frustration en raison de leurs troubles de mobilité et de communication. Voici un exemple d'affect imprévisible (labilité) : un ingénieur professionnel timide ayant été victime d'un AVC regagne son domicile à la suite d'un séjour à l'hôpital. Au cours d'un repas avec sa famille, il se décourage et se met à pleurer parce qu'il a de la difficulté à mettre les aliments dans sa bouche et à les mâcher.

54.4.4 Fonction intellectuelle

Un AVC peut altérer la mémoire et le jugement. Ces altérations sont présentes lorsque l'AVC touche les deux hémisphères cérébraux. Un AVC de l'hémisphère gauche prédispose davantage le client aux troubles de la mémoire reliés au langage. Ce client fait normalement preuve d'une très grande prudence en matière de jugement. À l'opposé, le client dont l'hémisphère droit est atteint tend à être impulsif et à se déplacer rapidement. À titre d'exemple, le client victime d'un AVC de l'hémisphère droit peut essayer de se lever rapidement du fauteuil roulant, sans avoir verrouillé les roues ou relevé le repose-pied, alors que le client victime d'un AVC de l'hémisphère gauche se déplace lentement et prudemment du lit au fauteuil roulant. Les clients victimes de ces deux types d'AVC peuvent éprouver de la difficulté à faire des généralisations, ce qui nuit à leur capacité d'apprentissage.

54.4.5 Fonction proprioceptive

Un AVC de l'hémisphère cérébral droit est plus susceptible de produire des altérations au niveau de l'orientation proprioceptive qu'un AVC de l'hémisphère cérébral gauche. Ces altérations de la fonction proprioceptive peuvent être divisées en quatre catégories. La première catégorie inclut la perception erronée du client par rapport à lui-même et à la maladie. Cette altération dépend des lésions au niveau du lobe pariétal. Il est possible que le client nie sa maladie ou les parties de son corps. La deuxième catégorie concerne la perception erronée qu'a le client par rapport à l'espace. Le client peut négliger toutes les données de l'hémicorps atteint (héminégligence corporelle droite ou gauche). Cela peut être aggravé par une hémianopsie homonyme, qui est une cécité survenant dans la moitié correspondante du champ visuel déficitaire de chaque œil. De plus, le client éprouve de la difficulté quant à l'orientation spatiale, comme l'évaluation des distances. La troisième catégorie d'altération proprioceptive comporte l'agnosie, qui est l'incapacité de reconnaître un objet par la vue, le toucher ou l'ouïe. La quatrième catégorie comprend l'apraxie, qui est l'incapacité d'effectuer volontairement des mouvements séquentiels appris. Il est possible que le client soit conscient de ses altérations proprioceptives ou qu'il ne s'en rende pas compte.

54.4.6 Fonction d'élimination

Heureusement, la plupart des troubles reliés à l'élimination urinaire et intestinale surviennent au début et sont transitoires. Lorsqu'un AVC touche un seul hémisphère, le pronostic d'une fonction vésicale normale est excellent. La voie entre la vessie et la moelle épinière reste intacte, et le client continue de ressentir partiellement le remplissage de la vessie et la miction volontaire. Au début, le client peut manifester des mictions fréquentes, des mictions impérieuses et de l'incontinence. Il peut arriver que le client soit constipé, même si le contrôle moteur des intestins ne constitue généralement pas un problème. La constipation est attribuable à l'immobilité, à l'affaiblissement des muscles abdominaux, à la déshydratation et à la diminution de la réponse au réflexe de défécation. Les troubles d'élimination urinaire et intestinale peuvent aussi être reliés à l'incapacité du client à exprimer ses besoins et à se vêtir ou à se dévêtir.

54.5 ÉPREUVES DIAGNOSTIQUES

À la suite d'un AVC, diverses épreuves diagnostiques sont pratiquées dans le but de déterminer la cause et le site de l'AVC (voir tableau 54.2). Des tests sont également effectués afin d'orienter les décisions portant sur le traitement thérapeutique ou chirurgical. La tomodensitométrie (TDM) est la première épreuve effectuée à la suite d'un AVC afin de déterminer la taille et le site de la lésion. Cette épreuve est également utile pour différencier un infarctus d'une hémorragie. Plusieurs TDM sont souvent effectuées dans le but de déterminer l'efficacité du traitement et d'évaluer la guérison.

D'autres épreuves diagnostiques utilisées sont l'imagerie par résonance magnétique (IRM), la tomographie par émission de positons (TEP) et l'angiographie par soustraction numérique. L'IRM emploie un champ magnétique plutôt qu'un rayonnement afin de produire une image du cerveau semblable à celle de la TDM. L'IRM est considérée par certains comme la meilleure méthode d'imagerie permettant de différencier un infarctus hémorragique d'un infarctus non hémorragique. Depuis quelques années, l'IRM est de plus en plus

ÉPREUVES DIAGNOSTIQUES

TABLEAU 54.2   Accident vasculaire cérébral (AVC)

Diagnostic d'un AVC, incluant le degré d'atteinte
Tomodensitométrie (TDM)
Imagerie par résonance magnétique (IRM)
Électroencéphalogramme (EEG)
Scintigraphie (gammaencéphalographie)
Angiographie
Tomographie par émission de positons (TEP)
Angiographie par soustraction numérique (DSA)
Analyse du liquide céphalorachidien*

Évaluation de l'étiologie de l'AVC
DÉBIT SANGUIN CÉRÉBRAL
Échographie Doppler
Échographie Doppler transcrânienne
Duplex carotidien
Angiographie de la carotide

ÉVALUATION CARDIAQUE
Électrocardiogramme
Enzymes cardiaques
Échocardiographie
Surveillance Holter (évaluation des arythmies)

*Pour l'analyse du liquide céphalorachidien, on ne fait pas de ponction lombaire si on soupçonne une élévation de la pression intracrânienne.

utilisée dans le diagnostic de l'AVC. L'IRM pondérée en diffusion, une version plus sensible de l'IRM, présente une plus grande sensibilité pour délimiter rapidement la lésion cérébrale ischémique à la suite d'un AVC, alors que la TDM et l'IRM présentent des résultats standard normaux.

La TEP montre l'activité chimique du cerveau et illustre très bien l'étendue des lésions tissulaires à la suite d'un AVC. Le tissu moins actif ou malade apparaît plus foncé que les cellules saines et actives. Les principaux travaux de recherche visent à améliorer cette technique dans le but d'aider à diagnostiquer et à traiter la maladie cérébrale.

L'angiographie numérique par soustraction (DSA) requiert l'injection intraveineuse ou artérielle d'un produit de contraste afin de fournir une bonne image des vaisseaux sanguins du cou et des grands vaisseaux de l'hexagone de Willis. Cependant, l'injection intra-artérielle d'un produit de contraste a pratiquement complètement remplacé la DSA puisqu'elle nécessite une plus petite dose de produit de contraste et qu'elle procure de meilleurs résultats. Les spécialistes considèrent cette méthode comme étant moins dangereuse que l'angiographie cérébrale puisqu'elle requiert une manipulation vasculaire moins importante. Cependant, l'angiographie intra-artérielle conventionnelle est encore nécessaire pour examiner les artères intracrâniennes. L'angiographie est potentiellement dangereuse, car elle risque de déplacer un embole et, par conséquent, de causer des vasospasmes ou d'accroître l'hémorragie. Elle est donc pratiquée uniquement lorsque d'autres épreuves plus sécuritaires ne peuvent donner les informations voulues.

L'échographie Doppler transcrânienne mesure la vitesse du débit sanguin dans les artères cérébrales. Il a été prouvé que ce type d'échographie est efficace pour déceler des microemboles et des vasospasmes. Certaines épreuves neurodiagnostiques, telles que les radiographies crâniennes, la gammaencéphalographie, la ponction lombaire et l'électroencéphalogramme (EEG) qui étaient utilisées autrefois dans le diagnostic de l'AVC, sont aujourd'hui beaucoup moins utilisés. Même si la radiographie crânienne est habituellement normale à la suite d'un AVC, il peut y avoir un déplacement pinéal accompagné d'un infarctus massif. Une gammaencéphalographie montre une augmentation de la fixation des radio-isotopes dans la zone de l'infarctus.

Bien que la ponction lombaire ne soit pas pratiquée régulièrement, il est possible qu'elle montre une augmentation transitoire des leucocytes dans le liquide céphalo-rachidien (LCR). La présence de sang dans le LCR est un signe d'hémorragie, mais ne constitue pas un diagnostic d'hémorragie. Une ponction lombaire n'est habituellement pas pratiquée en présence d'une augmentation de la pression intracrânienne (PIC) en raison du risque d'engage-ment cérébral attribuable à une diminution soudaine de la pression. L'EEG peut montrer un bas voltage et des ondes lentes laissant supposer un infarctus ischémique. Lorsque l'AVC est causé par l'hémorragie, l'EEG peut montrer des ondes lentes de haute tension. L'artériographie peut montrer les zones d'occlusion cervicale et vasculocérébrales, la plaque athéroscléreuse et la malformation des vaisseaux. Si l'on soupçonne qu'un embole cardiaque est à l'origine de l'AVC, des épreuves diagnostiques doivent être effectuées au niveau du cœur (voir tableau 54.2).

54.6 PROCESSUS THÉRAPEUTIQUE

54.6.1 Prévention

La prévention précoce est une priorité permettant de réduire la morbidité et la mortalité reliées aux AVC (voir encadré 54.3). Les objectifs de prévention des AVC comprennent : l'éducation sanitaire auprès des personnes en santé ; la gestion des facteurs de risque modifiables ; la prévention des AVC auprès des personnes ayant des antécédents d'ICT ; la prévention des AVC auprès des personnes ayant déjà été victimes d'un AVC. L'éducation sanitaire doit être axée sur les éléments suivants :
- une alimentation saine ;
- un poids santé ;
- l'exercice régulier ;
- l'interdiction de fumer ;
- la restriction de la consommation d'alcool ;
- un examen médical annuel.

Les clients présentant des facteurs de risque connus, tels que le diabète, l'hypertension, l'obésité, un taux élevé de lipides sériques ou un dysfonctionnement cardiaque, doivent être étroitement suivis. L'hormonothérapie comme moyen de prévention des AVC chez la femme ménopausée est fortement remise en question, et de nombreuses études se poursuivent pour en déterminer l'efficacité (Fondation des maladies du cœur et Société des obstétriciens et gynécologues du Canada, 2002).

Pharmacothérapie. Des mesures sont également utilisées pour prévenir la formation d'un thrombus ou d'un embole chez les clients à risque. Une faible dose d'aspirine peut être prescrite comme prophylaxie en raison de ses effets antiplaquettaires. Des études ont montré que la prise quotidienne d'une aspirine peut réduire le risque d'AVC chez les hommes et les femmes. La prise d'une dipyridamole (Persantine) de 50 mg à raison de 3 fois par jour diminue l'agrégation plaquettaire, aidant ainsi à prévenir la formation d'un thrombus et d'un embole. Il a été démontré que la prise quotidienne d'antiagrégants plaquettaires, comme la ticlopidine (Ticlid) et le clopidogrel (Plavix), est aussi efficace que la prise d'aspirine pour réduire la fréquence des AVC.

PROCESSUS DIAGNOSTIQUE ET THÉRAPEUTIQUE

Accident vasculaire cérébral

ENCADRÉ 54.3

Diagnostic
- Antécédents de santé et examen physique

Processus thérapeutique
Prévention
- Surveillance de l'hypertension
- Surveillance du diabète
- Interdiction de fumer
- Consommation d'alcool réduite
- Prise d'antiagrégants plaquettaires (p. ex. aspirine)
- Anticoagulothérapie pour le client atteint d'une fibrillation auriculaire
- Traitement du trouble cardiaque sous-jacent
- Intervention chirurgicale pour le client atteint d'un anévrisme qui risque de saigner
- Endartériectomie carotidienne
- Angioplastie transluminale

- Pontage extracrânien et intracrânien

Soins en phase aiguë
- Maintenir la respiration
- Thérapie liquidienne
- AVC ischémique (thrombotique et embolique)
  - Activateur tissulaire du plasminogène (tPA)
  - Anticoagulation
- AVC ischémique et hémorragique
  - Traitement de l'œdème cérébral
- AVC hémorragique
  - Décompression chirurgicale, s'il y a lieu
- Hémorragie sous-arachnoïdienne
  - Évacuation ou drainage chirurgical (selon l'ampleur et le site de l'hémorragie)
- AVC embolique
  - Traitement de la cause sous-jacente

* Le tableau 54.2 présente les épreuves diagnostiques.

Traitement chirurgical. Les interventions chirurgicales auprès du client victime d'une ICT attribuable à des lésions carotidiennes comprennent l'endartériectomie carotidienne, l'angioplastie transluminale et le pontage intra-extracrânien. Au cours de l'endartériectomie carotidienne, la lésion athéromateuse est enlevée de l'artère carotide afin d'améliorer le débit sanguin (voir figure 54.7). L'endartériectomie carotidienne est associée à une diminution du nombre d'AVC et de morts vasculaires. Cette chirurgie est réservée aux clients dont le débit sanguin est occlus de 70 à 99 %.

L'angioplastie transluminale consiste à rétablir le débit sanguin dans l'artère sténosée en y insérant un ballon de dilatation. Cette procédure est utilisée pour traiter les clients souffrant de manifestations cliniques reliées à une sténose au niveau des artères vertébro-basilaires ou carotidiennes et de leurs principales branches. Cependant, l'angioplastie risque de déloger un embole qui pourrait ensuite atteindre le cerveau ou la rétine.

Le pontage intra-extracrânien est effectué chez les clients présentant des troubles intracrâniens lorsqu'il est impossible d'enlever directement l'obstruction. L'intervention requiert souvent l'anastomose (jonction pratiquée chirurgicalement) d'une branche d'une artère extracrânienne à une artère intracrânienne juste au-dessus de la zone obstruée. Les branches de l'artère cérébrale moyenne sont les plus couramment utilisées lors de ce pontage afin d'améliorer l'irrigation intracrânienne. Après ce type d'intervention, les clients doivent être suivis à long terme puisqu'ils courent un risque élevé d'AVC (voir encadré 54.3).

54.6.2 Soins en phase aiguë

Les objectifs du processus thérapeutique au cours de la phase aiguë visent à maintenir le client en vie, à prévenir l'aggravation de la lésion cérébrale et à réduire le niveau d'invalidité. Le traitement diffère selon le type d'AVC et il est aussi modifié lorsque le client passe de la phase aiguë à la phase de réadaptation.

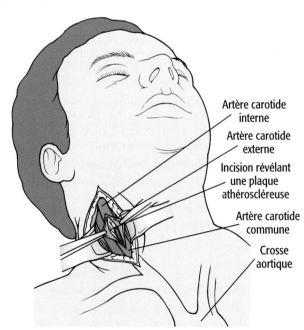

Artère carotide interne
Artère carotide externe
Incision révélant une plaque athéroscléreuse
Artère carotide commune
Crosse aortique

FIGURE 54.7 Endartériectomie carotidienne. La plaque athéroscléreuse qui se trouve dans l'artère carotide interne est enlevée afin de prévenir un infarctus cérébral imminent.

Le premier objectif consiste à maintenir les voies respiratoires du client dégagées, car celles-ci peuvent être compromises si le niveau de conscience est diminué. Les mesures visant à maintenir une oxygénation suffisante doivent être entreprises immédiatement afin de prévenir l'anoxie cérébrale et les lésions cérébrales permanentes. Le tableau 54.3 décrit les mesures d'urgence à prendre auprès d'un client victime d'un AVC. Les interventions courantes visant à maintenir une oxygénation suffisante peuvent comprendre l'administration d'oxygène, la mise en place d'une canule oro-pharyngée, l'intubation endo-trachéale et la ventilation mécanique. Le client doit être surveillé attentivement afin de déceler tout signe d'une augmentation du déficit neurologique.

À la suite d'un AVC thrombotique ou embolique (AVC ischémique), une série d'événements surviennent, que l'on appelle les **réactions ischémiques en cascade**. Lors de la période initiale, la zone ischémique devient décolorée et molle. La zone centrale de l'ischémie est entourée d'une zone dite de **pénombre ischémique** dont l'irrigation est faible. La pénombre peut maintenir la fonction pendant les premières heures suivant un AVC. Bien que la durée exacte de la pénombre soit inconnue, on estime qu'elle se situe entre trois et six heures. Si le débit sanguin est suffisamment rétabli pendant les trois à six premières heures, les réactions ischémiques en cascade seront interrompues, et le client présentera une moins grande perte de fonctions neurologiques.

Toutefois, si elles ne sont par interrompues, ces réactions continueront d'entraîner des déficits neurologiques et une invalidité. Par conséquent, des efforts doivent être entrepris afin d'augmenter l'irrigation dans le but de diminuer les déficits neurologiques.

Il est possible qu'on administre une hémodilution hypervolémique et une expansion volumique de cristalloïdes ou de colloïdes au client victime d'un AVC. Ce traitement vise à diminuer la viscosité sanguine afin de favoriser le débit sanguin dans la zone de l'AVC.

L'équilibre hydro-électrolytique doit être surveillé étroitement. Le remplacement hydro-électrolytique vise normalement à maintenir le client adéquatement hydraté afin de favoriser l'irrigation et de diminuer les lésions secondaires. Même si l'objectif est de maintenir l'irrigation cérébrale, il est important de ne pas surhydrater le client, car cela pourrait augmenter l'œdème cérébral et compromettre l'irrigation. Au cours de la phase aiguë, un apport liquidien adéquat doit comporter de 1500 à 2000 ml/jour par voie orale, intraveineuse ou par intubation nasogastrique. Le débit urinaire doit être surveillé. En présence d'une hausse de sécrétions d'hormones antidiurétiques (ADH) en réaction à l'AVC, une diminution du débit urinaire et une augmentation de la rétention hydrique apparaissent. Les solutés intraveineux composés de glucose et d'eau ne doivent pas être administrés, car ils sont hypotoniques et peuvent aggraver l'œdème cérébral et la pression intracrânienne.

MESURES D'URGENCE

TABLEAU 54.3 Accident vasculaire cérébral

Étiologie	Constatations	Interventions
Lésions vasculaires soudaines entraînant une perturbation du débit sanguin au cerveau Thrombose Traumatisme Anévrisme Embolie Hémorragie	Altération du niveau de conscience Faiblesse, engourdissement ou paralysie d'une partie du corps Troubles de l'élocution ou de la vue Céphalée sévère Augmentation ou diminution de la fréquence cardiaque Détresse respiratoire Pupilles inégales Hypertension Affaissement facial de l'hémicorps atteint Difficulté à avaler Convulsions Incontinence urinaire ou fécale Nausées et vomissements	**Interventions initiales** S'assurer que les voies respiratoires sont dégagées. Enlever les prothèses dentaires. Administrer de l'oxygène à l'aide d'une canule nasale ou d'un masque sans réinspiration. Établir l'accès intraveineux à l'aide d'une solution saline normale afin de maintenir la PA. Enlever les vêtements. Faire passer une TDM immédiatement. Positionner la tête sur le plan médian. Élever la tête du lit à 30° s'il n'y a aucun symptôme de choc ou de lésion. Établir des mesures de précaution contre les convulsions. Prévoir un traitement thrombolytique pour l'AVC ischémique. **Surveillance continue** Surveiller les signes vitaux, le niveau de conscience, la saturation en oxygène, le rythme cardiaque, le score sur l'échelle de Glasgow, la taille et la réactivité des pupilles. Garder le client au chaud. Rassurer le client et sa famille.

De plus, l'hyperglycémie peut être associée à l'aggravation de la lésion cérébrale. En général, le traitement de remplacement liquidien est établi en fonction de la gravité de l'œdème intracrânien, des symptômes indiquant une augmentation de la PIC, de la pression veineuse centrale, des taux électrolytiques et des ingesta et excreta.

Les clients victimes d'un AVC hémorragique sont davantage prédisposés à une augmentation de la PIC que les clients victimes d'un AVC ischémique. L'augmentation de la PIC attribuable à un œdème cérébral atteint habituellement un pic en moins de 72 heures et peut provoquer un engagement cérébral. Le traitement visant à prévenir l'augmentation de la PIC comprend des mesures qui favorisent le drainage veineux, notamment l'élévation de la tête du lit selon l'ordonnance, le maintien de l'alignement de la tête et du cou et l'évitement de la flexion des hanches. Les mesures visant à réduire le métabolisme du tissu cérébral et, par le fait même, la vasodilatation comprennent l'évitement de l'hyperthermie. Les mesures supplémentaires comprennent le soulagement de la douleur, l'évitement de l'hypervolémie et le traitement de la constipation. Le drainage du LCR peut être pratiqué chez certains clients afin de réduire la pression intracrânienne. Les diurétiques, comme le mannitol (Osmitrol) et le furosémide (Lasix), peuvent être administrés pour diminuer l'œdème cérébral. Le dexaméthasone (Decadron, Hexadrol) peut être administré aux clients atteints d'œdème cérébral vasogénique.

Pharmacothérapie

Traitement thrombolytique. Un activateur tissulaire du plasminogène (tPA : Alteplase) recombinant est utilisé pour rétablir le débit sanguin et prévenir la mort cellulaire des clients victimes d'un AVC ischémique. Une étude menée par le National Institute of Neurological Disorders and Stroke (NINDS) a révélé que les clients qui recevaient un tPA par voie IV dans les 3 heures suivant le début de l'AVC étaient plus susceptibles (32 %) de présenter très peu ou pas d'invalidité dans les 3 mois suivant l'AVC. La fonction des agents thrombolytiques comme le tPA est de produire de la fibrinolyse localisée en se fusionnant à la fibrine qui se trouve dans le thrombus. L'action lytique du tPA se produit à mesure que le plasminogène est converti en plasmine (fibrinolysine) dont l'action enzymatique digère la fibrine et le fibrinogène et lyse ainsi le caillot. Étant donné que l'activation de la fibrinolyse se fait directement dans le caillot, le tPA est moins susceptible de provoquer une hémorragie que la streptokinase ou l'urokinase.

Comme il a déjà été mentionné, le traitement au tPA est plus efficace lorsqu'il est administré dans les trois heures suivant le début de l'AVC, lequel est déterminé par l'apparition des manifestations cliniques. Par conséquent, le facteur le plus critique est le temps. Avant d'entreprendre un traitement, le client doit toutefois être soumis à des épreuves qui pourraient comprendre une analyse sanguine pour déceler des troubles de coagulation, le questionnement sur les antécédents récents de saignements gastro-intestinaux et la TDM ou l'IRM dans le but d'exclure un AVC hémorragique.

L'hémorragie cérébrale constitue le principal effet secondaire du tPA. Au moment de la perfusion du médicament, les signes vitaux du client doivent être surveillés afin d'évaluer l'amélioration ou la détérioration reliée à l'hémorragie intracérébrale. Il est indispensable de réguler la pression artérielle pendant le traitement et dans les 24 heures suivant le traitement. Il est important de ne pas administrer d'anticoagulant ou d'antiplaquettaire dans les 24 heures suivant le traitement au tPA.

L'efficacité d'autres agents pendant la phase aiguë est actuellement testée. Une étude restreinte a démontré que la pro-urokinase (Proact I) améliorait la perméabilité des vaisseaux lorsqu'elle était administrée dans les six premières heures suivant l'apparition des symptômes d'AVC.

Traitement antiplaquettaire et anticoagulothérapie. Le client victime d'un AVC thrombotique ou embolique (AVC ischémique) peut également être traité à l'aide d'antiagrégants plaquettaires et d'anticoagulants (après 24 heures si un tPA a été administré) afin de prévenir la formation d'autres caillots. Les anticoagulants couramment administrés sont l'héparine et la warfarine (Coumadin). Les antiagrégants plaquettaires comprennent l'aspirine, la ticlopidine (Ticlid), le clopidogrel (Plavix) et le dipyridamole (Persantine). De l'héparine intraveineuse ou de l'héparine de faible poids moléculaire est parfois administrée dans les cas où l'AVC évolue rapidement ou lorsque l'AVC est causé par un embole provenant du cœur. L'héparine intraveineuse est administrée par perfusion continue et le temps de céphaline activé doit être étroitement surveillé.

Après le traitement initial, l'héparine est normalement remplacée par la warfarine par voie orale lors d'un traitement à long terme. Les doses de warfarine sont réglementées par les résultats du ratio international normalisé (RIN). Le RIN est une mesure normalisée du temps de prothrombine qui tient compte des variations d'analyse. La dose thérapeutique est celle dont la valeur est de deux à trois fois supérieure au niveau normal. L'infirmière doit surveiller attentivement le client pour tout signe d'hémorragie ou de saignement sur d'autres parties du corps lorsque des anticoagulants et des antiagrégants plaquettaires sont administrés. L'encadré 26.11 présente un guide d'enseignement pour le client devant prendre une anticoagulothérapie.

Les anticoagulants et les antiagrégants plaquettaires sont contre-indiqués pour les clients qui sont victimes d'un AVC hémorragique. L'inhibiteur calcique nimodipine (Nimotop) est administré aux clients atteints d'une hémorragie sous-arachnoïdienne afin de diminuer les effets du vasospasme et de réduire les lésions tissulaires. Les inhibiteurs calciques bloquent le passage du calcium dans les cellules cérébrales pendant et après l'AVC. On estime que l'excès de calcium intracellulaire pourrait être néfaste pour le tissu cérébral.

L'acide acétylsalicylique (aspirine) est aussi utilisé pour prévenir l'agrégation plaquettaire au foyer de la plaque athéroscléreuse. Les complications associées à l'aspirine comprennent les saignements gastro-intestinaux lorsque la dose est plus élevée. L'aspirine doit être administrée avec précaution si le client a des antécédents de maladie ulcéreuse gastro-duodénale ou s'il prend d'autres anticoagulants.

Autres pharmacothérapies. L'aspirine ou l'acétaminophène (Tylenol) sert à traiter l'hyperthermie. Une hausse de la température d'aussi peu qu'un demi degré Celsius peut faire augmenter le métabolisme cérébral et aggraver la lésion cérébrale. Le cerveau peut tolérer l'hypoxie plus longtemps si le client est hypothermique. Des couvertures refroidissantes peuvent être utilisées avec précaution afin de diminuer la température centrale. L'infirmière doit surveiller attentivement la température corporelle du client.

Environ 15 % des clients victimes d'un AVC auront des convulsions. Un anticonvulsivant, comme de la phénytoïne (Dilantin), peut être administré en présence de convulsions. On ne doit pas administrer de traitement prophylactique avec anticonvulsivant à moins que le client ne présente des convulsions.

Des recherches en cours visent à trouver des agents potentiellement neuroprotecteurs qui préviendraient l'aggravation des lésions ischémiques dans la zone de l'infarctus, notamment au niveau des cellules dans la pénombre. Les médicaments qui sont antagonistes de l'action des neurotransmetteurs excitatoires (p. ex. le glutamate) pourraient contribuer à protéger les neurones contre les lésions. D'autres agents comprennent les inhibiteurs calciques comme la nimodipine et les antagonistes de l'oxyde nitrique. À la limite, le traitement précoce de l'AVC pourrait comprendre des médicaments qui augmentent le débit sanguin et des médicaments qui protègent les neurones contre de nouvelles lésions ischémiques.

Traitement chirurgical. En cas d'AVC, les interventions chirurgicales comprennent une évacuation immédiate du sang des hématomes induits par un anévrisme ou des hématomes cérébelleux dont la taille est supérieure à trois centimètres. Une hémorragie sous-arachnoïdienne est souvent causée par la rupture d'un anévrisme. Environ 20 % des clients seront victimes

d'anévrismes multiples. Le traitement d'un anévrisme comprend le clampage de l'anévrisme (voir figure 54.4) et l'extraction du caillot afin de prévenir d'autres saignements dans le cerveau.

Les hémorragies sous-arachnoïdiennes et intracérébrales peuvent comprendre des saignements dans les ventricules cérébraux. Cette situation a pour effet de provoquer de l'hydrocéphalie qui, à son tour, provoque de nouvelles lésions cérébrales tissulaires en raison de l'augmentation de la PIC. La ventriculostomie et le drainage peuvent grandement améliorer l'état du client dans ces situations.

54.6.3 Soins de réadaptation

Dès que l'AVC est stabilisé depuis 12 à 24 heures, le processus thérapeutique passe de la préservation de la vie à la réduction de l'invalidité et à l'atteinte de la fonction optimale du corps. Le client peut être évalué par un physiatre (un médecin qui se spécialise dans la rééducation et la réadaptation fonctionnelles). Selon son état, ses possibilités de réadaptation et les ressources disponibles, le client peut être transféré dans un établissement ou une unité de réadaptation. D'autres méthodes de réadaptation comprennent le traitement en consultation externe et la réadaptation à domicile.

Dans le cadre du processus thérapeutique à long terme à la suite d'un AVC, divers membres de l'équipe soignante peuvent contribuer aux efforts pour promouvoir la fonction optimale du client et de sa famille. La composition exacte de l'équipe dépend des besoins du client et de sa famille et des ressources de l'établissement ou de l'institution de réadaptation (voir figure 54.8).

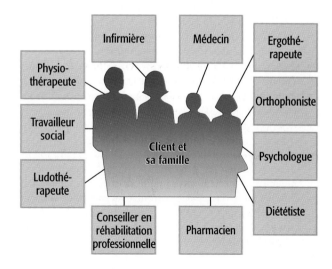

FIGURE 54.8 Membres de l'équipe de réadaptation

54.6.4 Soins infirmiers : accident vasculaire cérébral

Collecte de données. Les données subjectives et objectives à recueillir auprès du client victime d'un AVC sont présentées dans l'encadré 54.4. L'infirmière est souvent la première professionnelle de la santé à évaluer le client victime d'un AVC. L'examen primaire doit être axé sur l'état cardiaque et respiratoire du client et comprendre une brève évaluation neurologique. Si le client est stable, l'infirmière doit procéder à la collecte de données suivantes :

- la description de l'affection actuelle en insistant sur les symptômes initiaux, la durée des symptômes, la nature intermittente ou continue des symptômes et les changements au niveau des caractéristiques des symptômes ;
- les antécédents de symptômes semblables ;
- la médication actuelle ;
- les antécédents d'affections connexes comme l'hypertension ;
- les antécédents familiaux d'AVC et de maladies cardiovasculaires.

Ces informations sont recueillies en interrogeant le client, les membres de sa famille, les proches ou la personne soignante.

L'examen secondaire doit comprendre une évaluation neurologique détaillée du client. Cette évaluation doit comprendre l'état fonctionnel des éléments suivants :

- le niveau de conscience ;
- la cognition ;
- les capacités motrices ;
- la fonction des nerfs crâniens ;
- la sensation ;
- la proprioception ;
- les capacités cérébelleuses ;
- les réflexes tendineux profonds.

Il est important de noter l'évaluation neurologique de manière séquentielle afin de pouvoir vérifier la progression ou la détérioration de l'état du client. Afin de faciliter l'évaluation du client, cet examen peut se faire rapidement en consignant les données sur une grille d'évaluation et sur l'échelle de Glasgow.

Diagnostics infirmiers. Quelques-uns des diagnostics infirmiers pour le client victime d'un AVC sont présentés dans l'encadré 54.5.

Planification. Le client, la famille et l'infirmière doivent collaborer pour établir les objectifs des soins infirmiers. Ces objectifs comprennent habituellement

---

COLLECTE DE DONNÉES

Accident vasculaire cérébral

ENCADRÉ 54.4

Données subjectives

Information importante concernant la santé

- Antécédents de santé : hypertension ; AVC antérieur, ICT, anévrisme, cardiopathie (dont un infarctus du myocarde récent), arythmies, insuffisance cardiaque congestive, maladie valvulaire, endocardite infectieuse ; hyperlipidémie, polycythémie, diabète, goutte.
- Médication : prise de contraceptifs oraux, prise et observance des agents antihypertenseurs et anticoagulants.

Modes fonctionnels de santé

- Mode perception et gestion de la santé : antécédents familiaux positifs ; abus d'alcool, tabagisme.
- Mode nutrition et métabolisme : anorexie, nausées, vomissements ; dysphagie, altérations du goût et de l'odorat.
- Mode élimination : changements sur le plan des modes urinaires et intestinaux.
- Mode activité et exercice : perte de mouvement et de sensation ; syncope ; faiblesse d'un hémicorps ; faiblesse généralisée, fatigabilité.
- Mode cognition et perception : engourdissement, fourmillement d'un hémicorps ; perte de mémoire ; altération de l'élocution, du langage et trouble au niveau de la capacité à résoudre un problème ; douleur ; céphalée probablement soudaine et grave (hémorragie) ; troubles visuels ; déni de la maladie.

Données objectives

Généralités

- Labilité affective, léthargie, apathie ou combativité, fièvre.

Appareil respiratoire

- Perte du réflexe tussigène, respirations difficiles ou irrégulières, tachypnée, ronchi (aspiration), occlusion des voies respiratoires (langue), apnée.

Appareil cardiovasculaire

- Hypertension, tachycardie, bruit carotidien.

Appareil gastro-intestinal

- Perte du réflexe pharyngé, incontinence intestinale, diminution ou absence des bruits intestinaux, constipation.

Appareil urinaire

- Mictions fréquentes, mictions impérieuses, incontinence.

Système neurologique

- Déficits moteurs et sensoriels contralatéraux, notamment faiblesse, parésie, paralysie, anesthésie ; pupilles inégales, réflexe de préhension ; akinésie, aphasie (expressive, réceptive, globale), dysarthrie (trouble de l'élocution), agnosie, apraxie, troubles visuels, troubles proprioceptifs, altération du niveau de conscience (somnolence au coma profond) et signe de Babinski, diminution des réflexes tendineux profonds suivie d'une augmentation, flaccidité suivie par de la spasticité, amnésie, ataxie, changements de personnalité, raideur de la nuque, convulsions.

Résultats possibles

- TDM et IRM positives montrant la taille, le foyer et le type de lésion ; échographie Doppler et angiographie cérébrale positives.

Plan de soins infirmiers

Client victime d'un accident vasculaire cérébral

DIAGNOSTIC INFIRMIER : irrigation tissulaire cérébrale inefficace reliée à une diminution du débit sanguin cérébral à la suite d'un thrombus, d'une embolie, d'une hémorragie, d'un œdème ou d'un spasme, qui se manifeste par une PIC > 15 mm Hg pendant 15 à 30 secondes ou plus, une diminution du score sur l'échelle de Glasgow, une diminution du mode de respiration.

↳ évaluer le niveau de conscience

PLANIFICATION
Résultats escomptés
- PIC < 15 mm Hg.
- Stabilisation et amélioration sur l'échelle de Glasgow.

INTERVENTIONS	Justifications
• Évaluer la PIC, le niveau de conscience et le mode de respiration au moins toutes les heures.	• Vérifier l'évolution de l'état du client et aviser le médecin rapidement de tout changement important.
• Administrer les médicaments selon l'ordonnance.	• Réduire le risque de formation d'un nouveau thrombus.
• Mettre en œuvre des mesures, comme le traitement de l'hypoxie, le soulagement de la douleur et le maintien de la perméabilité de la sonde urinaire.	• Prévenir une augmentation de la PIC.

Si le PIC ↑ : - Irrégularité respiratoire - Pouls ↓ < 60 ou P > 100 - changement conscience - T.A ↑ - Changement pupillaire - vomissement - Si pâleur ↑ - agitation

DIAGNOSTIC INFIRMIER : risque de dégagement inefficace des voies respiratoires relié à l'incapacité de dégager les sécrétions.

PLANIFICATION
Résultats escomptés
- Capacité d'expectorer les sécrétions.
- Absence de détresse respiratoire.

INTERVENTIONS	Justifications
• Évaluer le client pour tout signe de faiblesse, de toux inefficace, de congestion bronchique, de bruits adventices, de changements dans la couleur ainsi que dans la quantité et la consistance des expectorations. *+ symptôme de pneumonie*	• Déterminer si les facteurs de risque sont présents.
• Vérifier si le client présente une plus grande quantité de sécrétions pulmonaires, des changements dans la couleur des sécrétions et une hyperthermie.	• Déceler des indicateurs d'une infection pulmonaire.
• Ausculter quotidiennement et au besoin les poumons du client pour vérifier les bruits respiratoires.	• Déterminer l'efficacité de l'excursion diaphragmatique.
• Aspirer les sécrétions au besoin.	• Enlever les sécrétions accumulées.
• Informer le client et sa famille à propos du programme d'alimentation et des mesures d'urgence.	• Prévenir l'aspiration et la détresse respiratoire pouvant en découler.

DIAGNOSTIC INFIRMIER : mobilité physique réduite reliée à une faiblesse généralisée, à une atrophie musculaire ou à des membres paralysés, qui se manifeste par une diminution de l'activité physique, une diminution de l'amplitude articulaire, de la force musculaire ou de la maîtrise des gestes.

PLANIFICATION
Résultats escomptés
- Capacité de se déplacer selon ses capacités maximales.
- Capacité de vaquer à ses AVQ seul ou avec de l'aide.

INTERVENTIONS	Justifications
• Évaluer et consigner l'amplitude articulaire, les capacités de transfert et la capacité de se positionner.	• Déterminer l'étendue du problème et planifier les interventions appropriées.
• Montrer au client les exercices d'amplitude articulaire passifs et actifs à effectuer au moins trois fois par jour au niveau des membres touchés.	• Prévenir l'atrophie musculaire et les contractures inutiles.

⮕ Plan de soins infirmiers

Client victime d'un accident vasculaire cérébral *(suite)*

- Maintenir l'alignement à l'aide d'oreillers de soutien et d'un relève-pied conformément aux interventions ; montrer au client et à sa famille les techniques de positionnement et les aider à les effectuer.
- Appliquer les techniques recommandées par l'ergothérapeute ou le physiothérapeute pour réaliser les AVQ.
- Encourager le client à être mobile le plus souvent possible.

- Prévenir les contractures.

- Aider le client à intégrer, dans sa vie et dans ses activités quotidiennes, les informations reçues par les spécialistes.
- Maintenir un haut degré d'activité physique et favoriser le sentiment d'autonomie du client.

DIAGNOSTIC INFIRMIER : communication verbale altérée reliée à une aphasie résiduelle, qui se manifeste par le refus ou l'incapacité de parler, la difficulté à trouver ses mots, l'utilisation de mots inappropriés et l'incapacité de suivre des directives verbales.

PLANIFICATION

Résultat escompté
- Capacité de communiquer efficacement.

INTERVENTIONS
- Évaluer les déficits et les forces de la communication verbale.
  Écouter attentivement
- Intervenir au besoin.
- Poser des questions courtes et simples qui requièrent de répondre par « oui » ou « non » ; parler lentement et allouer une période suffisante pour y répondre. *Tont de voix normale avec style simple*
- Faire des gestes. *ou papier et stylot*
- Enseigner les techniques appropriées.
- Parler lentement et utiliser des supports visuels comme des cartes éclair. *Ne pas pretendre comprendre demander de répéter si on a pas compris*

Justifications
- Déterminer le type de problèmes de communication et planifier les interventions appropriées.

- Éviter de submerger le client de stimuli verbaux.

- Appuyer les indications verbales.
- Améliorer l'élocution.
- Éviter les frustrations et la colère attribuables à une amplification du trouble.

DIAGNOSTIC INFIRMIER : déficit de soins personnels relié à une faiblesse motrice, à une paralysie et à une perte de la capacité à effectuer efficacement les AVQ, qui se manifeste par l'observation ou la verbalisation de l'incapacité de manger, de prendre son bain, d'aller à la toilette, de s'habiller ou de soigner son apparence.

PLANIFICATION

Résultat escompté
- Capacité à effectuer les AVQ seul ou avec l'aide de la famille ou du personnel soignant.

INTERVENTIONS
- Évaluer et consigner le niveau des autosoins.
  Alignemt des membres paralysé
- Favoriser l'autonomie, assurer la supervision ou apporter de l'aide au besoin.
- Appliquer les techniques recommandées par l'ergothérapeute ou le physiothérapeute pour réaliser les AVQ.
  Faire faire des exercices actif pour membre non atteint Passif " " atteint ɔ QIO

Justifications
- Déterminer l'étendue du problème et planifier des interventions appropriées.
- Éviter que le client ne devienne dépendant des autres.

- Aider le client à intégrer les informations reçues des spécialistes et de la famille.

DIAGNOSTIC INFIRMIER : négligence de l'hémicorps (droit ou gauche) reliée à une coupure du champ visuel et à une perte sensorielle d'un hémicorps, qui se manifeste par une inattention constante aux stimuli de l'hémicorps atteint.

PLANIFICATION

Résultats escomptés
- Capacité de placer des objets dans son champ de vision.
- Exploration avec les yeux.
- Expression de satisfaction à l'égard de sa vision.

Plan de soins infirmiers

Client victime d'un accident vasculaire cérébral (suite)

INTERVENTIONS	Justifications
• Évaluer et consigner le degré du déficit du champ visuel.	• Déterminer l'étendue du problème et planifier des interventions appropriées.
• Montrer au client à tourner la tête et à explorer son environnement.	
• Approcher le client du côté non atteint dès le début des soins ; placer des objets dans le champ de vision du client ; donner des indications physiques et visuelles afin de faciliter l'orientation.	• Compenser les déficits visuels.
• Approcher le client du côté atteint plus tard dans les soins.	• L'encourager à tourner la tête.
• Offrir une stimulation visuelle.	• Favoriser l'utilisation de toutes les capacités visuelles.
• Mettre un cache-œil.	• Prévenir la diplopie.
• Si le réflexe cornéen est absent, protéger l'œil touché pour prévenir les lésions.	
• Montrer à la famille et au client à stimuler les membres paralysés à l'aide du toucher et de stimuli chauds et froids. *+ stimuli doux et rugeux*	• Favoriser la réintégration de tous les membres du corps.
• Encourager le client à utiliser des aide-mémoire et un miroir.	• Lui rappeler d'examiner tout son corps quant à la position, à la propreté et à la tenue vestimentaire appropriées.

masser le côté atteint, porter le bras en écharpe. Porter votre 1er attention au membre atteint

DIAGNOSTIC INFIRMIER : élimination urinaire altérée reliée à une altération des impulsions de miction ou à l'incapacité d'atteindre la toilette ou de gérer les mictions, qui se manifeste par de l'incontinence et un débit urinaire à des périodes imprévisibles.

PLANIFICATION
Résultat escompté

Si constipation, donner des émoliants, suppositoire, aliment ↑ en fibre + ↑ l'hydratation

• Maîtrise urinaire satisfaisante à l'aide d'une méthode naturelle ou artificielle.

INTERVENTIONS	Justifications
• Évaluer et consigner l'élimination continente et incontinente.	• Connaître les habitude urinaires et planifier les interventions appropriées.
• Noter quotidiennement et au besoin la couleur et le caractère de l'urine.	• Dépister rapidement toute infection des voies urinaires et prévenir une concentration urinaire élevée.
• Fournir un apport liquidien de 2000 ml/jour, sauf en cas de contre-indications.	• Favoriser une élimination suffisante d'urine diluée.
• Si une sonde à demeure est utilisée, effectuer les soins périnéaux et le nettoyage de la sonde à chaque quart de travail et au besoin.	• Prévenir une infection et assurer un débit urinaire sans interruption.
• Fournir au client un urinal ou une chaise d'aisance toutes les deux heures et au besoin.	• Établir un mode régulier d'élimination.
• Rassurer le client au sujet de votre intention de l'aider à résoudre ses troubles urinaires.	• Éviter toute gêne et démontrer une attitude attentionnée.

DIAGNOSTIC INFIRMIER : trouble de la déglutition relié à une faiblesse et à une paralysie des muscles touchés, qui se manifeste par un écoulement salivaire, de la difficulté à avaler et de la suffocation.

PLANIFICATION
Résultats escomptés
• Absence de signes ou de symptômes d'aspiration.
• Capacité de tolérer les aliments et les liquides sans suffoquer.

INTERVENTIONS	Justifications
• Évaluer le client.	• Déterminer sa capacité à déglutir et la présence du réflexe pharyngé.
• S'assurer que le client est en position assise pendant les repas et dans les 30 minutes qui suivent.	• Utiliser la gravité pour prévenir l'aspiration.

Plan de soins infirmiers

Client victime d'un accident vasculaire cérébral *(suite)*

- Montrer au client à prendre des petits morceaux et à mettre les aliments du <u>côté non atteint de la bouche</u>, à garder le menton penché et à stimuler la gorge.
- Lorsque le client a terminé de manger, vérifier s'il reste des aliments dans la cavité buccale et montrer au client et à sa famille à effectuer cette technique. *Après ingestion de médicament*
- Donner des laits fouettés consistants, des aliments avec une texture et des aliments froids.
- Si le client a des problèmes d'expectoration et de salivation, éviter les produits laitiers.
- Donner des soins buccaux après les repas.
- Au besoin, aviser la diététiste de la nécessité de changer la texture des aliments ou des liquides.

montrer au client comment utiliser sa langue ou doigt pour enlever les surplus de nourriture

- Stimuler la déglutition. *Petit repas fréquent au début*

- Prévenir l'accumulation et la putréfaction d'aliments ainsi que le risque d'infection pouvant en découler.
- Faciliter la déglutition et réduire le risque de suffocation.

- Ils augmentent la production de mucus et de salive.

- Favoriser le bien-être et la santé buccale.

DIAGNOSTIC INFIRMIER : diminution situationnelle de l'estime de soi reliée à la perte réelle ou perçue de la fonction, qui se manifeste par l'expression de honte ou de culpabilité, l'augmentation de la dépendance envers les autres, le refus de participer aux autosoins.

PLANIFICATION
Résultats escomptés
- Verbalisation des sentiments et des préoccupations.
- Socialisation adéquate avec la famille et l'équipe soignante.
- Établissement d'objectifs réalistes.

INTERVENTIONS
- Encourager le client à verbaliser ses sentiments.
- Passer du temps avec le client en utilisant de bonnes techniques d'écoute.

- Établir des objectifs atteignables ; expliquer toutes les interventions et faire participer le client à la planification des objectifs ; le <u>féliciter pour tout succès ou progrès</u> ; faire participer le client le plus rapidement possible à un programme de réadaptation.
- Adresser le client à un spécialiste en counselling ou en psychiatrie, s'il y a lieu. *Si dépression*

Justifications
- Examiner l'effet des séquelles de l'AVC sur l'estime de soi.
- Faire preuve de compassion et manifester sa préoccupation envers le client afin d'établir une meilleure relation de confiance.
- Favoriser le sentiment de satisfaction et d'autonomie et réduire la frustration.

- Le client pourra bénéficier d'une aide spécialisée en présence de troubles sérieux.

DIAGNOSTIC INFIRMIER : risque de prise en charge inefficace du programme thérapeutique relié à des limitations fonctionnelles, cognitives ou communicationnelles.

PLANIFICATION
Résultat escompté
- Élaboration, par le client et sa famille, d'un plan satisfaisant pour combler les besoins du client sur une base quotidienne.

INTERVENTIONS
- Évaluer le degré de limitations fonctionnelles, cognitives ou communicationnelles que présente le client.
- Enseigner au client et à sa famille comment traiter, prévenir et surveiller les troubles.
- Évaluer le programme. *Donner de l'information sur les ressources communautaire.*

Justifications
- Établir le plan d'enseignement et les interventions appropriées.
- Assurer une intervention précoce.

- Vérifier si le client adhère au programme ou si ce dernier doit être modifié en fonction de l'état du client ou des circonstances.

ANADI. *Diagnostics infirmiers. Définitions et classification 2001-2002,* Paris, Masson S.A, 2002, 298 p.

les points suivants : 1) maintenir un niveau de conscience stable ou l'améliorer ; 2) atteindre un fonctionnement physique maximal ; 3) atteindre des capacités et des habiletés d'autosoins maximales ; 4) maintenir les fonctions corporelles stables (p. ex., maîtrise de la miction) ; 5) maximiser les capacités de la communication verbale ; 6) maintenir une alimentation suffisante ; 7) éviter les complications d'AVC ; 8) maintenir des stratégies d'adaptation individuelle et familiale efficaces.

Exécution

Promotion de la santé. Afin de réduire la fréquence des AVC, l'infirmière doit axer les efforts d'enseignement sur la prévention des AVC chez les personnes atteintes d'un risque connu (p. ex. les clients souffrant d'ICT, d'hypertension ou de diabète). L'importance d'autres facteurs de risque potentiellement modifiables à l'origine de l'AVC est ambiguë. Cependant, le fait de surveiller les facteurs de risque faisant partie de la coronaropathie pourrait aider indirectement à prévenir les AVC (voir encadré 22.5 pour connaître le rôle de l'infirmière dans la gestion de ces facteurs de risque). L'infirmière peut jouer un rôle important dans la promotion d'un mode de vie sain dans tout milieu de soins de santé et dans la collectivité. Il est indispensable de reconnaître que chaque personne est en partie responsable de sa propre santé et de celle des générations à venir dans tout programme global visant à prévenir les événements comme les AVC.

Un autre aspect de la promotion de la santé consiste à informer les clients du moment où ils doivent consulter un médecin s'ils présentent certains symptômes. Les personnes doivent être informées des symptômes précoces associés à l'AVC et à l'ICT (voir encadré 54.6).

Interventions en phase aiguë
Appareil respiratoire. Après un AVC, la priorité des soins infirmiers pendant la phase aiguë est axée sur l'appareil respiratoire. Les clients victimes d'un AVC sont particu-

ENSEIGNEMENT AU CLIENT

Signes avant-coureurs d'un accident vasculaire cérébral   ENCADRÉ 54.6

Il est important d'aviser les clients de consulter immédiatement un médecin en présence des symptômes suivants :
- faiblesse ou engourdissement soudain au visage, au bras ou à une jambe d'un hémicorps ;
- vision obscurcie ou perdue soudainement, plus particulièrement dans un œil ;
- difficulté soudaine à parler ou difficulté à comprendre les paroles ;
- céphalée sévère soudaine sans cause connue ;
- étourdissement inexplicable, instabilité ou chute soudaine, notamment en présence de tout autre symptôme ci-dessus.

lièrement vulnérables aux troubles respiratoires. Les personnes âgées et les personnes immobiles sont davantage prédisposées à l'atélectasie et à la pneumonie. Ces clients présentent un risque élevé de pneumonie d'aspiration parce que leur niveau de conscience est altéré ou parce qu'ils souffrent de dysphagie. Les troubles qui se manifestent couramment sont une mauvaise mastication ou déglutition, des aliments qui restent dans la cavité buccale et le basculement de la langue vers l'arrière se traduisant par une obstruction des voies respiratoires. L'alimentation entérale prédispose également le client à une pneumonie d'aspiration.

Les interventions infirmières visant à maintenir une fonction respiratoire suffisante sont individualisées dans le but de satisfaire les besoins du client. Une canule oropharyngée peut être utilisée pour les clients comateux afin de maintenir la langue en place, de prévenir l'obstruction des voies respiratoires et de rendre l'aspiration accessible. Dans les cas où le client est dans un coma prolongé, une trachéostomie est pratiquée. Une canule nasopharyngée offre une protection et un accès aux voies respiratoires au client souffrant d'altération de la conscience. Les interventions infirmières comprennent l'évaluation fréquente de la perméabilité et de la fonction des voies respiratoires, l'aspiration des sécrétions, la mobilisation ainsi que le positionnement du client afin de prévenir l'aspiration et d'encourager le client à respirer profondément. Le client qui n'a pas subi de clampage d'anévrisme pourrait recommencer à saigner et voir la PIC augmenter davantage lors d'exercices de toux. L'encadré 54.5 décrit les interventions reliées au maintien de la fonction des voies respiratoires.

Système neurologique. L'état neurologique du client doit être surveillé attentivement afin de déceler tout changement pouvant laisser supposer un AVC en évolution et de vérifier l'étendue de l'AVC, l'augmentation de la PIC ou le rétablissement des symptômes à la suite de l'AVC. L'échelle de Glasgow est utilisée pour évaluer l'état neurologiques, car elle contient les éléments essentiels reliés au niveau de conscience, à l'état mental, aux réflexes pupillaires et au mouvement et à la force des extrémités (voir figure 53.2). Les signes vitaux sont également surveillés attentivement et consignés dans le dossier. Une diminution du niveau de conscience représente le premier signe sensible manifestant une augmentation de l'ischémie cérébrale. Les données de la collecte de données sont consignées sur une grille d'évaluation afin que l'équipe interdisciplinaire puisse évaluer l'état neurologique.

Appareil cardiovasculaire. Les objectifs des soins infirmiers portant sur l'appareil cardiovasculaire visent à maintenir l'homéostase. De nombreux clients victimes d'un AVC présentent une diminution des réserves cardiaques attribuable au diagnostic secondaire de cardiopathie. L'efficacité de l'activité cardiaque est de plus compromise par la rétention d'eau, l'hyperhydratation, la déshydratation et les variations de la pression artérielle. Les liquides sont retenus en raison de l'augmentation de la production d'ADH et d'aldostérone consécutive au stress. La rétention d'eau et l'hyperhydratation peuvent entraîner une surcharge liquidienne en plus d'augmenter l'œdème cérébral et la pression intracrânienne. Au même moment, la déshydratation peut amplifier la morbidité et la mortalité associées à l'AVC. Par conséquent, l'infirmière doit surveiller de près les ingesta et les excreta ainsi que le traitement intraveineux.

Les interventions infirmières comprennent les éléments suivants : 1) surveiller fréquemment les signes vitaux ; 2) surveiller la fréquence cardiaque ; 3) calculer les ingesta et les excreta et noter les déséquilibres ; 4) réguler les perfusions intraveineuses ; 5) adapter l'apport liquidien en fonction des besoins du client ; 6) ausculter les bruits pulmonaires pour déceler des râles crépitants et des ronchi qui indiqueraient une congestion pulmonaire ; 7) ausculter les bruits cardiaques pour déceler des souffles ou des bruits cardiaques B_3 ou B_4.

Il est possible qu'une hypertension se manifeste à la suite d'un AVC, alors que l'organisme tente d'augmenter le débit sanguin cérébral.

À la suite d'un AVC, le client court un risque de thrombose veineuse profonde ou de paralysie au niveau des membres inférieurs. Ce risque est relié à l'immobilité, à la perte du tonus veineux et à une diminution de l'activité de pompage musculaire au niveau des jambes. Par conséquent, la mesure préventive la plus efficace est de maintenir le client en mouvement. Des exercices d'amplitude articulaire actifs doivent donc être enseignés au client, s'il peut effectuer des mouvements volontaires au niveau du membre touché. Le client atteint d'hémiplégie doit effectuer des exercices d'amplitude articulaire plusieurs fois par jour. D'autres mesures fréquemment utilisées pour prévenir la thrombose veineuse profonde comprennent le positionnement afin de réduire les effets de l'œdème déclive et l'utilisation de bas anti-emboliques ou de bas élastiques. Le client alité peut devoir porter des bas à compression pneumatique intermittente (jambières pneumatiques). Les interventions infirmières reliées à une thrombose veineuse profonde sont les suivantes : 1) mesurer quotidiennement les mollets et les cuisses ; 2) surveiller tout signe d'inflammation au niveau des membres inférieurs ; 3) consigner tout signe de chaleur inhabituelle au niveau des jambes ; 4) demander au client s'il ressent de la douleur au niveau des mollets ; 5) évaluer le signe de Homans (dorsiflexion du pied) : le signe est positif (+) lorsqu'il provoque une douleur au mollet.

Appareil locomoteur. L'objectif des soins infirmiers portant sur l'appareil locomoteur est de maintenir la fonction optimale du corps. Cet objectif peut être atteint en prévenant les contractures articulaires et l'atrophie musculaire. Dans la phase aiguë, les exercices d'amplitude articulaire et le positionnement constituent d'importantes interventions infirmières. Les exercices d'amplitude articulaire passifs doivent débuter dès la première journée d'hospitalisation. Lorsque l'AVC est attribuable à une hémorragie sous-arachnoïdienne, les exercices

---

RECHERCHE

Dépistage précoce de l'accident vasculaire cérébral

ENCADRÉ 54.7

- **Article** : Rosamond WD et coll. : Rapid response to stroke symptoms: the Delay in Accessing Stroke Health-care (DASH) study, *Acad Emerg Med* 5 :45, 1998.

- **Objectif** : déterminer les facteurs qui n'incitent pas une personne à consulter immédiatement un médecin lors d'un événement d'ischémie cérébrale aiguë.

- **Méthodologie** : une étude prospective a été menée auprès de clients, traités aux services des urgences, qui présentaient des manifestations cliniques d'AVC. Les infirmières formées devaient poser aux clients des questions bien structurées portant sur la raison de leur attente avant de consulter un médecin. Un total de 152 entrevues ont été menées.

- **Résultats et conclusion** : la durée moyenne de l'attente avant de consulter un médecin, du début des manifestations cliniques jusqu'à l'arrivée au service des urgences, pour tous les clients qui présentaient des symptômes apparentés à l'AVC était de 3 heures ; la durée minimale

était de 1,5 heure et la durée maximale, de 7,8 heures. Le délai était moindre dans les cas où un témoin avait reconnu que la personne présentait un grave changement comparativement à la reconnaissance du problème par le client. L'arrivée plus rapide au service des urgences était aussi associée à l'utilisation des services médicaux d'urgence par le client. La plupart des clients étaient arrivés à l'hôpital en moins de 3 heures lorsqu'ils avaient avisé les services médicaux d'urgence.

- **Incidences sur la pratique** : le fait de traiter rapidement un AVC ischémique au moyen de médicaments thrombolytiques réduit le degré d'atteinte neurologique après l'AVC. Par conséquent, les clients doivent savoir qu'il est important de consulter immédiatement un médecin, s'ils présentent des symptômes comme une faiblesse musculaire, des troubles visuels ou des troubles de déglutition. Cette étude met l'accent sur le besoin d'éduquer non seulement les personnes à risque de faire un AVC, mais aussi les membres de leur famille.

CONSIDÉRATIONS ÉTHIQUES

Droit à la mort

Situation

Une femme de 93 ans a été victime de trois AVC au cours des 20 derniers mois. Depuis ses AVC, elle est partiellement paralysée et nécessite des soins à temps plein. Elle a répété à plusieurs reprises à son infirmière du CLSC qu'elle souhaitait mourir si son état se détériorait. Elle est actuellement hospitalisée pour un quatrième AVC, et son pronostic est la perte complète du fonctionnement physique. Elle a essayé d'enlever la sonde d'alimentation qui la rend mal à l'aise. Elle répond toujours affirmativement lorsque l'infirmière et le médecin l'interrogent pour savoir si elle désire interrompre le traitement afin qu'on la laisse mourir.

Discussion

Les clients atteints de maladies ou d'affections physiques qui menacent sérieusement leur vie peuvent exprimer qu'ils ne désirent pas être maintenus en vie. Le personnel soignant doit consigner ces préoccupations et encourager les clients, pendant qu'ils en ont encore la capacité, à rédiger un mandat en cas d'inaptitude. La cliente de 93 ans n'a émis aucune directive préalable, mais a des témoins qui confirment son désir de ne pas vivre ainsi. Les adultes sains d'esprit ont le droit de refuser d'être traités, même si cela a pour effet d'accélérer leur décès. Le personnel soignant doit s'assurer que la cliente est saine d'esprit et doit lui poser plusieurs questions formulées différemment afin de clarifier son désir de mourir. Des réponses non contradictoires refléteraient le désir de la cliente de cesser le traitement, notamment l'hydratation et l'alimentation artificielles, dans le but de mourir.

Considérations d'ordre éthique et juridique

- Les adultes sains d'esprit ont le droit légal de renoncer aux traitements de survie, même si cela a pour effet d'accélérer leur décès.
- Plusieurs organismes médicaux et infirmiers appuient l'applicabilité éthique de ne pas imposer un traitement non désiré aux adultes compétents.
- En vertu du mécanisme d'administration, l'hydratation et l'alimentation artificielles sont considérées comme des traitements médicaux plutôt que comme un simple approvisionnement en aliments et en eau. Le client peut refuser de poursuivre ce traitement en raison de la nature effractive des sondes d'alimentation.

---

sont limités aux extrémités. L'infirmière doit enseigner au client comment exécuter les exercices aussitôt que possible. L'atrophie musculaire engendrée par un manque d'innervation et d'activité peut apparaître en l'espace d'un mois après l'AVC.

L'hémicorps paralysé ou affaibli nécessite une attention spéciale lorsque le client est positionné. Chaque articulation atteinte doit être positionnée plus haute que l'articulation proximale dans le but de prévenir l'œdème déclive. Les déformations spécifiques de l'hémicorps paralysé ou affaibli qui caractérisent le client victime d'un AVC comprennent une abduction de l'épaule, une rétraction en flexion de la main, du poignet et du coude, une rotation externe de la hanche et une flexion plantaire du pied. La subluxation de l'épaule de l'hémicorps atteint est courante et elle est impossible à prévenir. Cependant, un positionnement et un déplacement soignés du bras touché peuvent prévenir l'apparition de douleur au niveau de l'épaule. L'immobilisation des membres supérieurs touchés peut provoquer un douloureux syndrome épaule-main.

Les interventions infirmières visant à optimiser la fonction musculo-squelettique comprennent les points suivants : 1) placer un rouleau au niveau de la hanche afin de prévenir la rotation externe ; 2) placer un cône pour les mains (non une débarbouillette) afin de prévenir les contractures de la main ; 3) installer une attelle au bras avec un dossier molletonné afin de prévenir le déplacement de l'épaule ; 4) éviter de tirer le client par le bras afin de ne pas provoquer un déplacement de l'épaule ; 5) utiliser un relève-pied ou faire porter des chaussures de tennis à tige haute afin de prévenir la chute du pied ; 6) installer des attelles pour les mains afin de diminuer la spasticité.

L'utilisation d'un relève-pied pour le client souffrant de spasticité est controversée. Au lieu de prévenir la flexion plantaire (chute du pied), la stimulation sensorielle d'un relève-pied contre la plante du pied augmenterait la flexion plantaire. Il y a également divergence d'opinion quant à savoir si les attelles pour les mains favorisent ou diminuent la spasticité. La décision en ce qui concerne l'utilisation d'un relève-pied ou d'une attelle pour les mains relève du cas par cas.

Appareil tégumentaire. La peau du client victime d'un AVC est particulièrement vulnérable aux lésions cutanées en raison d'une perte de sensation, d'une diminution de la circulation et de l'immobilité. Le problème de l'intégrité de la peau est aggravé par l'âge du client, une mauvaise alimentation, la déshydratation, l'œdème et l'incontinence. Le plan thérapeutique infirmier visant à prévenir la rupture de l'épiderme doit comprendre les éléments suivants : 1) atténuer la pression en changeant le client de position, en utilisant un matelas spécial ou des coussins pour fauteuil roulant ; 2) bien nettoyer et assécher la peau ; 3) appliquer une crème émolliente sur la peau sèche ; 4) essayer de rendre le client mobile le plus rapidement possible. L'horaire du changement de position consiste à tourner le client sur un côté, puis sur le dos, puis sur l'autre côté en ne gardant pas la même position pendant plus de deux heures. Toutefois, le client paralysé ou affaibli d'un côté ne doit pas rester sur ce côté pendant plus de 30 minutes. L'épiderme et le derme sont lésés lorsque la peau d'une région devient rouge et ne reprend pas sa couleur normale à l'intérieur des 15 minutes suivant l'arrêt de la pression. La région lésée ne doit pas être massée afin d'éviter d'aggraver la situation. Le facteur le plus important sur le plan de la prévention et du traitement d'atteinte à l'intégrité de la peau consiste à limiter les pressions sur le corps. La vigilance et de bons soins infirmiers sont nécessaires pour prévenir les escarres de décubitus.

Appareil gastro-intestinal. Le stress de la maladie contribue à un état catabolique pouvant nuire au rétablissement. Les troubles neurologiques, cardiaques et respiratoires sont considérés comme des priorités dans la phase aiguë de l'AVC. Cependant, les besoins nutritionnels du client nécessitent une évaluation et un traitement rapides. Au départ, le client peut recevoir des perfusions intraveineuses afin de maintenir son équilibre hydro-électrolytique et de lui administrer des médicaments. Les clients atteints de graves déficits peuvent nécessiter une alimentation entérale ou parentérale. Puisque la gravité de l'AVC varie de légère à grave, il est important de planifier et d'évaluer les besoins alimentaires de chaque client à mesure que leur état progresse.

La première alimentation orale à la suite de l'AVC doit être effectuée avec prudence, car le réflexe pharyngé risque d'être déficient. Le réflexe pharyngé doit donc être évalué en stimulant doucement l'arrière-gorge à l'aide d'un abaisse-langue, avant de faire manger le client. Si le réflexe pharyngé est présent, le client manifestera spontanément une réaction nauséeuse. Par contre, si le réflexe est absent, le client devra pratiquer des exercices pour stimuler la déglutition avant de pouvoir manger. Il incombe souvent à l'orthophoniste ou à l'ergothérapeute de concevoir ce programme. Cependant, l'infirmière peut être appelée à élaborer un programme dans certains milieux cliniques.

Afin d'évaluer la capacité de déglutition, l'infirmière doit relever la tête du lit jusqu'à ce qu'elle soit en position droite (sauf en cas de contre-indications) et donner au client une petite quantité de glace concassée ou d'eau glacée à avaler. Si le réflexe pharyngé est présent et que le client est capable de déglutir sans risque, l'infirmière peut commencer l'alimentation.

L'alimentation orale peut débuter, une fois que la déglutition, la mastication, le réflexe pharyngé et la cavité buccale ont été évalués soigneusement. Les soins buccaux donnés avant l'alimentation peuvent aider à stimuler la perception sensorielle et la salivation et peuvent faciliter la déglutition. Le client doit être placé dans la position de Fowler la plus élevée (60°), de préférence dans une chaise, et sa tête doit rester inclinée vers l'avant durant l'alimentation et les 30 minutes suivantes. Les aliments doivent être faciles à déglutir et la texture, la température (chaude ou froide) et la saveur doivent être satisfaisantes afin de stimuler un réflexe de déglutition. De la glace concassée peut être donnée au client afin de stimuler la déglutition. L'infirmière doit montrer au client comment déglutir deux fois de suite. Les aliments réduits en purée ne constituent généralement pas le meilleur choix d'aliments, car ils sont souvent fades, trop lisses et à la température de la pièce au moment où le client doit les manger. Les aliments liquides sont souvent difficiles à déglutir et peuvent favoriser la toux. Les produits laitiers sont à éviter, car ils ont tendance à augmenter la viscosité de la muqueuse et à augmenter la salive. Les aliments doivent être mastiqués du côté de la bouche qui n'est pas atteint. L'infirmière doit s'assurer que le client ne se sent pas bousculé ni stressé pour manger. Des soins buccaux doivent être donnés après chaque repas, car les aliments ont tendance à se loger du côté paralysé de la bouche.

La constipation représente le principal trouble intestinal du client victime d'un AVC. L'infirmière doit vérifier la présence d'un fécalome si le client n'a pas de selles tous les jours ou aux deux jours ou si elles sont liquides. Selon l'état d'équilibre hydrique du client et sa capacité à déglutir, l'apport liquidien doit se situer entre 1800 et 2000 ml/jour et l'apport en fibres doit atteindre jusqu'à 25 g/jour. L'activité physique favorise aussi la fonction intestinale. Il est possible que des laxatifs, des suppositoires ou des émollients fécaux soient prescrits, si le client ne réagit pas à un apport en liquides et en fibres plus important. Les lavements ne doivent être prescrits que si les suppositoires et la stimulation digitale s'avèrent inefficaces, car ils provoquent une stimulation vagale et augmentent la PIC.

Appareil urinaire. Au moment de la phase aiguë de l'AVC, une mauvaise maîtrise de la miction est le principal trouble urinaire se traduisant par l'incontinence. Des efforts doivent être déployés afin de promouvoir un fonctionnement normal de la vessie et d'éviter l'utilisation d'une sonde à demeure. Si une sonde est nécessaire au début, elle doit être retirée dès que le client est stable sur les plans médical et neurologique. L'utilisation prolongée d'une sonde à demeure peut entraîner une infection des voies urinaires et retarder la rééducation de la vessie. Un cathétérisme intermittent peut être utilisé chez les clients souffrant de rétention urinaire, car cette intervention engendre moins d'infections urinaires. Chez l'homme incontinent, une sonde externe (condom urinaire) est utilisée ; toutefois, cette sonde ne résout pas le problème de la rétention urinaire.

Le programme de rééducation vésicale consiste à : 1) fournir un apport liquidien suffisant, dont la majorité des liquides sont administrés entre 8 h et 19 h ; 2) planifier que le client urine toutes les 2 heures en lui fournissant un bassin hygiénique, une chaise d'aisance ou en le conduisant à la toilette ; 3) noter les signes d'instabilité psychomotrice, car ils peuvent indiquer une envie d'uriner.

Communication. Au cours de la phase aiguë de l'AVC, le rôle de l'infirmière en ce qui concerne la satisfaction des besoins psychologiques du client est avant tout un rôle de soutien. Un client alerte est souvent anxieux en raison du manque de compréhension de ce qu'il lui est arrivé et de l'incapacité ou de la difficulté à communiquer. Les capacités d'élocution et de compréhension du client doivent donc être évaluées. Les réponses du client aux questions simples posées par l'infirmière peuvent aider celle-ci à structurer les explications et les instructions. Si le client ne comprend pas les paroles, l'infirmière peut faire des gestes pour montrer ce qu'elle veut dire. L'infirmière doit parler lentement et calmement en utilisant des mots ou des phrases simples afin de faciliter la communication. Elle ne doit pas élever le ton, car le client n'est pas nécessairement malentendant. L'infirmière doit accorder suffisamment de temps au client pour qu'il puisse comprendre et répondre. Le client victime d'un AVC et présentant une aphasie peut rapidement se sentir surchargé d'information. L'encadré 54.9 présente des lignes directrices pour communiquer avec un client souffrant d'aphasie. Une fois que le client est stable, l'orthophoniste est généralement responsable de l'évaluation et du traitement des déficits en matière de langage et de communication.

Altérations proprioceptives. L'hémianopsie homonyme (cécité dans la même moitié de chaque champ visuel) est un trouble courant à la suite d'un AVC (voir figure 54.9). Le fait que le client ne tienne pas compte de certains objets se trouvant dans son champ visuel doit éveiller l'attention de l'infirmière à cette possibilité. Au début, l'infirmière doit aider le client à compenser ce trouble en plaçant les objets de façon qu'il puisse les voir, par exemple en plaçant tous les aliments du côté gauche ou du côté droit du plateau (voir figure 54.9). Plus tard, le client apprend à compenser son anomalie visuelle en regardant et en balayant consciemment des yeux le côté négligé. Les membres paralysés ou affaiblis doivent être pris en considération lorsqu'il s'agit de vêtir le client, de lui donner des soins d'hygiène ou de prévenir les traumatismes.

Il est souvent difficile de distinguer une coupure du champ visuel d'un syndrome de négligence en situation clinique. Ces deux troubles peuvent survenir à la suite d'un AVC et atteindre les deux hémisphères cérébraux. Il peut arriver qu'une personne souffre à la fois d'une hémianopsie homonyme et d'un syndrome de négligence

---

Communication avec un client souffrant d'aphasie	ENCADRÉ 54.9

- Diminuer les stimuli du milieu environnant pouvant distraire ou perturber les efforts de communication.
- Traiter le client comme un adulte.
- Lui présenter un élément ou une idée à la fois.
- Poser des questions simples ou des questions qui peuvent être répondues par « oui » ou « non ».
- Laisser la personne parler. Ne pas l'interrompre. Laisser du temps à la personne pour qu'elle puisse compléter sa phrase.
- Recourir aux gestes ou à la démonstration comme autre forme acceptable de communication. Encourager cette communication en disant « Montrez-moi... » ou « Pointez du doigt pour indiquer ce que vous désirez avoir ».
- Ne pas prétendre comprendre la personne si ce n'est pas le cas. Dire calmement que vous ne comprenez pas et encourager l'utilisation de la communication non verbale ou demander à la personne d'écrire ce qu'elle veut.
- Utiliser un ton de voix normal en parlant.
- Donner le temps au client de traiter l'information et de répondre avant de répéter une question ou une phrase.
- Favoriser le contact corporel (p. ex. serrer la main ou toucher) autant que possible. Être conscient que le toucher peut représenter l'unique façon pour le client d'exprimer ses sentiments.
- Organiser la journée du client en préparant et en suivant un horaire (plus la routine est régulière, plus la vie du client atteint d'aphasie sera facilitée).
- Ne pas inciter la personne à parler si elle est fatiguée ou préoccupée. L'aphasie s'aggrave avec la fatigue et l'anxiété.

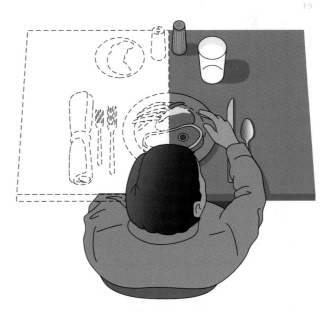

FIGURE 54.9 Altérations proprioceptives lors d'un AVC. L'attitude du client souffrant d'hémianopsie homonyme montre qu'il ne voit pas les aliments du côté gauche et que, par conséquent, il les ignore totalement.

(héminégligence corporelle droite ou gauche), ce qui accroît l'inattention au niveau de l'hémicorps affaibli ou paralysé. Un syndrome de négligence se traduit par une diminution de la sensibilisation à la sécurité et prédispose le client aux lésions. L'infirmière doit donc prévoir les risques de danger possibles et protéger le client contre les blessures à la suite d'un AVC. Les mesures de sécurité peuvent comprendre une surveillance attentive du client par le personnel infirmier, le maintien des ridelles du lit relevées, l'abaissement du lit et la surveillance du client au moyen d'un écran de contrôle. L'utilisation de moyens de contention ou d'un gilet de sécurité doit être évitée afin de ne pas agiter le client.

D'autres troubles visuels peuvent comprendre la diplopie (vision double), la perte du réflexe cornéen et le ptosis (abaissement de la paupière), notamment si la zone de l'AVC se trouve au niveau du système vertébrobasilaire. La diplopie est souvent traitée à l'aide d'un cache-oeil. Lorsque le réflexe cornéen est absent, le client court un risque d'abrasion cornéenne et doit, par conséquent, être surveillé attentivement et protégé contre toute lésion oculaire. L'abrasion cornéenne peut être prévenue à l'aide de larmes artificielles ou de gel pour maintenir l'œil humide. Le ptosis n'est généralement pas traité parce qu'il ne nuit pas à la vision dans la plupart des cas.

Stratégie d'adaptation. Un AVC est habituellement un événement soudain et extrêmement stressant pour le client et ses proches. Ce type d'accident est souvent considéré comme une maladie familiale touchant la famille sur les plans émotionnel, social et financier et modifiant les rôles et les responsabilités de chaque membre. Un couple âgé peut percevoir un AVC comme un événement qui menace leur vie et qui modifie leur mode de vie. Les réactions à cette menace varient beaucoup d'une personne à l'autre et peuvent comprendre la crainte, l'appréhension, le déni de la gravité de l'AVC, la dépression, la colère et le chagrin. Pendant la phase aiguë des soins donnés au client victime d'un AVC et à sa famille, les interventions infirmières visant à faciliter l'adaptation comprennent la transmission d'information et le soutien émotionnel.

Les explications données au client concernant l'événement et les interventions thérapeutiques doivent être claires et compréhensibles. Il est particulièrement difficile de garder le client aphasique bien informé. Une voix douce, une attitude bienveillante envers le client et l'utilisation du toucher constituent des gestes de soutien appréciés.

La famille doit être bien renseignée au sujet de ce qui est arrivé au client. Cependant, il est possible que les explications doivent être répétées ultérieurement, si les membres de la famille sont extrêmement anxieux et préoccupés pendant la phase aiguë. Étant donné qu'ils n'ont pas eu le temps de se préparer à cet événement, il peut arriver qu'ils aient besoin d'aide pour organiser les soins des autres membres de la famille ou des animaux de compagnie et pour les questions de transport et d'argent. Il peut s'avérer utile d'adresser ces personnes à des services sociaux.

Soins ambulatoires et soins à domicile

Planification de la sortie. Le client peut habituellement sortir de l'hôpital pour regagner son domicile ou pour être transféré dans un établissement de convalescence ou de longue durée ou un établissement de réadaptation. Idéalement, la planification de la sortie doit commencer le plus tôt possible au cours de l'hospitalisation et favoriser une transition en douceur de l'hôpital à un autre établissement de santé. L'équipe interdisciplinaire doit expliquer à la famille les soins indispensables dont le client aura besoin après la sortie. Si le client doit être transféré dans un établissement de convalescence ou de longue durée, l'équipe peut conseiller des établissements à la famille afin qu'elle ait amplement le temps de faire un choix et d'organiser les soins. Un facteur important à considérer dans la planification de la sortie est le niveau d'autonomie du client pour exécuter ses AVQ. Si le client doit regagner son domicile, il peut être adressé au CLSC par l'infirmière de liaison. Le personnel soignant peut faire des recommandations quant à l'équipement et aux services dont il aura besoin.

L'infirmière est très bien placée pour préparer le client et sa famille à la sortie : elle peut utiliser des mesures d'enseignement, des démonstrations faites par elle-même et par le client, la pratique des autosoins et l'évaluation de la capacité du client à les effectuer. L'ensemble des soins est pris en compte dans la planification de la sortie : médicaments, alimentation, mobilité, exercices, hygiène et soin de l'apparence. Le suivi doit être soigneusement planifié afin que le client reçoive de façon continue des soins infirmiers, de la physiothérapie, des services d'ergothérapie et d'orthophonie et des soins médicaux. De concert avec le CLSC, il est important d'informer le client des ressources communautaires disponibles pouvant offrir des activités récréatives, des services de soutien, de l'aide spirituelle, des soins de relève et de l'aide à domicile selon ses besoins personnels.

Réadaptation. La **réadaptation** consiste à maximiser les capacités et les ressources du client afin de favoriser un fonctionnement optimal en ce qui a trait au bien-être physique, mental et social. Les objectifs de la réadaptation sont de prévenir la déformation et de maintenir et d'améliorer la fonction corporelle. Peu importe le milieu de santé, il est important de poursuivre la réadaptation afin d'améliorer les capacités du client.

La réadaptation fait appel à une équipe interdisciplinaire afin que le client et sa famille puissent bénéficier d'une combinaison de soins spécialisés. Il est indispensable que les membres de l'équipe communiquent entre eux et coordonnent les soins afin de pouvoir atteindre les objectifs du client et de sa famille. L'infirmière est bien placée pour faciliter ce processus et joue souvent un rôle important dans la réussite des efforts de réadaptation. Il est important que le client et sa famille participent aux prises de décision tout au long de la réadaptation afin d'atteindre les objectifs après un AVC. L'équipe interdisciplinaire est composée de nombreux membres tels que l'infirmière, le médecin, le psychiatre, le physiothérapeute, l'ergothérapeute, l'orthophoniste, l'inhalothérapeute, le conseiller en réadaptation professionnelle, le ludothérapeute, le travailleur social, le psychologue, la diététiste, le pharmacien et l'aumônier. La physiothérapie est axée sur la mobilité, l'ambulation progressive, les techniques de transfert et l'équipement indispensable à la mobilité. L'ergothérapie vise à réapprendre au client les habiletés nécessaires pour effectuer les AVQ, telles que s'alimenter, se vêtir, se laver et cuisiner. L'ergothérapeute détient également des compétences pour évaluer la cognition et la perception et pour enseigner au client les principes de cette réadaptation. L'orthophonie est axée sur le langage, la communication, la cognition et les capacités de s'alimenter.

De nombreuses interventions infirmières indiquées dans le plan thérapeutique infirmier pour le client victime d'un AVC (voir encadré 54.5) débutent dans la phase aiguë et se poursuivent tout au long de la phase de réadaptation. Certaines interventions relèvent uniquement de l'infirmière, alors que d'autres mettent à contribution toute l'équipe chargée de la réadaptation.

L'infirmière en réadaptation doit évaluer le client et sa famille en prêtant une attention particulière aux éléments suivants : 1) les possibilités de réadaptation du client ; 2) son état physique ; 3) la présence de complications causées par l'AVC ou d'autres maladies chroniques ; 4) son état cognitif ; 5) ses ressources familiales et le soutien dont il dispose ; 6) ses attentes et celles de sa famille en ce qui a trait au programme de réadaptation.

Les objectifs de réadaptation du client victime d'un AVC sont établis par le client, sa famille, l'infirmière et les autres membres de l'équipe de réadaptation. Les objectifs de réadaptation comprennent habituellement les points suivants :

- apprendre les techniques d'autosurveillance et maintenir le bien-être physique ;
- démontrer les habiletés d'autosoins ;
- démontrer des capacités de résolution de problèmes en ce qui concerne les autosoins ;
- éviter les complications reliées à l'AVC ;
- établir et maintenir un système de communication efficace ;
- maintenir l'état nutritionnel et l'hydratation ;
- énumérer les ressources communautaires pour obtenir de l'équipement, des fournitures et du soutien ;

- établir des modes de fonctionnement souples afin de promouvoir la cohésion familiale.

Appareil locomoteur. Au début de la réadaptation, l'infirmière doit insister sur les fonctions locomotrices comme manger, faire sa toilette et marcher. L'examen initial consiste à déterminer la phase de rétablissement de la fonction musculaire. Lorsque les muscles demeurent flaccides plusieurs semaines après un AVC, le pronostic de recouvrement de la fonction est plutôt mauvais, et les soins doivent être axés sur la prévention d'autres pertes. La plupart des clients commencent à montrer des signes de spasticité accompagnés de réflexes exagérés dans les 48 heures suivant l'AVC. Cette spasticité dénote que le client est sur la voie de la guérison. À mesure que l'état du client s'améliore, de petits mouvements volontaires de la hanche ou de l'épaule peuvent être accompagnés par des mouvements involontaires dans le reste du membre (synergie). Le client a atteint la phase finale du rétablissement lorsqu'il est en mesure de maîtriser volontairement les groupes musculaires isolés.

Les interventions utilisées pour améliorer l'appareil locomoteur doivent être présentées sous forme d'activités progressives. La rééducation de l'équilibre représente la première étape et débute avec le client assis dans le lit ou sur le bord du lit. L'infirmière évalue d'abord la tolérance en notant les étourdissements ou la syncope causés par l'instabilité vasomotrice. L'étape suivante consiste à transférer le client du lit au fauteuil ou au fauteuil roulant. Le fauteuil doit être placé à côté du lit de façon que le client puisse s'aider avec le bras et la jambe les plus forts, soit de son côté sain. Le client s'assoit sur le côté du lit, se lève, met la main dominante sur l'appuie-bras du fauteuil roulant le plus éloigné et s'assoit. L'infirmière peut soit superviser le transfert, soit l'aider un peu en guidant la main dominante du client sur l'appuie-bras du fauteuil roulant, tout en demeurant debout et en maintenant ses genoux appuyés contre ceux du client afin d'éviter toute flexion et d'aider le client lorsqu'il s'assoit.

Certains centres de réadaptation utilisent la technique Bobath comme approche neurodéveloppementale pour la mobilité physique. Cette technique permet au client de maîtriser certains types de spasticité en bloquant des réflexes anormaux. Les thérapeutes et les infirmières utilisent la technique Bobath pour favoriser le tonus musculaire normal, le mouvement normal et pour promouvoir la fonction bilatérale du corps. Un exemple de la technique Bobath est de faire transférer le client sur le fauteuil roulant en utilisant à la fois l'hémicorps affaibli ou paralysé et l'hémicorps fort dans le but d'accroître un fonctionnement bilatéral.

Des accessoires de soutien et d'aide, comme une canne, un déambulateur et une prothèse orthopédique, peuvent être nécessaires à court ou à long terme pour aider le client à se déplacer. Le physiothérapeute choisit habituellement l'accessoire qui conviendra le mieux aux besoins du client. L'infirmière doit intégrer les exercices de physiothérapie dans les soins quotidiens du client afin qu'il puisse s'exercer et répéter les exercices de réadaptation.

Recommandations nutritionnelles. Après la phase aiguë, la diététiste peut aider le client à déterminer son apport calorique quotidien en fonction de sa taille, de son poids et de son niveau d'activité. Le client qui est incapable de manger suffisamment devra recevoir une alimentation entérale au moyen d'une sonde nasogastrique. La plupart des préparations commerciales fournissent environ une calorie par millilitre (voir chapitre 32).

L'infirmière et l'orthophoniste doivent examiner la capacité du client à avaler des solides et des liquides et doivent adapter l'alimentation en conséquence. La diététiste doit planifier le type d'alimentation, la texture des aliments, le nombre de calories et la quantité de liquides afin de combler les besoins nutritionnels du client. L'ergothérapeute et l'infirmière doivent évaluer la capacité du client à se nourrir et recommander des dispositifs d'aide qui lui permettront de manger de façon autonome. L'infirmière doit collaborer à la planification quotidienne des repas, à leur consommation et à l'évaluation de l'état nutritionnel du client.

L'incapacité de se nourrir peut devenir frustrante pour un client et peut se traduire par une malnutrition et une déshydratation. Les interventions utilisées pour favoriser l'alimentation autonome comprennent l'usage de l'extrémité supérieure non atteinte pour manger; l'utilisation de dispositifs d'aide, tels qu'un couteau à lame convexe, une bague d'assiette et un napperon antidérapant pour la vaisselle (voir figure 54.10); le retrait des objets inutiles du plateau ou de la table pour éviter les renversements accidentels; la diminution de la surcharge sensorielle et des éléments de distraction par l'intermédiaire d'un milieu non distrayant. L'efficacité du

A

B

C

D

FIGURE 54.10 Dispositifs d'aide pour manger. A. La fourchette courbée épouse la forme de la main. L'assiette ronde permet de garder les aliments dans l'assiette. Les poignées spéciales et pivotantes peuvent être utiles pour certaines personnes. B. Le couteau est muni d'une lame courbée que le client balance pour couper les aliments. Ainsi, la personne n'a pas besoin d'utiliser une fourchette et un couteau. C. Les bagues d'assiette permettent de garder les aliments dans l'assiette. D. Tasse munie d'une poignée spéciale.

programme alimentaire est évaluée en fonction du maintien du poids, d'une hydratation suffisante et de la satisfaction du client.

Élimination. Un traitement doit être établi lorsque le client souffre de troubles reliés à la maîtrise des selles, à la constipation ou à l'incontinence. On recommande habituellement un régime riche en fibres (voir tableau 34.4) et un apport hydrique suffisant (2500 à 3000 ml). Les clients victimes d'un AVC souffrent souvent de constipation, ce qui répond au traitement diététique suivant :

- apport hydrique quotidien de 2500 à 3000 ml, sauf en cas de contre-indications ;
- jus de pruneau (120 ml) ou compote de pruneaux tous les jours ;
- fruits cuits, trois fois par jour ;
- légumes cuits, trois fois par jour ;
- céréales ou pain complets, trois à cinq fois par jour.

Lorsque le client souffre d'incontinence, il est important de lui fournir un bassin hygiénique ou une chaise d'aisance ou de le conduire à la toilette à des heures régulières afin de rétablir la régularité intestinale. Le bon moment de la journée pour commencer le traitement est 30 minutes après le déjeuner puisque l'alimentation stimule le réflexe gastrocolique et le péristaltisme. Ce moment peut être adapté pour concorder avec les habitudes intestinales du client et avec l'heure qu'il préfère. Le fait de s'asseoir sur la chaise d'aisance ou sur la toilette favorise l'élimination intestinale en raison de la gravité et de l'augmentation de la pression abdominale. Des émollients fécaux ou des suppositoires peuvent être prescrits, si le traitement intestinal est inefficace pour rétablir la régularité intestinale. Un suppositoire de glycérine peut être inséré de 15 à 30 minutes avant l'élimination afin de stimuler le réflexe anorectal. Le suppositoire de bisacodyl (Dulcolax) est un stimulant intestinal chimique utilisé lorsque les autres mesures s'avèrent inefficaces. Il est préférable de n'utiliser les suppositoires que pour un traitement à court terme.

Fonction vésicale. L'infirmière est souvent appelée à apporter de l'aide au client souffrant de difficultés urinaires ou d'incontinence à la suite d'un AVC. Il est fréquent que ce client souffre d'incontinence fonctionnelle en raison de difficultés de communication, de troubles de mobilité et de difficultés à se vêtir et à se dévêtir. Les interventions infirmières axées sur l'incontinence urinaire comprennent les éléments suivants : 1) examiner la distension vésicale au moyen de la palpation ; 2) fournir un bassin hygiénique, un urinal, une chaise d'aisance ou conduire le client à la toilette toutes les deux heures pendant la journée et le soir et toutes les trois à quatre heures pendant la nuit ; 3) demander au client de se concentrer pour uriner sur demande ; 4) aider le client à se déplacer et à retirer ses vêtements ; 5) prévoir l'absorption de la plus grande partie de l'apport hydrique entre 7 h et 19 h ; 6) favoriser la position habituelle pour uriner (debout pour les hommes et assise pour les femmes).

Les interventions à court terme en présence d'incontinence urinaire peuvent comprendre la pose d'une sonde à demeure, d'un cathétérisme intermittent, d'un condom urinaire pour les hommes ou le port de culottes d'incontinence. Toutefois, ces solutions ne sont utilisées qu'à court terme puisqu'une infection urinaire ou une irritation cutanée peut se manifester si ces moyens sont utilisés à long terme. Il est important de coordonner toutes les interventions du personnel infirmier afin que le client puisse parvenir à la continence urinaire.

Proprioception. Les clients ayant été victimes d'un AVC présentent souvent des altérations proprioceptives. Les clients victimes d'un AVC de l'hémisphère droit du cerveau (hémiplégie gauche) ont souvent de la difficulté à juger la position, la distance et la vitesse des mouvements. Ces clients sont souvent impulsifs et impatients et tendent à nier les troubles reliés à leur maladie. Ils peuvent ne pas réussir à établir une corrélation entre les troubles proprioceptifs et l'incapacité de pratiquer des activités, comme diriger un fauteuil roulant dans l'embrasure de la porte. Le client victime d'un AVC de l'hémisphère droit est davantage prédisposé aux lésions en raison de ses difficultés de mobilité. Les directives portant sur les activités sont plus facilement comprises lorsqu'elles sont transmises verbalement. Dans le but d'en faciliter la compréhension, la tâche doit être divisée en étapes simples. Il est important de contrôler le milieu, comme diminuer le désordre, avoir un bon éclairage et enlever les obstacles, pour permettre au client de se déplacer en toute sécurité. Étant donné que la négligence de l'hémicorps atteint est courante chez les personnes victimes d'un AVC de l'hémisphère droit (hémiplégie gauche), l'infirmière peut les aider à s'habiller ou leur rappeler de vêtir l'hémicorps affaibli ou paralysé ou de raser le côté oublié du visage.

Les clients victimes d'un AVC de l'hémisphère gauche du cerveau (hémiplégie droite) organisent et exécutent habituellement les tâches plus lentement. Ils tendent à présenter une altération de la discrimination spatiale. Ces clients admettent normalement leurs altérations et réagissent de façon craintive et anxieuse à un AVC. Par conséquent, ils ont un comportement lent et prudent. Les instructions et les indices non verbaux sont utiles pour la compréhension des clients victimes d'un AVC de l'hémisphère gauche (hémiplégie droite).

Affect (labilité). Les clients victimes d'un AVC ont souvent des réactions émotionnelles inappropriées ou atypiques. Les clients peuvent sembler apathiques, dépressifs, craintifs, anxieux, larmoyants, frustrés et furieux. Certains clients présentent des sautes d'humeur exagérées, surtout ceux victimes d'un AVC de l'hémisphère gauche (hémiplégie droite). Le client peut être incapable de maîtriser ses émotions et peut soudainement fondre en larmes ou éclater de rire. Ce comportement hors contexte n'a souvent aucun lien avec l'état émotionnel sous-jacent du client. Les interventions infirmières nécessaires lors d'une réaction affective atypique sont les suivantes : 1) distraire le client qui s'émeut soudainement ; 2) expliquer au client et à sa famille la raison de cette explosion affective ; 3) maintenir un milieu calme ; 4) éviter d'humilier et de réprimander le client pendant les explosions affectives.

Stratégie d'adaptation. Le client victime d'un AVC peut connaître de nombreuses pertes, notamment sensorielles, intellectuelles, communicatives, fonctionnelles, émotionnelles, sociales et professionnelles, ainsi que des changements de rôle. Le client et sa famille doivent souvent passer à travers un processus de deuil et de chagrin associé aux pertes. Certains clients manifestent une dépression prolongée accompagnée de symptômes tels que l'anxiété, la perte de poids, la perte d'énergie, la perte d'appétit et les troubles du sommeil. De plus, le temps et l'énergie nécessaires pour effectuer les tâches qui étaient simples auparavant peuvent se traduire par de la colère et de la frustration.

Le client et sa famille ont besoin d'aide pour faire face aux pertes associées à l'AVC. L'infirmière peut les aider au moyen des interventions suivantes : 1) soutenir la communication entre le client et sa famille ; 2) reconnaître les altérations qui modifieront le mode de vie ; 3) encourager les changements de rôles et de responsabilités au sein de la famille ; 4) écouter activement les personnes afin de leur permettre d'exprimer leurs craintes, leurs frustrations et leur anxiété ; 5) planifier des objectifs à court et à long terme pour le client et sa famille et les soins donnés au client ; 6) soutenir les discussions familiales.

Une dépendance et une adaptation inefficace surviennent lorsque le client ne maintient pas le fonctionnement optimal des autosoins, des responsabilités familiales, des prises de décision ou de la socialisation. Cette situation peut engendrer du ressentiment à la fois chez le client et sa famille en plus d'un cycle négatif de dépendance interpersonnelle et de contrôle. Une autonomie inadaptée survient lorsque le client surestime sa connaissance personnelle ou ses capacités physiques et ses niveaux d'énergie. Ces clients peuvent être prédisposés aux lésions.

Les membres de la famille doivent composer avec trois aspects du comportement du client : 1) la reconnaissance des changements de comportements attribuables à des déficits neurologiques permanents ; 2) leurs réactions à des pertes multiples et celles du client ; 3) les comportements du client qui peuvent avoir été renforcés pendant la phase précoce de l'AVC, comme une dépendance prolongée.

Le client et sa famille peuvent exprimer des sentiments de culpabilité pour ne pas avoir adopté de modes de vie sains ou consulté le médecin plus tôt. Le traitement familial représente un complément utile à la réadaptation. Le client et sa famille ont besoin d'être soutenus et rassurés. La communication ouverte, l'information portant sur l'ensemble des effets de l'AVC, l'enseignement axé sur le traitement de l'AVC et les divers traitements thérapeutiques sont utiles. Les groupes de soutien d'AVC dans les centres de réadaptation et les centres de santé communautaire peuvent s'avérer utiles sur le plan du partage, de l'adaptation et de la compréhension.

Fonction sexuelle. Un client ayant été victime d'un AVC peut être préoccupé par la perte de la fonction sexuelle. Souvent, les clients n'ont pas de difficulté à parler de leur anxiété ou de leurs craintes par rapport à leur sexualité, si l'infirmière fait preuve d'aisance et d'ouverture face à ce sujet. L'infirmière peut aborder le sujet avec le client et la conjointe ou une proche. Les préoccupations courantes concernant l'activité sexuelle du client victime d'un AVC sont l'impuissance et l'apparition d'un autre AVC pendant les rapports sexuels. Les interventions infirmières visent à renseigner le client sur les sujets suivants : 1) les choix de position pour les partenaires ; 2) le moment où l'énergie est optimale ; 3) le counselling disponible pour le client et sa partenaire.

Communication. Pour le client et sa famille, les altérations de l'élocution, de la compréhension et du langage représentent les troubles les plus difficiles. L'orthophoniste peut examiner et formuler un plan de soins pour soutenir la communication. L'infirmière peut servir de modèle pour la communication avec le client souffrant d'aphasie. Les interventions infirmières qui soutiennent la communication comprennent : 1) parler fréquemment au client de sujets intéressants ; 2) accorder suffisamment de temps au client pour qu'il comprenne et réponde ; 3) s'exprimer à l'aide de phrases simples et courtes ; 4) utiliser des indices visuels ; 5) structurer la conversation de façon à permettre au client de répondre de manière simple ; 6) féliciter le client de façon sincère pour ses améliorations en matière d'élocution.

Intégration communautaire. Il peut arriver que l'intégration communautaire soit difficile à la suite d'un AVC, lorsque le client souffre de troubles persistants en matière de cognition, d'adaptation, d'altérations physiques et de labilité affective nuisant au fonctionnement. Les clients âgés ayant été victimes d'un AVC

Accident vasculaire cérébral

GÉRONTOLOGIE

Les AVC comptent parmi les principales causes de décès et d'invalidité chez les personnes âgées. La fréquence la plus élevée des AVC se manifeste chez les personnes âgées. Un AVC perturbe considérablement la vie d'une personne âgée. En raison du degré d'invalidité et des changements importants au niveau des fonctions, le client peut en venir à se demander s'il pourra un jour jouir de la même qualité de vie qu'il avait auparavant. Les modifications qui doivent être apportées aux activités de la vie quotidienne peuvent être grandement déroutantes en raison des altérations physiques, émotionnelles, proprioceptives et cognitives. Les soins à domicile peuvent s'avérer difficiles puisque la conjointe qui doit prendre soin du client est souvent elle-même âgée et peut également souffrir de troubles de santé. Souvent, le client a peu de membres de la famille (dont les enfants adultes) vivant à proximité, ce qui réduit le nombre d'aidants naturels potentiels. Les membres de la famille d'âge moyen deviennent donc la « génération sandwich », car ils doivent s'occuper non seulement de leurs parents âgés et malades, mais aussi de leurs enfants à charge.

Les soins infirmiers à l'égard de la personne âgée ayant été victime d'un AVC représentent un défi. Des soins infirmiers spécialisés sont évidemment nécessaires dans la phase aiguë. Cependant, la plus grande difficulté infirmière apparaît lors de la phase de réadaptation, lorsque l'infirmière doit aider le client âgé à faire face aux séquelles de l'AVC ainsi qu'au vieillisse-

ment. Ces clients peuvent devenir craintifs et dépressifs, car ils ont peur d'avoir une autre attaque et de mourir. Cette crainte peut les empêcher de se déplacer et, par conséquent, nuire à une bonne réadaptation.

La relation entre le client et sa conjointe peut connaître des changements. Un mariage qui était autrefois stable peut être menacé lorsque le client devient trop dépendant à la suite d'un AVC. La conjointe peut également être atteinte d'affections chroniques pouvant l'empêcher de prendre soin de son mari victime d'un AVC.

L'une des tâches les plus difficiles reliées aux soins à domicile est d'aider l'aidant naturel qui doit prendre soin du client victime d'un AVC. Prendre soin de cette personne peut s'avérer très exigeant pour une jeune personne et peut l'être davantage pour la conjointe âgée. Parfois, la conjointe peut éprouver de la culpabilité, si d'autres personnes essaient de l'aider, ou le client peut refuser de recevoir des soins d'une autre personne que sa conjointe.

L'infirmière a la possibilité d'aider le client et sa famille à faire la transition entre l'hospitalisation, la réadaptation, les soins à long terme ou les soins à domicile. Les besoins du client et de sa famille nécessitent une évaluation infirmière continue, une révision des interventions et une évaluation des changements en matière de santé afin d'optimiser la qualité de vie du client et de sa famille.

---

présentent souvent des altérations plus graves et éprouvent de nombreux troubles de santé. Les progrès en matière de soins de santé ont entraîné une augmentation du taux de survie des clients présentant des lésions importantes reliées à un AVC. Pour le client, sa famille et pour l'équipe soignante interdisciplinaire, la réussite de l'intégration communautaire peut se traduire par une meilleure mobilité physique, l'exécution des AVQ et l'amélioration de la qualité de vie avec la famille et les amis.

Les ressources communautaires peuvent représenter une aide précieuse pour les clients et leur famille. La Fondation des maladies du cœur du Canada fournit des bulletins d'informations portant sur les AVC. Elle donne également de l'information sur l'hypertension, l'alimentation, l'exercice et les dispositifs d'aide. Les groupes régionaux peuvent fournir une aide sur une base quotidienne telle que des repas et le transport. L'infirmière, l'infirmière du CLSC et l'infirmière clinicienne spécialisée peuvent toutes aider le client à trouver ces ressources (Fondation des maladies du cœur, 2003).

MOTS CLÉS

BIBLIOGRAPHIE

Version originale

1. Kongable G: Code stroke: using t-PA to prevent ischemic brain injury, *AJN* 97:16BB, 1997.
2. *Statistical abstracts of the United States: the national data book,* ed 116, Washington, DC, 1996, US Department of Commerce, US Government Printing Office.
3. McCrory DC, Matchar DB: Stroke prevention: the emerging strategies, *Hosp Pract* 31:123, 1996.

4. Hennekens CH: Lessons from hypertension trials, *Am J Med* 104:50S, 1998.

5. Heinemann LA and others: Thromboembolic stroke in young women. A European case-control study on oral contraceptives, *Contraception* 57:29, 1998.

6. Sterz F and others: Possibilities of brain protection with tirilazad after cardiac arrest, *Semin Thromb Hemost* 22:105, 1996.

7. Hickey JV: *The clinical practice of neurological and neurosurgical nursing,* ed 4, Philadelphia, 1997, Lippincott.

8. Mower DA: Brain attack: treating acute ischemic CVA, *Nursing* 27:34, 1997.

9. Read SJ and others: Experience with diffusion-weighted imaging in an acute stroke unit, *Cerebrovasc Dis* 8:135, 1998.

10. Gonzalez ER: Antiplatelet therapy in atherosclerotic cardiovascular disease, *Clin Ther* 20:B18, 1998.

11. Diener HC: Antiplatelet drugs in secondary prevention of stroke, *Int J Clin Pract* 52:91, 1998.

12. Hallett JW and others: Comparison of North American Symptomatic Carotid Endarterectomy Trial and population-based outcomes for carotid endarterectomy, *J Vasc Surg* 27:845, 1998.

13. Kothari R: The biology of stroke and management of the stroke patient, *J Emerg Med Serv* 20:5, 1995.

14. Ball R: Treating stroke: new controversies in emergency care, *J Emerg Med Serv* 20:38, 1995.

15. Levine SR: Thrombolytic therapy for stroke: the new paradigm, *Hosp Pract* 32:57, 1997.

16. Moore K, Trifiletti E: Stroke: the first critical days, *RN* 57:22, 1994.

17. Hayn MA, Fisher TR: Stroke rehabilitation, *Nursing* 27:40, 1997.

18. Fowler S, Durkee CM, Webb DJ: Rehabilitating stroke patients in the acute care setting, *Medsurg Nurs* 5:327, 1996.

19. Brillhart B: Role-relationship pattern. In McCourt AE, editor: *The specialty practice of rehabilitation nursing: a core curriculum,* ed 3, Skokie, Ill, 1993, The Rehabilitation Nursing Foundation of the Association of Rehabilitation Nurses.

Édition de langue française

1. FONDATION DES MALADIES DU CŒUR DU CANADA. *Nouvelles pour les femmes - Les dangers de l'hormonothérapie substitutive en excèdent les avantages,* [En ligne], octobre 2002. [http://ww1.fmcoeur.ca/Page.asp?PageID=1613&ContentID=1788&ContentTypeID=1] (Page consultée le 7 avril 2003).

2. SOCIÉTÉ DES OBSTÉTRICIENS ET GYNÉCOLOGUES DU CANADA. [En ligne], [http ://www.sogc.org] (Page consultée le 15 avril 2003).

3. SOCIÉTÉ DES OBSTÉTRICIENS ET GYNÉCOLOGUES DU CANADA. *Bienvenue à la SOGC,* [En ligne], octobre 2002. [http://www.sogc.org/sogcnet/index_f.shtml] (Page consultée le 16 avril 2003).

4. SOCIÉTÉ DES OBSTÉTRICIENS ET GYNÉCOLOGUES DU CANADA. *Énoncé de principe de la SOGC au sujet du Rapport WHI sur l'utilisation d'œstrogènes et de progestatifs par les femmes postménopausées,* [En ligne], octobre 2002. [http://www.sogc.org/sogcnet/pdfs/finalSt_f.pdf] (Page consultée le 16 avril 2003).

5. FONDATION DES MALADIES DU CŒUR DU CANADA. *Accident vasculaire cérébral,* [En ligne], mars 2002. [http://209.5.25.165/Page.asp?PageID=907&ArticleID=428&Src=stroke&From=SubCategory] (Page consultée le 3 mars 2003).

6. FONDATION DES MALADIES DU CŒUR DU QUÉBEC. *Forum québécois des intervenants en santé cardiovasculaire,* [En ligne], janvier 2003. [http://ww2.fmcoeur.ca/Page.asp?PageID=903] (Page consultée le 8 avril 2003).

Monique Bédard
B. Sc. inf.
Cégep de Limoilou

Lucie Maillé
Inf., B. Sc.
Collège Édouard-Montpetit

Chapitre 55

TROUBLES NEUROLOGIQUES CHRONIQUES

OBJECTIFS D'APPRENTISSAGE

APRÈS AVOIR LU CE CHAPITRE, VOUS DEVRIEZ ÊTRE EN MESURE :

- D'EXPLIQUER L'EFFET QUE PEUT PRODUIRE UNE MALADIE NEUROLOGIQUE CHRONIQUE SUR LE BIEN-ÊTRE PHYSIQUE ET PSYCHOLOGIQUE ;

- DE COMPARER LA CÉPHALÉE DE TENSION, LA MIGRAINE ET L'ALGIE VASCU-LAIRE DE LA FACE SUR LES PLANS DE L'ÉTIOLOGIE, DES MANIFESTATIONS CLI-NIQUES, DES PROCESSUS THÉRAPEUTIQUES ET DES SOINS INFIRMIERS ;

- DE DÉCRIRE L'ÉTIOLOGIE, LES MANIFESTATIONS CLINIQUES, LES ÉPREUVES DIAGNOSTIQUES ET LE PROCESSUS THÉRAPEUTIQUE DE L'ÉPILEPSIE, DE LA SCLÉROSE EN PLAQUES, DE LA MALADIE DE PARKINSON ET DE LA MYASTHÉNIE GRAVE ;

- D'EXPLIQUER LE RÔLE DE L'INFIRMIÈRE DANS LES SOINS INTENSIFS ET CHRONIQUES À L'ÉGARD D'UN CLIENT ATTEINT D'UNE MALADIE NEURO-LOGIQUE CHRONIQUE ;

- DE DÉCRIRE LES MANIFESTATIONS CLINIQUES ET LE PROCESSUS THÉRAPEU-TIQUE DE LA SCLÉROSE LATÉRALE AMYOTROPHIQUE ET DE LA CHORÉE DE HUNTINGTON ;

- DE RECONNAÎTRE LES COMPLICATIONS PHYSIQUES COURANTES CHEZ UN CLIENT IMMOBILISÉ PAR UNE MALADIE NEUROLOGIQUE CHRONIQUE ;

- DE CITER LES PRINCIPAUX OBJECTIFS DU TRAITEMENT D'UN CLIENT ATTEINT D'UNE MALADIE NEUROLOGIQUE CHRONIQUE PROGRESSIVE.

*L*es maladies neurologiques chroniques sont souvent difficiles à gérer, à la fois par le client et par le personnel infirmier. De nombreux troubles neurologiques se traduisent par une lente détérioration des capacités physiques et mentales et ils épuisent le client et sa famille. Le client est parfois sujet à une détresse psychologique qui se transforme en dépression, en peur, en anxiété, en colère ou en repli sur soi. À cela, s'ajoutent des changements de l'image corporelle et de l'estime de soi. De plus, les changements physiques dus aux maladies dégénératives imposent des altérations plus ou moins profondes du mode de vie, ce qui augmente le traumatisme émotif du client. Les familles sont déchirées entre leur obligation de fournir des soins au malade et leur aspiration à vivre leur propre vie. Elles sont simultanément poussées et retenues par des sentiments de culpabilité, d'amour, de désespoir, d'espoir, de ressentiment et de sympathie.

Les maladies neurologiques chroniques sont également un problème pour le personnel soignant, car plusieurs d'entre elles sont sans remède. En conséquence, le personnel infirmier ne peut que tenter d'alléger les symptômes physiques, prévenir les complications, aider les clients à être le plus autonomes possible et à s'adapter à leur maladie. Les infirmières peuvent et doivent participer à ces aspects de la gestion des soins.

55.1 CÉPHALÉE

La **céphalée** est probablement la douleur la plus fréquente chez l'être humain. La majorité des gens ont des céphalées fonctionnelles, comme la migraine bénigne, ou des céphalées de tension ; les autres souffrent de céphalées organiques causées par de vraies maladies intracrâniennes ou extracrâniennes.

Tous les tissus du crâne ne sont pas sensibles à la douleur. Les structures internes de la tête qui sont sensibles à la douleur comprennent les sinus veineux, la dure-mère (à la base du crâne, près des gros vaisseaux sanguins), les vaisseaux sanguins crâniens, les trois divisions du nerf trijumeau (NC V), le nerf facial (NC VII), le nerf glossopharyngien (NC IX), le nerf vague (NC X) ainsi que les trois premiers nerfs cervicaux. Les céphalées peuvent donc provenir de sources extracrâniennes ou intracrâniennes.

On classe les céphalées suivant les caractéristiques de la douleur crânienne et de la douleur faciale. Les classifications primaires sont les céphalées de tension, les migraines et les algies vasculaires de la face ; le tableau 55.1 donne leurs caractéristiques. Un client peut être atteint d'un ou de plusieurs types de céphalées. Les antécédents et l'examen neurologique donnent des indices diagnostiques pour déterminer le type de céphalée.

55.1.1 Céphalée de tension

La **céphalée de tension** se décrit comme une douleur bilatérale, sourde et non pulsatile. Elle est aussi appelée céphalée de contraction musculaire, de tension psychique, psychogénique et rhumatismale. Cette céphalée est la plus courante, mais elle est également la plus difficile à traiter. Les céphalées de tension sont souvent

TABLEAU 55.1	Comparaison entre la céphalée de tension, la migraine et l'algie vasculaire de la face		
Profil	**Céphalée de tension**	**Migraine**	**Algie**
Site	Bilatéral, pression comme un bandage à la base du crâne, à la face ou aux deux	Unilatéral (à 60 %), peut changer de côté, souvent antérieur	Unilatéral, rayonnant à partir d'un œil vers le haut ou vers le bas
Nature	Douleur constante, vive et constrictive	Pulsatile, en phase avec le pouls	Douleur intense et constrictive
Fréquence	Périodique pendant plusieurs années	Périodique ; cycles de plusieurs mois à plusieurs années	Les crises peuvent cesser pendant des mois ou des années ; crises en séries ; une à trois fois par jour pendant 4 à 8 semaines
Durée	Intermittente pendant des mois ou des années	Continue pendant des heures ou des jours	30 à 90 min
Moment et mode de déclenchement	Non lié au temps	Peut être précédé d'un prodrome ; débute après le réveil ; s'améliore avec le sommeil	Nocturne ; réveille fréquemment le client pendant son sommeil
Symptômes associés	Muscles du cou et des épaules palpables, cou raide, sensibilité au toucher	Nausées ou vomissements, œdème, irritabilité, sueurs, photophobie, prodrome de phénomènes psychiques, moteurs ou sensoriels ; antécédents familiaux (dans 65 % des cas)	Symptômes vasomoteurs comme rougeur ou pâleur faciale, larmoiement unilatéral, ptosis et rhinite

classées en deux sous-catégories : aiguë ou épisodique et chronique.

Étiologie et physiopathologie. On a longtemps pensé que la céphalée de tension était due à des contractions soutenues des muscles du cou et du cuir chevelu. Des données récentes indiquent toutefois que ce mécanisme n'est pas commun à tous les clients atteints de céphalée de tension. Il est fort possible qu'une plus grande sensibilité à la douleur et que des facteurs musculaires contribuent à l'apparition de la céphalée de tension.

Manifestations cliniques. Pour la céphalée de tension, il n'existe pas de prodrome (signe avant-coureur d'une maladie). La douleur est généralement bilatérale et se situe le plus souvent à l'arrière du cou. D'habitude, elle n'interfère pas avec le sommeil. La douleur est souvent décrite comme une pression dense, un serrement ou une oppression. Elle est soutenue, chronique, sourde et persistante. Les céphalées se produisent de façon intermittente et peuvent durer des semaines, des mois et parfois même des années. De nombreux clients peuvent être atteints d'une combinaison de migraine et de céphalée de tension, les caractéristiques des deux céphalées apparaissant en même temps. Les clients atteints de migraine souffrent parfois de céphalée de tension entre deux crises de migraine.

Épreuves diagnostiques. L'outil de diagnostic le plus important pour les céphalées de tension est probablement le relevé minutieux des antécédents médicaux. Un électromyogramme (EMG) révèle parfois une contraction permanente des muscles du cou, du cuir chevelu et de la face. Néanmoins, même s'ils ressentent la céphalée pendant l'épreuve, de nombreuses personnes n'auront pas de tension musculaire accrue. Inversement, les clients atteints de migraine présentent parfois des contractions musculaires durant l'EMG. Si le client souffre de céphalée de tension pendant l'examen physique, il se peut que l'on observe chez lui de la résistance aux mouvements passifs de la tête et une augmentation de sensibilité au toucher à la tête et au cou.

55.1.2 Migraine

La **migraine** est une céphalée récurrente caractérisée par une douleur unilatérale ou bilatérale, un événement ou un facteur déclencheur, de forts antécédents familiaux et des manifestations associées à des dysfonctionnements du système nerveux neurologique et du système nerveux autonome. Chez certains individus, les migraines remontent à l'enfance ou à l'adolescence. Chez 65 % des clients atteints de migraine, on observe des antécédents familiaux de migraine. Des études récentes ont démontré que la prévalence des migraines

était de 6 % chez les hommes et de 15 à 18 % chez les femmes. On a souvent associé les migraines aux personnes très performantes qui refoulent leur agressivité et leur hostilité ; néanmoins, aucun type unique de personnalité ne caractérise tous les clients atteints de migraines.

Étiologie et physiopathologie. On a longtemps cru que la migraine était d'origine vasculaire et qu'elle concernait les artères intracrâniennes et extracrâniennes. La théorie classique de la migraine veut que la phase prodromique (ou aura) soit associée à une vasoconstriction et à une diminution du débit sanguin. La phase migraineuse est associée à la vasodilatation et à une augmentation du débit sanguin. Même si on ne connaît toujours pas l'étiologie exacte de la migraine, les données démontrent que des facteurs neurologiques, vasculaires et chimiques interviennent dans la maladie. Le modèle neurogène de la migraine suppose qu'un stimulus déclenche le système trijumeau vasculaire (le nerf trijumeau et ses connexions aux vaisseaux sanguins méningés) et provoque une inflammation des vaisseaux sanguins et une vasodilatation qui se transforme en migraine. La sérotonine, qui est un neurotransmetteur, semble jouer un rôle important dans la progression de la migraine.

Souvent, la migraine n'a pas d'événement déclencheur connu. Cependant, elle peut parfois être déclenchée par le stress, l'excitation, un éblouissement lumineux, les menstruations, l'alcool ou par certains aliments tels que le chocolat ou le fromage.

L'aura de la migraine est associée avec la « dépression envahissante », une vague d'hypovolémie (réduction du débit sanguin cérébral) qui commence dans le lobe occipital et qui envahit le cerveau à la vitesse de deux à trois millimètres par minute. La progression de l'hypovolémie n'est pas en corrélation avec l'alimentation en sang des vaisseaux, il est donc peu probable qu'elle soit générée par les vaisseaux.

Manifestations cliniques. On distingue deux principaux types de migraines : la migraine sans aura (autrefois appelée migraine ordinaire) et la migraine avec aura (autrefois appelée migraine classique). La migraine sans aura est la plus courante. Son prodrome n'est pas très défini et peut occasionner des altérations psychiques, des troubles gastro-intestinaux et des modifications de l'équilibre hydrique. Le prodrome précède la migraine de plusieurs heures ou de plusieurs jours. La migraine peut durer quelques heures ou quelques jours.

Les migraines avec aura ne se produisent que dans 10 % des cas. L'aura bien définie précédant la migraine dure de 10 à 30 minutes et peut se manifester par des dysfonctionnements sensoriels (anomalies du champ visuel, sensations de picotement, de brûlures ou encore paresthésie), un dysfonctionnement moteur (faiblesse, paralysie), des étourdissements, un état de confusion et même une perte de connaissance. Le symptôme précurseur de la migraine est la perception de lumière clignotante dans un quadrant du champ visuel, souvent appelé scotome scintillant. Ce type de migraine culmine en une heure et peut durer plusieurs heures.

Les manifestations cliniques des migraines avec et sans aura sont l'œdème généralisé, l'irritabilité, la pâleur, les nausées, les vomissements et les sueurs. Pendant la phase douloureuse, les clients atteints de migraine ont tendance à « hiberner » en se mettant à l'abri du bruit, de la lumière, des odeurs, des gens et des problèmes. La céphalée est décrite comme une douleur pulsatile en phase avec le pouls. Bien que la céphalée soit généralement unilatérale, elle peut changer de côté lors d'une crise ultérieure. Pour diagnostiquer la migraine, on se fie aux antécédents médicaux. Les examens neurologiques et autres examens diagnostiques sont souvent normaux.

55.1.3 Algie vasculaire de la face

L'**algie vasculaire de la face** est une des plus graves céphalées. Elle se produit moins fréquemment que la migraine (le rapport des fréquences est de 1 pour 10) et elle touche cinq fois plus d'hommes que de femmes. La maladie apparaît habituellement entre 30 et 60 ans.

Étiologie et physiopathologie. Ni les causes ni la physiopathologie de l'algie vasculaire de la face sont vraiment bien connues. La vasodilatation se produisant dans la partie de la face affectée est extracrânienne. Le nerf trijumeau participe au processus de la douleur. L'activation de ce nerf provoque la libération de la substance P et d'autres substances, occasionnant ainsi une vasodilatation, une stimulation de fibres de douleur afférentes et une inflammation neurogène avec épanchement de protéines et de plaquettes dans les zones périvasculaires. La périodicité et la régularité de l'algie vasculaire de la face signalent un dysfonctionnement du mécanisme de l'horloge biologique de l'hypothalamus. Ces céphalées peuvent également être déclenchées par la consommation d'alcool.

Manifestations cliniques. La céphalée débute brutalement, généralement sans prodrome. Elle atteint son maximum en 5 à 10 minutes et dure de 30 à 90 minutes. Il n'est pas rare qu'elle se manifeste la nuit, réveillant le client endormi depuis quelques heures. Parfois, les céphalées se produisent plusieurs fois par jour pendant quelques jours, et chaque période peut durer de deux à trois mois. En général, les régions touchées sont la partie supérieure de la face, la région préorbitale et le front sur un seul côté de la face et de la tête. La céphalée peut ensuite disparaître pendant des mois ou des années. Le client peut également être atteint de conjonctivite, de larmoiement plus important et de congestion nasale du côté de la céphalée. Il se peut qu'apparaisse un syndrome partiel de Horner (myosis [constriction de la pupille] et ptosis [chute de la paupière supérieure du côté atteint]). La céphalée se décrit comme une douleur profonde, constante et pénétrante mais non pulsatile.

Contrairement au client atteint de migraine, qui cherche l'isolement et le calme, le client atteint d'algie vasculaire de la face marche de long en large, pousse des cris, agit de façon étrange et ne supporte pas qu'on le touche. Le client atteint d'algie vasculaire de la face n'éprouve pas les manifestations systémiques accompagnant la migraine, comme les nausées ou les vomissements. Comme pour la migraine, l'algie vasculaire de la face n'est pas accompagnée de complications.

Épreuves diagnostiques. Le diagnostic de l'algie vasculaire de la face repose sur les antécédents de santé. Néanmoins, afin d'écarter le diagnostic d'anévrisme, de tumeur ou d'infection, on peut effectuer une tomodensitométrie, une imagerie par résonance magnétique (IRM) ou une angiographie cérébrale.

55.1.4 Autres types de céphalées

Bien que la céphalée de tension, la migraine et l'algie vasculaire soient les céphalées les plus courantes, d'autres types de céphalées peuvent survenir. Ces céphalées peuvent être le premier symptôme d'une maladie plus grave. Une hémorragie sous-arachnoïdienne, une tumeur au cerveau, d'autres masses intracrâniennes, une artérite, des anomalies vasculaires, une névralgie du nerf trijumeau (tic douloureux), des maladies oculaires, du nez, des dents et des maladies systémiques (bactériémie, intoxication au monoxyde de carbone, mal des montagnes, polycythémie vraie) peuvent toutes être accompagnées d'une céphalée. Les symptômes sont très variables. Comme les causes de céphalées sont nombreuses, l'évaluation clinique doit être rigoureuse. Elle doit comprendre une évaluation de la personnalité, de l'adaptation à la vie, de l'environnement, de la situation familiale, ainsi qu'un examen physique approfondi.

Processus thérapeutique : céphalée. Le traitement sera fonction du type de céphalée si toute maladie systémique est écartée. Le tableau 55.2 résume le processus diagnostique appliqué à un client atteint de céphalée dans le but d'écarter toute maladie intracrânienne ou extracrânienne. L'encadré 55.1 résume les traitements actuellement employés pour soulager les symptômes des céphalées courantes. Ces traitements

ÉPREUVES DIAGNOSTIQUES

TABLEAU 55.2 Client atteint de céphalée

Antécédents complets

Examen clinique (souvent négatif)
Inspecter pour déceler les infections locales
Palper pour déceler une sensibilité, un durcissement des artères, un gonflement des os
Ausculter les artères principales pour détecter le bruit

Épreuves de laboratoire courantes pour éliminer les causes fondamentales de céphalée
Hémogramme complet
Bilan électrolytique
Analyse d'urine

Tomodensitométrie des sinus

Épreuves spéciales (tomodensitométrie, angiographie, EMG, EEG, IRM)

EEG : électro-encéphalographie ; EMG : électromyographie ; IRM : imagerie par résonance magnétique.

comprennent les médicaments, la méditation, le yoga, la rétroaction biologique et l'entraînement à la relaxation musculaire.

La rétroaction biologique utilise des appareils de contrôle physiologique donnant au client des renseignements sur sa tension musculaire et son débit sanguin périphérique (température cutanée des doigts). Le client s'entraîne à relaxer ses muscles et à augmenter sa température cutanée et il est encouragé (conditionnement opérant) lorsque ces altérations physiologiques se réalisent.

L'acupuncture, la digitopuncture et l'hypnose sont des thérapies novatrices efficaces chez certains clients atteints de céphalées. La psychothérapie peut être bénéfique à quelques clients quand elle les aide à reconnaître les conflits et à y faire face de façon plus appropriée. Pour les céphalées de tension, on peut employer la thérapie physique (massage, compresse chaude, collier cervical), l'injection locale d'anesthésiant dans les muscles spastiques et la correction de la mauvaise posture.

Pharmacothérapie

Céphalée de tension. La céphalée de tension se traite normalement avec un analgésique non narcotique (acide acétylsalicylique, acétaminophène) administré seul ou en association avec un sédatif, un relaxant musculaire, un tranquillisant ou de la codéine. Cependant, parmi ces médicaments, nombreux sont ceux qui ont de graves effets secondaires. Il faut prévenir le client des risques d'hémorragies gastriques et d'anomalies de la coagulation chez certaines personnes en cas d'usage

PROCESSUS DIAGNOSTIQUE ET THÉRAPEUTIQUE

Céphalée   ENCADRÉ 55.1

Diagnostic
- Céphalée de tension
  - Antécédents de sensibilité du cou et de la tête, résistance au mouvement, EMG
- Migraine
  - Antécédents relatifs à la migraine
- Algie vasculaire de la face
  - Antécédents relatifs à l'algie, thermographie

Processus thérapeutique
Symptomatique
- Céphalée de tension
  - Analgésiques non narcotiques (AAS [Aspirin], acétaminophène [Tylenol], ibuprofène [Motrin])
  - Association d'analgésiques (butalbital [Fiorinal])
  - Relaxants musculaires
- Migraine
  - Analgésiques non narcotiques (AAS [Aspirin], acétaminophène [Tylenol], ibuprofène [Motrin])
  - Agonistes du récepteur de la sérotonine (sumatriptan [Imitrex], zolmitriptan [Zomig], naratriptan [Amerge], rizatriptan [Maxalt])
  - Alpha-bloquants (tartrate d'ergotamine [Cafergot])
  - Corticostéroïdes (dexaméthasone)
- Algie vasculaire de la face
  - Alpha-bloquants (tartrate d'ergotamine)
  - Vasoconstricteurs
  - Oxygène

Prophylactique
- Céphalée de tension
  - Antidépresseurs tricycliques (doxépine [Sinequan], amitriptyline [Elavil])
  - Bêta-bloquants (propranolol [Indéral])
  - Rétroaction biologique
  - Entraînement à la relaxation musculaire
  - Psychothérapie
- Migraine
  - Bêta-bloquants (propranolol)
  - Antagonistes de la sérotonine* (méthysergide [Sansert])
  - Antidépresseurs (amitriptyline [Elavil], imipramine [Tofranil])
  - Inhibiteurs calciques (vérapamil [Isoptin])
  - Divalproex (Epival)
  - Rétroaction biologique
  - Méditation
  - Contre-stimulation électrique
- Algie vasculaire de la face
  - Alpha-bloquants (tartrate d'ergotamine)
  - Antagonistes de la sérotonine (méthysergide)
  - Corticostéroïdes (prednisone)
  - Lithium
  - Inhibiteurs calciques (vérapamil)
  - Divalproex

* Seulement pour les clients souffrant de une à plusieurs céphalées intenses par semaine.
AAS : acide acétylsalicylique ; EMG : électromyographie.

prolongé d'acide acétylsalicylique (AAS) et de médicaments contenant de l'AAS. Il faut également éviter l'usage prolongé de Fiorinal, qui contient non seulement de l'AAS (Aspirin), mais également un barbiturique (butalbital) susceptible d'entraîner une dépendance. Les médicaments qui contiennent de l'acétaminophène (Tylenol) peuvent provoquer des lésions aux reins en usage prolongé, ou au foie s'ils sont associés à l'alcool. L'usage quotidien de médicaments anti-inflammatoires non stéroïdiens (AINS) provoque parfois des céphalées quotidiennes chroniques. Les narcotiques et les benzodiazépines peuvent engendrer la toxicomanie et l'accoutumance. L'interruption brutale de l'administration d'un médicament pris en excès peut provoquer des symptômes de sevrage (rebond analgésique)

Migraine. Le traitement de la crise aiguë de migraine a pour objectif d'éliminer ou de minimiser les symptômes de la crise. L'AAS ou l'acétaminophène soulagent de nombreuses personnes atteintes de migraine légère ou modérée. On utilise souvent de l'ergotamine (Cafergot) lorsqu'un analgésique simple ne suffit pas à soulager la céphalée. L'ergotamine inhibe le nouvel apport de norépinéphrine libérée par les neurones dans les sites de stockage des terminaisons nerveuses postganglionnaires du système nerveux sympathique. Cela permet à une plus grande quantité de norépinéphrine de s'attacher aux sites α-bloquants des muscles lisses des parois artérielles, ce qui entraîne une vasoconstriction prolongée des vaisseaux crâniens. L'ergotamine s'administre par voie orale, sous-linguale, parentérale, rectale ou par inhalation. La posologie normale varie entre 1 et 2 mg (voie orale ou rectale) à l'apparition de la céphalée, suivi de 2 mg dans l'heure qui suit, sans toutefois excéder 6 mg par 24 heures. Le mésylate de dihydroergotamine est offert en vaporisation nasale appelée Migranal. D'autres médicaments traitent la migraine et contiennent du butalbital et de l'AAS (Fiorinal, Tecnal, Trianal) ou, dans certains cas, des narcotiques (Fiorinal C, Tecnal C, Trianal C).

On a remarqué que les médicaments contenant de la sérotonine soulageaient la migraine. Pour le traitement des migraines aiguës, on emploie le sumatriptan (Imitrex), qui est sélectif des récepteurs vasculaires de la sérotonine et produit des constrictions vasculaires. De plus, le sumatriptan inhibe la libération des neuropeptides inflammatoires produisant de la douleur, comme la substance P, et interfère avec la transmission de la douleur. Le sumatriptan s'administre par voie sous-cutanée, orale ou nasale. Il est actuellement le médicament de choix pour le traitement de la migraine aiguë. Le zolmitriptan (Zomig), le naratriptan (Amerge) et le rizatriptan (Maxalt) font partie des nouveaux agents dotés d'un mécanisme sérotoninergique pour resserrer les vaisseaux sanguins cérébraux. Certains

médicaments comme le sumatriptan peuvent causer des douleurs thoraciques et sont à éviter pour les clients atteints de maladies cardiaques.

De nombreux médicaments sont offerts pour prévenir les crises de migraine et de céphalée de tension. Le méthysergide (Sansert) est un alcaloïde de l'ergot de seigle qui bloque efficacement les récepteurs de la sérotonine dans le système nerveux central et le système nerveux périphérique. On a remarqué que ce médicament prévenait efficacement la migraine. Cependant, le client doit se soumettre à un suivi régulier à cause des effets secondaires, notamment les fibroses rétropéritonéale, pulmonaire et cardiaque. On conseille au client d'interrompre le traitement tous les quatre à six mois (sevrage temporaire).

D'autres médicaments administrés quotidiennement peuvent prévenir la récurrence des migraines très graves ou très fréquentes. Ils comprennent des β-bloquants (propranolol [Indéral], aténolol [Tenormin]), des antidépresseurs tricycliques (amitriptyline [Elavil]), des antagonistes spécifiques du recaptage de la sérotonine (fluoxétine [Prozac]), des inhibiteurs calciques (vérapamil [Isoptin], le divalproex [Epival]), la clonidine (Catapres), des thiazides et le lithium.

Algie vasculaire de la face. L'algie vasculaire de la face se manifeste soudainement, souvent la nuit, mais elle est de courte durée. Le traitement médicamenteux n'est donc pas aussi efficace que pour les autres céphalées. Les médicaments prophylactiques comprennent le vérapamil (Isoptin), le lithium, l'ergotamine, le divalproex et les AINS. Le traitement en phase aiguë de l'algie vasculaire de la face repose sur l'inhalation d'oxygène à 100 % au taux de 7 à 9 L/min durant 15 à 20 minutes ; cela peut faire disparaître la céphalée par un effet de constriction vasculaire. L'opération peut être reprise après une pause de cinq minutes. Cependant, le problème de ce traitement est l'accès continu du client à une alimentation en oxygène. Le sumatriptan est aussi efficace pour traiter l'algie vasculaire de la face. Le méthysergide peut s'utiliser de façon prophylactique quand les céphalées réapparaissent à des intervalles connus.

Soins infirmiers : céphalée

Collecte de données. L'encadré 55.2 présente les données subjectives et objectives à recueillir auprès du client atteint de céphalée. Comme les antécédents de santé sont essentiels à l'évaluation de la céphalée, il faut obtenir des détails précis sur l'emplacement, la nature, l'apparition, la fréquence de la douleur, la relation avec certains événements (émotionnel, psychologique, physique) et l'heure à laquelle commence la céphalée. Il faut également se renseigner sur les maladies antérieures, les interventions chirurgicales, les traumatismes, les allergies, les antécédents familiaux et les réactions aux médicaments. L'infirmière peut recommander au client de noter dans un journal personnel les détails spécifiques de chaque crise. Ce type d'information peut être grandement utile afin de déterminer le type de céphalée et les événements qui la précipitent. Si le client a des antécédents de migraine, de céphalée de tension ou d'algie vasculaire de la face, il faut savoir si le caractère, l'intensité ou l'emplacement de la céphalée ont changé. Ceci peut constituer une piste importante dans la recherche de la cause de la céphalée.

Diagnostics infirmiers. Quelques-uns des diagnostics infirmiers pour le client victime de céphalée sont présentés dans l'encadré 55.3.

Planification. Les résultats escomptés chez le client souffrant de céphalée sont les suivants : atténuer ou supprimer la douleur ; accroître le bien-être et diminuer l'anxiété ; s'assurer que le client connaît les événements

déclencheurs ; utiliser une stratégie d'adaptation efficace pour soulager la douleur chronique.

Exécution. La céphalée chronique pose un vrai défi aux professionnels de la santé. L'incapacité à s'adapter aux stress quotidiens peut conduire à une céphalée. Le meilleur traitement consiste à aider les clients à analyser leur mode de vie, à reconnaître les situations stressantes et à leur apprendre à s'y adapter. Les facteurs déclencheurs peuvent être cernés et on peut trouver des solutions pour les éviter. Il faut encourager l'exercice physique quotidien, les périodes de relaxation et les activités sociales, car tous contribuent à réduire la fréquence des céphalées. L'infirmière peut suggérer d'autres techniques pour lutter contre la douleur des céphalées, notamment la relaxation, la méditation, le yoga et l'autohypnose.

Pour soulager la douleur associée aux céphalées, le client doit non seulement s'administrer des analgésiques ou des associations d'analgésiques, mais il doit

---

COLLECTE DE DONNÉES

Céphalées

ENCADRÉ 55.2

Données subjectives

Information importante concernant la santé

- Antécédents de santé : hypertension, crises d'épilepsie, cancer, chutes ou traumatismes récents, infection crânienne, craniotomie, accident vasculaire cérébral, asthme ou allergies, maladie mentale, relation entre la céphalée et le surcroît de travail, stress, menstruations, exercice, alimentation, activité sexuelle, voyages, lumières éblouissantes ou autres environnements à stimuli nocifs
- Médicaments : absorption d'hydralazine (Apresoline), de bromures, de nitroglycérine, d'ergotamine (sevrage), d'anti-inflammatoires non stéroïdiens (à hautes doses quotidiennes), de préparations à base d'œstrogènes, de contraceptifs oraux, de médicaments vendus avec ou sans ordonnance
- Chirurgie ou autres traitements : craniotomie, chirurgie des sinus, chirurgie faciale

Modes fonctionnels de santé

- Mode perception et gestion de la santé : antécédents familiaux positifs ; malaises
- Mode nutrition et métabolisme : ingestion d'alcool, de caféine, de fromage, de chocolat, de glutamate monosodique, d'aspartame, de viandes préparées (nitrites dans les viandes en conserve), de saucisses, de hot dogs, d'oignons, d'avocats, anorexie, nausées, vomissements (prodrome de la migraine), larmoiement unilatéral (algie vasculaire de la face)
- Mode activité et exercice : vertiges, fatigue, faiblesse, paralysie, évanouissements
- Mode sommeil et repos : insomnie
- Mode cognition et perception :
  – migraine : aura, douleur unilatérale, grave, pulsatile (changement de côté possible), céphalées, troubles

visuels, photophobie, phonophobie, étourdissements, sensations de picotements ou de brûlures ;
  – algie vasculaire de la face : douleur unilatérale et grave, céphalées nocturnes, engorgement nasal ;
  – céphalée de tension : douleur bilatérale, constrictive, sourde et persistante, céphalée à la base du crâne, sensibilité cervicale
- Mode perception et concept de soi : dépression
- Mode adaptation et tolérance au stress : stress, anxiété, irritabilité, repli sur soi

Données objectives

Généralités

- Anxiété, appréhension

Appareil tégumentaire

- Algie vasculaire de la face : diaphorèse du front, pâleur, rougeur faciale unilatérale avec œdème de la joue, conjonctivite
- Migraine : œdème généralisé (prodrome), pâleur, diaphorèse

Système neurologique

- Syndrome de Horner, agitation (algie), hémiparésie (migraine)

Appareil locomoteur

- Résistance aux mouvements du cou et de la tête, rigidité de la nuque (méningée, céphalée de tension), muscles du cou et des épaules palpables (céphalée de tension)

Résultats possibles

- Signes possibles de maladie, déformation ou infection à l'imagerie du cerveau (tomographie, IRM), à l'artériographie cérébrale, à la ponction lombaire, à l'électroencéphalographie, à l'électromyographie ; imagerie du cerveau ou résultats de laboratoire non spécifiques

Plan de soins infirmiers

Client atteint de céphalée

DIAGNOSTIC INFIRMIER : douleur aiguë reliée à une céphalée se manifestant par des plaintes de douleur constante, pulsatile ou intense et constrictive.

PLANIFICATION

Résultats escomptés
- Atténuation de la douleur.
- Soulagement satisfaisant de la douleur.

INTERVENTIONS	Justifications
• Évaluer l'intensité, les caractéristiques, l'emplacement et la durée de la douleur.	• Déterminer les interventions qui conviennent.
• Encourager le client à tenir un journal de la douleur en notant les facteurs associés ou précipitants.	• Donner au client une certaine autonomie dans la reconnaissance et la maîtrise des facteurs susceptibles de déclencher les céphalées.
• Encourager le client à apprendre à connaître et à utiliser les thérapies parallèles comme la méditation, le yoga, la rétroaction biologique et les techniques de relaxation musculaire.	• Suppléer à la pharmacothérapie et donner au client l'impression de maîtriser sa douleur.
• Encourager le client à obtenir une aide psychologique ou à suivre une psychothérapie.	• Accentuer la réduction du stress.
• Administrer les médicaments prescrits.	• Réduire la douleur*.
• Surveiller le client après l'administration d'analgésiques.	• Déterminer l'efficacité des médicaments et repérer les effets indésirables de ces derniers.
• Fournir un environnement calme et un éclairage tamisé.	• Réduire les stimuli susceptibles de déclencher les céphalées.
• Masser la région de la tête, du cou ou des épaules dans les limites de tolérance du client.	• Soulager la tension musculaire et favoriser la relaxation.

DIAGNOSTIC INFIRMIER : anxiété reliée à un manque de connaissances relatives à l'origine de la céphalée et aux moyens de la traiter se manifestant par une élévation du rythme cardiaque, de l'insomnie, un sentiment d'impuissance.

PLANIFICATION

Résultats escomptés
- Augmentation du bien-être psychologique et diminution de l'anxiété.
- Mécanismes d'adaptation efficaces pour lutter contre l'anxiété.

INTERVENTIONS	Justifications
• Évaluer le niveau d'anxiété.	• Déterminer les interventions qui conviennent.
• Encourager le client à verbaliser ses inquiétudes.	• Réduire l'anxiété.
• Enseigner les techniques de relaxation et les stratégies d'adaptation.	• Favoriser la détente musculaire et réduire l'anxiété.
• Expliquer l'étiologie possible du type de céphalée dont est atteint le client.	• Aider le client à avoir moins peur de l'inconnu.
• Confirmer les explications des épreuves diagnostiques fournies par le médecin.	• Atténuer les inquiétudes du client relatives à la cause et à la gravité des céphalées.
• Parler de la dynamique physiologique de la tension et de l'anxiété.	• Aider le client à lutter contre l'anxiété en connaissant les facteurs influant sur la céphalée.

DIAGNOSTIC INFIRMIER : perte d'espoir reliée à une douleur chronique, à une modification du mode de vie et à des modalités de traitement inefficaces se manifestant par une apathie et un abattement extrêmes, un manque d'intérêt pour les activités habituelles.

PLANIFICATION

Résultat escompté
- Expression de confiance dans la capacité à fonctionner malgré la céphalée

Plan de soins infirmiers

Client atteint de céphalée (*suite*)

INTERVENTIONS	Justifications
• Évaluer le degré de perte d'espoir du client.	• Pouvoir effectuer une planification adéquate.
• Analyser les moyens utilisés par le client pour soulager sa douleur et les modifications qu'il a apportées à son mode de vie.	• Vérifier s'ils conviennent et effectuer les ajustements nécessaires.
• Encourager le client à verbaliser ses craintes et ses préoccupations.	• Faire preuve d'empathie et corriger les idées fausses du client.
• Aider le client à reconnaître les réseaux de soutien qu'il peut utiliser.	• L'aider à retrouver espoir.
• Orienter le client vers une aide psychologique.	• Continuer de travailler sur le sentiment de perte d'espoir.

DIAGNOSTIC INFIRMIER : habitudes de sommeil perturbées reliées à la douleur et se manifestant par l'incapacité à maintenir le mode de sommeil habituel.

PLANIFICATION

Résultats escomptés
• Utilisation de stratégies efficaces pour trouver et garder le sommeil.
• Impression d'être reposé.

INTERVENTIONS	Justifications
• Évaluer le mode de sommeil habituel du client.	• Déterminer les interventions qui conviennent.
• Réduire les stimuli externes.	• Fournir un environnement calme favorisant le sommeil.
• Utiliser les techniques de massage ou de relaxation.	• Favoriser la relaxation et le sommeil.
• Programmer l'administration d'analgésiques.	• Afin que l'effet maximal de soulagement des céphalées coïncide avec l'heure du coucher.
• Administrer des médicaments contre la douleur si le client se réveille et ressent une douleur associée à la céphalée.	• L'aider à retrouver le sommeil et à ne plus avoir de douleur au réveil.

* Voir encadré 55.1.

également être encouragé à employer des techniques de relaxation efficaces pour lutter contre la céphalée de tension et contre la migraine. Le client qui souffre de migraine recherche un environnement calme où la lumière est tamisée. Pour le client atteint de céphalée de tension, les massages et les compresses humides chaudes placées sur le cou et sur la tête soulagent la douleur. Le client doit connaître les médicaments à usage prophylactique et à usage symptomatique et être en mesure de décrire leur objectif, leur action, leur posologie et leurs effets secondaires. Afin d'éviter toute surdose accidentelle, le client doit noter les posologies de tous les médicaments ou de tous les remèdes contre la céphalée.

Des conseils diététiques doivent être prodigués au client dont la céphalée est déclenchée par la nourriture. Il faut encourager le client à éviter les aliments qui provoquent les céphalées, notamment le vinaigre, le chocolat, les oignons, l'alcool (en particulier le vin rouge), l'excès de caféine, le fromage, les aliments fermentés ou marinés, le glutamate monosodique et l'aspartame. Afin de déterminer les agents causaux spécifiques, on peut effectuer une analyse active et des tests de déclenchement avec des aliments spécifiques. Les

clients doivent éviter de fumer et éviter de s'exposer à des déclencheurs tels que les parfums forts, les solvants volatiles et les vapeurs d'essence. Les crises d'algie vasculaire de la face peuvent se produire en avion à haute altitude, où la concentration en oxygène est réduite. Afin de réduire le risque de crise, le client peut prendre de l'ergotamine peu avant le décollage. L'encadré 55.4 présente un guide d'enseignement au client.

Évaluation. L'encadré 55.3 présente les résultats escomptés chez le client victime de céphalée.

55.2 CONVULSIONS ET ÉPILEPSIE

Une **convulsion** est une décharge électrique paroxystique incontrôlée de neurones du cerveau qui interrompt les fonctions normales. Les convulsions sont souvent le symptôme d'une maladie sous-jacente. Elles peuvent accompagner un certain nombre de troubles ou apparaître spontanément sans raison apparente. Les convulsions provenant de troubles systémiques ou métaboliques ne sont pas considérées comme

Céphalée — ENCADRÉ 55.4

- Éviter les facteurs pouvant déclencher une céphalée :
  - Aliments contenant des amines (fromage, chocolat), des nitrites (viandes comme les saucisses à hot dog), le vinaigre, les oignons, les aliments fermentés ou marinés
  - Glutamate monosodique
  - Caféine
  - Nicotine
  - Crème glacée
  - Alcool (en particulier le vin rouge)
  - Stress émotionnel
  - Fatigue
  - Médicaments contenant de l'ergot de seigle et inhibiteurs de la monoamine oxydase
- Être capable de décrire la fonction, le mode d'action, la posologie et les effets secondaires des médicaments administrés
- Être capable de s'auto-administrer du sumatriptan (Imitrex) SC sur ordonnance
- Utiliser les techniques de réduction du stress comme la relaxation
- Faire régulièrement de l'exercice
- Tenir un journal ou un calendrier des céphalées et des événements déclencheurs possibles
- Consulter le personnel infirmier dans les cas suivants :
  - les symptômes deviennent plus graves, durent plus longtemps que d'habitude ou résistent aux médicaments ;
  - la céphalée s'accompagne de nausées, de vomissements, de changements dans la vision ou de fièvre ;
  - des problèmes reliés aux médicaments se manifestent.

épileptiques si elles disparaissent avec le problème sous-jacent. Les troubles métaboliques qui provoquent des convulsions chez l'adulte comprennent l'acidose, le déséquilibre électrolytique, l'hypoglycémie, le sevrage de l'alcool et de barbituriques, la déshydratation et l'intoxication hydrique. Les troubles extracrâniens qui peuvent causer des convulsions comprennent les maladies du cœur, des poumons, du foie et des reins, le lupus érythémateux disséminé, le diabète, l'hypertension et la septicémie.

L'**épilepsie** est l'état d'une personne qui a des convulsions récurrentes spontanées causées par une affection chronique sous-jacente. L'épilepsie touche environ 300 000 Canadiens ; l'incidence représente annuellement une moyenne de 14 000 nouveaux cas au Canada (Épilepsie Canada, 2002).

Au Québec, ce trouble neurologique toucherait 120 000 personnes (Association québécoise de l'épilepsie, 2002). Sa fréquence est élevée pendant la première année, diminue pendant l'enfance et l'adolescence, marque un plateau à l'âge adulte, puis augmente fortement chez les personnes âgées.

55.2.1 Étiologie et physiopathologie

Les causes d'épilepsie les plus courantes durant les six premiers mois de la vie sont les traumatismes graves subis à la naissance, les déficiences congénitales du système nerveux central (SNC), les infections et les erreurs innées du métabolisme. Pour les clients âgés de 2 à 20 ans, les facteurs étiologiques primaires sont les lésions subies à la naissance, l'infection, les traumatismes et les facteurs génétiques. Chez les individus de 20 à 30 ans, l'épilepsie se déclare par suite de lésions structurelles, notamment le traumatisme, la tumeur cérébrale ou la maladie vasculaire. Après 50 ans, les causes primaires d'épilepsie sont les lésions vasculaires cérébrales et les tumeurs cérébrales. Même si de nombreuses causes d'épilepsie sont connues, les trois quarts des cas d'épilepsie ne peuvent pas être attribués à une cause bien spécifique et sont considérés comme idiopathiques.

Il est difficile de déterminer le rôle joué par les facteurs héréditaires dans l'étiologie de l'épilepsie, car il faut pouvoir les séparer des facteurs environnementaux et acquis. De plus, certaines familles ont une prédisposition à l'épilepsie, car leur seuil de résistance intrinsèque face aux stimuli épileptiques (traumatisme, maladie et forte fièvre) est bas. Un tel seuil intrinsèque peut expliquer la raison pour laquelle certains clients sont atteints de convulsions à la suite d'un traumatisme crânien, alors que d'autres ne le sont pas lors d'un traumatisme similaire.

Dans les convulsions récurrentes (épilepsie), un groupe de neurones anormaux (foyer de convulsion) semble provoquer des décharges spontanées. Ces décharges se propagent par les voies physiologiques vers des zones adjacentes ou éloignées du cerveau. Le facteur qui cause des décharges anormales n'est pas bien connu. Tout stimulus qui provoque la dépolarisation de la membrane cellulaire du neurone favorise une décharge spontanée. Souvent, la zone du cerveau d'où provient l'activité épileptique renferme des tissus cicatriciels (gliose). On pense que la cicatrisation interfère avec l'environnement chimique et structurel normal des neurones cérébraux et qu'elle accroît le risque de décharge anormale.

Chez les animaux de laboratoire, les décharges électriques répétitives d'un foyer épileptique peuvent produire des modifications durables ou permanentes sur l'excitabilité des neurones, à la fois dans les zones locales et distantes du cerveau. Cet effet, appelé embrasement, a une conséquence importante pour l'épilepsie humaine, les convulsions entraînant d'autres convulsions. L'expérience clinique a démontré que si un client ne maîtrise pas ses convulsions, elles deviendront de plus en plus difficiles à maîtriser. Par conséquent, il faut traiter intensivement les convulsions récurrentes.

55.2.2 Manifestations cliniques

Les manifestations cliniques propres aux convulsions sont fonction du foyer de la perturbation électrique. La meilleure méthode pour classer les convulsions épileptiques est celle du système de classification internationale proposé par Gastaut en 1970 et révisé en 1981 (voir encadré 55.5). Ce système repose sur les manifestations cliniques des convulsions et sur leurs tracés électroencéphalographiques. Les convulsions sont réparties en deux classes : généralisées et partielles. Suivant son type, une convulsion peut passer par plusieurs phases, notamment la phase prodromique avec signes ou activité précédant la convulsion ; la phase d'aura avec un avertissement sensoriel ; la phase ictale ; la phase postictale, qui est la période de rétablissement suivant la convulsion.

Crises généralisées. Les crises généralisées sont caractérisées par une décharge épileptique bilatérale synchrone dans le cerveau dès le début de la convulsion. Étant donné que tout le cerveau est touché dès le départ, il n'y a ni avertissement ni aura. Dans la plupart des cas, le client perd connaissance pendant quelques secondes ou quelques minutes.

Classification internationale des crises d'épilepsie　ENCADRÉ 55.5

Crises généralisées (symétriques bilatérales et sans début local)
- Crises d'absence, crises d'absence atypiques
- Crises myocloniques
- Crises cloniques
- Crises toniques
- Crises tonicocloniques
- Crises atoniques

Crises partielles (début local)
Crises partielles simples (sans altération de la conscience)
- Avec symptômes moteurs
- Avec symptômes somatosensoriels ou sensoriels spéciaux
- Avec symptômes autonomes
- Avec symptômes psychiques

Crises partielles complexes (avec altération de la conscience)
- Crises partielles simples évoluant vers une altération de la conscience
  - Sans autres caractéristiques
  - Avec caractéristiques des crises partielles simples
  - Avec automatismes
- Altération de la conscience dès le début de la crise
  - Sans autres caractéristiques
  - Avec caractéristiques des crises partielles simples
  - Avec automatismes

Crises épileptiques non classées (données insuffisantes ou incomplètes)

Adapté de Commission on Classification and Terminology of the International League against Epilepsy. « Proposal for revised clinical and electroencephalographic classification of epileptic seizures », *Epilepsia*, vol. 22, 1981, p. 489.

Crises tonicocloniques. La crise généralisée la plus courante est la crise tonicoclonique, aussi appelée « grand mal ». Elle se caractérise par une perte de conscience et une chute si le client est debout, suivies du raidissement du corps (phase tonique) pendant 10 à 20 secondes, puis de mouvements saccadés des membres pendant 30 à 40 secondes. La crise peut s'accompagner de cyanose, d'une salivation abondante, de morsures à la langue ou aux joues et d'incontinence.

Dans la phase de rétablissement, le client, qui a souvent les muscles endoloris, éprouve une grande fatigue et s'endort parfois pour plusieurs heures. Après une crise, certains clients peuvent ressentir un malaise pendant des heures, voire des jours. Le client ne se souvient jamais des phénomènes qui se sont produits pendant ce type de convulsion.

Crises d'absence typiques. En général, la crise d'absence (petit mal) ne se produit que chez l'enfant et ne dépasse que rarement le stade de l'adolescence. Ce type de convulsion peut disparaître totalement lorsque l'enfant grandit ou se transformer en un autre type de convulsion. Sa manifestation clinique typique, souvent indiscernable, est l'absence épileptique qui ne dure que quelques secondes. Elle peut s'accompagner d'une brève perte de connaissance. Si elle n'est pas traitée, la crise peut se répéter jusqu'à 100 fois par jour.

L'électroencéphalogramme (EEG) révèle un profil pointe-onde de 3 Hz (cycles par seconde) propre à cette convulsion. Les crises d'absence sont souvent déclenchées par l'hyperventilation ou des lumières clignotantes.

Crises d'absence atypiques. Il existe un autre type de crises généralisée, l'absence épileptique accompagnée d'autres signes et symptômes, dont de brefs avertissements, un comportement propre à la convulsion ou une certaine confusion après la convulsion. L'EEG révèle des profils pointe-onde atypiques, généralement de fréquence supérieure ou inférieure à 3 Hz.

Autres types de crises généralisées. Les crises myocloniques et akinétiques sont également des crises généralisées. Une convulsion myoclonique se caractérise par des saccades soudaines et violentes du corps ou des membres. La violence de la saccade peut même jeter la personne par terre. Ces convulsions sont très brèves et se produisent parfois en rafales. Les termes akinétique (cessation du mouvement), atonique (perte de tonus) et astatique (perte de l'équilibre) sont utilisés de façon interchangeable pour décrire les crises avec chute et les chutes répétées. Ces convulsions comprennent soit un épisode tonique, soit une perte paroxystique du tonus musculaire et débutent brutalement par l'écroulement de la personne par terre. En général, elle reprend connaissance au contact avec le sol et l'activité normale est rétablie immédiatement. Les personnes atteintes de ce type de convulsions ont un fort risque de traumatisme crânien et doivent porter des casques protecteurs. Certaines convulsions akinétiques moins graves se caractérisent par une brève perte de tonus musculaire sans chute.

Crises partielles. Les crises partielles (focales) sont une des classes du système international de classification. Les crises partielles débutent dans une région spécifique du cortex, mis en évidence à l'EEG et, souvent, par les manifestations cliniques. Si le foyer de la décharge se situe dans la zone médiale du gyrus postcentral, le client peut ressentir une pares-thésie et des picotements ou un engourdissement dans la jambe opposée au foyer. Si le foyer de la décharge se situe dans une partie du cerveau régissant une fonction particulière, il peut engendrer des manifestations sensorielles, motrices, cognitives ou émotives.

Les crises partielles peuvent rester confinées d'un seul côté du cerveau et demeurer partielles et focales de nature, ou elles peuvent se répandre dans tout le cerveau pour culminer en une crise tonicoclonique généralisée. De nombreuses crises tonicocloniques précédées d'une aura ou d'un prodrome sont des crises partielles qui deviennent par la suite généralisées; le composant partiel qui les précède peut être si bref que ni le client, ni l'observateur, ni même l'EEG ne le détectent. Contrairement à la crise tonicoclonique primaire généralisée, la crise secondaire généralisée peut entraîner un déficit neurologique résiduel transitoire postictus. Ce phénomène se nomme paralysie de Todd (parésie focale) et se résorbe après un certain temps.

Les crises partielles comprennent les convulsions à phénomène sensoriel ou moteur simple et les convulsions à symptômes complexes (aussi appelées convulsions psychomotrices). La durée des crises partielles simples ayant des symptômes élémentaires dépasse rarement la minute, et le client ne perd pas connaissance. Elles peuvent entraîner des phénomènes moteurs, sensoriels ou autonomes, séparés ou associés. Les crises partielles simples sont qualifiées de focale motrice, focale sensorielle et jacksonienne.

Les crises partielles à symptômes complexes font intervenir une série de fonctions comportementales, émotives, cognitives et affectives. Le foyer de la décharge se situe généralement dans le lobe temporal et la convulsion est appelée crise partielle complexe. Ces convulsions durent généralement plus d'une minute et sont souvent suivies de confusion postictale. Les crises partielles complexes se différencient des crises partielles simples (focale motrice, focale sensorielle), car elles altèrent l'état de conscience. L'unique manifestation

d'une crise complexe peut être une obnubilation ou un état confus sans affections motrices ou sensorielles. Ce type de crise est parfois appelé absence temporale. Contrairement à la crise d'absence généralisée, l'état de conscience n'est jamais complètement perdu et le client ne revient pas à l'état précédant la crise.

La crise complexe la plus courante se traduit par le claquement des lèvres et des automatismes (mouvements répétitifs qui peuvent être inappropriés). Elle est souvent appelée crise psychomotrice. Le client peut poursuivre l'activité entreprise avant la crise, comme compter la monnaie ou saisir des articles sur une étagère de magasin, mais après la crise, il ne se souvient pas de ce qu'il a fait durant la crise. D'autres automatismes sont moins rationnels, notamment toucher des vêtements, jouer avec des objets (réels ou virtuels) ou simplement s'en aller.

Pendant la crise partielle complexe, le client peut subir différents symptômes psychosensoriels, notamment des distorsions des sensations visuelles ou auditives et le vertige. La mémoire peut être altérée, comme la sensation d'avoir déjà vécu l'événement (déjà vu) tout comme le processus de réflexion. Les altérations de la sexualité peuvent varier de l'hyposexualité à l'hypersexualité. De nombreuses personnes atteintes de crises partielles complexes ont une pulsion sexuelle réduite ou un dysfonctionnement érectile. Cependant, certains clients peuvent ressentir des sensations sexuelles pendant leurs convulsions dans le cas où l'activité électrique anormale provient des centres cérébraux responsables de ces sensations. Certains clients ressentent un accroissement de leur pulsion sexuelle immédiatement après une convulsion. De plus, à cause de leurs propriétés sédatives, certains médicaments antiépileptiques peuvent provoquer une diminution de la libido. D'autres peuvent entraîner un dysfonctionnement érectile.

55.2.3 Complications

Aspects physiques. Dans l'état de mal épileptique, les convulsions se produisent à une fréquence élevée et, entre les crises, le client ne reprend pas conscience et ne retrouve pas un fonctionnement normal. C'est la complication épileptique la plus grave et elle constitue un état d'urgence neurologique. L'état de mal épileptique peut se produire pour n'importe quel type de convulsion. Au cours des crises répétées, le cerveau consomme davantage d'énergie que l'organisme peut en produire. Les neurones s'épuisent et cessent de fonctionner, ce qui provoque parfois des lésions cérébrales permanentes. L'état de mal épileptique tonicoclonique est le plus dangereux, car il peut entraîner des insuffisances respiratoires, de l'hypoxémie, de l'arythmie cardiaque, de l'hyperthermie et de l'acidose systémique ; tous ces effets peuvent mener à la mort.

Les crises d'épilepsie peuvent conduire à d'autres complications, notamment des blessures graves et la mort à la suite d'un traumatisme dû à la crise. Le risque est plus élevé si le client perd connaissance pendant la convulsion. La mort peut survenir à cause d'un traumatisme crânien à la suite de l'effondrement, d'une noyade ou de brûlures graves.

Aspects psychosociaux. La complication la plus courante de l'épilepsie est peut-être celle de son impact sur le mode de vie. Même si, au cours des dernières années, les comportements ont évolué, l'épilepsie demeure socialement stigmatisée. Jadis, on l'associait à des pouvoirs surnaturels, à une possession satanique et à la folie. Il est possible que le stigmate existe encore de nos jours, car les caractéristiques des convulsions sont en conflit direct avec les valeurs de la société moderne, notamment la maîtrise de soi, la conformité et l'autonomie. Le client atteint d'épilepsie est parfois victime de discrimination dans le travail et les études. Les déplacements peuvent être difficiles, car la conduite automobile peut être interdite par le médecin et, conséquemment, par la loi. Le client peut alors mettre en place des stratégies d'adaptation inefficaces.

55.2.4 Épreuves diagnostiques

La description précise et détaillée des convulsions du client et ses antécédents médicaux sont les éléments diagnostiques les plus utiles (voir encadré 55.6). L'EEG n'est utile que s'il révèle des anomalies et il sert alors de complément aux antécédents médicaux. Des résultats anormaux aident à déterminer le type de convulsion et à localiser son foyer. Malheureusement, au premier EEG, on n'observe des résultats anormaux que chez un faible pourcentage de personnes épileptiques. Il faut répéter l'EEG souvent ou procéder à un EEG continu pour détecter les anomalies. Pendant les 30 à 40 minutes que dure l'EEG, il se peut qu'il n'y ait pas de décharges et que le test ne révèle aucune anomalie ; il n'est donc pas absolu. Certains clients non atteints d'épilepsie ont des EEG anormaux, alors que de nombreux clients atteints d'épilepsie ont des EEG normaux.

Afin d'écarter les troubles métaboliques, il faut procéder à un hémogramme complet, à une analyse biochimique du sang, à l'étude des fonctions hépatiques et rénales et à une analyse d'urine. Pour toute nouvelle crise de convulsions, il faut effectuer une tomodensitométrie ou une IRM afin d'écarter une lésion structurelle. Dans certaines situations cliniques particulières, on peut avoir recours à une angiographie cérébrale et à une tomographie par émission de positons (TEP).

PROCESSUS DIAGNOSTIQUE ET THÉRAPEUTIQUE

Crises épileptiques   ENCADRÉ 55.6

Diagnostic
- Antécédents de santé et examen physique
  - Antécédents relatifs à la naissance et au développement
  - Maladies et blessures importantes
  - Antécédents familiaux
  - Crises fébriles
  - Évaluation neurologique complète
- Antécédents relatifs aux crises épileptiques
  - Facteurs précipitants
  - Incidents antérieurs
  - Description des crises (début, durée, fréquence, état postictal)
- Épreuves diagnostiques
  - Hémogramme complet, analyse d'urine, bilan électrolytique, créatinine, glycémie à jeun
  - Ponction lombaire
  - Tomodensitométrie, IRM, TEP
  - Électroencéphalographie

Processus thérapeutique
- Médicament anticonvulsif (voir tableau 55.4)
- Intervention chirurgicale (voir tableau 55.5)
- Stimulation du nerf vague
- Aide psychosociale

IRM : imagerie par résonnance magnétique ; TEP : tomographie par émission de positons.

55.2.5 Processus thérapeutique

Comme la plupart des convulsions sont autolimitées et qu'elles ne causent pas de blessures corporelles, l'intervention médicale d'urgence n'est pas requise. Cependant, si un état de mal épileptique se manifeste, s'il y a un traumatisme corporel important ou s'il s'agit de la première convulsion, il faut immédiatement obtenir une assistance médicale. Le tableau 55.3 présente les soins d'urgence à prodiguer au client victime d'une crise tonicoclonique généralisée, la convulsion qui requiert le plus souvent des soins médicaux. L'encadré 55.6 résume le diagnostic et le processus thérapeutique des troubles convulsifs.

Pharmacothérapie. L'épilepsie se traite principalement avec des médicaments antiépileptiques (voir tableau 55.4). Comme il n'y pas de guérison possible, le traitement cherche à éviter les convulsions. En général, les médicaments agissent en stabilisant les membranes cellulaires nerveuses et en empêchant la propagation de la décharge épileptique. L'épilepsie est maîtrisée par des médicaments chez 70 % des clients. Le but essentiel de la pharmacothérapie antiépileptique est de maîtriser au maximum la convulsion avec un minimum d'effets secondaires toxiques. Le principe de la pharmacothérapie

SOINS D'URGENCE

TABLEAU 55.3 Crises tonicocloniques

Étiologie	Résultats de la collecte de données	Interventions
Traumatisme crânien Hématome épidural Hématome sous-dural Hématome intracrânien Contusion cérébrale Blessure traumatique à la naissance **Causes médicamenteuses** Surdose Sevrage d'alcool, d'opiacées, de médicaments anticonvulsifs Ingestion, inhalation **Processus infectieux** Méningite Septicémie **Phénomènes intracrâniens** Tumeur du cerveau Hémorragie sous-arachnoïdienne Accident cérébral vasculaire Crise d'hypertension Élévation de la PIC consécutive à l'obstruction d'une dérivation **Déséquilibre métabolique** Déséquilibre hydrique et électrostatique Hypoglycémie **Troubles médicaux** Maladie du cœur, du foie, des poumons ou des reins Lupus érythémateux disséminé **Autres** Arrêt cardiaque Troubles idiopathiques Troubles psychiatriques Forte fièvre	Aura – sensations particulières qui précèdent la crise Perte de connaissance Incontinence intestinale et vésicale Tachycardie Diaphorèse Épiderme chaud Pâleur, rougeur de la face ou cyanose Phase tonique – contractions musculaires continues Phase hypertonique – rigidité musculaire extrême durant 5 à 15 secondes Phase clonique – alternance de rigidité et de relaxation se succédant rapidement Phase postictale – léthargie, altération de l'état de conscience Confusion et céphalée Crises tonicocloniques répétées pendant plusieurs minutes	**Prioritaires** Vérifier si les voies aériennes du client sont bien dégagées. Prévoir une ventilation si le client ne respire pas spontanément après la crise. Envisager la nécessité d'une intubation si le réflexe pharyngé est absent. Procéder à une aspiration au besoin. Rester auprès du client jusqu'à ce que la crise soit passée. Protéger le client contre les blessures pendant la crise. Ne pas utiliser de moyen de contention. Capitonner les ridelles du lit. Établir la ligne de perfusion. Prévoir l'administration de phénobarbital, de phénytoïne ou de benzodiazépines (diazépam [Valium], midazolam [Versed], lorazépam [Ativan]) pour maîtriser les crises. Enlever ou desserrer les vêtements ajustés. **Surveillance constante** Surveiller les signes vitaux, l'état de conscience, la saturation en oxygène, l'échelle de Glasgow, la réactivité et la taille des pupilles. Rassurer et orienter le client après la crise. Ne jamais introduire de force une canule de ventilation entre les dents serrées du client. Administrer du dextrose en cas d'hypoglycémie.

PIC : pression intracrânienne.

est de commencer le traitement avec un seul médicament et d'en accroître la dose jusqu'à ce que les convulsions soient maîtrisées ou jusqu'à l'apparition d'effets secondaires toxiques. Les concentrations sériques du médicament doivent être vérifiées régulièrement. La plage thérapeutique de chaque médicament donne la concentration sérique à partir de laquelle on observe des effets secondaires chez la plupart des clients et la concentration sous laquelle la plupart des clients ont encore des convulsions. Les plages thérapeutiques ne sont que des guides. Si les convulsions du client sont bien maîtrisées à une concentration inférieure au niveau thérapeutique minimale, il n'est pas nécessaire d'augmenter la dose. De même, si les convulsions du client sont bien maîtrisées à une concentration supérieure à la concentration thérapeutique maximale sans apparition d'effets secondaires, il n'est pas nécessaire de réduire la dose. Si un seul médicament ne suffit pas à maîtriser la convulsion, on lui associe un second médicament.

Les principaux médicaments pour traiter les crises tonicocloniques généralisées et les crises partielles sont la phénytoïne (Dilantin), la carbamazépine (Tegretol), le phénobarbital, la primidone (Mysoline) et le divalproex (Epival). Les principaux médicaments pour traiter les crises d'absence et les crises akinétiques et myocloniques sont l'éthosuximide (Zarontin), le divalproex et le clonazépam (Rivotril).

La gabapentine (Neurontin), la lamotrigine (Lamictal), le topiramate (Topamax) et la vigabatrine (Sabril) sont également utilisés pour les crises partielles et pour les

PHARMACOTHÉRAPIE

TABLEAU 55.4 Médicaments anticonvulsifs

Crises tonicocloniques généralisées et crises partielles
Phénytoïne (Dilantin)
Carbamazépine (Tegretol)
Phénobarbital
Divalproex (Epival)
Primidone (Mysoline)
Gabapentine (Neurontin)
Lamotrigine (Lamictal)
Topiramate (Topamax)
Vigabatrine (Sabril)

Crises d'absence, crises akinétiques et myocloniques
Éthosuximide (Zarontin)
Divalproex
Clonazépam (Rivotril)
Phénobarbital
Acide valproïque

crises généralisées secondaires. Ces médicaments sont administrés comme traitement d'appoint. On peut également administrer du clobazam (Frisium).

Comme tous ces médicaments (phénobarbital, éthosuximide, lamotrigine, topiramate) ont une longue durée de vie, on peut en administrer une ou deux doses quotidiennes. Cela améliore l'observance thérapeutique du client en simplifiant la posologie et évite ainsi la prise de médicaments au travail ou à l'école. Il ne faut pas cesser brutalement l'administration des médicaments antiépileptiques, car cela peut déclencher les crises.

Pendant la crise, la phénytoïne n'arrêtera pas la convulsion immédiatement. Pendant une crise aiguë, on peut administrer d'autres substances comme des benzodiazépines ou du phénobarbital.

Les effets secondaires des médicaments antiépileptiques affectent le SNC et comprennent la diplopie, la somnolence, l'ataxie et le ralentissement des fonctions mentales. On réalise l'évaluation neurologique de la toxicité de la dose de médicament en testant les yeux pour le nystagmus, la coordination des mains et de la posture, le fonctionnement cognitif et l'éveil général.

Les effets secondaires idiosyncrasiques portent sur les organes ne faisant pas partie du SNC, tels que la peau (éruption cutanée), les gencives (hyperplasie), la moelle osseuse (dyscrasie sanguine), le foie et les reins. L'infirmière doit connaître ces effets secondaires afin d'en informer les clients et pour qu'un traitement approprié puisse être instauré. Un effet secondaire idiosyncrasique courant de la phénytoïne est l'hyperplasie gingivale, spécialement chez les enfants et les jeunes adultes. On peut la maîtriser avec une bonne hygiène dentaire, un brossage régulier et l'utilisation de soie dentaire. Si l'hyperplasie gingivale est trop importante, les tissus hyperplasiés doivent être retirés par une intervention chirurgicale (gingivectomie) et il faudra alors remplacer la phénytoïne par un autre médicament antiépileptique. Comme la phénytoïne peut également provoquer l'hirsutisme chez les jeunes, on commence par administrer d'autres médicaments.

Traitement chirurgical. Une intervention chirurgicale est parfois requise chez les clients dont l'épilepsie ne peut pas être maîtrisée par des médicaments (voir tableau 55.5). On peut envisager une intervention chirurgicale pour maîtriser les convulsions incurables, pour éviter la dégénérescence cérébrale par des convulsions répétées, pour éviter les syndromes toxiques des médicaments antiépileptiques administrés pendant de longues périodes et pour améliorer la qualité de vie.

L'intervention chirurgicale n'est pas efficace pour tous les types d'épilepsie. Elle a comme avantage de faire cesser les convulsions ou d'en réduire la fréquence. Il est important d'effectuer une évaluation

TABLEAU 55.5 Interventions chirurgicales dans les cas d'épilepsie

Type de crise	Intervention chirurgicale	Résultats
Crise partielle complexe provenant du lobe temporal	Résection des tissus épileptogènes	Absence de crises pendant les 5 ans suivant l'intervention chez 55 à 70 % des clients
Crise partielle provenant du lobe frontal	Résection des tissus épileptogènes (s'ils se trouvent dans une zone résécable)	Absence de crises pendant les 5 ans suivant l'intervention chez 30 à 50 % des clients
Crises généralisées (syndrome de Lennox-Gastaut ou chutes brusques par dérobement des jambes)	Sectionnement du corps calleux	Persistance des crises ; phénomènes moins violents, moins fréquents, moins invalidants
Épilepsie multifocale unilatérale intraçable associée à une hémiplégie infantile	Hémisphérectomie ou callosotomie	Diminution de la fréquence des crises et de leur gravité, amélioration du comportement

COLLECTE DE DONNÉES

Crises d'épilepsie

ENCADRÉ 55.7

Données subjectives

Information importante concernant la santé

- Antécédents de santé : crises antérieures, malformations congénitales ou lésions à la naissance, épisodes anoxiques, traumatismes du SNC, tumeurs ou infections, hypertension, maladie vasculaire cérébrale, troubles du métabolisme, alcoolisme, exposition aux métaux et au monoxyde de carbone, insuffisance rénale ou hépatique, fièvre, grossesse, lupus érythémateux disséminé
- Médicaments : prise régulière de médicaments anticonvulsivants, sevrage de barbituriques ou d'alcool, usage ou surdose de cocaïne, d'amphétamines, de lidocaïne, de théophylline, de pénicilline, de lithium, de phénothiazines, d'antidépresseurs tricycliques, de benzodiazépines

Modes fonctionnels de santé

- Mode perception et gestion de la santé : antécédents familiaux positifs
- Mode cognition et perception : céphalées, aura, changements d'humeur ou de comportement avant les crises, changement d'état mental, douleur abdominale, douleur musculaire (postictale)
- Mode perception et concept de soi : anxiété, dépression, perte d'estime de soi, isolement social
- Mode sexualité et reproduction : diminution de la libido, problèmes d'érection, augmentation de la libido (postictale)

Données objectives

Généralités

- Facteurs précipitants, notamment l'acidose ou l'alkalose métaboliques importantes, l'hyperkaliémie, l'hypoglycémie, la déshydratation ou l'intoxication par l'eau

Appareil tégumentaire

- Morsure de la langue, lésions des tissus mous, cyanose, diaphorèse (postictale)

Appareil respiratoire

- Fréquence, rythme ou profondeur respiratoires anormaux, apnée (ictale), diminution ou absence des bruits respiratoires, obstruction possible des voies aériennes

Appareil cardiovasculaire

- Hypertension, tachycardie ou bradycardie (ictale)

Appareil gastro-intestinal

- Incontinence intestinale, salivation excessive

Appareil urinaire

- Incontinence

Système neurologique

- Crises généralisées
  - Tonicocloniques : perte de conscience, raidissement et saccades musculaires, dilatation des pupilles, hyperventilation suivie d'apnée, somnolence postictale
  - Crises d'absence : perturbation de l'état de conscience (5 à 30 s), activité motrice faciale mineure
- Crises partielles
  - Simples : aura, conscience, phénomènes focaux sensoriels, moteurs, cognitifs ou émotionnels (moteurs focaux), crise motrice unilatérale avec extension à différentes régions du corps (jacksonienne)
  - Complexe : perturbation de l'état de conscience avec comportements anormaux, automatismes, amnésie de l'épisode

Appareil locomoteur

- Faiblesse, paralysie, ataxie (postictale)

Résultats possibles

- Dépistage toxicologique ou taux d'alcoolémie positifs, perturbation des électrolytes sériques, acidose ou alkalose, hypoglycémie, taux élevé d'azote uréique du sang ou de créatinine sérique, tests de la fonction hépatique, ammoniaque, résultats anormaux à la tomodensitométrie ou à l'IRM du crâne, ponction lombaire, décharges épileptiformes à l'EEG

EEG : électroencéphalogramme ; IRM : imagerie par résonnance magnétique.

---

préopératoire approfondie comprenant une surveillance continuelle à l'EEG et de réaliser d'autres tests spécifiques pour s'assurer de la localisation exacte du foyer. Avant l'intervention chirurgicale, il faut s'assurer que le diagnostic d'épilepsie est confirmé ; qu'une pharmacothérapie adéquate a été instaurée sans donner les résultats escomptés ; que le syndrome électroclinique (type de convulsion) est défini.

Médecines parallèles. La maîtrise des convulsions par rétroaction biologique enseigne au client à maintenir une fréquence cérébrale donnée résistant à l'activité convulsive. Cette méthode est encore au stade expérimental. La stimulation du nerf vague est une méthode de maîtrise des convulsions qui consiste à placer des électrodes dans le cou du client autour du nerf vague gauche. Elle permet de réduire ou de maîtriser les crises des clients difficiles à traiter par d'autres méthodes. Un générateur externe programmé envoie des stimulations intermittentes au nerf. Le mécanisme d'action est encore inconnu, mais il se peut que la stimulation perturbe la synchronisation de l'activité épileptique des ondes cérébrales. Actuellement, cette méthode n'est utilisée que par un petit nombre de personnes.

55.2.6 Soins infirmiers : convulsions

Collecte de données. L'encadré 55.7 présente les données subjectives et objectives à recueillir auprès du client atteint d'un trouble convulsif. Un témoin peut fournir les renseignements relatifs à une crise spécifique.

Diagnostics infirmiers. Les diagnostics infirmiers pour le client atteint de convulsions comprennent, entre autres, ceux de l'encadré 55.8.

Planification. Les résultats escomptés chez le client atteint de troubles convulsifs sont les suivants : éviter les blessures pendant les crises ; assurer un fonctionnement mental et physique optimal pendant le traitement à l'aide de médicaments antiépileptiques ; parvenir à un fonctionnement psychosocial satisfaisant.

Exécution

Promotion de la santé. On peut éviter de nombreux traumatismes dus à des crises en adoptant des mesures de sécurité générales, notamment le port d'un casque dans des situations où le risque de traumatisme crânien est élevé. Pour réduire les traumatismes fœtaux et l'hypoxie (soit les risques de traumatisme cérébral pouvant entraîner une épilepsie), il faut améliorer les soins périnataux, ainsi que les soins pendant et après l'accouchement. Lorsque les enfants ont de la fièvre, il faut les traiter immédiatement pour éviter qu'elle ne soit trop forte, car cela peut entraîner des convulsions.

Le client épileptique doit prendre soin de son hygiène de vie (bonne alimentation, repos adéquat et exercice). Il faut aider le client à reconnaître les situations ou les événements qui déclenchent les crises et lui suggérer les moyens de les éviter ou de les appréhender différemment. Il faut éviter l'abus d'alcool, la fatigue et le manque de sommeil, et il faut aider le client à gérer son stress de manière constructive.

Interventions en phase aiguë. En milieu hospitalier, l'infirmière responsable d'un client épileptique, ou ayant subi des crises d'épilepsie attribuables à des facteurs métaboliques, a plusieurs responsabilités, dont l'observation et le traitement de la crise, l'enseignement et l'intervention psychosociale.

Si une crise survient, l'infirmière doit soigneusement observer et noter tous les détails de l'événement, car le diagnostic et le traitement subséquent reposent souvent sur cette description. Il faut noter tous les aspects de la crise. Quels événements ont précédé la crise ? À quel moment s'est-elle déclenchée ? Combien de temps a duré chaque phase (aura, le cas échéant ; ictus ; postictus) ? Que s'est-il passé durant chaque phase ?

Les données subjectives (généralement le seul type de données disponibles en phase d'aura) sont aussi importantes que les données objectives. Les données objectives doivent préciser le début exact de la crise (ictus) (quelle partie du corps a été affectée la première et comment) ; le déroulement et la nature de l'activité pendant la crise (perte de connaissance, morsure de la langue, automatismes, raidissement, agitation désordonnée, absence totale de tonus musculaire) ; les parties du corps touchées et l'ordre dans lequel elles l'ont été ; la présence de signes végétatifs (autonomes) tels que la dilatation des pupilles, la salivation excessive, le changement dans le rythme respiratoire, la cyanose, le rougissement, la diaphorèse ou l'incontinence. L'évaluation de la période postictale doit comprendre une description détaillée de l'état de conscience, des signes vitaux, de la perte de mémoire, des douleurs musculaires, des troubles du langage (aphasie, dysarthrie), de la faiblesse ou de la paralysie, de la période de sommeil et de la durée de chaque signe ou symptôme.

Pendant la crise, il faut maintenir les voies respiratoires libres. Pour cela, il faut parfois soutenir et protéger la tête, tourner le client sur le côté ou l'installer par terre s'il est assis, desserrer les vêtements ajustés. Le client ne doit pas être retenu et il ne faut placer aucun objet dans sa bouche. Après la crise, le client peut avoir besoin d'une aspiration ou d'un apport en oxygène.

Une crise peut constituer une expérience effrayante pour le client et les témoins. L'infirmière doit évaluer leur niveau de compréhension et leur fournir des renseignements sur le pourquoi et le comment de cet événement. C'est une excellente occasion pour l'infirmière de corriger les habituelles fausses idées et les préjugés sur l'épilepsie.

Soins ambulatoires et soins à domicile. L'objectif principal du traitement de l'épilepsie est la prévention de crises récurrentes. Comme l'épilepsie n'a pas de remède, le client doit prendre des médicaments de façon régulière et continue, souvent la vie durant. L'infirmière doit s'assurer que le client le sait et qu'il est également au fait du schéma posologique et des dispositions à prendre au cas où une dose serait oubliée. En général, on peut rattraper la dose si on se souvient de l'omission dans les 24 heures. Il faut bien avertir le client de ne pas modifier la posologie sans approbation médicale, car il risque alors d'augmenter la fréquence de ses crises et même d'entraîner un état de mal épileptique. Il faut encourager le client à signaler les effets secondaires des médicaments et à respecter ses rendez-vous réguliers avec le personnel infirmier.

Les infirmières jouent un rôle important dans l'enseignement au client et à sa famille. L'encadré 55.9 résume les principes directeurs de l'enseignement au client. Les infirmières doivent enseigner, aux membres de la famille et au conjoint, les mesures d'urgence à prendre en cas de crise tonicoclonique (voir tableau 55.3).

➡ Plan de soins infirmiers

ENCADRÉ 55.8

Convulsions

DIAGNOSTIC INFIRMIER : mode de respiration inefficace relié à une insuffisance neuromusculaire consécutive à une phase tonique prolongée ou durant la période postictale se manifestant par une fréquence, un rythme ou une profondeur respiratoires anormaux.

PLANIFICATION

Résultat escompté
- Fréquence, rythme et profondeur respiratoires normaux.

INTERVENTIONS	Justifications
• Desserrer les vêtements ajustés.	• Éviter de gêner la respiration.
• Évaluer le mode respiratoire en observant les signes de respiration laborieuse, de tachypnée, de bradypnée, de dyspnée, d'apnée et de cyanose.	• Déterminer la présence et l'étendue du problème et entreprendre les interventions qui conviennent.
• Fournir, au besoin, une ventilation manuelle ou de l'oxygène ; être prêt à aider le client pour l'intubation endotrachéale.	• Maintenir une oxygénation suffisante et prévenir l'hypoxie.
• Introduire une canule oropharyngée (sur indication) uniquement lorsque la crise est terminée.	• Éviter de blesser le client à la bouche et aux dents en introduisant de force la canule entre les dents serrées.

DIAGNOSTIC INFIRMIER : dégagement inefficace des voies respiratoires relié à une obstruction trachéobronchique se manifestant par une toux non productive, l'incapacité à évacuer les sécrétions, des bruits respiratoires absents ou anormaux.

PLANIFICATION

Résultats escomptés
- Absence d'obstruction des voies respiratoires.
- Bruits respiratoires nets.

INTERVENTIONS	Justifications
• Observer les signes d'obstruction des voies respiratoires.	• Déterminer l'étendue du problème et planifier les interventions qui conviennent.
• En cas de vomissements, tourner délicatement la tête du client sur le côté et enlever autant de matières vomies que possible après la crise.	• Éviter l'aspiration des matières et leur interférence subséquente avec la respiration.
• Aspirer les voies respiratoires au besoin.	• Éliminer les sécrétions accumulées.
• Établir et maintenir la viabilité des voies respiratoires.	• Assurer une oxygénation adéquate.

DIAGNOSTIC INFIRMIER : risque d'accident relié à l'activité de la crise et à la perturbation subséquente de la mobilité consécutive à la faiblesse ou à la paralysie postictale.

PLANIFICATION

Résultats escomptés
- Absence d'accident.
- Le client exprime sa connaissance du risque d'accident durant la crise.
- Aménagement de l'environnement pour minimiser le risque d'accident.

INTERVENTIONS	Justifications
• Évaluer le client pour déceler la présence de traumatisme à la bouche, aux joues, à la langue, aux lèvres ; de signes d'abrasion, d'hématomes, de fractures, de brûlures.	• Ces blessures peuvent se produire durant la crise.
• Évaluer le client pour déceler une faiblesse, une paralysie d'un côté du corps, une ataxie, la fatigue, la léthargie.	• Risques d'accident ; planifier les interventions qui conviennent.
• Ne pas autoriser le client à fumer au lit.	• Éviter au client de se brûler en mettant le feu à son lit en cas de crise.
• Si le client anticipe la venue possible d'une crise, l'aider à se rendre en lieu sûr ou à adopter une position sûre, prendre les mesures de précaution qui s'imposent, éloigner les objets susceptibles de présenter un danger, guider avec douceur les mouvements des bras et des jambes.	• Éviter un accident durant une crise.
• Éviter de déplacer ou de retenir le client durant une crise.	• Éviter au client des blessures osseuses ou tissulaires.
• Déterminer si le client est en mesure de conduire un véhicule automobile ou d'opérer un appareil dangereux.	• Aider le client à prendre par lui-même la décision qui convient relativement à la conduite automobile.

Plan de soins infirmiers

Convulsions (*suite*)

DIAGNOSTIC INFIRMIER : stratégies d'adaptation inefficaces reliées à la perception d'une perte de maîtrise et à un déni du diagnostic se manifestant par un manque de franchise concernant la fréquence des crises ou le manque d'observance thérapeutique.

PLANIFICATION
Résultats escomptés
- Acceptation du trouble mise en évidence par l'emploi du terme épilepsie pour décrire la maladie.
- Le client admet qu'une crise a eu lieu.

INTERVENTIONS	Justifications
• Passer en revue les raisons du déni.	• Déterminer l'étendue du problème et planifier les interventions qui conviennent.
• Mettre en place et personnaliser un plan d'enseignement sur les causes et les mécanismes des crises, l'efficacité des médicaments, l'inexactitude des mythes concernant l'épilepsie, la manière d'éviter les facteurs déclencheurs, la loi en vigueur relative à la conduite automobile, les avantages et les inconvénients des bracelets d'identification médicaux, la nécessité de boire et de manger avec modération, l'exposition au stress et le besoin d'éviter les activités dangereuses.	• Encourager une adaptation efficace s'appuyant sur des faits.

DIAGNOSTIC INFIRMIER : risque de diminution situationnelle de l'estime de soi relié à un diagnostic d'épilepsie se manifestant par l'anxiété, la peur, l'isolement social, la dépression, la perturbation dans l'exercice du rôle, l'altération de la dynamique familiale.

PLANIFICATION
Résultats escomptés
- Expression des sentiments vis-à-vis du diagnostic.
- Le client reconnaît des aspects positifs de sa personnalité.
- Interactions convenables avec les autres.

INTERVENTIONS	Justifications
• Discuter avec le client de l'idée qu'il a de lui-même par rapport aux crises.	• Clarifier l'effet de la maladie sur son concept de soi.
• Déterminer l'effet des crises sur les activités quotidiennes et sur d'autres activités importantes pour le client.	• Une forte interférence a des chances d'agir sur le concept de soi.
• Fournir de l'information sur la possibilité d'un excès de protection, sur les ressources communautaires et sur les stigmates sociaux que le client risque de rencontrer.	• Améliorer le concept de soi en augmentant le sentiment de maîtrise.
• Aider le client à expliquer les crises et le traitement à ses amis, au personnel scolaire et aux employeurs.	• Que ces personnes puissent l'accepter et lui apporter leur soutien.
• Informer le client au sujet de l'orientation et du recyclage professionnels.	• Un emploi valorisant permet en général d'améliorer le concept de soi.

DIAGNOSTIC INFIRMIER : prise en charge inefficace du programme thérapeutique reliée à un manque de connaissances du traitement de l'épilepsie se manifestant par la verbalisation du manque de connaissances, une perception inexacte de l'état de santé et la non-observance des comportements prescrits

PLANIFICATION
Résultats escomptés
- Maîtrise optimale des crises.
- Concentrations thérapeutiques des médicaments anticonvulsivants.
- Observance du régime thérapeutique.

INTERVENTIONS	Justifications
• Fournir un enseignement au client et à sa famille au sujet du déroulement des crises et du programme thérapeutique, notamment du diagnostic, du traitement, des modifications du mode de vie et des ressources communautaires.	• Que le client et sa famille puissent apporter les modifications au mode de vie nécessitées par une maladie chronique.

Il faut leur rappeler qu'il n'est pas nécessaire de faire appel à une ambulance ni d'envoyer quelqu'un à l'hôpital après une crise isolée, à moins qu'elle ne se prolonge ou qu'une autre crise se manifeste immédiatement après, ou que le client ait subi un grave traumatisme.

Les clients épileptiques sont préoccupés par les crises récurrentes, l'incontinence et la perte de la maîtrise de soi et en ont peur. L'infirmière doit apporter son soutien au client en l'éduquant et en l'aidant à élaborer des stratégies d'adaptation.

L'épilepsie oblige le client à s'adapter aux limites que la maladie lui impose ; c'est peut-être le défi le plus difficile à relever. La personne épileptique devra faire face à la discrimination à l'embauche. Les clients doivent savoir que la Charte canadienne des droits et libertés (Charte canadienne des droits et libertés, 2000) a été conçue pour protéger toutes les personnes (handicapées et épileptiques incluses) contre la discrimination à l'embauche.

Pour les questions relatives à la discrimination à l'embauche, les clients peuvent s'adresser à la Commission canadienne des droits de la personne (Commission canadienne des droits de la personne, 2003).

ENSEIGNEMENT AU CLIENT
Convulsions   ENCADRÉ 55.9

Les points suivants sont à enseigner au client atteint de troubles convulsifs.

- Prise des médicaments prescrits. Signaler tous les effets secondaires des médicaments au personnel infirmier. On effectue régulièrement des prélèvements sanguins pour vérifier si les concentrations thérapeutiques sont maintenues.
- Utilisation de techniques non pharmacologiques, notamment la relaxation et la rétroaction biologique, qui permettent parfois de réduire le nombre de crises.
- Éventail des ressources communautaires à sa disposition.
- Nécessité de porter un bracelet, un collier d'alerte médicale et une fiche d'identification.
- Évitement de la consommation excessive d'alcool, de la fatigue et du manque de sommeil.
- Prise des repas à heures régulières et d'une collation entre les repas lorsqu'on se sent nerveux, faible ou lorsqu'on a faim.

Les points suivants sont à enseigner aux membres de la famille.

- Traitement de premiers soins en cas de crise tonico-clonique. Il n'est pas nécessaire d'appeler une ambulance ni d'envoyer le client à l'hôpital après une crise isolée, sauf si celle-ci se prolonge, si elle est immédiatement suivie d'une autre crise ou si le client s'est blessé.
- Importance de protéger le client pendant une crise aiguë afin de l'empêcher de se blesser. Il faut parfois soutenir et protéger la tête, tourner le client sur le côté, desserrer les vêtements ajustés et, si le client est assis, l'aider à atteindre le sol en douceur.

Le client atteint d'épilepsie et ayant un problème spécifique peut faire appel à d'autres ressources. Si l'infirmière pense que la fréquentation d'autres personnes atteintes d'épilepsie peut être bénéfique au client, elle peut l'orienter vers l'Association québécoise de l'épilepsie, qui offre la liste des associations régionales couvrant tout le Québec.

Il s'agit d'une organisation à but non lucratif qui offre une gamme de services et de renseignements aux personnes atteintes d'épilepsie. Le client doit savoir que des bracelets ou des colliers d'alerte médicale et des cartes d'identification sont offerts dans les pharmacies ou dans les entreprises spécialisées en instruments d'identification (MedicAlert). L'usage de ces identificateurs est optionnel, mais recommandé. Certaines personnes les trouvent utiles alors que d'autres les trouvent plutôt gênants, car elles préfèrent ne pas être identifiées comme épileptiques.

Les travailleurs sociaux, les organismes sociaux et les centres locaux de services communautaires (CLSC) peuvent aider à résoudre les problèmes d'ordre financier et de logement. Ils peuvent encourager les individus à retourner aux études, les aider à se trouver du travail ou, encore, placer les personnes qui souffrent de crises mal maîtrisées. Si le client a besoin d'une aide psychologique, l'infirmière peut l'orienter vers un centre de santé mentale communautaire. Il faut encourager le client à s'informer lui-même sur l'épilepsie.

Évaluation. L'encadré 55.8 traite des résultats escomptés chez le client victime de convulsions.

55.3 SCLÉROSE EN PLAQUES

La **sclérose en plaques** (SP) est un trouble chronique, progressif et dégénératif du SNC. On ignore le nombre de personnes qui en sont atteintes. La sclérose en plaques est la maladie neurologique la plus répandue chez les jeunes adultes canadiens. On dénombre au Canada trois nouveaux cas chaque jour, dont les deux tiers sont des femmes (Société canadienne de la sclérose en plaques, division du Québec, 2003). La SP est cinq fois plus prévalente dans les climats tempérés (entre 45° et 65° de latitude), comme ceux du nord des États-Unis, du Canada et de l'Europe, que dans les climats tropicaux. Il semble que l'âge de 15 ans soit critique quant au risque de voir apparaître la maladie. Par exemple, si une personne passe d'une région à haut risque (tempérée) à une région à faible risque (tropicale) avant l'âge de 15 ans, elle sera soumise au risque de la nouvelle région (dans ce cas, faible) et vice-versa. La SP est considérée comme une maladie du jeune adulte, car elle débute entre 15 et 50 ans et elle touche davantage les femmes que les hommes.

La SP affecte principalement les personnes de race blanche qui descendent d'Européens du Nord ; cela signifie que la maladie est associée à certains facteurs environnementaux et familiaux. Les personnes de race noire et les Asiatiques ont une incidence de SP inférieure à celle des personnes de race blanche.

55.3.1 Étiologie et physiopathologie

On ne connaît pas la cause de la SP, mais des recherches semblent indiquer qu'elle est reliée à des facteurs infectieux (viraux), immunologiques et génétiques et qu'elle se perpétue par des facteurs intrinsèques (déficience de l'activité immunorégulatrice). La prédisposition à la SP semble être héréditaire. La parenté aux premier, deuxième et troisième degrés du client atteint de SP présente un risque légèrement accru. De multiples gènes non reliés confèrent la prédisposition à la SP.

Le rôle des agents de déclenchement, comme l'exposition à des substances pathogènes, est controversé. Il est possible que leur correspondance avec la SP soit le fruit du hasard et qu'il n'existe pas de relation de cause à effet. Les facteurs déclencheurs possibles comprennent l'infection, le traumatisme physique, le stress émotif, la grande fatigue, la grossesse et un mauvais état de santé.

La SP se caractérise par une inflammation chronique, une démyélinisation et une gliose (cicatrisation) du SNC. Le processus de démyélinisation inflammatoire d'origine immunologique est la condition neuropathologique primaire. Certains chercheurs pensent que ce processus est déclenché par un virus chez les individus génétiquement susceptibles. En réponse à des déclencheurs environnementaux (infection), les cellules T activées pénètrent en nombre dans le SNC. Ces cellules, en conjonction avec des astrocytes, brisent la barrière hématoencéphalique et permettent l'entrée d'autres substances médiatrices immunologiques dans le SNC. Ces facteurs combinés endommagent les oligodendrocytes (cellules qui fabriquent la myéline) et entraînent une démyélinisation. Les macrophages interviennent également et augmentent les lésions. Le processus de la maladie se résume en une perte de myéline, en une disparition des oligodendrocytes et en la prolifération des astrocytes. Ces changements entraînent la formation de plaques caractéristiques de sclérose disséminées dans de multiples régions du SNC.

Les gaines de myéline des neurones du cerveau et de la moelle épinière sont d'abord attaquées (voir figure 55.1, A et B). Au début de la maladie, seule la gaine de myéline est endommagée, mais la fibre nerveuse n'est pas touchée et les impulsions nerveuses sont encore transmises (voir figure 55.1, C). À ce stade, le client peut se plaindre d'une déficience fonctionnelle notable (faiblesse). La myéline peut néanmoins se régénérer et les symptômes disparaître, ce qui entraîne une rémission.

Quand la maladie progresse, la myéline est complètement disloquée et les axones sont touchés (voir figure 55.1, D). La myéline est remplacée par du tissu glial cicatriciel qui forme des plaques dures sclérosées dans de multiples régions du SNC (voir figure 55.2). En l'absence de myéline, les impulsions nerveuses sont ralenties et avec la destruction des axones nerveux, elles sont complètement bloquées et la perte de fonction est alors totale. Dans de nombreuses lésions chroniques, la démyélinisation se poursuit avec progression de la perte de fonction nerveuse.

55.3.2 Manifestations cliniques

Comme le début de la maladie est souvent insidieux et graduel, avec de vagues symptômes intermittents répartis sur des mois et des années, la maladie n'est parfois diagnostiquée que bien après l'apparition du premier symptôme. Le processus morbide a une distribution ponctuelle dans le SNC, de sorte que les signes et les symptômes varient dans le temps. La maladie se caractérise par une détérioration chronique progressive chez certaines personnes et par des rémissions et des exacerbations chez d'autres. Cependant, les exacerbations répétées détruisent progressivement la gaine de myéline, et la tendance générale est une détérioration progressive de la fonction neurologique.

Les manifestations cliniques dépendent des régions du SNC attaquées. Certains clients ont des symptômes graves et durables tôt dans la maladie, alors que d'autres n'ont que des symptômes légers et occasionnels pendant plusieurs années suivant le début de la maladie. On a établi une classification des différents types de SP. La SP cyclique se caractérise par de nettes rémissions bien définies avec rétablissement complet ou avec des séquelles et des déficits résiduels après rétablissement. La SP primaire progressive se caractérise par la progression de la maladie dès le début avec des plateaux occasionnels et des améliorations temporaires mineures. La SP secondaire progressive est caractérisée par une évolution initiale alternant rémission et rechute, suivie par une progression qui peut être accompagnée de rémissions occasionnelles ou non, de rémissions mineures et de plateaux. La SP progressive récurrente est une maladie progressive dès le début, accompagnée de rechutes aiguës bien définies avec ou sans rémission totale ; les périodes entre les rechutes se caractérisent par une progression continue.

Les signes et symptômes habituels de la SP comprennent des problèmes moteurs, sensoriels, cérébelleux et émotifs. Les symptômes moteurs incluent la faiblesse ou la paralysie des membres, du tronc ou de la tête, la diplopie, la parole saccadée et la spasticité des muscles chroniquement atteints.

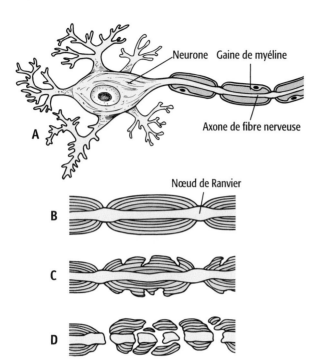

FIGURE 55.1 Pathogenèse de la sclérose en plaques. A. Cellule nerveuse normale avec la gaine de myéline. B. Axone normal. C. Destruction de la myéline. D. Myéline totalement disloquée, l'axone ne fonctionne plus.

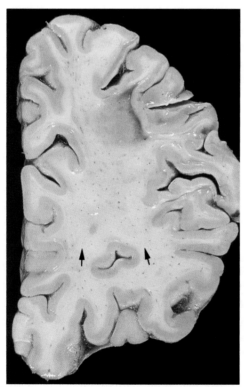

FIGURE 55.2 Sclérose en plaques chronique. Plaque de démyélinisation à la jonction de la substance blanche et de la substance grise, à côté d'une plaque partiellement remyélinisée (flèches).

Les symptômes sensoriels comprennent l'engourdissement et le picotement ainsi que d'autres paresthésies, des îlots de non-perception visuelle (scotomes), une vision trouble, le vertige, les acouphènes et la perte auditive. Parmi les signes cérébelleux, on compte le nystagmus, l'ataxie, la dysarthrie et la dysphagie.

Les fonctions intestinale et vésicale peuvent être atteintes si la plaque sclérotique se situe dans la zone du SNC qui régule l'élimination. Les problèmes d'évacuation des selles se traduisent plus souvent par la constipation que par l'incontinence. Les problèmes urinaires sont variables. Le problème habituel des clients atteints de SP est une vessie spastique (non inhibée) ; ce trouble signale une lésion au-dessus du second nerf sacré qui coupe les influences inhibitrices sur la contractilité de la vessie. Cela entraîne une faible capacité de stockage de l'urine dans la vessie et des contractions involontaires. Le tout est accompagné de miction impérieuse et de pollakiurie et entraîne une miction goutte à goutte ou l'incontinence. Une vessie flasque (hypotonique) signale une lésion dans l'arc réflexe gouvernant la fonction urinaire. La vessie a une grande capacité de stockage, car il n'y a pas de sensation ou de besoin mictionnel, ni de sensation de pression ou de douleur. Généralement, il y a rétention urinaire, mais il se peut également que ce type de lésion entraîne la miction impérieuse et la pollakiurie. Les problèmes urinaires ne peuvent pas être diagnostiqués et traités correctement sans l'étude de la dynamique urinaire.

De nombreuses personnes atteintes de SP présentent également un dysfonctionnement sexuel. Les lésions de la moelle épinière peuvent entraîner des dysfonctionnements érectiles chez les hommes. Les femmes éprouvent parfois une baisse de libido, une difficulté de réaction orgasmique, des relations sexuelles douloureuses et une diminution de la lubrification vaginale. Des sensations amoindries peuvent empêcher une réaction sexuelle normale chez les deux sexes. Les conséquences émotives d'une maladie chronique et la dévalorisation contribuent également à la perte de désir sexuel.

Apparemment, la SP n'a pas d'effets sur le déroulement de la grossesse, sur le travail, l'accouchement ou l'allaitement. Certaines femmes, lorsqu'elles deviennent enceintes, constatent une rémission ou une amélioration de leurs symptômes pendant la grossesse. Il semble que les changements hormonaux qui accompagnent la grossesse affectent le système immunitaire. Cependant, pendant la période post-partum, le risque d'exacerbation de la maladie est plus élevé.

Même si la fonction intellectuelle demeure généralement intacte, la stabilité émotive peut être affectée. Les gens peuvent devenir coléreux, dépressifs ou euphoriques. Les signes et les symptômes de la SP sont aggravés ou déclenchés par les traumatismes physiques et émotifs, par la fatigue et par l'infection.

L'espérance de vie moyenne après le début des symptômes est supérieure à 25 ans. Généralement, la mort survient à la suite de complications infectieuses dues à l'immobilité (pneumonie) ou à cause d'une autre maladie non reliée ; elle est parfois due au suicide.

55.3.3 Épreuves diagnostiques

Comme il n'existe pas de test de diagnostic défini pour la SP, le diagnostic se fait principalement d'après les antécédents et les manifestations cliniques (voir encadré 55.10). On utilise actuellement certaines épreuves de laboratoire comme méthode d'appoint à l'examen clinique. Chez certains, le liquide céphalorachidien (LCR) peut présenter un accroissement de l'immunoglobuline oligoclonale (IgG). Le LCR renferme également un grand nombre de leucocytes et de monocytes. Chez les personnes atteintes de SP, les réponses évoquées sont souvent retardées à cause de la réduction des conductions nerveuses visuelle et auditive vers le cerveau. Une IRM peut être utile, car elle détecte des plaques de sclérose de trois à quatre millimètres de diamètre. Les lésions de la matière blanche disséminées dans le cerveau et dans la moelle épinière sont bien caractéristiques et apparaissent à l'IRM.

55.3.4 Processus thérapeutique

Pharmacothérapie. Comme on ne peut pas guérir la SP, le traitement vise le processus morbide et le soulagement des symptômes (voir encadré 55.10). Le processus morbide se traite par les médicaments et les symptômes sont maîtrisés par différents médicaments et d'autres formes de thérapie. L'adrénocorticotrophine (ACTH), la méthylprednisolone et la prednisone traitent les exacerbations de la maladie en réduisant probablement l'oedème et l'inflammation aiguë au site de démyélinisation. Cependant, ces médicaments n'ont aucun effet sur l'issue ultime ni sur le degré de défaillance neurologique résiduelle de l'exacerbation. Les médicaments immunosuppresseurs, comme l'azathioprine (Imuran), la cyclosporine (Neoral) et la cyclophosphamide (Cytoxan), ont donné quelques résultats positifs chez des clients atteints de SP grave ou de rechute. Cependant, les bienfaits potentiels de ces médicaments chez les clients atteints de SP doivent être évalués en tenant compte des sérieux effets secondaires. Le tableau 55.6 résume les médicaments habituellement utilisés pour le traitement symptomatique de la SP.

L'interféron β-1b (Betaseron) a été le premier médicament capable de maîtriser la maladie plutôt que les symptômes. Il est utilisé pour les clients ambulatoires atteints de SP avec exacerbations suivies de rémissions. Les essais cliniques qui ont examiné les effets d'injections sous-cutanées tous les deux jours ont démontré que le médicament diminuait le nombre de rechutes et le nombre de nouvelles lésions observées en IRM. Depuis, deux nouveaux médicaments sont offerts pour maîtriser la maladie. L'interféron β-1a (Avonex) a une efficacité semblable à celle de l'interféron β-1b. Il est administré par voie intramusculaire une fois par semaine.

Traitement chirurgical. La spasticité est principalement traitée avec des relaxants musculaires (médicaments antispasmodiques), mais une intervention chirurgicale (neurectomie, rhizotomie, cordotomie) ou une stimulation électrique de la colonne vertébrale sont parfois nécessaires. Lorsque les médicaments ne parviennent plus à traiter le tremblement intentionnel, on procède parfois à une intervention chirurgicale par stéréotaxie sur le thalamus. L'opération entraîne la destruction sélective du noyau ventrolatéral du thalamus.

Autres traitements. Les dysfonctionnements neurologiques sont parfois réduits par la physiothérapie, par l'orthophonie et par l'hypothermie, qui normalise la température de l'organisme si elle est supérieure à la normale. La physiothérapie est importante, car elle maintient aussi longtemps que possible l'activité fonctionnelle du client. Le but de cette thérapie est de soulager la spasticité, d'augmenter la coordination et d'entraîner le client à remplacer les muscles déficients par des muscles non atteints. L'exercice aquatique est

PROCESSUS DIAGNOSTIQUE ET THÉRAPEUTIQUE

Sclérose en plaques   ENCADRÉ 55.10

Diagnostic
- Antécédents de santé et examen physique
- Analyse du LCR
- Tests des réponses évoquées (également nommés tests de potentiels évoqués, p. ex. potentiel évoqué somesthésique, potentiel évoqué auditif, potentiel évoqué visuel)
- Tomodensitométrie
- IRM

Processus thérapeutique
- Pharmacothérapie*
  - Anti-inflammatoires
  - Immunosuppresseurs
  - Anticholinergiques
  - Cholinergiques
  - Relaxants musculaires
  - Immunomodulateurs
- Traitement chirurgical
  - Thalamotomie (tremblement incontrôlable)
  - Neurectomie, rhizotomie, cordotomie (spasticité incontrôlable)

IRM : imagerie par résonnance magnétique ; LCR : liquide céphalorachidien.
*Voir tableau 55.6.

PHARMACOTHÉRAPIE

TABLEAU 55.6 Sclérose en plaques

Médicaments	Symptômes soulagés	Précautions	Effets secondaires	Points à enseigner
Corticostéroïdes ACTH Prednisone Méthylprednisolone	Exacerbations	Effets généralisés sur de nombreux enzymes et processus métaboliques, peu d'effets indésirables s'ils sont administrés pendant moins d'un mois à la fois	Œdème, changements de l'état mental (euphorie), prise de poids, redistribution des tissus adipeux*	Restreindre la consommation de sel. Ne pas interrompre le traitement soudainement Connaître les interactions médicamenteuses.
Immunomodulateurs Interféron-β (Betaseron) (Avonex)	Exacerbations	Surveiller l'hémogramme complet, la biochimie sanguine et effectuer des tests de la fonction hépatique tous les 3 mois	Symptômes pseudo-grippaux, réactions cutanées locales, douleur thoracique, dépression	Apprendre les techniques d'auto-injection, signaler les effets secondaires observés.
Acétate de glatiramère (Copaxone)	Exacerbations	Ne requiert pas d'analyses en laboratoire	Réactions cutanées locales, douleur thoracique, faiblesse	Apprendre les techniques d'auto-injection, signaler les effets secondaires observés.
Cholinergiques Béthanécol (Duvoid) Néostigmine (Prostigmin)	Rétention urinaire (vessie flasque)	Antécédents d'hypotension, de troubles cardiaques, d'allergies, d'hyperthyroïdisme, de troubles gastriques et intestinaux ; contre-indication avec les médicaments adrénergiques (antiasthmatiques) à cause de l'induction possible d'un crise d'asthme grave (seulement béthanéchol)	Hypotension, diarrhée, diaphorèse, salivation, faiblesse musculaire	Consulter un médecin avant d'administrer d'autres médicaments.
Anticholinergiques Propanthéline (Propanthel) Oxybutynine (Ditropan)	Pollakiurie[†] et miction impérieuse (vessie spastique)	Antécédents de glaucome, d'hypertrophie prostatique, de troubles cardiaques, d'obstruction intestinale	Sécheresse de la bouche, vision trouble, constipation, hypertension, rougeur du visage, rétention urinaire (dose trop forte)	Consulter un médecin avant d'administrer d'autres médicaments, en particulier des somnifères, des antihistaminiques (risque d'accentuer l'effet).
Relaxants musculaires Diazépam (Valium)	Spasticité	Antécédents de glaucome à angle fermé	Somnolence, ataxie, fatigue	Éviter la conduite automobile et les activités similaires à cause des effets dépresseurs sur le SNC. Être conscient du risque d'accoutumance ; éviter l'administration prolongée. Éviter l'administration concomitante de phénothiazines, de narcotiques, de barbituriques, d'IMAO et d'autres antidépresseurs.
Baclofène (Lioresal)	Spasticité	Antécédents d'hypersensibilité et de lésion rénale, contre-indication pendant la grossesse, exacerbation possible des crises chez les clients épileptiques	Somnolence, faiblesse	Ne pas interrompre le traitement soudainement (risque d'hallucinations). Éviter la conduite automobile et les activités similaires à cause de l'effet sédatif. Éviter d'administrer avec d'autres dépresseurs du SNC ; administrer avec des aliments ou du lait.

PHARMACOTHÉRAPIE

TABLEAU 55.6   Sclérose en plaques *(suite)*

Médicaments	Symptômes soulagés	Précautions	Effets secondaires	Points à enseigner
Dantrolène (Dantrium)	Spasticité	Antécédents de troubles respiratoires ou cardiaques, induction possible d'anomalie de la fonction hépatique ou d'hépatite, contre-indication avec un traitement par des œstrogènes à cause de la prédisposition de l'hépatotoxicité	Somnolence, étourdissements, malaise, fatigue, diarrhée	Éviter la conduite automobile. Éviter d'administrer avec des tranquillisants et de l'alcool (risque de photosensibilité).
Tizanidine (Zanaflex)	Spasticité	Antécédents d'hypersensibilité, possibilité de lésions hépatiques, hypotension, bradycardie	Somnolence, sécheresse de la bouche, fatigue	Administrer avec prudence chez les femmes prenant des contraceptifs oraux.

* Voir au chapitre 41 les effets du traitement prolongé aux corticostéroïdes.

† Des études urodynamiques doivent être faites avant d'instaurer le traitement parce que les clients atteints de SeP présentent des lésions multiples et les symptômes ne permettent pas à eux seuls d'établir le diagnostic du type de trouble vésical.

ACTH : adrénocorticotrophine ; IMAO : inhibiteur de la monoamine-oxydase ; SNC : système nerveux central.

---

un type de thérapie extrêmement bénéfique (voir figure 55.3). L'eau porte le corps et permet au client d'effectuer des mouvements qui seraient normalement impossibles à réaliser. Le client maîtrise mieux son corps dans l'eau.

Recommandations nutritionnelles. Différentes mesures nutritionnelles ont été suggérées pour traiter la SP,

FIGURE 55.3 Pour le client atteint d'une maladie neurologique chronique, l'hydrothérapie est une activité récréative et un moyen de faire de l'exercice.

notamment le traitement mégavitaminique (cobalamine [vitamine B_{12}] et vitamine C) et une alimentation pauvre en lipides, sans gluten et incorporant des légumes crus. Ces mesures diététiques particulières ne sont pas largement suivies, car leur efficacité n'a pas été prouvée.

Une alimentation nutritive et bien équilibrée est essentielle. On recommande souvent une alimentation riche en protéines avec des suppléments vitaminés, mais il n'existe pas de régime alimentaire standard recommandé. Une alimentation riche en fibres aide à résoudre le problème de la constipation. Les vitamines sont un supplément, mais elles ne guérissent pas.

55.3.5 Soins infirmiers : sclérose en plaques

Collecte de données. L'encadré 55.11 présente les données subjectives et objectives à recueillir auprès du client atteint de SP.

Diagnostics infirmiers. Les diagnostics infirmiers pour le client atteint de SP comprennent, entre autres, ceux de l'encadré 55.12.

Planification. Les résultats escomptés chez le client atteint de SP sont les suivants : maximiser la fonction musculaire ; maintenir l'autonomie dans les activités quotidiennes aussi longtemps que possible ; optimiser le bien-être psychosocial ; s'adapter à la maladie ; réduire les facteurs qui déclenchent les exacerbations.

Exécution. Le client atteint de SP doit connaître les déclencheurs qui causent les exacerbations ou qui

COLLECTE DE DONNÉES

Sclérose en plaques　ENCADRÉ 55.11

Données subjectives

Information importante concernant la santé

- Antécédents de santé : infections virales ou vaccinations récentes ou passées, autres infections récentes, résidence dans un climat froid ou tempéré, stress physique ou émotionnel récent, grossesse, exposition à des températures extrêmes
- Médicaments : usage régulier de corticostéroïdes, d'immunosuppresseurs, d'anticholinergiques, d'antispasmodiques

Modes fonctionnels de santé

- Mode perception et gestion de la santé : antécédents familiaux positifs, malaise
- Mode nutrition et métabolisme : perte de poids, difficulté à mâcher, dysphagie
- Mode élimination : pollakiurie, miction impérieuse, miction goutte à goutte ou incontinence, rétention, constipation
- Mode activité et exercice : faiblesse musculaire généralisée, fatigue musculaire, picotements et engourdissements, ataxie (maladresse)
- Mode cognition et perception : douleurs oculaires, lombaires ; douleurs aux jambes et aux articulations ; spasmes musculaires douloureux, vertiges, vision trouble ou perte de vision, diplopie, acouphène
- Mode sexualité et reproduction : impuissance, baisse de libido
- Mode adaptation et tolérance au stress : colère, dépression, euphorie, isolement social

Données objectives

Généralités

- Apathie, manque d'attention

Appareil tégumentaire

- Ulcères de pression

Système neurologique

- Parole saccadée, nystagmus, ataxie, tremblements, spasticité, hyperréflexie, baisse de l'ouïe

Appareil locomoteur

- Faiblesse musculaire, parésie, paralysie, spasmes, démarche traînante, dysarthrie

Résultats possibles

- Diminution des cellules T suppressives, lésions démyélinisantes visibles à l'IRM, augmentation de l'IgG ou des bandes oligoclonales dans le liquide céphalorachidien

IgG : immunoglobuline G ; IRM : imagerie par résonnance magnétique.

aggravent la maladie. Les phénomènes exogènes, notamment l'infection (spécialement les infections des voies respiratoires supérieures), les traumatismes, l'immunisation, l'accouchement, le stress et les changements climatiques déclenchent les exacerbations de SP. Les déclencheurs les mieux documentés sont les infections des voies respiratoires, l'accouchement et les traumatismes crâniens. Chaque client réagit différemment à ces déclencheurs. L'infirmière doit donc aider le client à reconnaître les déclencheurs qui l'affectent particulièrement et à trouver les moyens de les éviter ou de réduire leurs effets.

Lorsqu'un client atteint de SP est hospitalisé, c'est en général pour mettre au point le diagnostic et pour traiter une exacerbation aiguë. Pendant la phase de diagnostic, il faut rassurer le client en lui faisant comprendre que même si le diagnostic préliminaire est la SP, il faut effectuer davantage d'épreuves afin d'écarter les autres troubles neurologiques. L'infirmière doit aider le client à surmonter l'angoisse provoquée par un diagnostic de maladie invalidante. Le client qui a récemment reçu un diagnostic de SP a parfois besoin d'aide pour assumer le processus de deuil.

Pendant une exacerbation aiguë, le client doit parfois rester immobilisé et couché pendant deux à trois semaines. Pendant cette phase, l'intervention infirmière doit se concentrer sur la prévention des complications provenant de l'immobilité, notamment les infections des voies respiratoires et des voies urinaires et les ulcères de pression.

Il faut apprendre au client à résister efficacement à la maladie, notamment à éviter la fatigue, les températures extrêmes (chaude et froide) et les infections. Il faut donc éviter les climats froids et les contacts avec des malades et traiter vigoureusement et immédiatement toute nouvelle infection. Le client doit savoir qu'il lui faut équilibrer exercice physique et repos ; avoir une alimentation saine composée de repas bien équilibrés ; éviter les dangers de l'immobilité (contractures et plaies de pressions). Les clients doivent connaître leur régime thérapeutique, les effets secondaires des médicaments et leurs signes révélateurs, les interactions entre les médicaments sur ordonnance et ceux en vente libre. Le client doit consulter une infirmière ou un pharmacien avant de prendre des médicaments en vente libre.

Le maîtrise de la miction est un problème majeur pour les clients atteints de SP. Pour certains, les anticholinergiques réduisent la spasticité, mais à d'autres, il faut enseigner l'autocathétérisme (voir chapitre 37). Les clients atteints de SP ont souvent des problèmes de constipation. Pour certains, une augmentation de l'apport en fibres peut régulariser les habitudes intestinales.

Le client atteint de SP et sa famille doivent s'adapter émotivement, car la maladie est imprévisible. Leur mode de vie doit changer et ils doivent se garder des facteurs déclencheurs ou les réduire. La Société canadienne de la sclérose en plaques et ses sections locales offrent un éventail de services aux clients atteints de SP.

Évaluation. L'encadré 55.12 traite des résultats escomptés chez le client atteint de SP.

Plan de soins infirmiers

Sclérose en plaques

DIAGNOSTIC INFIRMIER : mobilité physique réduite reliée à la faiblesse musculaire ou à la paralysie et à la spasticité des muscles se manifestant par une incapacité ambulatoire, des spasmes musculaires intermittents, une douleur accompagnant les spasmes musculaires.

PLANIFICATION
Résultats escomptés
- Démonstration de l'emploi des appareils fonctionnels.
- Maintien ou augmentation de la force des membres.
- Raccourcissement de la durée des spasmes.

INTERVENTIONS	Justifications
• Utiliser les appareils fonctionnels indiqués.	• Diminuer la fatigue et accroître l'autonomie, le confort et la sécurité.
• Effectuer des exercices d'amplitude articulaire au moins deux fois par jour.	• Éviter les contractures et minimiser l'atrophie musculaire.
• Encourager le client à marcher, l'aider dans les déplacements et les transferts.	• Maintenir la mobilité, favoriser l'autonomie et assurer la sécurité.
• Changer le client de position au moins toutes les 2 h (s'il est alité).	• Prévenir les ulcères de pression et les problèmes de circulation.
• Administrer les médicaments prescrits.	• Réduire la spasticité ou maîtriser la réponse inflammatoire.
• Effectuer des exercices d'étirement toutes les 6 à 8 h.	• Soulager les spasmes et les contractions musculaires.

DIAGNOSTIC INFIRMIER : déficit (total ou partiel) dans les soins personnels relié à la spasticité musculaire et aux déficits neuro-musculaires se manifestant par l'incapacité d'accomplir les activités de la vie quotidienne.

PLANIFICATION
Résultats escomptés
- État maximal de fonctionnement.
- Les besoins reliés aux activités de la vie quotidienne sont remplis par le client ou par d'autres.

INTERVENTIONS	Justifications
• Évaluer les problèmes d'incapacité relative aux soins personnels.	• Planifier les interventions qui conviennent afin que le client reçoive les soins dont il a besoin.
• Encourager l'emploi des appareils fonctionnels qui conviennent.	• Faire en sorte que le client puisse participer au maximum aux activités de soins personnels avec un minimum de fatigue.
• Conseiller le client sur la nécessité de faire appel aux services d'aide à domicile.	• L'aider à recevoir les soins dont il a besoin, à conserver son énergie et encourager l'autonomie.
• Effectuer ou aider le client à effectuer les activités de la vie quotidienne (indiquées seulement).	• Encourager l'autonomie du client.
• Encourager l'autonomie le cas échéant.	• Promouvoir le sentiment d'indépendance et de maîtrise chez le client.

DIAGNOSTIC INFIRMIER : risque d'atteinte à l'intégrité de la peau relié à l'immobilité, aux déficits sensorimoteurs et à une alimentation inadéquate.

PLANIFICATION
Résultat escompté
- Peau intacte.

INTERVENTIONS	Justifications
• Inspecter la peau pour déceler les signes de rougeur et d'irritation.	• Surveiller les changements dans l'intégrité de la peau et établir le plan d'interventions qui convient.
• Tourner le client au moins toutes les 2 h.	• Prévenir la formation d'ulcères de pression.
• Chaque fois que l'on tourne le client, effectuer un massage circulaire des proéminences osseuses non rougies.	• Améliorer la circulation dans ces zones.
• Prévoir une alimentation riche en protéines.	• Préserver la santé et l'intégrité de la peau.
• Nettoyer le dos et les fesses du client s'il est incontinent.	• Éviter les irritations cutanées et la perte d'intégrité de la peau.

→ Plan de soins infirmiers

Sclérose en plaques (*suite*)

DIAGNOSTIC INFIRMIER : trouble de la perception sensorielle visuelle relié à des troubles de la vision se manifestant par une vision brouillée, une baisse de l'acuité visuelle, des défauts du champ visuel, de la diplopie.

PLANIFICATION

Résultat escompté

- Fonction visuelle satisfaisante pour les activités de la vie quotidienne.

INTERVENTIONS	Justifications
• Orienter le client dans le milieu environnant.	• Favoriser la sécurité et compenser les troubles de la vision.
• Poser un pansement oculaire sur un œil en alternance.	• Atténuer la diplopie.
• Évaluer une fois par mois l'acuité visuelle.	• Surveiller les baisses ou les améliorations de la vue.
• Maintenir un environnement sûr (p. ex. ridelles, lit en position basse).	• Éviter au client de se blesser.
• Indiquer le trouble visuel sur la fiche de soins, sur le plan de soins et au-dessus du lit.	• Informer l'équipe thérapeutique du trouble visuel et encourager la continuité des soins.

DIAGNOSTIC INFIRMIER : rétention urinaire reliée à des déficits sensorimoteurs ou à un apport liquidien inadéquat se manifestant par une miction résiduelle >50 ml, une miction goutte à goutte, une distension de la vessie.

PLANIFICATION

Résultats escomptés

- Urine résiduelle <50 ml.
- Maintien de la continence urinaire.

INTERVENTIONS	Justifications
• Administrer des médicaments cholinergiques selon l'ordonnance.	• Améliorer le tonus musculaire de la vessie et faciliter l'élimination.
• Suivre le protocole de cathétérisme intermittent.	• Prévenir la distension ou la miction goutte à goutte.
• Utiliser la manœuvre de Credé ou la stimulation réflexe (stimulation manuelle).	• En guise de méthode parallèle pour vider la vessie.
• Maintenir un apport liquidien de 3000 ml par jour.	• Diluer l'urine et réduire le risque d'infection des voies urinaires.
• Enseigner au client les signes et les symptômes d'une infection des voies urinaires.	• Permettre une détection et un traitement rapides.

DIAGNOSTIC INFIRMIER : incontinence urinaire complète (vraie) reliée à des déficits sensorimoteurs ou à une infection possible des voies urinaires se manifestant par l'incontinence, la miction impérieuse, la pollakiurie.

PLANIFICATION

Résultat escompté

- Continence urinaire.

INTERVENTIONS	Justifications
• Administrer des médicaments anticholinergiques selon l'ordonnance.	• Atténuer la pollakiurie et la miction impérieuse.
• Amorcer un programme d'entraînement de la vessie.	• Aider à rétablir la fonction vésicale.
• Fournir au client des culottes spéciales de protection.	• Éviter au client d'être embarrassé par l'incontinence.
• Maintenir un apport liquidien de 3000 ml par jour.	• Favoriser le débit urinaire et contribuer à prévenir l'infection.

DIAGNOSTIC INFIRMIER : constipation reliée à l'immobilité, à un apport liquidien inadéquat, à un régime alimentaire mal équilibré et à une déficience neuromusculaire se manifestant par des selles dures, une diminution des bruits intestinaux, une évacuation intestinale peu fréquente ou absente.

PLANIFICATION

Résultat escompté

- Évacuation intestinale régulière.

Plan de soins infirmiers

Sclérose en plaques (*suite*)

INTERVENTIONS	Justifications
• Tourner le client régulièrement ; maintenir l'activité en tenant compte de son degré de tolérance.	• La mobilité stimule le péristaltisme.
• Maintenir l'apport liquidien (3000 ml par jour).	• Aider les selles à retrouver une consistance normale.
• Administrer du jus de pruneau à heure fixe dans la journée.	• L'isatine dihydroxyphénylique contenue dans le jus de pruneau a un effet laxatif.
• Encourager le client à suivre un régime alimentaire à haute teneur en fibres.	• Améliorer la consistance des selles et favoriser l'évacuation.
• Administrer des émollients et des suppositoires selon l'ordonnance.	• Favoriser la régularité en améliorant la consistance des selles.
• Amorcer et poursuivre un programme de rééducation intestinale.	• Favoriser une élimination intestinale régulière.

DIAGNOSTIC INFIRMIER : dysfonctionnement sexuel relié à des déficits neuromusculaires se manifestant par l'impuissance, la verbalisation du problème, une baisse de libido.

PLANIFICATION
Résultat escompté
• Verbalisation de la satisfaction vis-à-vis de l'expression de la sexualité.

INTERVENTIONS	Justifications
• Amorcer une aide psychosexuelle si elle est indiquée.	• Toutes les infirmières n'ont pas forcément reçu la formation requise pour ce type d'aide.
• Suggérer des solutions de rechange pour obtenir la satisfaction sexuelle.	• Les déficits neuromusculaires rendent parfois les rapports sexuels impossibles.

DIAGNOSTIC INFIRMIER : diminution situationnelle de l'estime de soi reliée à un état invalidant prolongé se manifestant par un sentiment d'inadaptation, la dépression, la fatigue, le repli sur soi

PLANIFICATION
Résultat escompté
• Maintien d'un concept de soi réaliste en rapport avec la maladie.

INTERVENTIONS	Justifications
• Se concentrer sur les capacités restantes et le maintien de l'autonomie.	• Une grande partie du concept de soi repose sur la capacité d'exercer le rôle habituel.
• Aider le client à traverser le processus de deuil.	• Des pertes ou des modifications progressives des fonctions organiques peuvent gêner la résolution du processus de deuil.
• Encourager le client à parler de l'effet de la SP sur son concept de soi.	• Clarifier certains points et reconnaître les comportements d'adaptation.
• Discuter de l'importance du maintien des interactions sociales.	• Éviter l'isolement social, le repli sur soi et un concept de soi négatif.

DIAGNOSTIC INFIRMIER : dynamique familiale perturbée reliée à des changements de rôles familiaux, à des problèmes financiers potentiels et à un état physique fluctuant se manifestant par des relations familiales tendues, une communication inefficace, la verbalisation de préoccupations financières.

PLANIFICATION
Résultats escomptés
• Communication ouverte entre la famille et le client.
• Le client est capable de chercher une aide extérieure si elle lui est indiquée.
• Maintien de soins adéquats.

Plan de soins infirmiers

Sclérose en plaques (*suite*)

INTERVENTIONS

- Faciliter une communication ouverte entre les membres de la famille.
- Favoriser la résolution des problèmes.

- Orienter vers une consultation familiale et financière (si elles sont indiquées).
- Enseigner à la famille la nature fluctuante de la maladie.

Justifications

- Aider la famille à comprendre les comportements susceptibles d'être déclenchés par les effets émotionnels et physique de la SP.
- Permettre à la famille de surmonter les difficultés reliées à une maladie prolongée.
- Fournir une aide supplémentaire d'adaptation à une maladie chronique invalidante.
- Le manque de connaissances sur la SP réduit la capacité d'adaptation aux changements.

RECHERCHE

Promotion de la santé pour les femmes atteintes de sclérose en plaques

ENCADRÉ 55.13

- **Article** : Stuifbergen AK, Roberts GJ : Health promotion practices of women with multiple sclerosis, Arch Phys Med Rehabil 78:53, 1997.
- **Objectif** : examiner les comportements favorables à la santé des femmes atteintes de sclérose en plaques (SP). Les chercheurs ont posé comme hypothèse que les comportements favorables à la santé influent sur la relation entre la gravité de la maladie et qualité de vie.
- **Méthodologie** : l'échantillon était composé de 629 femmes atteintes de SP et appartenant à la collectivité qui ont rempli une série de questionnaires axés sur les degrés d'invalidité due à la maladie, sur les comportements de promotion de la santé (p. ex. gestion du stress, activité physique, nutrition) et sur la qualité de vie. Les résultats ont été comparés aux résultats fournis par un groupe de femmes en bonne santé de la collectivité. De plus, les femmes atteintes de SP ont été réparties en fonction des manifestations cliniques (bénigne sensorielle, cyclique, progressive, progressive grave) et ont été comparées d'après la fréquence des comportements favorables à la santé.
- **Résultats et conclusions** : dans l'ensemble, le groupe de femmes atteintes de SP a donné des cotes plus faibles que celles du groupe témoin pour ce qui est de l'activité physique, mais plus élevés pour la gestion du stress et les relations interpersonnelles. Lorsqu'elles étaient réparties en fonction de la gravité de la maladie, les femmes atteintes de SP bénigne sensorielle et de SP cyclique avaient davantage tendance à entreprendre des activités physiques et à avoir des comportements favorisant la croissance spirituelle que les femmes atteintes de SP progressive. Le déroulement de la maladie influe sur les comportements favorables à la santé, tout comme la gravité des symptômes.
- **Incidences sur la pratique** : la présence d'une affection invalidante chronique agit sur la tendance à adopter des comportements favorables à la santé. Les symptômes tels que la fatigue, la faiblesse et le manque de coordination peuvent influer sur le désir et la capacité de participer à des activités physiques. Il convient d'encourager les femmes atteintes de SP à participer aux activités physiques dont elles sont capables comme le yoga, le taï chi et d'autres activités qui réduisent le stress.

55.4 MALADIE DE PARKINSON

Le parkinsonisme est un syndrome qui se traduit par le ralentissement de l'amorce et de l'exécution du mouvement (bradykinésie), par l'augmentation du tonus musculaire (rigidité), par des tremblements et par des réflexes posturaux perturbés. La **maladie de Parkinson**, qui est une forme de parkinsonisme, a été nommée d'après James Parkinson qui, en 1817, a écrit une nouvelle maintenant classique sur la paralysie agitante ; la cause de cette maladie demeure inconnue. De nombreux autres troubles, mais dont on connaît les causes, ressemblent à cette maladie : le parkinsonisme dû aux médicaments, le parkinsonisme postencéphalique et le parkinsonisme artérioscléreux. La physiopathologie de ces troubles, mise à part celle du parkinsonisme dû aux médicaments, est la même. Une lésion ou une perte des cellules productrices de dopamine dans la substance noire de l'encéphale entraîne la disparition de la dopamine dans le ganglion basal ; la dopamine influe sur l'amorce, la modulation et l'achèvement du mouvement et régule les mouvements inconscients autonomes (voir chapitre 52). Dans le parkinsonisme dû aux médicaments, les médicaments bloquent les récepteurs de dopamine du cerveau.

55.4.1 Étiologie et physiopathologie

La maladie de Parkinson touche environ 1 % de la population ; il y aurait 100 000 Canadiens atteints de cette maladie, dont 25 000 Québécois (Le Parkinson, en ligne). La maladie n'a pas de préférence quant au sexe, à la situation socioéconomique ou au milieu culturel et ses symptômes apparaissent habituellement après l'âge de 50 ans. L'âge moyen du client atteint de la maladie de Parkinson est 65 ans. Il semble que la maladie n'ait pas de cause génétique, elle n'a pas non plus de remède. Elle atteint rarement les gens de race noire.

Le parkinsonisme a de nombreuses causes. On a clairement associé l'encéphalite léthargique, ou encéphalite de type A, au déclenchement du parkinsonisme. Cependant, depuis les années 1920, où l'on a assisté à une épidémie de cette maladie infectieuse, l'incidence du parkinsonisme postencéphalique a chuté. Les symptômes ressemblant au parkinsonisme sont apparus à la suite d'une intoxication chimique par un certain nombre de substances, dont le monoxyde de carbone et le manganèse (chez les mineurs des gisements de cuivre), et les produits de synthèse analogues à la mépéridine. Le parkinsonisme dû aux médicaments peut provenir de traitements au méthyldopa (Aldomet), à l'halopéridol (Haldol) et aux phénothiazines. Les clients atteints de maladies vasculaires cérébrales peuvent présenter des symptômes de parkinsonisme, mais il n'existe presque pas de preuves démontrant que le parkinsonisme est causé par l'artériosclérose. Afin d'établir un pronostic, il faut distinguer l'artériosclérose de la vraie maladie de Parkinson. Les clients atteints d'artériosclérose ne réagissent pas aussi bien au traitement et sont susceptibles de ressentir des effets secondaires dus aux médicaments. La plupart des clients atteints de parkinsonisme ont la forme dégénérative et idiopathique de la maladie, pour laquelle on réserve l'expression de maladie de Parkinson.

Le processus pathologique de la maladie de Parkinson est relié à la dégénérescence des neurones producteurs de dopamine dans la substance noire de l'encéphale (voir figures 55.4 et 55.5). On pense que dans le ganglion basal, il existe en général un équilibre entre l'acétylcholine et la dopamine. La moindre variation dans l'équilibre de l'activité (une augmentation d'acétylcholine ou une diminution de dopamine) semble dégénérer en symptôme de parkinsonisme. La dopamine est un neurotransmetteur essentiel au fonctionnement normal du système moteur extrapyramidal, notamment pour le maintien de la posture, le support et le mouvement volontaire. Dans la maladie de Parkinson, la concentration des enzymes et des métabolites synthétisant la dopamine diminue ; les analyses postmortem d'une section de l'encéphale révèlent une perte de la pigmentation normale de mélanine dans la substance noire et une perte de neurones. De plus, dans le ganglion basal et dans la substance noire, on ne trouve que de faibles quantités d'acide gamma-amino-butyrique (GABA), de sérotonine et de norépinéphrine.

55.4.2 Manifestations cliniques

La maladie de Parkinson débute de façon insidieuse, progresse graduellement et évolue avec le temps. Dans les premiers stades, on ne perçoit qu'un léger tremblement, une faible claudication ou un balancement moindre des bras. Plus tard, le client a une démarche traînante et festinante avec les bras fléchis et une perte de ses réflexes posturaux. Chez certains clients, le

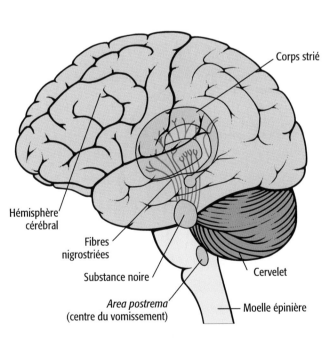

FIGURE 55.4 Le parkinsonisme est causé par des troubles du système nigrostrié. Vue gauche d'un cerveau humain montrant la substance noire et le corps strié (zone colorée) situés en profondeur dans l'hémisphère cérébral. Les fibres nerveuses montent de la substance noire, se divisent en plusieurs branches et transportent la dopamine vers toutes les régions du corps strié.

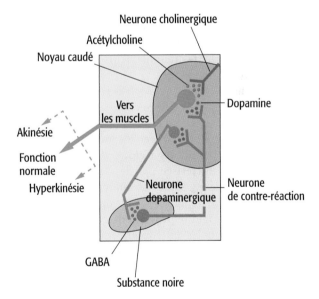

FIGURE 55.5 La dopamine est le médiateur de l'activité synaptique dopaminergique et l'acétylcholine est le médiateur de l'activité synaptique cholinergique. L'équilibre entre les deux types d'activité donne une fonction motrice normale. Un excès relatif d'activité cholinergique produit l'akinésie et la rigidité. Un excès relatif d'activité dopaminergique produit des mouvements involontaires. Les neurones du noyau caudé contiennent de l'acide gamma-aminobutyrique (GABA) et il est possible qu'ils régulent par contre-réaction les neurones dopaminergiques dans la substance noire.

mode d'élocution se modifie légèrement. Ces manifestations ne sont pas suffisantes en elles-mêmes pour diagnostiquer la maladie.

Comme il n'existe pas de test spécifique pour la maladie de Parkinson, son diagnostic ne repose que sur les antécédents et sur les caractéristiques cliniques. Le diagnostic n'est final que si deux des trois signes de la triade classique sont présents : tremblement, rigidité et bradykinésie (mouvement lent ou retardé). La démence se déclare chez 40 % des clients atteints de la maladie de Parkinson. La confirmation ultime de la maladie de Parkinson est la réaction positive aux médicaments antiparkinsoniens.

Tremblements. Le tremblement, qui est souvent le premier signe, est si minime au début que seul le client est à même de le détecter. Ce tremblement agit parfois sur l'écriture qui s'allonge, surtout à la fin des mots. Les tremblements parkinsoniens sont plus évidents au repos et s'aggravent en cas de stress émotif ou lorsque le client se concentre. Le tremblement de la main ressemble au mouvement effectué pour émietter le pain, car le pouce et l'index sont entraînés dans un mouvement de rotation comme s'ils roulaient une cigarette, une pièce ou un petit objet. Les tremblements peuvent toucher le diaphragme, la langue, les lèvres et les mâchoires mais rarement la tête. Malheureusement, chez de nombreuses personnes, la maladie de Parkinson a été diagnostiquée à tort simplement à cause d'un tremblement bénin essentiel. Les tremblements essentiels se produisent durant le mouvement volontaire ; leur fréquence est plus élevée que les tremblements parkinsoniens et ils sont souvent familiaux.

Rigidité. La rigidité est le second signe de la triade. Elle se caractérise par une résistance au mouvement passif lorsque l'on fait bouger les membres dans leur plage de mouvement. La rigidité de la maladie de Parkinson est caractérisée par des saccades à l'image d'une roue dentée qui saute par intermittence lorsqu'on la fait tourner. Ce phénomène est appelé le signe de la roue dentée. La rigidité provient de contractions musculaires soutenues et, en conséquence, elle engendre des douleurs musculaires, une sensation de fatigue ou des douleurs cérébrales, des douleurs du tronc, de la colonne vertébrale ou des jambes. La rigidité ralentit les mouvements, car elle empêche d'alterner contraction et relaxation des muscles de groupes opposés (p. ex. les biceps et les triceps).

Bradykinésie. La bradykinésie se remarque particulièrement bien par la perte des mouvements autonomes, qui est une conséquence des altérations du ganglion basal et des structures reliées dans la partie extrapyramidale du SNC. Chez le client non atteint, les mouvements sont involontaires et inconscients, notamment le clignement des paupières, le balancement des bras pendant la marche, la déglutition de la salive, l'expression faciale, les mouvements des mains, ainsi que des mouvements mineurs et l'ajustement de la posture. Le client atteint de la maladie de Parkinson n'exécute pas ces mouvements et l'activité spontanée disparaît. Cela explique sa posture courbée, son faciès de masque (sans expression), sa salivation profuse et sa démarche instable (festinante), caractéristiques des personnes atteintes de cette maladie. De plus, l'amorce du mouvement est difficile : se lever d'une chaise ne peut se faire que par un acte volontaire et conscient.

55.4.3 Complications

De nombreuses complications de la maladie de Parkinson proviennent de la détérioration et de la perte de la spontanéité des mouvements. Dans les cas les plus graves, la déglutition peut devenir très difficile (dysphagie) et mener à la malnutrition ou à l'aspiration. La débilité généralisée peut conduire à la pneumonie, à l'infection des voies urinaires et à la rupture de l'épiderme. La mobilité est fortement entravée. La démarche ralentit, et il devient particulièrement difficile de tourner. La marche se transforme généralement en de tout petits pas rapides et traînants. La posture est celle de l'image du vieil homme, avec la tête et le tronc en avant et les jambes en flexion permanente (voir figure 55.6). Le manque de mobilité peut entraîner la constipation, l'œdème des chevilles et, plus grave encore, des contractures.

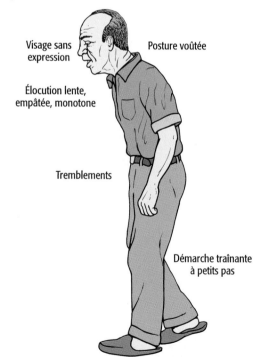

Visage sans expression

Posture voûtée

Élocution lente, empâtée, monotone

Tremblements

Démarche traînante à petits pas

FIGURE 55.6 Apparence caractéristique d'un client atteint de la maladie de Parkinson

Certains clients atteints d'hypotension orthostatique peuvent tomber ou se blesser à cause de la perte des réflexes posturaux. D'autres complications incommodantes peuvent se déclarer, notamment la séborrhée (augmentation de la sécrétion huileuse des glandes sébacées de l'épiderme), les pellicules, la diaphorèse, la conjonctivite, les difficultés de lecture, l'insomnie, l'incontinence et la dépression.

De nombreuses complications apparentes de la maladie de Parkinson sont en fait des effets secondaires des médicaments, en particulier de la lévodopa. La dyskinésie (mouvements non coordonnés des membres), la faiblesse et l'akinésie (immobilité totale) peuvent créer des problèmes. Ces complications apparaissent après un traitement prolongé à la lévodopa.

55.4.4 Processus thérapeutique

Comme il n'existe pas de remède pour la maladie de Parkinson, l'objectif du processus thérapeutique est le soulagement des symptômes.

Pharmacothérapie. La pharmacothérapie de la maladie de Parkinson a pour objectif de rétablir l'équilibre des neurotransmetteurs du SNC. Les médicaments antiparkinsoniens augmentent la libération ou la disponibilité de la dopamine (dopaminergiques) ou s'opposent ou bloquent les effets des neurones cholinergiques trop actifs du corps strié (anticholinergiques). Le premier médicament utilisé est une association de lévodopa et de carbidopa (Sinemet). La lévodopa est un précurseur de la dopamine capable de franchir la barrière hématoencéphalique ; elle est convertie en dopamine dans le ganglion basal. Sinemet est le médicament de prédilection, car il contient du carbidopa. La car-

bidopa est une substance qui inhibe l'enzyme dopa-décarboxylase des tissus périphériques. Cet enzyme détruit la lévodopa avant qu'elle n'atteigne le cerveau. En fin de compte, davantage de lévodopa se rend au cerveau et on peut diminuer la dose de médicament.

Si les symptômes des premiers stades de la maladie de Parkinson ne sont pas graves, ils sont traités par des médicaments antiparkinsoniens légers (des agonistes de la dopamine, notamment la bromocriptine [Parlodel] et le pergolide [Permax]. Les nouveaux agonistes de la dopamine sont également efficaces (le ropinirole [Requip] et le pramipexole [Mirapex]) et réduisent les symptômes au début de la maladie de Parkinson. Ces médicaments stimulent directement les récepteurs de la dopamine. On ajoute la carbidopa/lévodopa au régime thérapeutique lorsque des symptômes modérés à plus graves se déclarent. Il existe d'autres substances adjuvantes, notamment l'amantadine (Symmetrel), des médicaments anticholinergiques (le trihexyphénidyle [Apo-Trihex] ou la benztropine [Cogentin]), la sélégiline (Eldepryl) et la diphenhydramine (Benadryl).

On administre également des médicaments anticholinergiques pour traiter la maladie de Parkinson. Ces médicaments réduisent l'activité de l'acétylcholine et équilibrent les actions cholinergiques et dopaminergiques. Afin de combattre les tremblements, on administre des antihistaminiques (diphenhydramine, procyclidine [Kemadrin] aux propriétés anticholinergiques ou le propranolol (Indéral LA). L'amantadine, qui est un agent antiviral, est également une substance antiparkinsonienne efficace. Son mécanisme d'action est encore inconnu, mais il stimule la libération de dopamine par les neurones. La sélégiline est un inhibiteur de la monoamine-oxydase (IMAO) que l'on administre parfois en association avec Sinemet. En inhibant la MAO, l'enzyme de dégradation de la dopamine (DA), on augmente la concentration de DA.

Le tableau 55.7 présente les médicaments couramment utilisés pour la maladie de Parkinson, les symptômes qu'ils soulagent et leurs effets secondaires habituels. Il est préférable de n'administrer qu'un seul médicament, car les effets secondaires sont moins nombreux et la posologie est plus facile à ajuster qu'avec plusieurs médicaments. Un excès de médicaments dopaminergiques peut entraîner une intoxication paradoxale (aggravation plutôt que soulagement des symptômes). Les médicaments anticholinergiques peuvent entraîner des troubles de l'érection et de l'éjaculation.

Traitement chirurgical. L'objectif des interventions chirurgicales pour la maladie de Parkinson est le soulagement des symptômes. Les interventions chirurgicales, notamment la thalamotomie, la stimulation thalamique et la pallidotomie, s'adressent aux clients chez lesquels les médicaments sont inefficaces ou qui

PROCESSUS DIAGNOSTIQUE ET THÉRAPEUTIQUE

| Maladie de Parkinson | ENCADRÉ 55.14 |

Diagnostic
- Antécédents de santé
- Examen physique
  - Tremblements
  - Rigidité
  - Bradykinésie
- Réponse positive aux médicaments antiparkinsoniens*
- Écarter les effets secondaires des phénothiazines, de la réserpine, des benzodiazépines, de l'halopéridol

Processus thérapeutique
- Médicament antiparkinsonien*
- Destruction chirurgicale du noyau ventrolatéral du thalamus ou du *globus pallidus* postéroventral.

* Voir tableau 55.7.

PHARMACOTHÉRAPIE

TABLEAU 55.7 Maladie de Parkinson

Médicament	Symptômes soulagés	Effets secondaires et précautions
Dopaminergiques Lévodopa/carbidopa (Sinemet) Lévodopa/bensérazide (Prolopa)	Bradykinésie, tremblements, rigidité	Moins de nausées mais risque accru de dyskinésie, confusion, hallucinations ; vérifier périodiquement l'azote uréique du sang, l'AST, la numération des globules blancs, l'Ht ; contre-indiqué en cas de mélanome, de glaucome à angle fermé, en concomitance avec les IMAO, la méthyl-dopa (Aldomet), les antipsychotiques
Mésylate de bromocriptine (Parlodel)	Bradykinésie, tremblements, rigidité	Hypotension orthostatique, nausées, vomissements, psychose toxique, œdème des membres, phlébite, étourdissements, céphalées, insomnie
Pergolide (Permax) Pramipexole (Mirapex) Ropinirole (Requip)	Comme ci-dessus	Comme ci-dessus
Amantadine (Symmetrel)	Rigidité, akinésie	Nervosité, insomnie, confusion, hallucinations, sécheresse de la bouche, nausées, œdème, hypotension orthostatique
Anticholinergiques Trihexyphénidyle (Apo-Tribex) Procyclidine (Kemadrin, Procyclid) Benztropine (Cogentin) Bipéridène (Akineton)	Tremblements	Sécheresse de la bouche, vision trouble, constipation, délire, anxiété, agitation, hallucinations ; éviter les médicaments ayant une action similaire, notamment les médicaments en vente libre contenant de la scopolamine ou des antihistaminiques (p. ex. Nytol), les antispasmo-diques (p. ex. Bentylol), les antidépresseurs tricycliques (Tofranil, Elavil, Norpramin)
Antihistaminiques Diphenhydramine (Benadryl) Orphénadrine (Norflex)	Tremblements, rigidité	Sédation, mêmes précautions que pour les médicaments anticholinergiques
Inhibiteurs de la monoamine-oxydase Sélégiline (Eldepryl)	Bradykinésie, rigidité, tremblements	Semblables aux médicaments dopaminergiques

AST : aspartate-aminotransférase ; Ht : hématocrite ; IMAO : inhibiteur de la monoamine-oxydase.

ont de graves complications motrices. La thalamotomie stéréotaxique soulage les tremblements et quelque peu la rigidité. Cependant, la bradykinésie et l'instabilité posturale ne sont pas améliorées. Pour cela, il faut provoquer une lésion dans un endroit bien spécifique du thalamus. La pallidotomie bilatérale postéroventrale soulage les tremblements, la rigidité et la bradykinésie. L'intervention consiste à créer une lésion dans un endroit spécifique entre les segments latéral et médian du *globus pallidus*. Elle s'est révélée efficace pour atténuer la rigidité, les tremblements, la dyskinésie et la dystonie. On utilise également des stimulations thala-miques électriques permanentes pour réduire les trem-blements et améliorer la fonction motrice.

La greffe de tissus neuraux fœtaux dans le noyau caudé qui devait fournir au cerveau des cellules produc-trices de dopamine n'a pas donné de résultats probants.

Des résultats encore moins prometteurs ont été obtenus avec la greffe cérébrale de tissus surrénaux fœtaux.

Recommandations nutritionnelles. Pour le client atteint de la maladie de Parkinson, l'alimentation est très importante, car si elle est inadéquate, elle peut avoir de graves conséquences, notamment la malnutri-tion et la constipation. Aux clients atteints de dysphagie et de bradykinésie, il faut proposer des mets appétis-sants, faciles à mastiquer et à avaler. L'alimentation doit comprendre suffisamment de fibres et de fruits pour éviter la constipation. La nourriture doit être coupée en dés avant d'être servie sur un plat chauffé pour demeu-rer appétissante. L'organisme se fatigue moins si l'on prend six repas légers au lieu de trois gros. Il faut pré-voir suffisamment de temps pour ces repas afin d'éviter la frustration et d'encourager l'autonomie.

55.4.5 Soins infirmiers : maladie de Parkinson

Collecte de données. L'encadré 55.15 présente les données subjectives et objectives à recueillir auprès du client atteint de la maladie de Parkinson.

Diagnostics infirmiers. Les diagnostics infirmiers pour le client atteint de la maladie de Parkinson comprennent, entre autres, ceux de l'encadré 55.16.

Planification. Les résultats escomptés chez le client atteint de la maladie de Parkinson sont les suivants : maximiser la fonction neurologique ; maintenir l'autonomie dans les activités quotidiennes aussi longtemps que possible ; optimiser le bien-être psychosocial.

Exécution. Les soins infirmiers doivent se concentrer sur la promotion des exercices physiques et d'une alimentation équilibrée. Les exercices limitent les conséquences d'une mobilité réduite, notamment l'atrophie musculaire, les contractures et la constipation. La Société Parkinson du Québec fournit de multiples renseignements à ce sujet.

On peut consulter un physiothérapeute pour faire établir un programme d'exercices personnel qui renforce des muscles spécifiques. Ce programme doit comprendre le tonus musculaire général, ainsi que des exercices spécifiques pour les muscles reliés à la déglutition et à la parole. Les exercices n'arrêtent pas l'évolution de la maladie, mais optimisent la fonction motrice du client.

La maladie de Parkinson est un trouble dégénératif chronique sans exacerbations aiguës. En conséquence, les infirmières doivent savoir que l'enseignement sur la santé et les soins infirmiers sont axés sur le maintien d'une bonne santé, ainsi que sur les moyens de favoriser l'autonomie et d'éviter les complications, notamment les contractures.

Les problèmes reliés à la bradykinésie peuvent être soulagés par des mesures relativement simples qu'on peut recommander aux clients pour éviter qu'il « se fige » en marchant : penser consciemment à marcher au-dessus de lignes imaginaires ou réelles tracées sur le sol, aligner des grains de riz et marcher par-dessus, balancer d'un côté à l'autre, relever les orteils en marchant, faire deux pas en avant et un pas en arrière. Il faut s'assurer que le client ne reçoive pas une surdose de lévodopa, qui est la cause habituelle du « mutisme » akinétique. L'infirmière est alertée de cette possibilité s'il y a apparition d'une courte période de dyskinésie se traduisant habituellement par des mouvements athétosiques du cou.

COLLECTE DE DONNÉES

Maladie de Parkinson

ENCADRÉ 55.15

Données subjectives

Information importante concernant la santé
- Antécédents de santé : traumatisme du SNC, troubles vasculaires cérébraux, exposition aux métaux et au monoxyde de carbone, encéphalite
- Médicaments : usage des principaux tranquillisants, en particulier de l'halopéridol (Haldol) et des phénothiazines, de la réserpine, de la méthyldopa

Modes fonctionnels de santé
- Mode perception et gestion de la santé : fatigue
- Mode nutrition et métabolisme : hyperptyalisme, dysphagie, perte de poids
- Mode élimination : constipation, incontinence, diaphorèse
- Mode activité et exercice : difficulté à amorcer les mouvements, chutes fréquentes, perte de dextérité, micrographie (dégradation de l'écriture)
- Mode sommeil et repos : insomnie
- Mode cognition et perception : douleur diffuse dans la tête, les épaules, le cou, le dos, les jambes et les hanches ; sensibilité et crampes musculaires
- Mode perception et concept de soi : dépression, sautes d'humeur, hallucinations

Données objectives

Généralités
- Faciès inexpressif, élocution lente et monotone, clignement peu fréquent des yeux

Appareil tégumentaire
- Séborrhée, pellicules, œdème des chevilles

Appareil cardiovasculaire
- Hypotension orthostatique

Appareil gastro-intestinal
- Salivation profuse

Système neurologique
- Tremblements au repos, d'abord dans les mains (comme pour rouler une cigarette), ensuite dans les jambes, les bras, la face et la langue ; aggravation des tremblements avec l'anxiété, absence de sommeil, mauvaise coordination, légère démence, altération des réflexes posturaux

Appareil locomoteur
- Rigidité pallidale (signe de la roue dentée), dysarthrie, bradykinésie, contractures, posture voûtée, démarche traînante

Résultats possibles
- Manque de tests spécifiques ; le diagnostic s'appuie sur les antécédents de santé et les observations physiques après que les autres maladies aient été écartées

Plan de soins infirmiers

Maladie de Parkinson

DIAGNOSTIC INFIRMIER : mobilité physique réduite reliée à la rigidité, à la bradykinésie et à l'akinésie se manifestant par une difficulté à amorcer des mouvements volontaires.

PLANIFICATION

Résultats escomptés
- Marche sûre.
- Maintien de la mobilité des articulations.

INTERVENTIONS	Justifications
• Aider le client à marcher.	• Évaluer le degré d'altération de la mobilité et prévenir les blessures.
• Effectuer des exercices d'amplitude articulaire de tous les membres.	• Maintenir l'amplitude articulaire, prévenir l'atrophie et stimuler les muscles.
• Consulter un physiothérapeute ou un ergothérapeute pour obtenir des aides fonctionnelles.	• Faciliter les activités de la vie quotidienne et favoriser la sécurité de la marche.
• Évaluer les tremblements par rapport aux médicaments.	• Surveiller la réponse du client et déceler une surdose éventuelle.
• Enseigner les techniques facilitant la mobilité en demandant au client de marcher sur une ligne imaginaire, de se balancer d'un côté à l'autre pour amorcer le mouvement des jambes.	• Ces techniques sont utiles pour maîtriser l'akinésie (mouvement figé) pendant la marche.

DIAGNOSTIC INFIRMIER : déficit (total ou partiel) dans les soins personnels relié aux symptômes parkinsoniens se manifestant par l'incapacité d'accomplir les activités de la vie quotidienne, le besoin d'utiliser des appareils fonctionnels.

PLANIFICATION

Résultats escomptés
- Autonomie optimale dans les activités de la vie quotidienne.
- Soins quotidiens effectués par le client ou une autre personne.

INTERVENTIONS	Justifications
• Encourager le client à accomplir les activités de la vie quotidienne dans les limites de ses capacités motrices.	• Prolonger son autonomie.
• Aménager la chambre du client.	• Faciliter l'optimisation des soins personnels.
• Prévoir suffisamment de temps pour permettre au client d'effectuer ses soins personnels.	• La rigidité ralentit les mouvements.
• Assister le client au besoin.	• Faire en sorte de répondre aux besoins du client et réduire ainsi sa frustration.
• Organiser une consultation en ergothérapie.	• Enseigner au client des stratégies supplémentaires lui permettant d'effectuer les activités de la vie quotidienne et de réduire les complications, notamment les contractures.
• Offrir un soutien émotionnel.	• Stimuler les efforts d'adaptation du client à une maladie dégénérative chronique.

DIAGNOSTIC INFIRMIER : communication verbale altérée reliée à la dysarthrie et au tremblement ou à la bradykinésie se manifestant par une diminution de la communication, une élocution lente et empâtée, l'incapacité de mouvoir les muscles de la face, une mobilité réduite de la langue, la microphagie et l'incapacité d'écrire.

PLANIFICATION

Résultat escompté
- Acquisition d'une méthode de communication pour répondre aux besoins du client.

INTERVENTIONS	Justifications
• Donner suffisamment de temps pour la communication.	• Réduire la frustration du client.
• Encourager le client à respirer profondément avant de parler.	
• Consulter un orthophoniste.	• Guider les soins par des conseils spécialisés.
• Fournir d'autres méthodes de communication comme des livres d'images ou des cartes éclair.	• Les problèmes musculaires gênent l'écriture et la parole.
• Masser les muscles de la face et du cou.	• Favoriser la relaxation, laquelle facilite l'élocution.

Plan de soins infirmiers

Maladie de Parkinson (*suite*)

DIAGNOSTIC INFIRMIER : constipation reliée à la faiblesse des muscles abdominaux et périnéaux, au manque d'exercice et aux effets secondaires des médicaments se manifestant par des selles dures et une diminution des bruits intestinaux.

PLANIFICATION
Résultat escompté
- Maintien d'une évacuation intestinale régulière.

INTERVENTIONS	Justifications
• Augmenter l'apport liquidien à 3000 ml/jour.	• Garder les selles molles.
• Augmenter la teneur en fibres de l'alimentation à chaque repas.	• Augmenter le volume des selles.
• Accroître la mobilité dans les limites de tolérance du client.	• Stimuler le péristaltisme.
• Administrer des émollients, des laxatifs, des suppositoires au besoin.	• Régulariser l'évacuation intestinale.

DIAGNOSTIC INFIRMIER : alimentation déficiente reliée à la dysphagie se manifestant par la difficulté à mastiquer et à déglutir, la salivation profuse, la diminution du réflexe pharyngé.

PLANIFICATION
Résultat escompté
- Maintien d'un poids corporel satisfaisant.

INTERVENTIONS	Justifications
• Surveiller avec soin la capacité d'avaler pendant l'administration des médicaments et à l'heure des repas.	• Déterminer le niveau d'incapacité du client et réduire le risque d'aspiration.
• Prévoir une alimentation de consistance molle et des liquides épaissis.	• Les aliments présentant ces consistances sont plus faciles à avaler.
• Masser les muscles de la face et du cou avant les repas.	• Atténuer la rigidité et accroître la capacité de mastiquer et de déglutir.
• Garder le client en position droite à tous les repas.	• Réduire le risque d'aspiration.
• Consulter un orthophoniste et un diététicien.	• Ils peuvent fournir des méthodes pour améliorer la déglutition et augmenter l'apport alimentaire.
• Noter les apports caloriques et le poids du client une fois par semaine.	• Évaluer l'état nutritionnel du client et ajuster le régime alimentaire au besoin.
• Avoir un appareil à succion à portée de la main.	• Retirer les sécrétions accumulées et prévenir la suffocation et l'aspiration.

DIAGNOSTIC INFIRMIER : activités de loisir insuffisantes reliées à l'incapacité d'effectuer les activités de loisir habituelles se manifestant par l'ennui, le manque de participation, l'agitation, la dépression, l'hostilité.

PLANIFICATION
Résultats escomptés
- Participation à des activités de loisir satisfaisantes.
- Le client exprime son acceptation des capacités restreintes.

INTERVENTIONS	Justifications
• Évaluer le niveau d'activité du client.	• Déterminer la réponse physique et émotionnelle aux difficultés.
• Déterminer les activités de loisir préférées du client.	• Tenir compte de ses besoins.
• Adapter les activités difficiles si possible.	• Permettre au client de poursuivre ses activités.
• Commencer de nouvelles activités dans les limites des capacités du client, comme la lecture.	• Remplacer les activités que le client ne peut plus effectuer.
• Encourager le client à parler de sa réaction émotionnelle face à la baisse de ses capacités.	• Avoir une occasion de trouver des solutions aux problèmes et faire preuve de sollicitude.

⮕ Plan de soins infirmiers

ENCADRÉ 55.16

Maladie de Parkinson (suite)

DIAGNOSTIC INFIRMIER : habitudes de sommeil perturbées reliées aux effets secondaires des médicaments (p. ex. hallucinations), à l'anxiété, à la rigidité et à la gêne musculaire se manifestant par des antécédents de sommeil perturbé, l'incapacité de dormir sans interruption, des cauchemars, des rêves d'apparence réelle ou des hallucinations, l'anxiété, la rigidité ou la gêne musculaire.

PLANIFICATION
Résultat escompté
• Verbalisation de la sensation d'être reposé au réveil.

INTERVENTIONS	Justifications
• Fournir un environnement calme.	• Favoriser un sommeil ininterrompu.
• Tourner le client et le placer dans une position confortable.	• La sensibilité des muscles et l'incapacité d'effectuer des changements de posture mineurs à cause de la bradykinésie peuvent gêner le sommeil.
• Faire effectuer des mouvements d'amplitude passifs des extrémités.	• Atténuer la rigidité susceptible de gêner le sommeil.
• Fournir des stimuli pendant la journée afin de maintenir le client éveillé.	• Éviter un excès de siestes, car elles diminuent la qualité du sommeil nocturne.
• Offrir un soutien au client s'il a des hallucinations.	• Atténuer l'anxiété, car la lévodopa peut produire des hallucinations.
• Administrer des somnifères sur ordonnance.	• Faciliter le sommeil.

Pour se lever facilement, on utilise une chaise à dossier vertical munie d'accoudoirs et on place de petits blocs de cinq centimètres sous les pattes arrières. On peut modifier d'autres aspects du milieu de vie, notamment retirer les tapis et les meubles inutiles afin d'éviter de trébucher et se servir d'un pouf pour soulever les jambes et éviter l'œdème orthostatique des chevilles. Il faut simplifier l'habillement en portant des chaussures à enfiler et en choisissant des habits avec des fermetures Velcro ou à glissières au lieu de boutons et de crochets. Pour faciliter l'usage des toilettes, un siège surélevé est préférable. L'infirmière doit travailler en collaboration étroite avec la famille du client pour trouver des stratégies d'adaptation créatives qui permettent un maximum d'autonomie et la prise en charge des soins par le client.

Évaluation. L'encadré 55.16 traite des résultats escomptés chez le client atteint de la maladie de Parkinson.

55.5 MYASTHÉNIE GRAVE

La **myasthénie grave** (MG) est une maladie de la jonction neuromusculaire caractérisée par la faiblesse fluctuante de certains groupes de muscles de l'appareil locomoteur. Sa prévalence estimée est de 43 à 84 personnes par million. Elle se déclare préférentiellement chez les femmes âgées de 20 à 30 ans. Les femmes sont davantage touchées que les hommes ; néanmoins, les hommes de plus de 50 ans forment la majorité des clients atteints à la fois de thymome et de myasthénie grave (15 % de toutes les personnes atteintes de MG).

55.5.1 Étiologie et physiopathologie

La MG est causée par un processus auto-immun qui produit des anticorps dirigés contre les récepteurs de l'acétylcholine et qui réduit le nombre de sites récepteurs de l'acétylcholine à la jonction neuromusculaire. Ce processus empêche les molécules d'acétylcholine de se fixer et de stimuler la contraction musculaire. Chez 70 à 85 % des clients atteints de MG, on observe la présence d'anticorps des récepteurs antiacétylcholine. Ce processus entraîne une diminution de la force musculaire. Environ 15 % des clients présentent une tumeur du thymus.

Même si l'on pense qu'une infection virale pourrait déclencher une attaque de MG, on n'a pas trouvé de cause unique pour tous les cas de MG.

55.5.2 Manifestations cliniques et complications

La caractéristique principale de la MG est une rapide fatigabilité des muscles squelettiques pendant l'activité. En général, la force revient après une période de repos. Les muscles les plus fréquemment touchés sont ceux des yeux, des paupières, de la mastication, de la déglutition, de la parole et de la respiration. Les corps cellulaires des neurones de ces muscles sont logés dans le tronc cérébral. Ces muscles sont généralement forts le matin et s'épuisent pendant la journée. En conséquence, le soir, la fatigue musculaire est dominante.

Les muscles des paupières, ou muscles extraoculaires, sont touchés dans 90 % des cas. La mobilité faciale et l'expression peuvent également être altérées. La mastication et la déglutition sont parfois difficiles, la parole est affectée et souvent la voix s'affaiblit après une longue conversation. Les muscles du tronc et des membres sont moins souvent affectés et les muscles proximaux du cou, des épaules et des hanches sont davantage touchés que les muscles distaux. La MG ne s'accompagne d'aucun autre signe ou trouble neurologique ; il n'y a pas de perte sensorielle, les réflexes sont normaux et l'atrophie musculaire est rare.

L'évolution de cette maladie est extrêmement variable. Certains clients ont des rémissions de courte durée, d'autres voient leur état se stabiliser et d'autres encore présentent une aggravation progressive des symptômes. La myasthénie oculaire limitée, habituellement propre à l'homme, a un pronostic favorable. Les exacerbations de MG sont déclenchées par le stress émotif, la grossesse, les menstruations, une maladie secondaire, un traumatisme, les températures extrêmes, l'hypokaliémie, l'ingestion de médicaments ayant des propriétés neuromusculaires bloquantes et une intervention chirurgicale. Dans certains cas, ces événements causent la MG.

Les complications de la MG proviennent de la faiblesse des muscles servant à la déglutition et à la respiration. L'aspiration, l'insuffisance et l'infection respiratoires en sont les complications majeures. Une exacerbation aiguë de ce type est parfois appelée crise de myasthénie.

55.5.3 Épreuves diagnostiques

Le test diagnostic le plus simple pour la myasthénie grave consiste à demander au client de regarder vers le haut pendant deux à trois minutes. S'il est atteint de MG, ses paupières vont se refermer lentement jusqu'à se fermer complètement. Après un court repos, les paupières pourront s'ouvrir à nouveau. On peut faire d'autres tests si le diagnostic n'est pas probant. L'EMG montre parfois une réaction de plus en plus lente à la stimulation répétée des muscles de la main, ce qui est un indicateur de fatigue musculaire. Pour affiner le diagnostic, on utilise également des substances pharmaceutiques. Chez un client atteint de MG, un test à l'édrophonium (Enlon) révèle une meilleure contractilité musculaire après l'injection intraveineuse (IV) de cet agent, qui est une substance anticholinestérasique. Ce test est également utilisé pour le diagnostic de la crise cholinergique causée par une surdose de néostigmine (Prostigmin). Dans ce cas, l'édrophonium ne diminue pas la faiblesse musculaire, mais peut au contraire l'accentuer. Lorsque l'on utilise l'édrophonium à des fins diagnostiques, il faut disposer d'atropine pour en combattre les effets.

55.5.4 Processus thérapeutique

Pharmacothérapie. Les médicaments anticholinestérasiques sont le principal traitement de la MG. On les associe avec des corticostéroïdes un jour sur deux, des immunosuppresseurs et la plasmaphérèse (voir encadré 55.17). Les médicaments anticholinestérasiques servent à soigner la MG. L'acétylcholinestérase est un enzyme qui décompose l'acétylcholine dans la fente synaptique. En conséquence, l'inhibition de cet enzyme par un inhibiteur anticholinestérasique prolonge l'action de l'acétylcholine et permet la transmission des impulsions à la jonction neuromusculaire. La néostigmine et la pyridostigmine (Mestinon) sont les meilleurs médicaments de ce groupe. Souvent, le problème clinique à résoudre est d'ajuster la dose de façon à éviter une crise myasthénique ou cholinergique. À cause de la nature auto-immun du trouble, il faut utiliser des corticostéroïdes (spécialement la prednisone) pour supprimer l'immunité, mais on peut également employer des médicaments cytotoxiques comme l'azathioprine (Imuran) et le cyclophosphamide (Cytoxan) en tant qu'immunosuppresseurs.

De nombreux médicaments sont contre-indiqués pour les clients atteints de MG. Les classes de médicaments qui doivent être évaluées avec soin comprennent les anesthésiques, les antiarythmiques, les antibiotiques, la quinine, les neuroleptiques, les barbituriques et les sédatifs hypnotiques non barbituriques, les cathartiques, les diurétiques, les narcotiques, les relaxants musculaires, les préparations thyroïdiennes et les tranquillisants.

PROCESSUS DIAGNOSTIQUE
ET THÉRAPEUTIQUE

Myasthénie grave   **ENCADRÉ 55.17**

Diagnostic
- Antécédents de santé
- Examen physique
  - Fatigabilité d'après le test du regard prolongé vers le haut (2-3 min)
  - Faiblesse musculaire
- EMG
- Test à l'édrophonium

Processus thérapeutique
- Médicaments
  - Agents anticholinestérasiques
  - Corticostéroïdes
  - Agents immunosuppresseurs
- Traitements chirurgicaux (thymectomie)
- Plasmaphérèse

EMG : électromyographie.

Traitement chirurgical. Chez le client atteint de MG, il semble que le thymus favorise la production d'anticorps des récepteurs de l'acétylcholine. L'ablation de cette glande entraîne une amélioration chez la majorité des clients. La thymectomie est recommandée pour les clients atteints d'un thymome ou de MG généralisée et dont l'âge se situe de la puberté à 60 ans, ainsi que pour les clients atteints d'une MG purement oculaire.

Autres traitements. C'est en 1976 que l'on a signalé pour la première fois la plasmaphérèse comme moyen thérapeutique. Dans cette intervention, on sépare le plasma du sang à l'aide d'une cellule séparatrice connectée au client par une canule vasculaire. Par ce processus, on retire les anticorps des récepteurs de l'acétylcholine. La plasmaphérèse offre un court répit dans les symptômes et elle est recommandée pour des clients en crise ou en attente d'intervention chirurgicale et auxquels les corticostéroïdes sont interdits (voir chapitre 7). On a observé quelques succès avec l'injection de gammaglobuline, mais il n'existe pas d'études prospectives importantes bien contrôlées avec allocation aléatoire pour cette thérapie appliquée à la MG.

55.5.5 Soins infirmiers : myasthénie grave

Collecte de données. L'infirmière peut estimer la gravité de la MG en questionnant le client sur sa fatigabilité, sur les parties du corps touchées et dans quelle mesure elles sont atteintes. Il faut également évaluer les capacités d'adaptation du client et sa compréhension du trouble. Certains clients sont si fatigués qu'ils ne sont même plus capables de travailler ni même de se déplacer.

Les données objectives doivent comprendre la fréquence respiratoire et son intensité, la saturation en oxygène, la gazométrie du sang artériel et les preuves de troubles respiratoires chez les clients en crise myasthénique aiguë. Il faut évaluer la force de tous les muscles de la face et des membres, ainsi que la déglutition, la parole (volume et clarté), le réflexe de la toux et le réflexe pharyngé.

Diagnostics infirmiers. Les diagnostics infirmiers pour le client atteint de MG comprennent, entre autres :
- le mode de respiration inefficace relié à la faiblesse des muscles intercostaux ;
- le dégagement inefficace des voies respiratoires relié à la faiblesse des muscles intercostaux et aux déficiences du réflexe de la toux et du réflexe pharyngé ;
- la communication verbale altérée reliée à la faiblesse du larynx, des lèvres, de la bouche, du pharynx et des mâchoires ;
- l'alimentation déficiente reliée à un défaut de déglutition, à la faiblesse et à l'incapacité de préparer la nourriture et de prendre en charge sa propre alimentation ;
- le trouble de la perception sensorielle relié au ptosis, aux mouvements des yeux affaiblis et à la déviation conjuguée des yeux ;
- l'intolérance à l'activité reliée à la faiblesse musculaire et à la fatigabilité ;
- l'image corporelle perturbée reliée à l'incapacité de maintenir le mode de vie habituel et à assumer les responsabilités reliées aux rôles.

Planification. Les résultats escomptés chez le client atteint de MG sont les suivants : retrouver une endurance musculaire normale ; éviter les complications ; maintenir une qualité de vie appropriée par rapport à l'évolution de la maladie.

Exécution. Le client atteint de MG est généralement admis à l'hôpital pour une infection des voies respiratoires ou pour une crise myasthénique aiguë. Les soins infirmiers doivent permettre de maintenir une ventilation adéquate et d'assurer la pharmacothérapie tout en observant ses effets secondaires. L'infirmière doit être capable de distinguer une crise cholinergique d'une crise myasthénique (voir tableau 55.8), car les causes et les traitements des deux troubles sont très différents.

Comme pour toutes les autres maladies chroniques, les soins se concentrent sur les déficits neurologiques et leurs conséquences sur la vie quotidienne. Il faut offrir une alimentation équilibrée constituée d'aliments faciles à mastiquer et à avaler. La nourriture semi-solide est

TABLEAU 55.8	Comparaison des crises myasthéniques graves et des crises cholinergiques	
	Crise myasthénique	**Crise cholinergique**
Causes	Exacerbation de la myasthénie à la suite de facteurs déclencheurs, de l'oubli d'un médicament prescrit ou d'une dose trop faible de médicament	Surdose de médicaments anticholinestérasiques entraînant une élévation du taux d'acétylcholine aux sites récepteurs, rémission (spontanée ou après thymectomie)
Diagnostic différentiel	Regain de force après l'administration IV de médicaments anticholinestérasiques ; faiblesse accrue des muscles squelettiques se manifestant par un ptosis, des signes bulbaires (p. ex. difficulté à avaler, difficulté à articuler) ou une dyspnée	Faiblesse dans l'heure suivant l'ingestion d'anticholinestérasiques ; faiblesse accrue des muscles squelettiques se manifestant par un ptosis, des signes bulbaires, une dyspnée ; les effets sur les muscles lisses comprennent un myosis, la salivation, la diarrhée, les nausées ou les vomissements, des crampes abdominales, des sécrétions bronchiques accrues, la transpiration ou le larmoiement

plus facile à absorber que la nourriture solide ou les liquides. Il faut planifier l'administration des médicaments pour que leur effet soit maximal au moment des repas et pour que le client éprouve moins de difficultés à s'alimenter. Il faut prévoir des activités de divertissement requérant peu d'efforts physiques, mais répondant aux centres d'intérêts du client. L'enseignement doit insister sur l'importance du respect du régime thérapeutique, sur les réactions indésirables à certains médicaments, sur la planification des activités quotidiennes, sur les complications de la maladie et du traitement (états de crise) et sur ce qu'il faut faire dans ces conditions.

Évaluation. Les résultats escomptés chez le client atteint de MG sont les suivants :
- maintenir une fonction musculaire optimale pendant toute la journée ;
- ne pas souffrir des effets secondaires des médicaments ;
- ne pas présenter de complications provenant de la maladie ;
- maintenir une qualité de vie en rapport avec l'évolution de la maladie.

55.6 MALADIE D'ALZHEIMER

La **maladie d'Alzheimer** est un type de démence caractérisée par la détérioration progressive de la mémoire et d'autres aspects cognitifs. En Amérique du Nord, la maladie d'Alzheimer est un des problèmes de santé les plus

importants, en particulier pour les personnes âgées de plus de 65 ans. Plus de la moitié des cas de démence se rapportent à cette maladie. Les principales causes de la démence progressive sont résumées dans l'encadré 55.18.

55.6.1 Étiologie et physiopathologie

L'étiologie de la maladie d'Alzheimer est encore mal connue, même si l'on sait que le vieillissement constitue le plus grand facteur de risque. Les changements pathologiques observés dans la maladie d'Alzheimer comprennent les dégénérescences neurofibrillaires et les plaques β-amyloïdes du cortex cérébral et de l'hippocampe. On observe les dégénérescences neurofibrillaires dans le cytoplasme des neurones anormaux (voir figure 55.7). La plaque neuritique est formée de multiples terminaisons nerveuses axonales et dendritiques en dégénérescence qui contiennent une protéine

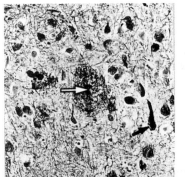

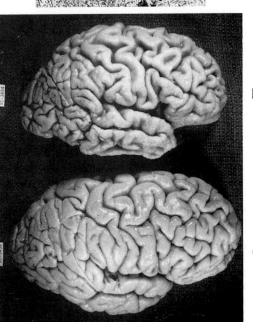

FIGURE 55.7 Changements pathologiques observés au cours de la maladie d'Alzheimer. A. Plaque neuritique (mature) avec noyau amyloïde au centre (flèche blanche) à côté d'une dégénérescence neurofibrillaire (flèche noire). B. Maladie d'Alzheimer comparée à C. Témoin d'âge et de sexe correspondants.

Principales causes de la démence progressive	ENCADRÉ 55.18
• Démence sénile, de type Alzheimer	50 %
• Démence vasculaire (artériosclérotique)	10 %
• Combinaison de démence sénile et vasculaire	15 %
• Hydrocéphalie communicante • Démence alcoolique ou post-traumatique • Chorée de Huntington • Lésions expansives intracrâniennes	15 %
• Démence d'origine peu courante ou associée à d'autres causes	10 %

• Usage chronique de drogues, maladie de Creutzfeldt-Jakob, maladie métabolique (thyroïde, foie), déficits nutritionnels, maladie dégénérative (spinocérébelleuse, sclérose latérale amyotrophique, parkinsonisme, sclérose en plaques, maladie de Pick, maladie de Wilson, épilepsie), syndrome démentiel du SIDA, démence statique anoxique

Adapté de Andreoli TE et autres : *Cecil essentials of medicine*, 4ᵉ éd., Philadelphie, Saunders, 1997.
SIDA : syndrome d'immunodéficience acquise.

anormale (β-amyloïde). Ces amas de protéines s'assemblent deux par deux sous forme de filaments hélicoïdaux. On observe également une très importante perte de neurones cholinergiques, particulièrement dans les régions essentielles à la mémoire et à la cognition.

De nombreuses recherches ont été effectuées sur la possibilité d'une étiologie génétique de la maladie d'Alzheimer. On compte au moins quatre chromosomes (1, 14, 19 et 21) responsables, sous une forme ou une autre, de la maladie d'Alzheimer familiale. L'héritage du génotype apo E4 (un gène responsable de la production d'apolipoprotéine) est un facteur de risque majeur de la maladie d'Alzheimer. D'autres données donnent à penser que l'œstrogène protège contre la maladie d'Alzheimer. L'œstrogène semble également ralentir la progression de la maladie d'Alzheimer chez les sujets déjà atteints. On s'intéresse actuellement au rôle des AINS, qui diminueraient le risque de la maladie d'Alzheimer. Les personnes qui prennent habituellement des AINS (ibuprofène) pour d'autres troubles semblent présenter un risque réduit pour la maladie d'Alzheimer. Cependant, l'administration prolongée d'AINS engendre des troubles gastro-intestinaux et rénaux.

55.6.2 Manifestations cliniques

Un signe initial de la maladie d'Alzheimer est la subtile détérioration de la mémoire. Ce processus progresse inévitablement vers des pertes de mémoire plus sérieuses qui compliquent le fonctionnement quotidien du client. Il ne se souvient ni des événements récents ni de l'information nouvelle. L'hygiène personnelle et la capacité de concentration se détériorent. Plus tard dans la maladie, c'est la mémoire ancienne qui est perdue, et le client ne reconnaît plus les membres de sa famille. Finalement, il perd la capacité de communiquer et d'exercer les activités quotidiennes. L'évolution de la détérioration qui mène à la mort peut durer 20 ans.

Il faut distinguer la maladie d'Alzheimer de la dépression, qui est un état clinique similaire, car cette dernière est réversible et réagit souvent au traitement approprié. Une évaluation méthodique permet de distinguer les deux états cliniques (voir tableau 55.9).

55.6.3 Épreuves diagnostiques

Le diagnostic de la maladie d'Alzheimer se fait par élimination. Lorsque tous les autres troubles qui provoquent une déficience mentale ont été écartés et que les manifestations de démence persistent, on peut alors diagnostiquer la maladie d'Alzheimer. Dans les stades avancés de la maladie, à l'aide d'une tomodensitométrie et d'une IRM, on décèle parfois une atrophie cérébrale et un grossissement des ventricules. Cependant, on peut observer ces mêmes phénomènes chez des clients

TABLEAU 55.9	Différenciation entre la dépression et la démence de la maladie d'Alzheimer	
Caractéristique	**Dépression**	**Démence**
Début	Soudain (semaines)	Insidieux
Antécédents psychiatriques	Dépression antérieure fréquente	En général aucun antécédent
État mental	Dysphorie prépondérante Cognition normale ou perturbée Performance variable Altération variable de la mémoire	Altération de l'affect Cognition altérée Performance stable Effets sérieux sur la mémoire
Troubles du sommeil	Insomnie au coucher et au petit matin	Réveils fréquents
Symptômes somatiques	Souvent multiples	Souvent aucun
Image de soi	Médiocre	Normale
Idées suicidaires	Présentes	Présentes en début de maladie, puis disparaissent
Traitement	Forte efficacité des antidépresseurs	Efficacité très limitée des antidépresseurs
Perte de poids	Oui, avec perturbation de l'appétit	Uniquement à un stade avancé de la maladie

normaux ou atteints d'autres maladies. Les tests neuropsychiques aident à déterminer le degré de dysfonctionnement cognitif dans les premiers stades de la maladie. Le diagnostic définitif de la maladie d'Alzheimer ne peut se faire qu'à l'autopsie lorsque l'on est en mesure de vérifier la présence de dégénérescences neurofibrillaires.

55.6.4 Processus thérapeutique

Le processus thérapeutique de la maladie d'Alzheimer vise à ralentir ou à maîtriser le déclin cognitif et à limiter les symptômes indésirables du client. Le tableau 55.10 donne, pour les diverses manifestations des symptômes, la pharmacothérapie habituelle et les effets secondaires des médicaments. Cependant, ces médicaments n'enrayent pas de façon notable l'évolution de la maladie.

On dispose depuis peu d'un médicament qui inhibe la décomposition de l'acétylcholine, ce qui favorise la fonction cognitive. Il s'agit du donépézil (Aricept). Ce médicament ne nécessite pas de suivi en laboratoire et

PHARMACOTHÉRAPIE

TABLEAU 55.10   Maladie d'Alzheimer

Manifestations	Médicaments	Effets secondaires
Dépression	Antidépresseurs tricycliques (p. ex. nortriptyline [Aventyl], amitriptyline [Elavil], imipramine [Tofranil], doxépine [Sinequan]) Antidépresseurs non tricycliques (p. ex. trazodone [Desyrel])	Hypotension orthostatique, sédation, sécheresse de la bouche, constipation, rétention urinaire, vision trouble Sécheresse de la bouche, sédation, confusion
Psychoses et troubles du comportement	Neuroleptiques ou antipsychotiques (p. ex. loxapine, halopéridol [Haldol]) Benzodiazépines (p. ex. oxazépam [Serax], diazépam [Valium])	Sédation, effets extrapyramidaux, hypotension orthostatique, dyskinésie tardive Sédation, confusion, désinhibition avec agitation paradoxale, démarche instable, dysarthrie, manque de coordination
Anxiété	Benzodiazépines	Comme pour les psychoses et les troubles du comportement
Troubles du sommeil	Benzodiazépines, neuroleptiques	Comme pour les psychoses et les troubles du comportement
Perte de mémoire et de cognition	Donépézil (Aricept)	Nausées, diarrhée, insomnie

COLLECTE DE DONNÉES

Maladie d'Alzheimer

ENCADRÉ 55.19

Données subjectives

Information importante concernant la santé
- Antécédents de santé : traumatismes crâniens répétés, exposition aux métaux (en particulier l'aluminium), infection antérieure du SNC
- Médicaments : tout médicament servant à atténuer les symptômes (p. ex. tranquillisants, hypnotiques, antidépresseurs, antipsychotiques)

Modes fonctionnels de santé
- Mode perception et gestion de la santé : antécédents familiaux positifs, labilité émotionnelle
- Mode nutrition et métabolisme : anorexie, malnutrition, perte de poids
- Mode élimination : incontinence
- Mode activité et exercice : mauvaise hygiène personnelle, instabilité de la démarche, faiblesse, incapacité d'effectuer les activités de la vie quotidienne
- Mode sommeil et repos : réveils fréquents au cours de la nuit, siestes en journée
- Mode cognition et perception : oublis, incapacité de s'adapter aux situations complexes, difficulté à résoudre les problèmes (signes initiaux), dépression, repli sur soi, idées suicidaires (signes initiaux)

Données objectives

Généralités
- Tenue négligée, agitation

Système neurologique
- Stade initial : perte de la mémoire récente, désorientation par rapport à la date et à l'heure, altération de l'affect plat, manque de spontanéité, altération de l'abstraction, de la cognition et du jugement, perte de la mémoire des faits anciens, agitation, incapacité de reconnaître la famille et les amis, déambulation nocturne, comportements répétitifs, perte de sociabilité, entêtement, paranoïa, belligérance
- Stade avancé : aphasie, agnosie, alexie, (incapacité de comprendre le langage écrit), apraxie, convulsions, rigidité des membres, spasmes en flexion

Résultats possibles
- Diagnostic par élimination, atrophie corticale cérébrale visible à la tomodensitométrie, mauvais résultats aux tests d'évaluation de l'état mental, atrophie de l'hippocampe visible à l'IRM

IRM : imagerie par résonnance magnétique ; SNC : système nerveux central.

s'administre une fois par jour. On a démontré qu'il améliorait légèrement ou stabilisait la fonction cognitive de certaines personnes atteintes de la maladie d'Alzheimer. Il est administré dans les stades précoce et intermédiaire de la maladie d'Alzheimer. Il ne guérit pas la maladie, mais ralentit la progression des symptômes.

55.6.5 Soins infirmiers : maladie d'Alzheimer

Collecte de données. L'encadré 55.19 présente les données subjectives et objectives à recueillir auprès du client atteint de la maladie d'Alzheimer.

Diagnostics infirmiers. Les diagnostics infirmiers pour le client atteint de la maladie d'Alzheimer comprennent, entre autres, ceux de l'encadré 55.20.

Planification. Les résultats escomptés chez le client atteint de la maladie d'Alzheimer sont les suivants : maintenir aussi longtemps que possible l'habileté fonctionnelle ; être soigné dans un environnement sûr avec un risque minimum de blessures ; bénéficier de soins personnels assurés.

Exécution. Comme les traumatismes cérébraux sont un facteur de risque de la maladie d'Alzheimer, l'infirmière doit encourager la sécurité durant les activités physiques et la conduite automobile. Il faut reconnaître la dépression et la traiter rapidement.

Actuellement, il n'existe pas de traitement pour inverser le cours de la maladie d'Alzheimer, mais il est nécessaire de suivre le client atteint de cette affection ainsi que l'aidant naturel. Une des grandes responsabilités infirmières est de travailler en collaboration avec le médecin traitant pour maîtriser plus efficacement les symptômes qui évoluent dans le temps (voir encadré 55.20). L'infirmière est souvent responsable d'enseigner à l'aidant naturel la façon d'accomplir les nombreuses tâches exigées par les soins au client atteint de la maladie d'Alzheimer. L'infirmière doit considérer l'aidant naturel et le client atteint de la maladie d'Alzheimer comme deux clients ayant certains besoins communs et d'autres, spécifiques. L'encadré 55.21 présente un plan de soins infirmiers destiné à la personne soignant un client atteint de la maladie d'Alzheimer. Ce plan doit aider à reconnaître les nombreux problèmes que doit résoudre l'aidant naturel.

Les soins de jour pour adultes sont une option dont dispose la personne atteinte de la maladie d'Alzheimer. L'étendue de ces programmes, leur structure, leur environnement physique et l'expérience des équipes sont tous différents. Cependant, tous les programmes de soins de jour ont pour objectif de soulager la famille tout en offrant un environnement protégé au client.

Le stade intermédiaire de la maladie est probablement celui pendant lequel les adultes atteints de la maladie d'Alzheimer retirent les plus grands avantages des programmes de soins journaliers. Ces programmes favorisent les activités qui encouragent l'autonomie et la prise de décision dans un environnement protégé. Le client retourne chez lui fatigué, satisfait, moins frustré et prêt à communiquer avec la famille. Ce répit permet à la famille de rester à l'écoute des besoins du client.

Les soins de jour contribuent à retarder la transition, mais tôt ou tard les demandes du client dépasseront les capacités de l'aidant naturel et il devra être placé dans un établissement pour soins de longue durée. Dans ces établissements, il existe de plus en plus de sections réservées aux clients atteints de la maladie d'Alzheimer. Les besoins en soins infirmiers du client aux prises avec la maladie changent lorsque celle-ci progresse, d'où la nécessité d'une évaluation régulière, d'un contrôle et d'un soutien permanents. Indépendamment de l'environnement, la gravité des symptômes et la quantité de soins requis augmentent avec le temps.

Les clients atteints de la maladie d'Alzheimer sont susceptibles de contracter d'autres maladies chroniques ou aiguës. Les professionnels de la santé et les aidants naturels sont responsables de l'évaluation et du diagnostic des clients qui sont dans l'impossibilité de signaler leurs symptômes et leurs problèmes. Une hospitalisation peut être un événement traumatisant pour le client atteint de la maladie d'Alzheimer, ainsi que pour la personne qui le soigne ; cette hospitalisation aggrave parfois la maladie.

La maladie d'Alzheimer est une maladie dévastatrice qui perturbe tous les aspects de la vie personnelle et familiale. Des groupes de soutien pour les aidants naturels et la famille se sont formés dans tout le Québec afin de prodiguer une atmosphère de compréhension et de disséminer l'information récente sur la maladie, ainsi que sur les aspects de la sécurité, les aspects légaux, éthiques et financiers. Les infirmières retirent souvent une satisfaction personnelle et professionnelle de la participation à ces groupes de soutien (Fédération québécoise des sociétés d'Alzheimer, 2003).

Évaluation. L'encadré 55.20 traite des résultats escomptés chez le client atteint de la maladie d'Alzheimer.

55.7 SYNDROME DES JAMBES SANS REPOS

55.7.1 Étiologie et physiopathologie

Le **syndrome des jambes sans repos** est caractérisé par des anomalies sensorielles et motrices des jambes ; il n'est toutefois pas limité aux jambes. On estime que de 3 à 8 % des adultes sont atteints du syndrome des jambes sans repos. La cause exacte du syndrome n'est pas connue. Néanmoins, les données épidémiologiques démontrent qu'il existe un composant génétique et que le syndrome est héréditaire. Il a été associé à des anomalies métaboliques dues à un déficit en fer, à l'urémie et à la grossesse. Environ 30 % des clients sous dialyse rénale présentent le syndrome des jambes sans repos. Le syndrome disparaît après une greffe de rein, ce qui confirme son lien avec l'urémie.

Plan de soins infirmiers

Client atteint de la maladie d'Alzheimer

DIAGNOSTIC INFIRMIER : opérations de la pensée perturbées reliées aux effets de la démence se manifestant par la perte de la mémoire et les déficits cognitifs.

PLANIFICATION
Résultat escompté
• Participation aux soins et aux activités sociales dans les limites des capacités du client.

INTERVENTIONS	Justifications
• Évaluer l'étendue des déficits cognitifs par un contact direct avec le client et selon les renseignements fournis par la famille.	• Planifier les interventions qui conviennent.
• Planifier des stratégies pour favoriser la communication, accroître l'estime de soi et fournir une stimulation.	• Optimiser les capacités cognitives du client.
• Utiliser des exercices de perception de la réalité (stade initial) et un emploi du temps régulier.	• Favoriser la mémoire et réduire la confusion.

DIAGNOSTIC INFIRMIER : déficit (total ou partiel) dans les soins personnels relié à une perte de mémoire et à une gêne neuromusculaire se manifestant par l'incapacité de s'habiller, de se laver, de faire sa toilette ou d'aller aux toilettes sans aide et de manière convenable.

PLANIFICATION
Résultats escomptés
• Le client est capable de faire sa toilette et de s'habiller seul.
• Établissement d'une routine pour aller aux toilettes.
• Apport nutritionnel adéquat.

INTERVENTIONS	Justifications
• Évaluer le niveau d'incapacité à effectuer les soins personnels et déterminer la cause probable.	• Planifier des interventions convenant aux problèmes propres au client.
• Rappeler verbalement (signal) au client l'activité à effectuer ; montrer l'utilisation des accessoires (p. ex. brosse à dents, brosse à cheveux, gant de toilette) ; disposer chaque jour les vêtements à porter.	• La perte de mémoire rend le client incapable de planifier et d'effectuer certaines activités dans le bon ordre.
• Continuer d'évaluer les capacités et déficits en matière de soins personnels du client, en intervenant au besoin.	• La capacité d'effectuer les soins personnels fluctue et les interventions doivent être révisées régulièrement.
• Aider le client à aller aux toilettes et à changer la culotte d'incontinence comme prévu.	• Éviter l'inconfort et l'excoriation cutanée et promouvoir la régularité.
• Ordonner au client de s'alimenter ou le nourrir au besoin.	• Assurer un apport alimentaire et liquidien adéquat.

DIAGNOSTIC INFIRMIER : habitudes de sommeil perturbées reliées à l'inconfort physique, aux changements environnementaux, à un excès de siestes se manifestant par un mode de sommeil erratique, la déambulation nocturne, la somnolence diurne.

PLANIFICATION
Résultat escompté
• Périodes raisonnables de repos ininterrompu à des heures convenables.

INTERVENTIONS	Justifications
• Surveiller les habitudes de sommeil du client ou obtenir un rapport de l'aidant naturel.	• Planifier les interventions qui conviennent.
• Veiller à ce que les besoins physiques du client soient satisfaits à l'heure du coucher (p. ex. passage aux toilettes, température ambiante confortable, environnement calme).	• Éviter que l'inconfort physique ne compromette la qualité du sommeil.
• Adapter les habitudes nocturnes telles que l'heure du coucher, la présence de veilleuses, le lait chaud.	• Assurer le plus de continuité possible.
• Rassurer le client éveillé et le réorienter d'une voix douce et calmante.	• Lui éviter l'anxiété et la peur.
• Trouver et entreprendre des activités de loisir convenables et prévoir et instaurer des périodes d'activité physique durant le jour.	• L'exercice réduit l'agitation, produit un effet calmant et favorise le sommeil durant la nuit.

Plan de soins infirmiers

Client atteint de la maladie d'Alzheimer (*suite*)

DIAGNOSTIC INFIRMIER : risque d'accident relié à une altération du jugement, à une instabilité possible de la démarche, à la faiblesse musculaire et à l'altération des perceptions sensorielles.

PLANIFICATION

Résultat escompté

• Absence d'accidents.

INTERVENTIONS	Justifications
• Vérifier régulièrement si le client présente des hématomes, des abrasions, des fractures ou des brûlures.	• Déterminer la présence de blessures.
• Surveiller l'activité ; maintenir un environnement sans danger.	• Réduire ou éliminer les accidents.
• Évaluer et noter l'étendue des limites physiques (le cas échéant).	• Pouvoir faire les ajustements nécessaires au programme de soins et à l'environnement.
• Fournir l'assistance nécessaire.	• Satisfaire les besoins du client.
• Laisser le client libre dans un environnement sûr.	• Lui donner une sensation d'autonomie.

DIAGNOSTIC INFIRMIER : risque de violence envers soi ou envers les autres relié à une surcharge sensorielle, à une mauvaise interprétation des stimuli externes, à un manque de mécanismes d'adaptation convenables et à un environnement non familier.

PLANIFICATION

Résultat escompté

• Absence de violence envers soi et envers les autres.

INTERVENTIONS	Justifications
• Surveiller les signes indicateurs, notamment les comportements de passage à l'acte, les menaces verbales et l'agitation.	• Reconnaître la possibilité d'un comportement violent et mettre en place un plan de soins infirmiers qui convient.
• Diminuer les stimuli externes ; éviter de donner au client des tâches décourageantes.	• Éviter de déclencher le comportement violent.
• Prévoir suffisamment de périodes de sommeil et de repos.	• La fatigue et l'épuisement peuvent provoquer la violence.
• Donner au client la possibilité d'évacuer son anxiété et sa frustration ; utiliser les distractions.	• Éviter que l'escalade de ces émotions ne produise une réaction catastrophique.
• Observer toutes les réactions catastrophiques et les événements déclencheurs et en noter les détails.	• Pouvoir incorporer les interventions au plan de soins pour prévenir la récurrence.

DIAGNOSTIC INFIRMIER : stratégies d'adaptation inefficaces reliées à la dépression en réaction au diagnostic de la maladie d'Alzheimer se manifestant par la dépression, le repli sur soi, la fatigue et l'isolement social.

PLANIFICATION

Résultat escompté

• Le client a le sentiment de sa propre valeur en temps qu'individu.

INTERVENTIONS	Justifications
• Déterminer la possibilité et l'étendue de la dépression.	• Planifier les interventions qui conviennent.
• Donner au client l'occasion de verbaliser ses sentiments.	• L'aider à éclaircir les points préoccupants et faire preuve de sollicitude.
• Faciliter la communication entre le client et la famille.	• Permettre une compréhension mutuelle des points préoccupants.
• Prévoir des activités de loisir qui conviennent.	• Les activités agréables atténuent la dépression.
• Laisser le client prendre les décisions relatives aux soins personnels et à l'environnement si possible.	• Accentuer son sentiment de valeur personnelle et de maîtrise.
• Orienter le client vers une évaluation plus approfondie et une aide psychologique au besoin.	

Plan de soins infirmiers

Client atteint de la maladie d'Alzheimer (*suite*)

DIAGNOSTIC INFIRMIER : prise en charge inefficace du programme thérapeutique reliée à la baisse du fonctionnement cognitif et à la perte de mémoire.

PLANIFICATION
Résultat escompté
- Les soins dont a besoin le client sont assurés par lui-même ou par d'autres à mesure que son état se dégrade.

INTERVENTIONS	Justifications
• Parler avec le client de la nécessité d'établir des plans de soins à mesure que son état se dégrade. • Aider le client à faire les ajustements nécessaires à son mode de vie, par exemple en étiquetant les objets et en cessant la conduite automobile.	• Faire en sorte que les volontés du client soient respectées et que ses besoins médicaux soient satisfaits. • Compenser la variation de l'état cognitif et vivre de manière autonome le plus longtemps possible.

 Plan de soins infirmiers

Aidant naturel du client atteint de la maladie d'Alzheimer

DIAGNOSTIC INFIRMIER : tension dans l'exercice du rôle de l'aidant naturel reliée au chagrin causé par la maladie d'un membre de la famille, au changement de rôle et au fait d'avoir à prodiguer des soins sans relâche se manifestant par la déclaration de disposer de ressources insuffisantes pour prodiguer les soins et l'inquiétude de devoir placer le client dans un établissement de soins de longue durée.

PLANIFICATION
Résultats escomptés
- L'aidant naturel recherche l'aide qui convient.
- Des soins satisfaisants sont prodigués à la personne atteinte de la maladie d'Alzheimer.

INTERVENTIONS	Justifications
• Évaluer l'état de santé de l'aidant naturel. • Orienter vers une évaluation médicale le cas échéant. • Parler avec l'aidant naturel des effets de son rôle. • Encourager les visites des autres membres de la famille ou d'un membre du groupe de soutien. • Accepter la crainte de l'aidant naturel de ne pas être capable de s'occuper du membre de sa famille. • Fournir les coordonnées de services financiers et de services sociaux. • Fournir une aide psychologique et un soutien à l'aidant naturel si le client est placé dans un établissement de soins de longue durée.	• Déterminer s'il a besoin d'une planification en matière de santé. • Déterminer son état et lui permettre de parler ouvertement de ses besoins. • Apporter un soutien à l'aidant naturel et le rassurer s'il en a besoin. • Faire preuve d'empathie et montrer que cette crainte est normale. • Aider l'aidant naturel à planifier les soins à long terme. • Alléger la culpabilité et renforcer les services dont le client a désormais besoin.

DIAGNOSTIC INFIRMIER : isolement social relié à une diminution des relations sociales, à des problèmes de comportement du client atteint de la maladie d'Alzheimer et à un réseau de soutien social sous-développé se manifestant par des sentiments d'abandon et d'inutilité, des changements du comportement, l'incapacité de prendre des décisions ou de se concentrer.

PLANIFICATION
Résultat escompté
- Contact satisfaisant avec les personnes clés ou les membres d'un groupe de soutien.

Plan de soins infirmiers

Aidant naturel du client atteint de la maladie d'Alzheimer (*suite*)

INTERVENTIONS	Justifications
• Évaluer le réseau social antérieur et les activités de loisirs	• Déterminer la taille et l'étendue du réseau et les intérêts personnels.
• Évaluer le réseau de soutien social de la famille et dans quelle mesure il est prêt à participer aux soins et capable de le faire.	• Planifier des solutions de remplacement.
• Aider à planifier les soins de relève au moyen de ce système ou des ressources communautaires officielles.	• Permettre à l'aidant naturel de poursuivre d'importantes activités et de garder des contacts sociaux.
• Orienter vers les services sociaux.	• Obtenir une évaluation réaliste des ressources financières pour les soins de relève et assurer la liaison avec les ressources communautaires.
• Fournir de l'information concernant les groupes de soutien qui existent.	• Ces groupes peuvent apporter à l'aidant naturel les contacts sociaux, les loisirs et l'enseignement dont il a besoin.

DIAGNOSTIC INFIRMIER : anxiété reliée à une issue incertaine, à un sentiment d'impuissance, à un changement possible dans l'exercice du rôle, à des modes de comportement erratiques de la personne atteinte de la maladie d'Alzheimer, à un risque d'accident consécutif à d'éventuelles réactions violentes du client et à l'insécurité financière se manifestant par la tachycardie, l'hypertension, l'appréhension, la détresse, la peur, l'irritabilité, la perte de mémoire, l'incapacité de se concentrer.

PLANIFICATION
Résultats escomptés
• Diminution de l'anxiété.
• Sentiment de maîtriser la situation.

INTERVENTIONS	Justifications
• Évaluer les rôles antérieurs du client atteint de la maladie d'Alzheimer et de l'aidant naturel.	• Déterminer l'étendue du changement de rôle de l'aidant naturel.
• Noter les changements dans les attentes relatives au rôle et orienter vers les ressources communautaires ou conseiller au besoin ; déterminer dans quelle mesure l'aidant connaît les techniques d'amélioration du comportement et le conseiller au besoin ; assister l'aidant naturel pour l'amener à employer les techniques de résolution de problèmes et à examiner les causes possibles des réactions catastrophiques, ainsi que les signes d'agitation précurseurs de ces réactions.	• Faire en sorte que l'aidant naturel soit en mesure de s'adapter à l'évolution des rôles et de l'état du client.
• Orienter vers les organismes qui conviennent pour obtenir une liste complète des ressources communautaires et des sources possibles d'aide financière.	• Atténuer l'anxiété reliée à l'insécurité financière.

DIAGNOSTIC INFIRMIER : maintien inefficace de l'état de santé relié à la responsabilité d'avoir à prodiguer des soins constants, à la fatigue et au stress chronique se manifestant par la défaillance dans l'exécution des soins personnels.

PLANIFICATION
Résultats escomptés
• Santé optimale.
• Pratiques relatives à la santé convenables compte tenu de l'âge et du sexe.

INTERVENTIONS	Justifications
• Évaluer l'état de santé physique et émotionnelle de l'aidant naturel.	• Déterminer la présence éventuelle d'un problème et planifier les interventions qui conviennent.
• En collaboration avec l'aidant naturel, planifier des interventions visant à résoudre les principaux problèmes connus.	• Éviter que sa santé ne continue de se dégrader.
• Orienter vers une évaluation supplémentaire au besoin.	
• Aider à planifier les soins de longue durée du client.	• Faire en sorte que l'aidant naturel puisse s'occuper de sa propre santé.
• Insister sur la nécessité de préserver sa propre santé.	• Éviter de rendre la situation encore plus complexe.

Plan de soins infirmiers

Aidant naturel du client atteint de la maladie d'Alzheimer (*suite*)

DIAGNOSTIC INFIRMIER : stratégies d'adaptation familiales compromises reliées à la nature chronique et dégénérative de la maladie d'Alzheimer, à des sentiments d'impuissance et de détresse, à des difficultés financières accrues et à la disparition des réseaux de soutien se manifestant par la verbalisation du manque d'aide et d'espoir pour s'occuper des membres de la famille, des soucis financiers et par la dégradation de l'état physique et émotionnel de l'aidant naturel.

PLANIFICATION
Résultat escompté
• Absence de signe de comportements d'adaptation inefficaces.

INTERVENTIONS	Justifications
• Encourager les membres de la famille à parler entre eux de la situation.	• Leur permettre d'atteindre un consensus au sujet du plan de soins.
• Fournir de l'information sur les ressources communautaires telles que les soins de jour, les groupes de soutien, l'aide psychologique et les soins de relève.	• Atténuer le stress et faciliter l'adaptation.
• Encourager et soutenir la famille dans ses efforts.	• S'occuper des personnes dans une situation difficile.
• Orienter vers un service d'aide pour régler les soucis financiers.	
• Fournir de l'information sur la nature et sur l'évolution de la maladie d'Alzheimer.	• Faire en sorte que les plans concernant le client puissent être élaborés à partir de renseignements exacts.

55.7.2 Manifestations cliniques

La plage de gravité du syndrome des jambes sans repos va d'un inconfort mineur peu fréquent à d'intenses douleurs. Les symptômes sensoriels se déclarent souvent les premiers et se manifestent par une sensation désagréable et inconfortable dans les jambes, mais en général sans douleurs. On compare souvent cette sensation à des fourmis courant sur les jambes. La douleur est localisée dans les muscles des mollets. Elle se manifeste parfois dans les membres supérieurs et le tronc. La sensation d'inconfort se déclare lorsque le client est au repos, habituellement le soir et pendant la nuit. La douleur nocturne peut perturber le sommeil et être soulagée par une activité physique, notamment la marche, les étirements, les sautillements ou les battements de jambes. Dans les cas les plus graves, les clients ne dorment que quelques heures par nuit, ce qui entraîne une fatigue qui perturbe les activités quotidiennes. Les anomalies motrices associées au syndrome des jambes sans repos se traduisent par une impatience volontaire et des mouvements involontaires périodiques et stéréotypés. Les mouvements involontaires se produisent en général pendant le sommeil. La fatigue aggrave les symptômes. La fréquence et la gravité des crises du syndrome des jambes sans repos augmentent avec le temps.

55.7.3 Épreuves diagnostiques

Le syndrome des jambes sans repos est un diagnostic clinique qui repose en grande partie sur les antécédents du client ou sur le témoignage du conjoint qui partage son lit et qui peut relater les activités nocturnes. On réalise parfois des épreuves polysomnographiques pendant le sommeil du client présentant le syndrome des jambes sans repos, afin de distinguer le problème d'autres états cliniques (apnée du sommeil) perturbant le sommeil. Les antécédents du client atteint de diabète et son traitement peuvent fournir des renseignements sur la cause de la paresthésie, qui peut provenir d'une neuropathie périphérique ou du syndrome des jambes sans repos.

55.7.4 Soins infirmiers et processus thérapeutique : syndrome des jambes sans repos

L'objectif du processus thérapeutique est de réduire l'inconfort et la détresse du client et d'améliorer la qualité de son sommeil. Quand le syndrome des jambes sans repos est une conséquence de l'urémie ou du déficit en fer, la résolution de ces troubles réduit les symptômes. L'approche non pharmacologique des soins vise à établir des habitudes de sommeil régulières, à prévoir des périodes de repos, à encourager les exercices physiques et à éviter les activités qui déclenchent le syndrome. Pour faciliter le sommeil, il faut éviter de boire du café l'après-midi.

Une pharmacothérapie peut être envisagée si les mesures non pharmacologiques ne soulagent pas les symptômes. Les principaux médicaments administrés pour le syndrome des jambes sans repos sont des substances dopaminergiques, des opioïdes et les benzo-diazépines. Les médicaments les plus utilisés sont les substances dopaminergiques comme la carbidopa/lévodopa (Sinemet) et les antagonistes de la dopamine (le pergolide [Permax]) et la bromocriptine [Parlodel]), car ils traitent efficacement les symptômes sensoriels et moteurs. Les substances dopaminergiques ont un certain nombre d'effets secondaires, dont l'hypotension et l'irritation gastrique.

On a également observé qu'à faible dose, les opioïdes (oxycodone) étaient efficaces et réduisaient les symptômes associés au syndrome des jambes sans repos. La constipation est le principal effet secondaire des opioïdes; le client doit donc utiliser un émollient ou un laxatif. On peut employer d'autres substances, dont les médicaments anticonvulsifs comme la gabapentine (Neurontin), le divalproex (Epival), la lamotrigine (Lamictal) et la carbamazépine (Tegretol).

55.8 AUTRES TROUBLES NEUROLOGIQUES

55.8.1 Sclérose latérale amyotrophique

La **sclérose latérale amyotrophique** (SLA) est un trouble neurologique progressif rare caractérisé par la perte des neurones moteurs. La SLA entraîne la mort de deux à six ans après son diagnostic. Cette affection est connue sous le nom de maladie de Lou Gehrig, un célèbre joueur de baseball qui en a été atteint au début des années 1940. La maladie se déclare entre 40 et 70 ans et elle atteint deux fois plus d'hommes que de femmes.

Pour des raisons inconnues, les neurones moteurs du tronc cérébral et de la moelle épinière dégénèrent graduellement (voir figure 55.8). Le neurone moteur mort ne peut plus produire ni transporter de signes vitaux au muscle. En conséquence, les messages électriques et chimiques provenant du cerveau ne se rendent plus aux muscles pour les activer.

Les symptômes principaux sont la faiblesse des membres supérieurs, la dysarthrie et la dysphagie. L'atrophie musculaire et la fasciculation sont une conséquence de la dénervation des muscles et du manque de stimulation et d'usage de ces derniers. La mort survient par une infection respiratoire, elle-même précédée par une insuffisance respiratoire. Malheureusement, la SLA n'a pas de remède. Le riluzole (Rilutek) peut ralentir la progression de la SLA. Ce médicament réduit la quantité de glutamate (un neurotransmetteur excitant) dans le cerveau. Des essais cliniques ont démontré que ce médicament retardait la trachéotomie et repoussait la mort de plusieurs mois.

L'évolution de la sclérose latérale amyotrophique est dévastatrice car, tout en dépérissant, le client garde

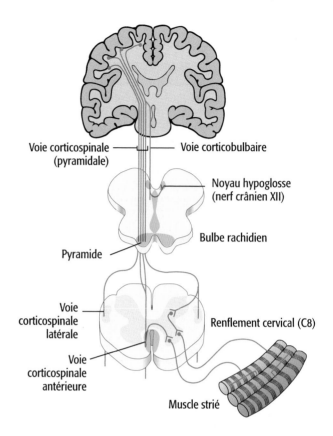

FIGURE 55.8 Pathogenèse de la sclérose latérale amyotrophique. Cette maladie est caractérisée par la dégénérescence de la voie pyramidale et des cellules motrices dans les cornes antérieures de la moelle. Si la voie corticobulbaire est touchée, les noyaux moteurs des nerfs crâniens V, VII, IX, X, XI et XII subissent également une dégénérescence.

toutes ses facultés cognitives. Les soins infirmiers consistent à soutenir les fonctions cognitives et émotives du client en facilitant la communication et en l'orientant vers des activités de diversion comme la lecture et la compagnie. L'infirmière doit également aider le client et sa famille à planifier les soins futurs et à anticiper la perte des fonctions motrices et, finalement, la mort.

55.8.2 Maladie de Huntington

La **maladie de Huntington** est transmise génétiquement. C'est un trouble à dominante autosomique qui touche les hommes et les femmes de toutes les races. Les enfants d'une personne atteinte de cette maladie ont 50 % de chances d'en hériter. Le diagnostic est souvent déterminé après que la personne atteinte ait eu des enfants. En Amérique du Nord, l'incidence de la maladie de Huntington serait de 1 sur 15 000. Autrefois, le diagnostic s'appuyait sur les antécédents familiaux et sur les symptômes cliniques. Cependant, depuis que l'on a découvert le gène responsable de la maladie de Huntington, on peut en vérifier la présence. Si le test est positif, la personne présentera la maladie, mais on ignore à la fois le moment de son apparition et sa gravité.

Comme la maladie de Parkinson, le processus pathologique de la maladie de Huntington concerne le ganglion basal et le système moteur extrapyramidal. Cependant, la déficience en DA est remplacée, dans la maladie de Huntington, par une déficience des neurotransmetteurs de l'acétylcholine et du GABA. L'effet net se traduit par un excédent de DA, ce qui conduit aux symptômes opposés à ceux de la maladie de Parkinson. Les manifestations cliniques, qui apparaissent entre 35 et 45 ans, sont caractérisées par des mouvements anormaux involontaires et excessifs (chorée). Ce sont des mouvements de déformation et de contorsion du visage, des membres et du corps. Les mouvements s'aggravent lorsque la maladie progresse. L'atteinte des mouvements faciaux reliés à la parole, à la mastication et à la déglutition peut entraîner l'aspiration et la malnutrition. La posture se détériore et le déplacement finit par devenir impossible. La détérioration la plus dévastatrice est peut-être celle des fonctions mentales, notamment le déclin intellectuel, la labilité émotive et le comportement psychotique. La mort survient de 10 à 20 ans après l'apparition des symptômes.

Comme il n'existe pas de remède, les soins sont palliatifs. Les médicaments antipsychotiques, antidépresseurs et antichoréiques soulagent quelque peu le client, mais ne changent pas le cours de la maladie. Certains établissements médicaux effectuent des greffes de tissus fœtaux neuraux striés par intervention chirurgicale. Pour les professionnels de la santé, cette maladie est difficile à traiter. L'objectif des soins infirmiers est de fournir l'environnement le plus confortable possible au client et à sa famille, de l'accompagner d'un soutien émotif et psychologique et de traiter les symptômes physiques. Pour maintenir leur poids, les clients ont souvent besoin de 4000 à 5000 calories par jour. Lorsque la maladie progresse, il est de plus en plus difficile de satisfaire les besoins en calories, car le client a du mal à avaler et sa tête est immobile. La dépression et la détérioration mentale nuisent également à l'alimentation.

MOTS CLÉS

BIBLIOGRAPHIE
Version originale

1. Lipton RB, Stewart WF, Von Korff M: Burden of migraine: societal costs and therapeutic opportunities, *Neurology* 48(suppl 3):S4, 1997.
2. Goadsby PJ: Current concepts of the pathophysiology of migraine, *Neurol Clin* 15:27, 1997.
3. Kudrow L: Cluster headache and paroxysmal hemicrania. In Samuels M, Feske S, editors: *Office practice of neurology*, New York, 1996, Churchill Livingstone.
4. Blau JN: The effect of national lifestyles, *Cephalalgia* 18:23, 1998.
5. Hauser A: Epidemiology of seizure disorders and the epilepsies. In Santilli N, editor: *Managing seizure disorders*, Philadelphia, 1996, Lippincott-Raven.
6. Gastaut H: Clinical and electroencephalographical classification of epileptic seizures, *Epilepsia* 11:102, 1970.
7. Commission on Classification and Terminology of the International League Against Epilepsy: Proposal for the revised clinical and electroencephalographic classification of epileptic seizures, *Epilepsia* 22:249, 1981.
8. Behrens E and others: Surgical and neurological complications in a series of 708 epilepsy surgery procedures, *Neurosurgery* 41:1, 1997.
9. Health Information, National Institute of Neurological Disorders and Stroke, Bethesda, Md, NIH, 1998.
10. Lublin FD, Reingold SC: Defining the clinical course of multiple sclerosis, *Neurology* 46:907, 1996.
11. Confavreux C and others: Rates of pregnancy-related relapse in multiple sclerosis, *N Engl J Med* 339:285, 1998.
12. Khan OA, Hebel JR: Incidence of exacerbations in the first 90 days of treatment with recombinant human interferon beta-1b in patients with relapsing-remitting multiple sclerosis, *Ann Neurol* 44:138, 1998.
13. Edwards S and others: Clinical relapses and disease activity on magnetic resonance imaging associated with viral upper respiratory infections in multiple sclerosis, *J Neurol Neurosurg Psychiatry* 64:736, 1998.
14. Sudarsky LR: Parkinson's disease: recognition, diagnosis and management. In Samuels M, Feske S, editors: *Office practice of neurology*, New York, 1996, Churchill Livingstone.
15. Calne DB: Diagnosis and treatment of Parkinson's disease, *Hosp Pract* 30:83, 1995.
16. Scharre DW, Mahler ME: Parkinson's disease: making the diagnosis, selecting drug therapies, *Geriatrics* 49:14, 1994.
17. Schrag AE and others: The safety of ropinirole, a selective nonergoline dopamine agonist, in patients with Parkinson's disease, *Clin Neuropharmacol* 21:169, 1998.
18. Dooley M, Markham A: Pramipexole. A review of its use in the management of early and advanced Parkinson's disease, *Drugs Aging* 12:495, 1998.
19. Lozano AM, Lang AE: Pallidotomy for Parkinson's disease, *Neurosurg Clin North Am* 9:325, 1998.
20. Hariz GM and others: Assessment of ability/disability in patients treated with chronic thalamic stimulation for tremor, *Mov Disord* 13:78, 1998.
21. Lindvall O: Update on fetal transplantation: the Swedish experience, *Mov Disord* 13:83, 1998.
22. Fink JS: Transplantation in Parkinson's disease, *Artif Organs* 21:1199, 1997.
23. Urschel JD, Grewal RP: Thymectomy for myasthenia gravis, *Postgrad Med J* 74:139, 1998.
24. Lewis RA, Selwa JF, Lisak RP: Myasthenia gravis: immunological mechanisms and immunotherapy, *Ann Neurol* (suppl 1):S51, 1995.
25. Roses AD: Alzheimer's disease: the genetics of risk, *Hosp Pract* 33:51, 1997.
26. Smith AL, Whitehouse PJ: Progress in the management of Alzheimer's disease, *Hosp Pract* 34:151, 1998.
27. Adair JC: Is it Alzheimer's? *Hosp Pract* 34:35, 1998.
28. Kettl PA: Alzheimer's disease: an update, *Hosp Med* 33:12, 1997.
29. Hening WA: Restless legs syndrome: diagnosis and treatment, *Hosp Med* 33:54, 1997.
30. Miller RG: New approaches to therapy of amyotrophic lateral sclerosis, *West J Med* 168:262, 1998.
31. Riviere M and others: An analysis of extended survival in patients with amyotrophic lateral sclerosis treated with riluzole, *Arch Neurol* 55:526, 1998.
32. Kopyov OV and others: Safety of intrastriatal neurotransplantation for Huntingon's disease patients, *Exp Neurol* 149:97, 1998.

Monique Bédard
B. Sc. inf.
Cégep de Limoilou

Lucie Maillé
Inf., B. Sc.
Collège Édouard-Montpetit

Chapitre 56

TROUBLES DES NERFS PÉRIPHÉRIQUES ET DE LA MOELLE ÉPINIÈRE

OBJECTIFS D'APPRENTISSAGE

APRÈS AVOIR LU CE CHAPITRE, VOUS DEVRIEZ ÊTRE EN MESURE :

- D'EXPLIQUER L'ÉTIOLOGIE, LES MANIFESTATIONS CLINIQUES, LE PROCESSUS THÉRAPEUTIQUE ET LES SOINS INFIRMIERS DE LA NÉVRALGIE FACIALE ET DE LA PARALYSIE DE BELL ;

- D'EXPLIQUER L'ÉTIOLOGIE, LES MANIFESTATIONS CLINIQUES, LE PROCESSUS THÉRAPEUTIQUE ET LES SOINS INFIRMIERS DU SYNDROME DE GUILLAIN-BARRÉ, DU BOTULISME, DU TÉTANOS ET DE LA NEUROSYPHILIS ;

- DE RECONNAÎTRE LES SUJETS PRÉDISPOSÉS AUX LÉSIONS MÉDULLAIRES ;

- DE DÉCRIRE LA CLASSIFICATION DES LÉSIONS MÉDULLAIRES ET LES MANIFESTATIONS CLINIQUES CONNEXES ;

- DE DÉCRIRE LES MANIFESTATIONS CLINIQUES, LE PROCESSUS THÉRAPEUTIQUE ET LES SOINS INFIRMIERS DE LA SIDÉRATION MÉDULLAIRE ;

- D'ÉTABLIR UNE CORRÉLATION ENTRE LES MANIFESTATIONS CLINIQUES DE LA LÉSION MÉDULLAIRE ET LE NIVEAU DE PERTURBATION AINSI QUE LES CAPACITÉS DE RÉADAPTATION ;

- DE DÉCRIRE LES SOINS INFIRMIERS À L'ÉGARD DES PRINCIPAUX TROUBLES PHYSIQUES ET PSYCHOLOGIQUES DU CLIENT ATTEINT D'UNE LÉSION MÉDULLAIRE ;

- D'EXPLIQUER LES TYPES, LES MANIFESTATIONS CLINIQUES, LE PROCESSUS THÉRAPEUTIQUE ET LES SOINS INFIRMIERS DES TUMEURS MÉDULLAIRES ;

- DE DÉCRIRE LES EFFETS DE LA LÉSION MÉDULLAIRE CHEZ LES PERSONNES ÂGÉES.

56.1 AFFECTION DES NERFS CRÂNIENS

Les affections des nerfs crâniens sont généralement classées comme des neuropathies périphériques. Les 12 paires de nerfs crâniens sont considérées comme les nerfs périphériques du cerveau. Les affections touchent généralement les branches motrices ou sensitives, ou les deux, d'un seul nerf (**mononeuropathies**). Les tumeurs, les traumatismes, les infections, les inflammations et les causes idiopathiques (inconnues) sont au nombre des étiologies des affections des nerfs crâniens. Il existe deux types d'affections des nerfs crâniens, soit la névralgie faciale ou névralgie du trijumeau (tic douloureux de la face) et la paralysie faciale périphérique aiguë (paralysie de Bell).

56.1.1 Névralgie faciale

Étiologie et physiopathologie. La **névralgie faciale** (tic douloureux de la face) est une affection plutôt rare du cinquième nerf crânien (trijumeau) dont la prévalence est estimée à 155 cas sur un million de personnes. Bien que l'affection puisse survenir à tout âge, elle est plus fréquente chez les femmes et apparaît généralement dans la cinquantaine ou la soixantaine. Le nerf trijumeau représente le nerf crânien V (NC V) et possède à la fois des branches motrices et sensitives. Les branches sensitives sont touchées dans les cas de névralgie faciale, en particulier les branches maxillaires et mandibulaires (voir figure 56.1).

Bien qu'aucune cause précise n'ait été établie, les principaux événements pathologiques déclencheurs peuvent comprendre la compression nerveuse causée par les artères sinueuses de la fosse postérieure des vaisseaux sanguins, une affection démyélinisante, une infection herpétique, une infection des dents et de la mâchoire, ainsi qu'un infarctus du tronc cérébral. Il est possible que l'efficacité des anticonvulsivants soit reliée au fait que ces médicaments aident à stabiliser la membrane neuronale et à diminuer les impulsions afférentes paroxystiques du nerf.

Manifestations cliniques. La principale caractéristique de la névralgie faciale est l'apparition soudaine de douleurs atroces décrites comme une sensation de brûlement, de coup de poignard ou de décharge électrique au niveau des lèvres et des gencives supérieures et inférieures, des joues, du front ou des côtés du nez. Une crise aiguë de névralgie faciale est caractérisée par une douleur intense, des contractions musculaires, des grimaces, des clignements des yeux fréquents et des larmoiements (d'où le terme *tic*). En général, ces crises sont courtes et peuvent durer de quelques secondes à deux ou trois minutes. La crise se manifeste habituellement d'un seul côté du visage. Les récurrences sont impossibles à prévoir et les crises peuvent survenir plusieurs fois par jour ou par semaine, ou à des mois d'intervalle. À la suite d'une période réfractaire (sans douleur), un phénomène appelé **paroxysme** peut survenir. Un paroxysme est caractérisé par un cycle de douleurs qui apparaît et disparaît sur une période de plusieurs heures.

Les crises douloureuses sont généralement causées par une légère stimulation cutanée qui déclenche des douleurs en éclair à un point précis (**zone déclenchante**) le long des branches nerveuses. Les stimuli peuvent être

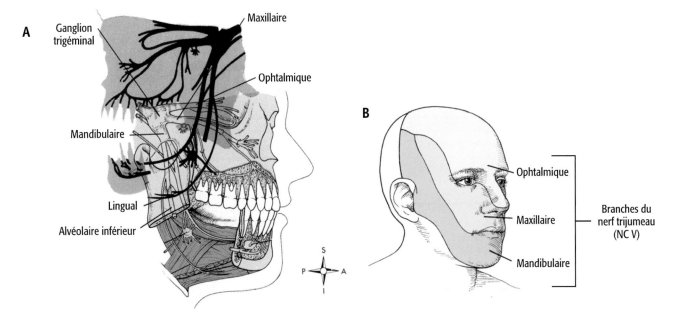

FIGURE 56.1 A. Nerf trijumeau (nerf crânien V et ses trois branches principales, le nerf maxillaire, le nerf ophtalmique et le nerf mandibulaire). B. Innervation cutanée de la tête.

déclenchés en mâchant, en se brossant les dents, par un courant d'air froid ou chaud au visage, en se lavant le visage, en bâillant ou même en parlant. Le toucher et les chatouillements semblent être les principaux déclencheurs de ces crises plutôt que la douleur ou les changements de température. Par conséquent, le client peut être porté à mal s'alimenter, à négliger ses soins d'hygiène, à se couvrir le visage et à s'isoler des autres. Souvent, le client a tendance à dormir beaucoup pour combattre la douleur.

Bien que cette affection soit considérée comme bénigne, l'intensité de la douleur et la perturbation du mode de vie peuvent entraîner un dysfonctionnement physique et psychologique complet et peuvent même mener au suicide.

Épreuves diagnostiques. En présence de manifestations semblables, il est important d'écarter tout autre trouble, tel les autres formes de névralgie faciale et céphalique et de douleur provenant des sinus, des dents et de la mâchoire. Chez les jeunes clients souffrant de douleur faciale bilatérale, une TDM est effectuée, afin d'écarter la présence de lésions ou d'anomalies vasculaires, puis une ponction lombaire et une IRM sont effectuées, afin d'exclure la possibilité de sclérose en plaques (SEP). Une évaluation neurologique complète doit également être réalisée, bien que les résultats s'avèrent habituellement normaux. Une fois que le diagnostic est posé, l'objectif du traitement consiste à soulager la douleur au moyen de médicaments ou d'une intervention chirurgicale (voir encadré 56.1 et tableau 56.1).

Processus thérapeutique

Pharmacothérapie. Dans la plupart des cas, il est possible de soulager adéquatement le client avec des anticonvulsivants comme de la carbamazépine (Tegretol), de la phénytoïne (Dilantin) et de l'acide valproïque

PROCESSUS DIAGNOSTIQUE ET THÉRAPEUTIQUE

Névralgie faciale | ENCADRÉ 56.1

Diagnostic
- Antécédents de santé et examen physique
- Scintigraphie cérébrale et TDM
- Évaluation auditive
- EMG
- Analyse du LCR
- Artériographie
- Myélographie
- IRM

Traitement thérapeutique
- Pharmacothérapie (p. ex. phénytoïne [Dilantin], carbamazépine [Tegretol], acide valproïque [Depakene])
- Blocage nerveux local
- Rétroaction biologique
- Intervention chirurgicale (voir tableau 56.1)

EMG : électromyographie ; IRM : imagerie par résonance magnétique ; LCR : liquide céphalorachidien ; TDM : tomodensitométrie.

TABLEAU 56.1	Intervention chirurgicale pour la névralgie faciale	
Intervention	**Technique**	**Résultat**
Par voie périphérique Injection de glycérol dans une ou plusieurs branches du nerf trijumeau	Ablation chimique	Soulagement complet de la douleur sans contact ni réflexe cornéen
Par voie intracrânienne Rhizotomie rétrogassérienne	Craniotomie temporale (résection du nerf intermédiaire dans la fosse crânienne moyenne)	Anesthésie permanente (avec adaptation, réflexe cornéen et contact)
Craniotomie sous-occipital	Résection du nerf intermédiaire de la fosse crânienne postérieure	Anesthésie permanente
Rhizotomie percutanée par radiofréquence	Destruction des fibres nerveuses par courant de basse tension	Soulagement complet de la douleur, sans contact ni réflexe cornéen (risque accru de changements au niveau de la sensibilité)
Décompression microvasculaire (intervention de Jannetta)	Soulèvement de l'artère qui comprime la racine nerveuse dans la fosse crânienne postérieure avec le coin d'une éponge afin d'éliminer la pression sur la zone d'entrée de la racine nerveuse, ou ablation du vaisseau qui est en cause.	Soulagement de la douleur sans perte de sensation
Radiochirurgie au scalpel gamma	Technique qui nécessite de fortes doses de radiation au niveau de la racine du nerf trijumeau et qui utilise une technique de repérage stéréotaxique	Soulagement de la douleur survenant d'un jour à quatre mois après le traitement ; non effractif ; aucune perte de sensation

(Depakene). La carbamazépine (Tegretol) est le médicament le plus couramment prescrit. Bien que le mécanisme d'action de ces médicaments soit inconnu, ils aident à prévenir les crises aiguës ou à favoriser la rémission des symptômes. Les effets secondaires de la carbamazépine peuvent comprendre l'aplasie médullaire, qui, à son tour, peut entraîner des anomalies sanguines. Par conséquent, il est important que les clients subissent régulièrement un hémogramme. Étant donné que les médicaments ne parviennent pas toujours à soulager la douleur de façon permanente, certains clients consultent souvent un oto-rhino-laryngologiste (ORL) ou suivent des traitements d'acupuncture et une thérapie mégavitaminique.

Traitement conservateur. L'anesthésie par blocage nerveux est un autre traitement possible. Cette intervention consiste à anesthésier complètement la région alimentée par les branches infiltrées. Le soulagement de la douleur est temporaire et peut durer de 6 à 18 mois. Les personnes âgées tolèrent généralement bien ce traitement.

Pour certains clients, la rétroaction biologique peut parfois être efficace. En plus de soulager la douleur, le client éprouve souvent un grand sentiment d'autonomie, sachant qu'il peut maîtriser la technique et modifier certaines fonctions corporelles.

Traitement chirurgical. Une intervention chirurgicale est possible lorsque le traitement conventionnel échoue (voir tableau 56.1). Les interventions les plus efficaces pour soulager la douleur sont la **rhizotomie percutanée par radiofréquence** (électrocoagulation) et la **décompression microvasculaire**. La rhizotomie percutanée par radiofréquence consiste à introduire une aiguille dans les racines du nerf trijumeau adjacentes à la protubérance et à détruire la région au moyen d'une radiofréquence. Cette intervention a pour effet d'anesthésier le visage (bien qu'un certain degré de sensibilité puisse toujours être perçu) ou d'affaiblir la fonction motrice du nerf trijumeau. L'irritation ou la destruction accidentelle des branches ophtalmiques du nerf peut entraîner une perte du réflexe cornéen. Cette intervention est facile, comporte peu de risques pour le client et transforme la douleur en engourdissements. Elle est bien tolérée par les personnes âgées et permet d'éviter d'avoir recours à une intervention chirurgicale majeure chez les clients courant un risque élevé.

Dans les cas de névralgie, la décompression microvasculaire du nerf trijumeau est la principale intervention effectuée. Elle consiste à déplacer et à repositionner les vaisseaux sanguins qui semblent comprimer la zone d'entrée de la racine nerveuse au niveau de la sortie de la protubérance. Bien que cette intervention permette de soulager la douleur sans entraîner de perte sensorielle,

elle est toutefois risquée, puisqu'il s'agit d'une chirurgie à proximité du tronc cérébral. Le taux de réussite de la décompression microvasculaire est égal ou supérieur à celui des interventions percutanées, et cette chirurgie n'entraîne aucun risque élevé de séquelles neurologiques permanentes. Il s'agit d'une chirurgie sans danger dont le taux de mortalité et de morbidité est faible lorsqu'elle est effectuée par des spécialistes. Les symptômes réapparaissent dans les six ans suivant la chirurgie chez environ 30 % des clients.

La **rhizotomie par injection de glycérol** est de plus en plus populaire depuis les dix dernières années et les chirurgiens la préfèrent à la rhizotomie percutanée par radiofréquence. La rhizotomie par injection de glycérol consiste à injecter du glycérol dans le foramen ovale afin d'atteindre la citerne trigéminale (voir figure 56.2). Comparativement à la rhizotomie percutanée par radiofréquence, la rhizotomie par injection de glycérol est une intervention moins dangereuse, provoquant une perte sensorielle et des aberrations sensorielles moins importantes et soulageant tout aussi bien la douleur.

La radiochirurgie au scalpel gamma est un traitement chirurgical maintenant offert pour traiter la névralgie faciale. Cette radiochirurgie utilise un faisceau de rayons

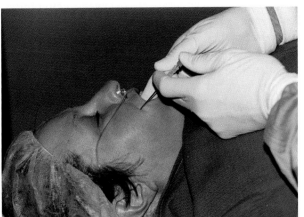

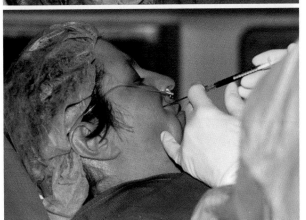

FIGURE 56.2 A. Positionnement de l'aiguille chez le client atteint de névralgie faciale. **B.** Injection de glycérol par le médecin.

gamma pour irradier le nerf trijumeau proximal repéré lors de l'imagerie à haute résolution. Cette technique assistée par imagerie médicale est à la fois utile pour les clients souffrant de douleurs constantes, même à la suite d'autres types de chirurgie, et comme principal traitement chirurgical.

56.1.2 Soins infirmiers : névralgie faciale

Collecte de données. Afin de permettre à l'infirmière de planifier les soins du client, la collecte de données doit comprendre les facteurs déclenchants, les caractéristiques et la fréquence des crises de même que les techniques de soulagement de la douleur. Il est également important de recueillir les données concernant l'état nutritionnel du client, son hygiène (notamment l'hygiène buccodentaire) et son comportement (y compris le repli sur soi). L'évaluation de l'intensité de la douleur et de ses répercussions sur le mode de vie du client, les antécédents médicamenteux, l'état affectif et les tendances suicidaires du client constituent également des données importantes à recueillir.

Diagnostics infirmiers. Les diagnostics infirmiers reliés à la névralgie faciale comprennent, entre autres, les suivants :

- douleur reliée à l'inflammation ou à la compression du nerf trijumeau ;
- alimentation déficiente reliée à la peur de la douleur provoquée par le fait de manger ou la mastication ;
- anxiété reliée à l'incertitude quant au moment de la douleur, à son facteur déclenchant et à l'efficacité du traitement pour la soulager ;
- risque d'atteinte à l'intégrité de la muqueuse buccale relié au refus de pratiquer des mesures d'hygiène buccodentaire afin de ne pas déclencher de douleur ;
- isolement social relié à l'anxiété causée par des douleurs soudaines et au désir de maintenir un environnement paisible.

Planification. Les objectifs et les résultats escomptés pour le client souffrant de névralgie faciale sont les suivants : ne plus ressentir de douleur ; maintenir un état nutritionnel adéquat et une bonne hygiène buccodentaire ; ne pas développer d'anxiété ; reprendre ses activités sociales et professionnelles.

Exécution

Promotion de la santé. Puisque l'étiologie de la névralgie faciale est inconnue, la promotion de la santé vise à réduire les crises récurrentes chez les sujets atteints de cette affection. Il peut arriver que certains clients soient conscients des événements déclencheurs et qu'ils puissent les éviter.

Interventions d'urgence. La douleur est principalement soulagée par l'administration des médicaments recommandés. L'infirmière doit surveiller la réaction du client aux médicaments et noter tout effet secondaire. Les narcotiques puissants, tels que la morphine, doivent être prescrits avec prudence, car ils risquent d'entraîner une dépendance. La rétroaction biologique peut être essayée par les clients qui ne sont pas admissibles au traitement chirurgical et dont les autres traitements thérapeutiques ne parviennent pas à soulager la douleur. Une évaluation minutieuse de la douleur, comprenant les antécédents, le soulagement et la pharmacodépendance, peut aider à choisir les interventions appropriées.

Le contrôle du milieu environnant est essentiel lors d'une crise aiguë afin de minimiser les stimuli déclencheurs. La température de la chambre doit être modérée et constante et les courants d'air doivent être évités. Il est préférable que le client soit dans une chambre privée lors d'une crise aiguë. L'infirmière doit prendre soin de ne pas toucher le visage du client et de ne pas secouer son lit. De nombreux clients préfèrent effectuer eux-mêmes leurs soins, car ils craignent d'être blessés par mégarde par le personnel.

L'infirmière doit renseigner le client sur l'importance de la nutrition et de l'hygiène corporelle et buccodentaire. Elle doit également faire preuve de compréhension à l'égard de signes apparents de négligence des soins d'hygiène. Afin que le client puisse se laver le visage, l'infirmière doit lui fournir de l'eau tiède et une débarbouillette douce ou des tampons d'ouate imbibés d'une solution qui ne requiert aucun rinçage. Les soins buccaux peuvent être favorisés par l'utilisation d'une petite brosse à dents à poils doux ou d'un rince-bouche tiède. Il est préférable d'effectuer les soins d'hygiène lors du pic d'action de l'analgésie.

Puisque le client n'aura sans doute pas le désir de parler pendant une crise aiguë, il sera important de lui fournir d'autres moyens de communication, tels que du papier et un crayon.

Les aliments doivent être riches en protéines et en calories et faciles à mastiquer. Il est préférable de servir fréquemment des petits repas à température tiède. Le menu doit être établi en fonction des croyances personnelles, culturelles et religieuses du client. Une sonde d'alimentation nasogastrique est insérée du côté non atteint lorsque le client ne parvient pas à ingérer suffisamment d'aliments et que son état nutritionnel est compromis.

L'infirmière est responsable de renseigner le client quant aux épreuves diagnostiques à effectuer en vue d'écarter tout autre trouble (tel que la sclérose en plaques, les troubles dentaires ou de sinus et les néoplasmes) ainsi que de l'enseignement préopératoire si une chirurgie est prévue. L'infirmière est parfois tenue de réitérer les consignes données par le chirurgien par rapport aux attentes postopératoires. L'enseignement des activités postopératoires dépend du type de chirurgie prévue (craniotomie ou intervention locale). Le client doit être avisé qu'il sera éveillé lors des interventions locales de manière à ce qu'il puisse coopérer pendant la vérification des réflexes cornéen et ciliaire et des sensations faciales.

Après la chirurgie, la douleur postopératoire est comparée à la douleur préopératoire. Le réflexe cornéen, les muscles extra-oculaires, l'ouïe, la sensation et la fonction du nerf facial sont évalués fréquemment (voir chapitre 52). Il est important de protéger les yeux du client en présence d'une diminution du réflexe cornéen en utilisant des larmes artificielles ou un couvre-œil. Les soins infirmiers postopératoires généraux prodigués à la suite d'une craniotomie sont indiqués lorsqu'une chirurgie intracrânienne est effectuée. (Le chapitre 53 traite des soins infirmiers reliés à la craniotomie). L'alimentation et l'ambulation doivent augmenter graduellement à mesure que l'état du client s'améliore ou selon les ordonnances.

Après une rhizotomie percutanée par radiofréquence, on recommande l'application de glace pendant trois à cinq heures sur la mâchoire du côté opéré. Afin d'éviter toute lésion à la bouche, le client doit s'abstenir de mastiquer du côté opéré jusqu'à ce que la sensation soit revenue.

Soins ambulatoires et soins à domicile. Un suivi régulier doit être planifié. Le client doit être renseigné au sujet de la dose et des effets secondaires des médicaments. Même si la douleur est totalement soulagée, il est préférable que le client maintienne les stimuli environnementaux à un niveau modéré et qu'il ait recours à des moyens pour diminuer le stress. Une infection herpétique (feu sauvage ou herpès labial) peut survenir à la suite de la manipulation du ganglion trigéminal. Le traitement consiste à prescrire un médicament antiviral comme l'acyclovir (Zovirax) (voir chapitre 50).

Après une intervention chirurgicale, le traitement à long terme dépend des effets résiduels du type de l'intervention. En présence d'une anesthésie ou d'une diminution du réflexe cornéen, l'infirmière doit informer le client des éléments suivants : mastiquer du côté non atteint ; éviter les boissons ou les aliments très chauds pouvant brûler la muqueuse buccale ; vérifier la cavité buccale après les repas et se rincer la bouche pour enlever les particules de nourriture ; avoir de bonnes habitudes d'hygiène buccodentaire et consulter le dentiste deux fois par année ; se protéger le visage contre les températures extrêmes ; utiliser un rasoir électrique ; porter un couvre-oeil.

Il est possible que le client ait développé des moyens de protection pour prévenir la douleur et qu'il ait besoin, par conséquent, d'une aide psychologique ou

psychiatrique pour pouvoir se réadapter, surtout sur le plan des relations interpersonnelles. Certains clients éprouvent un sentiment de deuil par rapport à la perte de la douleur, notamment si celle-ci avait une signification particulière telle qu'un sentiment de déculpabilisation ou un apaisement de l'inquiétude. Il peut arriver que certains clients se soient servis de leur douleur pour manipuler des membres de leur famille ou des amis et qu'ils éprouvent de la difficulté à s'adapter lorsque la douleur disparaît. Il est donc important de bien gérer la phase de réadaptation afin d'éviter que le client ne se plaigne de douleur continue dans le but d'obtenir d'autres bénéfices (voir chapitre 5).

Évaluation. Les objectifs et les résultats escomptés chez le client souffrant de névralgie faciale comprennent les suivants :
- signaler une amélioration ou la disparition de la douleur ;
- se sentir plus à l'aise et moins anxieux ;
- ressentir des sensations faciales normales ou des paresthésies et des anesthésies escomptées ;
- reprendre ses activités sociales et professionnelles.

56.1.3 Paralysie de Bell

Étiologie et physiopathologie. La **paralysie de Bell** (aussi appelée paralysie faciale périphérique ou polynévrite aiguë bénigne) est un trouble caractérisé par une rupture des branches motrices du nerf facial (NC VII) sur un côté du visage, en l'absence de toute autre affection comme un accident vasculaire cérébral (AVC). Bien que la paralysie de Bell puisse survenir à tout âge, elle est plus fréquente chez les sujets âgés de 20 à 60 ans. En Amérique du Nord, le taux d'incidence annuel est de 23 cas pour 100 000 habitants. Même si l'étiologie exacte est inconnue, des données indiquent que la réactivation du virus de l'herpès simplex (VHS) pourrait être responsable dans la plupart des cas. Cette réactivation provoque de l'inflammation, de l'œdème, de l'ischémie et une démyélinisation du nerf, qui ont pour effet d'entraîner des douleurs et une diminution des fonctions motrices et sensitives.

La paralysie de Bell est considérée comme une affection bénigne, dont le rétablissement complet est manifeste après six mois chez 85 % des clients, surtout lorsqu'un traitement a été amorcé rapidement. Il est possible qu'un faible nombre de clients souffrent d'effets résiduels. Le reste des clients (15 %) continueront d'éprouver des mouvements asymétriques au niveau des muscles faciaux.

Manifestations cliniques. L'apparition de la paralysie de Bell est souvent accompagnée d'une poussée de vésicules herpétiques dans la région intra et péri-auriculaire. Il est possible que le client se plaigne de douleur autour de l'oreille et derrière celle-ci. Les manifestations cliniques peuvent également comprendre de la fièvre, de l'acouphène et une déficience auditive. La paralysie des branches motrices du nerf facial est principalement causée par une flaccidité du côté atteint du visage, avec un relâchement des muscles de la bouche accompagné de ptyalisme (voir figure 56.3). On note également une incapacité de fermer la paupière et un mouvement ascendant du globe oculaire lorsque le client essaie de fermer les yeux. Un élargissement de la fente palpébrale (ouverture entre les paupières), l'absence de sillons nasogéniens, ainsi qu'une incapacité de sourire, de froncer les sourcils ou de siffler sont couramment observés. La perte du goût (aguesie) est également fréquente d'un seul côté du visage. Une diminution du mouvement musculaire peut altérer la capacité de mastiquer. Certains clients peuvent même souffrir d'une diminution de sécrétions de larmes alors que d'autres se plaignent de larmoiements prononcés. La paupière inférieure se retourne en raison de la faiblesse musculaire, ce qui a pour effet de provoquer une hypersécrétion de larmes. Il est possible que le client éprouve de la douleur derrière l'oreille du côté atteint, en particulier avant l'apparition de la paralysie. Les interventions visent principalement à soulager les symptômes jusqu'à ce que les fonctions faciales reviennent.

Complications. Les complications de la paralysie de Bell comprennent, entre autres, le repli sur soi en raison des changements d'apparence, la malnutrition et la déshydratation, l'atteinte de la muqueuse buccale, les abrasions cornéennes, l'élongation musculaire et les spasmes ainsi que les contractures faciales.

Épreuves diagnostiques. Étant donné qu'il n'existe aucune épreuve précise pour diagnostiquer la paralysie de Bell, le diagnostic en est un d'exclusion. Le diagnostic et le pronostic sont posés en observant le mode d'apparition et les signes typiques ainsi qu'en effectuant une neurostimulation percutanée au moyen d'un électromyogramme (EMG)

Processus thérapeutique. La chaleur humide, les massages légers et la neurostimulation sont les moyens utilisés pour traiter la paralysie de Bell. La neurostimulation permet de maintenir le tonus musculaire et de prévenir l'atrophie musculaire. Les soins visent principalement à soulager les symptômes et à prévenir les complications.

Pharmacothérapie. Des corticostéroïdes, notamment la prednisone, doivent être administrés le plus tôt possible, et de préférence avant que la paralysie ne soit complète, afin d'obtenir de meilleurs résultats. Lorsque l'état du client s'améliore et que les corticostéroïdes ne sont plus nécessaires, la dose doit être réduite graduellement sur une période de deux semaines. Même si la corticothérapie permet habituellement de réduire l'œdème et la douleur, de faibles analgésiques peuvent également être administrés au besoin. Puisque le VHS est impliqué dans environ 70 % des cas de paralysie de Bell, un traitement avec de l'acyclovir (Zovirax), seul ou combiné avec de la prednisone, est prescrit. De nouveaux médicaments tels que le valacyclovir (Valtrex) et le famciclovir (Famvir) sont également utilisés pour traiter la paralysie de Bell.

56.1.4 Soins infirmiers : paralysie de Bell

Collecte de données. Il est important de pouvoir dépister rapidement la possibilité d'une paralysie de Bell. Puisque le VHS est un facteur étiologique possible, toute personne prédisposée à ce virus doit être avisée de consulter un médecin dès qu'elle éprouve de la douleur autour de l'oreille ou derrière celle-ci. Les muscles faciaux doivent également être examinés afin de déceler tout signe de faiblesse (voir chapitre 52). Les données doivent être consignées soigneusement afin de pouvoir suivre l'évolution du syndrome.

Diagnostics infirmiers. Les diagnostics infirmiers pour la paralysie de Bell comprennent, entre autres, les suivants :
- douleur reliée à l'inflammation du NC VII (facial) ;
- alimentation déficiente reliée à l'incapacité de mastiquer en raison d'une faiblesse musculaire ;
- risque de trauma (abrasion cornéenne) relié à l'incapacité de cligner des yeux ;

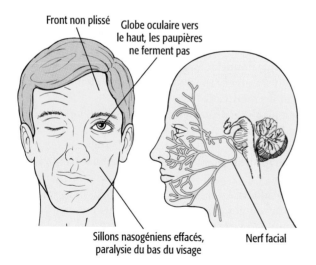

Front non plissé

Globe oculaire vers le haut, les paupières ne ferment pas

Sillons nasogéniens effacés, paralysie du bas du visage

Nerf facial

FIGURE 56.3 Paralysie de Bell : caractéristiques faciales

- perception de l'image corporelle perturbée reliée à un changement de l'apparence du visage en raison d'une faiblesse musculaire.

Planification. Les objectifs et les résultats escomptés chez le client souffrant de la paralysie de Bell sont les suivants : n'éprouver aucune douleur ou être en mesure de la soulager ; maintenir un état nutritionnel adéquat ; n'éprouver aucune lésion aux yeux ; retrouver une perception de l'image corporelle normale ; être optimiste à l'égard des résultats de la maladie.

Exécution. En général, le client souffrant de la paralysie de Bell n'a pas besoin d'être hospitalisé. Les interventions suivantes peuvent être utilisées par le client au cours de la maladie. De faibles analgésiques peuvent aider à soulager la douleur. Des compresses humides et chaudes peuvent réduire l'inconfort causé par les lésions herpétiques, favoriser la circulation et soulager la douleur. Le visage doit être protégé contre le froid et les courants d'air, car l'hyperesthésie trigéminale peut accompagner ce syndrome. Une bonne alimentation doit être maintenue. Le client doit apprendre à mastiquer du côté non atteint afin d'éviter que de la nourriture reste coincée et pour apprécier le goût des aliments. De bonnes habitudes buccodentaires sont indispensables après chaque repas afin de prévenir l'apparition de parotidite, de carie ou de parodontopathie causées par l'accumulation de nourriture.

Des lunettes de soleil peuvent être portées pour des raisons de protection et d'esthétique. Des larmes artificielles (méthylcellulose) doivent être instillées plusieurs fois par jour afin d'éviter le dessèchement de la cornée. Les yeux doivent être examinés pour déceler la présence de cils. L'application d'un onguent ophtalmique et le port d'un couvre-oeil imperméable sont recommandés à l'heure du coucher afin de garder l'œil humide. Chez certains clients, il peut s'avérer nécessaire de maintenir la paupière fermée à l'aide d'un diachylon pendant la nuit pour assurer une protection. Il est important de mentionner au client de signaler toute douleur ou tout écoulement oculaire.

L'application d'un bandage autour du visage peut parfois s'avérer efficace pour soutenir les muscles atteints, améliorer l'alignement des lèvres et faciliter l'alimentation. Le bandage est généralement conçu et ajusté par un ergothérapeute. Bien que les massages vigoureux puissent rupturer l'épiderme, les massages légers en amont procurent des bienfaits psychologiques même si les effets physiques, à l'exception du maintien de la circulation, sont discutables. Une fois que le client a retrouvé ses fonctions faciales, il doit effectuer des exercices actifs au niveau du visage plusieurs fois par jour.

Les changements dans l'apparence physique à la suite de la paralysie de Bell peuvent être dévastateurs. Il est important que l'infirmière rassure le client en l'informant que ses chances de rétablissement complet sont bonnes puisqu'il n'a pas subi d'AVC. Les besoins d'intimité du client doivent être respectés, en particulier au moment des repas ; toutefois, il est important que l'infirmière aide rapidement le client à s'adapter à ses changements physiques. Les membres de la famille et les amis doivent être présents afin de soutenir le client. Il est indispensable que le client sache que la majorité des clients sont complètement rétablis en l'espace de six semaines suivant l'apparition des symptômes.

Évaluation. Les objectifs et les résultats escomptés chez le client souffrant de la paralysie de Bell sont les suivants :
- n'éprouver aucune douleur ;
- ne présenter aucune complication ;
- retrouver la perception de l'image corporelle d'avant la maladie.

56.2 POLYNEUROPATHIES

56.2.1 Syndrome de Guillain-Barré

Étiologie et physiopathologie. Le **syndrome de Guillain-Barré** (aussi appelé syndrome de Landry-Guillain-Barré-Strohl, polyneuropathie postinfectieuse ou paralysie polynévrite ascendante) est une forme aiguë de polynévrite qui évolue rapidement et qui peut même être mortelle. Ce syndrome touche le système nerveux périphérique et entraîne une détérioration de la myéline (démyélinisation segmentaire), de l'œdème et une inflammation des nerfs touchés, ce qui a pour effet de diminuer la neurotransmission aux nerfs périphériques. Grâce à un traitement symptomatique adéquat, 85 % des clients se rétablissent complètement de ce syndrome.

Bien que l'étiologie de ce trouble soit inconnue, on croit qu'il pourrait s'agir d'une réaction immunitaire à médiation cellulaire qui vise les nerfs périphériques. Les facteurs fréquents qui précèdent le syndrome sont la stimulation du système immunitaire causée par une infection virale, un traumatisme, une chirurgie, une vaccination contre une infection virale, le virus de l'immunodéficience humaine (VIH) ou des néoplasmes lymphoprolifératifs. On estime que ces stimuli provoquent une altération du système immunitaire, entraînant ainsi une sensibilisation de la myéline du client aux lymphocytes T et, par conséquent, des lésions au niveau de la myéline. Une démyélinisation se produit ensuite, ce qui a pour effet d'interrompre ou de ralentir la transmission des impulsions nerveuses. Les muscles innervés par les nerfs périphériques endommagés subissent ensuite une dénervation et une atrophie. Au cours de la phase de rétablissement, la remyélinisation revient lentement et se fait du territoire proximal vers le territoire distal. Les lymphocytes sont presque normaux et reprennent un fonctionnement complet après la maladie.

Ce syndrome touche autant les hommes que les femmes. Il peut survenir à tout âge, mais est plus fréquent chez les adultes. Comme son incidence a tendance à s'accroître avec l'âge, le syndrome est plus courant chez des personnes âgées de 50 à 80 ans. Il est considéré comme une maladie rare, car son incidence s'élève à environ 2 à 3 cas sur 100 000 personnes par année. (Association canadienne de la dystrophie musculaire, 1997)

Manifestations cliniques. Les symptômes du syndrome de Guillain-Barré apparaissent généralement d'une à trois semaines après une infection des voies respiratoires supérieures ou de l'appareil gastro-intestinal. Les muscles au niveau des membres inférieurs s'affaiblissent (évoluant de façon plus ou moins symétrique) d'heure en heure et de jour en jour, atteignant généralement un pic vers la quatorzième journée. Les muscles distaux sont les plus gravement atteints. La **paresthésie** (engourdissements et fourmillements) est courante et une paralysie des membres s'ensuit généralement. L'hypotonie et l'irréflectivité sont des symptômes courants et persistants. La perte sensorielle objective est variable, les sensations profondes étant plus affectées que les sensations superficielles.

Le dysfonctionnement du système nerveux autonome survient à la suite d'altérations des systèmes nerveux sympathique et parasympathique. Les troubles du système nerveux autonome surviennent généralement chez les clients souffrant d'une atteinte musculaire grave ou d'une paralysie des muscles respiratoires. Les dysfonctionnements du système nerveux autonome les plus dangereux comprennent l'hypotension orthostatique, l'hypotension et des réactions vagales anormales (bradycardie, bloc cardiaque, asystole). Les autres dysfonctionnements du système nerveux autonome comprennent les troubles intestinaux et vésicaux, des poussées vasomotrices au visage et de la diaphorèse. Il est également possible que certains clients souffrent du syndrome de sécrétion inappropriée d'hormone antidiurétique (SIADH) (voir chapitre 41). L'évolution du syndrome de Guillain-Barré comprenant la partie inférieure du tronc cérébral touche le nerf facial, le nerf oculomoteur externe, le nerf oculomoteur commun, le nerf glossopharyngien, le nerf trijumeau et le nerf pneumogastrique (NC VII, VI, III, IX, V et X, respectivement). Cette atteinte se manifeste par une faiblesse du visage, des troubles au niveau des mouvements extra-oculaires, une dysphagie et une paresthésie du visage.

La douleur est un symptôme courant chez le client souffrant du syndrome de Guillain-Barré. Elle peut être caractérisée par des paresthésies, des douleurs musculaires et des crampes ou des hyperesthésies. La douleur semble s'aggraver la nuit. Des narcotiques sont parfois prescrits aux clients éprouvant des douleurs vives. Les douleurs peuvent entraîner une perte d'appétit et perturber les habitudes de sommeil.

Complications. La complication la plus grave de ce syndrome est l'insuffisance respiratoire qui survient à mesure que la paralysie évolue vers les nerfs innervant la région thoracique. Une surveillance constante de l'appareil respiratoire, incluant la fréquence respiratoire, la profondeur, la capacité vitale forcée et la force inspiratoire négative, permet de fournir des données sur la nécessité d'une intervention immédiate telle que l'intubation et la ventilation assistée. Une infection des voies respiratoires ou des voies urinaires peut survenir. La fièvre est généralement le premier signe d'une infection et le traitement vise à combattre le microorganisme infectieux. L'immobilité causée par la paralysie peut entraîner des troubles comme un iléus paralytique, une atrophie musculaire, une thrombose veineuse profonde, une embolie pulmonaire, une rupture de l'épiderme, de l'hypotension orthostatique et des carences nutritionnelles.

Épreuves diagnostiques. Le diagnostic est principalement basé sur les antécédents et les signes cliniques du client. Au début, le liquide céphalo-rachidien (LCR) est normal et la teneur en protéines est faible ; toutefois, après 7 à 10 jours, le taux de protéines augmente à 700 mg/dl (7 g/L) (le taux normal de protéines étant de 15 à 45 mg/dl ou 0,15 à 0,45 g/L) et la numération globulaire est normale. Les tests d'électromyographie et les tests de conduction nerveuse sont manifestement anormaux (la vitesse de conduction nerveuse est lente) au niveau des membres atteints.

Processus thérapeutique. Le traitement est essentiellement symptomatique au cours de la phase aiguë et le client requiert principalement une ventilation assistée. Une plasmaphérèse pratiquée dans les deux premières semaines du syndrome de Guillain-Barré reflète une réduction importante dans la durée d'hospitalisation, la durée de la ventilation assistée et le temps nécessaire à la reprise de la marche chez les clients gravement malades. Toutefois, peu de bénéfices ont été constatés lorsque la plasmaphérèse était pratiquée dans les trois semaines suivant l'apparition de la maladie. L'administration d'une forte dose d'immunoglobulines par voie IV a démontré être tout aussi efficace que la plasmaphérèse, tout en ayant l'avantage d'être disponible rapidement et d'être plus sûre. En raison de la facilité d'administration des immunoglobulines, cette méthode est maintenant utilisée plus souvent que la plasmaphérèse. Le coût des deux traitements est comparable. La phase de rétablissement est plus courte lorsqu'on amorce rapidement la plasmaphérèse et le traitement intraveineux (voir chapitre 7). Bien que les corticostéroïdes et la corticotrophine (ACTH) soient utilisés pour supprimer la réaction immunitaire, ils semblent avoir très peu d'effets sur le pronostic ou sur la durée de la maladie.

Recommandations nutritionnelles. L'apport nutritionnel est compromis chez le client souffrant du syndrome de Guillain-Barré. Pendant la phase aiguë, le client peut éprouver de la difficulté à avaler en raison d'une atteinte des nerfs crâniens. Une légère dysphagie peut être traitée en plaçant le client en position verticale et en inclinant sa tête vers l'avant pendant qu'il mange. Une alimentation par sonde nasogastrique peut s'avérer nécessaire dans les cas de dysphagie grave. Pour les clients souffrant d'un iléus paralytique ou d'une occlusion intestinale, il est possible qu'une alimentation parentérale totale soit nécessaire. À mesure que la maladie évolue, une paralysie ou un affaiblissement moteur peut affecter la capacité du client à s'autoalimenter. Il est important d'évaluer régulièrement l'état nutritionnel du client, y compris son poids corporel, son taux d'albumine sérique et le nombre de calories ingérées.

56.2.2 Soins infirmiers : syndrome de Guillain-Barré

Collecte de données. Au cours de la phase aiguë, la collecte de données constitue la principale responsabilité infirmière. Lors de l'examen de routine, l'infirmière doit surveiller la paralysie ascendante, la fonction respiratoire, la gazométrie du sang artériel ainsi que les réflexes pharyngé, cornéen et de déglutition.

Il est également important de surveiller la pression artérielle ainsi que la fréquence et le rythme cardiaque pendant la phase aiguë, puisque des cas d'arythmie cardiaque transitoire ont été signalés. Le dysfonctionnement du système nerveux autonome est fréquent et prend généralement la forme d'une bradycardie et d'arythmies. L'hypotension orthostatique secondaire à la myatonie peut survenir dans des cas graves. Il est possible que des vasopresseurs et des solutions de remplissage soient requis pour traiter l'hypotension.

Diagnostics infirmiers. Les diagnostics infirmiers reliés au syndrome de Guillain-Barré comprennent, entre autres, les suivants :

- respiration spontanée altérée reliée à l'évolution du processus morbide qui entraîne une paralysie musculaire ;
- risque de fausse route (aspiration) relié à la dysphagie ;

- douleur reliée à des paresthésies, à des douleurs et à des crampes musculaires ou des hyperesthésies ;
- communication verbale altérée reliée à une intubation ou à une paralysie des muscles servant à la phonation ;
- peur reliée à l'incertitude des résultats et à la gravité de la maladie ;
- déficit des soins d'hygiène relié à l'impossibilité de se servir des muscles pour accomplir les activités de la vie quotidienne (AVQ).

Planification. Les objectifs et les résultats escomptés chez le client atteint du syndrome de Guillain-Barré sont les suivants : maintenir une ventilation adéquate ; ne pas présenter d'aspiration bronchique ; n'éprouver aucune douleur ou être en mesure de la soulager ; maintenir une méthode de communication acceptable ; maintenir un apport nutritionnel adéquat ; retrouver son fonctionnement physique.

Exécution. L'objectif du traitement consiste à soutenir les systèmes anatomiques jusqu'à ce que le client soit rétabli. L'insuffisance respiratoire et l'infection des voies respiratoires sont considérées comme des menaces graves. Il est indispensable de surveiller la capacité vitale et la gazométrie du sang artériel. Lorsque la capacité vitale chute à moins de 800 ml (<15 ml/kg ou les deux tiers de la capacité vitale normale du client) ou que la GSA se détériore. Une intubation endotrachéale ou une trachéostomie peut s'avérer nécessaire pour ventiler le client mécaniquement (voir chapitre 29). Il est important d'effectuer méticuleusement la technique d'aspiration afin de prévenir toute infection lorsque le client a une sonde endotrachéale ou une trachéostomie. Une hygiène bronchique et une physiothérapie respiratoire approfondies permettent d'éliminer les sécrétions et de prévenir les troubles respiratoires. Un échantillon des expectorations doit être prélevé en cas de fièvre afin de savoir si les voies respiratoires sont la source de l'agent pathogène. Une antibiothérapie adéquate est ensuite amorcée.

Un système de communication doit être établi selon les capacités du client. Cela peut s'avérer fort difficile si la maladie évolue au point de toucher les nerfs crâniens. Il est possible que le client soit incapable de communiquer lorsqu'une crise sévère atteint son pic. L'infirmière doit expliquer au client toutes les interventions qu'elle effectuera et le rassurer en lui disant que sa fonction musculaire se rétablira.

La rétention urinaire est un trouble fréquent pendant quelques jours. Afin d'éviter les infections urinaires, le médecin préfère souvent mettre en place un cathétérisme intermittent plutôt qu'une sonde à demeure. Cependant, chez les clients gravement malades qui reçoivent une grande quantité de liquides

(>2,5 L/jour), il peut s'avérer moins dangereux d'utiliser une sonde à demeure afin de réduire les risques de surdistension d'une vessie temporairement flasque et de prévenir le reflux vésico-urétéral. On recommande de commencer un programme de physiothérapie rapidement afin de prévenir les troubles reliés à l'immobilité. Il est important d'aider le client à effectuer des exercices d'amplitude articulaire passifs et de vérifier la position du corps pour favoriser le fonctionnement et prévenir les contractures. Le client qui développe une paralysie faciale doit recevoir des soins oculaires méticuleux afin de prévenir les irritations et les lésions cornéennes (kératite d'exposition). Des larmes artificielles doivent être instillées fréquemment pendant la journée afin d'éviter l'assèchement de la cornée. Les yeux doivent être examinés pour déceler la présence de cils. Un onguent et un couvre-œil imperméable peuvent être appliqués la nuit afin de garder les yeux humides.

Les besoins nutritionnels doivent être comblés en dépit de certains troubles reliés à un retard de vidange gastrique, à un iléus paralytique ou à un risque d'aspiration en cas de perte du réflexe pharyngé. En plus de vérifier le réflexe pharyngé, l'infirmière doit noter le ptyalisme et les autres difficultés reliées aux sécrétions, lesquelles révèlent davantage la présence d'un réflexe pharyngé inadéquat. Au départ, une alimentation par sonde ou parentérale peut être utilisée afin d'assurer un apport calorique adéquat. En raison du retard de vidange gastrique, un test de résidu gastrique doit être effectué à des intervalles réguliers (voir chapitre 32). L'administration de liquides et d'électrolytes doit être surveillée de près afin de prévenir tout déséquilibre électrolytique. Un traitement intestinal doit être amorcé, puisque la constipation est un trouble courant entraîné par les changements dans l'alimentation, par l'immobilité et par la diminution de la motilité gastro-intestinale.

Pendant toute la durée de la maladie, l'infirmière doit soutenir et encourager la famille ainsi que le client. Étant donné que les troubles résiduels et les risques de rechute sont peu fréquents, sauf dans les cas chroniques de la maladie, un rétablissement complet peut être anticipé, bien que ce soit généralement un processus lent qui prend des mois, voire même des années, lorsqu'une dégénérescence axonale survient.

56.2.3 Botulisme

Étiologie et physiopathologie. Le **botulisme** est le type d'empoisonnement alimentaire le plus grave causé par une absorption gastro-intestinale de neurotoxines produites par la bactérie *Clostridium botulinum*. Cet organisme se trouve dans le sol et les spores et est difficile à détruire. La bactérie peut croître dans tout aliment contaminé par les spores. Par exemple, les aliments mis en conserve à la maison en sont souvent la cause. On croit que la neurotoxine détruit ou inhibe la neurotransmission de l'acétylcholine au niveau de la plaque motrice, entraînant une mauvaise innervation musculaire.

Manifestations cliniques. Les nausées, les vomissements et les crampes abdominales sont les symptômes courants qui apparaissent habituellement de 6 à 48 heures après la consommation d'aliments contaminés. Les manifestations neurologiques se développent rapidement dans les deux à quatre jours qui suivent et peuvent comprendre des troubles de convergence binoculaire, une photophobie, un ptosis, une paralysie des muscles extra-oculaires, une vision trouble, une diplopie, une sécheresse de la bouche, une angine et des difficultés à avaler. Les autres manifestations comprennent un iléus paralytique, une légère faiblesse musculaire, des convulsions et des symptômes respiratoires qui peuvent rapidement s'aggraver et se transformer en arrêt respiratoire ou en arrêt cardiaque. L'évolution de la maladie dépend de la quantité de toxines absorbées par l'appareil digestif. Lorsque seulement une petite quantité de toxines est absorbée, les symptômes sont légers et le rétablissement est complet. Par contre, lorsque la quantité de toxines absorbée est importante, la mort survient habituellement de quatre à huit jours suivant l'insuffisance circulatoire, la paralysie respiratoire ou l'apparition de complications pulmonaires.

Étant donné que le botulisme est une maladie à déclaration obligatoire, on doit aviser les CLSC et le centre de surveillance épidémiologique de la présence de cette maladie. Selon Santé Canada, le botulisme est rare au Canada où on n'a relevé que de 3 à 19 cas par année de 1989 à 1998. (Industrie Canada, 2000 et Santé Canada, 2002).

Épreuves diagnostiques. Des prélèvements sanguins et de LCR doivent être effectués à des fins d'analyses dans le but d'écarter toute autre maladie. Cependant, les résultats des analyses de sang et de LCR sont normaux dans les cas de botulisme.

Processus thérapeutique

Pharmacothérapie. Le traitement initial consiste à administrer une antitoxine botulinique par voie IV. Toutefois, avant d'administrer l'antitoxine, on doit procéder à un test par injection intradermique de sérum antitoxique. S'il n'y a aucune réaction, la dose de l'épreuve est suivie de doses quotidiennes d'antitoxine botulinique intramusculaire (IM) jusqu'à ce qu'une amélioration soit constatée.

Le tractus gastro-intestinal est purgé au moyen de laxatifs, de lavements barytés et d'un lavage d'estomac pour réduire l'absorption de toxines. De la pénicilline est parfois prescrite comme prophylaxie afin de freiner la sécrétion de toxines dans le tractus gastro-intestinal.

56.2.4 Soins infirmiers : botulisme

Exécution. L'objectif des soins infirmiers est la prévention primaire, qui consiste à renseigner les consommateurs au sujet des situations qui pourraient provoquer le botulisme. Une attention particulière doit être prêtée aux aliments à faible teneur en acides, lesquels favorisent la prolifération de germes et la production de la toxine botulinique, un poison mortel. Ces aliments comprennent le poisson, la crème vichyssoise et les poivrons. Toutes les variétés de spores peuvent être détruites en faisant bouillir les aliments pendant 10 minutes ou en les conservant à une température de 80 °C pendant 30 minutes. Les recommandations particulières concernant la préparation, la conservation et l'utilisation des aliments comprennent notamment :

- lors de la mise en conserve à la maison, les instructions du fabricant concernant l'utilisation de l'équipement doivent être suivies. On ne doit utiliser que des fruits et des légumes frais (en prenant soin d'enlever les taches douteuses). Tous les récipients et les ustensiles doivent être propres et le couvercle du bocal doit être scellé hermétiquement. Les aliments mis en conserve doivent être rangés dans un endroit frais et sec ;
- une boîte de conserve dont une extrémité est gonflée ne doit jamais être utilisée, car ce gonflement peut être causé par des gaz provenant du *Clostridium botulinum* ;
- lorsque les aliments sont expulsés, lors de l'ouverture du récipient, ce dernier doit être mis à l'écart immédiatement et on ne doit pas en goûter le contenu ;
- lorsque le contenu de la boîte de conserve a une apparence ou une odeur douteuse après avoir été ouverte, on doit la mettre à l'écart sans en goûter le contenu. Le contenu peut être jeté dans la toilette ou dans le broyeur à déchets avec beaucoup d'eau.

Au cours de la phase aiguë, les soins infirmiers sont semblables à ceux prodigués pour traiter le syndrome de Guillain-Barré. Les soins de soutien comprennent le repos, les activités pour maintenir la fonction respiratoire, une nutrition adéquate et la prévention de la perte de la masse musculaire. Étant donné que le processus de rétablissement est lent, le client peut manifester des troubles reliés à un sentiment d'impuissance, d'ennui et de découragement.

56.2.5 Tétanos

Étiologie et physiopathologie. Le **tétanos** (trismus) est une forme grave de polyradiculite et de polynévrite qui affecte les nerfs rachidiens et crâniens. Il est attribuable aux effets d'une puissante neurotoxine sécrétée par la bacille anaérobie *Clostridium tetani*. La toxine perturbe le fonctionnement de l'arc réflexe en bloquant les transmetteurs au niveau des foyers pré-synaptiques dans la moelle épinière et le tronc cérébral. Les spores du bacille sont présentes dans le sol, le terreau et le fumier. Par conséquent, le *Clostridium tetani* pénètre dans l'organisme par des plaies purulentes et traumatiques qui fournissent un environnement à faible teneur en oxygène favorisant la prolifération de micro-organismes et la production de toxines. Les autres sources possibles comprennent les infections dentaires, les injections d'héroïne, les morsures humaines et d'animaux, les engelures, les fractures ouvertes et les blessures par balle. La période d'incubation est habituellement de 7 jours, mais elle peut varier de 3 à 21 jours. Les symptômes apparaissent habituellement après la guérison de la première plaie. En général, plus la période d'incubation est longue, plus la maladie est bénigne et meilleur est le pronostic.

On estime à un million par année le nombre de cas de tétanos à l'échelle mondiale. La plupart des victimes se trouvent chez les nouveau-nés dans les pays en développement dont la mère n'a pas été immunisée. Au Canada, le tétanos est une maladie à déclaration obligatoire. Grâce au programme de vaccination, seulement de trois à sept cas par année ont été signalés, dont cinq cas seulement ont entraîné la mort depuis 1980. (Industrie Canada, 2000)

Manifestations cliniques. Les manifestations du tétanos généralisé comprennent une sensation de raideur à la mâchoire (**trismus**) ou dans le cou, une légère fièvre et d'autres symptômes d'une infection générale. Les spasmes toniques généralisés surviennent en raison d'un manque d'innervation réciproque. À mesure que la maladie évolue, les muscles du cou, du dos, de l'abdomen et des membres deviennent de plus en plus rigides. Des convulsions toniques accompagnées d'**opisthotonos** (douleur intense au dos et rétraction de la tête) peuvent être notées dans les formes graves de la maladie. Les laryngospasmes et les spasmes respiratoires provoquent une apnée et une anoxie. D'autres effets sont causés par une hyperstimulation du système nerveux sympathique, comprenant une diaphorèse profuse, une hypertension labile, une tachycardie épisodique, une hypernatrémie et des arythmies. Le moindre bruit ou la moindre secousse ou lumière intense peuvent provoquer des convulsions insupportables. Dans les formes graves de la maladie, le taux de mortalité est pratiquement de 100 %. La mort survient habituellement à la suite d'une asphyxie ou d'une insuffisance cardiaque, en raison des spasmes récurrents. Les lésions résiduelles telles que les fractures des vertèbres, les contractures musculaires et les lésions cérébrales secondaires à l'hypoxie peuvent être des conséquences à long terme.

Processus thérapeutique. Il est important que l'infirmière surveille le taux d'électrolytes sériques, la numération globulaire, le taux d'albumine, les facteurs de coagulation, la glycémie et la gazométrie du sang artériel. La fonction cardiaque est surveillée au moyen de l'ECG et par auscultation. À mesure qu'un plus grand nombre de cellules nerveuses sont atteintes, on note une réduction du contrôle inhibitoire sur l'activité musculaire et l'apparition de symptômes.

Pharmacothérapie. Le tétanos peut être traité par des injections de rappel d'anatoxine tétanique et d'immunoglobuline antitétanique avant l'apparition des symptômes afin de neutraliser la toxine circulant dans le sang (voir tableau 30.10). Il est indispensable de diminuer les spasmes au moyen d'une sédation profonde, qui se fait habituellement par l'administration de diazépam (Valium), de barbituriques ou de chlorpromazine (Largactil). La chlorpromazine est efficace pour réduire l'hyperthermie. On recommande l'administration de pénicilline pendant une période de 10 jours afin d'inhiber la croissance subséquente de microorganismes.

En raison des laryngospasmes, une trachéostomie est habituellement pratiquée au début du traitement afin de maintenir le client sur ventilation mécanique. Lorsque les sédatifs ne parviennent pas à diminuer les convulsions, des relaxants musculaires squelettiques sont prescrits. La douleur peut être soulagée au moyen de la codéine ou de la mépéridine (Démérol), avec de la prométhazine (Phénergan). Toute plaie visible doit être débridée et tout abcès doit être drainé. Des antibiotiques peuvent être administrés afin de prévenir les infections secondaires.

Le client est alimenté par voie parentérale ou par sonde nasogastrique. Même en administrant les meilleurs soins, le taux de mortalité est de 50 %. Les sujets qui se rétablissent doivent traverser une longue période de convalescence qui comprend un programme de physiothérapie intensif.

56.2.6 Soins infirmiers : tétanos

Exécution. L'éducation sanitaire vise à assurer une prophylaxie antitétanique, laquelle est le principal facteur influençant l'incidence de la maladie. La prévention du tétanos et les protocoles d'immunisation sont résumés dans le tableau 30.10. Il est important d'aviser le client de nettoyer immédiatement en profondeur toute plaie avec de l'eau et du savon afin de prévenir le tétanos. Le médecin doit être avisé lorsqu'un client qui présente une plaie ouverte n'a pas été vacciné depuis dix ans afin qu'il puisse lui administrer une injection de rappel d'antitoxine tétanique.

Une épreuve de sensibilité doit d'abord être effectuée avant d'administrer une antitoxine tétanique d'origine équine. Si l'épreuve est positive, l'administration de l'antitoxine n'est pas recommandée, car un choc anaphylactique pourrait mettre la vie du client en danger, et la

désensibilisation est inefficace. Une douleur au bras, une inflammation au point d'injection et des démangeaisons sont au nombre des légers effets secondaires éprouvés par les clients recevant une injection d'antitoxine tétanique. Les effets secondaires graves sont rares. L'administration systématique d'injection de rappel chez un client adéquatement immunisé peut causer un oedème au niveau des bras et une adénopathie.

Tous les clients devraient recevoir un carnet de vaccination et être incités à se faire vacciner au moment recommandé. Les antécédents de vaccination du client doivent être notés soigneusement afin de protéger le client et le personnel soignant.

Les interventions de soins infirmiers pour le client atteint du tétanos sont orientées vers un traitement symptomatique fondé sur les manifestations cliniques. Le client doit être placé dans une chambre sombre à l'abri du bruit. Une sédation judicieuse doit être administrée. L'infirmière doit redoubler de prudence en prodiguant les soins afin d'éviter de déclencher des spasmes. Par exemple, elle doit éviter de toucher le client inutilement et de le couvrir de draps, et elle doit maintenir la température ambiante de la chambre un peu plus élevée qu'à l'habitude. Les soins infirmiers reliés à la trachéostomie et à la ventilation assistée doivent être prodigués adéquatement. Une sonde urinaire à demeure est parfois installée pour prévenir la distension vésicale et le reflux urinaire en présence de spasmes au niveau des muscles du plancher pelvien. Une attention doit également être prêtée aux soins de la peau. Le client a besoin de soutien affectif pendant la phase aiguë, car la peur de la mort est réelle. La famille a également besoin de soutien et d'éducation.

56.2.7 Neurosyphilis

La **neurosyphilis** (syphilis tertiaire) est une infection d'une partie quelconque du système nerveux par la bactérie *Treponema pallidum*. Elle est attribuable à une syphilis intraitée ou traitée inadéquatement (voir chapitre 44). La bactérie peut envahir le système nerveux central (SNC) en quelques mois à la suite de l'infection initiale. Elle peut rester inactive pendant des années, à l'exception d'entraîner certains changements au niveau du LCR, y compris une augmentation des leucocytes et des protéines ainsi qu'une réaction sérologique positive. Bien que la neurosyphilis ne soit pas contagieuse, elle peut être mortelle si elle n'est pas traitée. Un traitement à la pénicilline est efficace contre la méningite syphilitique, mais ne fait pas disparaître les déficits neurologiques.

Une neurosyphilis tardive survient à la suite d'une atteinte dégénérative des cordons postérieurs de la moelle épinière (tabes dorsalis) et du tronc cérébral (paralysie générale). Le **tabes dorsalis** (aussi appelé ataxie locomotrice progressive) est caractérisé par des douleurs vagues et fulgurantes aux jambes, de l'ataxie, une démarche ataxique (tabétique), une perte de proprioception et de réflexes ostéotendineux ainsi que des zones d'hyperesthésie. L'**arthropathie neurogène**, qui est caractérisée par une hypertrophie, une destruction osseuse et une hypermobilité, peut également survenir à la suite d'un épanchement articulaire et d'œdème.

La paralysie générale est une méningo-encéphalite d'origine syphilitique qui est caractérisée par l'affaiblissement progressif des capacités intellectuelles et physiques. Elle est semblable à diverses psychoses majeures ou mineures. La prise en charge comprend le traitement par de la pénicilline, un traitement symptomatique et la protection contre les lésions corporelles.

56.3 TRAUMATISME MÉDULLAIRE

Avant la Seconde Guerre mondiale, l'espérance de vie d'une personne atteinte d'une lésion médullaire variait de quelques mois à dix ans suivant l'apparition de la lésion. Les principales causes de décès étaient l'insuffisance rénale et la septicémie. De nos jours, grâce aux nouvelles stratégies thérapeutiques comme le cathétérisme intermittent, même les très jeunes clients souffrant d'une lésion médullaire peuvent anticiper une longue vie. L'espérance de vie d'un client atteint d'une lésion médullaire est seulement de cinq ans de moins que celle des personnes du même âge n'étant pas atteintes de cette lésion. La cause de la mort prématurée d'un client tétraplégique est généralement reliée à une insuffisance respiratoire.

La perturbation de la croissance et du développement, les changements dans la dynamique familiale, les pertes financières reliées à l'absence du travail et le coût élevé de la réadaptation ou de l'entretien font en sorte qu'une lésion médullaire est un problème dévastateur. Les Canadiens dépensent 25 milliards de dollars par année en soins d'urgence, en réadaptation et autres coûts suite aux collisions. (Santé Canada, 2003)

Même si bon nombre de clients atteints d'une lésion médullaire sont en mesure d'autogérer leurs soins avec peu d'aide, il existe bien d'autres clients qui sont confinés à des maisons de santé, des centres de soins infirmiers et des unités de réadaptation. La perte de la population active en termes de potentiel humain est énorme.

56.3.1 Étiologie et physiopathologie

La population à risque pour les lésions médullaires est principalement les jeunes hommes âgés de 15 à 30 ans et ceux qui sont impulsifs ou téméraires dans la vie quotidienne. Il n'est pas rare de voir qu'une personne aura de nombreux antécédents de blessures avant de subir une lésion médullaire. Il existe une corrélation importante entre l'alcoolisme et la toxicomanie et les lésions médullaires. Les sujets susceptibles d'avoir une lésion médullaire sont les motocyclistes, les parachutistes, les joueurs de football, les policiers, les plongeurs et le personnel militaire.

On note également une augmentation du nombre de personnes âgées atteintes d'une lésion médullaire. Bien que ce type de lésion ait été dénommé la « maladie du jeune homme », le traumatisme est souvent davantage dévastateur lorsqu'il survient chez une personne âgée. En plus de présenter un taux de mortalité plus élevé, les personnes âgées souffrant d'une lésion traumatique risquent d'avoir plus de complications que les jeunes clients, et leur séjour hospitalier est plus long. Étant donné que la population vieillit, on prévoit que les ressources humaines et financières reliées au traumatisme chez les personnes âgées augmenteront. Les principales causes de ces traumatismes comprennent les accidents d'automobile, les chutes, les blessures par balle et les blessures sportives.

La lésion médullaire peut être attribuable à une compression de la moelle épinière provoquée par un désalignement des os, une interruption de l'apport sanguin à la moelle épinière ou une traction causée par l'étirement de la moelle épinière.

Lésion initiale. La moelle épinière est enveloppée d'une couche épaisse de dure-mère et il est rare qu'elle soit rupturée ou sectionnée par un traumatisme direct. Un traumatisme pénétrant, comme une blessure par balle ou un coup de couteau, peut entraîner un déchirement et une section. La dissolution complète de la moelle épinière (autrefois perçue comme étant une section) est un traumatisme grave relié à l'autodestruction de la moelle épinière. Peu de temps après la lésion, des pétéchies sont observées dans la substance grise au centre de la moelle épinière. Les régions hémorragiques au centre de la moelle épinière (substance grise) sont nettement visibles en l'espace d'une heure. Un infarctus peut se produire dans la substance grise en moins de quatre heures.

L'hémorragie, l'œdème et les métabolites agissent ensemble pour produire une ischémie qui, par la suite, entraîne la destruction nécrotique de la moelle épinière. La figure 56.4 illustre la cascade des événements qui se produisent lors d'une lésion médullaire. L'hypoxie qui en résulte entraîne une diminution de la pression en oxygène inférieure au niveau exigé pour répondre aux besoins métaboliques de la moelle épinière. On note la présence de lactate et une augmentation de substances vasoactives telles que la noradrénaline, la sérotonine et la dopamine. Un taux élevé de substances vasoactives provoque des spasmes vasculaires et de l'hypoxie, ce qui entraîne une nécrose subséquente. Malheureusement, la moelle épinière est incapable de s'adapter aux spasmes vasculaires.

En l'espace de 24 heures, l'œdème entraîne des lésions permanentes. L'œdème consécutif à une réponse inflammatoire est particulièrement dangereux en raison du manque d'espace pour l'expansion tissulaire. Par conséquent, la compression de la moelle épinière et l'œdème qui s'étend en amont et en aval de la lésion aggravent la lésion ischémique. Le résultat final est identique à la section mécanique de la moelle épinière.

La nécrose hémorragique entraîne une lésion complète après 48 heures, ce qui a pour effet de provoquer une perte du fonctionnement des nerfs qui proviennent ou qui passent par ce point. Toutefois, l'étendue précise de la lésion est difficile à déterminer avant une semaine, puisque l'œdème peut aggraver la lésion et détruire davantage de nerfs au-delà de 72 heures.

Sidération médullaire et choc neurogénique. En plus de la lésion distincte au niveau du segment traumatisé, toute la moelle épinière en aval de cette lésion ne répond plus, ce qui entraîne une sidération médullaire caractérisée par la diminution des réflexes et une paralysie flasque en aval de la lésion. Il y a une perte complète de la fonction motrice et sensorielle sous la lésion. La sidération médullaire survient généralement au moment de la lésion, en réaction au traumatisme important au niveau de la moelle épinière, et entraîne une dépression immédiate de toutes les fonctions de la moelle. Par conséquent, les fonctions musculo-squelettique, intestinale et vésicale sont affectées. Un choc neurogénique survient également et est caractérisé par de l'hypotension, de la bradycardie et une sensation de chaleur et de sécheresse au niveau des membres. La perte de l'innervation sympathique entraîne une vasodilatation périphérique, une stase veineuse et une diminution du débit cardiaque. Ces effets sont généralement associés à une lésion cervicale ou à une lésion thoracique haute.

En général, la sidération médullaire dure de 7 à 10 jours après l'apparition de la lésion, mais elle peut également durer des semaines, voire des mois. Les signes de la disparition de la sidération médullaire comprennent la spasticité, le réflexe mictionnel et la surréflectivité. Une réadaptation active peut être entreprise en présence d'une sidération médullaire.

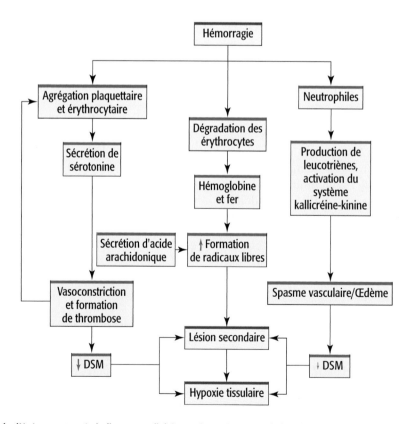

FIGURE 56.4 Cascade d'événements métaboliques et cellulaires qui entraînent une ischémie médullaire et l'hypoxie d'une lésion secondaire
Reproduction de Marciano FF et coll. : *BNI Quarterly* 11(2):6, 1995. Tiré de McCANCE, KL., et Heuther. *Pathophysiology: the biologic basis for disease in adults and children*, St. Louis, Mosby, 1998.
DSM : débit sanguin médullaire.

56.3.2 Classification des lésions médullaires

Les lésions médullaires sont classées en fonction du mécanisme, du niveau et de la gravité de la lésion.

Mécanismes de la lésion. Les principaux mécanismes de la lésion sont la flexion, l'hyperextension, la flexion-rotation, l'extension-rotation et la compression (voir figure 56.5). La lésion en flexion, qui comprend la dislocation, est la plus instable de toutes les lésions, car les structures ligamentaires qui stabilisent la colonne vertébrale sont déchirées. Ce type de lésion est souvent impliqué dans les déficits neurologiques graves.

Niveau de la lésion. Le niveau de la lésion peut être cervical, thoracique ou lombaire. Les lésions cervicales et lombaires sont les plus courantes, car elles sont associées à une plus grande flexibilité et à une plus grande amplitude de mouvements.

Gravité de la lésion. La gravité d'une lésion médullaire peut être soit complète ou incomplète (partielle). Une **lésion médullaire complète** entraîne une paralysie flasque et une perte de toutes les fonctions sensorielles et motrices en aval de la lésion. Si la moelle épinière cervicale est atteinte, une paralysie des quatre membres survient (surtout au niveau des mains et des avant-bras), entraînant la tétraplégie. Cependant, même en présence d'une lésion cervicale, les bras sont rarement complètement paralysés. La paraplégie est attribuable à une atteinte au niveau de la moelle épinière lombaire ou thoracique. La figure 56.6 illustre les structures et les fonctions atteintes à différents niveaux de la lésion médullaire.

Une **lésion médullaire incomplète** (paraparésie) entraîne une perte de l'activité motrice volontaire et de la sensibilité, tout en laissant certains faisceaux intacts. Le degré de la perte sensorielle et motrice varie en fonction de la gravité de la lésion et reflète les faisceaux nerveux qui ont été atteints ou épargnés. Quatre syndromes sont associés aux lésions incomplètes : le syndrome centro-médullaire, le syndrome bulbaire antérieur médian, le syndrome de Brown-Séquard et le syndrome cordonal postérieur.

Syndrome centro-médullaire. La lésion au niveau de la moelle épinière cervicale centrale est appelée le **syndrome centro-médullaire**. Ce syndrome est caractérisé par une hémorragie microscopique, de l'œdème dans la partie centrale de la moelle épinière et par une compression des cellules de la corne antérieure de la moelle épinière (voir figure 56.7). Le syndrome centro-médullaire est plus fréquent chez les personnes âgées. Bien qu'un affaiblissement moteur soit noté au niveau des membres supérieurs et inférieurs, les membres supérieurs sont habituellement plus affaiblis que les membres inférieurs. Cet affaiblissement peut se transformer en lésion progressive. Le dysfonctionnement sensoriel varie en fonction du site de la lésion. Le dysfonctionnement

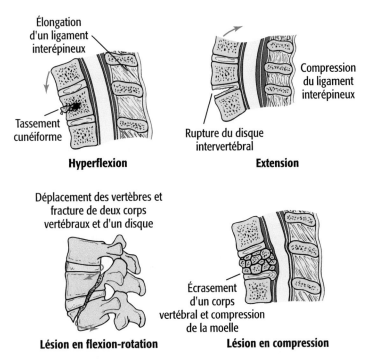

Élongation d'un ligament interépineux

Tassement cunéiforme

Hyperflexion

Compression du ligament interépineux

Rupture du disque intervertébral

Extension

Déplacement des vertèbres et fracture de deux corps vertébraux et d'un disque

Lésion en flexion-rotation

Écrasement d'un corps vertébral et compression de la moelle

Lésion en compression

FIGURE 56.5 Mécanismes d'une lésion médullaire

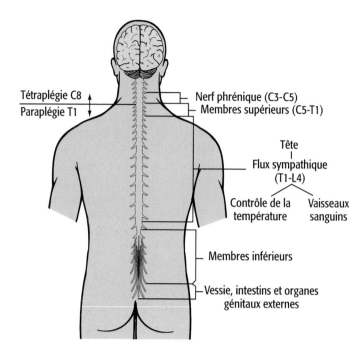

FIGURE 56.6 Les symptômes et le degré de paralysie dépendent du niveau de la lésion

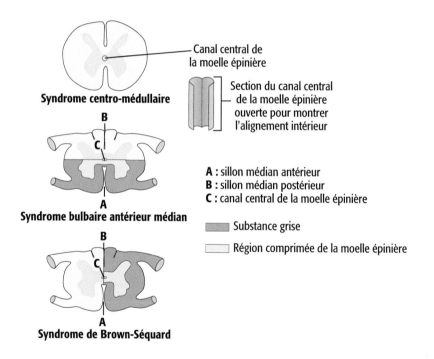

FIGURE 56.7 Syndromes associés à des lésions médullaires incomplètes (paraparésies)

vésical est également variable. Ce syndrome est souvent causé par une hyperextension en présence d'une arthrose vertébrale. Le degré de rétablissement dépend de la résolution de l'œdème et de l'intégrité des faisceaux cortico-spinaux.

Syndrome bulbaire antérieur médian. Le **syndrome bulbaire antérieur médian** est caractérisé par une lésion souvent en flexion survenant à la suite d'une compression aiguë au niveau de la partie antérieure de la moelle (voir figure 56.7). La lésion se produit au niveau des deux tiers antérieurs de la moelle. La compression est généralement causée par un fragment discal ou osseux, ou parfois par la destruction réelle de la moelle antérieure causée par l'occlusion de l'artère spinale antérieure à la suite d'une ischémie ou d'un thrombus. Les manifestations comprennent la paralysie motrice complète et immédiate à partir du site de la lésion et en aval. On note une **hypo-esthésie** (diminution de la sensibilité) ainsi qu'une atteinte de la sensibilité à la douleur et de la thermo-esthésie en aval de la lésion. Étant donné que les faisceaux postérieurs de la moelle épinière ne sont pas atteints, la sensibilité tactile, la statesthésie, la pallesthésie et la cinesthésie demeurent intactes. La fonction de la colonne vertébrale est préservée. Une décompression chirurgicale est indiquée lorsque le syndrome est causé par la compression de la partie antérieure de la moelle en raison d'un segment osseux.

Syndrome de Brown-Séquard. Le **syndrome de Brown-Séquard** est attribuable à une lésion médullaire unilatérale (voir figure 56.7). Ce syndrome est généralement causé par un traumatisme pénétrant, comme une blessure par balle ou par couteau, ou à la suite d'une lésion discale latérale aiguë. Il est caractérisé par une perte de la fonction motrice (paralysie), du sens de l'espace (statesthésie), de la sensibilité vibratoire (pallesthésie) et par une paralysie vasomotrice du même côté (ipsilatérale) et en aval de l'hémisection. Du côté opposé (controlatéral) de l'hémisection, on note une perte de la sensibilité à la douleur et de la thermo-esthésie en aval de la lésion ou de l'hémisection. Les fibres nerveuses qui transmettent la douleur et la température traversent de l'autre côté de la moelle épinière immédiatement après y avoir pénétré, ce qui provoque les symptômes décrits.

Syndrome cordonal postérieur. Le **syndrome cordonal postérieur** est le moins courant. Il est associé à un traumatisme cervical par hyperextension et est causé par la compression ou par l'altération des cordons postérieurs de la moelle épinière qui contiennent les neurones sensoriels et le sens de l'espace. Il y a habituellement une perte de la proprioception lorsque la colonne vertébrale est atteinte. Cependant, la sensibilité à la douleur, la thermo-esthésie et la fonction motrice en aval de la lésion sont conservées.

56.3.3 Manifestations cliniques

Les manifestations cliniques d'une lésion médullaire sont habituellement directement attribuables au traumatisme qui provoque la compression de la moelle épinière, l'ischémie, l'œdème et, éventuellement, une section de la moelle. Les manifestations sont en fonction du niveau et de la gravité de la lésion. Le client qui est atteint d'une lésion médullaire incomplète peut présenter divers symptômes. Plus la lésion est haute, plus les séquelles sont graves en raison de la proximité de la moelle épinière cervicale et du tronc cérébral. Les capacités de mouvement et de réadaptation en fonction de la localisation précise de la lésion médullaire sont présentées dans le tableau 56.2. En général, la fonction sensorielle correspond sensiblement à la fonction motrice à tous les points de vue.

Les interventions prioritaires à effectuer après la lésion consistent à maintenir les voies respiratoires dégagées, à fournir une ventilation et une volémie adéquates et à prévenir l'aggravation de la lésion médullaire.

Appareil respiratoire. Une lésion ou une fracture cervicale en amont de la vertèbre C4 pose un problème particulier en raison de la perte totale de la fonction respiratoire. Une ventilation mécanique est nécessaire afin de maintenir le client en vie. Autrefois, la plupart des personnes atteintes d'une lésion médullaire mouraient sur les lieux de l'accident, mais aujourd'hui la majorité des blessés survivent grâce à l'amélioration des secours médicaux d'urgence. Une fracture ou une lésion en aval de C4 entraîne une respiration diaphragmatique, si le nerf phrénique fonctionne. Même si la lésion est en aval de C4, un œdème ou une hémorragie médullaire peut affecter la fonction du nerf phrénique et causer une insuffisance respiratoire. Une hypoventilation accompagne pratiquement toujours les respirations diaphragmatiques en raison de la diminution de la capacité vitale et du volume courant, ce qui survient à la suite d'une atteinte des muscles intercostaux.

Les fractures cervicales ou les lésions graves entraînent la paralysie de la musculature abdominale et, dans bien des cas, des muscles intercostaux. Le client a donc de la difficulté à tousser efficacement pour éliminer les sécrétions, et cela peut entraîner une atélectasie et une pneumonie. Puisque l'intubation endotrachéale fournit un accès direct aux pathogènes, l'hygiène bronchique et la physiothérapie respiratoire sont extrêmement importants pour réduire les infections. Il est possible qu'un œdème pulmonaire neurogénique se manifeste à la suite d'une augmentation importante de l'activité du système nerveux sympathique au moment de la lésion, ce qui a pour effet de faire dériver le sang vers les poumons. De plus, un œdème pulmonaire peut survenir en réaction à un surplus liquidien.

Appareil cardiovasculaire. Toute section de la moelle épinière en amont de T5 diminue grandement l'influence du système nerveux sympathique. Une bradycardie survient à la suite d'un effet non compensé du système nerveux parasympathique sur le cœur, et une vasodilatation est attribuable à l'hypotension. Une surveillance cardiaque est nécessaire. Dans le cas d'une bradycardie marquée, il est indispensable d'administrer les médicaments appropriés afin de faire augmenter la fréquence cardiaque et de prévenir l'hypoxémie. La vasodilatation périphérique réduit le retour veineux du sang vers le cœur et diminue ensuite le débit cardiaque, ce qui entraîne une

TABLEAU 56.2   Niveau fonctionnel d'une rupture médullaire et capacité de réadaptation

Niveau de la lésion	Mouvements possibles	Capacité de réadaptation
Tétraplégie		
C1-C3 Habituellement une blessure mortelle, domination du nerf vague du cœur, respiration, vaisseaux sanguins, tous les organes sous la lésion	Mouvement du cou et de la tête, perte d'innervation du diaphragme, aucune fonction respiratoire autonome	Capable de conduire un fauteuil roulant électrique muni d'un respirateur portable au moyen d'une commande au menton ou d'une commande buccale, appui-tête pour stabiliser la tête, incontinence fécale et urinaire
C4 Domination du nerf vague du cœur, respirations, tous les vaisseaux sanguins et les organes sous la lésion	Sensation et mouvement au-dessus du cou	Capable de conduire un fauteuil roulant électrique au moyen d'une commande au menton ou d'une commande buccale, incontinence fécale et urinaire
C5 Domination du nerf vague du cœur, respirations, tous les vaisseaux sanguins et les organes sous la lésion	Mouvements complets du cou, mouvements partiels des épaules, du dos, des biceps ; mouvements grossiers du coude, incapacité à se tourner ou à utiliser ses mains ; diminution de la réserve respiratoire	Capable de conduire un fauteuil roulant électrique au moyen d'une commande manuelle, capable d'utiliser une attelle de main dynamique (chez certains clients), incontinence fécale et urinaire, s'alimente à l'aide d'accessoires adaptés
C6 Domination du nerf vague du cœur, respirations, tous les vaisseaux sanguins et les organes sous la lésion	Abduction des épaules et de la partie supérieure du dos et rotation au niveau des épaules, flexion complète des biceps au coude, extension du poignet, faible préhension du pouce, diminution de la réserve respiratoire	Capable d'aider lors du transfert et d'effectuer certains soins personnels, de s'alimenter, de propulser un fauteuil roulant sur des surfaces lisses et planes ; incontinence fécale et urinaire
C7-C8 Domination du nerf vague du cœur, respirations, tous les vaisseaux sanguins et les organes sous la lésion	Tous les mouvements d'extension des triceps aux coudes, extenseurs et fléchisseurs des doigts, bonne préhension accompagnée d'une certaine diminution de la force, diminution de la réserve respiratoire	Capable de s'asseoir dans son fauteuil roulant sans aide, de se tourner et de s'asseoir dans le lit, de se déplacer sur la plupart des surfaces, d'effectuer la plupart de ses soins personnels ; se sert sans aide du fauteuil roulant ; capable de conduire une voiture munie de commandes manuelles (certains clients) ; incontinence fécale et urinaire
Paraplégie		
T1-T6 Innervation sympathique au cœur, domination du nerf vague de tous les vaisseaux et les organes sous la lésion	Innervation complète des membres supérieurs, du dos, des principaux muscles intrinsèques de la main ; force et dextérité maximale de préhension ; diminution de la stabilité du tronc, diminution de la réserve respiratoire	Autonomie totale quant aux soins personnels et au déplacement en fauteuil roulant ; capable de conduire une voiture munie de commandes manuelles (majorité des clients), d'utiliser une orthèse du tronc pour faire de l'exercice, mais pas pour marcher ; incontinence fécale et urinaire
T6-T12 Domination du nerf vague seulement dans les vaisseaux des jambes, appareils gastro-intestinal et génito-urinaire	Tous les muscles thoraciques et de la partie supérieure du dos sont stables ; muscles intercostaux fonctionnels, entraînant une augmentation de la réserve respiratoire	Autonomie totale pour se déplacer en fauteuil roulant ; capable de se tenir debout grâce à une orthèse du tronc, marche avec des béquilles (même si la démarche est difficile) ; incapable de monter les marches ; incontinence fécale et urinaire
L1-L2 Domination du nerf vague dans les vaisseaux des jambes	Variation quant à la maîtrise des jambes et du bassin, instabilité au niveau du bas du dos	Bon équilibre en position assise, usage complet du fauteuil roulant
L3-L4 Domination partielle du nerf vague dans les vaisseaux des jambes, appareils gastro-intestinal et génito-urinaire	Fléchisseurs de quadriceps et des hanches, aucune fonction musculaire des ischio-jambiers, chevilles ballantes	Marche seul grâce à une orthèse aux jambes ou à une canne, incapable de rester debout pendant de longues périodes, continence urinaire et fécale

hypotension. On peut résoudre ce problème en administrant des liquides IV ou des vasopresseurs, s'il y a lieu.

Appareil urinaire. La rétention urinaire est courante dans les cas de lésion médullaire aiguë et de sidération médullaire. Lors d'une sidération médullaire, la vessie du client est atonique et surdistendue. Une sonde à demeure est mise en place afin de drainer la vessie. Après la phase aiguë, il est possible que la vessie soit très irritée et qu'une perte d'inhibition du cerveau entraîne une vidange réflexe. Par conséquent, le client urine fréquemment une petite quantité de liquide. Cependant, il est possible que la vessie devienne distendue en raison d'une mauvaise élimination vésicale. La rétention urinaire augmente le risque d'infection. De plus, l'apparition d'urolithiases est plus susceptible de se manifester en présence d'une distension vésicale et d'une rétention urinaire. Le cathétérisme est généralement indiqué. La sonde à demeure doit être retirée et on doit effectuer des cathétérismes intermittents le plus rapidement possible.

Appareil gastro-intestinal. Lorsque la section de la moelle épinière survient en aval de T5, les principaux troubles gastro-intestinaux sont reliés à l'hypomotilité. La diminution de l'activité motrice gastro-intestinale contribue au développement d'un iléus paralytique et d'une distension gastrique. Une aspiration nasogastrique peut aider à soulager la distension gastrique. L'apparition d'ulcères de stress est courante en raison de la sécrétion excessive d'acide chlorhydrique dans l'estomac. Les antagonistes des récepteurs H_2 de l'histamine, comme la ranitidine (Zantac) et la famotidine (Pepcid), sont fréquemment administrés afin de prévenir l'apparition de ces ulcères pendant la phase initiale. D'autres médicaments comme le sucralfate (Sulcrate) et les antiacides peuvent également être utiles à titre de prophylaxie. Une hémorragie intra-abdominale peut survenir et être difficile à diagnostiquer, car aucun signe subjectif, comme de la douleur, de la sensibilité ou une défense musculaire, ne peut être observé. Une hypotension soutenue en dépit du traitement vigoureux et une diminution des taux d'hémoglobine et d'hématocrite peuvent indiquer la présence d'une hémorragie. On peut également noter une augmentation du volume de l'abdomen. Les autres troubles gastro-intestinaux comprennent la formation de calculs biliaires, la constipation et l'occlusion intestinale.

Système tégumentaire. La principale conséquence de l'immobilité est le risque de rupture de l'épiderme au niveau de la dénervation qui peut se produire rapidement et entraîner une infection ou une septicémie grave. Un certain degré d'atrophie musculaire se produit pendant l'état de paralysie flasque, alors que des contractures ont tendance à survenir pendant le stade spastique.

La **poïkilothermie** est un ajustement de la température corporelle à la température de la pièce. Elle survient dans les cas de lésions médullaires, car l'interruption du système nerveux sympathique empêche la thermo-esthésie périphérique d'atteindre l'hypothalamus. Un autre facteur est la diminution de la production de chaleur en raison des mouvements restreints. Une diminution de la diaphorèse en aval de la lésion peut également être notée en présence d'une section de la moelle épinière, ce qui affecte également la capacité de régulariser la température corporelle.

Besoins métaboliques. Le fait de corriger un déséquilibre acido-basique déjà existant ou de maintenir un équilibre acido-basique favorise le fonctionnement des autres systèmes anatomiques. L'aspiration nasogastrique peut entraîner une alcalose, et une diminution de l'irrigation tissulaire peut entraîner une acidose. Le taux d'électrolytes, y compris le taux de sodium et de potassium, peut être altéré par l'aspiration gastrique et doit être surveillé jusqu'à ce que l'aspiration soit interrompue et que le client ait repris une alimentation normale. Un bilan azoté positif et une alimentation riche en protéines aident à prévenir la détérioration des tissus cutanés et les infections et permettent de combattre l'atrophie musculaire.

Troubles vasculaires périphériques. Une thrombose veineuse profonde est un trouble fréquent qui accompagne la lésion médullaire. Il est plus difficile de déceler une thrombose veineuse profonde chez un sujet atteint d'une lésion médullaire, car ce dernier ne présente aucun signe ou symptôme habituel comme de la douleur, de la sensibilité au toucher ou un signe d'Homans positif. L'embolie pulmonaire est l'une des principales causes de décès chez les clients atteints d'une lésion médullaire. Les interventions utilisées pour déceler une thrombose veineuse profonde comprennent l'examen Doppler, la pléthysmographie par impédance et la mesure du volume des jambes et des cuisses.

56.3.4 Processus thérapeutique

Les objectifs initiaux à l'égard du client atteint d'une lésion médullaire consistent à assurer sa survie et à prévenir toute aggravation de la lésion. Le tableau 56.3 présente les mesures d'urgence à prodiguer au client atteint d'une lésion médullaire. Les sidérations médullaires complètes et neurogènes doivent être traitées. Dans le cas d'une lésion cervicale, il est important de maintenir les fonctions de tous les systèmes anatomiques jusqu'à ce que l'ampleur de la lésion puisse être évaluée. Le traitement d'une lésion médullaire peut être médical ou chirurgical.

Le processus thérapeutique à l'égard du client souffrant d'une lésion médullaire est décrit dans l'encadré 56.2.

TABLEAU 56.3   Lésion médullaire

Étiologie	Constatations	Interventions
Traumatisme contondant Lésion en compression, en flexion, en extension ou en rotation de la colonne vertébrale Accidents d'automobile Accidents véhicule/piéton Chutes Plongeon **Traumatisme pénétrant** Élongation, claquage, compression ou lacération de la moelle épinière Blessure par balle Coup de couteau	Douleur, sensibilité à la pression, déformations ou spasmes musculaires à proximité de la colonne vertébrale Engourdissements, paresthésies Altération de la perception sensorielle : température, sensibilité tactile, forte pression, proprioception Faiblesse ou sensation de lourdeur dans les membres Faiblesse, paralysie ou flaccidité musculaire Sidération médullaire Coupures, ecchymoses, plaies ouvertes sur la tête, au visage, dans le cou et dans le dos Choc neurogénique : hypotension, bradycardie, peau sèche et irritée Incontinence fécale et urinaire Rétention urinaire Difficulté à respirer Priapisme Atonie du sphincter anal	**Interventions initiales** S'assurer que les voies respiratoires sont dégagées Immobiliser la colonne cervicale Administrer de l'oxygène par une canule nasale ou par un masque sans réinspiration Établir un accès IV à l'aide de deux cathéters de gros calibre et injecter une solution saline normale ou un lactate de Ringer, au besoin Vérifier la présence d'autres lésions Maîtriser l'hémorragie externe Faire passer des radiographies de la colonne cervicale ou une TDM Stabiliser la colonne cervicale avec un étrier crânien et une traction cervicale Administrer une forte dose de méthylprednisolone **Surveillance continue** Surveiller les signes vitaux, le niveau de conscience, la saturation en oxygène, le rythme cardiaque et le débit urinaire Garder le client au chaud Surveiller la rétention urinaire et l'hypertension Prévoir une intubation si le réflexe laryngé est absent

Le soutien général requis par le client est moins intense dans les cas de lésion médullaire au niveau des vertèbres dorsales et lombaires. L'insuffisance respiratoire n'est habituellement pas sévère et la bradycardie ne pose aucun problème. Les troubles spécifiques sont traités en fonction des symptômes. Une fois que le client a été stabilisé sur les lieux de l'accident, il est transporté vers un centre hospitalier. Un examen complet est effectué afin d'évaluer avec précision le degré de l'atteinte et de déterminer le niveau de la lésion et sa gravité. Des renseignements sont recueillis auprès du client notamment sur la manière dont l'accident est survenu et sur le degré de l'atteinte, tel qu'il est perçu par le client immédiatement après l'accident. Une évaluation des groupes musculaires est effectuée plutôt qu'un examen individuel de chaque muscle. Les groupes musculaires doivent être testés des deux côtés du corps en exerçant ou non de la gravité et avec résistance ou non. On doit d'abord demander au client de bouger les jambes et ensuite les mains, de séparer les doigts, de tendre les poignets et de hausser les épaules. Après avoir évalué l'état moteur, un examen sensoriel est effectué et on évalue le toucher et la douleur au moyen d'une aiguille, en commençant par les orteils, puis en montant. La statesthésie et la pallesthésie peuvent également être évaluées si la situation le permet et si l'on dispose de suffisamment de temps.

Les types d'accidents qui provoquent des traumatismes médullaires peuvent également provoquer un traumatisme crânien. Par conséquent, on doit examiner les signes de commotion et l'augmentation de la pression intracrânienne (voir chapitre 53). Le client doit également être soigneusement examiné afin de déceler toute lésion musculo-squelettique et tout traumatisme aux organes internes. Étant donné que le client ne ressent aucune sensation au niveau des muscles, des os et des viscères, le seul indice d'un traumatisme interne accompagné d'une hémorragie peut être une diminution rapide du taux d'hématocrite. Le débit urinaire doit être vérifié pour tout signe d'hématurie pouvant révéler la présence de lésions internes.

Des radiographies doivent être effectuées afin de confirmer la lésion. Il est important de manipuler le client avec soin au cours des radiographies afin de ne pas aggraver la lésion. Les fonctions respiratoires, cardiaques, urinaires et gastro-intestinales doivent être surveillées étroitement. Une fois immobilisé et stabilisé, le client peut être amené à la salle d'opération ou à l'unité de soins intensifs à des fins de surveillance et de prise en charge.

Traitement chirurgical. La décision de procéder à une chirurgie chez un client atteint d'une lésion médullaire dépend souvent de la préférence du médecin. Lorsque

PROCESSUS DIAGNOSTIQUE
ET THÉRAPEUTIQUE

Lésion à la colonne vertébrale — ENCADRÉ 56.2

Diagnostic
- Examen neurologique complet
- Gaz artériel sanguin
- Taux d'électrolytes, de glycémie, d'hémoglobine et d'hématocrite
- Analyse d'urine
- Radiographies antéropostérieure, latérale et odontoïde de la colonne cervicale
- TDM
- Myélographie
- IRM
- EMG pour mesurer les potentiels évoqués

Traitement thérapeutique
Soins de courte durée
- Immobilisation de la colonne vertébrale au moyen d'une traction squelettique
- Maintien de la fréquence cardiaque (p. ex. atropine) et de la pression artérielle (p. ex. dopamine [Intropin])
- Traitement à la méthylprednisolone (Solu-Médrol) pour réduire l'œdème
- Insertion d'une sonde et d'un raccord nasogastrique pour l'aspiration
- Intubation (si les gaz artériels sanguins indiquent que cela est nécessaire)
- Administration d'oxygène au moyen d'un masque
- Sonde urinaire à demeure
- Administration de liquides IV

Soins ambulatoires et à domicile
- Prophylaxie des ulcères de stress
- Traitement physique (exercices d'amplitude articulaire)
- Ergothérapie (attelles, pratique des AVQ)

EMG : électromyographie ; GSA : gazométrie du sang artériel ; AVQ : activités de la vie quotidienne.

la compression médullaire est confirmée ou que les troubles neurologiques s'aggravent, des bienfaits peuvent être notés à la suite d'une chirurgie immédiate. La chirurgie permet de stabiliser la colonne vertébrale. Les autres critères qui influencent la décision de procéder à une chirurgie précoce comprennent : la preuve qu'il y a une compression médullaire ; un déficit neurologique progressif ; une fracture ouverte au niveau des vertèbres ; des fragments osseux (qui pourraient se déloger et pénétrer dans la moelle épinière) ; des plaies pénétrantes au niveau de la moelle épinière ou des structures périphériques.

Les principales interventions chirurgicales comprennent la laminectomie de décompression avec une approche cervicale antérieure (Cloward) ou une approche thoracique avec une fusion, une laminectomie postérieure avec un treillis métallique en acrylique et une fusion, ainsi que l'insertion de tiges de stabilisation (p. ex. tiges de Harrington pour corriger et stabiliser les déformations thoraciques) (voir chapitre 58).

Pharmacothérapie. Des vasopresseurs comme la dopamine (Intropin) sont administrés en phase aiguë comme adjuvants au traitement. Ces agents sont utilisés pour maintenir la pression artérielle moyenne au-dessus de 80 à 90 mm Hg afin d'améliorer l'irrigation vers la moelle épinière.

L'étude intitulée *National Acute Spinal Cord Injury Study II (NASCIS II)* a démontré que l'administration précoce de méthylprednisolone Solu-Médrol entraînait un meilleur rétablissement de la fonction neurologique. À la suite de cette étude, la méthylprednisolone est maintenant devenue une norme de soins et elle est administrée en bolus pendant 15 minutes. Après une pause de 45 minutes, une dose d'entretien de méthylprednisolone est injectée par voie IV pendant les 23 prochaines heures. La dose totale est administrée sur une période de 24 heures. On a constaté que la méthylprednisolone, un antagoniste des sous-produits de la peroxydation lipidique, contribuait à améliorer le débit sanguin et diminuait l'œdème au niveau de la moelle épinière. La méthylprednisolone produit divers effets qui semblent être responsables des améliorations générales notées chez un client atteint d'une lésion médullaire, dont la réduction de l'ischémie médullaire post-traumatique, l'amélioration du bilan énergétique, la restauration du calcium extracellulaire, l'amélioration de la conduction de l'impulsion nerveuse ainsi que la répression de la sécrétion d'acides gras libres des tissus de la moelle épinière. La méthylprednisolone sert aussi de norme pour comparer d'autres agents potentiels.

Un essai randomisé multicentrique, NASCIS III, est actuellement en cours. Les trois objectifs de cet essai clinique visent à déterminer : si l'administration de méthylprednisolone sur une période de 48 heures est aussi sûre ou plus sûre que sur une période de 24 heures ; si la tirilazade (Freedox) est un médicament sûr et efficace pour remplacer la méthylprednisolone ; le meilleur moment pour administrer le médicament. La tirilazade a été largement étudiée dans les cas de lésions médullaires et de traumatismes crâniens. Elle permet d'inhiber à la fois la peroxydation lipidique dépendante et indépendante du fer. Des études réalisées in vitro indiquent que la tirilazade a un effet stabilisant sur les membranes cellulaires. Des recherches sont actuellement réalisées sur des animaux, et le médicament semble prometteur pour traiter les lésions médullaires.

Il est possible que des interactions médicamenteuses surviennent, puisque les actions pharmacologiques et le métabolisme du médicament sont altérés lors d'une lésion médullaire. Par exemple, on croit que le propoxyphène (Darvon-N) favoriserait la vasodilatation

Lésion médullaire

ENCADRÉ 56.3

Données subjectives

Information importante concernant la santé
- Antécédents de santé : accident d'automobile, blessures sportives, accident de travail, blessure par balle ou coup de couteau, chutes.

Modes fonctionnels de santé
- Mode perception et gestion de la santé : consommation d'alcool ou de drogues illicites, témérité.
- Mode activité et exercice : perte de force, de mouvement et de sensibilité au-dessous du niveau de la lésion ; dyspnée, incapacité de respirer adéquatement.
- Mode cognition et perception : sensibilité et douleur au niveau ou au-dessus de la lésion ; engourdissements, fourmillements, sensations de brûlures, contraction musculaire des membres.
- Mode adaptation et tolérance au stress : peur, refus, colère, dépression.

Données objectives

Données générales
- Poïkilothermie

Appareil tégumentaire
- Peau chaude, sèche et irritée aux extrémités sous la lésion (sidération médullaire).

Appareil respiratoire
- Lésions de C1 à C3 : apnée, incapable de tousser ; lésion au niveau de C4 : toux faible, respiration diaphragmatique, hypoventilation ; lésions de C6 à T6 : diminution de la réserve respiratoire.

Appareil cardiovasculaire
- Lésions au-dessus de T5 : bradycardie, hypotension, hypotension orthostatique, absence de tonus vasomoteur.

Appareil gastro-intestinal
- Diminution ou absence de bruits intestinaux (iléus paralytique en présence de lésion au-dessus de T5), distension abdominale, constipation, incontinence fécale, fécalome.

Appareil urinaire
- Rétention (dans le cas de lésions entre T1 et L2) ; vessie flasque (stade aigu) ; spasticité accompagnée d'un automatisme vésical (stade avancé).

Appareil reproducteur
- Priapisme, altération du fonctionnement sexuel.

Système neurologique
- Complète : paralysie flasque et anesthésie sous le niveau de la lésion, ce qui entraîne une tétraplégie (dans le cas de lésion au-dessus de C8), des réflexes tendineux profonds et hyperactifs, une épreuve de Babinski positive bilatérale.
- Incomplète : perte à la fois de l'activité motrice volontaire et des sensations.

Appareil locomoteur
- Myatonie (à l'état flasque), contractions (à l'état de spasticité).

Résultats possibles
- Localisation du niveau et du type de l'atteinte osseuse grâce à la radiographie de la moelle épinière : lésion, œdème, compression sur la TDM et l'IRM ; observation positive sur le myélogramme.

et qu'il pourrait aggraver l'hypotension orthostatique en plus d'agir comme analgésique. En conclusion, le médicament pourrait aggraver les troubles existants chez le client atteint d'une lésion cérébrale. Une sédation médicamenteuse peut également masquer une diminution du niveau de conscience à la suite d'un traumatisme crânien ou d'une augmentation du taux de CO_2 accompagnée d'une hypoventilation.

Les agents pharmacologiques sont utilisés pour traiter les troubles du système nerveux autonome comme l'hyperactivité gastro-intestinale, l'hémorragie, la bradycardie, l'hypotension orthostatique, une mauvaise vidange vésicale et la dysréflexie autonome. L'infirmière doit surveiller la réaction du client à ces médicaments et entreprendre les bonnes interventions lorsque des effets indésirables sont constatés.

56.3.5 Soins infirmiers : lésion médullaire

Collecte de données. Les données objectives et subjectives à recueillir auprès du client atteint d'une lésion médullaire sont présentées dans l'encadré 56.3.

Diagnostics infirmiers. Les diagnostics infirmiers pour le client atteint d'une lésion médullaire dépendent de la gravité de la lésion et du niveau de dysfonctionnement. Ces diagnostics comprennent, entre autres, ceux présentés dans l'encadré 56.4. Le plan de soins est axé sur un client atteint d'une lésion complète à la colonne cervicale.

Planification. Les objectifs et les résultats escomptés chez le client atteint d'une lésion médullaire sont les suivants : maintenir un niveau de fonctionnement neurologique optimal ; n'éprouver que peu ou pas du tout de complications reliées à l'immobilité ; retourner à la maison et réintégrer la collectivité avec des capacités de fonctionnement optimales.

Exécution

Promotion de la santé. Les interventions infirmières comprennent l'identification de la population à risque, le service conseil et l'éducation. L'infirmière est responsable d'appuyer les lois concernant le port de la ceinture de sécurité, le port du casque de sécurité à moto et à vélo,

Plan de soins infirmiers

Client atteint d'une lésion médullaire*

DIAGNOSTIC INFIRMIER : échanges gazeux perturbés reliés à la fatigue musculaire et à l'accumulation de sécrétions se manifestant par une diminution de la teneur en PaO_2, une augmentation de la concentration de $PaCO_2$, de la fatigue et une diminution des bruits respiratoires.

PLANIFICATION
Résultats escomptés
- Gaz artériels sanguins normaux
- Radiographie pulmonaire normale
- Poumons clairs à l'auscultation
- Absence de détresse respiratoire

INTERVENTIONS
- Maintenir les voies respiratoires dégagées.
- Évaluer tous les paramètres respiratoires au début, puis toutes les deux heures.
- Surveiller les gaz artériels sanguins.
- Effectuer des manœuvres agressives de vidange pulmonaire, dont une physiothérapie respiratoire et une technique de désencombrement réalisée à quatre mains (toux assistée) toutes les quatre heures.
- Évaluer l'efficacité de la toux toutes les quatre heures.

- Effectuer une aspiration au besoin.

Justifications
- Prévenir un arrêt respiratoire.
- Déterminer l'étendue du trouble et planifier les interventions appropriées.
- Déterminer l'état de l'oxygénation et de la ventilation.
- Faciliter l'expulsion des sécrétions.

- Déterminer si les manœuvres d'expulsion des sécrétions sont efficaces.
- Éliminer les sécrétions qui se sont accumulées.

DIAGNOSTIC INFIRMIER : respiration spontanée altérée reliée à une fatigue ou à une paralysie diaphragmatique se manifestant par une dyspnée, une augmentation de l'utilisation des muscles accessoires, une diminution de la PaO_2 et une augmentation de la $PaCO_2$.

PLANIFICATION
Résultat escompté
- Aucun signe d'insuffisance respiratoire

INTERVENTIONS
- Assurer une physiothérapie respiratoire.
- Aider lors de la mise en place de la ventilation assistée.
- Assurer un soutien affectif.

Justifications
- Mobiliser les sécrétions et prévenir une pneumonie.
- Soutenir la respiration.
- Réduire l'angoisse reliée à l'intubation et à la ventilation assistée.

DIAGNOSTIC INFIRMIER : débit cardiaque diminué relié à une accumulation de sang dans les veines et à l'immobilité se manifestant par une hypotension, une tachycardie, une instabilité psychomotrice, une oligurie et une diminution de la pression artérielle pulmonaire.

PLANIFICATION
Résultats escomptés
- Fréquence cardiaque adéquate
- Pression artérielle et pouls stables
- Absence d'arythmie
- Aucune complication comme une thrombose veineuse ou une embolie pulmonaire

INTERVENTIONS
- Surveiller la pression artérielle et le pouls au moins toutes les deux heures ainsi que le rythme cardiaque.
- Administrer de la dopamine (Intropin) ou d'autres vaso-presseurs.

Justifications
- Comme indicateur de l'état cardiaque.

- Maintenir la pression artérielle >80 mm Hg.

➡ Plan de soins infirmiers

Client atteint d'une lésion médullaire* (*suite*)

- Appliquer des jambières pneumatiques au niveau des mollets ou des bas antiemboliques.
- Aider le client à effectuer des exercices d'amplitude articulaire au moins toutes les huit heures.
- Mesurer la pression capillaire pulmonaire (PCP) et le débit cardiaque selon l'ordonnance.

- Prévenir une accumulation de sang veineux et une thromboembolie.
- Provoquer des contractions musculaires dans le but de favoriser le retour veineux.
- Évaluer l'état circulatoire.

DIAGNOSTIC INFIRMIER : risque d'atteinte à l'intégrité de la peau relié à l'immobilité et à la mauvaise irrigation tissulaire se manifestant par une rougeur de la peau au niveau des protubérances osseuses ainsi qu'au niveau des tiges et de l'étrier.

PLANIFICATION
Résultats escomptés
- Peau intacte
- Absence d'escarre de décubitus

INTERVENTIONS	Justifications
- Examiner toutes les régions de la peau, en particulier les protubérances osseuses, au moins toutes les deux heures ; observer la région autour des tiges et de l'étrier pour déceler tout signe de rupture de l'épiderme ou d'inflammation au moins une fois par quart de travail.	- Afin que des interventions puissent être entreprises rapidement si un problème survient.
- Tourner le client au moins toutes les deux heures ; utiliser au besoin une table de kinésithérapie ou d'autres appareils de soins spécialisés.	- Prévenir l'apparition de zones de pression.
- S'assurer que le client reçoive un apport nutritionnel adéquat.	- Maintenir une peau saine qui résiste à la rupture.
- Laver et bien assécher la peau du client.	- Empêcher l'humidité de prédisposer la peau à une éventuelle détérioration.
- Informer le client et sa famille au sujet du risque d'escarres de décubitus.	- Les inciter à prendre des mesures de prévention.

DIAGNOSTIC INFIRMIER : constipation reliée à la lésion, à un apport liquidien inadéquat, à une alimentation faible en fibres alimentaires et à l'immobilité se manifestant par une absence d'évacuation intestinale depuis plus de deux jours, une diminution des bruits intestinaux, un fécalome palpable, des selles dures ou une incontinence fécale.

PLANIFICATION
Résultats escomptés
- Établir un programme d'élimination intestinale
- Selles au moins tous les deux jours

INTERVENTIONS	Justifications
- Ausculter les bruits intestinaux au moins toutes les quatre heures ; surveiller la distension abdominale.	- Déterminer la présence de péristaltisme.
- Noter tout signe de nausées ou de vomissements.	- Comme indicateur possible d'un iléus paralytique.
- Entreprendre un traitement d'élimination intestinale dès la réapparition des bruits intestinaux et administrer un suppositoire et un émollient fécal tous les deux jours.	- Établir une régularité de l'élimination intestinale le plus rapidement possible.
- Enseigner au client et à sa famille le programme d'élimination intestinale.	- S'assurer de la continuité du traitement.
- S'assurer que le client a un apport alimentaire et liquidien adéquat.	- Les fibres alimentaires et les liquides sont nécessaires à la réussite du traitement d'élimination intestinale.

Plan de soins infirmiers

Client atteint d'une lésion médullaire* (*suite*)

DIAGNOSTIC INFIRMIER : rétention urinaire reliée à une lésion et à un apport liquidien restreint se manifestant par une absence d'urine, une distension vésicale, une incontinence urinaire (après une sidération médullaire).

PLANIFICATION
Résultats escomptés
- Aucune rétention ou infection urinaire
- Capable d'effectuer l'auto-cathétérisme ou la méthode de Credé pour vider la vessie

INTERVENTIONS	Justifications
• Palper la vessie à chaque quart de travail.	• La perte de la maîtrise de la vessie et du sphincter peut causer une distension.
• S'assurer du débit continu de l'urine afin d'éviter un reflux vésico-urétéral ou une rupture de la vessie.	• Insérer une sonde à demeure pendant la phase aiguë.
• Éviter l'utilisation à long terme d'une sonde à demeure et ainsi, un risque élevé d'infection.	• Entreprendre un programme de cathétérisme intermittent s'il y a lieu ; enseigner au client et à sa famille le cathétérisme intermittent en utilisant une technique aseptique.
• Consigner les ingesta et les excréta de manière appropriée.	• Évaluer l'équilibre.
• Favoriser la prise de liquides (2 à 4 L/jour).	• Maintenir un volume élevé d'urine diluée, ce qui aide à prévenir les infections.
• Surveiller les taux d'azote uréique du sang (BUN) et de la créatinine, les urocultures et la numération leucocytaire.	• Surveiller la fonction rénale et la présence d'infection.
• Enseigner la méthode de Credé.	• Compléter le cathétérisme intermittent ou l'utiliser seul pour vider complètement la vessie.

DIAGNOSTIC INFIRMIER : mobilité physique réduite reliée à une lésion médullaire, à une instabilité de la colonne vertébrale ou à une immobilisation forcée par la traction se manifestant par une incapacité de se mouvoir volontairement, une force musculaire limitée, une altération de la coordination, une altération de la perception de la position ou de la présence des parties du corps.

PLANIFICATION
Résultat escompté
- Aucune complication reliée à l'immobilité

INTERVENTIONS	Justifications
• Évaluer les fonctions motrices et sensorielles au moins toutes les quatre heures au début.	• Déceler rapidement une détérioration de l'état neurologique.
• Vérifier la traction pour s'assurer que les cadres sont sécuritaires et alignés correctement et que les poids sont suspendus librement.	• Maintenir la stabilité de la colonne vertébrale.
• Favoriser une bonne fonction pulmonaire.	• Les complications pulmonaires sont des séquelles courantes de l'immobilité.
• Utiliser un lit spécial ou changer le client de position toutes les heures ou aux deux heures selon l'ordonnance.	• Éviter les pressions prolongées qui peuvent entraîner des escarres de décubitus.
• Aider le client à effectuer des exercices d'amplitude articulaire de tous les membres plusieurs fois par jour.	• Favoriser la circulation et prévenir les contractures.
• Utiliser une attelle, une planche pour les pieds et un rouleau trochantérien au besoin.	• Prévenir les contractures et favoriser une posture fonctionnelle.
• Faire marcher le client le plus tôt possible.	• Prévenir les dangers de l'immobilité et motiver le client.

DIAGNOSTIC INFIRMIER : risque de dysréflexie autonome relié à une stimulation du système nerveux sympathique.

PLANIFICATION
Résultats escomptés
- Aucun signe de dysréflexie autonome
- Effectuer les interventions infirmières ou médicales appropriées si la dysréflexie autonome survient.

Plan de soins infirmiers

Client atteint d'une lésion médullaire* (suite)

INTERVENTIONS

- Vérifier tout signe d'hypertension, de bradycardie, de céphalée grave, de transpiration, de vision trouble, de sensation d'irritation et de congestion nasale.
- Réduire ou éliminer les stimuli nuisibles comme les fécalomes, la rétention urinaire, la stimulation tactile et les lésions cutanées par des interventions appropriées.
- Si une dysréflexie autonome survient, vérifier si la pression artérielle est élevée et administrer des antihypertenseurs selon l'ordonnance ; vérifier et corriger les sources possibles d'irritation comme une distension vésicale et intestinale ; surélever la tête de lit immédiatement.
- Lorsque les interventions infirmières ne parviennent pas à éliminer les symptômes, aviser le médecin de manière à ce que des interventions médicales soit entreprises immédiatement.
- Enseigner au client et à sa famille à reconnaître et à traiter la dysréflexie autonome.

Justifications

- Comme indicateur de dysréflexie autonome.

- Prévenir l'apparition de la dysréflexie autonome.

- Empêcher une rupture des vaisseaux du cerveau ou une augmentation de la pression intracrânienne.

- Prévenir l'apparition d'une situation qui constitue un danger de mort.

- Traiter et prévenir l'apparition d'un status épileptique et une mort possible.

DIAGNOSTIC INFIRMIER : alimentation déficiente reliée à une augmentation de la demande métabolique et à une incapacité de manger seul se manifestant par une perte de poids >2,5 kg comparativement au poids du client lors de son arrivée à l'hôpital et par une diminution du taux d'albumine et de protéines sériques.

PLANIFICATION

Résultats escomptés

- Perte de poids <4,5 kg
- Taux normal d'albumine et de protéines sériques

INTERVENTIONS

- Vérifier l'état nutritionnel du client lors de son arrivée à l'hôpital.
- S'assurer qu'une alimentation entérale est administrée selon l'ordonnance pendant la phase aiguë.
- Favoriser une alimentation riche en protéines, en calories, en glucides et en fibres, lorsque le client peut manger.

- Compter le nombre de calories et peser le client au moins une fois par semaine.

Justifications

- Obtenir des données de base.

- Ne pas interrompre l'apport en aliments.

- Annihiler l'effet d'un catabolisme grave qui survient en présence d'une lésion médullaire et favoriser la fonction intestinale.
- Évaluer le plan nutritionnel et le poursuivre ou le modifier au besoin.

DIAGNOSTIC INFIRMIER : dysfonctionnement sexuel relié à l'incapacité d'obtenir une érection ou de percevoir des sensations au niveau pelvien et au manque de connaissances des autres moyens d'atteindre une satisfaction sexuelle se manifestant par la verbalisation des problèmes d'ordre sexuel.

PLANIFICATION

Résultats escomptés

- Exprime une satisfaction concernant ses activités sexuelles.
- Connaît les différentes façons d'atteindre une expression sexuelle.

INTERVENTIONS

- Établir une relation honnête et empathique à l'égard du client et du partenaire.
- Fournir des renseignements précis concernant les effets des lésions médullaires sur le fonctionnement sexuel ; inciter le client à poser des questions ; suggérer d'autres méthodes et l'utilisation d'accessoires pour atteindre une satisfaction sexuelle.

Justifications

- Favoriser une discussion ouverte à propos des inquiétudes d'ordre sexuel.
- Bien renseigner le client.

Plan de soins infirmiers

Client atteint d'une lésion médullaire* (*suite*)

- Discuter des érections réflexogènes chez l'homme et des techniques de lubrification vaginale chez la femme.
- Recommander le client à un sexologue, s'il y a lieu.

- Comme moyen d'accroître la satisfaction sexuelle.

DIAGNOSTIC INFIRMIER : risque d'accident relié au déficit sensoriel et au manque de capacités défensives.

PLANIFICATION

Résultat escompté
- Absence de blessure

INTERVENTIONS	Justifications
• Examiner l'environnement pour déceler les situations qui sont susceptibles de blesser le client.	• Planifier les modifications appropriées.
• Relever les ridelles du lit, mettre des coussinets sur les ridelles, tourner et déplacer le client avec précaution et prévoir un nombre suffisant de personnes.	• Prévenir les blessures.
• Enseigner au client à prévoir les événements qui pourraient le blesser.	• Afin qu'il puisse reconnaître rapidement les mesures de prévention.

DIAGNOSTIC INFIRMIER : dynamique familiale perturbée reliée à la modification de la fonction familiale du client se manifestant par une mauvaise communication entre les membres de la famille, de mauvaises stratégies d'adaptation (p. ex. cris, blâmes, isolement), et par l'incapacité des membres de la famille à répondre au besoin du client.

PLANIFICATION

Résultat escompté
- Maximiser les forces individuelles et familiales pour répondre aux besoins du client.

INTERVENTIONS	Justifications
• Examiner la dynamique familiale en ce qui a trait aux rôles et aux responsabilités.	• Déterminer les sources problématiques et les forces.
• Favoriser la communication entre les membres de la famille concernant la planification à long terme pour répondre aux besoins du client, y compris les aspects financiers.	• De manière à ce que les idées et les inquiétudes de tous les membres de la famille concernés soient considérées.
• Aider les membres de la famille à comprendre les sentiments du client.	• Valoriser la sensation de confiance et de soutien du client.
• Aider les membres de la famille à mettre sur pied un plan d'action pour répondre aux besoins du client.	• Réduire le sentiment de frustration et d'impotence.
• Coordonner une démarche d'équipe structurée.	• Aider le client et la famille à maîtriser les changements complexes.

DIAGNOSTIC INFIRMIER : stratégies d'adaptation inefficaces reliées à une perte de maîtrise des fonctions corporelles et une à altération du mode de vie secondaire à la paralysie.

PLANIFICATION

Résultat escompté
- Verbalisation de la capacité de s'adapter aux effets des lésions médullaires.

INTERVENTIONS	Justifications
• Évaluer le client pour déceler l'utilisation prolongée des mécanismes de défense inappropriés, l'incapacité d'accepter la permanence du pronostic, le refus d'utiliser les services de soutien disponibles.	• Déterminer la présence de facteurs de risque d'adaptation inefficace.
• Soutenir et accepter les sentiments du client et l'aider dans la résolution de problèmes.	• Lui donner confiance dans ses capacités d'adaptation.

Plan de soins infirmiers

Client atteint d'une lésion médullaire* (*suite*)

- Favoriser le recours à des réseaux de soutien.
- Fournir des renseignements.
- Enseigner au client de bonnes stratégies d'adaptation, comme des techniques de relaxation.

- Discuter de ses préoccupations.
- Le client peut mieux s'adapter en sachant à quoi s'attendre.
- Éviter qu'il n'adopte de mauvaises habitudes comme fumer, boire ou être coléreux.

DIAGNOSTIC INFIRMIER : image corporelle perturbée reliée à la paralysie se manifestant par la colère ou d'autres sentiments négatifs, le refus de discuter des changements au niveau des fonctions et d'avoir des contacts sociaux ou de regarder son corps.

PLANIFICATION
Résultats escomptés
- Expression de ses sentiments par rapport à son apparence.
- Maîtrise de ses sentiments pour s'adapter.

INTERVENTIONS
- Favoriser la discussion concernant ses sentiments.

- Laisser le client vivre son deuil.

- Favoriser les interactions sociales.
- Aider les membres de la famille à soutenir le client.
- Recommander le client à un psychologue, s'il y a lieu.

Justifications
- Aider le client à se décharger de sa colère et à préciser ses sentiments.
- Une lésion médullaire entraîne une perte réelle et requiert une adaptation.
- Mettre l'accent sur un retour à la vie normale.
- Encourager à retrouver l'estime de soi.

---

* Ce plan convient au client qui est atteint d'une lésion cervicale haute causée par une flexion-rotation. Il peut être modifié pour le client ayant des troubles moins importants.

l'utilisation de sièges de sécurité destinés aux enfants et les peines plus sévères pour les conducteurs en état d'ébriété. Il est indispensable d'établir des programmes collectifs pour la formation du personnel affecté aux urgences.

Intervention d'urgence. Les lésions cervicales hautes causées par une flexion-rotation sont les lésions médullaires les plus complexes et elles sont abordées dans la section suivante. Les interventions effectuées lors de ce type de lésions peuvent être modifiées en fonction de l'état du client.

Immobilisation. Une immobilisation adéquate exige que le cou soit maintenu en position neutre ou en extension. Des sacs de sable, un collier cervical rigide et une planche dorsale peuvent être utilisés pour stabiliser le cou et prévenir toute rotation de la colonne cervicale. La position du corps doit toujours être bien alignée et le client doit être retourné en bloc (p. ex. « comme un billot ») afin d'éviter tout mouvement de la colonne vertébrale. Lors d'une lésion cervicale, la traction squelettique est généralement effectuée au moyen d'un étrier de Crutchfield (voir figure 56.8), d'un étrier de Vinke (voir figure 56.9), d'un étrier de Gardner-Wells ou d'un autre type d'étrier. La traction est assurée par une corde tendue au centre de l'étrier vers une poulie et des poids sont attachés à l'extrémité. La traction doit

être maintenue en tout temps. L'un des inconvénients de l'étrier est que les tiges peuvent se déplacer. Lorsque cela se produit, l'infirmière doit maintenir la tête du client en position neutre ou en extension et aviser le médecin immédiatement. Des sacs de sable peuvent être placés pour stabiliser la tête pendant que le médecin réinsère l'étrier.

Un autre problème possible est une infection au niveau des points d'insertion. Les soins préventifs comprennent le nettoyage des points d'insertion deux fois par jour avec une solution saline normale et l'application d'un onguent antibiotique, lequel agit comme une barrière mécanique contre les bactéries. Les soins préventifs reliés aux points d'insertion varient en fonction des protocoles de soins établis par chaque établissement hospitalier.

Des lits et des cadres de lit spéciaux peuvent être utilisés pour traiter les clients atteints d'une lésion médullaire. Cet équipement peut comprendre les cadres de lit fabriqués par Stryker et les lits Roto Rest de Delta (voir figure 56.10). Le lit Strycker permet une rotation latérale de 360°. Le lit Roto Rest de Delta assure une kinésithérapie grâce à une rotation latérale lente de 62° afin de maintenir constamment le client en mouvement. Le lit permet une fréquence de rotation supérieure à 200 fois par jour. Ce type de lit est utilisé pour réduire les risques d'escarres de décubitus et de complications cardiopulmonaires. Cependant, certains clients peuvent éprouver le mal du mouvement ou la peur de tomber lorsque les rotations du lit sont extrêmes (le mal du mouvement est peu probable lorsqu'on utilise un système automatique plutôt qu'un système manuel).

Selon le type de lésion et le type d'interventions thérapeutiques, l'étrier et la traction peuvent être enlevés de deux à quatre semaines suivant la blessure. Il est possible qu'une traction par halo crânien soit appliquée lorsque la lésion est stable. L'enlèvement de la traction et l'application d'un collier cervical ou d'une traction par halo crânien permet au client de jouir d'une plus grande mobilité et de commencer une réadaptation active. La traction par halo crânien exerce

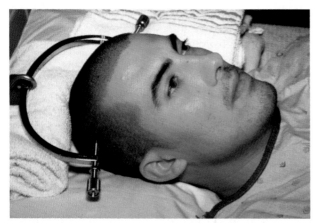

FIGURE 56.8 Traction cervicale attachée à des étriers insérés dans le crâne

une traction cervicale grâce à un corset thoracique qui permet une plus grande mobilité et un meilleur déplacement en fauteuil roulant que les autres systèmes de traction (voir figure 56.11).

Bien que l'immobilisation du cou chez un client atteint d'une lésion médullaire permette de prévenir l'aggravation de la lésion, les répercussions de l'immobilité sont importantes. Il est indispensable de prodiguer les soins de la peau de façon méticuleuse puisque la diminution des sensations et de la circulation prédisposent le client à des déchirures de l'épiderme. Afin de prévenir la rupture de l'épiderme au niveau de la région coccygienne et de la région occipitale, il est préférable que la planche dorsale soit enlevée le plus rapidement possible ou que le collier cervical soit bien ajusté ou remplacé par une autre forme d'immobilisation. Il est important d'examiner régulièrement les régions sous le gilet halo ou le corset thoracique afin de vérifier l'état de la peau.

Troubles respiratoires. Au cours des 48 premières heures suivant la lésion, l'œdème peut accroître le niveau de dysfonctionnement et une détresse respiratoire peut survenir. Lorsque le client est épuisé en raison de respirations laborieuses ou d'une détérioration des gaz artériels sanguins (indiquant une oxygénation inadéquate), une intubation endotrachéale ou une trachéostomie avec ventilation mécanique doit être mise en place. Il est important de surveiller étroitement l'appareil respiratoire et d'intervenir rapidement si un arrêt respiratoire survient. Une pneumonie et une atélectasie sont des troubles possibles en raison de la diminution de la capacité vitale et de la perte de la fonction musculaire

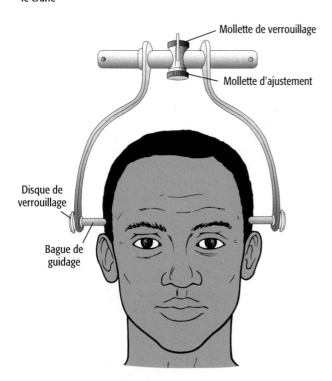

FIGURE 56.9 Immobilisation cervicale à l'aide de l'étrier de Vinke

FIGURE 56.10 Table de kinésithérapie

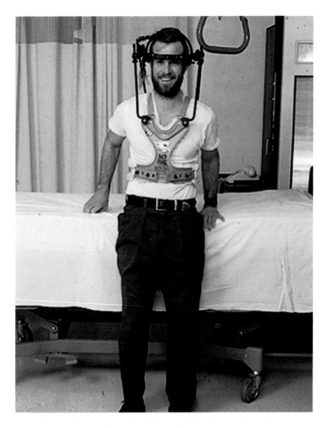

FIGURE 56.11 Gilet halo, fabriqué par Ace, avec des bretelles et une veste rigides. Différentes tailles de gilet sont préfabriquées. L'étrier crânien, la superstructure et le gilet sont compatibles avec l'IRM.

intercostale et abdominale, ce qui a pour effet d'entraîner une respiration diaphragmatique, une accumulation de sécrétions et une toux inefficace. Une personne âgée éprouve davantage de difficultés à réagir à une hypoxie et à une hypercapnie, et tolère péniblement une hypoxie causée par un manque de réserve d'oxygène. Par conséquent, une physiothérapie respiratoire agressive, une oxygénation adéquate et un soulagement efficace de la douleur sont essentiels pour maximiser la fonction respiratoire et les échanges gazeux. La congestion nasale et les bronchospasmes peuvent être d'autres troubles éprouvés par le client.

L'infirmière doit évaluer régulièrement les éléments suivants : les bruits respiratoires ; les gaz artériels sanguins ; le volume courant ; la capacité vitale ; la couleur de la peau ; les modes de respiration (notamment l'utilisation de muscles accessoires) ; les commentaires subjectifs concernant la capacité de respirer ; la quantité et la couleur des expectorations. Une PaO_2 (pression partielle artérielle en oxygène) supérieure à 60 mm Hg et une $PaCO_2$ (pression partielle artérielle en gaz carbonique) inférieure à 45 mm Hg sont des données acceptables chez un client atteint de tétraplégie non

compliquée. L'infirmière doit noter les effets du décubitus ventral, car cette position peut réduire considérablement la capacité vitale et entraîner un arrêt respiratoire. Un client qui est incapable de compter à voix haute d'un à dix, sans prendre de respiration, nécessite une attention immédiate.

En plus de surveiller les activités, l'infirmière peut intervenir pour maintenir la ventilation. Elle peut administrer de l'oxygène jusqu'à ce que les gaz artériels sanguins soient stabilisés. Une physiothérapie respiratoire et une technique de désencombrement réalisée à quatre mains (toux assistée) aident à éliminer les sécrétions. La technique de désencombrement réalisée à quatre mains stimule les muscles abdominaux inefficaces pendant la phase d'expiration de la toux. L'infirmière place son poing ou la paume de sa main entre l'ombilic et la pointe du sternum du client et exerce une pression ferme sur cette région (voir figure 28.6). Une aspiration trachéale doit être effectuée en présence de râles crépitants ou de ronchi. La spirométrie d'encouragement est une autre technique utilisée pour améliorer l'état respiratoire du client.

Instabilité cardiovasculaire. En raison de l'activité vagale non compensée, la fréquence cardiaque est souvent ralentie à moins de 60 battements par minute. Toute augmentation de la stimulation vagale, comme un changement de position ou une aspiration, peut entraîner un arrêt cardiaque. La perte du tonus sympathique au niveau des vaisseaux périphériques entraîne une hypotension chronique avec la possibilité d'une hypotension posturale. Le manque de tonus musculaire entraîne un moins bon retour veineux, ce qui ralentit le débit sanguin et prédispose le client à une thrombose veineuse profonde.

Les signes vitaux doivent être surveillés fréquemment. Un anticholinergique comme l'atropine est administré lorsque la bradycardie est symptomatique. Un stimulateur cardiaque temporaire peut être mis en place dans certains cas. L'hypotension est traitée avec des vasopresseurs comme la dopamine et le remplacement liquidien. Chez les personnes âgées, la prévalence des maladies cardiovasculaires doit être prise en compte, car l'appareil cardiovasculaire est moins capable de gérer le stress d'une lésion traumatique. Les contractions cardiaques s'affaiblissent et le débit cardiaque est réduit. La fréquence cardiaque maximale est également réduite.

Des bas de compression pneumatique peuvent être utilisés pour prévenir une thromboembolie et pour favoriser le retour veineux. Les bas doivent être enlevés toutes les huit heures afin de prodiguer les soins de la peau. L'utilisation d'un appareil pneumatique à compression pour les mollets (jambières pneumatiques) est recommandée et doit être mis en place le plus tôt possible après l'admission et être conservé pendant toute la durée de l'hospitalisation. Un écho-Doppler veineux doit être effectué avant d'appliquer un appareil de compression. L'infirmière doit aider le client à effectuer régulièrement des exercices d'amplitude articulaire et des étirements pour les jambes. Les cuisses et les mollets du client doivent être examinés tous les quarts de travail afin de déceler tout signe de thrombose veineuse profonde.

De l'héparine ou de l'héparine de faible poids moléculaire peut être administrée à des fins prophylactiques dans le but de prévenir une thrombose veineuse profonde, à moins que ces médicaments ne soient contre-indiqués, comme dans les cas d'hémorragie interne ou de chirurgie récente.

Les taux d'hémoglobine et d'hématocrite doivent être surveillés si le client a perdu du sang à la suite d'autres lésions, et une transfusion de sang doit être effectuée selon le protocole. L'infirmière doit également surveiller tout signe de choc hypovolémique secondaire à une hémorragie.

Maintien liquidien et nutritionnel. Au cours des 48 à 72 premières heures suivant le traumatisme, le tractus gastro-intestinal peut cesser de fonctionner (iléus paralytique) et une sonde nasogastrique doit être insérée. Étant donné que le client ne peut rien absorber oralement, les besoins hydro-électrolytiques doivent être surveillés attentivement. Des solutés et des suppléments spécifiques doivent être prescrits en fonction des besoins de chaque client. Les aliments et les liquides peuvent ensuite être administrés graduellement par voie orale une fois que les bruits intestinaux ou que les flatulences sont revenus. Une alimentation riche en protéines et en calories est indispensable pour que les tissus se réparent et que le client retrouve un regain d'énergie. La déglutition doit être évaluée avant d'administrer des aliments par voie orale au client atteint d'une lésion cervicale haute. Une alimentation parentérale totale peut être amorcée pour assurer un soutien nutritionnel si le client est incapable de manger.

Une plus grande quantité de fibres alimentaires doit être ingérée afin d'améliorer la fonction intestinale. Certains clients peuvent éprouver de l'anorexie en raison d'une dépression psychologique, d'un dégoût pour la nourriture de l'hôpital ou parce qu'ils se sentent mal à l'aise de se faire nourrir (souvent par une infirmière pressée). D'autres clients peuvent avoir un petit appétit en général. Il peut parfois arriver que le client refuse de manger pour garder une certaine maîtrise sur son environnement en raison d'une diminution ou d'une absence de la maîtrise de son corps. La cause doit être évaluée en profondeur lorsque le client ne se nourrit pas adéquatement. Après avoir établi la source du problème, l'infirmière peut rédiger une entente avec le client en fixant des objectifs communs concernant l'alimentation. Cette approche a pour but de donner au client un plus grand sentiment de maîtrise sur sa situation et améliore souvent son apport nutritionnel. Il peut s'avérer utile d'assurer un environnement agréable pour manger, de prévoir suffisamment de temps pour les repas (y compris l'auto-alimentation), de demander à la famille d'amener des plats spéciaux et de planifier des récompenses. L'infirmière, en collaboration avec une diététiste, doit compter le nombre de calories, et noter le poids du client quotidiennement afin d'évaluer le progrès. Elle peut aussi inciter le client à faire le décompte des calories, si possible. L'infirmière doit éviter que l'apport nutritionnel ne devienne une lutte de pouvoirs.

Traitement relié à l'élimination intestinale et urinaire. La rétention urinaire est attribuable à la perte de l'automatisme vésico-sphinctérien. Étant donné que le client n'a aucune sensation de plénitude, la surdistension de la vessie peut entraîner un reflux vésico-urétéral et la possibilité d'une insuffisance rénale. Une surdistension vésicale peut même entraîner une rupture de la vessie. Par conséquent, une sonde à demeure est habituellement insérée le plus tôt possible après la lésion. L'infirmière doit inspecter régulièrement la sonde afin d'assurer sa perméabilité et de procéder à une irrigation au besoin. Certains établissements exigent que l'infirmière obtienne une ordonnance du médecin pour effectuer cette procédure. Une technique d'asepsie rigoureuse doit être utilisée lors de l'entretien de la sonde afin d'éviter toute infection. Une fois que le client est stabilisé, il est important d'évaluer les meilleurs moyens pour traiter la fonction urinaire à long terme. Des cathétérismes intermittents sont habituellement pratiqués. Le client doit souvent suivre une restriction liquidienne de 1800 à 2000 ml par jour afin de favoriser le programme de rééducation vésicale. Le débit urinaire doit être surveillé attentivement.

Il est fréquent que les clients souffrent d'une infection des voies urinaires. Un apport liquidien important et la consommation de jus de canneberge, de raisin ou de pomme aident à prévenir ces infections. Lorsqu'ils sont pris en grande quantité, ces jus laissent des résidus acides dans l'urine, ce qui prévient le risque de croissance bactérienne. La consommation de jus d'agrumes doit toutefois être restreinte. On administre parfois de l'acide ascorbique et un antiseptique urinaire comme le mandélate de méthénamine (Mandelamine). Le pH de l'urine doit être vérifié quotidiennement pour en évaluer l'acidité. Si l'apparence ou l'odeur de l'urine est douteuse, un échantillon est prélevé à des fins d'analyse. Les changements de la fonction rénale reliés à l'âge doivent être pris en considération. Une personne âgée risque davantage de développer des calculs rénaux et les hommes âgés peuvent souffrir d'une hyperplasie prostatique, laquelle peut perturber le débit urinaire et compliquer le traitement urinaire.

La constipation cause habituellement des problèmes lors d'une sidération médullaire, car l'évacuation volontaire ou spontanée des intestins ne se produit pas. Des suppositoires sont utilisés en combinaison avec des laxatifs afin de faciliter l'évacuation intestinale. Les lavements ne doivent être utilisés que dans les cas spéciaux, car ils peuvent provoquer une surdistension du rectum et entraîner des problèmes lors d'un traitement intestinal.

Régulation de la température. Puisqu'il n'y a aucune vasoconstriction, horripilation ni perte de chaleur par la transpiration en aval de la lésion, la régulation de la température ne dépend vraiment pas du client. Par conséquent, l'infirmière doit surveiller attentivement le milieu afin de maintenir une température ambiante adéquate. La température corporelle doit être prise régulièrement. Il est important de ne pas trop couvrir le client ni de l'exposer inutilement (lors du bain, par exemple). Si le client contracte une infection, il est possible qu'une couverture refroidissante doive être utilisée pour régulariser sa température.

Ulcères de stress. Les ulcères de stress sont un problème pour le client atteint d'une lésion médullaire en raison de la réaction physiologique au traumatisme grave, du stress psychologique et de la forte dose de corticostéroïdes. Le taux d'incidence des ulcères de stress est maximal de 6 à 14 jours suivant la lésion. Les selles et le contenu gastrique doivent être examinés quotidiennement pour déceler la présence de sang et le taux d'hématocrite doit être surveillé pour toute chute lente. Les corticostéroïdes doivent être administrés avec la prise d'anti-acides ou d'aliments. Les antagonistes des récepteurs H$_2$ de l'histamine, comme la ranitidine (Zantac) et la famotidine (Pepcid), peuvent être administrés à des fins prophylactiques pour diminuer la sécrétion d'acide chlorhydrique. Le client souffrant de saignements gastro-intestinaux supérieurs peut également être prédisposé à une pneumonie d'aspiration.

Privation sensorielle. Afin de prévenir la privation sensorielle, l'infirmière doit aider le client à compenser l'absence de sensations. Elle peut y parvenir en stimulant le client en amont de la lésion. La conversation, la musique, les arômes prononcés et les saveurs intéressantes doivent faire partie du plan de soins infirmiers. L'infirmière peut lui fournir des lunettes prismatiques afin qu'il puisse lire et regarder la télévision. Elle doit s'efforcer d'éviter que le client ne s'isole.

Les clients atteints d'une lésion médullaire signalent souvent une altération des perceptions sensorielles et des rêves d'apparence réelle pendant la phase aiguë de leur traitement. On ne sait pas encore si cela est relié aux médicaments utilisés pour soulager la douleur et réduire l'anxiété. Les clients peuvent également éprouver des perturbations dans leurs habitudes de sommeil en raison du milieu hospitalier ou du syndrome de stress post-traumatique.

Réflexes. Une fois que la sidération médullaire est résolue, le retour des réflexes peut compliquer la réadaptation. En raison du manque de contrôle des centres nerveux supérieurs, les réflexes sont souvent inadéquats et excessifs. Une érection peut être provoquée par divers stimuli, ce qui peut causer de la gêne et de l'inconfort pour le client. Le client peut aussi éprouver des spasmes variant de contractions légères à des mouvements convulsifs en aval de la lésion. Ce réflexe est

Fonction intestinale consécutive à une lésion médulaire
RECHERCHE

ENCADRÉ 56.5

Article : Kirk PM et coll. : Long-term follow-up of bowel management after spinal cord injury, *SCI Nursing* 14:56, 1997.

Objectif : décrire les traitements reliés à l'élimination intestinale, la prévalence des symptômes gastro-intestinaux, les répercussions d'un intestin neurogène sur les activités de la vie ainsi que la satisfaction de l'élimination intestinale chez les clients atteints d'une lésion médullaire.

Méthodologie : une enquête téléphonique a été menée auprès de 171 adultes atteints d'une lésion médullaire concernant le traitement relié à l'élimination intestinale, à la fonction intestinale et à leur degré de satisfaction. La durée moyenne de la lésion médullaire chez les sujets ayant participé à l'enquête était de 8,9 ans, et l'âge moyen des sujets était de 39 ans.

Résultats et conclusion : dans cet échantillon, le principal traitement relié à l'élimination intestinale était la stimulation chimique des intestins au moyen de laxatifs. L'apport alimentaire moyen en fibres était de 6,8 g par jour. Au cours de la dernière année, 90 % des sujets avaient souffert de troubles gastro-intestinaux comme la constipation. La plupart des participants étaient satisfaits de leur traitement intestinal.

Incidences sur la pratique : la constipation est un problème que vivent les clients atteints d'une lésion médullaire et qui se poursuit longtemps après la phase aiguë. Chez un client souffrant d'une lésion médullaire, la constipation est reliée à un certain nombre de facteurs tels que l'alimentation, la mobilité et les changements moteurs et sensoriels. Les clients atteints d'une lésion médullaire et leur famille ont besoin de renseignements concernant l'alimentation (p. ex. apport plus important en fibres), l'apport liquidien et les autres traitements (émollients fécaux, laxatifs) pour améliorer la fonction intestinale.

parfois interprété par le client et sa famille comme un retour de la fonction, et l'infirmière doit leur expliquer les raisons de ce réflexe. Elle peut informer le client des avantages de ces réflexes au niveau de la rééducation sexuelle, intestinale et vésicale. Les spasmes peuvent être soulagés par des bains chauds, par l'utilisation de baignoire de balnéothérapie ou par la prise d'antispasmodiques et de relaxants musculaires. La spasticité atteint son maximum après deux ans et une cordotomie (destruction des réflexes) peut s'avérer nécessaire si cet état est grave. Toutefois, cette procédure compromet la rééducation et ne doit être effectuée qu'en dernier recours.

Dysréflexie autonome. La **dysréflexie autonome** est une réaction cardiovasculaire non compensée provoquée par le système nerveux autonome. Elle survient en réaction à la stimulation viscérale une fois que la sidération médullaire est résolue chez les clients atteints d'une lésion médullaire en amont de T7. Cette affection constitue un danger de mort et elle doit être traitée immédiatement. Lorsque le problème n'est pas résolu, l'affection peut entraîner un status épileptique, un AVC, un infarctus du myocarde et même la mort.

Bien que toute stimulation sensorielle puisse causer une dysréflexie autonome, le globe vésical et la distension du rectum sont souvent les principales causes. Les contractions vésicales et rectales, la stimulation cutanée ou la stimulation des récepteurs de douleur peuvent aussi provoquer la dysréflexie autonome. Les manifestations comprennent l'hypertension (pression systolique supérieure à 300 mm Hg), une vision trouble, une céphalée pulsatile, une diaphorèse marquée en amont de la lésion, une bradycardie (de 30 à 40 bpm), une horripilation (érection de poils cutanés) à la suite d'un spasme pilomoteur, une congestion nasale et des nausées. Il est important de prendre la pression artérielle lorsqu'un client atteint d'une lésion médullaire se plaint de céphalées.

La dysréflexie autonome implique la stimulation des récepteurs sensitifs en aval de la lésion. Le système nerveux autonome intact en aval de la lésion réagit aux stimulations par une vasoconstriction artériolaire réflexe qui fait augmenter la pression artérielle. Les barorécepteurs situés dans le sinus carotidien et l'aorte perçoivent l'hypertension et stimulent le système parasympathique. Cela a pour effet d'entraîner une diminution de la fréquence cardiaque, mais les vaisseaux viscéraux et périphériques ne se dilatent pas, car le pouls efférent est incapable de passer dans la lésion médullaire.

Dans une telle situation grave, les interventions infirmières consistent à élever la tête du lit à 45 degrés, à aviser le médecin et à tenter de déterminer la cause. La cause la plus courante est l'irritation vésicale. Il est possible qu'un cathétérisme soit nécessaire pour soulager la distension. Le fait d'irriguer le cathéter lentement et soigneusement peut permettre de le désobstruer, autrement un autre cathéter peut être inséré. Un toucher rectal ne doit être effectué qu'après avoir appliqué une crème anesthésique pour réduire la stimulation rectale et prévenir l'augmentation des symptômes. L'infirmière doit enlever tous les stimuli cutanés comme les vêtements ajustés et les souliers serrés. Un bêta-bloquant ou un vasodilatateur artériolaire peut être administré si les symptômes persistent une fois que la source a été traitée. Les signes vitaux doivent être surveillés attentivement jusqu'à ce qu'ils soient stables.

L'infirmière doit renseigner le client et sa famille concernant les causes et les symptômes de la dysréflexie autonome, car ils doivent savoir que ce dysfonctionnement peut être mortel et doivent être en mesure de traiter la cause.(Voir encadré 56.6.)

Soins ambulatoires et à domicile. La réadaptation physiologique et psychologique d'un sujet atteint d'une lésion médullaire est complexe. Avec l'aide de soins physiques et psychologiques et d'une réadaptation intensive et spécialisée, ce client doit réapprendre à fonctionner pour atteindre un bien-être optimal. Bien

SOINS DANS LA FAMILLE

Dysréflexie autonome   ENCADRÉ 56.6

Le client et les membres de sa famille doivent connaître les signes et les symptômes de la dysréflexie autonome de manière que des interventions puissent être entreprises au moment opportun. Ceux-ci comprennent :
- apparition soudaine de céphalée aiguë ;
- augmentation de la pression artérielle et/ou diminution de la fréquence du pouls ;
- visage et partie supérieure de l'abdomen irrités (au-dessus du niveau de la lésion) et pâleur des extrémités (au-dessous du niveau de la lésion) ;
- transpiration au-dessus du niveau de la lésion ;
- congestion nasale ;
- sentiment d'appréhension.

Les interventions prioritaires comprennent :
- relever la personne en position assise ;
- éliminer les stimuli (fécalome, sonde urinaire pincée) ;
- aviser le médecin si les actions ci-dessus ne parviennent pas à soulager les signes et les symptômes.

Les efforts pour réduire les risques de dysréflexie autonome comprennent :
- maintenir une fonction intestinale normale ;
- réduire la stimulation de la dysréflexie autonome, en cas de stimulation des intestins, à l'aide d'anesthésiques locaux ;
- surveiller le débit urinaire ;
- porter un bracelet de type MedicAlert qui indique les antécédents de dysréflexie autonome.

Tiré de « Autonomic hyperreflexia » dans *Mosby's patient teaching guides*, St. Louis, Mosby, 1996.

qu'il existe des centres de réadaptation spécialisés, le client doit montrer qu'il est motivé à autogérer ses soins avant d'y être admis.

Il est fréquent que le personnel soignant considère les lésions de la moelle épinière comme les pires déficiences physiques. Cependant, les clients atteints d'une telle lésion sont habituellement très débrouillards et font preuve d'une grande tolérance. Les membres du personnel mésestiment souvent la capacité d'autonomie du client. L'infirmière qui fait preuve de trop de sympathie ou qui met trop l'accent sur le problème peut avoir de la difficulté à prodiguer les soins complexes que nécessite le client pour une réadaptation optimale. Le rétablissement est très long et l'infirmière doit apprendre à évaluer le progrès un pas à la fois. Des soins continus et prodigués par du personnel qualifié sont nécessaires pour chacune des interventions infirmières jusqu'à ce que le client atteigne un niveau d'autonomie optimal.

De nombreux troubles observés en phase aiguë deviennent chroniques et persistent pendant toute la vie. La réadaptation doit être axée sur la rééducation raffinée des processus physiologiques. Des appareils orthopédiques, un fauteuil roulant électrique et des appareils mécaniques sont au nombre des outils utilisés pour maximiser les fonctions restantes du client (voir figure 56.12). L'encadré 56.7 décrit le mode d'usage du gilet halo et son entretien, et les lignes directrices relatives aux soins de la peau sont présentées dans l'encadré 56.8.

La mobilité du client atteint d'une lésion à la colonne cervicale est nettement plus grande grâce aux stimulateurs

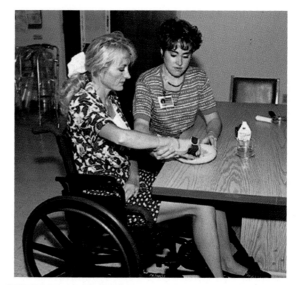

FIGURE 56.12 Cliente en ergothérapie qui utilise un support de bras articulé et une orthèse

des nerfs phréniques ou des stimulateurs diaphragmatiques électroniques. Le stimulateur diaphragmatique permet souvent au client de ne plus avoir besoin de ventilation assistée. Toutefois, les ventilateurs actuels sont maintenant si petits que les tétraplégiques nécessitant une ventilation assistée peuvent se déplacer et être autonomes. Bien que la réadaptation et les équipements nécessaires soient dispendieux, de nombreux programmes sont subventionnés par le gouvernement fédéral et les provinces.

Le client qui réussit à passer à travers la phase aiguë, voit souvent sa vie s'enrichir par rapport à ce qu'il croyait

---

SOINS DANS LA FAMILLE

Usage et mode d'entretien de gilet halo   ENCADRÉ 56.7

Les lignes directrices concernant le port du gilet halo sont les suivantes :

- vérifier les tiges de la traction. Aviser le médecin si une tige se desserre et s'il y a des signes d'infection, comme de la rougeur, de la sensibilité, de l'inflammation ou un écoulement au niveau des points d'insertion. Ne pas ajuster les vis des tiges soi-même, mais recommander au médecin s'il y a lieu ;
- utiliser un coton-tige imbibé de chlorhexidine ou de la solution recommandée par le service de santé pour nettoyer soigneusement autour des tiges. Répéter la procédure avec de l'eau ;
- utiliser des tampons d'alcool pour nettoyer les points d'ancrage des tiges s'il y a des écoulements ;
- appliquer un onguent antibiotique s'il est prescrit ;
- pour effectuer les soins de la peau, demander au client de se coucher sur le dos et d'appuyer sa tête contre un oreiller pour réduire la pression exercée sur l'appareil orthopé-

dique. Détacher un côté du gilet. Laver doucement la peau sous le gilet avec du savon et de l'eau, la rincer et bien l'assécher. Au même moment, examiner la peau pour déceler des points de pression, des rougeurs, de l'inflammation, des signes de contusion ou d'irritation. Rattacher le gilet et répéter la procédure de l'autre côté ;
- si le gilet devient mouillé ou humide, l'assécher soigneusement avec un sèche-cheveux ;
- un appareil fonctionnel (p. ex. une canne ou un déambulateur) peut être utilisé pour assurer un meilleur équilibre. Le client doit porter des souliers plats ;
- tourner tout le corps pour examiner les côtés et non seulement la tête et le cou ;
- en cas d'urgence, garder un jeu de clés près du gilet en tout temps ;
- marquer les courroies du gilet de manière à ce que le gilet soit solidement attaché et bien ajusté.

Tiré de « Halo vest care at home » dans *Mosby's patient teaching guides*, St. Louis, Mosby, 1996.

SOINS DANS LA FAMILLE

Soins de la peau pour le client atteint d'une lésion médulaire   ENCADRÉ 56.8

Puisqu'il y a risque de rupture de l'épiderme à la suite d'une lésion médullaire, les mesures suivantes sont utilisées en prévention.

Changer fréquemment la position du client :
- si le client est en fauteuil roulant, le lever et transférer son poids toutes les 15 à 30 minutes ;
- si le client est au lit, le changer régulièrement de position (au moins toutes les deux heures), le tourner sur le côté droit, puis sur le côté gauche, sur le dos ou sur le ventre ;
- utiliser un matelas de lit spécial et un coussin pour fauteuil roulant ;
- utiliser des oreillers pour protéger les protubérances osseuses lorsque le client est au lit.

Surveiller l'état de la peau :
- examiner la peau fréquemment pour déceler des rougeurs, de l'inflammation et une zone rupturée ;
- garder les ongles courts pour éviter les égratignures et les abrasions.
- si une plaie apparaît, suivre le traitement standard des soins de plaie, ce qui comprend de garder la plaie à l'air libre et d'appliquer le traitement selon l'ordonnance.

Tiré de « Skin care tips following spinal cord injury » dans *Mosby's patient teaching guides*, St. Louis, Mosby, 1996.

au début. Tout comme les autres personnes ayant frôlé la mort, certains clients trouvent que leur vie est plus précieuse et qu'elle a davantage de sens qu'avant la lésion. Malheureusement, d'autres clients peuvent ne pas avoir une vision aussi positive de l'avenir. L'infirmière joue donc un rôle crucial afin de coordonner les efforts de l'équipe soignante dans le but d'entraîner un résultat positif.

Vessie neurogène. Une fois que la sidération médullaire et l'atonie vésicale sont résolues, la vessie est neurogène. Une vessie neurogène est un type de dysfonctionnement relié à une innervation anormale ou absente de la vessie. Elle peut entraîner des troubles au niveau de l'urine résiduelle, la formation de calculs (urolithiases) ou une infection, et elle est souvent associée à une détérioration progressive des reins et à une incontinence urinaire. Le réseau de fibres du détrusor forme la paroi musculaire de la vessie. Le trigone est une petite zone triangulaire située près du col vésical qui est parfois appelé le **sphincter interne**. Le diaphragme urogénital entoure complètement l'urètre et est parfois appelé le **sphincter externe**. Selon le type de lésion, il est possible que la vessie n'ait aucun réflexe de contraction du détrusor (aréflexique ou flasque) ou qu'elle ait des réflexes de contraction hyperactifs du détrusor (hyperréflexique ou spastique). Les symptômes courants de la vessie neurogène comprennent l'incontinence impérieuse, les mictions fréquentes, l'incontinence, l'incapacité d'uriner et les caractéristiques d'une obstruction.

Une vessie neurogène peut être classée selon le réflexe du détrusor, la pression de remplissage intra-vésicale et la continence. Les types de vessie neurogène sont présentés dans le tableau 56.4. Le diagnostic et le processus thérapeutique de la vessie neurogène sont décrits dans l'encadré 56.9. Le client atteint d'une lésion médullaire et ayant une vessie neurogène a besoin de suivre un programme thérapeutique afin de traiter la fonction vésicale. Ce programme devrait comprendre les éléments suivants :

- Évaluation diagnostique : un cystométrogramme, un pyélogramme IV et une uroculture doivent être effectués une fois que l'état général du client est stable et que les réflexes neurologiques sont présents ;
- Pharmacothérapie : des médicaments doivent être administrés pour augmenter la force de contraction du détrusor, pour acidifier l'urine et pour détendre le sphincter urétral ;
- Recommandations nutritionnelles : une alimentation faible en calcium (1 g/jour) est indispensable pour réduire le risque de néphrites et de cystolithes ;
- Apport liquidien : un apport liquidien de 1800 à 2000 ml par jour doit être maintenu pour prévenir la formation de calculs et pour assurer un débit urinaire adéquat ;
- Drainage vésical : la méthode utilisée pour drainer l'urine dépend de l'état du client, de la préférence du médecin, du personnel infirmier et du client et de la politique de l'établissement. Il existe de nombreuses méthodes de drainage, dont la rééducation vésicale, le cathétérisme à demeure, le cathétérisme intermittent et la dérivation urinaire.

De nombreux facteurs sont pris en considération lors du choix de l'approche thérapeutique, dont la fonction des membres supérieurs, les coûts indirects des soins et les choix du client par rapport à son mode de vie.

La fonction vésicale peut se traduire par un réflexe avec le retour de l'arc réflexe. Cependant, en raison de l'interruption des voies nerveuses vers le cerveau, le client n'a aucune maîtrise sur les mictions, et cela entraîne une réduction de la vessie, une hyperirritabilité du détrusor et du sphincter ainsi qu'une perte d'inhibition du réflexe par le cerveau. Le client et l'infirmière peuvent utiliser des techniques telles que la méthode de Credé ou la manœuvre de Valsalva ou un étirement rectal afin de faciliter une vidange complète de la vessie. La méthode de Credé nécessite que l'infirmière ou le client exerce une pression vers le bas sur la vessie en reproduisant un effet de pompage. Cette méthode n'est prescrite que pour le client présentant une atteinte des motoneurones des membres inférieurs et peut requérir une ordonnance du médecin dans

TABLEAU 56.4 Types de vessie neurogène

Type	Caractéristiques	Cause	Manifestations cliniques
Non inhibée	Aucune inhibition influence le moment et le lieu de la miction	Lésion au niveau du faisceau pyramidal ; observée dans les cas d'AVC, de sclérose en plaques, de tumeur cérébrale et de traumatisme crânien	Incontinence, augmentation de la fréquence et incontinence impérieuse
Réflexe	La vessie réagit comme une partie de l'arc réflexe médullaire sans être reliée au cerveau	Lésion des fibres motrices et sensorielles ; observée à l'occasion dans les cas de sclérose en plaques et d'anémie pernicieuse	Incontinence, mictions fréquentes, manque de sensation de la plénitude vésicale
Autonome	La vessie réagit de manière autonome, comme si elle était coupée du cerveau et de la moelle épinière	Lésion de la queue de cheval, des nerfs pelviens et spina bifida	Incontinence, difficulté à commencer la miction
Paralysie motrice	La vessie réagit comme s'il y avait une paralysie de toutes les fonctions motrices	Lésion des motoneurones des membres inférieurs causée par un traumatisme touchant S2-S4	Si la fonction sensorielle est intacte, sensation de distension vésicale et d'hésitation ; aucun contrôle mictionnel, entraînant une distension excessive de la vessie et une incontinence par regorgement
Paralysie sensorielle	La vessie réagit comme s'il y avait une paralysie de toutes les modalités	Lésion de la vertèbre sensitive de l'arc réflexe médullaire de la vessie ; observée dans les cas de sclérose en plaques, de diabète et d'anémie pernicieuse	Faible sensation de la vessie, mictions peu fréquentes, volume résiduel important

certains établissements, car elle risque de provoquer une dysréflexie autonome chez un client atteint d'une maladie des motoneurones des membres supérieurs. Lors de la manœuvre de Valsalva, le client doit respirer profondément, retenir son souffle et expirer. L'étirement rectal consiste à insérer un doigt ganté dans le rectum en exerçant une légère pression contre le sphincter afin de permettre au plancher du périnée de se détendre. La combinaison de la manœuvre de Valsalva et de l'étirement rectal entraîne une meilleure vidange de la vessie. Le client doit être en mesure de surveiller l'urine résiduelle à la suite de l'automatisme vésical. Cela peut prendre de trois à cinq jours avant que l'urine résiduelle ne soit inférieure à 100 ml. Il est important de vérifier les effets des médicaments sur le volume résiduel, car ils sont nombreux à avoir des répercussions sur la rétention urinaire. L'objectif ultime de cette technique est d'éviter que le client ne doive porter un cathéter.

L'usage à long terme d'une sonde à demeure doit être évalué avec soin en raison du taux d'incidence élevé d'infection urinaire, de formation de fistules et de diverticules qui y sont associés. On doit s'assurer que l'apport liquidien est adéquat et que le cathéter est perméable. La fréquence du changement de cathéter varie d'une

PROCESSUS DIAGNOSTIQUE ET THÉRAPEUTIQUE

Vessie neurogène ENCADRÉ 56.9

Diagnostic
- Examen neurologique
- Cystométrogramme
- Pyélogramme IV
- Uroculture

Traitement thérapeutique
- Pharmacothérapie
- Augmenter la force du détrusor (béthanéchol [Duvoid])
- Acidification de l'urine (acide ascorbique [vitamine C])
- Anti-infectieux des voies urinaires (p. ex. mandélate de méthénamine [Mandelamine])
- Détente du sphincter urétéral

Nutrition
- Alimentation faible en calcium (<1 g/jour)
- Apport liquidien de 1800 à 2000 ml/jour

Drainage vésical
- Réflexe mictionnel
- Cathétérisme intermittent
- Sonde à demeure
- Dérivation urinaire

semaine à un mois, en fonction du type de cathéter utilisé et de la politique de l'établissement.

Le cathétérisme intermittent est recommandé pour le traitement relié à la vessie (voir chapitre 37). L'évaluation infirmière est importante pour établir l'intervalle entre les cathétérismes. Au début, le cathétérisme est pratiqué aux quatre heures. L'intervalle peut être espacé si moins de 200 ml d'urine sont drainés. Toutefois, le délai devra être raccourci si plus de 500 ml sont recueillis. Une surdistension vésicale peut entraîner une ischémie, ce qui peut prédisposer les tissus à une invasion bactérienne et à une infection. Les clients ont souvent une diurèse à des heures régulières pendant une période de 24 heures, ce qui peut nécessiter un cathétérisme supplémentaire. Le nombre de cathétérismes intermittents est généralement de cinq à six par jour.

Une dérivation urinaire peut s'avérer nécessaire si le client fait des infections urinaires à répétition accompagnées d'une atteinte rénale ou de néphrites à répétition ou si une intervention thérapeutique est inefficace (voir tableau 37.7). Le traitement chirurgical de la vessie neurogène comprend une révision du col vésical (sphinctérotomie), une augmentation vésicale, un implant pénien, un sphincter artificiel, une urétrostomie périnéale, une cystotomie, une vésicostomie ou une transplantation urétrale antérieure.

Élimination intestinale. L'élimination intestinale doit être traitée avec soin chez le client atteint d'une lésion médullaire, car la maîtrise volontaire de cette fonction peut être perdue. Les mesures habituelles pour prévenir la constipation comprennent une alimentation riche en fibres et un apport liquidien adéquat (voir encadré 34.8). Les lignes directrices de l'enseignement au client et à sa famille relatives au traitement relié à l'élimination intestinale sont présentées dans l'encadré 56.10. Cependant, il est possible que ces mesures soient inefficaces pour stimuler l'élimination intestinale et que des suppositoires ou une stimulation digitale par l'infirmière ou par le client soit nécessaire. Pour le client souffrant d'une atteinte des motoneurones des membres supérieurs, la stimulation digitale est essentielle pour favoriser la défécation. De petits lavements et de petites doses de médicaments comme le docusate sodique (Colace), le bisacodyl (Dulcolax) et la glycérine peuvent également être utilisés.

La manœuvre de Valsalva et la stimulation manuelle sont utiles chez les clients souffrant d'une atteinte des motoneurones des membres inférieurs. Puisque cette manœuvre nécessite une interaction des muscles abdominaux, on l'utilise chez les clients ayant une lésion en aval de T12. Une évacuation intestinale tous les deux jours est généralement perçue comme suffisante. Cependant, les modes prélésionnels doivent être pris en considération. L'incontinence fécale peut survenir à la suite d'une absorption trop importante d'émollients fécaux ou d'un fécalome.

Il est important de noter avec précision la quantité, l'heure et la consistance de l'évacuation intestinale afin que le traitement ait du succès. Le choix du moment de la défécation peut également être un facteur important. Lorsque l'élimination intestinale est planifiée de 30 à 60 minutes suivant le premier repas de la journée, cela augmente les chances de réussite en tirant profit du réflexe gastrocolique qui est induit en mangeant.

Sexualité. Étant donné que la plupart des clients atteints d'une lésion médullaire sont des hommes âgés de 18 à 35 ans, la réadaptation sexuelle est un facteur important. L'infirmière ne doit pas oublier que la sexualité est un aspect important, peu importe l'âge du client. Par conséquent, l'infirmière qui travaille auprès de ces clients doit être sensibilisée, doit accepter sa propre sexualité et doit posséder des connaissances sur les réactions sexuelles des humains. Elle doit tenter d'utiliser un vocabulaire scientifique plutôt que familier lorsqu'elle discute des éléments sexuels. L'infirmière doit connaître la gravité de la lésion pour comprendre l'aptitude du client à avoir un orgasme ou une érection ainsi que le potentiel de fécondité et la capacité du client d'obtenir une satisfaction sexuelle (voir tableau 56.5). Tous les clients atteints d'une lésion médullaire n'ont habituellement aucune sensation au niveau du périnée pendant une relation sexuelle, peu importe le type de lésion.

La capacité de la fonction sexuelle réflexe est possible lorsque le client souffre d'une lésion des motoneurones des membres supérieurs. La présence de tonus au niveau du sphincter anal externe indique une lésion des motoneurones des membres supérieurs. L'absence de tonus au niveau du sphincter anal externe, de réflexe bulbo-caverneux, ou les deux, indique que le client est atteint d'une lésion des motoneurones des membres inférieurs et qu'il peut avoir une érection psychogène, mais non une érection réflexe. Une éjaculation rétrograde peut survenir.

Le type de lésion détermine la réaction sexuelle physique. Les hommes atteints d'une lésion des motoneurones des membres supérieurs peuvent avoir des érections réflexogènes qui sont produites par des réflexes ou par des stimuli externes, qui peuvent être spontanées. Ces érections spontanées sont souvent de courte durée. Elle ne peuvent être maîtrisées, ni maintenues et elles ne surviennent pas nécessairement au moment du coït. En général, les hommes atteints d'une lésion complète des motoneurones des membres supérieurs ne peuvent avoir ni orgasme ni éjaculation.

La plupart des clients atteints d'une lésion complète des motoneurones des membres inférieurs sont incapables d'avoir une érection psychogène ou réflexogène. Par contre, les clients atteints d'une lésion complète des

Traitement relié à l'élimination intestinale après une lésion médullaire ENCADRÉ 56.10

Lignes directrices pour le client atteint d'une lésion médullaire.
- Apport nutritionnel optimal comprenant :
  - 3 repas bien équilibrés par jour ;
  - 2 portions de produits laitiers ;
  - 2 portions ou plus de viande (bœuf, porc, poulet, œufs, poisson) ;
  - 4 portions ou plus de fruits et de légumes ;
  - 4 portions ou plus de pain et de céréales.
- Apport en fibres d'environ 20 à 30 g par jour. Augmenter graduellement la quantité de fibres consommée sur une période d'une à deux semaines.
- Boire 2,5 à 3 litres de liquide par jour, à moins d'avis contraire. Boire de préférence de l'eau et des jus de fruits et éviter les boissons contenant de la caféine comme du café, du thé et des colas. Les liquides ramollissent les selles dures ; la caféine stimule la perte liquidienne dans l'urine.
- Les aliments qui provoquent des flatulences (p. ex. haricots) ou qui produisent des troubles gastro-intestinaux supérieurs (mets épicés) doivent être évités.
- Moment approprié : un horaire régulier d'élimination intestinale doit être établi. Le moment approprié est

généralement 30 minutes après le premier repas de la journée.
- Positionnement : si possible, une position verticale avec les pieds à plat sur le sol ou sur un marche pied favorise l'élimination intestinale. Le fait de rester sur la toilette, la chaise d'aisance ou le bassin de lit pendant plus de 20 à 30 minutes entraîne une rupture de l'épiderme. Pour des questions d'équilibre, il peut s'avérer nécessaire qu'une personne demeure auprès du client.
- Activité : l'exercice est important pour la fonction intestinale. En plus d'améliorer le tonus musculaire, l'exercice contribue également à augmenter le temps de transit gastro-intestinal et l'appétit. Les muscles doivent travailler. Ceci comprend des étirements, des exercices d'amplitude articulaire et le changement de position.
- Pharmacothérapie : des laxatifs et des suppositoires peuvent s'avérer nécessaires pour stimuler l'élimination intestinale. Cependant, ces médicaments peuvent entraîner une dépendance et ne doivent être pris qu'au besoin. Une stimulation manuelle du rectum peut également s'avérer utile pour entraîner une défécation.

Tiré de « Bowel management at home following spinal cord injury » dans *Mosby's patient teaching guides*, St. Louis, Mosby, 1996.

motoneurones des membres inférieurs sont plus susceptibles d'avoir une érection psychogène avec éjaculation, et plus de 10 % de ces clients sont fertiles.

La femme en période d'activité génitale et atteinte d'une lésion médullaire demeure généralement fertile, bien qu'elle ne soit plus capable d'avoir un orgasme. La lésion n'affecte pas la capacité de devenir enceinte ni d'accoucher normalement par la filière pelvigénitale.

La réadaptation sexuelle du client ou de la cliente devrait officieusement débuter une fois que la phase aiguë de la lésion est terminée. Le sujet du fonctionnement sexuel peut être abordé en commençant par poser des questions non menaçantes au client ou à la cliente comme : « Avez-vous eu une érection depuis votre accident ? » ou « Vos cycles menstruels se poursuivent-ils depuis l'accident ? ». Il est possible que le client masculin pose une question comme « Pourrais-je redevenir un homme ? ».

TABLEAU 56.5 Possibilités d'activités sexuelles chez les hommes atteints d'une lésion médullaire

Érection	Éjaculation	Orgasme
MOTONEURONES DES MEMBRES SUPÉRIEURS		
Complète		
Fréquent (93 %), réflexogène seulement	Rare	Absent
Incomplète		
Plus fréquent (99 %), réflexogène (80 %), réflexogène et psychogène (19 %)	Moins fréquent (32 %), après une érection réflexogène (74 %), après une érection psychogène (26 %).	Présent (s'il y a éjaculation)
MOTONEURONES DES MEMBRES INFÉRIEURS		
Complète		
Peu fréquent (26 %)	Peu fréquent (18 %)	Présent (s'il y a éjaculation)
Incomplète		
Psychogène et réflexogène	Fréquent (70 %) après des érections psychogènes et réflexogènes.	Présent (s'il y a une éjaculation)

Il est essentiel d'entreprendre une discussion ouverte avec le client. Cet aspect important de la réadaptation doit être pris en charge par des spécialistes en sexologie. À moins que l'infirmière n'ait une formation dans ce domaine, elle ne doit pas tenter de diriger le plan de la réadaptation sexuelle.

L'infirmière formée travaille avec le client et sa conjointe afin de les aider dans leurs nouvelles relations, en insistant sur la communication. Son rôle d'éducatrice nécessite qu'elle respecte les croyances religieuses et culturelles des couples. D'autres méthodes peuvent être proposées pour obtenir une satisfaction sexuelle telles que les relations buccogénitales (cunnilinctus et fellation).

Il est fort possible que les activités sexuelles requièrent davantage de planification et qu'elles soient moins spontanées qu'avant l'accident. Par exemple, le client peut avoir besoin d'aide pour se dévêtir et pour retirer ses appareils. Une atmosphère détendue avec de la musique et des parfums crée un milieu attirant. Il est important d'accorder beaucoup de temps aux activités de caresses, de touchers et de baisers. Les partenaires doivent être incités à explorer d'autres zones érogènes telles que les lèvres, le cou et les oreilles, car ces stimulations peuvent provoquer une érection psychogène ou un orgasme. Il est essentiel de faire très peu de demandes au début.

Des précautions doivent être prises afin de ne pas déloger la sonde à demeure pendant la relation sexuelle. Lorsqu'un cathéter externe est utilisé, ce dernier doit être retiré avant une relation sexuelle et le client doit éviter de boire. Le traitement relié à l'élimination intestinale doit inclure une défécation le matin de la relation sexuelle. On doit avertir le partenaire qu'un accident est toujours possible. La femme peut avoir besoin d'un lubrifiant hydrosoluble afin de combler la diminution des sécrétions vaginales et de faciliter la pénétration vaginale.

Il est possible que les menstruations soient interrompues jusqu'à six mois. La cliente doit toutefois se protéger contre une grossesse non planifiée s'il y a reprise des relations sexuelles. Une grossesse normale peut être compliquée par des infections urinaires, de l'anémie et une dysréflexie autonome. Puisque la femme ne ressent pas les contractions utérines, un accouchement précipité est toujours un danger. Chez les hommes, la fertilité est réduite en raison de la diminution du nombre de spermatozoïdes, de leur motilité et d'une éjaculation rétrograde. Le prélèvement et la concentration du sperme, l'adoption et l'insémination artificielle sont les méthodes utilisées par les clients masculins qui désirent des enfants.

Deuil. Les clients atteints d'une lésion médullaire sont conscients de la gravité de la lésion et éprouvent un sentiment de perte immense. Ils ne sont plus en contrôle et dépendent des autres pour les activités de la vie quotidienne et pour les mesures de survie. Ils peuvent avoir l'impression d'être inutiles et d'être un lourd fardeau pour leur famille. Ils dépendent totalement des autres à une période de la vie où l'autonomie est souvent de la plus haute importance au point de vue du développement (de 18 à 35 ans).

La réaction et la réadaptation du client sont différentes à de nombreux égards entre un client atteint d'une lésion médullaire et un client ayant subi une amputation ou ayant une maladie terminale. Premièrement, la régression se produit à différents stades. Parvenir à surmonter ce deuil est un processus qui prend toute une vie et pour lequel le client a besoin de soutien et d'encouragements. Grâce aux nouvelles méthodes de réadaptation, il est fréquent que le client devienne physiquement autonome et qu'il puisse quitter le centre de réadaptation avant d'avoir complété le processus de deuil. Un autre phénomène concerne les événements déclencheurs, y compris les nouvelles expériences telles que le mariage, qui peuvent faire en sorte que des difficultés non résolues refont surface. Selon la réussite du processus de deuil antérieur, il est possible que la nouvelle demande soit plus courte ou plus longue à résoudre. L'objectif du rétablissement est davantage relié à l'adaptation qu'à l'acceptation, de sorte que le client doit s'adapter à continuer de vivre avec certaines limitations. Bien qu'un client qui est coopératif et qui accepte sa déficience soit plus facile à traiter, l'infirmière doit s'attendre à ce que le client atteint d'une lésion médullaire passe par toute une gamme d'émotions. La dépression ne fait pas toujours partie du processus de réadaptation, mais ce sont plutôt les normes sociétales qui imposent pratiquement une dépression à la suite d'une perte importante, comme une mort imminente, ou lors de changements drastiques dans le mode de vie. Cependant, il est important de mentionner que ce ne sont pas tous les clients qui éprouvent systématiquement une dépression.

Le rôle de l'infirmière consiste donc à intégrer le deuil au processus de réadaptation. Le tableau 56.6 résume le processus de deuil et les interventions infirmières appropriées. Pendant l'étape de choc et de déni, l'infirmière doit rassurer le client et requérir la collaboration de tous les membres de l'équipe soignante. Pendant l'étape de la colère, l'infirmière doit aider le client à reprendre la maîtrise de son environnement, notamment en le faisant participer à l'établissement du plan de soins. L'infirmière ne doit pas réagir à sa colère ni à ses manipulations ou entrer en conflit avec le client. Le client devient de plus en plus autonome à mesure qu'il peut davantage autogérer ses soins.

La famille du client a également besoin de soutien pour éviter d'encourager la dépendance du client en démontrant de la culpabilité ou une trop grande sympathie. La famille peut également vivre un processus de deuil intense. La participation à un groupe de soutien de familles et d'amis de clients atteints d'une lésion médullaire peut aider à accroître les connaissances de la famille et leur participation au processus de deuil, aux difficultés physiques, au plan de réadaptation et à la signification de la déficience dans la société.

Pendant l'étape de la dépression, l'infirmière doit faire preuve de patience et de persévérance en plus de garder le sens de l'humour. La sympathie ne sert à rien. Le client doit être traité en adulte et être impliqué dans la prise de décisions concernant les soins. Toutefois, l'infirmière doit s'assurer que les soins sont effectués. Il peut s'avérer utile d'assigner le même personnel pour travailler avec le même client, toutefois les infirmières ont aussi besoin de répit de cette interaction intense. Les séances de planification du personnel et de discussions permettent aux infirmières d'exprimer leurs sentiments et d'assurer une uniformité dans les soins. Afin de pouvoir s'adapter, le client a besoin d'un soutien pendant toute la durée de la réadaptation sous forme d'acceptation, d'affection et d'empathie. L'infirmière doit être prête à écouter le client lorsqu'il sent le besoin de parler et être sensible à ses besoins pendant les diverses étapes du processus de deuil.

Évaluation. Les objectifs et les résultats escomptés chez le client atteint d'une lésion médullaire sont présentés dans l'encadré 56.4.

56.4 TUMEURS MÉDULLAIRES

56.4.1 Étiologie et physiopathologie

Les tumeurs qui touchent la moelle épinière représentent de 0,5 à 1 % de tous les néoplasmes. Ces tumeurs sont classées comme primitives (naissant dans certaines parties de la moelle épinière, de la dure-mère, des nerfs ou des vaisseaux) ou secondaires (provenant d'une tumeur primitive du sein, de la thyroïde, du poumon, du rein ou d'autres sites et se propageant à la moelle épinière). La moelle épinière thoracique et la moelle épinière lombaire, dont le sacrum, sont les régions les plus touchées. Les tumeurs médullaires sont ensuite classées comme extramédullaire (à l'extérieur de la moelle épinière), dont les lésions intra et extradurales, ou comme intramédullaire (à l'intérieur de la moelle épinière) (voir figure 56.13 et tableau 56.7). Les tumeurs extramédullaires représentent 90 % de toutes les tumeurs médullaires. Les neurofibromes, les méningiomes, les gliomes et les hémangiomes sont les néoplasmes les plus courants.

TABLEAU 56.6	Processus de deuil et interventions infirmières dans les cas de lésion médullaire
Comportement du client	**Interventions infirmières**
Choc et déni Lutte pour la survie, dépendance complète, sommeil excessif, repli sur soi-même, fantasme, attentes irréalistes	Prodiguer des soins méticuleux. Être honnête. Utiliser des diagrammes simples pour expliquer la lésion. Encourager le client à amorcer l'étape de guérison, tout en favorisant l'expression des émotions ressenties
Colère Refus de discuter de la paralysie, diminution de l'estime de soi, manipulation, propos injurieux	Coordonner les soins avec le client et favoriser les autosoins. Soutenir les membres de la famille ; prévenir la déculpabilisation de la famille à l'égard du client par l'entretien de la dépendance. Avoir recours à l'humour. Permettre les excès de colère du client. Ne pas laisser le client se concentrer sur la lésion. Encourager la reconnaissance des facteurs déclenchants tels que la colère et la frustration
Dépression Tristesse, pessimisme, anorexie, cauchemars, insomnie, agitation, retard psychomoteur, insatisfaction, tendances suicidaires, refus de participer à toute activité d'autosoins	Encourager la participation et les ressources de la famille. Planifier une réadaptation par étape pour favoriser la guérison et limiter la frustration. Encourager et aider le client à accomplir ses AVQ. Éviter la sympathie. Faire preuve de gentillesse et de respect face au deuil que le client ressent à l'égard de sa vie antérieure
Adaptation Planification en vue d'une participation future et active au traitement, trouver une signification personnelle à cette expérience et continuer de grandir, retrouver sa personnalité d'avant la maladie	Se souvenir que les clients atteints d'une lésion médullaire ont tous une personnalité différente. Équilibrer les réseaux de soutien pour favoriser l'autonomie. Établir des objectifs avec le client. Insister sur les possibilités qui ont été atteintes par d'autres personnes. Éviter les clichés. Donner du renforcement positif à l'endroit du développement de nouvelles habitudes sans toutefois ignorer le deuil en cours

Puisque bon nombre de ces tumeurs se développent lentement, leurs symptômes découlent des effets mécaniques de la compression lente et de l'irritation des racines nerveuses, du déplacement de la moelle épinière ou de l'obstruction graduelle de l'apport vasculaire. Toutefois, la lenteur de la croissance n'entraîne aucune autodestruction comme c'est le cas pour les lésions traumatiques. Par conséquent, la restauration fonctionnelle complète est possible une fois que la tumeur est extraite, sauf dans le cas d'une tumeur intradurale intramédullaire.

La plupart des tumeurs secondaires (métastases) sont des lésions extradurales. Les tumeurs qui se métastasent généralement dans l'espace épidural sont celles qui se propagent aux os comme les carcinomes mammaires, du poumon, de la prostate et du rein.

56.4.2 Manifestations cliniques

Les principaux symptômes précoces d'une tumeur médullaire extramédullaire sont un mal de dos et une douleur radiculaire qui simulent une névralgie intercostale, l'angine ou le zona. La localisation de la douleur dépend du degré de compression. La douleur s'intensifie avec l'activité, la toux, l'effort et la position en décubitus dorsal. Les perturbations sensorielles se manifestent plus tardivement par des froideurs, des engourdissements et

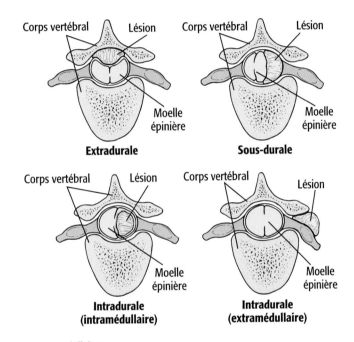

FIGURE 56.13 Types de tumeurs médullaires

TABLEAU 56.7	Classification des tumeurs médullaires		
Type	Incidence	Traitement	Pronostic
Extradurale Dans les vertèbres, l'espace extradural ou le tissu paraspinal	De 20 à 50 % de toutes les tumeurs intraspinales, principalement des lésions métastasiques malignes	Soulagement de la compression de la moelle par laminectomie, radiothérapie, chimiothérapie ou une combinaison de ces interventions	Mauvais
Intradurale extramédullaire Dans la dure-mère, à l'extérieur de la moelle	Fréquente dans les cas de tumeurs intradurales (40 %, principalement des méningiomes et des neurofibromes bénins	Ablation complète de la tumeur (si possible), ablation partielle suivie d'une radiothérapie	Habituellement très bon si la compression n'a pas trop endommagé la moelle
Intradurale intramédullaire	La moins fréquente des tumeurs intradurales (5 à 10 %)	Ablation partielle, radiothérapie (n'entraînant qu'une amélioration temporaire)	Très mauvais

des fourmillements dans un ou plusieurs membres et qui progressent lentement vers le haut jusqu'à ce qu'elles atteignent le niveau de la lésion. Une perturbation de la sensibilité à la douleur, à la thermo-esthésie et à une légère pression précède un trouble relié à la pallesthésie et à la statesthésie et peut même aller jusqu'à l'anesthésie complète. La faiblesse musculaire accompagne les perturbations sensorielles et se traduit par une maladresse, une faiblesse et une spasticité qui progressent lentement. Les perturbations motrices et sensorielles sont du même côté que la lésion. Les dysfonctionnements vésicaux se traduisent par une incontinence impérieuse accompagnée d'une difficulté à uriner, qui se transforme ensuite en rétention accompagnée d'une incontinence par regorgement.

Les manifestations d'une tumeur médullaire intradurale se développent comme une lésion progressive le long des voies spinales, causant une paralysie, une perte sensorielle et un dysfonctionnement vésical. La douleur peut être intense à la suite d'une compression des racines de la moelle épinière et des vertèbres spinales.

56.4.3 Soins infirmiers et processus thérapeutique : tumeurs médullaires

Les tumeurs extramédullaires peuvent être décelées rapidement sur les radiographies de routine de la colonne vertébrale, tandis que les tumeurs intradurales et intramédullaires peuvent être décelées lors d'une IRM ou d'une TDM. L'analyse du LCR peut révéler la présence de cellules tumorales. La moelle épinière est décompressée après avoir extrait la tumeur au moyen d'une laminectomie. Plus de 85 % des néoplasmes primitifs sont bénins et peuvent être réséqués ; 90 % des clients se rétablissent sans éprouver de problèmes résiduels.

La compression de la moelle épinière est une urgence. L'objectif du traitement consiste à soulager l'ischémie reliée à la compression. Les corticostéroïdes sont généralement prescrits immédiatement pour soulager l'œdème relié à la tumeur. De la dexaméthasone (Decadron) est habituellement prescrite en fortes doses.

Pratiquement toutes les tumeurs médullaires peuvent être enlevées par chirurgie à l'exception de la tumeur métastasique qui est sensible à la radiation et qui cause seulement des déficiences neurologiques minimes chez le client. En général, l'ablation complète des tumeurs extradurales ou intradurales extramédullaires est possible. Même si le pronostic des tumeurs intramédullaires est moins favorable, on tente tout de même de les explorer et de les extraire.

La radiothérapie est relativement efficace après une chirurgie. Les doses maximales permises sont administrées sur une période de six à huit semaines. La chimiothérapie est également utilisée en association avec la radiothérapie.

Les objectifs ultimes du traitement sont le soulagement de la douleur et le retour de la fonction. L'infirmière doit être en mesure de reconnaître l'état neurologique du client avant et après le traitement. L'une des responsabilités infirmières importantes est de s'assurer que le client recevra des analgésiques au besoin. Il est possible que le client doive être soigné comme s'il était en rémission d'une lésion médullaire selon le degré de dysfonctionnement neurologique qu'il manifeste.

MOTS CLÉS

BIBLIOGRAPHIE
Version originale
1. DeMarco JK, Hesselink JR: *Trigeminal neuropathy,* Neurosurg Clin N Am 8:1, 1997.
2. Brown JA: *The trigeminal complex,* Neurosurg Clin N Am 8:1, 1997.
3. Lange DJ, Trojaburg W, Roland LP: *Peripheral and cranial nerve lesion.* In Rowland LP, editor: *Merritt's textbook of neurology,* ed 9, Baltimore, 1995, Williams & Wilkins.

4. MacFarlane BV and others: *Chronic neuropathic pain and its control by drugs,* Pharmacol Ther 75:1, 1997.

5. McConoghy DJ: *Trigeminal neuralgia: a personal review and nursing implications,* J Neurosci Nurs 26:85, 1994.

6. Lovely TJ, Jannetta PJ: *Microvascular decompression for trigeminal neuralgia,* Neurosurg Clin N Am 8:1, 1997.

7. Jho HD, Lunsford LD: *Percutaneous retrogasserian glycerol rhizotomy, current techniques and results,* Neurosurg Clin N Am 8:1, 1997.

8. Kondziolka D and others: *Gamma knife radiosurgery for trigeminal neuralgia,* Neurosurg Clin N Am 8:1, 1997.

9. Hashisaki GT: *Medical management of Bell's palsy,* Compr Ther 23:715, 1997.

10. Billue JS: *Bell's palsy: an update on idiopathic facial paralysis,* Nurse Pract 22:88, 1997.

11. Adams RD, Victor M, Ropper AH, editors: *Principles of neurology,* ed 6, New York, 1997, McGraw-Hill.

12. Koski CL: *Guillian-Barré syndrome and chronic inflammatory demyelinating polyneuropathy: pathogenesis and treatment,* Semin Neurol 14:123, 1994.

13. Lange DJ, Latov N, Trojabor W: *Acquired neuropathies.* In Rowland LP, editor: *Merritt's textbook of neurology,* ed 9, Baltimore, 1995, Williams & Wilkins.

14. Hui YH and others, editors: *Foodborne disease handbook,* New York, 1994, Marcel Dekker.

15. Miller JR: *Bacterial toxins.* In Rowland LP, editor: *Merritt's textbook of neurology,* ed 9, Baltimore, 1995, Williams & Wilkins.

16. Dworkin R, Leggett J: *Gram positive bacillary infections and clostridial infections.* In Stein JH, editor: *Internal medicine,* ed 5, St. Louis, 1998, Mosby.

17. Marotta JT: *Spinal injury.* In Rowland LP, editor: *Merritt's textbook of neurology,* ed 9, Baltimore, 1995, Williams & Wilkins.

18. Wirtz KM, LaFavor KM, Ang R: *Managing chronic spinal cord injury: issues in critical care,* Crit Care Nurse 16:4, 1996.

19. Stamatos CA and others: *Meeting the challenge of the older trauma patient,* AJN 96:5, 1996.

20. Heary RF and others: *Steroids and gun shot wounds to the spine,* Neurosurgery 41:3, 1997.

21. Hickey JV: *The clinical practice of neurological and neurosurgical nursing,* ed 4, Philadelphia, 1997, Lippincott.

22. Segator M, Way C: *Neuroprotection after spinal cord injury: state of the science,* Sci Nursing 14:8, 1997.

23. Rhoney DH and others: *New pharmacological approaches to acute spinal cord injuries,* Pharmacotherapy 16:3, 1996.

24. McCormick PC, Fetell MR: *Spinal tumors.* In Rowland LP, editor: *Merritt's textbook of neurology,* ed 9, Baltimore, 1995, Williams & Wilkins.

Chapitre 57

Monique Bédard
B. Sc. inf.
Cégep de Limoilou

Lucie Maillé
Inf., B. Sc.
Collège Édouard-Montpetit

ÉVALUATION DE L'APPAREIL LOCOMOTEUR

OBJECTIFS D'APPRENTISSAGE

APRÈS AVOIR LU CE CHAPITRE, VOUS DEVRIEZ ÊTRE EN MESURE :

- DE DÉCRIRE L'ANATOMIE ET L'HISTOLOGIE DE L'OS ;

- D'EXPLIQUER LE SYSTÈME DE CLASSIFICATION DES ARTICULATIONS ET DES MOUVEMENTS DES ARTICULATIONS SYNOVIALES ;

- DE DÉCRIRE LES TYPES DE TISSUS MUSCULAIRES ET LEUR STRUCTURE ;

- DE DÉCRIRE LES FONCTIONS DU CARTILAGE, DES MUSCLES, DES LIGAMENTS, DES TENDONS, DU FASCIA ET DES BOURSES SÉREUSES ;

- DE DÉCRIRE LES EFFETS DU VIEILLISSEMENT SUR L'APPAREIL LOCOMOTEUR ET LES PARTICULARITÉS QUI EN DÉCOULENT, TELLES QU'ELLES SONT REFLÉTÉES DANS LES DONNÉES RECUEILLIES ;

- DE PRÉCISER QUELLES DONNÉES SUBJECTIVES ET OBJECTIVES PERTINENTES RELATIVES À L'APPAREIL LOCOMOTEUR DOIVENT ÊTRE RECUEILLIES ;

- DE DÉCRIRE LES TECHNIQUES APPROPRIÉES UTILISÉES LORS DE L'EXAMEN PHYSIQUE DE L'APPAREIL LOCOMOTEUR ;

- DE DISTINGUER LES DONNÉES NORMALES ET ANORMALES RECUEILLIES LORS DE L'EXAMEN PHYSIQUE DE L'APPAREIL LOCOMOTEUR ;

- D'INTERPRÉTER LES DONNÉES RECUEILLIES ET DE DÉCRIRE LES RESPONSABILITÉS DE L'INFIRMIÈRE EN CE QUI CONCERNE LES ÉPREUVES DIAGNOSTIQUES DE L'APPAREIL LOCOMOTEUR.

*L*a faculté d'accomplir des mouvements complexes et précis permet aux êtres humains d'interagir avec leur environnement et de s'adapter à celui-ci. Ces mouvements dépendent du bon fonctionnement de l'appareil locomoteur, qui est formé d'os, de muscles, d'articulations, de cartilages, de ligaments, de tendons, de fascia et de bourses séreuses.

L'appareil locomoteur est particulièrement exposé aux forces externes. Ces forces sont capables de modifier la structure des os et des tissus conjonctifs mous, entraînant des troubles fonctionnels. Les manifestations de ces troubles comprennent des difformités, une altération de l'image corporelle et une limitation des mouvements, de la douleur ou un handicap permanent. Ces troubles peuvent causer des affections chroniques risquant de perturber les activités quotidiennes et la qualité de vie.

57.1 STRUCTURES ET FONCTIONS DE L'APPAREIL LOCOMOTEUR

57.1.1 Os

Fonctions. Le rôle de l'appareil locomoteur consiste surtout à porter et à protéger les organes vitaux, à assurer la locomotion, à produire les cellules sanguines et à emmagasiner les minéraux. Les os forment la charpente du corps sans laquelle ce dernier s'affaisserait. Ils lui permettent ainsi de supporter son propre poids et tout poids externe. L'appareil locomoteur joue un rôle important dans la protection des tissus et des organes vitaux sous-jacents, la boîte crânienne protégeant par exemple le cerveau, les vertèbres protégeant la colonne vertébrale et la cage thoracique protégeant les poumons et le cœur. Les os servent de points d'ancrage aux muscles attachés aux os par les tendons. Les os servent de leviers pour les muscles, les articulations ayant une fonction de pivot. Le mouvement est la résultante des contractions musculaires exercées sur ces leviers. Les os ont également pour rôle d'emmagasiner les minéraux, comme le calcium et le phosphore. Les os spongieux contiennent des tissus hémopoïétiques pour la production des cellules sanguines et des plaquettes.

Structure. Composé de matière organique (fibres de collagène) et de minéraux (calcium, phosphore), l'os est un tissu vivant qui change constamment de forme et de texture. Sa croissance interne et externe ainsi que sa transformation sont le résultat d'un processus continuel.

On classe les os selon leur structure en distinguant les os compacts (denses) des os spongieux (spongiformes). Les os compacts comprennent des lamelles cylindriques (système de Havers) reliées étroitement ensemble, donnant sa densité à la structure osseuse. Les os spongieux renferment de nombreux espaces poreux situés entre de fines fibres et un enchevêtrement de tissus osseux, rempli de moelle rouge ou jaune.

La structure anatomique de l'os est plus aisément schématisée par la représentation d'un os long typique, tel que le fémur (voir figure 57.1). Chaque os long est composé d'une épiphyse, d'un cartilage articulaire, d'une diaphyse, d'une membrane appelée périoste et d'une cavité médullaire (cavité qui contient la moelle osseuse).

Formée de tissu spongieux, l'épiphyse est située à chacune des extrémités des os longs. Cette partie de l'os est le point d'ancrage du muscle et stabilise l'articulation. Le cartilage articulaire couvre les extrémités

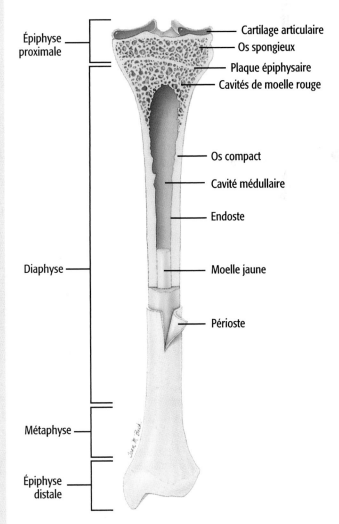

FIGURE 57.1 Section longitudinale d'un os long

osseuses et fournit une surface de contact lisse pour le mouvement des articulations.

La diaphyse est le principal tronçon osseux. Composée de tissu osseux compact, elle donne à l'os sa solidité. La métaphyse est le segment évasé compris entre l'épiphyse et la diaphyse. Elle renferme les zones de croissance nécessaires au développement. Chez l'adulte, la métaphyse est soudée à l'épiphyse. La plaque épiphysaire, ou cartilage de croissance, est une partie cartilagineuse constituant le siège de la formation des os et de leur croissance longitudinale chez l'enfant. Les lésions de la plaque épiphysaire chez l'enfant peuvent entraîner des troubles importants, tels que des défauts de croissance au niveau des membres. Chez l'adulte, cette plaque se solidifie pour devenir un os mature, marquant l'arrêt de la croissance longitudinale.

Le périoste constitue une membrane fibreuse formée de tissu conjonctif qui enveloppe les os. La couche externe du périoste sert de point d'ancrage aux fibres des muscles et des tendons. La couche interne contient des ostéoblastes (cellules de l'ostéogenèse), essentielles à la croissance transversale des os et à la réparation des fractures.

La cavité médullaire (cavité de la moelle) se trouve au centre de la diaphyse. Chez l'adulte, la cavité médullaire des os longs renferme de la moelle jaune principalement formée de tissu adipeux. Cette cavité médullaire joue un rôle déterminant dans l'hématopoïèse au cours de la croissance de l'enfant. Chez l'adulte, en règle générale, l'hématopoïèse siège uniquement dans la moelle rouge des os du crâne, des côtes, du sternum, du bassin, des vertèbres et de l'épiphyse proximale de l'humérus et du fémur.

Microstructure. Il existe trois types de cellules osseuses : les ostéoblastes, les ostéocytes et les ostéoclastes. Les **ostéoblastes** synthétisent les éléments organiques de la matrice osseuse (fibres collagènes) et constituent les premières cellules ostéogènes. Les **ostéocytes** sont des cellules osseuses adultes. Les **ostéoclastes** entrent dans la résorption et dans le remodelage du tissu osseux. Le **remodelage osseux** met en œuvre deux mécanismes : la destruction du tissu osseux existant par les ostéoclastes (résorption du tissu osseux) et la formation de nouveaux tissus par les ostéoblastes (ossification). La couche interne des os est principalement composée d'ostéoblastes et contient aussi un nombre réduit d'ostéoclastes.

L'os est un tissu conjonctif particulier issu d'une minéralisation de la matière organique (fibres collagènes). Le système de Havers constitue l'unité structurale de l'os compact (voir figure 57.2). Il est formé de lamelles osseuses composées de plages concentriques de matrice organique calcifiée renfermant un long canal : le canal de Havers. La principale fonction du canal de Havers est d'irriguer le tissu osseux. Les canaux de Volkmann relient les vaisseaux sanguins du périoste aux vaisseaux sanguins des canaux de Havers.

Les ostéocytes (cellules osseuses adultes) sont situés dans de menus espaces appelés **lacunes**, compris entre les lamelles. De ces lacunes, partent des canalicules (microcanaux) qui relient les ostéocytes entre eux et au système de Havers.

Types. Le squelette comprend 206 os, classés selon leur forme en os longs, courts, plats ou irréguliers.

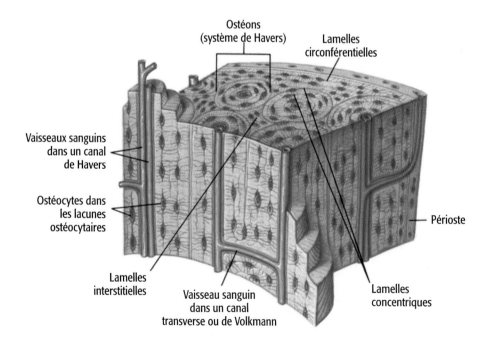

FIGURE 57.2 Structure de l'os compact montrant le système de Havers

Les os longs, comme le fémur, l'humérus et le radius, sont caractérisés par un tronçon central (la diaphyse) et par deux extrémités épiphysaires (voir figure 57.1). Les os courts, comme le carpe et le tarse, se distinguent par leur os spongieux enveloppé d'une mince couche d'os compact.

Les os plats, tels que les côtes, le crâne, l'omoplate et le sternum, sont formés de deux plages d'os compact séparées par une couche d'os spongieux. Les espaces contenus dans l'os spongieux renferment de la moelle. Les os irréguliers, comme les vertèbres, le sacrum et la mandibule, sont de formes et de tailles différentes.

57.1.2 Articulations

L'**articulation** constitue le point de jonction entre deux os. Les articulations unissent solidement les os, tout en assurant le mouvement. On classe généralement les articulations en fonction de leur degré de mobilité (voir figure 57.3).

Les diarthroses (articulations synoviales), les plus nombreuses, comprennent une cavité localisée entre les surfaces articulaires des os qui forment l'articulation (voir figure 57.4). Les épiphyses sont recouvertes de cartilage articulaire (cartilage hyalin) et une capsule de tissu conjonctif (capsule fibreuse ou articulaire) relie les os en formant une cavité. Cette capsule est délimitée par une membrane synoviale remplie d'un épais liquide, la synovie, qui, en lubrifiant l'articulation, réduit les frictions. Les différents types de diarthroses sont représentés dans la figure 57.5. L'articulation est enveloppée de structures (tissus péri-articulaires) qui la secondent dans sa fonction. Ce sont les ligaments et les tendons.

57.1.3 Cartilage

Le **cartilage** est un tissu conjonctif rigide qui renforce les tissus mous et qui offre une surface articulaire facilitant le mouvement de l'articulation. Le cartilage protège les tissus sous-jacents. Par ailleurs, le cartilage qui compose la plaque épiphysaire a un rôle essentiel dans la croissance des os longs avant la maturité physique.

Le cartilage est un tissu conjonctif non vascularisé nourri, de ce fait, par la diffusion de substances nutritives à partir des capillaires situés dans les tissus

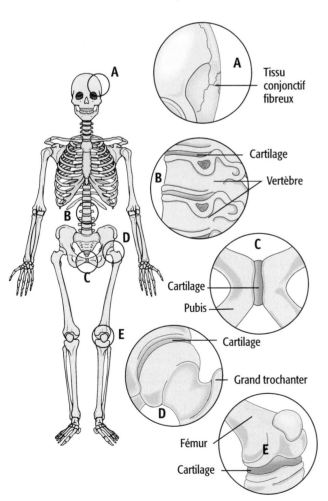

FIGURE 57.3 Classification des articulations

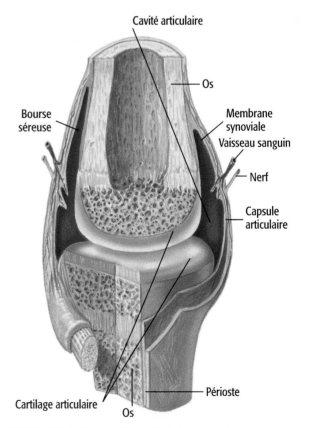

FIGURE 57.4 Structure d'une articulation synoviale

Articulation	Mouvement	Exemples	Illustration
À charnière	Flexion, extension	Articulation du coude (ci-contre), articulations interphalangiennes, articulation du genou	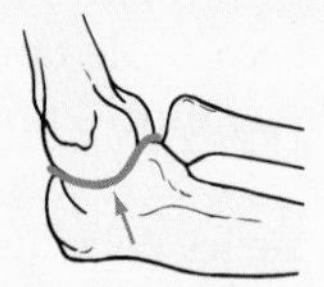
Énarthrose (sphérique)	Flexion, extension ; adduction, abduction ; circumduction	Articulation de l'épaule (ci-contre), de la hanche	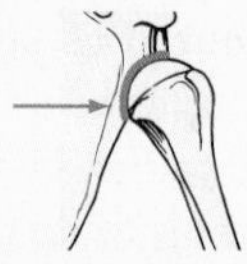
À pivot (trochoïde)	Rotation	Articulation entre l'atlas et l'axis, articulation radiocubitale proximale (ci-contre)	
Condylienne	Flexion, extension ; adduction, abduction ; circumduction	Articulation du poignet (entre le radius et les os du carpe)	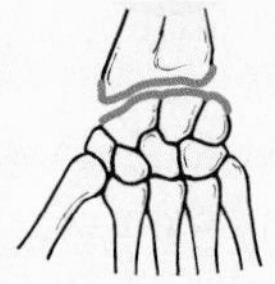
En selle	Flexion, extension ; abduction, adduction ; opposition du pouce	Articulation carpo-métacarpienne du pouce	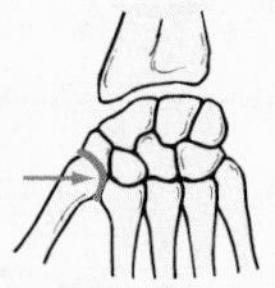
Glissement	Déplacement d'une surface sur une autre	Articulation intertarsienne, articulation sacro-iliaque, entre les apophyses articulaires	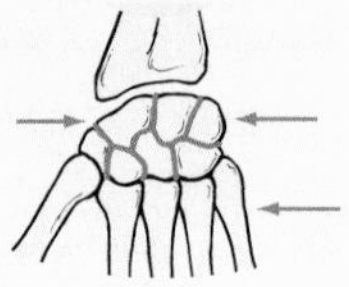

FIGURE 57.5 Types de diarthroses

conjonctifs adjacents. Les cellules cartilagineuses se reproduisent lentement en raison de l'absence d'irrigation sanguine directe, ce qui explique la lenteur avec laquelle s'opère la guérison des lésions du cartilage.

On distingue trois types de tissu cartilagineux : le cartilage hyalin, le cartilage élastique et le fibro-cartilage. Plus courant, le cartilage hyalin renferme un nombre limité de fibres de collagène. Il se trouve dans la trachée, les bronches, le nez et les surfaces articulaires des os. Le cartilage élastique, qui comprend des fibres élastiques et du collagène, est plus souple que le cartilage hyalin. On le trouve dans l'oreille, l'épiglotte et le larynx. Composé essentiellement de fibres de collagène, le fibro-cartilage est un tissu solide qui se trouve dans les disques intervertébraux et le genou, dont la vocation est généralement d'amortir les chocs. Le fibro-cartilage forme un coussin protecteur entre les os de la ceinture pelvienne.

57.1.4 Muscles

Types. Il existe trois types de muscles : le muscle cardiaque (strié, involontaire), le muscle lisse (non strié, involontaire) et le muscle squelettique (strié et volontaire). Le myocarde est le muscle du cœur. Ses contractions spontanées assurent l'essentiel de la circulation du sang dans le système sanguin. Les muscles lisses sont présents dans les parois des organes creux, tels que les voies respiratoires, le tractus gastro-intestinal, la vessie ou l'utérus ainsi que dans certains vaisseaux sanguins. Les contractions des muscles lisses sont nodulées par des hormones et, comme pour les muscles squelettiques, par des neurotransmetteurs. Les muscles squelettiques constituent la majeure partie de la masse tissulaire de l'organisme et seront l'objet principal de ce chapitre.

Structure. La cellule musculaire, aussi appelée fibre musculaire, constitue l'unité structurale du muscle. Les fibres des muscles squelettiques se présentent sous la forme de cylindres multinuclés variant en longueur et en diamètre de plusieurs millimètres à plusieurs centimètres. Les fibres musculaires sont constituées de myofibrilles contenant des fibrilles contractiles.

Au microscope, on peut observer dans le muscle squelettique une succession de bandes qui lui donne son apparence striée. Ces stries sont causées par la disposition alternée des filaments que l'on observe dans les myofibrilles. Les sarcomères sont les segments contractiles des myofibrilles et contiennent chacun des filaments épais, les protéines de myosine et des filaments fins associés aux protéines d'actine. La disposition de ces deux types de filaments est à l'origine des bandes caractéristiques observées. Le glissement des filaments épais et minces les uns sur les autres cause le raccourcissement des sarcomères et la contraction du muscle.

Contractions. Les contractions des muscles squelettiques assurent le maintien, le mouvement et les expressions du visage. Les contractions isométriques accroissent la tension intramusculaire sans produire de mouvement, mais entraînent une augmentation du volume du muscle et son durcissement. Contrairement aux contractions isométriques, les contractions isotoniques produisent le mouvement musculaire. La plupart des contractions résultent d'une production de tension (isométriques) et d'un raccourcissement musculaire (isotoniques). En l'absence de contractions, le muscle s'atrophie (diminution de son volume). À l'inverse, les contractions entraînent un accroissement du volume musculaire (hypertrophie).

Les muscles squelettiques produisent d'autres types de contractions qui ne jouent pratiquement aucun rôle dans le maintien et le mouvement. On distingue la secousse musculaire (contraction rapide en réaction à un stimulus unique) et la contraction tétanique (contraction continue).

Jonction neuromusculaire. Les muscles squelettiques ont besoin d'un stimulus nerveux pour se contracter. La jonction de la terminaison nerveuse et des fibres du muscle squelettique innervé constitue ce qu'on appelle une **plaque motrice**. La jonction de l'axone de la fibre nerveuse avec la cellule musculaire qu'il excite est appelée jonction myoneurale ou neuromusculaire (voir figure 57.6).

L'acétylcholine (ACh) libérée au niveau de la terminaison axonale du neurone est diffusée à travers la jonction neuromusculaire et se lie aux récepteurs de la

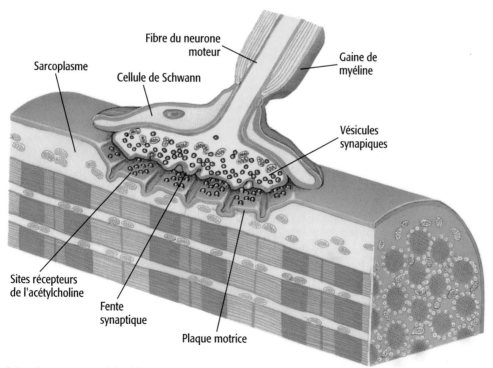

FIGURE 57.6 Jonction neuromusculaire (plaque motrice)

fibre musculaire. En réponse à cette excitation, le réticulum sarcoplasmique libère dans le cytoplasme des ions calcium qui déclenchent la contraction des myofilaments.

Source d'énergie. L'adénosine triphosphorique (ATP) produit l'énergie nécessaire aux contractions des fibres musculaires. L'ATP est synthétisée par le métabolisme d'oxydation cellulaire dans les multiples mitochondries voisines des myofilaments. La phosphocréatine, synthétisée et stockée dans les tissus musculaires, constitue la seconde source d'énergie. Elle fournit le phosphate nécessaire pour reformer l'ATP.

57.1.5 Ligaments et tendons

Les ligaments et les tendons sont formés de tissus conjonctifs denses et fibreux renfermant un grand nombre de fibres de collagène étroitement liées. Les tendons unissent les muscles aux os et constituent le prolongement de l'enveloppe musculaire qui s'insère au périoste. Les ligaments relient les os entre eux au niveau des articulations (articulation du genou par exemple). Ils permettent le mouvement tout en en assurant la stabilité.

Le tissu conjonctif fibreux est relativement peu irrigué ; aussi demande-t-il un long processus de guérison, bien qu'il puisse se cicatriser après une lésion. C'est pourquoi la durée du processus de guérison de l'entorse, lésion qui s'accompagne d'une élongation ou d'une déchirure des ligaments, peut être longue.

57.1.6 Fascia

Le **fascia** est le terme employé pour désigner les bandes de tissu conjonctif. On distingue le fascia sous-cutané et le fascia profond. Le fascia sous-cutané est constitué du tissu conjonctif lâche situé directement sous la peau. Composé de tissus conjonctifs denses et fibreux, le fascia profond se trouve autour des muscles et entre eux. Il entoure les masses qui lient ensemble les muscles, les nerfs et les vaisseaux sanguins. Le fascia espace les muscles pour assurer leur mouvement séparé. Il favorise leur glissement et renforce, en outre, les tissus musculaires.

57.1.7 Bourses séreuses

Les bourses séreuses sont de petites poches de tissu conjonctif tapissées d'une membrane synoviale et contenant de la synovie. Elles sont habituellement situées au niveau des saillies osseuses (les articulations par exemple) et servent de coussinets en atténuant, d'une part, la pression entre les parties mobiles et en réduisant, d'autre part, les frictions (voir figure 57.4). On trouve des

GÉRONTOLOGIE

Effets du vieillissement sur l'appareil locomoteur

ENCADRÉ 57.1

- Chez les personnes âgées, de nombreux troubles fonctionnels sont attribuables aux transformations qui affectent l'appareil locomoteur. Si nombre d'entre elles s'amorcent au début de l'âge adulte, les signes évidents d'altération n'apparaissent parfois que beaucoup plus tard dans la vie. Ces troubles peuvent affecter la posture, le fonctionnement des muscles et la démarche, entraînant une augmentation des chutes. Ces troubles ont des effets variables sur le mode de vie et sur les activités quotidiennes des personnes âgées, allant du malaise ou d'une incapacité graduelle à accomplir certaines activités quotidiennes à une douleur intolérable et chronique, voire à l'immobilité.

- De multiples changements touchent les os, les muscles, les articulations et les tissus conjonctifs. Le processus de renouvellement des os n'est pas épargné non plus et ce changement se traduit par l'accroissement de la résorption osseuse et par une baisse de l'activité ostéoblastique. Ces modifications de la densité osseuse jouent un rôle central dans l'ostéoporose (chapitre 58). Les muscles fonctionnent moins bien, du fait de la réduction de la masse et du tonus musculaires. À l'âge de 80 ans, la masse musculaire se trouve ainsi réduite de près de 30 %. Le vieillissement provoque aussi une diminution de l'activité des neurotransmetteurs qui régissent les mouvements musculaires. Avec le temps, les articulations, les tendons et les ligaments perdent de leur souplesse, donnant lieu à des mouvements plus rigides. Les articulations deviennent ankylosées.

- Au cours de son examen habituel de la fonction musculosquelettique, qui se distingue par l'importance donnée aux exercices, l'infirmière doit en outre évaluer les répercussions des transformations de l'appareil locomoteur induites par le vieillissement sur la mobilité du client âgé. Parce qu'elles accompagnent le processus de vieillissement, les limitations considérées comme normales chez les personnes âgées peuvent souvent être atténuées ou corrigées en appliquant les stratégies de prévention appropriées (tableau 57.1). Les transformations de l'appareil locomoteur reliées au vieillissement et leurs particularités reflétées dans les données cliniques sont présentées dans le tableau 57.2.

bourses séreuses entre la rotule et la peau (bourse prérotulienne), l'olécrâne et la peau (bourse olécrânienne), la tête de l'humérus et l'acromion (bourse sous-acromiale) et entre la partie inférieure du muscle grand fessier et la tubérosité osseuse sciatique (bourse sous-musculaire). Les bursites (inflammation des bourses séreuses) peuvent être causées par une lésion d'origine mécanique de la bourse ou par un surmenage de l'articulation.

TABLEAU 57.1 Prévention des troubles courants de l'appareil locomoteur chez la personne âgée

Activité	Justification
Remplacement des escaliers dans les bâtiments et sur les trottoirs par des rampes	Monter un escalier crée sur les os fragiles une tension suffisante pour causer une fracture de la hanche. L'installation de rampes permet de prévenir les chutes.
Élimination des carpettes à la maison	Les carpettes peuvent causer des chutes et des fractures.
Soulagement des douleurs et du malaise causés par l'arthrose Repos dans une position allongée	L'arthrose est douloureuse. On l'observe sur les radiographies de la plupart des personnes de plus de 50 ans. Le repos est le moyen le plus efficace de soulager le malaise qu'elle provoque.
Prise de comprimés d'AAS entéro-solubles (Entrophen, Novasen, Asaphen) ou d'anti-inflammatoires non stéroïdiens	L'AAS et les autres anti-inflammatoires (pris selon la posologie prescrite par le médecin) combattent l'inflammation articulaire et soulagent la douleur.
Utilisation d'un déambulateur ou d'une canne	L'utilisation d'un accessoire de soutien contribue à réduire la tension sur les articulations inflammés et atténue donc le malaise. Leur utilisation peut prévenir les chutes et maintenir l'équilibre.
Consommation d'aliments dont la quantité et la variété permettent de prévenir l'excès pondéral	L'obésité est un facteur de tension supplémentaire sur les os qui peut prédisposer à l'arthrose.
Exercice régulier et fréquent Activités de la vie quotidienne (AVQ)	Les AVQ permettent d'effectuer divers exercices d'amplitude, qui devraient être faits quatre fois par jour ; l'accomplissement des activités habituelles et favorites prime sur l'accomplissement de l'ensemble des exercices d'amplitude.
Loisirs (casse-tête, couture, construction de maquettes)	Ces activités permettent d'exercer les articulations distales et de prévenir leur raidissement.
Marches quotidiennes de courte durée avec des chaussures confortables	La marche est un exercice essentiel qu'il est recommandé de pratiquer de deux à trois fois par jour. De bonnes chaussures assurent la sécurité et le confort.
Introduction graduelle de toutes ces activités	Commencer graduellement une activité favorise la coordination. En se levant lentement de sa chaise, le client se sent moins étourdi et prévient de ce fait les chutes et les fractures.

57.2 EXAMEN DE L'APPAREIL LOCOMOTEUR

La justesse des antécédents et la rigueur de l'examen déterminent la précision du diagnostic. L'examen de l'appareil locomoteur peut être dirigé sur un organe précis dans le cadre d'un examen physique général ou il peut être fait de manière isolée. Le jugement doit être fondé sur le trouble manifesté chez le client et s'appuyer sur l'ensemble ou sur une partie des antécédents de la fonction locomotrice et des données de l'examen physique. Par exemple, les accidents causent souvent un traumatisme de l'appareil locomoteur qui nécessite un examen complet. En cas de blessure grave ou dangereuse, l'infirmière s'en tiendra aux données les plus pertinentes et reportera l'examen complet.

L'infirmière doit prêter une attention particulière aux plaintes du client et recueillir les données subjectives et objectives reliées aux facteurs suivants : douleurs musculaires et articulatoires, inflammation des articulations, perte de tonus ou de fonction, changement de volume d'un membre ou d'un muscle, difformité, spasmes, crépitation et modifications de la sensation, raideur, ou encore changements notés dans la démarche. Lorsqu'un trouble de l'appareil locomoteur est relevé, les questions relatives aux antécédents de santé qui sont présentées dans l'encadré 57.2 doivent être posées au client.

TABLEAU 57.2 Appareil locomoteur	
Changement	**Effets du vieillissement**
Muscle	
Baisse du nombre et du diamètre des cellules musculaires, remplacement des cellules musculaires par du tissu conjonctif fibreux	Diminution de la force et du volume musculaire, saillie abdominale, relâchement des muscles
Perte de souplesse des ligaments et du cartilage	Diminution de la motricité fine et de la dextérité
Diminution de la capacité à stocker le glycogène et à le libérer rapidement comme source d'énergie disponible en périodes de stress	Ralentissement du temps de réaction de la plupart des réflexes neuro-moteurs et du flux nerveux le long des motoneurones, plus grande prédisposition à la fatigue
Articulations	
Érosion du cartilage articulaire, parfois contact direct entre certaines extrémités osseuses	Signes d'arthrose, raideur articulaire, crépitation possible lors du mouvement des articulations, douleur lors de l'accomplissement des mouvements d'amplitude
Excroissance osseuse à la périphérie des surfaces articulaires (ostéophytes)	Nodosités d'Heberden au niveau des doigts (surtout chez les femmes), mobilité réduite des articulations atteintes
Perte d'eau au niveau des disques intervertébraux, rétrécissement des espaces articulaires des vertèbres	Tassement des vertèbres, douleur dorsale, subluxation
Os	
Diminution de la masse osseuse	Bosse de sorcière (cyphose) causée par la compression des corps vertébraux, diminution de la taille

57.2.1 Données subjectives

Information importante concernant la santé

Antécédents de santé. Certaines maladies sont susceptibles d'affecter directement ou non l'appareil locomoteur. Il importe donc d'interroger le client en se concentrant sur les antécédents de tuberculose, de poliomyélite, de diabète, de goutte, d'arthrite inflammatoire et dégénérative, d'hémophilie, de troubles parathyroïdiens, de rachitisme, d'ostéomalacie, de scorbut, d'ostéomyélite ou d'infection des tissus mous, d'infection fongique des os et des articulations et de déficiences neuromusculaires.

Si le client a déjà eu l'une ou l'autre de ces maladies, l'infirmière s'attardera à obtenir un compte rendu détaillé. L'infirmière interrogera également le client pour déceler des sources d'infection bactérienne secondaire (oreilles, amygdales, dents, sinus, appareil génito-urinaire) pouvant être à l'origine d'une ostéomyélite.

Médication. L'infirmière posera des questions détaillées sur la médication utilisée pour traiter un trouble locomoteur. Il est important d'obtenir des renseignements sur le motif du traitement, le nom du médicament, la dose et la fréquence des prises, le moment de la dernière prise, les effets du médicament et les réactions indésirables. L'usage de myorelaxants, d'antirhumatoïdes, d'anti-inflammatoires non stéroïdiens, de narcotiques et de corticostéroïdes systémiques fera l'objet d'une attention particulière. En cas d'utilisation d'agents anti-inflammatoires, l'infirmière interrogera aussi le client afin de déterminer s'il y a eu des problèmes gastro-intestinaux et des saignements de nature ulcéreuse.

L'examen de l'infirmière ne s'arrêtera pas aux médicaments destinés au traitement des troubles de l'appareil locomoteur, il englobera aussi les agents susceptibles d'affecter son fonctionnement : anticonvulsivants (ostéomalacie), phénothiazines, (gêne en marchant), corticostéroïdes (distribution anormale du tissu adipeux, nécrose avasculaire et diminution de la masse osseuse et musculaire) et diurétiques d'épargne potassique (crampes et faiblesse musculaires). La consommation d'amphétamines et de caféine peut causer une stimulation généralisée de l'activité motrice. L'infirmière posera aux femmes âgées des questions relatives à la ménopause, à l'hormonothérapie de remplacement et à la prise de suppléments de calcium et de vitamine D.

Chirurgie ou autres traitements. L'infirmière veillera à interroger le client sur les hospitalisations en raison d'un trouble de l'appareil locomoteur en insistant sur le motif de l'hospitalisation, sa date et sa durée. Les détails de toutes les interventions chirurgicales et des traitements postopératoires doivent être notés. Une hospitalisation, si elle s'accompagne d'une longue période

ANTÉCÉDENTS DE SANTÉ

Appareil locomoteur

Mode perception et gestion de la santé

- Décrivez vos activités quotidiennes habituelles.
- Éprouvez-vous des difficultés à faire ces activités ?* Décrivez ce que vous faites lorsque vous éprouvez des difficultés à vous habiller, à manger, à vous laver et à faire des gestes élémentaires d'hygiène ou à accomplir des tâches ménagères.
- Utilisez-vous un accessoire ou un appareil de soutien mécanique ?* Devez-vous soulever des charges lourdes ? Si oui, décrivez comment.
- Décrivez tout accessoire ou tout équipement spécialisé que vous utilisez ou portez au travail ou en faisant de l'exercice pour prévenir les blessures.
- Quel type de précautions prenez-vous ?
- Prenez-vous des médicaments pour traiter vos troubles locomoteurs ? Si oui, de quels médicaments s'agit-il ? Quand avez-vous eu vos derniers vaccins contre le tétanos et la poliomyélite ? Quand avez-vous eu votre dernier test de dépistage de la tuberculose ?

Mode nutrition et métabolisme

- Décrivez ce que vous avez mangé au cours des dernières 24 heures. Prenez-vous des suppléments de vitamines ou de minéraux ? (Posez surtout des questions sur les suppléments de calcium et de vitamine D.)
- Combien pesez-vous ? Avez-vous pris ou perdu du poids dernièrement ?*

Mode élimination

- Vos troubles locomoteurs vous empêchent-ils de vous rendre aux toilettes à temps ?* Votre immobilité vous cause-t-elle des problèmes de constipation ?
- Avez-vous besoin d'utiliser des accessoires ou des appareils fonctionnels particuliers pour vous laver convenablement ?*

Mode activité et exercice

- Éprouvez-vous des difficultés à faire certaines activités quotidiennes en raison d'un trouble locomoteur ?*
- Décrivez le type d'activité physique que vous faites habituellement. Éprouvez-vous des symptômes attribuables à un trouble de l'appareil locomoteur avant, pendant ou après l'exercice ?*

- Pouvez-vous bouger toutes les articulations en effectuant tous les mouvements d'amplitude ? Décrivez la moindre difficulté éprouvée sur le plan de la mobilité.
- Avez-vous besoin d'aide pour vous déplacer ou pour faire vos activités quotidiennes ?*
- Utilisez-vous une prothèse ou une orthèse ?*

Mode sommeil et repos

- Éprouvez-vous des difficultés à dormir en raison d'un trouble de l'appareil locomoteur ?* Avez-vous besoin de changer fréquemment de position la nuit ? Pourquoi ?
- Vous réveillez-vous la nuit en raison de douleurs causées par des troubles locomoteurs ?*

Mode cognition et perception

- Décrivez les douleurs que vous éprouvez et qui sont associées à un trouble de l'appareil locomoteur. Comment parvenez-vous à soulager ces douleurs ?

Mode perception et concept de soi

- Décrivez comment les changements au niveau de l'appareil locomoteur (posture, marche, force musculaire) et les contraintes qui en découlent transforment votre perception de vous-même. Comment ces changements ont-ils affecté votre mode de vie ?

Mode relation et rôle

- Vivez-vous seul ?
- Décrivez l'aide que vous recevez de la part de vos proches ou d'autres personnes par rapport à vos troubles locomoteurs.
- Décrivez les répercussions de votre trouble locomoteur sur votre travail et sur vos relations sociales.

Mode sexualité et reproduction

- Décrivez l'incidence de votre trouble locomoteur sur votre sexualité. Comment vivez-vous cette situation ?

Mode adaptation et tolérance au stress

- Décrivez comment vous vivez les problèmes associés à votre trouble locomoteur, comme la douleur ou l'immobilité.

Mode croyances et valeurs

- Décrivez les valeurs culturelles et les croyances religieuses susceptibles d'influencer le traitement de votre trouble locomoteur.

* Dans l'affirmative, décrivez la situation.

d'immobilisation, peut favoriser l'apparition de l'ostéoporose et de l'atrophie musculaire. Ce n'est donc pas une information à négliger. L'infirmière interrogera aussi le client afin de savoir si une intervention d'urgence a été réalisée pour corriger des troubles de l'appareil locomoteur ou à la suite d'un accident.

Modes fonctionnels de santé. Les modes fonctionnels de santé permettent à l'infirmière de mieux classer les données recueillies sur l'appareil locomoteur et d'établir les diagnostics appropriés qui en découlent. Dans l'encadré

57.2, les questions relatives aux antécédents de santé sont regroupées selon les modes fonctionnels de santé.

Mode perception et gestion de la santé. Les habitudes de vie du client ayant un effet sur l'appareil locomoteur doivent être examinées, à savoir le maintien d'un poids santé, l'absence de tension excessive sur les muscles et les articulations et l'utilisation de techniques appropriées pour soulever des charges.

L'infirmière doit interroger le client afin de savoir s'il a été vacciné contre le tétanos et la poliomyélite. La date la plus récente de réalisation du test de Mantoux et la réaction à ce test doivent aussi être relevées.

Les allergies alimentaires et de contact ont peu d'influence sur les troubles de l'appareil locomoteur. Toutefois, le malaise général associé aux réactions allergiques peut se traduire par de la raideur musculaire et articulaire et de la léthargie musculaire. Les réactions allergiques aux médicaments utilisés dans le traitement des troubles de l'appareil locomoteur peuvent nuire à l'action des agents administrés et nécessiter le choix d'un autre traitement en cas de réaction sévère.

La liste des microtraumatismes et des lésions graves de l'appareil locomoteur peut s'allonger facilement, si le client est un tantinet méticuleux. Les fractures, les entorses, les foulures et les luxations font bonne figure. Les informations réunies doivent être présentées par ordre chronologique et comprendre les éléments suivants :

- mécanisme de la lésion (rotation, écrasement, élongation) ;
- circonstances de l'apparition de la lésion ;
- évaluations diagnostiques ;
- méthodes de traitement ;
- durée du traitement ;
- état du client à la suite de la lésion ;
- besoin d'appareils et d'accessoires fonctionnels ;
- répercussions sur les activités quotidiennes.

En présence d'arthrite rhumatoïde, d'arthropathie dégénérative, de goutte, d'ostéoporose et de scoliose, il faudra connaître les antécédents familiaux en remontant jusqu'à trois générations, car ces maladies ont un caractère héréditaire.

Les règles de sécurité et les pratiques adoptées par le client en la matière ont une influence sur sa prédisposition à certaines lésions et affections. L'infirmière interrogera particulièrement le client sur les règles de sécurité et les pratiques adoptées dans le cadre professionnel ainsi que lors des activités récréatives et sportives.

Par exemple, si le client fait du jogging, des questions doivent être posées sur le type de chaussures et la surface du terrain choisis. L'incidence élevée des traumatismes de l'appareil locomoteur demande de prêter une attention particulière aux règles de sécurité et aux pratiques qui y sont reliées. Ainsi, l'identification des problèmes dans ce domaine permet d'orienter le plan d'enseignement à la clientèle.

Mode nutrition et métabolisme. La description du type d'alimentation du client peut fournir des indices permettant de cerner les aspects où la nutrition a une incidence sur l'appareil locomoteur. L'obésité prédispose à l'instabilité des ligaments, surtout dans la région lombaire. Elle constitue également une source de tension supplémentaire sur les articulations sensibles au poids,

comme celles des genoux et des hanches. Le maintien d'un poids santé est un objectif primordial pour le client.

Les états de sous-nutrition et de malnutrition peuvent prédisposer à certaines maladies de l'appareil locomoteur, comme l'ostéoporose, l'ostéomalacie et le rachitisme. Un apport suffisant en vitamines C et D, en calcium et en protéines est essentiel à la santé et à l'intégrité de l'appareil locomoteur. L'infirmière doit aussi vérifier la tolérance du client au lactose.

Mode élimination. L'infirmière doit vérifier si le client est capable de se déplacer jusqu'aux toilettes. Les troubles de l'appareil locomoteur peuvent constituer des facteurs étiologiques de l'incontinence fonctionnelle urinaire ou intestinale. De plus, l'immobilisation consécutive à un trouble de l'appareil locomoteur peut provoquer la constipation. L'infirmière proposera au client d'utiliser un appareil ou un accessoire fonctionnel comme un siège d'appoint ou des barres de soutien dans les toilettes.

Mode activité et exercice. Une description détaillée du type d'activités sportives et de loisirs pratiqués, de leur durée et de leur fréquence est demandée au client. Ces activités doivent être examinées d'un point de vue réaliste compte tenu des prédispositions du client à présenter des troubles de l'appareil locomoteur. Le client fournit ces renseignements en décrivant le déroulement de ses activités quotidiennes. Les activités sportives – journalières, saisonnières ou pratiquées la fin de semaine – doivent être comparées, car l'exercice présente davantage de risques lorsqu'il est pratiqué de manière occasionnelle ou sporadique que de façon régulière. Les troubles de l'appareil locomoteur ont une incidence élevée sur l'activité et l'exercice. L'infirmière doit donc interroger le client au sujet de la limitation éventuelle de ses mouvements, de la douleur, du manque de dextérité, de la crépitation et de tout changement touchant les os et les articulations qui affecte ses activités quotidiennes.

Les différents types d'activité professionnelle peuvent avoir des répercussions sur l'appareil locomoteur. Une activité sédentaire ne permet pas de maintenir la souplesse et le tonus musculaire, alors que les activités professionnelles qui exigent un grand effort physique pour soulever ou pousser des charges peuvent endommager les articulations et les structures de soutien de l'organisme. L'infirmière doit chercher à savoir si le client manifeste des lésions attribuables au travail répétitif et à connaître le nombre d'heures de travail perdues ainsi que les traitements suivis.

Mode sommeil et repos. Les troubles de l'appareil locomoteur peuvent nécessiter de changer fréquemment de position la nuit. Le malaise est un facteur supplémentaire susceptible de perturber le sommeil. L'infirmière doit interroger le client à propos de ses habitudes de sommeil et de la nature des changements constatés. Si le client rapporte avoir des problèmes de sommeil en raison d'un trouble de l'appareil locomoteur, l'infirmière doit s'informer sur le type de lit et d'oreillers utilisés, poser des questions sur les habitudes de sommeil du partenaire et sur les positions prises par le client en dormant.

Mode cognition et perception. L'infirmière doit investiguer et documenter avec soin les douleurs ressenties par le client et attribuables à un trouble de l'appareil locomoteur. Évaluer l'intensité de la douleur sur une certaine période peut aider à apprécier l'efficacité du plan de soins. L'infirmière interroge par ailleurs le client sur les méthodes qu'il emploie chez lui pour contrer la douleur. L'inflammation des articulations, la perte de tonus musculaire et les variations de sensation signalées à l'infirmière affectent directement ou indirectement le client en raison des douleurs qu'elles provoquent.

Mode perception et concept de soi. De nombreux troubles de l'appareil locomoteur sont chroniques et à l'origine de déformations, à tel point que les changements occasionnés ont de lourdes répercussions sur l'image corporelle et sur l'estime de soi. Il est important que le client exprime à l'infirmière ses sentiments par rapport aux changements qu'il a subis.

Mode relation et rôle. Les troubles de l'appareil locomoteur qui entravent les mouvements du client ou entraînent des douleurs chroniques peuvent nuire à l'exercice des rôles et des responsabilités qui y sont rattachées, par exemple dans la famille et au travail. Ces troubles peuvent également constituer un obstacle au développement et au maintien de relations sociales et interpersonnelles importantes. L'infirmière doit évaluer la gravité des problèmes éprouvés et les documenter lorsqu'elle s'informera des ancétédents de santé.

Si le client vit seul, l'infirmière doit déterminer si l'aménagement des pièces pourra être conservé, compte tenu de la nature du trouble et des besoins de réadaptation. Elle évalue, en outre, le niveau de soutien requis de la part des proches et des professionnels de la santé.

Mode sexualité et reproduction. Les troubles de l'appareil locomoteur et la douleur qu'ils provoquent ou qu'ils sont susceptibles de causer peuvent entraver l'activité sexuelle du client. L'infirmière doit aborder la question avec tact, afin que le client puisse parler sans gêne de ses difficultés sur le plan de la douleur, des mouvements et des positions au cours de l'activité sexuelle.

Mode adaptation et tolérance au stress. La limitation des mouvements et la douleur, aussi bien aiguë que chronique, peuvent constituer d'importants facteurs de stress qui amenuisent la capacité d'adaptation du client. L'infirmière doit reconnaître à l'avance les difficultés d'adaptation que pourraient éprouver le client et ses proches et recueillir les informations pertinentes qui lui permettront de déterminer si un trouble de l'appareil locomoteur est à l'origine d'un problème d'adaptation.

57.2.2 Données objectives

Examen physique. L'inspection et la palpation sont les méthodes utilisées, en premier lieu, lors de l'examen physique de l'appareil locomoteur. Les antécédents de santé fourniront à l'infirmière des pistes pour approfondir son examen.

Inspection. L'inspection commence dès la première rencontre de l'infirmière avec le client. À cette occasion, l'infirmière note toute asymétrie évidente et observe la posture du client en position assise et debout, sa démarche ainsi que la configuration d'ensemble de son corps et de ses muscles. Elle relève tout particulièrement les difficultés du client dans l'accomplissement d'activités quotidiennes, comme l'habillement, les soins d'hygiène et l'alimentation.

L'infirmière doit également observer l'état de la peau en notant la coloration générale, les cicatrices ou les traces évidentes de lésions ou de chirurgies. Elle examine systématiquement d'abord la tête et le cou, puis les membres supérieurs, les membres inférieurs et le dos. Bien que l'ordre dans lequel se fait cet examen ne soit pas primordial, une approche rigoureuse a son importance, afin de n'oublier aucun des principaux aspects lors de l'inspection. Le mouvement des articulations et l'asymétrie des mouvements, l'œdème, les déformations, les renflements et les signes d'anomalie dans la longueur des membres ou le volume des muscles doivent faire l'objet d'un examen plus poussé. Les membres controlatéraux serviront de points de repère si une anomalie est soupçonnée.

Palpation. L'infirmière doit palper avec soin les parties du corps qui réclament une plus grande attention, soit parce qu'elles ont été signalées par le client ou relevées lors de l'inspection. Les mains de l'infirmière doivent être chaudes afin d'éviter les spasmes musculaires, qui pourraient empêcher de repérer les structures essentielles et les structures des tissus mous. La palpation des tissus mous, comme les muscles et les articulations, permet d'évaluer la température corporelle, la souplesse des organes, la taille d'un œdème et la gravité de la crépitation. Il est important de trouver les liens entre les structures adjacentes, d'évaluer la configuration générale du corps, de même que les renflements suspects, et de palper les points de repère. En général, l'infirmière palpe d'abord le cou, puis les autres parties du corps en procédant de la tête aux pieds pour examiner consécutivement les épaules, les coudes, les poignets, les mains, le dos, les hanches, les genoux, les chevilles et les pieds. Une palpation superficielle est habituellement suivie d'une palpation en profondeur.

Mouvements. En examinant les mouvements articulaires, l'infirmière doit évaluer les mouvements passifs et actifs. En règle générale, ces deux types de mouvement articulaire sont similaires. Il existe trois sortes de mouvements : les mouvements passifs, actifs et fonctionnels. Les mouvements articulaires sont dits passifs, lorsque l'infirmière bouge elle-même l'articulation en effectuant les exercices d'amplitude. La prudence s'impose pendant la vérification de l'amplitude des mouvements passifs, afin de ne pas déchirer les structures sous-jacentes des tissus mous. L'infirmière arrêtera le mouvement à la moindre douleur ou résistance. Les mouvements sont dits actifs, lorsque le client bouge lui-même l'articulation en effectuant les exercices d'amplitude habituels. L'infirmière vérifiera l'amplitude des mouvements fonctionnels en demandant au client s'il parvient à accomplir de façon totalement autonome ses activités quotidiennes : manger, se laver, etc. Si un appareil ou un accessoire de soutien, comme une canne, un fauteuil roulant ou un déambulateur, est nécessaire, ce détail doit être noté.

Le goniomètre permet d'évaluer avec précision l'amplitude du mouvement d'une articulation en mesurant son angle de courbure (voir figure 57.7). Le degré d'amplitude de tous les mouvements articulaires n'est mesuré généralement qu'en présence d'un problème de l'appareil locomoteur. Une autre méthode, sans doute moins précise mais d'une grande valeur, consiste à comparer l'amplitude des mouvements d'un membre donné

à celle des mouvements du membre opposé. Les principaux mouvements des articulations synoviales sont résumés dans le tableau 57.3.

Mesures. La longueur des membres et la circonférence de la masse musculaire ne sont mesurées, en règle générale, que lorsque le client signale certains problèmes ou qu'une anomalie est observée. L'infirmière mesurera, par exemple, la longueur des jambes de son client, après avoir relevé des problèmes dans sa démarche. La longueur d'un membre est mesurée entre deux éminences osseuses, puis comparée à celle du membre opposé. La circonférence de la masse musculaire est mesurée à l'endroit où elle occupe le plus d'espace. L'infirmière prend soin d'indiquer, avec les résultats de ses mesures, leur emplacement précis. Par exemple, la taille du quadriceps est mesurée 15 cm au-dessus de la rotule. Ce détail permet aux autres intervenants de savoir quelles zones restent à mesurer et garantit l'homogénéité des prochains examens.

Évaluation de la force musculaire. On évalue la force des muscles d'un individu ou d'un groupe de muscles

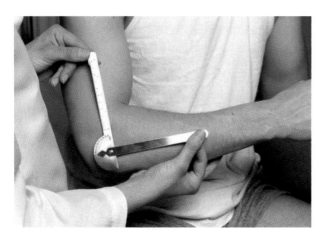

FIGURE 57.7 Mesure des angles d'une articulation et de l'amplitude de ses mouvements à l'aide d'un goniomètre

TABLEAU 57.3	Mouvement des articulations synoviales
Mouvement	**Description**
Flexion	Courbure de l'articulation qui entraîne une réduction de l'angle entre deux os ; raccourcissement du muscle
Extension	Courbure de l'articulation qui entraîne une augmentation de l'angle entre deux os
Hyperextension	Extension dont l'angle dépasse 180 °
Abduction	Éloignement d'une partie du corps du plan médian
Adduction	Rapprochement d'une partie du corps du plan médian
Pronation	Mouvement de rotation de la paume de la main vers le bas et de la plante du pied vers l'extérieur
Supination	Mouvement de rotation de la paume de la main vers le haut et de la plante du pied vers l'intérieur
Circumduction	Mouvement circulaire résultant de la flexion, de l'extension, de l'abduction et de l'adduction
Rotation	Mouvement d'une partie du corps autour de son axe longitudinal
Inversion	Rapprochement de la plante du pied du plan médian
Éversion	Éloignement de la plante du pied du plan médian

lors de l'exécution des mouvements de contraction réalisés en réponse à une source de résistance (voir encadré 57.3). L'infirmière demandera par exemple au client de résister à la force qu'elle exerce en essayant de baisser son bras pendant qu'il tente de le lever. La force des muscles d'un membre doit être aussi comparée à celle des muscles controlatéraux. Des différences subtiles peuvent être observées lorsque l'on compare la force musculaire du côté dominant avec celle du côté non dominant.

Échelle de la force musculaire · ENCADRÉ 57.3

0 Aucune contraction musculaire
1 Oscillation ou contraction à peine décelable
2 Mouvement actif d'une partie du corps avec neutralisation de la force de gravité
3 Mouvement actif pour vaincre la force de gravité
4 Mouvement actif pour vaincre la force de gravité et une force de résistance
5 Mouvement actif pour vaincre une force de résistance importante sans fatigue apparente (force musculaire normale)

Données normales de l'examen physique de l'appareil locomoteur · ENCADRÉ 57.4

- Amplitude articulaire complète de toutes les articulations
- Absence d'inflammation articulaire, de déformation ou de crépitation
- Cambrures normales de la colonne vertébrale
- Absence de douleur à la palpation de la colonne vertébrale
- Absence d'atrophie ou d'asymétrie musculaire
- Force musculaire de 5

Démarche. L'infirmière évalue la démarche du client en lui demandant de marcher d'un bout à l'autre de la pièce. La démarche se divise normalement en deux phases distinctes : la phase d'appui et la phase oscillante (voir figure 57.8). Ces deux étapes se déroulent simultanément, une jambe étant en phase d'appui pendant que l'autre est en phase oscillante. Les troubles de l'appareil locomoteur et les troubles neurologiques peuvent perturber la démarche.

Autres. Les méthodes d'évaluation des réflexes sont traitées au chapitre 52. L'encadré 57.4 donne un aperçu de la manière dont devrait être consigné un bilan normal de l'appareil locomoteur. Les troubles les plus courants de l'appareil locomoteur observés au cours du bilan sont regroupés dans le tableau 57.4.

57.3 ÉPREUVES DIAGNOSTIQUES DE L'APPAREIL LOCOMOTEUR

Les épreuves diagnostiques offrent de précieuses informations à l'infirmière pour surveiller l'état de son client et planifier les interventions appropriées. Ces épreuves permettent de fournir des données objectives. Le tableau 57.5 présente les épreuves diagnostiques s'appliquant à l'appareil locomoteur.

57.3.1 Examens radiologiques

La radiographie est l'examen diagnostique le plus communément utilisé pour déterminer la nature des troubles de l'appareil locomoteur. Importante, la radiographie

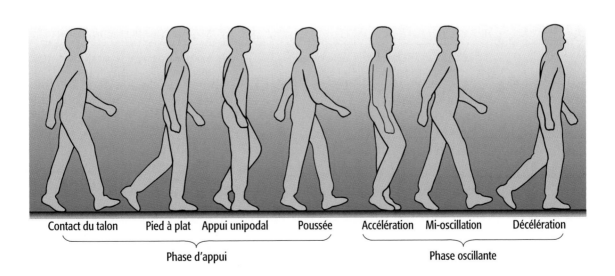

| Contact du talon | Pied à plat | Appui unipodal | Poussée | Accélération | Mi-oscillation | Décélération |

Phase d'appui — Phase oscillante

FIGURE 57.8 Phases de la démarche
Adapté de DELISA, J. et B. GANS. *Rehabilitation medicine principles*, 2e édition, Philadelphie, JB Lippincott, 1993.

ANOMALIES COURANTES DÉCELÉES AU COURS DE L'EXAMEN PHYSIQUE

TABLEAU 57.4 Appareil locomoteur

Trouble	Description	Causes possibles et conséquences
Ankylose	Cicatrisation pouvant conduire à une diminution de l'amplitude articulaire ou à son immobilisation	Inflammation articulaire chronique
Atrophie	Perte de la masse musculaire caractérisée par une diminution de la circonférence du muscle et par son relâchement, ce qui entraîne une diminution de la fonction et du tonus musculaire	Inactivité prolongée, contracture, immobilisation, dénervation du muscle
Contracture	Rigidité d'un muscle ou d'une articulation due à une fibrose des tissus mous sous-jacents	Raccourcissement du muscle ou de la structure des ligaments, rigidité des tissus mous, immobilisation, déformation de la posture
Crépitation	Craquement ou sensation de raclage résultant de la friction des os	Fracture, inflammation chronique, luxation
Épanchement	Accumulation de liquide dans une articulation accompagnée, dans certains cas, d'une inflammation douloureuse	Traumatisme, surtout au niveau du genou
Panaris pulpaire	Abcès de la phalange distale du doigt (masse de tissu) causé par une infection	Lésion mineure de la main, plaie punctiforme, lacération
Kyste synovial	Petite tumeur kystique remplie de liquide formée aux dépens de la membrane synoviale et observée habituellement sur la face dorsale du poignet et du pied	Destruction du tissu conjonctif voisin des tendons et des articulations aboutissant à la formation de petits kystes
Hypertrophie	Augmentation de la taille d'un muscle sous l'effet de l'accroissement de la taille des cellules	Exercice, augmentation du nombre d'androgènes, stimulation ou utilisation plus importante du muscle
Cyphose	Courbure antéropostérieure ou orientée vers l'avant de la colonne vertébrale, accompagnée d'une courbure à convexité postérieure ; fréquente au niveau du thorax et du sacrum	Mauvaise posture, tuberculose, arthrite chronique, dystrophie rachidienne de croissance, ostéoporose
Hyperlordose	Déformation de la colonne vertébrale due à une courbure antéro-postérieure à concavité postérieure ; fréquente au niveau de la colonne lombaire	Secondaire à d'autres déformations de la colonne vertébrale, à la dystrophie musculaire, à l'obésité, à la difformité en flexion de la hanche et à la luxation congénitale de la hanche
Pes planus	Pied plat	Affection congénitale, paralysie musculaire, paralysie cérébrale légère, dystrophie musculaire précoce
Scoliose	Déformation résultant d'une incurvation latérale de la colonne vertébrale	Affection idiopathique ou congénitale, fracture ou luxation, ostéomalacie, affection fonctionnelle
Subluxation	Luxation incomplète	Instabilité de la capsule articulaire et des ligaments de soutien à la suite d'un traumatisme ou reliée notamment à l'arthrite
Valgus	Déviation de l'os vers l'extérieur du plan médian	Altération de la démarche, douleur, érosion anormale du cartilage articulaire
Varus	Déviation de l'os vers le plan médian	Altération de la démarche, douleur, érosion anormale du cartilage articulaire

permet de vérifier la présence d'un problème, d'en suivre l'évolution et de mesurer l'efficacité des traitements.

La radiographie standard est un cliché produit par l'émission de rayons X de la surface non photosensible d'un tube cathodique. Les radiographies donnent de façon schématique une image des structures du corps, particulièrement des structures osseuses. Les os sont plus denses que les autres tissus et forment une barrière qui empêche les rayons X de passer. Dans les radiographies standards, les zones denses apparaissent généralement en blanc.

ÉPREUVES DIAGNOSTIQUES

TABLEAU 57.5 Appareil locomoteur

Épreuve	Description et but	Responsabilités infirmières
Examens radiologiques Radiologie conventionnelle	La radiographie permet d'explorer la densité osseuse. La radiologie évalue les changements structurels et fonctionnels des os et des articulations. Dans un plan antéropostérieur, les rayons X passent de l'avant à l'arrière pour donner une image unidimensionnelle ; la position latérale permet d'obtenir une image en deux dimensions.	Éviter que le client et le personnel ne soient trop exposés aux rayons X. Enlever avant la radiographie tous les objets radio-opaques susceptibles de modifier les résultats. Expliquer au client l'examen.
Arthrographie	Examen qui consiste à injecter un produit de contraste ou de l'air dans la cavité articulaire pour observer les structures des articulations. Une série de radiographies permet de suivre le mouvement de l'articulation.	Interroger le client pour déterminer s'il présente une allergie au produit de contraste utilisé, y compris à l'iode et aux fruits de mer. Expliquer au client l'examen. Désinfecter le point d'injection.
Discographie	Radiographie des disques intervertébraux cervicaux ou lombaires faite après l'injection d'un produit iodé de contraste dans le noyaux gélatineux. Cet examen permet de voir les anomalies des disques intervertébraux.	L'infirmière a les mêmes responsabilités que lors d'une arthrographie. La discographie peut être réalisée à l'occasion d'une chirurgie.
Fistulographie	Radiographie réalisée après l'injection d'un produit de contraste à base d'iode dans la fistule (plaie profonde sujette à un écoulement). L'examen met en évidence le trajet fistuleux et les tissus touchés.	L'infirmière a les mêmes responsabilités que lors d'une arthrographie.
Tomographie	Les radiographies de la région visée permettent d'obtenir des images des différentes couches successives de tissus selon les plans privilégiés. L'examen met en évidence certains tissus et élimine ou brouille les images des structures avoisinantes. Cette technique sert à localiser les zones de résorption osseuse, les petites cavités de l'organisme, les corps étrangers et les lésions cachées par les structures opaques.	Informer le client que l'examen est indolore.
Tomodensitométrie (TDM)	Faisceau de rayons X qui, couplé à un système informatique, permet d'obtenir une image en trois dimensions. La TDM permet de déceler les anomalies des tissus mous et des os ainsi que les multiples traumatismes de l'appareil locomoteur.	Informer le client que l'examen est indolore. Expliquer au client qu'il est important de ne pas bouger lors de l'examen.
Imagerie par résonance magnétique (IRM)	L'IRM repose sur l'utilisation d'ondes radioélectriques et d'un champ magnétique pour voir les tissus mous. Cet examen est particulièrement performant pour diagnostiquer les nécroses avasculaires, les hernies discales, les tumeurs, les ostéomyélites, les lésions ligamentaires et les ruptures du cartilage. Pour ce faire, le client est placé à l'intérieur d'un tunnel. Un produit de contraste, le gadolinium, peut être injecté par voie veineuse pour améliorer la qualité des images des structures. Lors d'une IRM ouverte, le client n'a pas besoin d'être placé à l'intérieur d'un tunnel.	Informer le client que l'examen est indolore. L'examen est contre-indiqué pour les clients obèses et ceux qui ont des agrafes pour anévrisme, des implants métalliques, des stimulateurs cardiaques, des appareils électroniques, des prothèses auditives ou un éclat de balle. S'assurer que le client ne porte aucun objet métallique (fermoir, bouton-pression, fermeture éclair, bijoux, cartes bancaires). Convertir le soluté IV en cathéter intermittent. Indiquer au client qu'il est important de ne pas bouger pendant l'examen. Informer les clients souffrant de claustrophobie qu'ils risquent d'éprouver des symptômes au cours de l'examen. Administrer des anxiolytiques (si indiqué ou prescrit). L'IRM ouverte peut être indiquée pour les clients obèses et les clients pléthoriques ayant une large poitrine ou souffrant de claustrophobie sévère. L'IRM ouverte n'est pas offerte dans tous les autres centres hospitaliers.

TABLEAU 57.5 Appareil locomoteur *(suite)*

Épreuve	Description et but	Responsabilités infirmières
Ostéodensitométrie Radiogrammétrie, radiodensitométrie	Mesure la masse osseuse des métacarpes. De très faibles doses de rayons X sont utilisées.	Expliquer au client l'examen. Informer le client que l'examen est indolore.
Absorptiométrie monophotonique (SPA)	Les faibles doses de rayons X du tomodensitomètre permettent surtout de mesurer le bout de la corticale à l'extrémité supérieure ou inférieure du radius ou en son milieu. L'examen ne permet pas d'assurer un suivi en raison de la lenteur des changements de la corticale.	Idem
Absorptiométrie biphotonique (DPA)	Technique mesurant le tissu osseux trabéculaire et cortical sur des sites comme les hanches et la colonne lombaire. Elle permet aussi de mesurer la concentration totale de calcium dans l'organisme.	Idem
Absorptiométrie à rayons X en double énergie (DEXA)	Technique mesurant la densité minérale osseuse de la colonne vertébrale, du fémur, de l'avant-bras et du corps entier. La technique est jugée rapide et précise, lorsqu'elle est utilisée avec de faibles doses de rayons X.	Idem
Examens radio-isotopiques Scintigraphie osseuse	Technique consistant à injecter un radio-isotope qui est absorbé par les os. Une caméra balaye tout le corps (devant et derrière), et les résultats sont enregistrés sur une feuille de papier. Le degré d'absorption du radio-isotope est lié au niveau d'irrigation des os. L'ostéomyélite, l'ostéoporose, les lésions osseuses malignes, primaires et métastatiques, ainsi que certaines fractures, donnent lieu à une plus grande absorption. L'absorption est moindre en présence de nécrose avasculaire.	Injecter une quantité dosée de radio-isotope deux heures avant l'examen. S'assurer que le client a uriné avant le début de la scintigraphie. Informer le client qu'il devra demeurer couché pendant une heure et que les isotopes sont sans danger. Cet examen ne demande pas de scintigraphies de suivi.
Endoscopie Arthroscopie	Examen consistant à introduire un arthroscope dans l'articulation (généralement le genou) pour voir sa structure et son contenu. L'arthroscopie est utilisée en chirurgie exploratoire (ablation des tissus lâches et biopsie) et pour diagnostiquer les anomalies des ménisques, du cartilage articulaire, des ligaments ou de la capsule articulaire. L'arthroscope permet aussi de mettre en évidence l'épaule, le coude, le poignet et les chevilles.	Informer le client que l'examen est réalisé en salle d'opération dans des conditions stériles, sous anesthésie locale ou générale. Couvrir la plaie d'un pansement stérile après l'examen. Après une arthroscopie du genou, bander la jambe de la mi-cuisse jusqu'au centre du mollet pendant 24 heures avec un pansement compressif. Demander au client de limiter ses activités pendant quelques jours.
Métabolisme des minéraux Phosphatase alcaline	Cet enzyme produit par les ostéoblastes est indispensable à la minéralisation de la matrice osseuse. Des taux élevés sont relevés pendant le processus de guérison des fractures, dans les cancers des os, l'ostéoporose, l'ostéomalacie et la maladie de Paget. *Valeur normale :* 20-90 U/L (0,3-1,5 µkat/L).	Prélever des échantillons sanguins en effectuant une ponction veineuse. Surveiller l'apparition d'un saignement ou d'un hématome sur le site de la ponction veineuse. Informer le client qu'il n'a pas besoin d'être à jeun.

ÉPREUVES DIAGNOSTIQUES

TABLEAU 57.5 Appareil locomoteur *(suite)*

Épreuve	Description et but	Responsabilités infirmières
Calcium	L'os est le principal organe de stockage du calcium. Le calcium solidifie les os. L'ostéomalacie, l'insuffisance rénale et l'hypoparathyroïdie induisent une baisse de la concentration sérique de calcium. Des taux élevés sont relevés en cas d'hyperparathyroïdie et dans certains cancers des os. *Valeur normale :* 9-11 mg/dl (2,3-2,7 mmol/L).	Idem
Phosphore	Sa présence est indirectement liée au métabolisme du calcium. L'ostéomalacie induit une baisse du taux de phosphore. Un taux élevé est relevé en cas d'insuffisance rénale chronique, au cours du processus de guérison des fractures et en présence d'une tumeur ostéolytique métastatique. *Valeur normale :* 2,8-4,5 mg/dl (0,9-1,5 mmol/L).	Idem
Épreuves sérologiques Facteur rhumatoïde (FR)	Examen pour chercher la présence de l'auto-anticorps (facteur rhumatoïde) dans le sérum. La présence du facteur rhumatoïde n'est pas seulement reliée à l'arthrite rhumatoïde, mais elle est aussi relevée chez les clients présentant d'autres pathologies des tissus conjonctifs et parmi une frange de la population. *Valeur normale :* négative ou titre <1: 20.	Idem
Vitesse de sédimentation (VS)	Épreuve constituant un indicateur non spécifique d'un processus inflammatoire. Cet examen mesure la vitesse à laquelle se déposent en une heure les globules rouges d'un échantillon de sang non coagulé. Les résultats sont influencés par des facteurs aussi bien physiologiques que pathologiques. La vitesse de sédimentation est augmentée en présence d'un processus inflammatoire (particulièrement en cas d'arthrite rhumatoïde, de fièvre rhumatoïde, d'ostéomyélite et d'infections respiratoires). *Valeur normale :* <20 mm/h. Une certaine variation existe selon le sexe.	Surveiller l'apparition d'un saignement ou d'un hématome sur le site de la ponction veineuse. Informer le client qu'il n'a pas besoin d'être à jeun.
Cellules du lupus érythémateux (LE)	Les cellules du lupus érythémateux sont observées dans environ 80 % des cas de lupus érythémateux systémique. Ces cellules sont absentes chez les personnes non atteintes.	Prélever un échantillon de sang et le préparer pour un frottis sanguin. Surveiller l'apparition d'un saignement ou d'un hématome sur le site de la ponction veineuse.
Anticorps antinucléaire (ANA)	Épreuve visant à chercher la présence d'anticorps capables de détruire les noyaux des cellules des tissus corporels. Le résultat est positif chez 95 % des clients porteurs du lupus érythémateux systémique. Il peut aussi se révéler positif chez les sujets souffrant de sclérodermie ou d'arthrite rhumatoïde et parmi un faible pourcentage de la population.	Surveiller l'apparition d'un saignement ou d'un hématome sur le site de la ponction veineuse. Informer le client qu'il n'a pas besoin d'être à jeun.
Anticorps anti-ADN	Épreuve visant à déceler les anticorps plasmatiques réagissant à l'ADN. Il s'agit du test le plus précis pour diagnostiquer le lupus érythémateux systémique.	Idem

ÉPREUVES DIAGNOSTIQUES

TABLEAU 57.5 Appareil locomoteur *(suite)*

Épreuve	Description et but	Responsabilités infirmières
Complément	Protéine produite par l'organisme, le complément joue un rôle essentiel dans les réactions immunes et inflammatoires. Les composants des compléments impliqués dans ces réactions sont éliminés, d'où leur quasi-absence des épreuves subséquentes. De telles déplétions peuvent être observées chez les clients présentant une arthrite rhumatoïde ou un lupus érythémateux systémique.	Idem
Acide urique	Le produit final du métabolisme de la purine est essentiellement excrété dans l'urine. Sans que cela ne constitue un indicateur spécifique, les taux d'acide urique sont généralement augmentés en cas de goutte. *Valeur normale :* 4,5-6,5 mg/dl (268-387 µmol/L) chez l'homme ; 2,5-5,5 mg/dl (149-327 µmol/L) chez la femme.	Idem
Protéine C-réactive (CRP)	Épreuve permettant de diagnostiquer une maladie inflammatoire, une infection, une tumeur maligne métastatique. La CRP est synthétisée par le foie et est présente en grand nombre dans le sang de 18 à 24 h après le début de l'atteinte tissulaire. *Valeur normale :* négative.	Idem
Antigène d'histocompatibilité (HLA)-B27	Antigène présent dans des affections comme la spondylarthrite ankylosante et les variantes de l'arthrite rhumatoïde.	Idem
Enzymes musculaires Créatine kinase (CK)	Les concentrations les plus élevées se trouvent dans les muscles squelettiques. On observe une élévation de la créatine kinase dans la dystrophie musculaire, la polymyosite et les traumatismes. *Valeur normale :* 5-55 U/L (0,1-0,9 µkat/L) chez l'homme ; 5-35 U/L (0,01-0,6 µkat/L) chez la femme.	Idem
Aldolase	Épreuve présentant un intérêt dans la surveillance de la dystrophie musculaire et de la dermatomyosite. *Valeur normale :* 1,0-7,5 U/L (16,7-125 nkat/L).	Idem
Aspartate transférase (AST) ou sérum glutamo-oxalacétique transaminase (SGOT)	Enzyme se trouvant essentiellement dans les cellules du cœur et du foie, mais que l'on trouve aussi dans les muscles squelettiques. *Valeur normale :* 15-45 U/L (0,12-0,67µkat/L).	Surveiller l'apparition de saignement ou d'hématome au niveau de la ponction veineuse. Informer le client qu'il n'a pas besoin d'être à jeun.
Interventions invasives Arthocentèse	Incision ou ponction d'une capsule articulaire pour prélever des échantillons de liquide synovial de la cavité articulaire ou en extraire le surplus de liquide. On fait une anesthésie locale et on désinfecte le site avant d'introduire une aiguille dans l'articulation et d'extraire le liquide. L'arthrocentèse présente un intérêt dans le diagnostic de l'inflammation articulaire.	Informer le client que l'intervention est généralement effectuée au pied du lit ou en salle d'examen. Transmettre les échantillons de liquide synovial au laboratoire pour analyse (si indiqué). Après l'intervention, appliquer un pansement compressif et demander au client de ne pas utiliser l'articulation pendant une période de 8 à 24 heures. Surveiller les écoulements sanguins ou d'autres liquides sur le pansement.

TABLEAU 57.5 Appareil locomoteur *(suite)*

Épreuve	Description et but	Responsabilités infirmières
Électromyogramme (EMG)	Examen destiné à évaluer l'activité électrique produite par les contractions musculaires. Pour ce faire, de longues aiguilles de petit calibre sont enfoncées dans certains muscles. Ces aiguilles sont reliées à une dérivation qui transmet l'information à un appareil. L'activité électrique des muscles est enregistrée sous forme de tracé au moyen d'un transmetteur audio, d'un oscilloscope et de papier continu. L'examen permet d'obtenir des informations sur les troubles des motoneurones inférieurs et les atteintes musculaires primaires.	Informer le client que l'examen se déroule généralement dans un laboratoire équipé d'un électromyogramme et qu'il sera allongé sur une table spéciale. Faire participer le client en lui demandant d'exécuter des mouvements. L'informer que l'insertion des aiguilles au cours de l'examen peut être douloureuse. Ne pas administrer de stimulants ni de sédatifs 24 heures avant l'examen.
Autres Thermographie	Technique mesurant au moyen d'un détecteur infrarouge le rayonnement thermique émis à travers la peau. Cet examen présente un intérêt pour déterminer la cause d'une inflammation articulaire et dans le suivi de la réponse du client à une pharmacothérapie à base d'anti-inflammatoires.	Informer le client que l'examen est indolore et non effractif.
Pléthysmographie	Examen enregistrant les variations de volume et de pression du sang circulant dans les tissus. Ce test est quantitatif et non spécifique.	Informer le client que l'examen est indolore et non effractif.
Potentiel évoqué somesthésique (SSEP)	Examen mesurant le potentiel évoqué des contractions musculaires. Pour ce faire, des électrodes sont placées sur la peau pour enregistrer l'activité électrique du muscle. Cet examen permet de relever les dysfonctions subtiles des motoneurones inférieurs et les atteintes musculaires primaires. Le potentiel évoqué mesure la vitesse de conduction nerveuse dans les zones d'activité non accessibles par l'électromyogramme. Les électrodes transcutanées ou percutanées placées sur la peau aident à déceler les neuropathies et les myopathies.	Informer le client que l'examen ressemble à l'électromyogramme, mais qu'il ne nécessite pas l'utilisation d'aiguilles. Des électrodes sont placées sur la peau.

Les plans antéropostérieurs et latéraux sont les plus courants. La structure des disques et des cartilages n'apparaissant pas avec l'emploi de rayons X conventionnels, il est utile de recourir à d'autres types d'examens radiologiques (discographie, arthrographie) nécessitant l'injection d'un produit de contraste.

57.3.2 Imagerie par résonance magnétique

L'imagerie par résonance magnétique (IRM) est un examen utile pour diagnostiquer les nombreuses maladies de l'appareil locomoteur. Cette technique permet de produire des images des tissus mous et des os grâce à l'application d'ondes radioélectriques et de champs magnétiques. L'IRM est d'une grande utilité pour préciser

les affections des tissus mous, notamment les lésions du cartilage et des ligaments ainsi que les hernies discales. Elle permet de diagnostiquer également des maladies, telles que la nécrose avasculaire, les tumeurs et le myélome multiple.

57.3.3 Arthroscopie

L'endoscopie de l'articulation repose sur l'utilisation d'un arthroscope qui permet de voir directement l'intérieur de la cavité articulaire. Cette intervention est pratiquée en salle d'opération dans des conditions stériles. Après l'anesthésie générale ou locale, une aiguille de gros calibre est introduite dans l'articulation, laquelle sera ensuite distendue par l'injection d'une solution saline (voir figure 57.9). La cavité articulaire est examinée après la mise en place de l'arthroscope. Cet appareil permet de prendre des photographies, de filmer la cavité et de prélever de la synovie ou du cartilage. L'arthroscopie est particulièrement utile pour diagnostiquer les troubles du genou et de l'épaule. Son usage peut également s'étendre à des opérations réalisées sur d'autres articulations, telles que le poignet, le coude ou les chevilles. L'arthroscopie permet de corriger les ruptures des cartilages et d'autres troubles, rendant ainsi inutiles une incision de plus grand diamètre et des chirurgies plus contraignantes.

57.3.4 Arthrocentèse et analyse du liquide synovial

L'arthrocentèse est effectuée pour analyser le liquide synovial. Elle permet aussi d'injecter des traitements pour atténuer les douleurs articulaires en extrayant les liquides présents. Pour ce faire, une aiguille de calibre 18 ou de calibre supérieur est introduite dans l'articulation pour aspirer le liquide. On préparera le récipient de collecte nécessaire à l'analyse en laboratoire du liquide extrait. Cette analyse portera globalement sur le volume, la couleur, la clarté, la viscosité et la formation de caillots de mucine. Le liquide synovial est généralement clair, jaune et peu abondant (1 à 3 ml). Le liquide extrait d'une articulation infectée peut être soit purulent et épais, soit gris et fluide. Chez les clients souffrant de goutte, le liquide synovial a une couleur plutôt jaune pâle. En présence d'une hémarthrose associée à une blessure, du sang est parfois aspiré. Le test d'agglutination de la mucine est un indicateur du pourcentage de protéines contenues dans le liquide synovial. En règle générale, un caillot filiforme de mucine de couleur blanche se forme et se fragmente facilement en cas d'inflammation.

L'analyse microscopique du liquide synovial vise à déterminer le nombre et le type de cellules présentes. La leucocytose normale est inférieure à 200 globules/ml avec moins de 25 % de neutrophiles et un nombre nul de bactéries. L'inflammation est caractérisée par une augmentation du nombre de globules blancs et de protéines. La présence de cristaux d'acide urique est un signe possible de la goutte.

57.3.5 Enzymes musculaires

Les cellules des tissus musculaires lésées ou mortes libèrent des enzymes. Le dosage de ces enzymes permet de préciser, en cas de faiblesse musculaire, si des troubles neurologiques peuvent être incriminés ou s'il s'agit plutôt d'une dystrophie du muscle lui-même. Le niveau enzymatique indique l'évolution de l'affection et le degré d'efficacité du traitement. Les taux d'aspartate aminotransférase (ASAT) (aussi appelée sérum glutamooxaloacétique transaminase [SGOT]) constituent les indicateurs les moins précis de maladie musculaire. À l'inverse, les taux de créatine kinase sont les meilleurs indicateurs. Le dosage des enzymes est aussi utile pour diagnostiquer les affections du foie et les cardiopathies.

57.3.6 Épreuves sérologiques

Près de 85 % des personnes souffrant d'arthrite rhumatoïde et d'une affection apparentée ont, dans leur sérum, un auto-anticorps spécifique, appelé facteur rhumatoïde. Cet auto-anticorps appartient généralement à la catégorie des immunoglobulines (IgM), bien qu'il s'agisse, dans certains cas, d'une gammaglobuline (IgG). Le test de réaction au latex sert à vérifier la présence du facteur rhumatoïde. Dans ce test, des particules de latex sont recouvertes d'IgG agrégées. Mêlé aux particules de latex, le sérum, s'il contient le facteur rhumatoïde, réagit avec elles en provoquant une agglutination. On détermine le titre en réalisant une dilution en série du sérum.

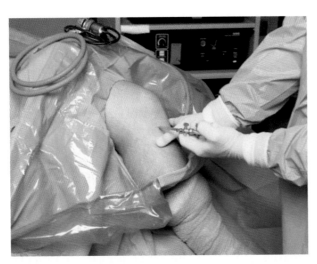

FIGURE 57.9 Arthroscopie du genou

BIBLIOGRAPHIE
Version originale

1. Thompson JM and others, editors: *Mosby's clinical nursing,* ed 4, St Louis, 1997, Mosby.
2. Thibodeau GA, Patton KT: *Anatomy and physiology,* ed 4, St. Louis, 1999, Mosby.
3. Guyton AC, Hall JE, editors: *Textbook of medical physiology,* ed 9, Philadelphia, 1996, Saunders.
4. *Mastering geriatric care,* Springhouse, Penn, 1997, Springhouse.
5. Beare PG, Myers JL, editors: *Adult health nursing,* ed 3, St. Louis, 1998, Mosby.
6. Browstein B, Bronner S, editors: *Functional movement in orthopaedic and sports physical therapy,* New York, 1997, Churchill Livingstone.
7. Lueckenotte A, editor: *Gerontologic nursing,* St. Louis, 1996, Mosby.
8. Ebersole P, Hess P, editors: *Toward healthy aging,* ed 5, St. Louis, 1998, Mosby.
9. Potter PA, Perry AG, editors: *Fundamentals of nursing,* ed 4, St. Louis, 1997, Mosby.
10. McCance KL, Huether SE, editors: *Pathophysiology: the biologic basis for disease in adults and children,* ed 3, St. Louis, 1998, Mosby.

Monique Bédard
B. Sc. inf.
Cégep de Limoilou

Lucie Maillé
Inf., B. Sc.
Collège Édouard-Montpetit

Chapitre 58

TROUBLES DE L'APPAREIL LOCOMOTEUR

OBJECTIFS D'APPRENTISSAGE

APRÈS AVOIR LU CE CHAPITRE, VOUS DEVRIEZ ÊTRE EN MESURE :

- D'EXPLIQUER L'ÉTIOLOGIE, LA PHYSIOPATHOLOGIE, LES MANIFESTATIONS CLINIQUES AINSI QUE LE PROCESSUS THÉRAPEUTIQUE DES LÉSIONS DES TISSUS MOUS, NOTAMMENT DES FOULURES, DES LUXATIONS, DES SUBLUXATIONS, DES BURSITES, DU SYNDROME DU TUNNEL CARPIEN, DES FOULURES À RÉPÉTITION ET DES SPASMES MUSCULAIRES ;

- DE DÉCRIRE LES ÉTAPES DE CONSOLIDATION D'UNE FRACTURE ET LES COMPLICATIONS COURANTES RELIÉES À LA FRACTURE ET À SA CONSOLIDATION ;

- DE DIFFÉRENCIER LA RÉDUCTION CHIRURGICALE, LA RÉDUCTION ORTHOPÉDIQUE, LA TRACTION ET L'IMMOBILISATION PLÂTRÉE EN CE QUI CONCERNE LEURS OBJECTIFS, LEURS COMPLICATIONS ET LEURS SOINS INFIRMIERS ;

- DE DÉCRIRE L'ÉVALUATION NEUROVASCULAIRE D'UNE EXTRÉMITÉ BLESSÉE ;

- DE DÉCRIRE LE PROCESSUS THÉRAPEUTIQUE ET LES SOINS INFIRMIERS DESTINÉS AUX CLIENTS QUI PRÉSENTENT DES FRACTURES SPÉCIFIQUES ;

- DE DÉCRIRE LA PHYSIOPATHOLOGIE, LES SOINS INFIRMIERS ET LE PROCESSUS THÉRAPEUTIQUE DE L'OSTÉOMYÉLITE ;

- DE DÉCRIRE LES INDICATIONS, LE PROCESSUS THÉRAPEUTIQUE ET LES SOINS INFIRMIERS DANS LE CAS D'UNE AMPUTATION ;

- DE DÉCRIRE LES TYPES DE CANCER DES OS, LEUR PHYSIOPATHOLOGIE, LEURS MANIFESTATIONS CLINIQUES ET LEUR PROCESSUS THÉRAPEUTIQUE ;

- DE DÉCRIRE LES CAUSES ET LES CARACTÉRISTIQUES DE LA LOMBALGIE AIGUË ET DE LA LOMBALGIE CHRONIQUE AINSI QUE LEURS TRAITEMENTS MÉDICAL ET CHIRURGICAL ;

- DE DÉCRIRE LES SOINS INFIRMIERS POSTOPÉRATOIRES À L'ÉGARD DU CLIENT AYANT SUBI UNE CHIRURGIE DE LA COLONNE VERTÉBRALE ;

- D'EXPLIQUER L'ÉTIOLOGIE ET LE PROCESSUS THÉRAPEUTIQUE DES MALADIES DU PIED LES PLUS FRÉQUENTES ;

- DE DÉCRIRE L'ÉTIOLOGIE, LA PHYSIOPATHOLOGIE, LES MANIFESTATIONS CLINIQUES ET LE TRAITEMENT DES MALADIES MÉTABOLIQUES DES OS.

*L*es problèmes touchant l'appareil locomoteur découlent essentiellement de lésions subies lors d'accidents provoquant des fractures, des luxations et des lésions connexes des tissus mous. Bien que la plupart de ces lésions ne soient pas mortelles, leur coût est énorme sur le plan de la douleur, de l'incapacité, des frais médicaux et des arrêts de travail. Tous âges confondus, seuls les maladies cardiaques, le cancer et l'accident vasculaire cérébral causent plus de décès que les accidents. Ceux-ci constituent la principale cause de mortalité chez les enfants et les jeunes adultes.

L'un des rôles importants de l'infirmière consiste à enseigner au public les principes de base de la sécurité et de la prévention des accidents. La morbidité associée aux accidents peut être considérablement réduite si les gens sont conscients des dangers environnementaux, s'ils utilisent les équipements de protection appropriés, appliquent les règles de sécurité et respectent le code de la route. En milieu industriel, l'infirmière devrait enseigner aux employés et à l'employeur à utiliser les bons équipements de sécurité et à éviter les situations dangereuses.

Dans le milieu de vie, les chutes sont responsables de nombreuses atteintes de l'appareil locomoteur. L'enseignement préventif devrait être orienté vers l'importance de porter des chaussures à semelles et à talons fonctionnels, la nécessité d'éviter les surfaces mouillées ou glissantes, de choisir judicieusement l'emplacement des carpettes et d'enlever les obstacles sur le chemin des personnes à risque élevé comme celles qui présentent une démarche instable, une déficience visuelle ou cognitive.

58.1 LÉSIONS DES TISSUS MOUS

Les lésions des tissus mous comprennent les entorses, les foulures, les luxations et les subluxations. Ces lésions fréquentes sont généralement causées par un traumatisme. L'augmentation du nombre de personnes qui suivent un programme de conditionnement physique ou qui pratiquent un sport de façon régulière a contribué à augmenter l'incidence des lésions des tissus mous. Le tableau 58.1 présente un résumé des lésions sportives fréquentes. La plupart des blessures reliées à la pratique d'un sport résultent d'un traumatisme ou d'une contusion par choc direct ou d'une blessure indirecte par étirement.

58.1.1 Entorses et foulures

L'entorse et la foulure sont les deux types de blessures les plus fréquents de l'appareil locomoteur. Ces lésions sont généralement associées aux étirements anormaux ou aux torsions forcées qui peuvent survenir au cours d'exercices vigoureux.

Une **entorse** est une déchirure de la structure ligamentaire qui entoure une articulation, généralement causée par un mouvement de torsion. On classe les entorses selon le nombre de fibres ligamentaires déchirées. Une entorse du premier degré entraîne la déchirure de fibres et se traduit par une sensibilité et un œdème légers. Une entorse du second degré présente une rupture partielle des tissus affectés accompagnée d'un œdème et d'une sensibilité plus importants. Une entorse du troisième degré est une déchirure complète du ligament. On peut apercevoir un trou dans le muscle ou sentir celui-ci à travers la peau si le muscle est déchiré. Comme ces régions contiennent de nombreuses terminaisons nerveuses, la lésion peut être extrêmement douloureuse. Les entorses surviennent le plus souvent au niveau de la cheville et du poignet. La **foulure** est l'étirement d'un muscle et de ses fascias.

Les manifestations cliniques de l'entorse et de la foulure sont semblables et se traduisent par de la douleur, de l'œdème, une réduction de la fonction et des ecchymoses. Il est fréquent que la douleur s'aggrave avec l'usage continu de l'extrémité. De minuscules hémorragies à l'intérieur des tissus déchirés, suivies d'une réponse inflammatoire, causent l'apparition d'un œdème dans la région du traumatisme. Le client retracera généralement un événement ayant mené à des lésions traumatiques impliquant peut-être un mouvement de torsion ou une activité physique récente.

Les entorses et les foulures mineures guérissent spontanément avec un retour à la fonction normale dans les trois à six semaines. Une entorse grave peut se traduire par une fracture-avulsion dans laquelle le ligament arrache un fragment d'os en se déchirant. Ou bien la structure articulaire peut devenir instable et entraîner une subluxation ou une luxation. La lésion peut s'accompagner d'une hémarthrose (épanchement de sang dans l'espace ou dans la cavité articulaire) ou d'une rupture de la membrane synoviale. Une foulure aiguë peut impliquer la rupture complète ou partielle d'un muscle.

Des radiographies de la partie affectée sont généralement prises pour détecter une fracture ou l'élargissement de la structure articulaire. Une lésion qui produit une rupture grave des structures ligamentaires ou musculaires, une fracture ou une luxation peut exiger une réparation chirurgicale.

Soins infirmiers : entorses et foulures
Exécution
Promotion de la santé. L'utilisation d'un bandage élastique pour soutenir la partie affectée ou de ruban adhésif pour l'envelopper avant de commencer une activité vigoureuse semble réduire l'apparition des entorses. Certains médecins n'appuient cependant pas l'enveloppement

TABLEAU 58.1	Lésions sportives courantes	
Lésions	**Définition**	**Traitement**
Conflit sous-acromial	Compression des structures de tissus mous sous la voûte acromio-coracoïdienne de l'épaule	AINS ; du repos jusqu'à ce que les symptômes régressent, puis des exercices graduels d'amplitude et de renforcement
Déchirure de la coiffe des rotateurs	Déchirure du muscle ou des ligaments de l'épaule	S'il s'agit d'une déchirure mineure, du repos, des AINS et une mobilisation progressive avec des exercices d'amplitude et de renforcement S'il s'agit d'une déchirure majeure, une réparation chirurgicale
Périostite tibiale	Inflammation de la diaphyse tibiale due à l'arrachement des tendons causé par de mauvaises chaussures, le surmenage ou le jogging sur surface dure	Du repos, de la glace, des AINS ; de bonnes chaussures, l'augmentation progressive de l'activité ; si la douleur persiste, faire des radiographies pour écarter la fracture de stress du tibia
Tendinite	Inflammation d'un tendon dans une extrémité supérieure ou inférieure résultant d'un surmenage ou d'un mauvais usage	Du repos, de la glace, des AINS ; le retour progressif à l'activité sportive ; si les symptômes réapparaissent, le port d'un appareil orthopédique (orthèse) peut protéger la partie affectée
Lésion ligamentaire	Déchirure ou étirement d'un ligament ; est généralement le résultat d'un coup direct ; caractérisée par une douleur soudaine, de l'œdème et une sensation d'instabilité	Du repos, de la glace, des AINS ; le port d'un appareil orthopédique pour protéger l'extrémité affectée ; si les symptômes persistent, une réparation chirurgicale peut s'imposer
Lésion méniscale	Lésion du cartilage fibreux du genou caractérisée par une sensation d'éclatement, de craquement ou de déchirement et par de l'œdème	Du repos, de la glace, des AINS ; le retour progressif aux activités normales ; si les symptômes persistent, une chirurgie arthroscopique pour diagnostiquer et corriger la lésion méniscale peut être nécessaire

AINS : anti-inflammatoires non stéroïdiens.

préventif ni l'usage de ruban adhésif parce que ces méthodes peuvent prédisposer l'athlète aux lésions. Des exercices d'étirement et de réchauffement avant une activité vigoureuse réduisent de façon importante l'apparition des entorses ou des foulures.

Le préconditionnement par le biais d'exercices protège une articulation naturellement faible, parce que les tissus biologiques tolèrent mieux les étirements lents que les étirements rapides. Les exercices de réchauffement « allongent à l'avance » les tissus susceptibles d'être foulés et évitent les étirements rapides qui se produisent souvent dans le sport. Les exercices de réchauffement augmentent aussi la température des muscles, ce qui augmente la vitesse du métabolisme des cellules et la vitesse de transmission de l'influx nerveux. L'accroissement du métabolisme contribue à une meilleure oxygénation des fibres musculaires durant le travail. On croit que les étirements améliorent aussi la conscience kinesthésique et diminuent donc les risques de mouvements non coordonnés.

Intervention d'urgence. En cas de traumatisme, les soins immédiats sont axés sur : le repos et la limitation des mouvements ; l'application de glace sur la région blessée ; la compression de l'extrémité affectée ; l'élévation de l'extrémité ; l'analgésie au besoin (voir tableau 58.2). On doit restreindre les mouvements et faire reposer l'extrémité dès qu'on ressent de la douleur. Le repos prolongé n'est généralement pas nécessaire à moins que la lésion ne soit grave. On peut utiliser le froid sous plusieurs formes afin de produire une hypothermie dans la partie touchée. Les changements physiologiques que cause le froid dans les tissus mous comprennent la vasoconstriction, la réduction de la transmission de l'influx nerveux et la réduction de la vitesse de conduction. Ces changements se traduisent par une analgésie et une anesthésie, la réduction des spasmes musculaires sans altération de la force ou de la résistance musculaire, une diminution de l'œdème et de l'inflammation locaux et la réduction des besoins métaboliques locaux. L'usage du froid pour traiter les lésions des tissus mous provoque peu d'effets secondaires indésirables. L'efficacité du froid est maximale lorsqu'il est appliqué dès que survient la lésion. Les applications de glace ne devraient pas dépasser une durée de 20 à 30 minutes par application et devraient être suivies d'une période de « récupération » de 10 à 15 minutes avant la prochaine application.

La compression aide aussi à limiter l'œdème qui, non résorbé, pourrait allonger le temps de guérison. Un pansement compressif élastique peut être posé autour de la partie blessée. Le pansement est trop serré si le client ressent

TABLEAU 58.2　Interventions d'urgence pour les lésions des tissus mous

Étiologie	Résultats de l'évaluation	Intervention
Chutes Coups directs Écrasement Accident d'automobile Lésions sportives	Collecte des données Œdème Ecchymoses Douleur, sensibilité Diminution de la sensation et œdème important Baisse du pouls, froideur et remplissage capillaire Réduction des mouvements Pâleur Raccourcissement ou rotation de l'extrémité Incapacité de porter son poids lorsque les extrémités inférieures sont affectées Diminution de la fonction avec atteinte des extrémités supérieures Spasmes musculaires	**Prioritaires** S'assurer que les voies aériennes sont dégagées, que la respiration et la circulation sont normales Évaluer l'état neurovasculaire du membre affecté Élever le membre atteint Appliquer un pansement compressif à moins qu'il n'y ait dislocation Appliquer de la glace sur la région affectée Immobiliser l'extrémité affectée dans la position dans laquelle elle se trouve au moment de la découverte de la lésion Prévoir des radiographies de l'extrémité blessée Donner des analgésiques au besoin Administrer une prophylaxie antitétanique si l'intégrité de la peau est rompue **Surveillance continue** Surveiller les changements de l'état neurovasculaire Éviter la mise en charge sur le membre blessé Surveiller la pression des compartiments si l'état neurovasculaire change

un engourdissement dans la région affectée, s'il a des crampes, si la douleur augmente ou que l'œdème déborde du bandage. Le pansement peut être maintenu en place pendant 30 minutes, puis retiré pendant 15 minutes.

Il faut élever la partie blessée au-dessus du niveau du cœur afin de faciliter le drainage de l'excès de liquide en provenance de la région affectée et d'empêcher que l'œdème ne s'étende. Il faut surélever la partie blessée même pendant le sommeil. Si le client souffre, on peut lui administrer des analgésiques légers comme de l'acide acétylsalicylique (Aspirin), de l'ibuprofène (Motrin) ou de l'acétaminophène (Tylenol).

Après la phase aiguë (qui dure généralement 24 à 48 heures), on peut appliquer de la chaleur humide sur la partie affectée afin de réduire l'œdème et de procurer du confort. Les applications de chaleur ne devraient pas dépasser 20 à 30 minutes et devraient être entrecoupées de périodes de « récupération ». Les anti-inflammatoires non stéroïdiens (AINS) peuvent réduire l'œdème et la douleur. Il faut inciter le client à se servir du membre affecté à condition que l'articulation soit protégée par un plâtre, du ruban adhésif ou une attelle. Le mouvement de l'articulation maintient l'alimentation du cartilage et la contraction musculaire accélère la circulation et la résolution de l'hématome.

Soins ambulatoires et soins à domicile. À l'exception du traitement prodigué à l'urgence à la suite de l'accident, les entorses et les foulures sont traitées en clinique

externe. Il faut enseigner au client comment se servir de la glace et comment élever le membre affecté pour une période de 24 à 72 heures suivant l'accident afin de réduire l'œdème. On doit aussi l'encourager à prendre des analgésiques légers afin de favoriser le confort. L'usage d'un bandage élastique fournit un soutien supplémentaire au cours de l'exercice. Le client devrait apprendre les mesures préventives pour éviter de se blesser de nouveau.

Le physiothérapeute peut recourir à des techniques spécialisées comme les ultrasons pour améliorer le confort. Il peut aussi enseigner les exercices à faire pour fortifier les muscles rétractés.

58.1.2 Luxation et subluxation

La **luxation** est une lésion grave des structures ligamentaires qui entourent une articulation. Elle provoque le déplacement complet ou la séparation des surfaces articulaires. La **subluxation** est un déplacement partiel ou incomplet de la surface articulaire. Les manifestations cliniques de la subluxation sont semblables à celles de la luxation, mais sont de moindre gravité. Le traitement de la subluxation est semblable à celui de la luxation, mais elle guérit plus rapidement.

Les luxations proviennent habituellement du fait que des forces massives sont transmises à l'articulation et causent une rupture des tissus mous qui l'entourent. Les articulations des extrémités supérieures les plus fréquemment disloquées comprennent les articulations

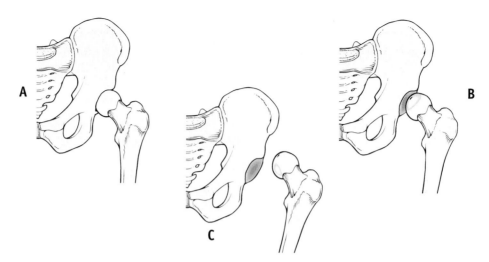

FIGURE 58.1 Lésion des tissus mous de la hanche. A. Hanche normale. B. Subluxation (dislocation partielle). C. Dislocation.

du pouce, du coude et de l'épaule. Du côté des extrémités inférieures, la hanche est vulnérable à la dislocation qui résulte d'un traumatisme grave, souvent associé aux accidents d'automobiles (voir figure 58.1). La rotule peut se luxer à cause de l'instabilité des ligaments entourant le genou.

La manifestation clinique de la dislocation la plus évidente est l'asymétrie du contour musculo-squelettique. Par exemple, en cas de dislocation de la hanche, le membre est plus court du côté affecté. Les autres manifestations comprennent la douleur locale, la sensibilité, la perte de la fonction de la partie blessée et l'œdème des tissus mous dans la région de l'articulation. Les complications majeures de la dislocation articulaire sont les lésions articulaires ouvertes, les fractures intra-articulaires, les luxations-fractures, la nécrose avasculaire et les dommages aux tissus neurovasculaires adjacents.

Les radiographies permettent de déterminer l'importance du déplacement des structures touchées. On peut aussi procéder à une ponction articulaire afin de déterminer si du sang (hémarthrose) ou des cellules adipeuses sont présents. La présence de cellules adipeuses dans le liquide synovial indique probablement une fracture intra-articulaire.

Processus thérapeutique et soins infirmiers. Il faut rapidement s'occuper d'une luxation. Plus l'articulation reste longtemps sans être réduite, plus le risque de nécrose avasculaire (mort de cellules osseuses due à un approvisionnement sanguin insuffisant) est élevé. L'articulation de la hanche est particulièrement sensible à la nécrose avasculaire. Le premier objectif du traitement est de redonner à la partie luxée de l'articulation sa position anatomique d'origine. Cela peut se faire en pratiquant une réduction fermée sous anesthésie locale ou générale. L'anesthésie est souvent nécessaire pour produire le relâchement du muscle afin qu'il puisse être manipulé. Certaines situations nécessitent une réduction chirurgicale ouverte. Après la réduction, l'extrémité est généralement immobilisée à l'aide de ruban adhésif ou d'une écharpe afin de donner aux ligaments déchirés et au tissu capsulaire le temps de guérir. Les clients qui souffrent d'une dislocation sterno-claviculaire postérieure doivent être surveillés, car des complications intrathoraciques différées telles que le pneumothorax ou la lésion des veines sous-clavières peuvent survenir.

Les soins infirmiers pour la subluxation ou pour la luxation sont orientés vers le soulagement de la douleur, le soutien et la protection de l'articulation blessée. Une fois que l'articulation a été réduite et immobilisée, les mouvements sont généralement restreints. Un programme de réadaptation soigneusement contrôlé peut prévenir la formation de contractures. Le client ne devrait pas étirer l'articulation au-delà de sa limite, car la capsule et le ligament déchirés guérissent dans une position rétractée, et le tissu cicatriciel n'est pas aussi fort que le tissu d'origine. Un programme d'exercices rétablit lentement et méthodiquement l'amplitude articulaire d'origine sans causer une autre luxation. Le client devrait retourner progressivement à ses activités normales.

Un client qui s'est disloqué une articulation risque davantage de subir des luxations à répétition, car les ligaments rétractés et le tissu cicatriciel affaiblissent l'articulation. Il peut être nécessaire de restreindre les mouvements de l'articulation affectée afin de réduire le risque de dislocations à répétition.

58.1.3 Syndrome du tunnel carpien

Le **syndrome du tunnel carpien** est une affection causée par la compression du nerf médian sous le ligament carpien transverse dans les limites étroites du tunnel carpien situé au niveau du poignet (voir figure 58.2). Cette affection est souvent due à la pression engendrée par un traumatisme ou à l'œdème causé par l'inflammation d'un tendon (ténosynovite), à une tumeur, à une maladie rhumatoïde de la synoviale ou à des masses de tissus mous comme les ganglions. Le syndrome du tunnel carpien se manifeste le plus souvent chez les femmes d'âge moyen ou chez celles qui ont terminé leur ménopause. Ce syndrome est associé aux métiers qui exigent des mouvements répétitifs du poignet (p. ex. bouchers, musiciens, coiffeurs, secrétaires, charpentiers, opérateurs d'ordinateurs).

Le syndrome du tunnel carpien se manifeste par de la faiblesse (surtout du pouce), de la douleur et un engourdissement ou une altération de la sensation dans le territoire du nerf médian ainsi que par l'incapacité d'exécuter de fins mouvements avec la main. Des engourdissements et des picotements qui réveilleront le client la nuit peuvent se manifester. Le maintien du poignet en flexion aiguë pendant 60 secondes engendrera picotements et engourdissement dans le territoire du nerf médian, sur la surface palmaire du pouce, de l'index, du majeur et sur une partie de l'annulaire. Ce symptôme est connu sous le nom de signe de Phalen positif. De petits coups donnés délicatement sur la région du nerf médian enflammé peuvent faire réapparaître la paresthésie. C'est ce qu'on appelle le signe de Tinel positif. Une amyotrophie thénarienne survient autour de la base du pouce au cours des stades plus avancés. Ce syndrome peut se traduire par le retour de la douleur et par le dysfonctionnement éventuel de la main.

Processus thérapeutique et soins infirmiers. La prévention du syndrome du tunnel carpien suppose la formation des employés et des employeurs afin d'isoler les facteurs de risque. Le port d'une attelle du poignet, par exemple,

permet de maintenir celui-ci en position de flexion dorsale légère et de soulager la pression sur le nerf médian. Pour les personnes qui travaillent à l'ordinateur, un support à poignets pour clavier aide à prévenir la pression répétitive sur le nerf médian ; il prévient ou réduit le syndrome du tunnel carpien en diminuant la tension exercée sur celui-ci.

Le processus thérapeutique en ce qui concerne le syndrome du tunnel carpien est orienté vers le soulagement de la cause sous-jacente de la compression du nerf. Les symptômes précoces du syndrome du tunnel carpien peuvent généralement être soulagés en stoppant l'action aggravante et en immobilisant la main et le poignet à l'aide d'une attelle. Si la cause est inflammatoire, l'injection d'hydrocortisone directement dans le tunnel carpien peut procurer un soulagement. La sensation du client peut être altérée. Par conséquent, il faut l'aviser d'éviter les risques telle la chaleur extrême qui pourrait engendrer une brûlure thermique. Les soins pour les clients atteints du syndrome du tunnel carpien sont généralement donnés au cabinet du médecin ou en clinique externe. Le client devra peut-être envisager de changer de travail à cause de l'inconfort et des changements sensoriels et fonctionnels.

Si le problème persiste, le nerf médian peut devoir être décompressé chirurgicalement en pratiquant une division longitudinale du ligament carpien transverse sous anesthésie locale (voir figure 58.2). L'état neurovasculaire de la main devrait être évalué avant la sortie de l'hôpital et les interventions appropriées à domicile doivent être enseignées au client puisque la chirurgie est généralement pratiquée en clinique externe. La libération par endoscopie du nerf médian au niveau du tunnel carpien est une nouvelle intervention dans laquelle la décompression s'effectue à travers une petite incision cutanée.

58.1.4 Microtraumatismes répétés

Les **microtraumatismes répétés** se définissent comme l'accumulation de microtraumatismes résultant de mouvements prolongés, vigoureux ou maladroits. Les mouvements répétés mettent les tendons, les ligaments et les muscles à rude épreuve et causent de minuscules déchirures qui s'accompagnent d'inflammation. Si l'on ne donne pas le temps aux tissus de bien guérir, une cicatrisation peut survenir. Les vaisseaux sanguins du bras et de la main peuvent se resserrer, priver les tissus de nutriments essentiels et causer une accumulation de substances tel l'acide lactique. Sans intervention, l'état des tendons et des muscles peut se détériorer et les nerfs peuvent devenir hypersensibles. À ce stade, le moindre mouvement peut causer de la douleur.

En plus des mouvements répétitifs, les autres facteurs reliés aux microtraumatismes répétés comprennent

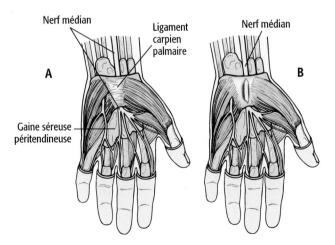

FIGURE 58.2 A. Structures du poignet atteintes du syndrome du tunnel carpien. B. Décompression du nerf médian.

les mauvaises postures et positions, le mauvais ajustement du mobilier, les claviers mal conçus et les lourdes charges de travail. Il en résulte des dommages aux muscles, aux tendons et aux nerfs du cou, aux épaules, aux avant-bras et aux mains. Les symptômes des microtraumatismes répétés comprennent la douleur, la faiblesse, les engourdissements ou l'altération de la fonction motrice. Les personnes qui en souffrent le plus fréquemment sont les musiciens, les danseurs, les électriciens, les bouchers et, plus communément, les opérateurs d'ordinateurs.

Les microtraumatismes répétés constituent un problème de santé publique de plus en plus sérieux. L'incidence signalée est passée de 1 à 4 % en moins de 10 ans. On suppose que cette hausse serait due à l'augmentation de la productivité, à l'accroissement du nombre de femmes dans la population active et au fait que les médias et le système de santé sont davantage sensibilisés aux microtraumatismes répétés. On s'attend à ce que le nombre de cas de microtraumatismes répétés continue d'augmenter à mesure que l'usage des ordinateurs se répandra.

L'enseignement, l'ergonomie (étude de l'interaction entre l'homme et son milieu de travail) et une habile conception des tâches peuvent prévenir les microtraumatismes répétés.

Une fois l'affection diagnostiquée, le traitement consiste à éviter la tâche qui les précipite, à avoir recours à la physiothérapie et à faire prudemment usage d'analgésiques. Dans la plupart des cas, les dommages aux tendons et aux muscles associés aux microtraumatismes répétés ne peuvent être réparés chirurgicalement.

58.1.5 Déchirure de la coiffe des rotateurs de l'épaule

Par coiffe des rotateurs, on entend l'ensemble des quatre muscles qui forment l'épaule : le susépineux, le sous-épineux, le petit rond et le sous-scapulaire. Ces muscles servent à stabiliser la tête humérale dans la cavité glénoïde et à faire pivoter l'humérus.

La déchirure de la coiffe des rotateurs peut survenir à la suite d'un processus graduel de dégénérescence dû au vieillissement, d'une mauvaise posture ou de microtraumatismes répétés (surtout en présence de mouvements des bras au-dessus de la tête), ou à l'utilisation des bras pour amortir une chute (voir figure 58.3). Les jeunes adultes sont plus susceptibles de connaître une déchirure lors d'un traumatisme, par exemple, lorsqu'ils tombent, lèvent des objets lourds ou lancent une balle.

Les clients qui souffrent d'une déchirure de la coiffe des rotateurs se plaindront d'une douleur à l'épaule et seront incapables d'amorcer ou de maintenir une abduction du bras ou de l'épaule. Les radiographies seules ne permettent pas de diagnostiquer une déchirure de la

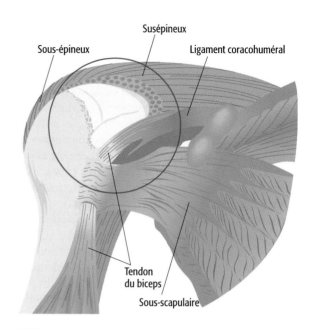

FIGURE 58.3 Déchirure massive de la coiffe des rotateurs

coiffe des rotateurs. Une arthrographie ou une imagerie par résonance magnétique (IRM) confirme la présence d'une déchirure.

On peut prescrire au client un traitement conservateur comprenant du repos, de la glace et de la chaleur, des AINS, des injections périodiques de corticostéroïdes dans l'articulation et de la physiothérapie. Si le client ne réagit pas au traitement conservateur ou qu'il s'agit d'une déchirure complète, une réparation chirurgicale peut s'avérer nécessaire. Cette dernière peut être pratiquée à l'aide d'un arthroscope. Une réparation ouverte est nécessaire lorsque la déchirure est importante. Après la chirurgie, on peut utiliser pendant quelques semaines un bandage du genre écharpe ou un appareil d'immobilisation de l'épaule. Les exercices et la physiothérapie commencent quelques jours après la chirurgie.

58.1.6 Lésion méniscale

Le ménisque est une formation fibro-cartilagineuse présente dans le genou et dans d'autres articulations. Les lésions méniscales sont étroitement associées aux entorses ligamentaires que connaissent ordinairement les athlètes qui pratiquent des sports tels que le basketball, le rugby, le football, le soccer et le hockey. Ces activités infligent un effort de rotation lorsque le genou est en position fléchie et que le pied est fixe. Un coup au genou peut faire en sorte que le ménisque soit pris entre le condyle fémoral et le plateau tibial, ce qui entraîne sa déchirure (voir figure 58.4). Il existe une relation causale entre les métiers qui exigent une position accroupie ou agenouillée et les lésions des ménisques.

Les lésions méniscales seules n'entraînent généralement pas d'œdème chronique, parce que le cartilage n'a ni vaisseaux ni système nerveux. On peut cependant soupçonner une déchirure du ménisque lorsque le client signale une sensibilité ou une douleur locale. La douleur se déclenche lorsqu'on fait effectuer à la jambe (depuis le genou) un mouvement d'abduction ou d'adduction. Le client a l'impression d'avoir un genou instable et signale un claquement et un blocage périodique de celui-ci. L'atrophie du quadriceps est évidente si la lésion est présente depuis quelque temps. Une maladie dégénérative articulaire peut survenir si un ménisque endommagé ou malmené n'est pas retiré par intervention chirurgicale.

L'arthrographie ou l'arthroscopie, ou encore les deux, peuvent diagnostiquer les problèmes de genoux. L'imagerie par résonance magnétique (IRM) confirme le diagnostic avant que l'on procède à l'arthroscopie. Dans bien des cas, l'IRM a éliminé l'usage de l'arthrographie comme méthode diagnostique.

Processus thérapeutique et soins infirmiers. Puisque les lésions méniscales sont généralement causées par des activités sportives, il est donc essentiel d'informer les athlètes de l'importance des exercices de réchauffement. Des étirements appropriés rendent le client moins sujet aux lésions méniscales lorsqu'il tombe ou effectue un mouvement de torsion. En cas d'accident, le genou doit être examiné dans les 24 heures. Les premiers soins consistent en l'application de glace,

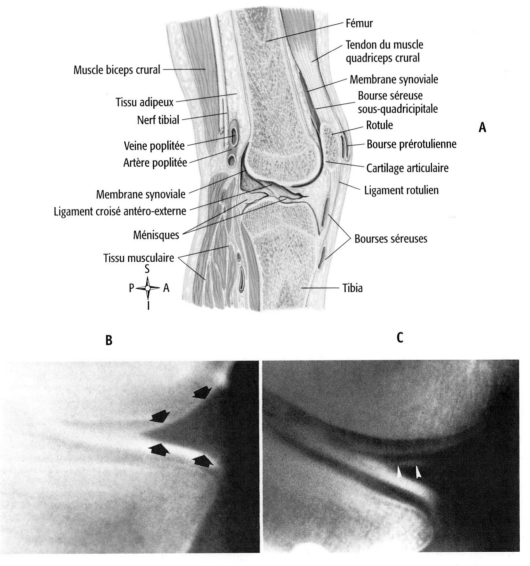

FIGURE 58.4 A. Coupe sagittale de l'articulation du genou. Arthographie du genou. B. Ménisque interne normal. Le cliché localisé montre la forme triangulaire normale du ménisque (flèches). C. Déchirure linéaire du ménisque interne (pointes de flèche).

Efficacité de l'enseignement aux clients ayant subi une arthroplastie du genou

ENCADRÉ 58.1

Article : Lin P, Lin L, Lin J : Comparing the effectiveness of different education programs for patients with total knee arthroplasty, Orthop Nurs 16 : 43 1997.

Objectif : comparer deux groupes de clients ayant reçu deux types différents de programmes d'enseignement sur l'anxiété, le niveau de connaissances, l'exécution d'exercices et la récupération.

Méthodologie : on s'est servi d'un modèle quasi-expérimental. Le groupe expérimental (n = 30) a reçu un enseignement préhospitalisation (clinique externe) et préopératoire (hôpital) ; le groupe témoin (n = 30) a reçu seulement un enseignement préopératoire. La moyenne d'âge des sujets était de 69 ans. Au cours des phases préopératoire et postopératoire, les deux groupes ont rempli un questionnaire ayant rapport à l'anxiété et à la connaissance de l'arthroplastie. On a également recueilli en postopératoire des données sur la régularité, la précision des exercices exécutés et le rétablissement.

Résultats et conclusions : il n'y avait aucune différence notable entre les deux groupes en ce qui concerne l'anxiété préopératoire. Les sujets du groupe expérimental avaient un niveau de connaissance sensiblement plus élevé et faisaient plus régulièrement et plus correctement de l'exercice que les sujets du groupe témoin. La réhabilitation, comme en témoignait la flexion de l'articulation opérée, était considérablement plus avancée dans le groupe expérimental.

Incidences sur la pratique : l'enseignement préopératoire seul ne suffit pas pour réduire l'anxiété et augmenter les connaissances du client sur la chirurgie imminente. L'enseignement au client devrait débuter avant qu'il ne soit admis à l'hôpital et l'information préopératoire, lui être communiquée de nouveau avant la chirurgie. Le fait que le client jouisse de plus de temps pour assimiler les connaissances peut être particulièrement utile aux personnes âgées qui se trouvent dans un milieu hospitalier non familier. Le fait de donner l'enseignement avant l'hospitalisation alors que l'anxiété est moins élevée semble faciliter l'amélioration des résultats du client.

l'immobilisation et l'usage de béquilles pour alléger le poids du corps. La plupart des lésions méniscales sont traitées en clinique externe. Le client est autorisé à marcher dans la mesure où la douleur est tolérable. L'usage de béquilles peut être nécessaire. L'utilisation d'un appareil d'immobilisation dans les premiers jours protège le genou.

Lorsque la douleur aiguë est diminuée, l'augmentation progressive de la flexion et des exercices de renforcement aident le client à retrouver une fonction normale. Le client peut avoir besoin de physiothérapie pour fortifier ses muscles avant de reprendre ses activités sportives. La

réparation ou l'excision chirurgicales d'une partie du ménisque (méniscectomie) peut être nécessaire. On peut souvent la faire par arthroscopie.

On étudie présentement l'application du laser à l'arthroscopie. Il est utilisé pour vaporiser les tissus exposés dans des régions où une section précise ou une ablation de tissu est nécessaire au cours d'une arthroscopie. L'utilité du laser en chirurgie arthroscopique fait présentement l'objet d'une recherche clinique.

58.1.7 Bursite

Les **bourses séreuses** sont des sacs fermés tapissés d'une membrane synoviale et qui contiennent une petite quantité de liquide synovial. Elles sont situées à des points de friction, entre les tendons et les os, et elles recouvrent les articulations. Une bourse séreuse peut s'enflammer (bursite) par suite de traumatismes ou de frictions répétés ou excessifs, de la goutte, de la polyarthrite rhumatoïde ou d'une infection. Les principales manifestations cliniques de la bursite sont la chaleur, la douleur, l'œdème et la restriction de l'amplitude articulaire dans la partie affectée. La bursite se produit surtout au niveau de la main, du genou, du trochanter, de l'épaule et du coude.

En cas de bursite, on essaie d'en déterminer et d'en corriger la cause. Le repos est souvent le seul traitement nécessaire. L'application de glace sur la région touchée réduit la douleur et quelquefois l'inflammation. On peut immobiliser la partie affectée à l'aide d'un pansement compressif ou d'une attelle plâtrée. La prise d'AINS réduit l'inflammation et la douleur. La ponction des bourses et l'injection d'hydrocortisone peuvent s'avérer nécessaires. Si la paroi des bourses s'épaissit et continue d'interférer avec la fonction articulaire normale, il devient nécessaire de procéder à une excision chirurgicale (boursectomie). À titre d'exemple, l'épaississement des bourses sous-acromiales cause de la douleur et une perte d'amplitude articulaire lorsque l'épaule est en abduction. Les bourses séreuses infectées exigent généralement un drainage chirurgical.

58.1.8 Spasmes musculaires

Les spasmes musculaires localisés sont des affections fréquentes souvent associées aux activités quotidiennes excessives et aux activités sportives. Une lésion musculaire entraîne de l'inflammation et de l'œdème, ce qui stimule les terminaisons nerveuses libres et a pour résultat d'exciter le muscle et de provoquer des spasmes. Les spasmes accroissent la douleur et créent un cercle vicieux. Le spasme musculaire se traduit par de la douleur, une masse musculaire palpable, de la sensibilité, une réduction de l'amplitude articulaire du côté affecté et la restriction des activités quotidiennes.

Les antécédents de santé du client doivent être notés et un examen physique doit être effectué en vue d'écarter les problèmes du système nerveux central (SNC). Le traitement consiste en la prescription de médicaments ou de physiothérapie ou encore, des deux à la fois. La physiothérapie peut inclure l'application de chaleur ou de glace, des exercices supervisés, des massages, une hydrothérapie, des applications locales produisant de la chaleur, des ultrasons (chaleur profonde), des manipulations et une immobilisation orthopédique. Analgésiques, AINS et myorelaxants sont prescrits pour le traitement des spasmes musculaires localisés.

58.2 FRACTURES

58.2.1 Classification

Une **fracture** est une solution de continuité ou une interruption de la continuité d'une structure osseuse. Les lésions traumatiques représentent la majorité des fractures, bien que certaines fractures soient consécutives à un processus morbide (fractures pathologiques). Les fractures sont décrites et classées selon leur type (voir figure 58.5), leur ouverture ou non vers l'extérieur (voir figure 58.6) et leur emplacement (voir figure 58.7). On dit aussi des fractures qu'elles sont stables ou instables.

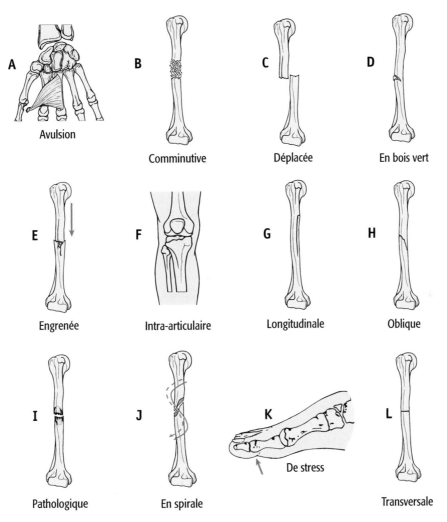

FIGURE 58.5 Types de fractures. A. Une fracture-avulsion est une fracture qui résulte du puissant effet d'arrachement des tendons ou des ligaments au point d'attache sur l'os. B. Une fracture comminutive est une fracture qui présente plus de deux fragments. Les plus petits fragments semblent flotter. C. Une fracture déplacée (chevauchante) est une fracture dont un fragment est déplacé et chevauche l'autre fragment d'os. Le périoste est rompu des deux côtés. D. Une fracture en bois vert est une fracture incomplète dont un côté est fragmenté et l'autre courbé. E. Une fracture engrenée est une fracture comminutive dans laquelle plus de deux fragments s'emboîtent. F. Une fracture intra-articulaire est une fracture qui s'étend à la surface articulaire de l'os. G. Une fracture longitudinale est une fracture incomplète dont le trait de fracture suit l'axe longitudinal de l'os. Le périoste n'est pas arraché de l'os. H. Une fracture oblique est une fracture dont le trait de fracture est oblique. I. Une fracture pathologique est une fracture spontanée à l'emplacement d'une affection osseuse. J. Une fracture en spirale est une fracture dont le trait de fracture s'enroule en spirale autour de la diaphyse de l'os. K. Une fracture de stress est une fracture qui survient dans un os normal ou anormal exposé à un stress répété, lors du jogging ou de la course à pied, par exemple. L. Une fracture transversale est une fracture dont le trait de fracture traverse la diaphyse de manière à former un angle droit avec l'axe longitudinal.

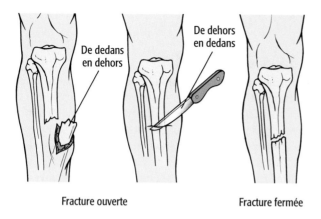

FIGURE 58.6 Classification des fractures selon leur ouverture

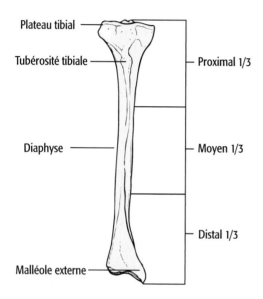

FIGURE 58.7 Classification des fractures selon leur foyer

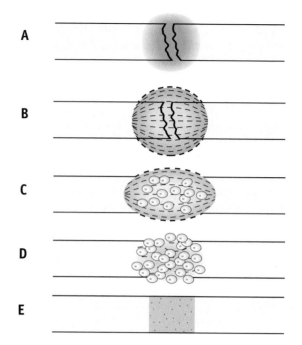

FIGURE 58.8 Consolidation d'une fracture (représentation schématique). A. Saignement aux extrémités fracturées de l'os avec formation ultérieure d'un hématome. B. Organisation de l'hématome en réseau fibreux. C. Invasion des ostéoblastes, allongement de la chaîne du collagène et dépôt de calcium. D. Formation du cal : de nouveaux tissus osseux se développent à mesure que les ostéoclastes digèrent les tissus osseux morts. E. Le remodelage s'accomplit à mesure que l'excès de cal est réabsorbé et que l'os trabéculaire apparaît.

Une fracture est stable lorsqu'une partie du périoste est intacte à travers la fracture et que la fixation externe ou interne immobilise les fragments. Les fractures stables sont généralement transversales, spiroïdes ou en bois vert. Une fracture instable est sensiblement déplacée au moment de l'accident et offre un point de fixation médiocre. Les fractures instables sont généralement comminutives ou obliques.

58.2.2 Manifestations cliniques

L'évaluation du client révèle une lésion associée à de nombreux signes et symptômes dont une douleur localisée immédiate, une diminution de la fonction, une difformité du membre et une incapacité d'utiliser la partie affectée (voir tableau 58.3). Le client évite de bouger la partie affectée et la protège. La fracture peut ne pas être accompagnée de difformité osseuse manifeste. Si l'on soupçonne une fracture, la partie affectée doit être immobilisée dans la position dans laquelle elle est découverte. Les mouvements superflus augmentent l'atteinte des tissus mous et peuvent transformer une fracture fermée en fracture ouverte ou affecter les structures neurovasculaires adjacentes. Un traitement minutieux est particulièrement important dans le cas de fractures du cartilage de conjugaison chez les enfants. Si l'immobilisation n'est pas solide, la totalité du cartilage de conjugaison ou une partie de celui-ci peut ne plus assurer la croissance en longueur de l'os long et entraîner une inégalité de la longueur des os.

58.2.3 Consolidation de fracture

Afin de fournir les interventions thérapeutiques qui conviennent, une bonne compréhension des principes de consolidation d'une fracture (voir figure 58.8) est essentielle. Les os passent par un processus d'autoguérison remarquable appelé consolidation et dont les stades sont les suivants :
- **fracture avec hématome** : en présence d'une fracture, le saignement et l'œdème créent un hématome qui entoure les extrémités des fragments. L'hématome est constitué de sang extravasé transformé en caillot semi-solide ;

TABLEAU 58.3	Manifestations cliniques des fractures
Manifestation	**Signification**
Œdème et tuméfaction Rupture des tissus mous ou saignement des tissus environnants	L'œdème non contrôlé dans les espaces fermés peut bloquer la circulation et endommager les nerfs (c.-à-d. qu'il existe un risque de syndrome du compartiment aigu)
Douleur et sensibilité Spasmes résultant de l'action réflexe du muscle, traumatisme direct des tissus, augmentation de la pression sur les nerfs sensoriels, déplacement de fragments de fractures	La douleur et la sensibilité incitent à la pose d'une attelle et à la réduction des mouvements de la partie blessée
Spasme musculaire Réponse de protection à la lésion et à la fracture	Les spasmes musculaires peuvent déplacer une fracture non déplacée ou l'empêcher de se repositionner spontanément
Difformité Position anormale de l'os résultant des forces à l'origine de la lésion et de l'action des muscles qui infligent aux fragments une position anormale ; perçue comme une perte du contour osseux normal	La difformité est le signe cardinal de la fracture ; si la situation n'est pas corrigée, la consolidation et la récupération de la fonction de la partie blessée peuvent se traduire par des problèmes
Ecchymoses Décoloration de la peau due à l'extravasation de sang dans les tissus sous-cutanés	Les ecchymoses surviennent généralement plusieurs jours après l'accident et peuvent apparaître en aval de la lésion. L'infirmière devrait rassurer le client quant à la normalité du processus
Perte de fonction Rupture de l'os empêchant l'usage de la fonction	Les fractures doivent être traitées correctement pour assurer la récupération de la fonction
Crépitation Grincement ou craquement de fragments d'os qui frottent l'un contre l'autre, produisant une sensation de craquement perceptible ou audible	L'examen de la crépitation peut augmenter le risque de non-consolidation si l'on bouge trop les extrémités osseuses

- **tissu de granulation** : au cours de ce stade, les phagocytes actifs absorbent les produits de la nécrose locale. L'hématome se transforme en tissu de granulation. Ce tissu (constitué de jeunes vaisseaux sanguins, fibroblastes et ostéoblastes) forme la base d'une nouvelle substance osseuse appelée **tissu ostéoïde** ;
- **formation du cal osseux** : à mesure que les minéraux (calcium, phosphore et magnésium) sont déposés dans le tissu ostéoïde, un réseau osseux non organisé se tisse autour des fragments de la fracture. Le cal est principalement composé de cartilage, d'ostéoblastes, de calcium et de phosphore. Il commence généralement à apparaître à la fin de la première semaine suivant l'accident. La formation du cal peut être vérifiée à l'aide de radiographies ;
- **ossification** : l'ossification commence dans les deux à trois semaines suivant la fracture et se poursuit jusqu'à ce que celle-ci soit guérie. À ce stade, l'ossification est suffisante pour empêcher les os de bouger à l'emplacement de la fracture à la suite d'une légère sollicitation. La fracture est cependant toujours visible sur les radiographies. Au cours de ce stade de consolidation clinique, on peut faire passer le client de la traction squelettique au plâtre ou lui retirer son plâtre pour lui donner une mobilité restreinte ;
- **consolidation** : à mesure que le cal continue de se développer, la distance entre les fragments d'os diminue et les fragments finissent par se souder. Ce stade s'appelle consolidation. L'ossification se poursuit. Elle peut être comparée à la consolidation radiographique ;
- **remodelage** : l'excès de tissu est absorbé au cours du dernier stade de guérison et la consolidation est complétée. Le retour progressif de l'os blessé à sa structure d'avant la lésion sur le plan de la résistance et de la forme est achevé. Le remodelage de l'os augmente à mesure que celui-ci est physiquement sollicité. La sollicitation se fait initialement par l'exercice. L'appui sur le membre se fait graduellement. Des tissus osseux s'ajoutent aux endroits soumis au stress et se résorbent là où la sollicitation est peu importante. La consolidation radiographique est obtenue lorsque les radiographies apportent la preuve que la consolidation est complétée.

De nombreux facteurs tels que l'âge, le déplacement initial de la fracture, son emplacement et l'approvisionnement sanguin de la région influent sur le temps de guérison. La fracture peut ne pas guérir dans le temps prévu (retard de consolidation) ou ne pas guérir du tout

TABLEAU 58.4	Complications survenant au cours de la consolidation d'une fracture
Problème	**Description**
Retard de consolidation	La consolidation de la fracture progresse plus lentement que prévu.
Absence de consolidation	La fracture ne guérit pas bien malgré le traitement, ce qui entraîne une consolidation fibreuse ou une pseudarthrose.
Cal vicieux	La fracture guérit dans le délai normal, mais dans une position peu satisfaisante, ce qui peut se traduire éventuellement par une difformité ou un dysfonctionnement.
Angulation	La fracture guérit dans une position anormale par rapport à la ligne médiane de la structure (cal vicieux).
Pseudarthrose	Ce type de défaut de consolidation survient au foyer de la fracture où se forme une fausse articulation sur la diaphyse des os longs. Il s'agit d'une fracture qui ne réussit pas à se souder (néarthrose). Chacune des extrémités osseuses est couverte de tissu fibreux cicatrisé.
Ostéoporose algique post-traumatique	Cet état se caractérise par une perte en minéraux (en substance osseuse) qui résulte de l'immobilisation ou de l'inactivité.
Fracture itérative	Une nouvelle fracture survient au foyer de la fracture originale.
Myosite ossifiante	Cet état est la conséquence de l'hémorragie musculaire causée par le traumatisme. L'hématome s'ossifie. Cette complication peut survenir dans le bras, le coude ou la cuisse.

(absence de consolidation). Le processus d'ossification est stoppé par des causes telles que l'immobilisation et la réduction inadéquates, l'excès de mouvements, l'infection et la malnutrition. Le temps de guérison des fractures augmente avec l'âge. À titre d'exemple, une fracture médiane de la diaphyse fémorale non compliquée guérit en 3 semaines chez le nouveau-né, et demande 20 semaines chez l'adulte. Le tableau 58.4 résume les complications qui surviennent au cours de la guérison d'une fracture.

On utilise avec succès la stimulation électrique pour stimuler la guérison osseuse dans certains cas d'absence ou de retard de consolidation. Le courant électrique modifie le comportement des cellules qui causent le remodelage osseux. Le mécanisme sous-jacent du remodelage osseux provoqué par le courant électrique n'est toujours pas élucidé. On croit qu'il est relié aux champs électriques négatifs qui attirent des ions positifs comme le calcium. Les électrodes sont semi-effractives, non effractives ou implantées chirurgicalement. Le client doit être très motivé et s'engager à utiliser le stimulateur prescrit, car le traitement peut prendre jusqu'à 10 heures par jour pendant de nombreux mois.

58.2.4 Processus thérapeutique

Les objectifs du traitement de la fracture visent à : repositionner les fragments osseux, opération connue sous le nom de réduction ; immobiliser le membre pour maintenir la réduction ; rétablir la fonction de la partie blessée. L'encadré 58.2 résume le processus thérapeutique des fractures.

Réduction d'une fracture

Manipulation et réduction orthopédique. La **manipulation** est le replacement manuel non chirurgical des fragments d'os dans leur position anatomique antérieure. Des

PROCESSUS DIAGNOSTIQUE
ET THÉRAPEUTIQUE

Fractures   ENCADRÉ 58.2

Processus diagnostique
- Antécédents de santé et examen physique
- Examen radiographique
- Tomodensitométrie ou IRM

Processus thérapeutique
- Réduction de la fracture
  - Manipulation
  - Réduction chirurgicale
  - Réduction orthopédique
  - Appareil de traction
    - Traction cutanée
    - Traction squelettique
- Immobilisation de la fracture
  - Pose d'un plâtre
  - Fixation externe
  - Fixation interne
  - Traction continue
- Fractures ouvertes
  - Débridement et irrigation chirurgicaux
  - Immunisation antitétanique
  - Antibiothérapie prophylactique
  - Immobilisation

IRM : imagerie par résonance magnétique.

tractions et des contretractions sont exercées avec les mains sur les fragments osseux afin de rétablir leur position, leur longueur et leur alignement. La **réduction orthopédique** est généralement effectuée sous anesthésie locale ou générale. Après la réduction ou la manipulation, la partie blessée est immobilisée par traction, à l'aide d'un plâtre, d'une fixation externe, d'une gouttière ou d'une orthèse (attelle) afin de maintenir l'alignement jusqu'à la guérison.

Réduction ouverte (sanglante). La réduction ouverte (sanglante) est la correction de l'alignement des os au moyen d'une incision chirurgicale. Elle comprend souvent la fixation interne de la fracture et l'usage de fils, de vis, de broches, de plaques, de clous et de tiges médullaires. Le type de fracture, son foyer, l'âge du client et la présence d'une affection concomitante, de même que la non réussite de la réduction orthopédique par traction influent sur la décision d'utiliser la réduction ouverte. Les principaux désavantages de cette dernière sont la possibilité d'une infection et les complications associées à l'anesthésie.

Si l'on utilise la réduction ouverte avec fixation interne (pour les fractures intra-articulaires affectant les surfaces articulaires), il faut commencer tôt les exercices d'amplitude. Il existe maintenant des appareils de mobilisation passive continue pour différentes articulations. L'utilisation de tels appareils peut prévenir la cicatrisation intra-articulaire, accélérer la reconstruction de la lame osseuse sous-chondrale (sous le cartilage) et la guérison du cartilage articulaire et, peut-être, réduire l'incidence d'arthrite post-traumatique ultérieure. Si l'on utilise la réduction ouverte, on peut, dans certains cas, faire lever le client plus rapidement s'il s'agit de fractures des extrémités inférieures. Le lever précoce du client diminue le risque de complications reliées à l'immobilité prolongée tout en favorisant la guérison par l'augmentation graduelle de la sollicitation.

Traction. L'appareil de **traction** applique une force de traction sur l'extrémité fracturée afin de la repositionner. Les deux types de traction continue les plus fréquemment utilisés sont la traction cutanée et la traction squelettique. La traction cutanée est généralement utilisée pour le traitement à court terme (48 à 72 heures) jusqu'à ce que la traction squelettique ou la chirurgie soit possible. L'usage de ruban adhésif et le port d'une botte ou d'une attelle appliquée directement sur la peau maintiennent l'alignement et favorisent la réduction de la fracture et la diminution des spasmes musculaires de la région affectée. Les poids utilisés pour la traction cutanée ne dépassent généralement pas 2,3 à 4,5 kg. La traction squelettique, généralement en place pour de plus longues périodes, est utilisée pour aligner les os et les articulations atteints ou pour traiter les contractures

articulaires et la dysplasie congénitale de la hanche. Elle fournit une traction à long terme qui maintient en alignement les os et les articulations atteints. Pour établir la traction squelettique, le chirurgien introduit, soit partiellement, soit complètement, une broche ou un fil métallique dans l'os afin d'aligner ou d'immobiliser la partie atteinte. Les poids nécessaires à la traction squelettique varient de 2,3 à 20,4 kg.

Dans une mise en traction, la force s'exerce généralement sur le fragment distal afin de l'aligner avec le fragment proximal. Il existe divers types de traction (voir tableau 58.5). L'alignement de la fracture dépend de la bonne position et du bon alignement du client, la force de traction demeurant constante. Pour que la traction sur le membre soit efficace, il doit y avoir une contretraction dans la direction opposée pour empêcher que le client ne glisse vers le pied ou le côté du lit. La contretraction est ordinairement fournie par le poids du client ou elle peut être augmentée en surélevant le pied du lit.

Immobilisation de la fracture

Fixation externe. On utilise un plâtre ou un fixateur externe pour réaliser la **fixation externe** d'une fracture. La pose d'un plâtre est un traitement fréquent après une réduction orthopédique. Le plâtre permet au client de vaquer à de nombreuses activités normales de la vie quotidienne tout en lui procurant une immobilisation suffisante pour assurer sa stabilité. Le plâtre est essentiellement confectionné de fibre de verre, de plâtre de Paris, de polyuréthanne, de résines thermoplastiques et de plastique thermolabile.

Le plâtre de Paris, après trempage dans l'eau, est enroulé et moulé autour de la partie atteinte (voir figure 58.9). Il est fait de sulfate de calcium hémi-hydraté combiné à de la gaze en rouleau. Le nombre de couches de bandes plâtrées et la technique d'application déterminent la résistance du plâtre. À mesure que le plâtre sèche, il se recristallise et durcit. Le processus de séchage génère de la chaleur qui accroît la circulation, ce qui peut augmenter l'œdème. Lorsque le plâtre est complètement sec, il est solide et ferme et peut supporter les contraintes. Le plâtre durcit en 15 minutes, après quoi le client peut bouger sans problème. Le plâtre n'est cependant pas assez solide pour supporter le poids du corps avant d'être sec (environ 24 à 48 heures plus tard).

Le plastique thermolabile (Orthoplast) et les résines thermoplastiques (Hexcelite) sont moulés de manière à s'ajuster au torse ou aux membres après avoir été réchauffés dans de l'eau chaude. Le polymère (Dynacast) et des bandes de résine de fibre de verre (Scotchcast) sont également utilisés. Le polyuréthanne, qui est formé de polyester et d'une toile de coton imprégnée d'un produit chimique, se réactive par trempage dans de l'eau froide pour enclencher le processus chimique. Les plâtres faits de ce ruban adhésif en fibre de verre sont souvent

TABLEAU 58.5   Types de tractions fréquentes

Type	Indications	Conséquences sur le plan de soins infirmiers
Traction cutanée de Buck	Utilisée pour de nombreuses affections touchant la hanche, le fémur, le genou ou le dos. On l'utilise généralement pour immobiliser et stabiliser temporairement la hanche fracturée ou pour les fractures de la diaphyse du fémur. Elle peut être uniatérale ou bilatérale. Elle peut aussi être utilisée pour corriger les contractures articulaires du genou et de la hanche	Les évaluations doivent être faites au moins aux quatre heures. Déterminer si la lésion initiale ou l'application des bandes utilisées pour la traction de Buck ont altéré l'état neurovasculaire. Noter surtout la diminution du débit vasculaire périphérique et l'atteinte du nerf péronier en évaluant la capacité des orteils et du pied d'exécuter une flexion dorsale et en vérifiant si la sensation s'est altérée dans le premier espace entre le gros orteil et le second. La pression du bandage élastique peut entraîner une nécrose due à une irrigation sanguine insuffisante, surtout sur les proéminences osseuses et aux endroits exposés à la pression (le bord antérieur du tibia, la tête du péroné, les deux malléoles, le tendon d'Achille, le calcanéum et le dos du pied). De plus, déterminer si le client fait une réaction allergique au matériel adhésif, s'il y a rotation des membres et si les forces de traction et de contre-traction sont constantes
de Russell	Utilisée pour les fractures du fémur ou de la hanche	Identiques aux précédentes. La région située au-dessus des tendons des ischio-jambiers dans le creux poplité est aussi sujette à la nécrose due à une irrigation sanguine insuffisante
de Bryant	Utilisée pour les fractures du fémur, les fractures chez les petits enfants et la stabilisation de l'articulation de la hanche chez les enfants de moins de 2 ans ou de moins de 14 kg	Il faut savoir que lorsque la traction est en place, le siège devrait tout juste dégager la surface du matelas. Vérifier la pression excessive sur la partie externe de la tête et du col du péroné, sur le dos du pied, le tendon d'Achille, l'omoplate et les épaules. Vérifier que les bandes ou la botte n'aient pas glissé. Ces bandes et ces bottes sont généralement retirées aux quatre heures pour prodiguer les soins cutanés et procéder à une évaluation

TABLEAU 58.5 Types de tractions fréquentes *(suite)*

Type	Indications	Conséquences sur le plan de soins infirmiers
Traction de la ceinture pelvienne	Utilisée contre la sciatique, les spasmes musculaires (région lombaire) et pour les fractures mineures du bas de la colonne vertébrale	Vérifier que la ceinture pelvienne ne présente pas de danger. Vérifier souvent la crête iliaque et le pli interfessier en cas d'irritation cutanée. Prendre des mesures pour prévenir la dégradation des tissus cutanés. Vérifier et ajuster les courroies de la ceinture pelvienne de sorte qu'elles soient libres et d'égale longueur. S'assurer que les courroies sont bien attachées et ajouter du ruban adhésif. Utiliser un appui-pied pour prévenir le pied tombant. Maintenir le bon angle de traction. Ne pas oublier que c'est le médecin qui prescrit le type de contre-traction
Traction pelvienne	Utilisée dans le cas des fractures pelviennes pour fournir une compression dans les cas de séparation de la ceinture pelvienne	La ceinture devrait tenir le bassin juste au-dessus de la surface du lit. Évaluer toutes les quatre heures s'il y a nécrose due à une irrigation sanguine insuffisante et si la peau est irritée; évaluer en particulier la pression sur la crête iliaque, le pli interfessier et les grands trochanters. Vérifier que la ceinture ne soit pas souillée et la changer au besoin; pour les besoins naturels, utiliser un bassin orthopédique. Restreindre l'usage de la potence, étant donné qu'elle réduira la force compressive de la ceinture. Utiliser un matelas à pression alternative ou un autre système à redistribution de pression; soigner fréquemment le dos
Circonférentielle Licou	Utilisée pour les affections des tissus mous et les discopathies dégénératives de la colonne cervicale. Elle n'est pas utilisée couramment pour les fractures instables de la colonne cervicale	Évaluer l'alignement avec le tronc, les endroits où la pression est localisée, sur les oreilles et les articulations mandibulaires, sous le menton et sous la région occipitale et vérifier si l'articulation temporo-mandibulaire est douloureuse ou dysfonctionnelle. On peut permettre au client de se libérer de la traction pour les repas; sinon, lui fournir une alimentation liquide ou de consistance molle pour réduire la douleur dans l'articulation temporo-mandibulaire. Comme cette traction est ordinairement utilisée à la maison, s'assurer que le client fasse la démonstration qu'il peut installer l'appareil pour qu'il soit efficace et sans risque, qu'il connaît ses applications et qu'il sait comment s'en servir, et ce, avant qu'il ne quitte l'hôpital

TABLEAU 58.5 **Types de tractions fréquentes (suite)**

Type	Indications	Conséquences sur le plan de soins infirmiers
Squelettique		
Traction du bras par-dessus la tête	Utilisée couramment pour immobiliser les fractures et les luxations de la partie supérieure du bras et de l'épaule	Il faut savoir que les articulations de l'épaule et du coude sont maintenues à un angle de 90°. Évaluer s'il y a nécrose due à une irrigation sanguine insuffisante sous la selle, particulièrement sur les proéminences osseuses. Évaluer l'état neurovasculaire distal; à cause de l'exposition à l'air ambiant, la peau peut être froide et, par conséquent, ne pas indiquer une diminution de l'irrigation sanguine. Faire un examen toutes les quatre heures. Inspecter les points d'insertion de la broche et prodiguer les soins appropriés selon la politique de l'hôpital
Traction du bras en position latérale	Couramment utilisée pour immobiliser les fractures et les luxations de la partie supérieure du bras et de l'épaule	Inspecter les points d'insertion de la broche et prodiguer les soins appropriés selon la politique de l'hôpital. Évaluer l'état neurovasculaire
Traction-suspension	Utilisée pour des lésions ou des fractures de la diaphyse du fémur, du cotyle, de la hanche, du tibia ou de n'importe quelle combinaison de ceux-ci	Pour cette traction, on utilise l'attelle de Thomas en forme de demi-anneau (1) et l'attache de Pearson (2), on procède à la suspension du membre et on applique une traction squelettique directe. Cela permet d'élever le siège du lit pour se servir du bassin hygiénique et exécuter les soins cutanés sans changer la ligne de traction. S'assurer que rien n'entrave la contre-traction (p. ex. placer le client haut dans le lit pour que ses pieds ne s'appuient pas contre le pied du lit, ne pas élever la tête du lit de plus de 25° si cela fait constamment glisser le client vers le pied du lit). Encourager le client à faire des efforts pour accomplir ses AVQ, se déplacer dans le lit avec l'aide de la potence et exécuter des flexions et des extensions du pied affecté afin de prévenir le pied tombant. Déterminer s'il y a nécrose due à une irrigation sanguine insuffisante dans les régions en contact avec l'appareil de traction, vérifier surtout les grands trochanters, la tubérosité ischiatique, les tendons des ischio-jambiers, la tête du péroné et les deux malléoles. Examiner l'état neurovasculaire distal aux quatre heures. Inspecter les points d'insertion de la broche et prodiguer les soins appropriés selon la politique de l'hôpital

internes implantés chirurgicalement. Le fixateur externe est attaché directement à l'os par des broches percutanées (voir figure 58.10). Il est crucial de s'assurer que la broche ne se desserre pas et qu'il n'y a pas d'infection. La présence d'exsudat, de rougeur, de sensibilité et de douleur est signe d'infection et peut nécessiter le retrait de l'appareil. Un fixateur externe, utilisé dans le cas d'une fracture avec traumatisme des tissus mous correspondants, facilite le traitement de la plaie.

On a aussi recours à des fixateurs externes au cours du processus d'allongement d'un membre chez les clients qui souffrent d'une inégalité importante de la longueur des jambes. Il faut alors tourner régulièrement les broches reliées à ces fixateurs selon la prescription de l'orthopédiste.

Types de plâtres (voir figure 58.9). Les fractures aiguës ou les lésions des tissus mous des membres supérieurs sont souvent immobilisées à l'aide d'une attelle en forme de pince à sucre, d'une attelle postérieure, d'un plâtre court pour le bras ou d'un plâtre long pour le bras. Les

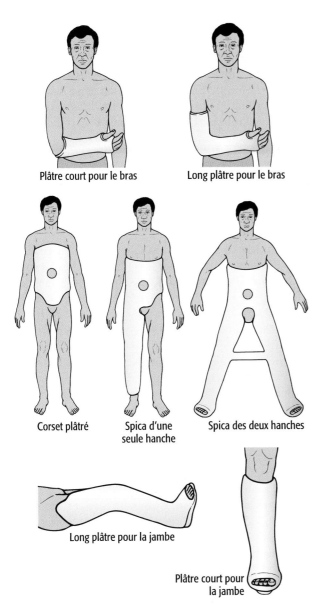

Plâtre court pour le bras   Long plâtre pour le bras

Corset plâtré   Spica d'une seule hanche   Spica des deux hanches

Long plâtre pour la jambe

Plâtre court pour la jambe

FIGURE 58.9 Plâtres les plus fréquemment utilisés dans le traitement des affections de l'appareil locomoteur

utilisés parce qu'ils sont légers et relativement à l'épreuve de l'eau et qu'ils permettent une mobilisation précoce. Ils conviennent en l'absence d'œdème grave et lorsqu'on ne prévoit pas de multiples changements de plâtres.

Un fixateur externe est un appareil métallique composé de broches de métal qui sont introduites dans l'os et fixées à des tiges externes afin de stabiliser la fracture pendant sa guérison. Il peut être utilisé pour appliquer une traction ou comprimer les fragments de la fracture et pour immobiliser les fragments réduits lorsque l'usage d'un plâtre ou d'une autre traction n'est pas indiqué. L'appareil externe maintient les fragments de la fracture en place presque comme le font les appareils

A

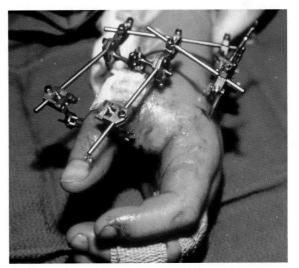

B

FIGURE 58.10 Fixateurs externes. A. Minisystème de Hoffman utilisé pour une main. B. Fixateur externe de Hoffman utilisé pour un tibia (système conventionnel).

attelles en forme de pince à sucre sont généralement utilisées pour les lésions aiguës du poignet ou les lésions susceptibles d'entraîner un œdème important. L'attelle plâtrée est appliquée sur l'avant-bras préalablement recouvert d'une rembourrure, et la bande plâtrée commence au niveau de l'articulation phalangienne pour s'étendre à la face postérieure de l'avant-bras, entourer l'humérus distal et atteindre la face antérieure de l'avant-bras jusqu'au pli de flexion palmaire. Le matériel servant à l'attelle est enroulé avec un bandage élastique ou un jersey tubulaire. Le principal avantage du plâtre en forme de pince à sucre et de l'attelle postérieure est qu'ils sont sans danger si un œdème s'installe, contrairement à un plâtre qui est non extensible.

Le plâtre court pour le bras est fréquemment utilisé pour le traitement des fractures stables du poignet ou du métacarpe. Une attelle de doigt en aluminium peut être fabriquée à même le plâtre court pour traiter simultanément une lésion phalangienne. Le plâtre court pour le bras est un plâtre circulaire qui va de la région palmaire distale à l'avant-bras proximal. Ce plâtre fournit une immobilisation du poignet et permet le libre mouvement du coude.

Le long plâtre est communément employé pour les fractures stables de l'avant-bras et du coude et pour les fractures instables du poignet. Il est semblable au plâtre court, mais se prolonge à l'humérus proximal, restreignant les mouvements du poignet et du coude. Les soins infirmiers devraient viser le soutien du membre et la réduction de l'effet de l'œdème en maintenant le membre surélevé à l'aide d'une écharpe. Cependant, lorsqu'on utilise la suspension du bras plâtré pour une fracture de l'humérus proximal, l'élévation ou le soutien à l'aide d'une écharpe sont contre-indiqués parce que la suspension fournit une traction et nuit à la consolidation.

Lorsqu'une écharpe est utilisée, l'infirmière doit s'assurer que la région axillaire est bien protégée par un coussinet afin de prévenir une macération de la peau due au contact des deux surfaces de peau. L'écharpe ne devrait pas exercer une pression excessive sur la nuque. À moins de contre-indication, le client doit être encouragé à bouger les doigts pour augmenter l'action de pompage des veines et réduire l'œdème. L'infirmière doit également l'encourager à bouger activement les articulations du membre supérieur qui ne sont pas immobilisées afin de prévenir les raideurs et les contractures.

Le corset plâtré est fréquemment utilisé pour immobiliser et soutenir les lésions stables de la colonne thoracique ou lombaire. Ce plâtre est appliqué autour de la poitrine et de l'abdomen et commence au-dessus de la ligne mamillaire pour s'étendre jusqu'au pubis. Après la pose du plâtre, l'infirmière doit déterminer si le client souffre du **syndrome du corset plâtré**. Ce syndrome apparaît lorsque le corset de plâtre est trop serré et qu'il comprime l'artère mésentérique supérieure contre le duodénum. Le client se plaint généralement de douleurs et de pression abdominales, de nausées et de vomissements. Il faut vérifier s'il y a des bruits intestinaux (on peut laisser une fenêtre dans le corset au-dessus du nombril). Le traitement comprend la décompression gastrique avec une sonde nasogastrique et l'aspiration. Il se peut que le plâtre doive être retiré ou fendu. L'infirmière doit également surveiller l'état respiratoire, les fonctions intestinale et vésicale et examiner les endroits où une pression est exercée sur les proéminences osseuses, surtout sur la crête iliaque. Pendant le séchage du plâtre, l'infirmière devrait changer le client de position toutes les deux à trois heures afin de favoriser un séchage égal et de soulager la pression et l'inconfort.

On utilise un spica de la hanche pour traiter les fractures du fémur, surtout chez les enfants. Le but du spica de la hanche est d'immobiliser solidement le membre affecté et le tronc. Il est formé de deux plâtres réunis : le corset plâtré et le long plâtre pour jambe. Le foyer de la fracture du fémur détermine si la cuisse du membre non affecté devra être immobilisée afin de restreindre la rotation du bassin et les mouvements possibles de la hanche du côté de la fracture du fémur. Le spica de la hanche commence au-dessus de la ligne mamillaire pour se prolonger jusqu'à la base du pied (spica d'une seule hanche) et peut inclure le membre opposé jusqu'au-dessus du genou (spica et demi) ou les deux membres (spica des deux hanches).

L'infirmière devrait surveiller l'apparition de problèmes analogues à ceux du corset plâtré chez le client qui porte un spica. Au cours du premier stade de séchage, le client ne doit pas être mis en décubitus ventral, car le plâtre peut casser. Le client doit être tourné légèrement d'un côté à l'autre et appuyé sur des oreillers. Au changement de position, la barre de soutien qui relie les deux cuisses ne doit jamais être utilisée, car elle peut se briser et entraîner la rupture du plâtre. Une fois le plâtre sec, l'infirmière peut (en se faisant aider) tourner le client en position ventrale, soutenir son torse en glissant des oreillers en dessous et immobiliser le membre. Des soins cutanés doivent être prodigués autour du bord du plâtre et aux endroits non plâtrés afin de prévenir les plaies de décubitus. L'infirmière doit expliquer au client les positions à adopter pour se servir du bassin hygiénique. Pour son confort et pour faciliter le mouvement qui consiste à s'asseoir sur le bassin hygiénique et à s'en relever, le client peut utiliser un bassin orthopédique. Après que le spica de la hanche a suffisamment séché, un physiothérapeute peut enseigner au client les techniques de déplacement.

Les fractures aux membres inférieurs sont souvent immobilisées par un long plâtre pour jambe, un plâtre court pour la jambe, un plâtre trochantéro-malléolaire (genouillère) ou un pansement de Jones. La pose d'un long plâtre est généralement indiquée dans les cas d'une fracture instable de la cheville, d'un traumatisme des tissus mous, d'une fracture du tibia et d'une lésion du genou. Le plâtre s'étend habituellement de la base des orteils à l'aine et au sillon interfessier. Le plâtre court de la jambe est utilisé pour un grand nombre d'affections, mais est généralement utilisé pour les lésions stables de la cheville et du pied. La genouillère est utilisée pour les lésions ou les fractures du genou. Le plâtre s'étend de l'aine aux malléoles. Le pansement de Jones est constitué d'une importante rembourrure (pansement absorbant et ouate de coton), d'une attelle antérieure ou postérieure et d'une attelle latérale, d'un bandage élastique et d'un jersey tubulaire taillé en biais. Le pansement de Jones, comme l'attelle en forme de pince à sucre, est utilisé pour les fractures ou les chirurgies du genou lorsqu'il y a risque d'œdème important. Après avoir plâtré ou appliqué un pansement au membre inférieur, le membre doit être surélevé à l'aide d'oreillers au-dessus du niveau du cœur pendant les 24 premières heures. Après la phase initiale, le membre plâtré ne doit pas être placé en position déclive vu le risque d'œdème excessif.

Au début, le membre blessé ne peut supporter aucune mise en charge. Plus tard, on peut y ajouter un talon pour la marche ou une chaussure à plâtre si l'on permet au client de s'appuyer sur la jambe affectée et de marcher. Après la pose du plâtre, l'infirmière doit surveiller les signes de pression, surtout dans la région du talon, sur le bord antérieur du tibia, la tête du péroné et les malléoles.

Fixation interne. La **fixation interne** consiste en l'introduction par voie chirurgicale de fixateurs internes, lors du réalignement. Broches, plaques et vis sont des exemples de fixateurs internes. Il s'agit de fixateurs métalliques biologiquement inertes comme l'acier inoxydable, le vitallium ou le titanium qui sont utilisés pour repositionner et maintenir en place les fragments d'os. L'alignement est évalué par radiographie à des intervalles réguliers.

Traction continue. La **traction continue** est l'amorce ou la continuation de la traction et de la contre-traction. Une force de traction continue peut être appliquée directement sur l'os à l'aide de fils et de broches (traction squelettique) ou peut être appliquée indirectement à l'aide de poids fixés à la peau au moyen d'une écharpe, d'une courroie, de bandes adhésives ou de bottes (traction cutanée). La traction cutanée est généralement appliquée directement sur le membre au moyen de matériel adhésif qu'on enroule autour du membre avec un bandage ou une écharpe, une courroie ou une attelle spéciale fixée à une corde munie d'un poids. Pour les membres, la traction cutanée est appli-

quée pour de courtes périodes et est généralement constituée de poids n'excédant pas 3,2 à 4,5 kg de traction à cause de l'intolérance de la peau à la pression. La traction cutanée pelvienne ou cervicale peut exiger l'application intermittente de poids plus lourds. La traction squelettique est généralement indiquée lorsqu'on prévoit que les forces de traction dépasseront 4,5 kg ou lorsque la mise en traction sera utilisée pour une longue période. L'usage de poids trop lourds pour maintenir la traction peut se traduire par un retard de consolidation ou par une absence de consolidation. La traction squelettique a pour principaux désavantages l'infection dans la région osseuse de pose de la broche transosseuse et les conséquences de l'immobilisation prolongée qu'elle nécessite.

Fracture ouverte. Une **fracture ouverte** implique une ouverture à travers la peau, de l'intérieur vers l'extérieur ou de l'extérieur vers l'intérieur. On doit assurer la prophylaxie antitétanique en administrant au client non immunisé des anatoxines tétaniques ou du sérum antitétanique. On utilise habituellement un antibiotique à large spectre (p. ex. les céphalosporines) en guise de prophylaxie. La décision de fermer la plaie ou de la laisser ouverte est fondée sur le degré de contamination et le temps écoulé avant le début du traitement. L'infection est le plus grand risque que présente une fracture ouverte.

L'objectif général du traitement à long terme est la consolidation de la fracture et le retour dans les plus brefs délais de la fonction du client au niveau où elle se trouvait avant l'accident. La planification de la sortie de l'hôpital doit comprendre la consultation de l'infirmière de liaison qui dirigera le client vers le CLSC qui planifiera les soins à domicile si nécessaire.

Pharmacothérapie. Les clients victimes de fractures ressentent souvent divers degrés de douleur associée aux spasmes musculaires. Ces spasmes sont causés par les réflexes découlant de l'œdème consécutif au traumatisme musculaire. Des myorelaxants comme le carisoprodol (Soma), la cyclobenzaprine (Flexeril) ou du méthocarbamol (Robaxin) permettent de soulager la douleur due aux spasmes musculaires.

La somnolence, la lassitude, la céphalée, la faiblesse, la fatigue, la vision trouble, l'ataxie et les dérangements gastro-intestinaux sont des effets secondaires fréquents des myorelaxants. Les réactions d'hypersensibilité peuvent se manifester sous forme d'érythème cutané ou de prurit. La prise de doses élevées de myorelaxants peut provoquer une hypotension, une tachycardie ou une dépression respiratoire. Il faut évaluer soigneusement les effets d'accoutumance possibles associés à l'usage à long terme et le potentiel d'abus.

Certains médecins ne recommandent pas l'usage de myorelaxants pour le soulagement des spasmes musculaires, car ils estiment que le spasme réflexe continuera tant que la douleur qui le déclenche persistera. Si la douleur est maîtrisée par l'utilisation appropriée d'analgésiques, les spasmes musculaires cesseront.

Recommandations nutritionnelles. Une alimentation appropriée est une composante essentielle du processus de réparation des lésions tissulaires. Une source d'énergie adéquate favorise la force et le tonus musculaires, donne de l'endurance et améliore la marche et les techniques d'apprentissage de la marche. Les besoins alimentaires du client doivent comprendre une quantité suffisante de protéines (p. ex. 1 g par kilogramme de poids), de vitamines (surtout les vitamines D, B et C) et de calcium pour assurer une guérison optimale des tissus mous et des os. Un faible taux de protéines sériques et une carence en vitamine C nuisent à la guérison des tissus. L'immobilité et la formation du cal augmentent les besoins en calcium. Trois repas bien équilibrés par jour suffiront généralement à fournir les nutriments nécessaires. Le repas bien équilibré doit être complété par un apport hydrique quotidien de 2000 à 3000 ml afin de favoriser à leur maximum les fonctions vésicale et intestinale. Un apport hydrique adéquat et une alimentation riche en fibres et constituée de fruits et de légumes préviendront la constipation. Si le client est immobilisé par un corset plâtré ou un spica de la hanche, on doit l'aviser de ne pas trop manger afin d'éviter la pression abdominale et les crampes.

58.2.5 Soins infirmiers : fractures

Collecte de données. On peut obtenir du client ou d'un témoin un bref compte rendu de l'accident, du mécanisme de la lésion et de la position dans laquelle la victime a été trouvée. Dès que possible, le client doit être conduit au service des urgences où un examen et un traitement pourront être amorcés (voir tableau 58.6). L'encadré 58.3 présente les données subjectives et objectives à recueillir auprès du client victime d'une fracture.

Une importance particulière doit être accordée à la région située en aval du site du traumatisme. Le

SOINS D'URGENCE

TABLEAU 58.6	Membre fracturé	
Étiologie	**Données recueillies**	**Interventions**
Traumatismes contondants Accident d'automobile Piétons victimes d'accidents Chutes Coups directs Flexions forcées ou hyperextensions Blessures par torsion **Traumatismes pénétrants** Blessure par balle **Autres** États pathologiques Contractions musculaires violentes (crises d'épilepsie)	Difformité (perte du contour osseux normal) ou position anormale du membre affecté Œdème et ecchymoses Spasmes musculaires Sensibilité et douleur Perte de la fonction Engourdissements, picotements, perte des pouls périphériques Craquements (crépitation osseuse) Plaie ouverte au foyer de la blessure, exposition de l'os	**Prioritaires** Traiter en premier les blessures menaçant le pronostic vital S'assurer que les voies aériennes sont libres, que la respiration et la circulation sont normales Contrôler les saignements externes en comprimant directement la blessure ou à l'aide d'un pansement compressif stérile Immobiliser à l'aide d'attelles les articulations au-dessus et en dessous du foyer de la fracture. Vérifier l'état neurovasculaire en aval de la blessure avant et après la pose de l'attelle Élever le membre blessé si possible Ne pas tenter de repositionner les articulations fracturées ou luxées Ne pas manipuler les extrémités osseuses qui font saillie Appliquer de la glace sur la région affectée Obtenir des radiographies du membre affecté Administrer une prophylaxie antitétanique si l'intégrité de la peau a été atteinte Marquer la localisation du pouls pour faciliter les évaluations futures Poser une attelle au foyer de la fracture en incluant les articulations situées au-dessus et en dessous **Surveillance continue** Surveiller les signes vitaux, le niveau de conscience, la saturation en oxygène, les pouls périphériques et la douleur Surveiller le syndrome du compartiment caractérisé par la douleur excessive, la douleur à l'étirement passif, la pâleur, la paresthésie, la paralysie, l'absence de pouls Surveiller l'embolie graisseuse (dyspnée, douleur thoracique)

Factures

ENCADRÉ 58.3

Données subjectives

Information importante concernant la santé

- Antécédents de santé : blessure traumatique, mouvements forcés sur une longue période (fracture de stress), maladies osseuses et maladies systémiques, immobilité prolongée (fracture pathologique)
- Médicaments : usage de corticostéroïdes (fractures pathologiques), d'analgésiques
- Chirurgie ou autres traitements : traitement d'urgence de la fracture

Modes fonctionnels de santé

- Mode perception et gestion de la santé : œstrogénothérapie de remplacement, supplément de calcium
- Mode activité et exercice : perte de mobilité ou faiblesse de la partie affectée, spasmes musculaires
- Mode cognition et perception : douleur soudaine et intense dans la région affectée, engourdissements, picotements, perte de sensibilité en aval de la blessure, douleur chronique qui augmente avec l'exercice (fracture de stress)

Données objectives

Généralités

- Appréhension, défense musculaire à la zone atteinte

Appareil tégumentaire

- Lacération cutanée, pâleur et peau froide ou peau bleuâtre et chaude en aval de la blessure ; ecchymoses, hématome, œdème au foyer de la fracture

Appareil cardiovasculaire

- Diminution du pouls ou absence de pouls en aval de la blessure, diminution de la température de la peau, retard du remplissage capillaire

Système neurologique

- Paresthésie, diminution de la sensibilité, absence de sensibilité, hypersensibilité

Appareil musculosquelettique

- Limitation ou perte de la fonction de la partie affectée, difformités osseuses locales, angulation, rétrécissement, rotation, crépitation ; faiblesse musculaire

Résultats possibles

- Localisation et étendue des fractures par radiographies, scintigraphie osseuse, tomographie, tomodensitométrie ou IRM

---

membre atteint doit être comparé au membre intact. Les résultats cliniques doivent être consignés avant d'amorcer le traitement de la fracture pour éviter les doutes à savoir si un problème a été omis lors du premier examen ou s'il a été causé par le traitement. Une erreur de diagnostic peut survenir lorsque les interventions cliniques ne sont pas retenues comme cause possible des symptômes dont se plaint un client.

Évaluation neurovasculaire. De nombreuses lésions musculosquelettiques peuvent provoquer des traumatismes neurovasculaires. Des éléments comme le type de traumatisme, l'application d'un plâtre ou d'un pansement compressif ou une mauvaise position peuvent causer des dommages aux nerfs ou aux vaisseaux, généralement en aval de la blessure. Une méthode pour évaluer l'état neurovasculaire consiste à penser aux **cinq « P »** : **présence de douleur, pouls, pâleur, paresthésie et paralysie.**

L'infirmière doit soigneusement évaluer le foyer, la qualité et l'intensité de la douleur ressentie dans le membre affecté. Toute douleur non soulagée par les médicaments peut être un signe précoce du syndrome du compartiment. Les deux pouls, celui en aval et celui en amont de la partie affectée, doivent également être comparés afin d'établir les différences sur le plan de la fréquence et de la qualité. Un pouls diminué ou absent en aval de la lésion peut révéler une insuffisance vasculaire.

On peut déterminer s'il y a paresthésie (sensation anormale comme un engourdissement ou un picotement)

en comparant la sensibilité du client en amont et en aval de la lésion. La sensibilité du membre atteint doit également être comparée à celle du membre non atteint. Le client peut signaler des changements comme la diminution de la sensibilité, l'hypersensibilité, les engourdissements, les picotements ou la perte de la sensibilité.

Ensuite, des changements au niveau de la coloration (pâleur) et de la température dans la région innervée du membre affecté doivent être évalués. La pâleur ou la froideur du membre sous la lésion peut indiquer une insuffisance artérielle. Un membre chaud et bleuâtre peut révéler un retour veineux médiocre. Le remplissage capillaire doit également être vérifié. Un lit unguéal comprimé devrait retrouver sa couleur dans les trois secondes. Des comparaisons entre le membre atteint et le membre intact doivent être faites.

La dernière étape de l'examen neurovasculaire consiste à vérifier s'il y a paralysie ou diminution de la force motrice. On peut comparer l'amplitude articulaire et la force des deux membres. La réduction des mouvements ou de la force du membre atteint peut signaler des problèmes touchant la partie motrice des nerfs atteints.

Le client doit être avisé de signaler tout changement ayant trait à la force, à la sensibilité, à la couleur, à la température du membre fracturé ou à la douleur ressentie.

Diagnostics infirmiers. Quelques-uns des diagnostics infirmiers pour le client victime d'une fracture sont présentés dans l'encadré 58.4.

Plan de soins infirmiers

Client présentant une fracture

DIAGNOSTIC INFIRMIER : risque de dysfonctionnement neurovasculaire périphérique relié à la compression d'un nerf.

PLANIFICATION

Résultat escompté
- Le résultat de l'examen neurovasculaire est normal.

INTERVENTIONS	Justifications
• Évaluer si le membre affecté présente des signes et des symptômes de dysfonctionnement neurovasculaire périphérique comme une douleur que les analgésiques ne peuvent soulager ; évaluer si sa température est froide, s'il y a paresthésie, douleur lors de mouvements passifs, faiblesse, pâleur, diminution des pouls périphériques.	• Assurer leur découverte précoce et intervenir précocement.
• Élever le membre au-dessus du niveau du cœur.	• Réduire l'œdème en favorisant le retour de la circulation vers le cœur. (Note : si l'on soupçonne un syndrome du compartiment, ne pas élever le membre plus haut que le niveau du cœur.)
• Appliquer de la glace comme prescrit.	• Réduire l'œdème et procurer le confort. (Note : si l'on soupçonne un syndrome du compartiment, retirer la glace parce qu'elle peut exacerber la diminution de l'irrigation tissulaire.)
• Aviser immédiatement le médecin si le client se plaint que la douleur augmente et que les analgésiques ne la soulagent pas.	• Parce que ce symptôme peut indiquer une insuffisance neurovasculaire et se traduire par un traumatisme important, s'il n'est pas soulagé.
• Enseigner au client les signes du dysfonctionnement neurovasculaire périphérique.	• Lui donner la possibilité de participer aux soins.

DIAGNOSTIC INFIRMIER : douleur aiguë reliée à l'œdème, au mouvement des fragments d'os et aux spasmes musculaires se manifestant par des plaintes du client, la défense musculaire, des gémissements, des pleurs et l'agitation.

PLANIFICATION

Résultats escomptés
- Douleur tolérable ou absence de douleur.
- Satisfaction quant au plan de soulagement de la douleur.

INTERVENTIONS	Justifications
• Placer délicatement le membre fracturé dans une position convenable.	• Réduire au minimum la douleur et prévenir le déplacement des os.
• Déterminer si l'appareil d'immobilisation cause une constriction ou une pression à l'emplacement de la fracture.	• Prévenir une lésion cutanée ou une atteinte neurovasculaire.
• Utiliser une échelle de douleur.	• Évaluer la douleur et l'efficacité des interventions.
• Donner des analgésiques au client ou des myorelaxants comme prescrit.	• Soulager la douleur et favoriser le relâchement des muscles.
• Élever le membre affecté, y appliquer de la glace (si prescrite) et le soutenir.	• Réduire l'œdème et favoriser le confort.
• Surveiller attentivement la douleur que l'administration d'analgésiques n'atténue pas.	• Elle peut indiquer un syndrome du compartiment imminent.

DIAGNOSTIC INFIRMIER : risque d'infection relié à une rupture de l'intégrité de la peau et à la présence d'agents pathogènes environnementaux consécutifs à une fracture ouverte ou à l'usage d'un fixateur externe.

PLANIFICATION

Résultat escompté
- Aucun signe d'infection de plaie.

Plan de soins infirmiers

Client présentant une fracture (*suite*).

INTERVENTIONS	Justifications
• Déterminer si la fracture ou les points d'insertion de la broche présentent une vésication, une décoloration produite par des mèches, ou écoulement.	• Peuvent être signe d'infection.
• Utiliser une technique aseptique lorsqu'on traite la plaie ou les points d'insertion de la broche ou lorsqu'on change les pansements.	• Prévenir une contamination croisée et une possible introduction d'infection.
• Obtenir une culture de la plaie si l'on soupçonne une infection.	• Identifier le microorganisme en cause.
• Administrer des antibiotiques comme prescrit.	• Fournir une prophylaxie ou traiter l'infection diagnostiquée.
• Prendre la température aux deux heures.	• La fièvre peut refléter l'apparition d'une septicémie.

DIAGNOSTIC INFIRMIER : risque d'atteinte à l'intégrité de la peau relié à l'immobilité et à la présence du plâtre.

PLANIFICATION

Résultat escompté
• Aucun signe de détérioration des tissus cutanés.

INTERVENTIONS	Justifications
• Examiner les régions qui peuvent être exposées à la pression toutes les quatre heures.	• Évaluer l'état de la peau.
• Écraser les bords du plâtre.	• Prévenir les écorchures ou éviter que des fragments ne tombent à l'intérieur.
• Tourner le client toutes les deux heures.	• Réduire la pression sur les proéminences osseuses.
• Utiliser un matelas à gonflement spécial.	• Faciliter le repos du client.
• Vérifier s'il y a des signes d'infection ou d'irritation dans les régions cutanées exposées à la traction.	• Un mauvais alignement de l'appareil de traction peut causer une nécrose localisée due à une irrigation sanguine insuffisante.
• Demander des soins médicaux si le plâtre devient lâche.	• Prévenir la rotation, la flexion ou les écorchures.
• Informer le client de ne pas introduire d'objets à l'intérieur du plâtre (p. ex. un cintre ou une fourchette) pour se gratter.	• Ils peuvent causer des lésions aux tissus.
• Informer le client de signaler toute sensation de chaleur, de brûlure ou d'humidité sous le plâtre et l'endroit où elle se situe ; les mauvaises odeurs aux extrémités du plâtre ou toute augmentation de l'écoulement ou tout nouvel écoulement à la surface du plâtre.	

DIAGNOSTIC INFIRMIER : prise en charge inefficace du programme thérapeutique reliée au manque de connaissances en ce qui concerne l'amyotrophie, le programme d'exercices et les soins à donner au membre plâtré se manifestant par des questions du client touchant les effets à long terme du plâtre, les soins à donner au membre plâtré et la restriction des activités.

PLANIFICATION

Résultats escomptés
• Perte minimale de volume musculaire pour le membre affecté.
• Verbalisation de la confiance du client en sa capacité de suivre le plan prescrit à sa sortie de l'hôpital.

INTERVENTIONS	Justifications
• Enseigner au client les mesures à prendre en ce qui concerne les soins à domicile en rapport avec l'exercice, le membre plâtré et la prévention des complications.	• Afin qu'il puisse donner suite au plan prescrit à la sortie de l'hôpital.
• Expliquer les facteurs qui contribuent à l'atrophie ; insister sur la relation entre l'inactivité et l'amyotrophie.	• Afin que le client exécute des exercices du membre affecté jusqu'au maximum permis et qu'il ne soit pas inquiet de son apparence lorsque le plâtre sera retiré.
• Fournir des instructions écrites pour les exercices prescrits.	

Plan de soins infirmiers

Client présentant une fracture (*suite*)

DIAGNOSTIC INFIRMIER : difficulté à la marche reliée à un mauvais usage des béquilles se manifestant par l'incapacité de se déplacer seul.

PLANIFICATION
Résultat escompté
- Un bon usage des béquilles pour se déplacer selon le besoin.

INTERVENTIONS
- Enseigner au client les principes de l'apprentissage de la marche (marche sans appui sur le membre, sauf si le médecin en a décidé autrement) : s'asseoir avec les pieds sur le bord du lit, ne pas s'appuyer sur le membre affecté lorsqu'on est debout, mesurer et ajuster les béquilles.
- Commencer l'apprentissage de la marche avec les rampes de marche.
- S'assurer que la marche est compatible avec le degré d'appui sur le membre.
- Coopérer avec le physiothérapeute pour ce qui concerne l'exercice et l'apprentissage de la marche.

Justifications
- Favoriser la mobilité selon les capacités du client.

- Elles augmentent la confiance du client.

- Prévenir un mauvais alignement.

- Renforcer le plan et offrir une approche unifiée au client.

Processus thérapeutique

COMPLICATION POSSIBLE : embolie graisseuse reliée à la fracture d'un os long.

PLANIFICATION
Objectifs
- Surveiller les signes d'embolie
- Signaler les résultats anormaux
- Exécuter les interventions médicales et infirmières appropriées.

INTERVENTIONS
- Surveiller les changements d'état psychique causés par l'anoxémie ; les symptômes de détresse respiratoire aiguë comme l'agitation légère, la confusion, la douleur thoracique, la tachypnée, la cyanose, la dyspnée, l'appréhension, la tachycardie, la diminution de la pression partielle en oxygène (PaO_2) dans le sang artériel et les pétéchies sur la partie supérieure du tronc et aux aisselles.
- Comme indiqué, évaluer la saturation en oxygène par oxymétrie et avertir le médecin si la saturation en O_2 est égale ou inférieure à 92 %.
- Amorcer, s'il y a lieu, l'oxygénothérapie.
- Maintenir l'immobilisation de la fracture des os longs.
- Être vigilante si le client parle d'un sentiment de fin imminente.
- Fournir un soutien respiratoire d'urgence au besoin.

Justifications
- Pour déceler rapidement l'affection et la signaler au médecin.

- Pour réduire l'apparition de l'embolie graisseuse.
- Il s'agit souvent d'un signe prémonitoire.
- Pour prévenir un arrêt respiratoire.

Planification. Les résultats escomptés chez le client victime d'une fracture sont les suivants : ne présenter aucune complication associée ; obtenir un soulagement satisfaisant de la douleur ; atteindre une capacité de réadaptation maximale.

Exécution

Promotion de la santé. Les gens doivent être avisés de prendre les précautions nécessaires pour prévenir les blessures à la maison, au travail, au volant ou lors de la pratique de sports. Les infirmières doivent encourager l'application des initiatives personnelles visant à réduire les blessures telles que le port de la ceinture de sécurité, l'évitement de l'excès de vitesse et de l'alcool au volant, l'exécution d'étirements avant de faire des exercices, le port d'équipement de protection (casque protecteur, genouillères, protège-poignets, protège-coudes).

Les clients âgés doivent être encouragés à participer à un programme modéré d'exercices pour les aider à maintenir leur force musculaire et leur équilibre. Pour réduire les chutes, leur milieu de vie devrait être examiné afin d'éliminer l'usage des carpettes, de s'assurer que les clients portent de bonnes chaussures, que l'éclairage est adéquat et que les objets qui se trouvent dans le passage menant aux toilettes la nuit soient retirés. L'infirmière doit également insister sur l'importance d'un apport adéquat en calcium et en vitamine D.

Interventions d'urgence. Les clients victimes de fractures peuvent être traités au service des urgences ou dans un cabinet de médecin et recevoir ensuite des soins à domicile, ou ils peuvent nécessiter une hospitalisation pour des périodes de temps variées. Les soins infirmiers spécifiques dépendent du type de traitement utilisé et du type de réduction à laquelle le client est soumis.

Traitement préopératoire. Le client aura besoin d'une préparation avant l'opération si une intervention chirurgicale est nécessaire au traitement de la fracture. En plus des soins infirmiers préopératoires habituels (voir chapitre 11), l'infirmière doit informer le client du type d'appareil d'immobilisation qui sera employé et de la restriction des activités à laquelle il sera soumis. Le client doit être assuré que le personnel infirmier répondra à ses besoins jusqu'à ce qu'il puisse de nouveau le faire lui-même. Il est souvent bénéfique d'assurer au client qu'il recevra des analgésiques au besoin.

La préparation de la peau est un élément important de la préparation préopératoire. En ce qui concerne la préparation de la peau, le protocole varie d'un centre hospitalier à l'autre, et cette tâche peut incomber à l'infirmière.

La préparation de la peau a pour but de nettoyer la peau et de retirer les débris et les poils afin de réduire la possibilité d'infection. Des soins préopératoires consciencieux peuvent influencer l'évolution postopératoire.

Traitement postopératoire. En général, les soins infirmiers et les traitements postopératoires sont orientés vers la surveillance des signes vitaux et l'application des principes généraux des soins infirmiers postopératoires (voir chapitre 13). De fréquents examens neurovasculaires du membre affecté sont nécessaires afin de déceler tout changement. Toute limitation de la mobilité ou des activités reliées à la rotation, au changement de position et au soutien du membre doit être surveillée de près. La douleur et l'inconfort peuvent être diminués par un bon alignement et un bon positionnement. Les pansements et les plâtres doivent être observés attentivement afin de dépister tout signe apparent de saignement ou d'écoulement. Tout signe d'écoulement doit être entouré au stylo afin de pouvoir en évaluer la progression. Toute augmentation importante de la dimension de la zone d'écoulement doit être signalée. Si un appareil de drainage de plaie est en place, la perméabilité et le volume de drainage de l'appareil doivent être évalués régulièrement. Chaque fois que le contenu de l'appareil de drainage est vidé et mesuré, l'infirmière doit s'assurer d'utiliser une technique stérile afin d'éviter la contamination. Les autres responsabilités infirmières dépendent de l'immobilisation utilisée. Un appareil qui récupère et réinjecte le propre sang du client peut être utilisé. Le sang est récupéré d'une cavité articulaire et le client reçoit ce sang sous forme d'autotransfusion.

Soins du plâtre. Immédiatement après la pose d'un plâtre, il y a une courte période marquée par une réaction exothermique au cours de laquelle de la chaleur est libérée. Le client doit en être averti, puisque cette réaction peut augmenter l'œdème. L'exposition du plâtre à l'air ambiant peut accélérer l'évaporation de l'eau et la dissipation de la chaleur du plâtre. Un plâtre frais ne devrait jamais être recouvert d'une couverture, car l'air ne pourra pas circuler et la chaleur s'accumulera à l'intérieur. Le client doit être tourné toutes les deux heures afin de réduire la pression continue et de favoriser un séchage égal du plâtre. Le processus de séchage dure généralement de 24 à 72 heures. Au cours de la période de séchage, le plâtre ne doit être exposé à aucune forme d'humidité, de saleté ou de contrainte anormale qui risquerait de l'affaiblir ou de le briser. On devrait le manipuler avec prudence en le tenant avec les paumes plutôt qu'avec le bout des doigts pour éviter les empreintes qui sécheraient et deviendraient de possibles points de pression. Une fois le plâtre tout à fait sec, les bords peuvent être adoucis s'ils sont irréguliers afin d'éviter les irritations cutanées causées par les endroits rugueux ou par les « miettes » de plâtre qui tombent à l'intérieur et qui entraînent une irritation ou une nécrose due à une irrigation sanguine insuffisante (voir figure 58.11).

Indépendamment du genre de matériel avec lequel il est fabriqué, un plâtre peut gêner la circulation et la fonction nerveuse s'il est trop serré ou si sa pose provoque un excès d'œdème. Il est donc crucial de procéder régulièrement à des examens neurovasculaires du membre immobilisé. On doit informer le client des signes de complications associées au plâtre afin qu'il puisse les signaler rapidement. L'élévation du membre au-dessus du niveau du cœur pour favoriser le retour veineux et l'application de glace pour maîtriser ou prévenir l'œdème sont des mesures fréquemment utilisées au cours de la première phase d'immobilisation. L'infirmière doit recommander au client de faire bouger les articulations situées au-dessus et en dessous du plâtre. Il est interdit de retirer le rembourrage du plâtre, de se gratter ou d'introduire des objets étrangers à l'intérieur de celui-ci, car cela prédispose le client à la dégradation des tissus cutanés et aux infections.

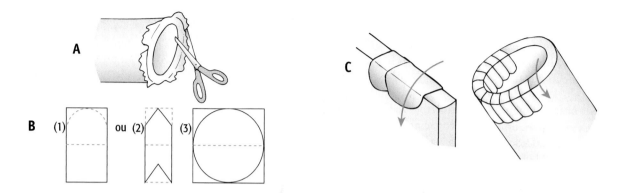

FIGURE 58.11 Couvrir le bord du plâtre de ruban adhésif imperméable. **A.** Le plâtre doit être tout à fait sec. L'infirmière retire l'excès d'ouate de coton et tire sur le jersey tubulaire par-dessus le bord du plâtre (lorsque c'est possible). **B.** Plusieurs bouts de ruban adhésif imperméable (de 5 cm de largeur pour les endroits larges et de 2,5 cm pour les endroits étroits et d'une longueur de 2,5 cm) sont coupés d'avance. **C.** L'extrémité non coupée du ruban est placée à l'intérieur du bord du plâtre. Chaque bout subséquent chevauche le précédent de 1,25 cm et assure une certaine douceur au bord du plâtre. On peut se faire aider par un membre de la famille, et le travail peut être fait au domicile du client, au besoin.

Autres mesures. Si le client est immobilisé à la suite d'une fracture, l'infirmière et la nutritionniste doivent planifier des soins visant à prévenir la constipation et les calculs rénaux. On peut prévenir la constipation par l'exercice, par le maintien d'un apport hydrique suffisant (plus de 2 L/jour) et par l'adoption d'une alimentation riche en fibres (fruits et légumes frais, céréales complètes). Si ces mesures ne parviennent pas à maintenir les habitudes d'élimination du client, l'usage de laxatifs (d'émollient fécal, agents mucilagineux) peut s'avérer nécessaire. Le fait de toujours aller à la selle à la même heure malgré l'alitement aide à favoriser la régularité.

L'alitement peut entraîner un déconditionnement rapide du système circulatoire et se traduire par de l'hypotension orthostatique. À moins de contre-indication, on peut atténuer ces effets en permettant au client de s'asseoir sur le bord du lit en laissant pendre ses jambes et en exécutant des transferts en station debout. Lorsqu'on permet au client d'augmenter ses activités, on doit évaluer attentivement le risque d'hypotension orthostatique.

Traction. L'infirmière est responsable du confort et de la sécurité du client, pendant la période où la mise en traction est utilisée, et du bon fonctionnement de l'appareil de traction. L'appareil doit être examiné régulièrement afin de vérifier que les cordes ne sont pas effilochées, que les nœuds ne sont pas lâches, qu'une corde n'est pas hors de sa poulie, que les crampons sont fermement attachés au cadre du lit et que les poids pendent librement.

Lorsqu'une écharpe est utilisée en même temps que la traction, l'infirmière doit inspecter régulièrement la région cutanée recouverte par l'écharpe et celle située à proximité. Une proéminence osseuse comprimée ou une région présentant des plis peut entraver le flux sanguin et endommager les structures neurovasculaires périphériques. Dans la traction squelettique, on doit surveiller les signes d'apparition d'une infection aux points d'insertion de la broche. Les soins à prodiguer aux points d'insertion de la broche varient selon la préférence du médecin, mais comprennent généralement l'enlèvement régulier de l'exsudat avec du peroxyde d'hydrogène ou avec l'antiseptique choisi par l'établissement de santé, le nettoyage des points d'insertion avec une solution saline, le séchage de la région avec une compresse de gaze stérile et, possiblement, l'application d'un onguent antibiotique.

La mise en traction cutanée d'un membre inférieur risque de provoquer une rotation externe de la hanche. L'infirmière corrige cette position en plaçant un oreiller, un sac de sable ou une alèse roulée le long du grand trochanter. Lors d'une mise en traction, l'infirmière s'assure que le corps du client est toujours correctement aligné. Le client occupe en général le centre du lit et est en décubitus dorsal. Un mauvais alignement risque de se traduire par une augmentation de la douleur, une absence de consolidation ou un cal vicieux.

Pour soulager certains problèmes associés à l'immobilité prolongée, l'infirmière passe en revue avec le médecin les activités spécifiques que peut effectuer le client. Si l'exercice est permis, l'infirmière encourage le client à participer à un programme d'exercices simples qui tient compte des restrictions imposées. Les activités permises comprennent de fréquents changements de position, des exercices d'amplitude pour les articulations non affectées, des exercices de respiration profonde, des exercices isométriques et l'usage de la potence (si permise) lors du changement de la literie ou de l'utilisation du bassin hygiénique. Ces activités devraient être pratiquées plusieurs fois par jour.

Les exercices d'amplitude actifs faisant bouger les articulations non atteintes sont à privilégier (s'ils sont autorisés). L'exécution fréquente d'exercices du tronc et des membres stimule la respiration profonde. Les exercices actifs contre résistance (isotoniques) des membres non atteints réduisent le déconditionnement engendré par l'immobilité prolongée.

L'immobilité consécutive à une fracture touchant les membres inférieurs peut également entraîner le développement de thrombose des membres inférieurs, d'où l'utilisation prophylactique d'une héparinisation quotidienne de faible poids moléculaire (p. ex. Lovenox) qui pourra être poursuivie à domicile ou jusqu'au retour de la mobilisation complète.

Soins ambulatoires et soins à domicile.

Soins du plâtre. Du fait que la mise en plâtre s'effectue souvent en clinique externe, le client ne nécessite qu'une brève hospitalisation, voire aucune. Il incombe donc à l'infirmière de prodiguer au client un enseignement visant à prévenir les complications. En plus de lui fournir des instructions précises sur les soins du plâtre et sur la façon de reconnaître les complications, l'infirmière devrait lui conseiller de communiquer avec la clinique ou le professionnel de la santé si des questions le préoccupent. L'encadré 58.5 résume les instructions destinées au client pour ce qui est des soins du plâtre. L'infirmière s'assure que le client comprend bien ces instructions avant sa sortie de l'hôpital ou de la clinique.

Problèmes d'ordre psychologique. Les objectifs de réadaptation à court terme visent le passage de la dépendance à l'autonomie par l'accomplissement de tâches quotidiennes simples et par la conservation ou l'augmentation de la force et de l'endurance. Les objectifs de réadaptation à long terme visent la prévention des problèmes associés aux blessures de l'appareil locomoteur (voir tableau 58.7). Durant la phase de réadaptation, les soins infirmiers consistent essentiellement à aider le client à s'adapter aux problèmes qu'entraîne la blessure, quelle que soit leur nature, (p. ex. la séparation de la famille, les conséquences financières, la perte de revenu due à l'incapacité de travailler). L'infirmière doit démontrer de l'empathie envers le client, le soutenir et l'encourager et doit écouter activement ses craintes.

Marche. Le physiothérapeute est souvent chargé de diriger le client au cours de la phase de renforcement des soins. L'infirmière doit connaître les objectifs généraux de la physiothérapie en ce qui a trait aux capacités du client, à ses besoins et à sa tolérance. L'un

---

ENSEIGNEMENT AU CLIENT

Soins du plâtre | ENCADRÉ 58.5

À ne pas faire
- Mouiller le plâtre*
- Retirer le rembourrage, quel qu'il soit
- Introduire des objets étrangers à l'intérieur du plâtre
- S'appuyer sur le membre nouvellement plâtré avant 48 heures (ce ne sont pas tous les plâtres qui permettent la mise en charge ; en cas d'incertitude, vérifier auprès du professionnel de la santé)
- Couvrir le plâtre avec du plastique pour de longues périodes

À faire
- Appliquer de la glace directement sur le foyer de la fracture pendant les 24 premières heures (éviter de mouiller le plâtre en mettant la glace dans un sac en plastique et en le protégeant avec un linge)
- Vérifier auprès du médecin avant de mouiller le plâtre**
- Bien faire sécher le plâtre après l'avoir exposé à l'eau
- Absorber le surplus d'eau avec une serviette
- Utiliser un séchoir à cheveux à bas réglage jusqu'à ce que le plâtre soit complètement sec
- Élever le membre au-dessus du niveau du cœur pendant les 48 premières heures
- Bouger régulièrement les articulations au-dessus et en dessous du plâtre
- Signaler les signes de complications possibles au professionnel de la santé :
  augmentation de la douleur ;
  - œdème accompagné de douleur et décoloration des orteils et des doigts ;
  - douleur accompagnant les mouvements ;
  - sensations de brûlure ou de picotements sous le plâtre ;
  - lésions cutanées ou mauvaises odeurs émanant du plâtre
- Se présenter aux rendez-vous pour faire vérifier la fracture et le plâtre.

* Plâtre de Paris.
** Plâtre synthétique.

---

des principaux champs de responsabilité du physiothérapeute est l'entraînement à la mobilité et les directives concernant l'usage des appareils d'assistance. Le client présentant un dysfonctionnement au niveau d'un membre inférieur commence généralement l'entraînement à la mobilité lorsqu'il peut s'asseoir sur le bord du lit et déplacer ses jambes sur le bord du lit. Cet exercice est exécuté deux ou trois fois pendant 10 à 15 minutes avec, au besoin, l'aide de l'infirmière. À mesure que l'endurance augmente, on enseigne au client les techniques pour passer du lit au fauteuil. On commence généralement la marche graduellement avec les rampes de marche et l'on progresse vers les appareils fonctionnels. Lorsque le client commence à marcher, l'infirmière doit connaître le degré d'appui permis sur le membre affecté et la bonne technique si le client utilise un appareil fonctionnel. Il existe différents degrés de mise en charge pour la

TABLEAU 58.7	Problèmes associés aux lésions de l'appareil locomoteur	
Problème	**Description**	**Soins infirmiers**
Amyotrophie	La diminution de la masse musculaire est généralement due à l'inactivité engendrée par l'immobilisation prolongée	Un programme de renforcement musculaire par le biais d'exercices isométriques dans les limites de l'appareil d'immobilisation aide à réduire le degré d'atrophie. L'atrophie musculaire gêne et prolonge le processus de réadaptation
Contracture	État anormal d'une articulation caractérisé par une flexion et une fixation, causé par l'atrophie et le rétrécissement des fibres musculaires ou la perte de l'élasticité normale de la peau qui recouvre l'articulation. Relié à un soutien incorrect et à une mauvaise position de l'articulation	On peut prévenir cet état en changeant souvent de position, en corrigeant l'alignement corporel et en faisant des exercices d'amplitude actifs-passifs plusieurs fois par jour. Il est fréquent qu'une articulation immobilisée pour une longue période développe une contracture. L'intervention consiste à étirer progressivement les muscles ou les ligaments dans la région de l'articulation
Pied tombant	La flexion plantaire du pied (pied tombant) survient lorsque le talon d'Achille se rétrécit parce qu'on lui a fait prendre une position non soutenue. Le péronier proximal pourrait être endommagé	Les soins infirmiers pour le client atteint d'une blessure exigeant des soins à long terme doit comprendre le soutien du pied en position neutre par mesure de prévention. L'apparition d'un pied tombant risque de gêner sérieusement l'entraînement à la marche
Douleur	Fréquemment associée aux fractures, à l'œdème, aux spasmes musculaires; la douleur varie de légère à intense, et on la décrit généralement comme persistante, sourde, sous forme de brûlure, pulsatile, vive et profonde	Parmi les principaux facteurs susceptibles de causer la douleur, on compte une mauvaise position et un alignement incorrect du membre, un mauvais soutien du membre, un mouvement brusque du membre et un appareil d'immobilisation trop serré ou mal positionné, les pansements compressifs, les mouvements au foyer de la fracture et les facteurs psychosociaux. La douleur constitue un paramètre d'évaluation précieux et ses causes sous-jacentes devraient être déterminées pour que l'intervention infirmière corrective puisse être prise avant l'administration d'analgésiques
Spasmes musculaires	Causés par une contraction musculaire involontaire après une fracture, ils peuvent durer plusieurs semaines. La douleur associée aux spasmes musculaires est souvent intense. Sa durée varie de quelques secondes à quelques minutes	Les interventions infirmières pour réduire l'intensité des spasmes musculaires sont semblables à celles visant la maîtrise de la douleur. On ne devrait pas masser la région touchée par les spasmes musculaires. La thermothérapie, surtout la chaleur, peut réduire les spasmes musculaires

marche : marche sans appui sur le membre affecté ; marche avec appui partiel sur le membre affecté ; marche avec plein appui sur le membre affecté.

Appareils d'assistance. Les appareils pour la marche vont de la canne (qui peut soulager jusqu'à 40 % du poids normalement supporté par un membre inférieur) au déambulateur en passant par les béquilles qui permettent de marcher sans s'appuyer sur le membre affecté. Pour décider de l'appareil à utiliser, on doit déterminer le besoin de stabilité et de sécurité maximales du client en tenant compte de la maniabilité de l'appareil, laquelle est obligatoire dans les endroits étroits comme la salle de bains et les autobus. La décision est prise après avoir discuté avec le client des besoins que réclament ses habitudes de vie et après avoir déterminé le type d'appareil avec lequel il se sent le plus en sécurité et autonome.

Les techniques d'utilisation des appareils d'assistance varient. En général, on avance le membre affecté en même temps que l'appareil ou immédiatement après que celui-ci a été avancé. Le membre non atteint est le dernier à avancer. Dans presque tous les cas, la canne est tenue dans la main opposée au membre blessé.

Les appareils d'assistance permettent la marche à deux temps, la marche à quatre points, la marche semi-pendulaire et la marche pendulaire :
- marche à deux temps : on avance avec la béquille en même temps que le pied opposé ; valable aussi pour la marche à l'aide d'une canne ;
- marche à quatre temps : une version plus lente de la marche à deux temps en alternatif, chaque « point » étant avancé séparément ;
- marche semi-pendulaire : les deux béquilles sont avancées en même temps suivies des deux membres

inférieurs arrivant au sol au niveau des béquilles ; valable aussi pour le déambulateur.
- marche pendulaire : cette marche est semblable à la marche semi-pendulaire, mais les pieds se posent au sol en avant des béquilles.

On doit placer une ceinture autour de la taille du client pour lui procurer de la stabilité au cours des étapes d'entraînement. L'infirmière doit lui déconseiller de se servir de meubles ou d'une autre personne pour s'appuyer. Lorsque la force du membre supérieur est insuffisante ou que les béquilles sont mal ajustées, le client s'appuie sur les aisselles plutôt que sur les mains et met en danger la masse vasculonerveuse qui les traverse. Si les conseils ne corrigent pas le problème, on doit renoncer à faire marcher le client jusqu'à ce que sa force soit suffisante.

Les clients qui doivent marcher sans s'appuyer sur les membres inférieurs doivent avoir des bras suffisamment forts pour soulever leur propre poids à chaque pas. Comme les muscles de la ceinture thoracique ne sont pas habitués à ce travail, ils ont besoin d'un entraînement vigoureux et assidu pour se préparer à la tâche. Les tractions (par terre et sur barre) en utilisant la potence et l'haltérophilie développent les triceps et les biceps. L'élévation de la jambe en extension et les exercices pour les quadriceps renforcent ces derniers.

Conseils et orientation vers un spécialiste. Au cours du processus de réadaptation, la famille du client contribue à la mise à exécution du plan de soins à long terme et à sa continuation. On doit enseigner à la famille les techniques employées pour les exercices de renforcement et d'endurance, comment faciliter l'entraînement à la mobilité et comment encourager les activités susceptibles d'augmenter la qualité de la vie quotidienne. La planification de la sortie de l'hôpital devrait comprendre des conseils concernant la vie sexuelle. Toutefois, à moins que l'infirmière ne possède une formation particulière en sexologie, elle devrait comprendre que des réponses erronées risquent d'être plus néfastes que l'absence de réponses. À des fins d'orientation vers un spécialiste, l'infirmière doit savoir si l'activité sexuelle est compatible avec le degré d'atteinte du client et si l'usage d'un appareil d'immobilisation ou de soutien est nécessaire.

Évaluation. Les résultats escomptés chez le client victime d'une fracture sont présentés dans l'encadré 58.4.

58.2.6 Complications des fractures

La majorité des fractures guérissent sans complication. Tout décès qui survient à la suite d'une fracture résulte généralement d'un dommage aux organes sous-jacents et aux tissus mous ou de complications reliées à la fracture ou à l'immobilité. Les complications d'une fracture peuvent être directes ou indirectes. Les complications directes comprennent les problèmes reliés à la consolidation, à la nécrose avasculaire et à l'infection osseuse. Les complications indirectes d'une fracture sont associées à l'atteinte des vaisseaux sanguins et des nerfs et se traduisent par des affections comme le syndrome du compartiment, la thrombose veineuse, l'embolie graisseuse et le choc traumatique ou hypovolémique. Bien que la plupart des lésions musculo-squelettiques ne menacent pas le pronostic vital, les fractures ouvertes, les fractures accompagnées d'une perte sanguine importante et celles qui endommagent des organes vitaux (comme les poumons ou la vessie) sont des urgences médicales qui nécessitent des soins immédiats.

Infection. Les fractures ouvertes et les lésions des tissus mous présentent une incidence élevée d'infection. Une fracture ouverte résulte généralement d'un choc causé par d'importantes forces externes. Les lésions des tissus mous ont souvent des conséquences plus graves que les fractures. Les tissus dévitalisés et contaminés constituent un terrain idéal pour de nombreux agents pathogènes, dont les bacilles anaérobies. Le traitement des infections est long et coûteux en soins infirmiers et médicaux et en perte de revenus pour le client. L'infection peut durer longtemps. (L'ostéomyélite est abordée plus loin dans ce chapitre.)

Processus thérapeutique. Les fractures ouvertes exigent une intervention chirurgicale. La plaie est nettoyée en l'irriguant abondamment, généralement avec une solution saline stérile, et tout contaminant visible est retiré mécaniquement. Les tissus contusionnés, contaminés et dévitalisés comme les muscles, la graisse sous-cutanée et les fragments d'os sont excisés chirurgicalement (débridement). L'importance des dommages aux tissus mous déterminera si la plaie sera fermée au moment de l'opération chirurgicale, si l'usage d'un système de drainage sous vide sera retenu et si une greffe de peau sera nécessaire. Selon le foyer de la fracture et son importance, la réduction est maintenue par un plâtre ou une mise en traction. Durant l'opération, la plaie ouverte peut être irriguée avec une solution antibiotique. Au cours de la phase postopératoire, on peut administrer des antibiotiques au client, par voie intraveineuse ou orale, pendant 7 à 10 jours. Les antibiotiques, en concomitance avec un traitement chirurgical énergique, diminuent de façon significative la fréquence d'infection.

Syndrome du compartiment. Le **syndrome du compartiment** est la compression des structures contenues dans une cavité des membres supérieurs et inférieurs délimitée par une gaine aponévrotique ou un os. L'application externe d'un pansement circulaire, d'une attelle ou d'un plâtre peut également créer ce syndrome. Une lésion des tissus mous entraîne normalement une certaine augmentation de l'œdème dans la région entourant la blessure. Si l'œdème continue d'augmenter, la pression à l'intérieur des cavités des compartiments tissulaires risque d'augmenter. Cette augmentation de l'œdème peut créer suffisamment de pression pour bloquer la circulation et causer une occlusion veineuse, laquelle augmente l'œdème. Tôt ou tard, le débit artériel est altéré, ce qui se traduit par une circulation inadéquate dans les membres ou par une ischémie. Avec le temps, des cellules musculaires et des cellules nerveuses sont détruites et des tissus fibreux remplacent les tissus sains. Des contractures et une perte de la fonction peuvent apparaître. Un retard dans le diagnostic et le traitement risque de se traduire par une ischémie musculaire et nerveuse irréversible. Dans un tel cas, le membre peut devenir inutilisable, ou sa fonction être gravement atteinte.

Le syndrome du compartiment est associé aux fractures, aux lésions importantes des tissus mous ou aux traumatismes par écrasement touchant un membre. Le syndrome du compartiment siège le plus souvent au niveau de l'avant-bras ou de la jambe. Il se manifeste surtout dans les cas de fractures de l'humérus distal et de fractures du tibia proximal. Cette affection s'appelle **syndrome de Volkmann**, lorsqu'elle touche les membres supérieurs (voir figure 58.12), et **syndrome du compartiment tibial antérieur** lorsqu'elle touche les membres inférieurs, bien que la physiopathologie sous-jacente soit semblable.

Bien que le syndrome du compartiment soit fréquemment associé aux fractures, il peut aussi survenir dans les situations qui entraînent une rupture des tissus mous, comme c'est le cas lorsqu'une personne est gravement brûlée ou lors de lésions par écrasement, de lésions par torsion, de morsures par une bête venimeuse ou d'une revascularisation. Il peut arriver qu'une pression prolongée soit exercée sur un compartiment musculaire lorsqu'une personne est coincée sous un objet lourd ou qu'un membre est coincé sous le corps à cause d'une obnubilation comme celle qu'entraîne une surdose de drogue ou d'alcool. Le syndrome est même déjà apparu à la suite d'une infiltration massive de liquide intraveineux. Une forme aiguë du syndrome de compartiments musculaires de la jambe peut survenir après un exercice intense.

Manifestations cliniques. Il est essentiel de reconnaître rapidement le syndrome du compartiment et de le traiter pour éviter des dommages permanents aux muscles et aux nerfs. Ces dommages peuvent survenir dans les 4 à 12 heures suivant l'apparition du syndrome. Le premier signe est l'apparition d'une douleur progressive en aval de la lésion que les analgésiques habituels ne peuvent soulager. La surface de la peau peut sembler normale, puisque les vaisseaux de surface ne sont pas obstrués. En plus de l'incapacité d'accomplir une extension active des doigts, l'extension passive est douloureuse. Les autres symptômes qui apparaissent à mesure que l'affection progresse comprennent les engourdissements, les picotements, la tension dans les compartiments, une douleur parcourant le compartiment à l'étirement passif des doigts, la perte de la sensibilité, la perte de la fonction, la pâleur, la froideur des membres et la diminution ou l'absence des pouls périphériques. L'absence d'un pouls périphérique est un signe tardif de mauvais augure qui indique une perturbation grave de la circulation. Des examens neurovasculaires réguliers doivent être effectués auprès de toutes les victimes de fracture, particulièrement auprès de celles qui présentent une lésion de l'humérus distal ou du tibia proximal ou une rupture des tissus mous dans ces régions.

Compte tenu de la possibilité de dommage musculaire, le débit urinaire est à surveiller. La myoglobine libérée des cellules musculaires endommagées peut être piégée dans les tubes urinifères, vu son poids moléculaire élevé. Une myoglobinémie élevée peut se traduire par une insuffisance rénale aiguë. Les signes fréquents de la myoglobinurie sont des urines foncées associées à un résultat positif à l'épreuve de benzidine en l'absence d'hématurie et des signes associés à l'insuffisance rénale aiguë (voir chapitre 38).

Processus thérapeutique. Il est crucial d'établir un diagnostic rapide et exact du syndrome du compartiment pour le prévenir ou le dépister précocement. Le membre ne doit pas être élevé au-dessus du niveau du cœur, car l'élévation peut augmenter la pression veineuse. Parallèlement, l'application de glace peut se traduire par une vasoconstriction et exacerber le syndrome du compartiment. La glace ne doit pas être utilisée auprès des clients chez qui l'on soupçonne un

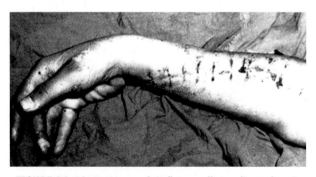

FIGURE 58.12 Contracture de Volkmann affectant l'avant-bras à la suite d'un syndrome du compartiment consécutif à une fracture sus-condylienne de l'humérus. Noter le trait d'incision d'une aponévrotomie infructueuse.

syndrome du compartiment. Il peut aussi être nécessaire de retirer ou de relâcher le bandage, d'enlever le plâtre ou de réduire les poids de la traction pour prévenir la formation d'œdème.

Le traitement consiste souvent en une aponévrotomie du compartiment affecté. L'aponévrotomie est laissée ouverte quelques jours pour s'assurer de la résolution de l'œdème. L'aponévrotomie entraîne un risque d'infection. Un syndrome du compartiment grave peut nécessiter l'amputation pour diminuer la myoglobinémie ou pour remplacer un membre dont la fonction est nulle par une prothèse plus efficace.

Thrombose veineuse. Les veines des membres inférieurs et du bassin sont très exposées à la formation de thrombus après une fracture, surtout la fracture de la hanche. Les facteurs déclenchants sont une insuffisance veineuse causée par un plâtre ou une traction incorrectement appliqués, une pression localisée contre une veine ou l'immobilité. L'insuffisance veineuse est aggravée par l'inactivité des muscles qui contribuent normalement à l'action de pompage du retour veineux du sang circulant dans les membres. En plus de conseiller au client de porter un bas de contention (bas antiembolie) et d'utiliser un appareil à compression séquentielle (jambière pneumatique), on doit lui demander de bouger les doigts ou les orteils du membre affecté contre résistance et de faire des exercices d'amplitude avec le membre non affecté. À cause du risque élevé de thrombose veineuse chez le client immobile, on peut, à titre prophylactique, lui prescrire un anticoagulant comme l'acide acétylsalicylique (Aspirin), la warfarine (Coumadin) ou l'héparine. L'héparine, qui est de faible poids moléculaire (p. ex. l'énoxaparine [Lovenox]), s'est révélée plus efficace pour prévenir la thrombose veineuse que la warfarine. Sa dose thérapeutique étant prévisible, elle élimine la nécessité d'une surveillance subséquente du temps de prothrombine. L'évaluation et le traitement de la thrombose veineuse sont abordés au chapitre 26.

Embolie graisseuse. Une embolie graisseuse survient chez 0,5 à 2 % des clients qui présentent une fracture des os longs et chez 10 % de ceux qui présentent de multiples fractures associées aux blessures pelviennes. L'embolie graisseuse est une cause contributive de nombreux décès associés aux fractures. Les fractures les plus susceptibles de causer une embolie graisseuse sont les fractures du fémur, des côtes, du tibia et du bassin. L'embolie graisseuse se manifeste aussi après un remplacement articulaire total, une fusion des vertèbres, une liposuccion, une lésion par écrasement et une greffe de moelle osseuse. Il existe deux théories sur l'origine de l'embolie graisseuse. Selon la première, la moelle de l'os atteint libère de la graisse qui, expulsée par l'aug-mentation de la pression intramédullaire, pénètre dans la circulation par le biais des veines de drainage et migre vers les capillaires pulmonaires où elle se loge. Certaines gouttelettes de graisse traversent le lit capillaire pour entrer dans la circulation générale et créer une embolie dans d'autres organes, par exemple, le cerveau. L'autre théorie postule que les catécholamines libérées au moment du traumatisme mobilisent les acides gras libres des tissus adipeux pour causer la perte de stabilité de l'émulsion des chylomicrons. Les chylomicrons forment de gros globules adipeux qui se logent dans les poumons. Cette réaction peut être due à un quelconque changement biochimique amorcé par le traumatisme. Les tissus pulmonaires, cérébraux, cardiaques, rénaux et cutanés sont les plus fréquemment touchés.

Manifestations cliniques. Le dépistage précoce de l'embolie graisseuse est crucial pour prévenir une évolution qui pourrait bien être létale. Les premiers signes apparaissent généralement 24 à 48 heures après le traumatisme. Les formes graves surviennent dans les quelques heures suivant la blessure. Les globules adipeux transportés vers les poumons entraînent une pneumonie interstitielle hémorragique qui produit les signes et symptômes de l'insuffisance respiratoire aiguë (IRA) telles la douleur thoracique, la tachypnée, la cyanose, la dyspnée, l'appréhension, la tachycardie et la diminution de la pression partielle en oxygène (PaO_2) dans le sang artériel. Tous ces symptômes sont causés par un échange d'oxygène médiocre. Il est important de dépister les changements d'état psychique qui résultent de l'hypoxémie, parce que ce sont souvent les premiers symptômes à apparaître. Les pertes de mémoire, l'agitation, la confusion, la température élevée et la céphalée incitent à pousser plus loin l'investigation afin de ne pas confondre une atteinte du SNC avec le sevrage alcoolique ou avec un traumatisme crânien aigu. Le changement continuel de niveau de conscience et les pétéchies autour du cou, sur la paroi thoracique antérieure, aux aisselles, sur la muqueuse buccale et sur la conjonctive de l'œil aident à distinguer l'embolie graisseuse des autres problèmes. Les pétéchies sont le résultat d'une thrombose intravasculaire causée par la diminution de l'oxygénation.

L'évolution clinique de l'embolie graisseuse peut être rapide et aiguë. Le client fait souvent part d'un sentiment de désastre imminent. En peu de temps, la peau passe de la pâleur à la cyanose, et le client peut devenir comateux. Aucune analyse de laboratoire spécifique ne facilite le diagnostic. On peut cependant observer certaines anomalies de diagnostic comme la présence de cellules adipeuses dans le sang, l'urine ou les expectorations ; une baisse inférieure à 60 mm Hg de la pression partielle en oxygène (PaO_2) dans le sang artériel ; des changements au niveau du segment ST à l'électrocardiogramme

(ECG) ; une réduction du nombre de plaquettes et du taux d'hématocrite et le prolongement du temps de pro-thrombine. Une radiographie de la cage thoracique peut révéler un infiltrat pulmonaire dans certaines régions ou de multiples régions de consolidation. On appelle parfois cette réaction *effet de tempête de neige*.

Processus thérapeutique. Le traitement de l'embolie graisseuse est orienté vers la prévention. Si l'on veut prévenir l'embolie graisseuse, il faut bien immobiliser la fracture de l'os long. Son traitement est essentiellement relié à la suppression des symptômes et au maintien des fonctions vitales. Il comprend le maintien d'un apport hydrique adéquat, la correction de l'acidose et le rem-placement de toute perte sanguine. Il faut encourager la toux et la respiration profonde. Le client doit être repo-sitionné le moins souvent possible avant l'immobilisa-tion ou la stabilisation de la fracture à cause du danger de libérer d'autres gouttelettes de graisse dans la circu-lation générale. Le recours aux corticostéroïdes pour prévenir ou traiter l'embolie graisseuse est controversé. On traite l'hypoxie par l'administration d'oxygène. On peut envisager l'intubation ou l'usage d'un appareil res-piratoire à pression positive intermittente si on ne peut obtenir une PaO_2 satisfaisante avec l'oxygène d'appoint seul. Chez certains clients, un œdème pulmonaire ou une insuffisance respiratoire aiguë (IRA) ou encore les deux peuvent apparaître, ce qui augmente le taux de mortalité. La plupart des clients survivent à l'embolie graisseuse et présentent peu de séquelles.

58.2.7 Type de fractures

Fracture de Pouteau. Une **fracture de Pouteau** est une fracture distale du radius, l'une des plus fréquentes chez l'adulte. L'apophyse styloïde du cubitus peut aussi être touchée. La blessure survient lorsque le client essaie de parer une chute avec la main. On observe surtout ce type de fracture chez les femmes de plus de 50 ans qui souffrent d'ostéoporose. Ses manifestations cliniques comprennent la douleur dans la région immédiate de la blessure, un œdème prononcé et le déplacement dorsal des fragments distaux (déformation de la main en dos de fourchette). Le déplacement peut ressembler à une bosse sur le poignet. L'insuffisance vasculaire qu'en-traîne l'œdème est la principale complication associée à la fracture de Pouteau.

Le traitement de la fracture de Pouteau consiste généralement en une réduction fermée et en une immo-bilisation à l'aide d'une attelle en pince à sucre ou d'un appareil brachio-antébrachial (plâtre long pour le bras). Le coude doit être immobilisé pour prévenir la supina-tion ou la pronation du poignet. Les soins infirmiers devraient comprendre des mesures de prévention pour réduire l'œdème et de fréquentes évaluations neurovas-culaires. Il est conseillé de soutenir le membre, de le protéger et d'encourager les mouvements actifs du pouce et des autres doigts. Ce genre de mouvements favorise la réduction de l'œdème et l'augmentation du retour veineux. On doit conseiller au client de faire des mouvements actifs des épaules afin de prévenir les raideurs ou les contractures.

Fracture de l'humérus. Les fractures de la diaphyse humérale sont des blessures fréquentes chez les jeunes et les adultes d'âge moyen. Leurs principales manifestations cliniques sont le déplacement visible de la diaphyse humérale, le rétrécissement du membre, une mobilité anormale et de la douleur (voir figure 58.13). Leurs prin-cipales complications sont les lésions du nerf radial et l'at-teinte de l'artère brachiale qui résultent d'une lacération, d'une dissection transversale ou d'un spasme.

Le traitement de la fracture de l'humérus dépend de son foyer et de son déplacement. Le traitement peut consister en un plâtre brachial en suspension, l'immo-bilisation de l'épaule à l'aide d'un appareil ou l'usage d'un système de type « écharpe et bandage croisé » qui est une immobilisation prévenant les mouvements gléno-huméraux. Le bandage croisé est un bandage supplémentaire qui entoure le tronc et l'humérus. Il est souvent utilisé pour les réparations chirurgicales et les luxations de l'épaule.

Lorsque ces appareils sont utilisés, on doit surélever la tête du lit afin que la gravité contribue à la réduction de la fracture. Le bras doit pendre librement lorsque le client est assis ou debout. Les soins infirmiers visent à protéger les aisselles et à prévenir la macération de la peau en mettant un pansement hydrophile rembourré et légèrement enduit de poudre sous celles-ci et en changeant les pansements deux fois par jour ou au besoin. Une mise en traction cutanée ou squelettique réduit et immobilise la fracture.

Au cours de la phase de réadaptation, la mise en place d'un programme d'exercices axé sur l'amélioration de la force et de la mobilité du membre affecté est importante. Ce progamme doit inclure des mouvements assistés de la main et des doigts. Des exercices de l'épaule peuvent également être effectués si la fracture est stable, ce qui prévient les raideurs.

Fracture du bassin. Les fractures du bassin sont généralement causées par des accidents d'automobile ou de ski. Chez les personnes âgées, ces fractures peuvent être causées par une chute. Bien que seul un faible pour-centage des fractures frappe le bassin, ce type de blessure représente 5 à 20 % du taux de mortalité relié aux fractures. Le fait de s'occuper des lésions associées au moment d'un accident peut occasionner la négli-gence des blessures pelviennes. Les fractures du bassin peuvent causer de graves lésions intra-abdominales

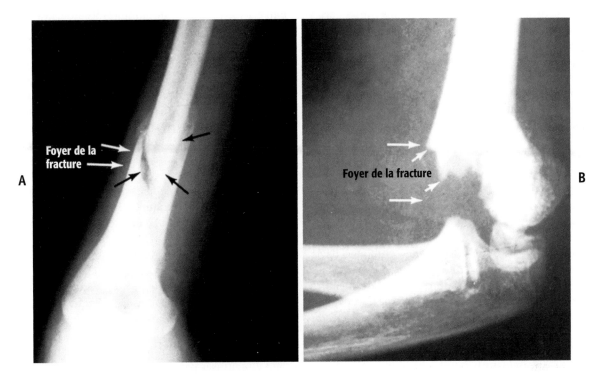

FIGURE 58.13 A. Fracture sus-condylienne de l'humérus. Ce type de lésion se traduit par la formation d'un hématome important.
B. Fracture de l'extrémité distale humérale.

comme une lacération du côlon, de l'urètre ou de la vessie, un iléus paralytique ou une hémorragie.

L'examen physique révèle un œdème localisé, une sensibilité, une déformation, un mouvement pelvien inhabituel et des ecchymoses. L'état neurovasculaire des membres inférieurs ainsi que les symptômes des lésions associées doivent être évalués. Les radiographies permettent de diagnostiquer et de classer les fractures pelviennes. Elles peuvent varier d'une fracture simple sans déplacement à une fracture plus grave avec luxation et risque de complications graves.

Le traitement de la fracture du bassin dépend de la gravité de la blessure. Pour les fractures pelviennes stables, le repos au lit est maintenu pour une période allant de quelques jours à six semaines. Les fractures plus complexes peuvent être traitées par traction pelvienne, traction squelettique, spica de la hanche, fixation externe, réduction ouverte ou par une combinaison de ces méthodes. En cas de déplacement, il est nécessaire de recourir à une fixation interne de la fracture. Il faut prendre un soin extrême lorsqu'on bouge ou déplace le client pour éviter qu'un fragment déplacé de la fracture ne cause une blessure grave. Il est important d'évaluer les fonctions intestinale et urinaire et l'état neurovasculaire distal au début des interventions infirmières, parce qu'une fracture pelvienne peut endommager d'autres organes.

Le client ne doit être tourné que lorsque le médecin le prescrit expressément. Les soins du dos sont donnés alors que le client est soulevé du lit, position qu'il adopte lui-même en utilisant la potence ou avec de l'aide. Le client devrait éviter de s'appuyer sur le côté affecté jusqu'à ce que la guérison soit complète. Si la fracture pelvienne ne s'accompagne pas de déplacement, on permet généralement au client de marcher avec un déambulateur ou des béquilles pour que le poids soit réparti entre les membres supérieurs et inférieurs.

Fracture de la hanche. La fracture de la hanche est un traumatisme fréquent chez les personnes âgées. Chaque année, les chutes représentent 65 % des blessures chez les aînés, et on estime qu'elles coûtent aux Canadiens 2,4 milliards de dollars par an, dont un milliard en coûts directs. On estime que pour environ 40 % des chutes qui entraînent des séjours hospitaliers chez les aînés, il s'agit de fractures de la hanche. Près d'un aîné sur trois, soit approximativement un million, fera au moins une chute par année. Près de la moitié de ces personnes en feront plus d'une (Anciens combattants Canada, 2002).

Chez les personnes de plus de 65 ans, les femmes sont plus à risque à cause de l'ostéoporose. De 14 à 36 % des victimes d'une fracture de la hanche meurent dans l'année suivant l'accident à cause des complications médicales qu'entraîne la fracture ou de l'immobilité qui en résulte. Plus de 25 % des survivants perdent la capacité de marcher de façon autonome et 60 % ne retrouvent pas leur niveau de marche d'avant l'accident.

Les fractures qui surviennent dans les limites de la capsule articulaire se nomment **fractures intracapsulaires**. Les fractures intracapsulaires sont également identifiées selon leur foyer particulier : sous-capitale, trancervicale et cervico-trochantérienne. Ces fractures sont souvent associées à l'ostéoporose et aux traumatismes mineurs. Les **fractures extracapsulaires** surviennent sous la capsule articulaire et sont dites **transtrochantériennes** si elles se trouvent dans la région située entre le grand et le petit trochanter. Elles sont dites **sous-trochantériennes** si elles surviennent dans la région située sous le trochanter (voir figure 58.14). Les fractures extracapsulaires sont généralement causées par un traumatisme direct grave ou une chute.

Manifestations cliniques. Les signes cliniques de la fracture de la hanche sont la rotation externe, les spasmes musculaires, le raccourcissement du membre affecté, une douleur intense et une sensibilité dans la région du foyer de fracture. Les fractures déplacées du col du fémur causent une grave interruption de l'apport sanguin vers la tête fémorale, ce qui peut se traduire par une nécrose avasculaire.

Processus thérapeutique. La réparation chirurgicale est la méthode privilégiée de traitement des fractures intracapsulaires et extracapsulaires de la hanche. Le traitement chirurgical permet un lever précoce du client et diminue les principales complications associées à l'immobilité. À l'opposé, le traitement par mise en traction exige 12 à 16 semaines d'immobilisation avant que la guérison ne survienne, même si l'apport sanguin vers la région est intact. Au début, le membre affecté peut être temporairement immobilisé par les tractions de Buck ou de Russell jusqu'à ce que l'état physique du client soit stabilisé et qu'on puisse procéder à l'opération chirurgicale. La traction aide aussi à soulager les douloureux spasmes musculaires.

Le traitement d'une fracture intracapsulaire consiste généralement en la pose d'une endoprothèse qui remplace la tête fémorale (voir figure 58.15, A). Habituellement, on utilise des broches pour les fractures extracapsulaires (voir figure 58.15, B). Les principes de soins aux clients sont semblables pour ces deux interventions.

La fracture intracapsulaire est lente à guérir à cause de l'interruption de l'apport sanguin. Lorsque la nécrose avasculaire semble imminente, le chirurgien peut opter pour une résection de la tête et du col fémoraux et pour l'insertion d'une prothèse afin de remplacer la tête fémorale. Une variété d'appareils tels que des vis et des plaques à compression, des clous et des broches peuvent être utilisés par le chirurgien dans le but de réparer une fracture de la hanche par enclouage.

Soins infirmiers : fracture de la hanche

Traitement préopératoire. Comme les personnes âgées sont plus exposées aux fractures de la hanche, on doit souvent tenir compte des problèmes de santé chroniques lorsqu'on planifie le traitement. Le diabète, l'hy-

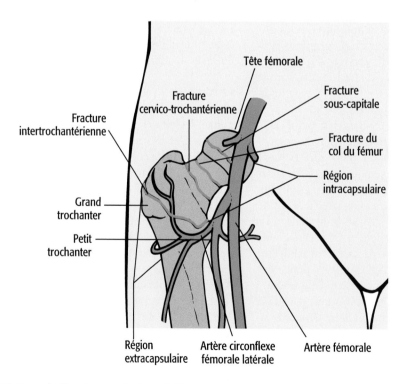

FIGURE 58.14 Foyer de divers types de fractures du fémur

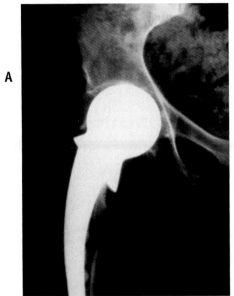

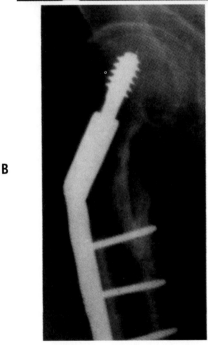

FIGURE 58.15 Types de fixation interne pour une fracture de la hanche. A. Endoprothèse de tête fémorale. B. Type de vis et plaque à compression pour la hanche.

pertension, la décompensation cardiaque, la maladie pulmonaire et l'arthrite sont des problèmes chroniques qui risquent de compliquer l'état clinique. Il est possible qu'il faille reporter la chirurgie jusqu'à ce que la santé générale du client se soit stabilisée.

Avant la chirurgie, de graves spasmes musculaires peuvent augmenter la douleur. Ces spasmes sont traités avec des analgésiques ou des myorelaxants, par l'adoption d'une position confortable, sauf s'il y a contre-indication, et par une mise en traction bien ajustée, si elle est utilisée.

Un enseignement préopératoire consciencieux au client peut influer sur sa mobilité future. Le client doit savoir de quelle manière et à quelle fréquence faire de l'exercice avec la jambe non affectée et les deux bras. On doit aussi lui montrer comment se servir de la potence et comment utiliser le côté de lit opposé pour s'aider lors des changements de position. On doit expliquer au client comment se lever du lit et passer de celui-ci au fauteuil et lui demander d'en faire la démonstration afin de s'assurer qu'il a compris avant l'opération. On doit renseigner la famille sur le degré d'appui que peut supporter le membre après l'opération. La planification du retour à la maison doit se faire bien avant la date réelle de la sortie de l'hôpital.

Traitement postopératoire. Après une réparation chirurgicale d'une fracture de la hanche, le traitement postopératoire est semblable à celui que reçoit n'importe quel client âgé ayant subi une opération. L'infirmière doit surveiller les signes vitaux, les ingesta et les excréta, l'activité respiratoire telles la respiration profonde et la toux, administrer les analgésiques avec prudence et vérifier les signes de saignement ou d'infection sur le pansement et à l'incision. L'encadré 58.6 décrit les interventions infirmières spécifiques destinées au client victime d'une fracture de la hanche.

Le début de la période postopératoire comporte un risque d'insuffisance neurovasculaire. L'infirmière devrait examiner les orteils du client pour évaluer : leur mobilité et leur tonus ; leur coloration et leur chaleur ; leur sensibilité et la présence de paresthésie ; (la qualité des pouls périphériques et la vitesse de remplissage capillaire ; la présence d'œdème qui peut apparaître après que le client a quitté le lit. L'œdème peut être soulagé en surélevant la jambe du client chaque fois qu'il est dans un fauteuil. La douleur résultant du mauvais alignement du membre affecté peut être diminuée en plaçant des oreillers (ou en utilisant une attelle d'abduction) entre les genoux du client lorsqu'il se tourne sur le côté. Les sacs de sable et les oreillers sont aussi employés pour prévenir la rotation externe. Le client qui a reçu une endoprothèse risque une luxation de la hanche.

Le physiothérapeute supervise habituellement les exercices actifs assistés du membre affecté et la marche lorsque le chirurgien les autorise. La marche commence habituellement dès la première ou la deuxième journée suivant l'opération. L'infirmière devrait observer la démarche du client pour déterminer s'il utilise correctement les béquilles ou le déambulateur. Le client doit être capable de se servir de ses béquilles ou de son déambulateur avant de quitter l'hôpital.

Les complications associées à la fracture du col du fémur comprennent l'absence de consolidation, la nécrose avasculaire, la luxation et l'arthrite dégénérative. À la suite d'une fracture intertrochantérienne, le membre affecté risque de devenir plus court.

Plan de soins infirmiers

Client souffrant d'une fracture de la hanche

DIAGNOSTIC INFIRMIER : douleur aigue reliée à l'œdème, au mouvement de fragments osseux, aux spasmes musculaires, à un soulagement inefficace de la douleur ou à des mesures de confort insuffisantes se manifestant par une défense musculaire, des gémissements, des pleurs, l'agitation et une douleur supérieure à 2 sur une échelle de 1 à 5.

PLANIFICATION

Résultats escomptés

- Diminution de la douleur ou absence de douleur.
- Soulagement satisfaisant de la douleur (2 ou moins sur une échelle de 1 à 5).

INTERVENTIONS	Justifications
• Bien aligner et positionner le membre et le client.	• Réduire la pression sur les nerfs et les tissus.
• Installer ou tourner le client délicatement.	• Prévenir les spasmes musculaires et le mauvais alignement des fragments osseux.
• Maintenir des forces de traction constantes.	• Réduire les spasmes musculaires et maintenir l'alignement des os.
• Administrer des analgésiques, des anti-inflammatoires non stéroïdiens et des myorelaxants tel qu'il est indiqué.	• Réduire la douleur, l'œdème et les spasmes musculaires.
• Utiliser une échelle de douleur.	• Évaluer la douleur et déterminer les interventions pour la maîtriser.

DIAGNOSTIC INFIRMIER : risque d'un dysfonctionnement neurovasculaire périphérique relié à l'œdème, à une lésion concomitante des structures neurovasculaires adjacentes par les fragments de la fracture ou à la formation d'un hématome (voir encadré 58.4).

DIAGNOSTIC INFIRMIER : mobilité physique réduite reliée à la diminution de la force musculaire ou à la douleur se manifestant par l'incapacité de se mouvoir volontairement, l'amplitude articulaire limitée, l'incapacité de s'appuyer sur le membre affecté et la présence d'un appareil d'immobilisation.

PLANIFICATION

Résultats escomptés

- Force musculaire suffisante pour participer à un programme d'entraînement à la marche.
- Niveau de fonctionnement optimal avec les appareils fonctionnels.

INTERVENTIONS	Justifications
• Coopérer avec le physiothérapeute pour le programme de renforcement musculaire.	• Maximiser les progrès du client sur le plan de la réadaptation.
• Enseigner le programme d'exercices et aider le client à l'exécuter. Inclure des exercices de renforcement contre résistance du membre inférieur non affecté et des deux membres supérieurs, des extensions du coude, des exercices qui abaissent les épaules et des extensions des genoux et de la hanche.	• Renforcer tous les membres en préparation de l'entraînement à la marche.
• Fournir des instructions écrites pour les exercices.	• Afin que le client puisse les consulter au besoin.
• Aider le client à se tenir debout près du lit avec, s'il y a lieu, un oreiller d'abduction sans qu'il s'appuie sur la jambe affectée, si cela est interdit.	• Augmenter la mobilité.
• Encourager les exercices pour les quadriceps, les exercices de renforcement des bras et les exercices de contractions abdominales et fessières.	• Développer la force musculaire qui aidera à la réadaptation.
• Maintenir le degré d'appui prescrit sur le membre affecté, à moins que le médecin n'en décide autrement.	• Les tissus mous qui entourent la hanche nécessitent environ trois à cinq mois de guérison pour que l'endoprothèse soit suffisamment stabilisée.
• Faire lever le client du lit et le faire asseoir dans un fauteuil, généralement dans les 24 à 48 heures suivant la chirurgie.	• Réduire les complications associées à l'immobilité.
• Enseigner au client comment passer du lit au fauteuil et l'aider à le faire.	• Prévenir les chutes accidentelles et les faux mouvements qui pourraient causer une luxation de l'endoprothèse ou un mauvais alignement de la hanche.

Plan de soins infirmiers

Client souffrant d'une fracture de la hanche (*suite*)

DIAGNOSTIC INFIRMIER : risque d'infection de plaie relié à une exposition aux agents pathogènes environnementaux et à une intervention chirurgicale.

PLANIFICATION
Résultat escompté
- Aucun signe d'infection de plaie.

INTERVENTIONS	Justifications
• Évaluer la plaie pour savoir si elle présente un érythème, une chaleur, une sensibilité, un œdème ou un écoulement ; surveiller la température aux quatre heures pour reconnaître la fièvre qui est signe d'infection.	• Amorcer les interventions qui s'imposent.
• Enseigner au client les signes et les symptômes de l'infection.	• Afin qu'il puisse les signaler rapidement.
• Obtenir, s'il y a lieu, une culture de la plaie.	• Identifier le micro-organisme en cause.
• Administrer des antibiotiques en prophylaxie ou pour traiter l'infection, tel qu'il est prescrit.	
• Employer une technique stérile lors du changement des pansements ou de l'administration des soins à la plaie.	• Réduire au minimum le risque de contamination croisée.

DIAGNOSTIC INFIRMIER : prise en charge inefficace du programme thérapeutique reliée au traumatisme, à l'opération chirurgicale et au manque de connaissances des soins posthospitalisation se manifestant par l'inquiétude exprimée par le client ou l'aidant naturel sur la capacité de soigner le client et sur le manque de connaissances des soins à domicile.

PLANIFICATION
Résultat escompté
- Verbalisation de la confiance du client et de la famille en leur capacité de gérer les soins à domicile.

INTERVENTIONS	Justifications
• Évaluer le milieu de vie.	• Repérer les modifications qui s'imposent comme élever le siège de toilette, vérifier la hauteur des étagères, des marches ; localiser les carpettes, les chaises basses.
• Enseigner au client et à la famille la bonne façon de faire en ce qui concerne la marche, l'alimentation, les médicaments, le soin de la plaie et le suivi médical.	• Réduire le risque de blessure, favoriser une bonne guérison de la plaie et une réadaptation efficace.
• Informer le client et la famille des symptômes à signaler au médecin tels la fièvre, les signes d'infection de la plaie, la douleur intense, les changements d'ordre cognitif.	• Ces symptômes sont des signes de complications exigeant un traitement rapide.
• Enseigner au client et à la famille les positions et les activités à éviter comme mettre ses chaussures ou ses chaussettes, se croiser les jambes lorsqu'on est assis, s'asseoir sur des sièges bas.	• Ces gestes peuvent causer une luxation de la prothèse.
• Orienter le client vers le CLSC.	• Cette ressource peut fournir une thérapie supplémentaire et une aide additionnelle.
• Remettre au client des instructions écrites sur ce qui précède et les numéros de téléphone à composer en cas de questions.	

Processus thérapeutique

COMPLICATION POSSIBLE : complications thromboemboliques reliées à l'immobilité.

PLANIFICATION
Objectifs
- Surveiller les complications thromboemboliques.
- Signaler les anomalies.
- Exécuter les interventions médicales et infirmières qui conviennent.

Plan de soins infirmiers

Client souffrant d'une fracture de la hanche (*suite*)

INTERVENTIONS	Justifications
• Surveiller si la partie distale du membre inférieur est froide, pâle, s'il y a œdème et si les veines sont distendues.	• Dépister la diminution du retour veineux.
• Surveiller la chaleur, l'œdème, l'érythème, l'augmentation de la circonférence du membre, la douleur dans la région affectée et la température générale subfébrile (<38 °C).	• Dépister la thrombophlébite.
• Informer le client qu'il lui faut un apport hydrique supérieur à 2500 ml/jour.	• Réduire l'hémoconcentration.
• Appliquer un bas anti-embolique.	• Réduire l'accumulation locale de sang dans les veines et favoriser le retour veineux.
• Fournir l'anticoagulothérapie prescrite en prophylaxie (héparine, warfarine [Coumadin], acide acétylsalicylique [Aspirine] ou héparine de faible poids moléculaire comme l'enoxaparine [Lovenox]).	• Réduire la formation de thrombus.
• Surveiller la tachypnée, la tachycardie, les changements d'état psychique, le sentiment de fin imminente exprimé par le client, la diminution de la saturation en oxygène par oxymétrie, la douleur thoracique, la dyspnée et l'orthopnée.	• Dépister la thromboembolie.

Si la fracture de la hanche a été traitée par insertion d'une prothèse de tête fémorale, des mesures pour prévenir la luxation doivent absolument être prises (voir encadré 58.7). Le client et la famille doivent connaître parfaitement les positions et les activités qui prédisposent à la luxation (les flexions au-delà de 90°, les adductions ou la rotation interne). Ces positions se produisent au cours de nombreuses activités quotidiennes (p. ex. lorsqu'on met ses chaussures ou ses chaussettes, lorsqu'on est assis et qu'on croise les jambes ou les pieds, lorsqu'on s'étend sur le côté d'une manière incorrecte, quand on se lève ou qu'on s'assoit alors que le corps est en flexion par rapport au fauteuil, lorsqu'on s'assoit sur des sièges bas – particulièrement les sièges de toilette). En règle générale, le client doit éviter ces activités pendant au moins six semaines jusqu'à ce que les tissus mous qui entourent la hanche soient suffisamment guéris pour stabiliser la prothèse. Une douleur intense soudaine, une bosse dans la fesse, le raccourcissement d'un membre et une rotation externe indiquent une luxation de la prothèse. Pour corriger la situation, il faut procéder à une réduction fermée ou à une réduction ouverte pour repositionner la tête fémorale dans la cavité cotyloïde.

En plus d'enseigner au client et à la famille comment prévenir la luxation de la prothèse, l'infirmière devrait placer un gros oreiller entre les jambes du client lorsqu'elle le tourne, ne pas enlever l'attelle d'abduction de la jambe, sauf lors du bain pendant les premières 48 heures, éviter les flexions extrêmes de la hanche et éviter de tourner le client sur le côté affecté jusqu'à ce que le chirurgien l'autorise.

ENSEIGNEMENT AU CLIENT

Prothèse de tête fémorale

À ne pas faire
• Forcer la hanche à exécuter un mouvement de flexion de plus de 90°*
• Forcer la hanche à exécuter un mouvement d'adduction
• Forcer la hanche à exécuter une rotation interne
• Croiser les jambes
• Mettre ses chaussures ou ses bas avant la huitième semaine suivant l'opération sans une aide technique à l'adaptation (p. ex. un chausse-pied à long manche ou un enfile-chaussettes)
• S'asseoir sur une chaise et passer à la position debout sans l'aide des bras*

À faire
• Employer un appareil pour hausser le siège de toilette*
• Mettre une chaise dans la douche ou la baignoire et demeurer assis pour se laver
• Utiliser un oreiller entre les jambes au cours des huit premières semaines suivant l'opération lorsqu'on s'étend sur le côté ou lorsqu'on est en décubitus dorsal*
• Garder la hanche en position neutre, droite lorsqu'on s'assoit, marche ou se couche*
• Aviser le chirurgien en cas de douleur intense, de déformation ou de perte de la fonction*
• Informer le dentiste de la présence de la prothèse avant qu'il ne commence son travail pour que des antibiotiques puissent être donnés en prophylaxie

* Ces mesures peuvent aussi être appliquées après un enclouage de la hanche.

Il n'est pas nécessaire de prendre des mesures contre la luxation si la fracture de la hanche est traitée par enclouage. On conseille généralement au client de se lever du lit dès la première journée suivant l'opération. Le degré d'appui sur le membre affecté varie. Dans le cas de fractures particulièrement fragiles, on restreint l'appui sur le membre jusqu'à ce que l'examen des radiographies indique une guérison suffisante, généralement dans les 6 à 12 semaines.

L'infirmière aide à la fois le client et la famille à s'adapter aux restrictions et au manque d'autonomie qu'impose la fracture de la hanche. La dépression risque d'apparaître, mais des soins infirmiers empathiques et la connaissance du problème sont d'un grand secours pour la prévenir. Le client et sa famille peuvent avoir besoin d'être renseignés sur les services communautaires pouvant les aider au cours de la phase de réadaptation suivant le départ de l'hôpital. L'hospitalisation est en moyenne de quatre jours. Les clients ont souvent besoin de séjourner dans un établissement de soins infirmiers spécialisés ou de réadaptation pendant quelques semaines avant de retourner à la maison. Un suivi régulier, qui inclut les soins à domicile après la sortie de l'hôpital, doit être organisé. La récupération peut prendre jusqu'à une année.

Évaluation. L'encadré 58.6 présente les résultats escomptés chez le client souffrant d'une fracture de la hanche.

58.2.8 Fracture de la diaphyse fémorale

La fracture de la diaphyse fémorale est une fracture fréquente, observée surtout chez les jeunes adultes. Une force directe importante est nécessaire pour produire cette lésion, puisque le fémur a la capacité de se courber légèrement avant de se fracturer. La force employée pour causer la fracture inflige souvent des lésions à la structure des tissus mous adjacents. Ces lésions peuvent être plus graves que la fracture. Le déplacement des fragments de la fracture se traduit fréquemment par une fracture ouverte et augmente le dommage aux tissus mous. La perte sanguine peut être importante (1 à 1,5 litre).

Les manifestations cliniques de la fracture de la diaphyse fémorale sont généralement évidentes. Elles comprennent une déformation et une angulation marquées, le raccourcissement du membre, l'incapacité de bouger soit la hanche, soit le genou et de la douleur. L'embolie graisseuse, les lésions vasculaires et nerveuses et les problèmes associés à la consolidation, la fracture ouverte et les dommages aux tissus mous sont des complications fréquentes de la fracture de la diaphyse fémorale.

Le traitement initial est dirigé vers la stabilisation de l'état du client et l'immobilisation de la fracture. Le traitement peut comprendre une traction squelettique

GÉRONTOLOGIE

Fracture de la hanche　　ENCADRÉ 58.8

- Chez les personnes âgées, la propension aux chutes, l'incapacité de corriger un déséquilibre postural, l'orientation de la chute, le manque de tissus pouvant absorber les chocs (p. ex. graisse ou masse musculaire) et la force squelettique sous-jacente contribuent à la survenue de la fracture de la hanche. Divers facteurs augmentent le risque de chute chez les personnes âgées : les problèmes de marche et d'équilibre, la baisse de la vue et de l'ouïe, la diminution des réflexes, l'hypotension orthostatique et la prise de médicaments. Les carpettes et les surfaces inégales ou glissantes constituent les principaux risques de chute.

- Environ 75 % des chutes surviennent à l'intérieur. De nombreuses chutes se produisent au lever du lit, au coucher ou au moment de se lever d'une chaise ou de s'y asseoir. Les chutes de côté, le type de fractures le plus fréquent chez les personnes âgées fragiles, sont plus susceptibles de se solder par une fracture de la hanche que les chutes vers l'avant.

- La présence de tissus mous amortisseurs sur le grand trochanter et l'état de la contraction musculaire de la jambe au moment de la chute sont deux facteurs importants susceptibles d'influer sur la valeur de la force imposée à la hanche. Comme beaucoup de personnes âgées ont peu de tonus musculaire, ces facteurs influent de façon marquée sur la gravité de la chute. Finalement, les femmes âgées souffrent souvent d'ostéoporose et présentent une densité osseuse faible, ce qui augmente le risque de fracture de la hanche.

- Diverses interventions ciblées réduisent l'incidence des fractures de la hanche chez les personnes âgées. Un supplément en calcium et en vitamine D, l'œstrogénothérapie de substitution et la pharmacothérapie se sont révélés aptes à réduire la perte osseuse ou à augmenter la densité osseuse et à diminuer la probabilité de la fracture. (Voir la section sur l'ostéoporose plus loin dans ce chapitre). Les infirmières doivent favoriser la planification d'interventions susceptibles de réduire l'incidence de la fracture de la hanche chez la personne âgée.

par brochage du tibia et une traction-suspension. La traction est maintenue pendant 8 à 12 semaines. L'infirmière doit encourager le client à faire de l'exercice et des exercices d'amplitude avec les membres et les articulations non affectés pour éviter l'ankylose et l'atrophie musculaire. Le médecin détermine à quel moment les exercices actifs avec le membre affecté peuvent être entrepris. Lorsqu'il est suffisamment manifeste sur le plan clinique que la consolidation s'effectue, on peut appliquer un spica de la hanche ou un plâtre long de la jambe.

La fixation interne sert également à traiter la fracture du fémur. Elle s'effectue à l'aide d'une tige intramédullaire, d'une plaque à compression ou d'une plaque latérale et d'un clou bicondylien. La fixation interne constitue souvent le traitement de prédilection parce qu'elle réduit la durée du séjour à l'hôpital et les complications associées à l'alitement prolongé. On y a aussi recours lorsqu'il est impossible d'obtenir une réduction satisfaisante par les méthodes non chirurgicales ou que des lésions multiples sont présentes. Dans certains cas, après la réparation chirurgicale, le fémur peut être soutenu par une traction-suspension pendant trois ou quatre jours pour prévenir les mouvements excessifs du membre et contrôler la rotation ; on commence ensuite l'entraînement à la marche sans appui sur le membre affecté. Les fractures accompagnées de lésions importantes des tissus mous peuvent être traitées par fixation externe.

Pour favoriser et maintenir la force musculaire du membre affecté, des exercices isométriques des quadriceps et des muscles fessiers sont généralement recommandés. En préparation à la marche, il est important que le client fasse des exercices d'amplitude et de renforcement des membres non affectés. Le client peut être immobilisé par un spica de la hanche et progresser peu à peu vers une attelle plâtrée articulée ou être autorisé à commencer des exercices sans appui sur le membre affecté avec un appareil d'aide à la marche. Le plein appui sur le membre affecté est restreint jusqu'à ce que les radiographies confirment la consolidation des fragments de la fracture.

58.2.9 Fracture du tibia

Bien que le tibia soit vulnérable aux blessures, vu l'absence de muscle sur sa face antérieure, une grande force est requise pour le fracturer. Il en résulte que les dommages aux tissus mous, la dévascularisation et la fracture ouverte sont fréquents. Le syndrome du compartiment, l'embolie graisseuse, les problèmes de consolidation et le risque d'infection en rapport avec la fracture ouverte sont des complications associées à la fracture du tibia.

Le traitement recommandé pour une fracture fermée du tibia consiste en une réduction fermée suivie d'une immobilisation à l'aide d'un plâtre long de la jambe. La réduction ouverte est réalisée à l'aide d'une tige intramédullaire ou d'une plaque à compression. Quelle que soit la méthode de réduction, l'accent est mis sur le maintien de la force des quadriceps.

L'état neurovasculaire du membre affecté doit être évalué au moins toutes les 2 heures au cours des 48 premières heures. On conseille au client de faire des exercices d'amplitude actifs des membres non affectés, de même que des exercices des membres supérieurs afin de développer la force nécessaire à l'usage des béquilles. Lorsque le médecin détermine que le client est prêt pour l'entraînement à la marche, on lui enseigne les principes de la marche avec des béquilles. Une période de 6 à 12 semaines est nécessaire avant que le client soit en mesure de s'appuyer sur le membre affecté. Lorsque la guérison de la fracture a suffisamment progressé, on pose un talon de marche au plâtre et on autorise le plein appui sur le membre.

58.2.10 Fractures stables des vertèbres

La fracture stable de la colonne vertébrale est généralement causée par un accident d'automobile, une chute, un accident de plongeon ou de sport. Une fracture stable est une fracture dans laquelle la fracture ou les fragments risquent peu de bouger ou de causer un dommage à la moelle épinière. Ce type de lésion est fréquemment limité à l'élément antérieur (plateau vertébral) de la colonne vertébrale de la région lombaire. Elle touche moins souvent les régions cervicale et thoracique. Les ligaments vertébraux intacts empêchent généralement le plateau vertébral de se déplacer.

La plupart des victimes présentent des fractures stables et ne connaissent que de brèves périodes d'incapacité. Cependant, si la rupture des structures ligamentaires est appréciable, une luxation des structures vertébrales peut survenir et se traduire par de l'instabilité et des lésions de la moelle épinière (fracture instable). Ces lésions peuvent nécessiter une chirurgie. La complication la plus sérieuse est le déplacement de la fracture qui peut causer des dommages à la moelle épinière (voir chapitre 56). Bien que les fractures stables des vertèbres ne soient pas associées à une pathologie de la moelle épinière, toutes les lésions rachidiennes devraient être considérées instables et potentiellement graves jusqu'à ce qu'un test de diagnostic ou le médecin détermine que la fracture est stable.

La lésion la plus fréquente du plateau vertébral est la fracture par tassement causée par une charge verticale excessive, comme lors d'une chute grave sur les fesses ou d'une blessure résultant d'une flexion soudaine qui force la colonne au-delà de son amplitude articulaire normale.

Le client se plaint généralement de douleur et de sensibilité dans la région affectée de la colonne. Les fractures par tassement sont associées à une gibbosité (flexion vicieuse de plusieurs vertèbres). Cette déformation peut être notée au cours de l'examen physique. Chez les clients souffrant d'ostéoporose, plusieurs niveaux de vertèbres peuvent être impliqués, comme en témoigne la présence d'une bosse de sorcière (courbure anormale de la colonne cervicale vers l'arrière). Les dysfonctionnements intestinaux et vésicaux signalent une interruption du système nerveux autonome ou une lésion de la moelle épinière.

Le traitement de la fracture stable du plateau vertébral vise à conserver un bon alignement de la colonne jusqu'à ce que la consolidation soit accomplie.

De nombreuses interventions infirmières servent à déterminer la possibilité d'un traumatisme de la moelle épinière. On doit évaluer régulièrement les signes vitaux et les fonctions intestinale et vésicale, tout comme l'état des nerfs moteurs et sensoriels périphériques en aval de la région affectée. Toute détérioration de l'état neurovasculaire du client doit être signalée rapidement.

Le traitement comprend soutien, chaleur et traction. Le client est généralement installé dans un lit d'hôpital conventionnel dont le matelas offre un soutien ferme ou sous lequel est glissée une planche-matelas. Le but est de soutenir la colonne vertébrale, de relâcher les muscles et de soulager toute compression des racines nerveuses. Le lit devant demeurer à plat, la tête de lit n'est pas levée. La chaleur et la traction soulagent les spasmes musculaires qu'entraîne la fracture. La traction peut également être utilisée pour réduire et immobiliser les fragments de la fracture. L'usage de la potence est généralement interdit parce qu'il brise l'alignement de la colonne. Il est interdit de mettre le client en position debout ou de le tourner en décubitus ventral. Lorsqu'on le tourne, le client doit apprendre à garder la colonne droite en tournant simultanément les épaules et le bassin. L'infirmière doit apprendre au client comment se tourner en bloc. Plusieurs jours après l'accident, le médecin peut, en l'absence de signe de déficit neurologique, poser un appareil orthopédique spécialement conçu (p. ex. un corset de Milwaukee, un clou-plaque de Jewett ou un appareil de Taylor), un corset plâtré ou un corset amovible.

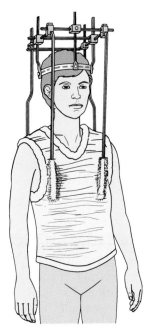

FIGURE 58.16 Appareil halo fixé sur un corset plâtré. Il peut aussi être fixé sur une attelle. On peut utiliser un gilet halo pour traiter les lésions de la colonne cervicale ou après une chirurgie de la colonne cervicale.

Si la fracture se situe au niveau de la colonne cervicale, le client peut porter un collier cervical. Certaines fractures cervicales sont immobilisées à l'aide d'un gilet halo (voir figure 58.16). Cet appareil est constitué d'un gilet en plastique ou d'un plâtre ajusté à la poitrine et fixé à un halo retenu en place par des broches insérées dans le crâne. Cet appareil immobilise la colonne dans la région de la fracture, mais permet au client de se déplacer. Avant de quitter l'hôpital, le client doit : avoir retrouvé son habileté à marcher ; connaître les soins du plâtre ou de l'appareil orthopédique ; connaître les limitations qu'imposent la lésion et les mesures de sécurité.

58.2.11 Fractures maxillo-faciales

Un traumatisme peut se traduire par la fracture de n'importe quel os du visage. Une fracture peut survenir à la suite d'une collision avec une autre personne ou un objet, d'une bagarre ou d'un traumatisme contondant. La principale préoccupation après une blessure au visage est de dégager les voies aériennes, de les maintenir dégagées et de fournir une ventilation adéquate en enlevant les corps étrangers et le sang. L'aspiration peut s'avérer nécessaire. L'établissement d'une voie respiratoire artificielle peut être nécessaire (trachéostomie) s'il est impossible de maintenir le dégagement des voies aériennes. L'hémorragie est maîtrisée par tamponnement. Les lésions de la colonne cervicale sont fréquentes. On doit soupçonner un traumatisme cervical chez les clients présentant des lésions maxillo-faciales jusqu'à ce qu'un examen ou un test écarte cette possibilité. Le tableau 58.8 décrit les manifestations cliniques les plus fréquentes des fractures du visage.

Une lésion concomitante des tissus mous rend souvent difficile l'évaluation d'une blessure au visage. On doit procéder à un examen de la bouche et du maxillo-facial lorsque l'état du client s'est stabilisé et que toute

TABLEAU 58.8	Manifestations cliniques de la fracture du visage
Fracture	**Manifestations cliniques**
Os frontal	Présence rapide d'œdème qui peut masquer une fracture sous-jacente
Périorbitaire	Possibilité d'une atteinte des sinus frontaux, d'une encapsulation des muscles oculaires
Nez	Déplacement des os du nez, épistaxis
Arcade zygomatique	Dépression de l'arcade zygomatique
Mâchoire	Mouvement segmentaire de la mâchoire
Mandibule	Fracture dentaire, saignement, limitation des mouvements de la mandibule

situation menaçant le pronostic vital a été traitée. Une évaluation minutieuse est faite afin de déterminer si les muscles oculaires sont comprimés et si les nerfs crâniens sont atteints.

Une radiographie atteste l'étendue de la lésion. Une tomographie par ordinateur aide à distinguer les os des tissus mous et donne une vue plus précise de la fracture.

On doit soupçonner une atteinte de l'œil en présence d'une blessure au visage, particulièrement si la blessure est située près de l'orbite. Si l'on soupçonne un déchirement du globe oculaire, on doit interrompre l'examen et mettre un écran de protection sur les yeux jusqu'à ce qu'ils soient examinés par un ophtalmologiste. Les signes de déchirement du globe oculaire comprennent la présence de tissus bruns (iris ou corps ciliaire) à la surface du globe ou la présence d'une pupille excentrée ou en forme de goutte lors d'une blessure pénétrante par lacération. Le traitement spécifique de la fracture du visage dépend du foyer et de l'importance de la fracture et de l'atteinte des tissus mous associés. L'immobilisation ou la stabilisation chirurgicale peut s'avérer nécessaire. (Le chapitre 33 traite des fractures de la mandibule.)

L'infirmière doit faire preuve de beaucoup d'écoute avec le client, puisque le changement d'apparence après le traumatisme peut être brutal.

L'œdème et la décoloration disparaissent avec le temps, mais l'atteinte concomitante des tissus mous peut se traduire par une cicatrice permanente. Tout au long de la période de rétablissement, l'infirmière doit s'assurer que les voies aériennes du client sont dégagées et que son alimentation est adéquate. Un dispositif d'aspiration devrait toujours être à portée de la main pour maintenir libres les voies aériennes du client.

58.3 OSTÉOMYÉLITE

58.3.1 Étiologie et physiopathologie

L'**ostéomyélite** est une infection des os due à l'invasion d'un micro-organisme par voie directe ou indirecte. Chez l'enfant, ce sont les os longs qui sont le plus souvent affectés tandis que chez l'adulte, ce sont les vertèbres. L'entrée par voie directe résulte d'une contamination due à une fracture ouverte ou à une intervention chirurgicale. L'inoculation indirecte provient d'une infection véhiculée par le sang depuis un siège d'infection éloigné comme les dents, les amygdales, un ulcère diabétique ou un furoncle. Le micro-organisme le plus souvent en cause est le *Staphylococcus aureus*. On décèle souvent des bactéries aérobies Gram négatif seules ou associées à des micro-organismes Gram positif. L'apport sanguin vers l'os affecté influe sur l'évolution de la virulence de l'ostéomyélite. L'usage généralisé

des antibiotiques conjugué au traitement chirurgical a réduit de manière importante le taux de mortalité associé à l'ostéomyélite. Cependant, l'incidence et la morbidité demeurent relativement inchangées, parce que de nouvelles souches pharmacorésistantes comme le *Staphylococcus aureus* résistant à la méthicilline (SARM) se sont développées.

L'ostéomyélite par voie indirecte (aussi appelée hématogène) affecte le plus souvent les os en croissance chez les garçons et est associée à un traumatisme local. L'ostéomyélite par voie indirecte siège le plus souvent sur les os longs des jambes, bien qu'elle puisse affecter n'importe quel os.

L'ostéomyélite par voie directe peut survenir à tout âge en présence d'une plaie ouverte. Après avoir réussi à entrer dans l'os par le biais de l'apport sanguin artériel, la bactérie se loge dans une partie de l'os où la circulation est plus lente, généralement la métaphyse. Le locus de la bactérie croît et entraîne une augmentation de la pression à cause de la non dilatation de l'os diaphysaire. Cet accroissement de la pression mène tôt ou tard à une ischémie et à une atteinte vasculaire. Une fois l'ischémie réalisée, l'os meurt. La partie dévitalisée de l'os se sépare ultérieurement de l'os sain qui l'entoure et forme un **séquestre**. Ce séquestre constitue un paradis pour les bactéries et une ostéomyélite chronique apparaît.

Une fois formé, le séquestre continue d'être un îlot osseux infecté, entouré de pus et difficile à atteindre par les antibiotiques véhiculés par le sang ou par les leucocytes. Il peut augmenter de volume et servir de source aux bactéries pour se propager à d'autres endroits, y compris les poumons et le cerveau. Deux scénarios sont possibles. Le séquestre peut migrer par une anomalie dans l'os diaphysaire ; cette migration est cependant gênée par la formation de nouveaux tissus osseux appelés **gaine** déposés par le périoste (voir figure 58.17). Une fois à l'extérieur de l'os, le séquestre peut se revasculariser et être éliminé par le processus de défense normal. L'autre possibilité est l'extirpation chirurgicale. Le séquestre nécrotique peut, sauf s'il est résolu naturellement ou chirurgicalement, créer une voie sinusienne qui se traduit par un suintement purulent chronique.

58.3.2 Manifestations cliniques

Par **ostéomyélite aiguë**, on entend l'infection à son début ou une infection dont la durée est inférieure à un mois. Les manifestations cliniques de l'ostéomyélite aiguë sont à la fois générales et locales. Les signes généraux comprennent la fièvre, la sudation nocturne, les frissons, l'agitation, les nausées et les malaises. Les signes locaux comprennent la douleur osseuse intense non soulagée par le repos et aggravée par l'activité,

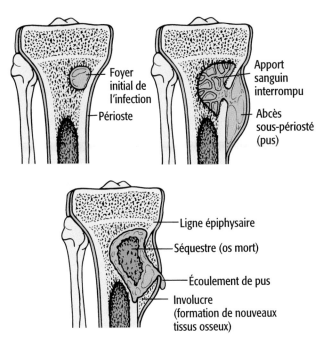

Foyer initial de l'infection

Périoste

Apport sanguin interrompu

Abcès sous-périosté (pus)

Ligne épiphysaire

Séquestre (os mort)

Écoulement de pus

Involucre (formation de nouveaux tissus osseux)

FIGURE 58.17 *Évolution d'une ostéomyélite avec l'involucre et le séquestre*

l'œdème, la sensibilité, la chaleur au foyer d'infection et la restriction des mouvements pour la partie affectée. Les signes ultérieurs comprennent l'écoulement par la voie sinusienne vers la peau et le foyer de la fracture.

Par **ostéomyélite chronique**, on entend une infection osseuse qui persiste au-delà de quatre semaines ou une infection réfractaire au traitement par les antibiotiques. L'ostéomyélite chronique peut se présenter soit comme un problème continu et persistant, soit comme un processus d'exacerbation et de quiescence. Elle résulte du traitement inadéquat d'une ostéomyélite aiguë. Du pus s'accumule causant une ischémie osseuse. Avec le temps, le tissu de granulation se transforme en tissu cicatriciel. Ce tissu cicatriciel avasculaire constitue un lieu idéal pour la croissance des bactéries et les antibiotiques ne peuvent y pénétrer.

58.3.3 Épreuves diagnostiques

La culture de plaie détermine le micro-organisme en cause. La biopsie osseuse ou tissulaire permet d'isoler l'agent responsable. L'hémoculture et la culture du séquestre du client sont souvent positives. Un nombre élevé de globules blancs et un taux de sédimentation élevé peuvent aussi être constatés. Les signes radiologiques laissant supposer une ostéomyélite ne se manifestent généralement pas avant une période allant de 10 jours à quelques semaines suivant l'apparition des symptômes cliniques, ce qui donne le temps à la maladie de progresser. La scintigraphie osseuse peut établir

le diagnostic dans les 24 à 72 heures. L'IRM ou la tomographie par ordinateur délimite le territoire de l'infection. La scintigraphie au gallium ou à l'indium peut aussi se révéler utile dans certains cas.

58.3.4 Processus thérapeutique

Le traitement de prédilection pour l'ostéomyélite aiguë est l'antibiothérapie vigoureuse, à condition que l'ischémie ne se soit pas encore manifestée. Des cultures de plaie avec antibiogramme ou une biopsie osseuse devraient être faites avant que ne commence la thérapie antibiotique afin d'utiliser le bon antibiotique. Si l'antibiothérapie n'est pas amorcée dès le début de la maladie, un débridement chirurgical et une décompression seront nécessaires afin de soulager la pression à l'intérieur de l'os et de prévenir l'ischémie. Une immobilisation pour la partie affectée est généralement indiquée. La faiblesse et la dévitalisation de l'os peuvent provoquer des fractures pathologiques. La guérison des tissus mous et de l'os se fait lentement en présence d'infection, et une déformation du membre peut ultérieurement apparaître.

Le traitement de l'ostéomyélite chronique comprend l'excision chirurgicale des tissus dont la vascularisation est faible et des tissus osseux morts ainsi que l'usage prolongé d'antibiotiques. Après le débridement chirurgical des tissus dévitalisés et infectés, la plaie est fermée et un système d'irrigation par aspiration pour enlever tout tissu dévitalisé restant dans la région de la plaie est inséré. L'irrigation intermittente ou constante aux antibiotiques de l'os affecté peut alors commencer. L'oxygénothérapie hyperbare, lorsque disponible, peut être utilisée comme thérapie d'appoint afin de traiter l'ostéomyélite chronique, surtout lorsqu'elle est associée à une nécrose due à une irrigation sanguine insuffisante ou à un ulcère diabétique.

Le traitement de l'ostéomyélite chronique nécessite une hospitalisation prolongée pour l'administration de l'antibiothérapie intraveineuse (IV) ou la stabilisation de l'état du client et la prescription d'antibiotiques IV à la sortie de l'hôpital. La plupart des antibiotiques par voie orale connaissent un taux de réussite limité à cause de leur faible pénétration de l'os organique. La ciprofloxacine (Cipro) et l'ofloxacine (Floxin) sont efficaces pour traiter certaines formes d'ostéomyélite. Les antibiotiques par voie intraveineuse sont administrés à l'aide d'un cathéter veineux central ou d'un cathéter central inséré en périphérie (type PICC-Line). L'antibiothérapie IV peut commencer à l'hôpital et se poursuivre à la maison pendant quatre à six semaines ou pour une période pouvant atteindre trois à six mois.

L'élimination chirurgicale de l'infection peut être nécessaire. Une greffe de peau, de tissus osseux ou d'un lambeau musculocutané peut s'avérer nécessaire si la destruction est importante. Une chaînette imprégnée d'antibiotiques peut être implantée chirurgicalement au moment du débridement pour aider à combattre l'infection. L'infection peut survenir en présence d'un corps étranger comme un implant ou un appareil orthopédique tel qu'une plaque ou une prothèse articulaire totale. Afin de traiter efficacement l'infection, le retrait de l'appareil peut s'avérer nécessaire. L'infection et la destruction osseuse peuvent être si importantes qu'il peut s'avérer nécessaire d'amputer le membre pour préserver la vie du sujet ou améliorer sa qualité de vie.

58.3.5 Soins infirmiers : ostéomyélite

Les soins infirmiers du client atteint d'ostéomyélite sont exigeants. Une hospitalisation prolongée peut s'avérer nécessaire pour assurer une rémission satisfaisante. Le prolongement des soins à domicile, conjugué à de fréquentes visites de l'infirmière du CLSC, constitue actuellement le mode de traitement usuel.

Collecte de données. L'encadré 58.9 présente les données subjectives et objectives à recueillir auprès du client atteint d'ostéomyélite.

Diagnostics infirmiers. Quelques-uns des diagnostics infirmiers pour le client atteint d'ostéomyélite sont présentés dans l'encadré 58.10.

Planification. Les résultats escomptés chez le client atteint d'ostéomyélite sont les suivants : obtenir un soulagement satisfaisant de la douleur et de la fièvre ; ne pas développer de complications associées à l'ostéomyélite ; coopérer au plan de traitement ; maintenir une attitude positive face à l'évolution de la maladie.

Exécution

Promotion de la santé. Des méthodes de réduction du risque d'ostéomyélite devraient être enseignées aux clients qui ont reçu un implant artificiel tel qu'un remplacement articulaire total ou une prothèse osseuse en métal. Certains médecins recommandent des doses prophylactiques d'antibiotiques lors d'interventions telles qu'un nettoyage dentaire, une colonoscopie ou un examen vaginal.

Intervention d'urgence. Le membre affecté doit être manipulé avec soin et de façon à éviter les manipulations excessives qui risquent d'augmenter la douleur et de causer une fracture pathologique. Des pansements stériles sont utilisés pour absorber l'écoulement en provenance de la plaie. En plus de protéger la région de la plaie, les pansements servent de traitement d'appoint pour le débridement mécanique des tissus dévitalisés au foyer de la plaie. Les types de pansements utilisés comprennent les pansement secs et stériles, les pansements

COLLECTE DE DONNÉES

Ostéomyélite

ENCADRÉ 58.9

Données subjectives

Information importante concernant la santé
- Antécédents de santé : traumatisme osseux, fracture ouverte, plaie ouverte ou punctiforme, autres infections aiguës (p. ex. angine streptococcique, pneumonie bactérienne, sinusite, infection cutanée ou dentaire, infections urinaires chroniques)
- Médicaments : utilisation d'analgésiques ou d'antibiotiques
- Chirurgie ou autres traitements : chirurgie osseuse

Modes fonctionnels de santé
- Mode perception et gestion de la santé : abus de drogues IV ; malaise
- Mode nutrition et métabolisme: anorexie, perte de poids ; frissons
- Mode activité et exercice : faiblesse, paralysie, spasmes musculaires autour de l'os affecté
- Mode cognition et perception : sensibilité locale dans la région affectée, augmentation de la douleur avec mouvement de l'os affecté
- Mode adaptation et tolérance au stress : irritabilité, sevrage, dépendance, colère

Données objectives

Généralités
- Instabilité psychomotrice ; clocher de température ; sueurs nocturnes

Appareil tégumentaire
- Diaphorèse ; érythème, chaleur, œdème dans la région de l'os infecté

Appareil locomoteur
- Restriction des mouvements ; drainage de plaie ; fractures spontanées

Résultats possibles
- Leucocytose, culture sanguine et cultures de plaie positives, taux de sédimentation élevé ; raréfaction avec présence d'un séquestre et d'involucre sur les radiographies, la scintigraphie osseuse, la tomographie par ordinateur et l'IRM

saturés d'une solution saline ou d'une solution antibiotique et des pansements *wet-to-dry*. Les pansements souillés doivent être manipulés avec soin pour prévenir la contamination croisée de la plaie ou la propagation de l'infection à d'autres clients. Au changement du pansement, l'utilisation d'une technique stérile est essentielle et devrait toujours comprendre des pansements stériles, des gants, un bonnet, une blouse et un masque de chirurgien afin de réduire les risques de contamination de la plaie par des sources extérieures.

Un bon alignement du corps et de fréquents changements de position préviennent les complications associées à l'immobilité et favorisent le bien-être. La contracture en

Plan de soins infirmiers

Client attteint d'une ostéomyélite

DIAGNOSTIC INFIRMIER : douleur aiguë reliée au processus inflammatoire consécutif à l'infection se manifestant par une défense musculaire, des gémissements, des pleurs, une instabilité psychomotrice, une insuffisance de tonus musculaire, une diminution des activités, un degré de douleur supérieur à 2 sur une échelle de 1 à 5.

PLANIFICATION

Résultats escomptés

- Diminution de la douleur ou absence de douleur.
- Soulagement satisfaisant de la douleur.

INTERVENTIONS	Justifications
• Évaluer le siège et l'intensité de la douleur et les mesures de soulagement prises antérieurement.	• Planifier les interventions qui s'imposent.
• Utiliser une échelle de douleur.	• Évaluer la douleur et l'efficacité des interventions.
• Donner les analgésiques tels qu'ils sont prescrits.	• Soulager la douleur.
• Conseiller au client de demander régulièrement un analgésique.	• Avant que la douleur ne devienne intense.
• Éviter les activités qui augmentent la circulation comme l'exercice ou l'application de chaleur.	• Prévenir une augmentation de l'œdème qui se traduira par une nouvelle douleur.
• Manipuler et soutenir le membre avec douceur.	• Réduire la douleur et prévenir les fractures pathologiques.
• Empêcher que les positions inhabituelles ou les étirements musculaires n'augmentent la douleur.	• Employer l'appareil d'immobilisation prescrit et maintenir un bon alignement et un bon positionnement corporels.
• Restreindre la marche ou enseigner au client comment se servir d'un appareil fonctionnel (p. ex. les béquilles).	• Prévenir les fractures pathologiques, la douleur et éviter que l'os ne soit davantage sollicité.
• Élever le membre.	• Réduire l'oedème et assurer le confort.
• Informer le client des méthodes non pharmacologiques pour maîtriser la douleur, comme les divertissements auditifs, visuels ou tactiles, la respiration rythmique, l'imagerie mentale et la thermothérapie.	• Augmenter ou réduire le besoin d'analgésiques.

DIAGNOSTIC INFIRMIER : hyperthermie reliée à l'infection se manifestant par une fièvre, une instabilité psychomotrice, une diaphorèse et des frissons.

PLANIFICATION

Résultats escomptés

- Retour à la température normale.
- Minimum d'inconfort.
- Absence de frisson ou de déshydratation

INTERVENTIONS	Justifications
• Évaluer la température aux quatre heures et surveiller la réponse du client au traitement.	• Déterminer si sa température est élevée.
• S'assurer que la température de la pièce est fraîche, fournir des pièces de literie et des vêtements légers, donner les antipyrétiques prescrits et laver le client avec une éponge ou dans une baignoire.	• Accroître son confort et réduire la température.
• Offrir des liquides toutes les heures.	• Prévenir la déshydratation due à la perte liquidienne insensible.
• Lorsque le client frissonne, le couvrir avec des couvertures légères.	

DIAGNOSTIC INFIRMIER : mobilité physique réduite reliée à la douleur, à l'appareil d'immobilisation et à la limitation de la mise en charge se manifestant par une incapacité de bouger ou un manque d'empressement à bouger délibérément.

PLANIFICATION

Résultat escompté

- Augmentation continuelle de la mobilité et de l'amplitude articulaire avec un minimum de douleur et d'inconfort.

→ Plan de soins infirmiers

Client attteint d'une ostéomyélite (suite)

INTERVENTIONS

- Aider le client au besoin.

- Expliquer la raison de l'immobilisation.
- Augmenter la mobilité comme prescrit et selon la tolérance du client.
- Fournir des accessoires fonctionnels (p. ex. bâton de ramassage, chausse-pied à long manche, enfile-chaussettes).

Justifications

- Réduire la frustration qu'entraîne l'altération de la mobilité et prévenir les blessures.
- Favoriser la coopération du client.
- Maintenir la fonction et la force musculaires.

- Augmenter l'autonomie dans l'accomplissement des activités de la vie quotidienne et des activités en général.

DIAGNOSTIC INFIRMIER : prise en charge inefficace du programme thérapeutique reliée au manque de connaissances concernant le traitement à long terme de l'ostéomyélite se manifestant par l'inquiétude exprimée par le client et les membres de la famille concernant les soins à domicile et le besoin d'acquérir de nouvelles connaissances ou de nouvelles compétences pour le traitement à domicile.

PLANIFICATION

Résultat escompté

- Verbalisation de la confiance du client ou de l'aidant naturel, en sa capacité de mener à bien son traitement à domicile.

INTERVENTIONS

- Fournir de l'information et des instructions concernant les soins de la plaie, les techniques aseptiques et l'élimination des pansements.
- Revoir la pharmacothérapie, notamment le calendrier, le nom, la posologie, l'objectif et les effets secondaires.
- Insister sur l'importance de l'alimentation équilibrée, de prendre le repos qui s'impose, de se présenter chez le médecin pour assurer le suivi et de faire la rééducation physique requise.
- Fournir par écrit les informations précédentes, accompagnées d'un numéro de téléphone à composer pour toute question.

Justifications

- Réduire le risque de contamination croisée et favoriser la guérison de la plaie.

- Une antibiothérapie à long terme est nécessaire.

- Faciliter la guérison de la plaie et réduire le risque d'une ostéomyélite chronique.

---

flexion, surtout celle de la hanche ou du genou, est une séquelle fréquente de l'ostéomyélite du membre inférieur, car le client place souvent le membre affecté en position fléchie pour favoriser le confort. Cette habitude risque de faire apparaître une contracture qui peut évoluer vers une déformation. Si le pied du membre affecté n'est pas correctement soutenu, un pied tombant apparaît rapidement. On pose souvent une attelle au membre touché afin de tenter de maintenir l'immobilisation, le soutien et le confort. Le client doit être avisé d'éviter les activités comme l'exercice ou l'application de chaleur, ce qui augmente la circulation et sert de stimulus à la propagation de l'infection.

Le client doit également être informé des complications possibles de l'antibiothérapie et de la nécessité de signaler les symptômes le plus tôt possible. Ces symptômes comprennent le déficit auditif et la rétention de fluides associée aux aminoglycosides (p. ex. la tobramycine [Nebcin], la néomycine), l'ictère, la photo-

sensibilité et l'hépatoxicité avec les céphalosporines (p. ex. la céfazoline [Ancef]).

Les clients sont effrayés et découragés par le caractère sérieux de la maladie, le fait qu'elle touche l'organisme entier, la douleur, la durée et le coût du traitement. Le soutien psychologique continu est une partie intégrante de la démarche de soins infirmiers.

Soins ambulatoires et soins à domicile. Les différents dispositifs d'accès veineux intermittents disponibles actuellement permettent d'administrer les antibiotiques intraveineux en milieu hospitalier ou au domicile du client. S'ils sont administrés au domicile, on doit enseigner au client et à sa famille comment bien entretenir et se servir du dispositif d'accès veineux. On doit également leur enseigner comment administrer les antibiotiques et les aviser de la nécessité de tests de laboratoire de suivi. La visite périodique de l'infirmière du CLSC permet à la famille de vérifier si elle utilise la bonne technique et soulage l'anxiété. En présence d'une plaie ouverte, des changements de pansement peuvent être nécessaires. Le client peut avoir besoin de pansements et d'instructions concernant la technique.

Si l'ostéomyélite devient chronique, le client aura besoin d'un soutien physique et psychologique prolongé. Il peut devenir méfiant et hostile à l'égard du professionnel de la santé lorsque le plan de traitement n'a pas pour effet de le guérir. Un client bien informé est plus en mesure de participer aux décisions et de coopérer au plan de traitement.

Évaluation. L'encadré 58.10 présente les résultats escomptés chez le client atteint d'ostéomyélite.

58.4 AMPUTATION

Au cours des 20 dernières années, d'importants progrès ont été réalisés en ce qui concerne les techniques chirurgicales d'amputation, la conception des prothèses et les programmes de réadaptation. Ces progrès permettent aux personnes amputées de redevenir productives et de rejouer un rôle intéressant sur le plan social. Les personnes d'âge moyen et les personnes âgées présentent l'incidence d'amputation la plus élevée à cause de l'effet des maladies vasculaires périphériques, particulièrement l'athérosclérose et des changements vasculaires reliés au diabète. Un accident traumatique est généralement la cause de l'amputation chez les jeunes adultes. L'amputation est plus souvent nécessaire chez les personnes dont le travail comporte des risques. L'incidence est plus élevée chez les hommes, puisqu'ils occupent plus souvent ce genre de travail. L'amputation peut également être indiquée pour certains types de cancer des os affectant une extrémité (p. ex. un ostéosarcome).

58.4.1 Manifestations cliniques

Les caractéristiques cliniques attestant la nécessité d'une amputation dépendent de la maladie sous-jacente ou du traumatisme. Les manifestations qui commandent habituellement l'amputation comprennent l'insuffisance respiratoire qui résulte d'une affection vasculaire périphérique, les accidents traumatiques ou thermiques, les tumeurs malignes, l'infection non contrôlée ou généralisée du membre et les affections congénitales. Ces affections se manifestent par la perte de la sensibilité, une circulation inadéquate, la pâleur, la sudation et une infection locale ou généralisée. Bien que la douleur soit souvent présente, elle ne constitue généralement pas la principale raison de l'amputation. Le problème sous-jacent détermine si l'amputation est urgente ou non urgente.

58.4.2 Épreuves diagnostiques

Les épreuves diagnostiques à effectuer dépendent du problème sous-jacent qui rend l'amputation nécessaire (voir encadré 58.11). Une augmentation du nombre de leucocytes peut révéler la présence d'une infection. Les examens vasculaires comme l'artériographie fournissent de l'information sur l'état circulatoire du membre.

58.4.3 Processus thérapeutique

La possibilité de procéder à une chirurgie de revascularisation plutôt qu'à une amputation est déterminée à partir des épreuves diagnostiques. Si l'on juge que l'amputation n'est pas urgente, la santé générale du client est soigneusement évaluée. On doit surveiller de près l'apparition de maladies chroniques ou d'infections. On doit aider le client et sa famille à comprendre la nécessité de l'amputation et les assurer que la réadaptation peut mener à une vie active et utile. Si l'amputation est pratiquée d'urgence à la suite d'un traumatisme, le traitement est plus compliqué sur les plans physique et émotionnel.

PROCESSUS DIAGNOSTIQUE ET THÉRAPEUTIQUE

Amputation   ENCADRÉ 58.11

Diagnostic
- Examen physique
  - Apparence physique des tissus mous
  - Température de la peau
  - Fonction sensorielle
  - Présence des pouls périphériques
- Artériographie
- Thermographie
- Pléthysmographie
- Échographie Doppler

Processus thérapeutique
- Médical
  - Traitement approprié du processus morbide sous-jacent
  - Stabilisation de la victime d'un traumatisme
- Chirurgical
  - Type d'amputation nécessaire, en laissant le moignon le plus long possible
  - Traitement du moignon
  - Appareillage prothétique
- Réadaptation
  - Coordination de l'appareillage de la prothèse et des exercices d'entraînement à la marche
  - Coordination des programmes de renforcement musculaire et de physiothérapie

L'objectif de l'amputation est de préserver la longueur et la fonction du membre tout en retirant les tissus infectés, pathologiques ou ischémiques. Agir ainsi donne de meilleures possibilités sur les plans prothétique, esthétique et fonctionnel. (La figure 58.18 illustre les niveaux d'amputation pour les membres supérieurs et inférieurs.) Le type d'amputation dépend du motif de la chirurgie. Une amputation fermée est pratiquée pour créer un membre résiduel (ou moignon) sur lequel s'appuyer ; un lambeau de peau rembourré de tissus mous disséqués couvre la partie osseuse antérieure du moignon. Le lambeau de peau est suturé derrière le membre afin qu'il ne se retrouve pas dans la zone de mise en appui. Des soins particuliers sont nécessaires pour éviter l'accumulation de liquide de drainage, lequel peut produire une pression et héberger l'infection. Une **désarticulation** est une amputation pratiquée dans une articulation. L'amputation de Syme est une forme de désarticulation au niveau de la cheville. Une **amputation ouverte** laisse une partie du moignon non couverte de peau. Ce type de chirurgie est généralement indiqué pour maîtriser l'infection réelle ou potentielle. La plaie est généralement fermée plus tard, lors d'une deuxième intervention chirurgicale, ou fermée par une traction cutanée entourant le moignon. Ce type d'amputation est souvent appelé **amputation en section plane**.

58.4.4 Soins infirmiers : amputation

Collecte de données. Des données sur toute maladie préexistante doivent être recueillies, puisque la plupart des amputations sont pratiquées à la suite de troubles vasculaires. L'examen de l'état vasculaire et de l'état neurologique est un élément important de la collecte de données (voir les chapitres 20 et 52).

Diagnostics infirmiers. Les diagnostics infirmiers pour le client ayant subi une amputation comprennent, entre autres, les suivants :
- image corporelle perturbée reliée à l'amputation et à la mobilité restreinte ;
- atteinte à l'intégrité de la peau reliée à l'immobilité et à une prothèse mal ajustée ;
- douleur reliée à l'hallucination du membre fantôme ;
- mobilité physique réduite reliée à l'amputation d'un membre inférieur.

Planification. Les résultats escomptés pour le client amputé sont les suivants : obtenir un soulagement du problème de santé sous-jacent ; connaître une maîtrise satisfaisante de la douleur ; atteindre une capacité de réadaptation maximale avec l'usage de la prothèse (si indiqué) ; réagir efficacement au changement d'image

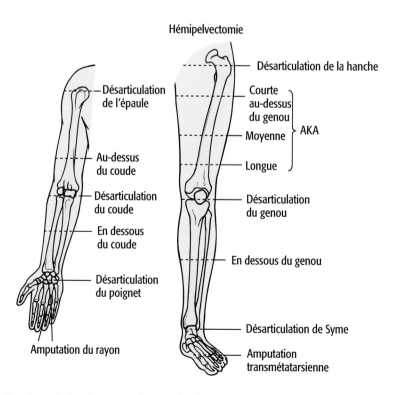

FIGURE 58.18 Localisation et description des niveaux d'amputation des membres supérieurs et inférieurs

corporelle et faire des ajustements satisfaisants à son mode de vie.

Exécution

Promotion de la santé. La plupart des amputations des membres inférieurs découlent d'une maladie vasculaire périphérique alors que la plupart des amputations des membres supérieurs résultent d'un traumatisme grave. Cette constatation éclaire l'enseignement à prodiguer au client pour ce qui est de la prévention de l'amputation. Le fait de maîtriser la maladie vasculaire périphérique, le diabète, l'ostéomyélite chronique et les escarres de décubitus peut éliminer ou retarder la nécessité d'une amputation. Les clients aux prises avec ces problèmes doivent apprendre à examiner soigneusement leurs membres inférieurs tous les jours à la recherche de signes susceptibles de poser un problème. Si le client ne peut assumer cette responsabilité, on doit enseigner cette procédure à un membre de sa famille. Le client et sa famille doivent être avisés de signaler au professionnel de la santé les problèmes comme un changement de coloration ou de température de la peau, une diminution ou une absence de sensibilité, des picotements, de la douleur ou la présence d'une lésion .

L'enseignement sur les mesures de sécurité lors des activités récréatives et de l'exécution d'un travail à risque est une responsabilité première de l'infirmière, surtout pour l'infirmière en santé et sécurité au travail. Cet enseignement permet d'éviter la mutilation d'un membre et l'amputation qui en découle.

Intervention d'urgence. L'infirmière doit reconnaître les implications énormes que représente l'amputation d'un membre inférieur pour le client sur les plans psychologique et social. La perturbation de l'image corporelle que cause l'amputation force souvent le client à passer par des stades psychologiques semblables à ceux du processus de deuil. Pour faciliter l'acceptation de l'amputation, il faut permettre au client de passer par un processus de deuil ou une période de dépression et reconnaître qu'il s'agit là d'une conséquence normale de l'amputation. On doit aussi aider la famille du client à traverser le processus pour qu'elle parvienne à adopter une attitude réaliste et positive face à l'avenir. Les raisons pour lesquelles on pratique une amputation et la capacité de réadaptation dépendent de l'âge, du diagnostic, de la profession, de la personnalité, des ressources et du réseau de soutien.

Traitement préopératoire. Avant l'opération chirurgicale, l'infirmière devrait renforcer les informations qu'ont reçu le client et sa famille concernant la raison de l'amputation, la prothèse proposée et le programme d'entraînement à la marche. En plus des directives préopératoires habituelles, le client qui subit une amputation a besoin d'un enseignement particulier. Pour satisfaire ce besoin, l'infirmière doit connaître le niveau de l'amputation, le type de pansement appliqué après l'opération et le type de prothèse prévu. On doit enseigner au client à faire des exercices pour les membres supérieurs comme des tractions au lit ou des exercices avec le fauteuil roulant afin de renforcer les muscles des bras. Ces exercices sont indispensables à l'usage ultérieur des béquilles et à l'entraînement à la marche. Lorsque c'est possible, l'infirmière devrait enseigner au client la technique de marche avec les béquilles et le type de marche qui sera utilisé après l'opération et lors de l'entraînement à la marche avec la prothèse. Les soins postopératoires généraux, y compris le positionnement, le soutien et les soins du moignon doivent être abordés avec le client. Si la pose d'un pansement compressif après la chirurgie est nécessaire, le client devrait être informé de son utilité et de la façon dont il sera appliqué.

Le client doit être avisé qu'il peut avoir l'impression que le membre amputé est toujours présent après l'opération chirurgicale. Ce phénomène appelé **hallucination du membre fantôme** (une sensation d'endolorissement, de picotement et de démangeaison attribuée au membre amputé) disparaît généralement, mais peut causer une grande inquiétude au client, à moins qu'il n'ait été prévenu. Si le membre affecté était douloureux avant l'opération, le client peut ressentir la douleur du membre fantôme après l'opération. Le client peut avoir une sensation de froideur, de lourdeur, de crampes, de piqûre, de brûlure ou de douleur par écrasement. Cette douleur entraîne souvent beaucoup d'anxiété chez le client, parce qu'il sait que le membre a été amputé, mais que, malgré cela, il ressent toujours la douleur. La douleur du membre fantôme disparaît généralement avec le temps, bien qu'elle puisse devenir chronique. La douleur étant réelle, on doit prévoir des interventions pour la soulager. À mesure que le rétablissement et la marche progressent, la sensation du membre fantôme disparaît généralement.

Traitement postopératoire. Les soins postopératoires généraux pour le client qui a subi une amputation dépendent grandement de son état de santé général, de son âge et de la raison de l'amputation. Les soins infirmiers doivent être individualisés en tenant compte de ces facteurs. À titre d'exemple, l'état respiratoire d'un client âgé doit être surveillé de près ; l'état neurologique d'une victime d'accident d'automobile doit également être surveillé de près.

Au cours de la période postopératoire, l'infirmière est chargée de la prévention et du dépistage des complications. L'infirmière qui vérifie régulièrement les signes vitaux et les pansements du client est en mesure de détecter la présence d'une hémorragie ou d'une infection dans la région où l'opération a eu lieu. L'usage consciencieux d'une technique stérile au cours des changements de pansements réduit le risque d'infection de la plaie et d'interruption de la réadaptation.

Un garrot doit constamment être disponible en cas d'urgence. Si une hémorragie survient, le chirurgien doit en être avisé immédiatement et des efforts pour la maîtriser doivent être entrepris sur-le-champ.

Le chirurgien doit décider du type d'appareillage prothésique qui sera utilisé après l'opération (voir figure 58.19). L'appareillage d'une prothèse provisoire convient aux clients qui ont subi une amputation au-dessus du genou ou en dessous du coude, aux personnes âgées, aux personnes affaiblies et à celles qui présentent une infection. Le moment idéal pour l'appareillage est lorsque le moignon est bien guéri et que l'état général du client le permet. Une prothèse temporaire peut être utilisée afin de permettre un appui partiel sur le membre affecté une fois que les points de suture ont été enlevés. Sauf en cas de problème, le client peut s'appuyer pleinement sur la prothèse permanente environ trois mois après l'amputation.

Les clients ne sont pas tous candidats à une prothèse. Le chirurgien doit discuter franchement avec le client et sa famille des possibilités en ce qui concerne la

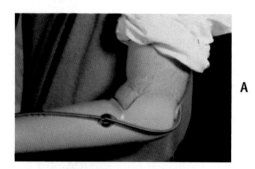

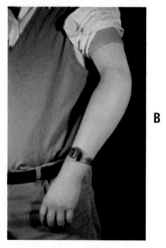

FIGURE 58.19 **Deux types de prothèses. A. Traditionnelle en fibre de verre. B. De nouveaux matériaux et de nouvelles techniques ont permis de fabriquer des fourreaux de prothèse légers, doux, souples et sécuritaires.**

marche. Les clients gravement malades ou affaiblis peuvent ne pas avoir l'énergie nécessaire pour utiliser une prothèse. L'objectif le plus réaliste dans leur cas est peut-être de se déplacer en fauteuil roulant.

Le processus thérapeutique comprend aussi la direction et la coordination du programme de réadaptation destiné aux amputés. La réussite dépend de la santé physique et émotionnelle du client. Les maladies chroniques et l'affaiblissement entravent la réadaptation.

Les contractures en flexion peuvent retarder le processus de réadaptation. La contracture la plus fréquente et la plus débilitante est la contracture en flexion de la hanche. La contracture en adduction de la hanche est rare. Pour prévenir les contractures en flexion, les clients devraient éviter de s'asseoir dans un fauteuil en fléchissant les hanches ou de mettre des oreillers sous le membre opéré. À moins de contre-indication spécifique, le client devrait se coucher sur le ventre pendant 30 minutes trois ou quatre fois par jour et placer la hanche en extension.

Bien bander le moignon favorise le modelage ultérieur de l'appareillage prothétique (voir figure 58.20). Le médecin prescrit généralement l'application d'un bandage compressif immédiatement après l'opération pour soutenir les tissus mous, réduire l'œdème, accélérer la guérison, réduire au minimum la douleur et favoriser le rétrécissement, le modelage et la maturation du moignon. On peut utiliser une bande élastique en rouleau (Velpo) qu'on applique sur le moignon ou un bas de compression élastique qu'on met bien serré sur le moignon et sur la partie inférieure du tronc.

Le bandage compressif est porté en permanence au début, sauf durant la physiothérapie et le bain. Le bandage est enlevé et remis plusieurs fois par jour et on doit s'assurer de bien l'ajuster, sans le serrer au point de gêner la circulation. Les bas de compression doivent être lavés et changés quotidiennement. On recommande que le client ait deux bas de compression de manière à ce qu'il puisse en porter un pendant que l'autre est lavé. Après la guérison, le moignon n'est bandé que lorsque le client ne porte pas la prothèse. Le client doit être avisé de ne pas laisser pendre le moignon depuis le bord du lit afin de réduire au minimum la formation d'œdème.

À mesure que l'état général du client s'améliore, l'infirmière commence à lui enseigner les principes et les techniques de transfert du lit vers le fauteuil et inversement. Les exercices actifs et le conditionnement sont indispensables pour développer l'habileté à la marche. Le programme d'exercices est normalement amorcé sous la surveillance du médecin et du physiothérapeute. L'infirmière doit bien comprendre le programme d'exercices pour le renforcer et s'assurer que les exercices sont exécutés correctement. On doit commencer des exercices d'amplitude actifs pour toutes les articulations après la

Start of second bandage

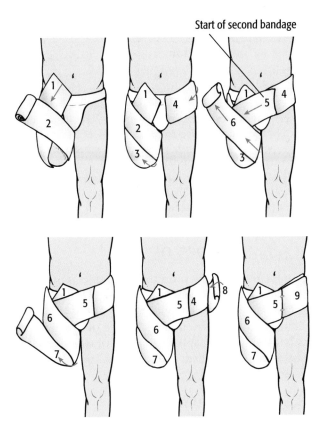

FIGURE 58.20 Bandage du moignon après une amputation au-dessus du genou. Un bandage appliqué en huit couvre progressivement toutes les parties du moignon. Deux bandes élastiques (Velpo) sont nécessaires.

ENSEIGNEMENT AU CLIENT

Suivi d'une amputation   ENCADRÉ 58.12

- Inspecter le moignon chaque jour à la recherche de signes d'irritation cutanée, surtout les rougeurs ou l'abrasion. Prêter une attention particulière aux endroits exposés à la pression.
- Interrompre l'usage de la prothèse si une irritation apparaît. Faire vérifier la région avant d'utiliser à nouveau la prothèse.
- Laver minutieusement le moignon tous les soirs à l'eau chaude avec un savon bactériostatique. Bien rincer et essuyer délicatement. Exposer le moignon à l'air pendant 20 minutes.
- Ne pas faire usage de substances comme les lotions, l'alcool, la poudre ou l'huile, à moins qu'elles ne soient prescrites par le médecin.
- Ne porter qu'un bas qui soit en bon état et fourni par le prothésiste.
- Changer le bas recouvrant le moignon tous les jours. Le laver avec un savon doux, le tordre et le laisser sécher à plat.
- Utiliser les techniques de soulagement de la douleur prescrites.
- Solliciter chaque jour toutes les articulations par des exercices d'amplitude. Exécuter des exercices de renforcement général tous les jours et inclure les membres supérieurs.
- Ne pas élever le moignon en plaçant un oreiller en dessous.
- Se coucher sur le ventre avec la hanche en extension pendant 30 minutes trois ou quatre fois par jour.

chirurgie, dès que le degré de douleur et l'état de santé du client le permettent. En préparation au passage à la mobilité, le client devrait augmenter la force de ses triceps, de ses épaules et l'appui du membre inférieur, et se familiariser avec le nouvel équilibre du corps amputé d'un membre. La perte du poids d'un membre exige une adaptation des mécanismes de proprioception pour éviter les chutes et la frustration.

La marche avec les béquilles commence dès que le client en est physiquement capable. Avant la sortie de l'hôpital, le client et sa famille ont besoin de directives minutieuses quant aux soins du moignon, à la marche, à la prévention des contractures, à l'identification des complications, à l'exercice et aux soins de suivi. L'encadré 58.12 donne un aperçu de l'enseignement au client après une amputation.

Soins ambulatoires et soins à domicile. Le client est prêt à recevoir une prothèse lorsque la guérison se réalise de manière satisfaisante et que le moignon est bien modelé. Marcher avec une prothèse de jambe demande 40 % d'énergie de plus, et une prothèse de cuisse en demande 6 % de plus. Trouver une prothèse

qui convienne à un client suppose de faire entrer en ligne de compte plusieurs facteurs dont l'âge, l'état de santé général, l'intelligence, la motivation, l'occupation et l'aspect financier. Après que le médecin en a fait la recommandation, le client est orienté vers un prothésiste qui commence par faire un moule du moignon et mesurer les points de repère pour la fabrication de la prothèse. Le fourreau du moignon moulé permet à celui-ci de bien s'ajuster à la prothèse. Le moignon est recouvert d'un bas spécialement conçu à cet effet pour assurer un bon ajustement et prévenir la détérioration des tissus cutanés. Le moignon peut continuer à rétrécir et rendre l'ajustement lâche, ce qui nécessite la fabrication d'un nouveau fourreau. Le client peut avoir besoin qu'on ajuste la prothèse pour prévenir les frottements et la friction entre le moignon et le fourreau. Les mouvements excessifs que cause une prothèse lâche peuvent provoquer une grave irritation de la peau et une détérioration des tissus cutanés.

La prothèse est posée par le prothésiste qui peut également enseigner à la personne amputée comment l'utiliser pour marcher. Il est important que l'infirmière se familiarise avec le programme d'entraînement pour encourager et aider le client. Apprendre à marcher avec une prothèse est frustrant et le client peut se décourager facilement. L'infirmière doit continuellement offrir son soutien, jusqu'à ce que le client puisse se débrouiller seul.

Le membre artificiel devient une partie intégrante de l'image corporelle du client. Des soins adéquats lui assurent une longévité et un bon fonctionnement. On doit enseigner au client à laver le fourreau de la prothèse tous les jours avec un savon doux et à bien le rincer pour enlever les irritants. Les parties en cuir et en métal ne devraient pas être mouillées. On doit conseiller au client de faire entretenir sa prothèse régulièrement. L'état de la chaussure doit également être considéré. Une chaussure très usée modifie la marche et risque d'endommager la prothèse.

L'orientation vers l'infirmière du CLSC peut favoriser une adaptation optimale tant sur le plan physique qu'émotionnel. Les techniques de marche et de transfert et les soins à prodiguer au moignon doivent être enseignées à la famille.

Évaluation. Les résultats escomptés chez le client ayant subi une amputation sont les suivants :
- l'acceptation de la nouvelle image corporelle et l'intégration des changements au mode de vie ;
- l'absence de signe de détérioration des tissus cutanés ;
- la diminution ou l'absence de douleur ;
- la mobilité dans les limites qu'impose l'amputation.

58.4.5 Facteurs à considérer lors de l'amputation d'un membre supérieur

Les conséquences émotionnelles de l'amputation d'un membre supérieur sont souvent plus dévastatrices que celles de l'amputation d'un membre inférieur. Beaucoup de clients manchots trouvent à la fois frustrant et humiliant d'être forcés de dépendre des autres. Parce que la plupart des amputations des membres supérieurs résultent d'un traumatisme, le client n'a pas l'occasion de s'adapter psychologiquement à l'amputation ni de participer au processus de décision.

L'appareillage provisoire est possible pour une personne qui a subi une amputation au-dessous du coude. L'appareillage prothésique est retardé pour les personnes ayant subi une amputation au-dessus du coude. La prothèse fonctionnelle la plus couramment utilisée est constituée d'un bras et d'un crochet. Une main artificielle est offerte, mais sa valeur sur le plan fonctionnel est limitée. Comme pour la prothèse du membre inférieur, la motivation et l'endurance du client sont cruciaux à l'obtention de résultats satisfaisants.

Amputation | ENCADRÉ 58.13

Chez une personne âgée, la capacité de marche antérieure du client influe sur la durée de récupération après une amputation. Marcher avec une prothèse exige beaucoup d'énergie. Les personnes âgées dont la santé générale est affaiblie par des affections, comme les maladies cardiaques ou pulmonaires, peuvent ne pas satisfaire aux conditions requises pour porter une prothèse. La capacité de marcher de ce client sera limitée. Il faudrait, avant l'intervention chirurgicale et dans la mesure du possible, étudier la question avec le client et la famille pour établir des attentes réalistes.

58.5 CANCER DES OS

Les tumeurs osseuses primitives malignes sont rares chez l'adulte et représentent moins de 1 % des décès attribués au cancer. Elles sont caractérisées par une prolifération rapide de métastases et une destruction du tissus osseux. Elles apparaissent le plus souvent au cours de la période allant de l'enfance à l'âge adulte.

58.5.1 Myélome multiple

Chez l'adulte, le myélome multiple (myélome des cellules plasmatiques) est la tumeur osseuse primitive la plus fréquente. C'est une tumeur maligne des cellules plasmatiques qui cause une infiltration générale et une destruction de la moelle osseuse, ce qui produit une ostéolyse dans tout le système squelettique. Les os les plus fréquemment touchés sont ceux dont la moelle est active comme le squelette axial, le sternum, les côtes, la colonne vertébrale, les clavicules, le crâne, le bassin et les os longs. Les douleurs dorsales, l'anémie, la thrombocytopénie et la tendance aux saignements en sont les symptômes révélateurs. Le diagnostic du myélome multiple est confirmé par la biopsie ou la ponction de la moelle osseuse. Le pronostic est sombre, parce que la maladie envahit généralement le squelette axial avant que le diagnostic ne soit confirmé. Le traitement chimiothérapeutique du myélome multiple a une utilité limitée ; il est principalement dirigé vers la suppression de la croissance des cellules plasmatiques. La radiothérapie peut diminuer la douleur. Les corticostéroïdes sont couramment employés en concomitance avec le melphalan (Alkeran), la vincristine ou la doxorubicine (Adriamycin). (Le chapitre 19 traite aussi du myélome multiple.)

58.5.2 Ostéosarcome

L'ostéosarcome est une tumeur osseuse primitive extrêmement maligne qui est caractérisée par la croissance rapide de métastases. Elle apparaît généralement dans la région métaphysaire des os longs, en particulier dans la région du fémur distal, du tibia proximal et de l'humérus proximal de même que dans les os du bassin. L'ostéosarcome est la tumeur osseuse maligne la plus fréquente chez les enfants et les jeunes adultes ; son incidence la plus élevée se situe dans le groupe d'âge des 10 à 25 ans. Elle se manifeste surtout chez les hommes. L'ostéosarcome secondaire se développe chez les adultes de plus de 60 ans et il est le plus souvent associé à la maladie osseuse de Paget.

Les manifestations cliniques de l'ostéosarcome sont généralement associées à des antécédents de traumatismes mineurs, de douleur et d'œdème dont le début est graduel, surtout autour du genou. Le traumatisme ne cause pas la tumeur, mais sert plutôt à faire découvrir et à soigner l'affection préexistante. La tumeur croît rapidement et fait augmenter visiblement la taille de la région affectée, ce qui peut restreindre les mouvements articulaires si la lésion est près d'une structure articulaire. La biopsie, l'élévation de la phosphatase alcaline sérique et du taux de calcium, les résultats des radiographies, de la tomodensitométrie et de l'IRM confirment le diagnostic.

D'importants progrès continuent d'être faits dans le traitement de l'ostéosarcome. La chimiothérapie préopératoire (néoadjuvante) diminue la taille de la tumeur, et on pratique donc plus souvent des interventions de sauvetage du membre, notamment la résection large de la tumeur. L'amputation peut s'avérer nécessaire selon la taille et le foyer de la tumeur. Le recours à la chimiothérapie d'appoint après une amputation a fait augmenter à 60 % le taux de survie estimé à cinq ans.

58.5.3 Ostéoclastome

L'ostéoclastome (ou myéloplaxome) vrai (tumeur à cellules géantes) est une tumeur destructrice qui prend naissance dans les extrémités spongieuses des os long chez les jeunes adultes. La plupart (98 %) de ces différentes tumeurs à cellules géantes sont bénignes. Elles surviennent le plus souvent à l'âge de 20 à 35 ans. Elles siègent ordinairement sur les extrémités distales du fémur, sur le tibia proximal et le radius distal. La tumeur à cellules géantes est une lésion à destruction locale dont la croissance s'étend sur une période allant de quelques mois à plusieurs années. Les manifestations cliniques sont généralement l'œdème, la douleur locale et une certaine perturbation de la fonction articulaire. Les signes radiographiques de l'ostéoclastome sont variables, mais les radiographies révèlent généralement des régions de destruction osseuse locale et une expansion possible des extrémités osseuses. Le traitement comprend d'abord une biopsie pour poser le diagnostic, laquelle est suivie d'un curetage de la lésion et d'une greffe osseuse. Après le traitement, le risque de

récurrence est supérieur à 50 %. La récurrence de l'ostéoclastome peut rendre l'amputation nécessaire. Les progrès de la chimiothérapie ont amélioré le taux de survie.

58.5.4 Sarcome d'Ewing

Le sarcome d'Ewing est au quatrième rang des tumeurs osseuses malignes primitives les plus fréquentes et se manifeste le plus souvent chez les clients masculins de moins de 30 ans. Cette tumeur est caractérisée par sa croissance rapide au sein de la cavité médullaire des os longs, surtout le fémur, l'humérus, le bassin, le tibia et les côtes. Les métastases surviennent tôt et les poumons sont leur siège le plus fréquent. Le recours à la radiothérapie, à l'excision chirurgicale et à la chimiothérapie a augmenté à 70 % le taux de survie estimé à cinq ans. Les signes habituels sont la douleur locale progressive, l'œdème, la présence d'une masse de tissus mous perceptible, l'augmentation visible de la taille de la partie affectée, la fièvre et la leucocytose. Les radiographies montrent initialement une destruction périostée. Le traitement nécessite généralement la radiothérapie et une résection large de la tumeur ou l'amputation. Les agents chimiothérapeutiques ordinairement utilisés sont le cyclophosphamide (Cytoxan), la vincristine, l'ifosfamide (Ifex) et la doxorubicine (Adriamycin). Les nouvelles techniques chimiothérapeutiques ont tenu promesse en augmentant le taux de survie. La résection de la tumeur diminue le taux de récurrence.

58.5.5 Lésions osseuses métastatiques

Le type de tumeur osseuse maligne le plus fréquent est celui qui découle des métastases d'une tumeur primitive. La tumeur primitive siège ordinairement au niveau du sein, du tractus intestinal, des poumons, de la prostate, des reins, des ovaires et de la thyroïde. Les lésions osseuses métastatiques s'observent généralement au niveau des vertèbres, du bassin, du fémur, de l'humérus ou des côtes. Les fractures pathologiques à l'emplacement des métastases sont fréquentes, vu la faiblesse de l'os affecté.

Une fois qu'une première lésion a été isolée, on procède souvent à une scintigraphie osseuse pour dépister la présence des lésions métastatiques avant qu'elles ne soient visibles aux radiographies. Les lésions osseuses métastatiques peuvent survenir à n'importe quel moment (même des années plus tard) à la suite du diagnostic et du traitement de la tumeur primitive. Des métastases osseuses doivent être soupçonnées chez tout client qui présente une douleur osseuse locale et des antécédents de cancer. Le traitement peut être palliatif et consister en un soulagement de la douleur et de la radiothérapie. La stabilisation chirurgicale de la fracture peut être indiquée s'il y a fracture ou si l'on s'attend à une fracture. Le pronostic dépend de l'étendue des métastases et de leur siège.

58.5.6 Soins infirmiers : cancer des os

Collecte de données. On doit déterminer le siège et l'intensité de la douleur chez le client atteint d'un cancer des os. La faiblesse que cause l'anémie et l'augmentation de l'affaiblissement doivent être notées. L'œdème au site de la tumeur et la diminution de la fonction articulaire selon le siège de la tumeur doivent aussi être notés.

Diagnostics infirmiers. Les diagnostics infirmiers pour le client atteint d'un cancer des os comprennent, entre autres, les suivants :

- douleur reliée au processus morbide, à une analgésie inadéquate ou à des mesures de confort inefficaces ;
- mobilité physique réduite reliée au processus morbide, à la douleur, à la faiblesse et à l'affaiblissement ;
- image corporelle perturbée reliée à l'amputation éventuelle, à la déformation, à l'oedème et aux effets de la chimiothérapie ;
- deuil anticipé relié au pronostic sombre de la maladie ;
- risque de trauma (de fractures pathologiques) relié au processus morbide, à une manipulation inadéquate ou à une mauvaise position de la partie du corps affectée.

Planification. Les résultats escomptés chez le client atteint d'un cancer des os sont les suivants : connaître un soulagement satisfaisant de la douleur ; maintenir ses activités préférées le plus longtemps possible ; démontrer une acceptation des changements à l'image corporelle à la suite de la chimiothérapie, de la radiothérapie et de la chirurgie ; ne pas se blesser ; avoir et exprimer une opinion réaliste sur l'évolution de la maladie et son pronostic.

Exécution
Promotion de la santé. L'infirmière devrait enseigner aux gens comment reconnaître les signes avant-coureurs du cancer des os, y compris l'œdème, la douleur osseuse d'origine inconnue, la limitation de la fonction articulaire et les changements de la température cutanée. Comme pour toutes les formes de cancer, la promotion de la santé devrait souligner l'importance de passer des examens périodiquement.

Intervention d'urgence. Les soins infirmiers destinés au client atteint d'une tumeur osseuse maligne ne diffèrent pas beaucoup de ceux donnés au client présentant une affection maligne de n'importe quel autre système corporel. La réduction des complications associées à l'alitement prolongé et la prévention des fractures pathologiques exigent toutefois une attention particulière. Le client est souvent peu disposé à participer aux activités thérapeutiques à cause de sa faiblesse et de la crainte de la douleur. On doit prévoir des périodes régulières de repos entre les activités. Le membre affecté doit être manipulé avec précaution afin de prévenir les fractures pathologiques. Comme pour toutes les formes de cancer, la promotion de la santé devrait souligner l'importance de passer des examens périodiquement.

Soins ambulatoires et à domicile. L'infirmière doit être en mesure d'aider le client à accepter le pronostic réservé associé à la tumeur osseuse. L'incapacité d'accomplir les tâches développementales associées à l'âge peut augmenter les frustrations qu'entraîne cet état pathologique. Les principes généraux des soins infirmiers destinés aux cancéreux s'appliquent (voir chapitre 9). Il est nécessaire de prêter une attention particulière aux problèmes reliés à la douleur et au dysfonctionnement, à la chimiothérapie et aux opérations chirurgicales spécifiques telles la décompression de la moelle épinière ou l'amputation.

Évaluation. Les résultats escomptés chez le client atteint d'un cancer des os sont les suivants :
- le minimum de douleur ;
- l'absence de chute ;
- l'absence de fractures pathologiques ;
- une capacité fonctionnelle maximale.

58.6 LOMBALGIE

58.6.1 Étiologie et physiopathologie
En Amérique du Nord, la lombalgie est fréquente et affecte environ 80 % des adultes au moins une fois dans leur vie. Dans l'industrie, la lombalgie est responsable d'un plus grand nombre d'heures d'arrêt de travail que tout autre état pathologique et représente l'un des problèmes de santé les plus coûteux.

Divers facteurs de risque sont associés à la lombalgie, dont le manque de tonus musculaire, l'excès pondéral, la mauvaise posture, la cigarette et le stress. Les métiers dans lesquels il faut soulever des objets lourds d'une manière répétitive ou qui produisent des vibrations incessantes (comme celui de foreur au marteau piqueur) et les longues périodes en position assise sont également associés à la lombalgie.

La douleur dans la région lombaire est un problème fréquent, parce que cette région porte la plus grande partie du poids corporel, est la plus souple de la colonne vertébrale, contient des racines nerveuses qui sont vulnérables aux blessures ou aux maladies et possède une structure biomécanique essentiellement faible.

La lombalgie est le plus souvent provoquée par un problème de l'appareil locomoteur. Cependant, on ne doit pas négliger d'autres causes comme les problèmes d'ordre métabolique, circulatoire, gynécologique, urologique ou psychologique qui peuvent diriger la douleur vers la région lombaire. Les causes de la lombalgie d'origine musculo-squelettique comprennent la foulure lombo-sacrée aiguë, l'instabilité du mécanisme lombo-sacré, l'arthrose des vertèbres lombo-sacrées, la dégénérescence discale et la hernie discale. Elles sont généralement provoquées par une surcharge des muscles paravertébraux. La hernie du noyau gélatineux est une autre cause fréquente de lombalgie.

58.6.2 Lombalgie aiguë

La lombalgie aiguë est généralement associée à certains types d'activités susceptibles de causer un stress exagéré aux tissus de la région lombaire. Souvent, les symptômes n'apparaissent pas au moment de la blessure, mais plus tard à cause de l'augmentation progressive des contractures des muscles paravertébraux. Peu de diagnostics formels d'anomalie sont présents dans la surcharge des muscles paravertébraux. Le test de l'élévation de la jambe en extension peut entraîner une douleur dans la région lombaire sans irradiation le long du nerf grand sciatique.

Processus thérapeutique. Si les spasmes musculaires ne sont pas graves, le client peut être traité en clinique externe par l'association des éléments suivants : des analgésiques ; des AINS ; des myorelaxants (p. ex. la cyclobenzaprine [Flexeril] et l'usage d'un corset. Le corset prévient la rotation, la flexion et l'extension de la région lombaire.

Si les spasmes sont graves, une brève période de repos à la maison est recommandée. Comme la station debout aggrave les contractures des muscles paravertébraux, le repos au lit est le premier traitement pour la lombalgie aiguë grave, mais le client peut se lever pour aller aux toilettes. Le repos au lit est maintenu jusqu'à ce que le client puisse bouger et se tourner d'un côté à l'autre avec un minimum d'inconfort. À partir de ce moment, on augmente progressivement les activités. Lorsque la médication orale élimine la douleur, un programme progressif de physiothérapie est entrepris pour que la région lombaire retrouve sa mobilité et sa force.

Si le traitement conservateur est inefficace et que l'irritation d'une racine nerveuse est la cause de la douleur, on peut faire une injection épidurale de corticostéroïdes. Une aiguille est insérée dans l'espace épidural pour l'injection d'un corticostéroïde combiné à un anesthésique local. Les corticostéroïdes épiduraux sont efficaces pour la réduction de la douleur, l'accélération du retour de la fonction et l'amélioration des signes neurologiques objectifs. Ils le sont surtout chez les clients qui souffrent d'une douleur aiguë plutôt que chronique et chez ceux qui souffrent d'une douleur radiculaire et qui ne sont pas candidats à la chirurgie. Les injections épidurales consistent d'ordinaire en une série d'une à trois injections sur une période allant de plusieurs jours à plusieurs semaines.

Soins infirmiers : lombalgie aiguë

Collecte de données. Les données subjectives et objectives à recueillir auprès du client souffrant de lombalgie sont présentées dans l'encadré 58.14.

Diagnostics infirmiers. Quelques-une des diagnostics infirmiers pour le client souffrant de lombalgie sont ceux présentés dans l'encadré 58.15.

COLLECTE DE DONNÉES

Lombalgie

ENCADRÉ 58.14

Données subjectives

Information importante concernant la santé
- Antécédents de santé : surcharge lombo-sacrée aiguë ou chronique, arthrose, dégénérescence discale, obésité
- Médicaments : utilisation d'analgésiques, de myorelaxants, d'anti-inflammatoires non stéroïdiens (AINS), de corticostéroïdes, de médicaments en vente libre
- Chirurgie ou autres traitements : chirurgie antérieure au dos, injections épidurales de corticostéroïdes

Modes fonctionnels de santé
- Mode perception et gestion de la santé : tabagisme, manque d'exercice
- Mode nutrition et métabolisme : obésité
- Mode activités et exercices : mauvaise posture, spasmes musculaires, intolérance à l'activité
- Mode élimination : constipation
- Mode sommeil et repos : sommeil interrompu
- Mode cognition et perception : douleur au dos, aux fesses ou aux jambes associée à la marche, à la rotation, à l'effort, à la toux, à l'élévation de la jambe ; engourdissement ou picotements dans les jambes, les pieds, les orteils
- Mode relation et rôle : travail dans lequel il faut soulever des objets lourds ou produisant des vibrations ou conduite automobile prolongée

Données objectives

Généralités
- Mouvements prudents

Système neurologique
- Diminution ou absence du réflexe achilléen, test de l'élévation de la jambe en extension positif

Appareil locomoteur
- Muscles paravertébraux tendus à la palpation, diminution de l'amplitude articulaire de la colonne

Résultats possibles
- Localisation du siège de la lésion à l'aide de la myélographie, de la tomodensitométrie ou de l'IRM ; détermination de l'irritation nerveuse à l'aide de l'électromyographie.

Plan de soins infirmiers

Client souffrant de lombalgie
Traitement en phase aigue

DIAGNOSTIC INFIRMIER : douleur aiguë reliée à la hernie du noyau gélatineux, aux spasmes musculaires et aux mesures de confort inefficaces se manifestant par la douleur exprimée par le client lorsqu'il bouge, des mouvements prudents, des spasmes musculaires visibles, une diminution de l'activité physique et une douleur supérieure à 2 sur une échelle de 1 à 5.

PLANIFICATION
Résultats escomptés
- Diminution de la douleur et des spasmes musculaires ou absence de douleur et de spasmes musculaires.
- Verbalisation de la satisfaction du client pour ce qui est du soulagement de la douleur (douleur évaluée à 2 ou moins sur une échelle de 1 à 5).

INTERVENTIONS	Justifications
• Évaluer le siège, l'intensité et les circonstances de la douleur.	• Élaborer les interventions qui s'imposent.
• Utiliser une échelle de douleur et évaluer les interventions de soulagement de la douleur.	• Déterminer les mesures thérapeutiques à apporter.
• Imposer la réduction de l'activité.	• Réduire les spasmes musculaires paravertébraux et la douleur qui en résulte.
• Garder la tête du lit élevée à 20 degrés et le pied incliné.	• Favoriser le confort en réduisant la sollicitation des muscles de la région lombaire.
• Maintenir la traction pelvienne correctement alignée tel qu'il est prescrit.	• Réduire les spasmes musculaires.
• Appliquer de la chaleur humide ou de la glace sur la région lombaire.	• Réduire la douleur, obtenir un soulagement constant et diminuer les spasmes musculaires.
• Administrer des analgésiques, des anti-inflammatoires non-stéroïdiens ou des myorelaxants tel qu'il est prescrit et régulièrement s'il y a lieu ; noter leur degré d'efficacité dans l'amélioration du confort du client.	

DIAGNOSTIC INFIRMIER : mobilité physique réduite reliée à la douleur se manifestant par une amplitude articulaire active limitée, une restriction des mouvements et des spasmes musculaires.

PLANIFICATION
Résultats escomptés
- Démarche sans restriction.
- Marche dans les limites normales.
- Reprise du niveau de mobilité antérieur.
- Exécution des exercices prescrits.

INTERVENTIONS	Justifications
• Faire faire des exercices d'amplitude et de renforcement musculaire au client tous les jours.	• Renforcer les muscles de soutien et maintenir l'amplitude normale de toutes les articulations.
• Amorcer le programme de marche et poursuivre avec de l'aide.	• Favoriser le retour graduel au niveau de mobilité antérieur.
• Éviter de faire se pencher ou s'asseoir le client ou de lui faire soulever des objets.	• Prévenir le lumbago et l'augmentation de la douleur.
• Signaler la douleur aux jambes ou au dos et les changements de sensibilité.	• Indiquent une pression intradiscale lombo-sacrée grave et une atteinte du nerf grand sciatique.
• Fournir des instructions écrites qui décrivent les exercices et les activités possibles et le numéro de téléphone à composer pour toute question.	

Plan de soins infirmiers

Client souffrant de lombalgie (*suite*)
Traitement si chronicité

DIAGNOSTIC INFIRMIER : douleur chronique reliée à l'évolution du problème se manifestant par les affirmations du client ou la présence de douleur depuis plus de six mois.

PLANIFICATION
Résultats escomptés
- Élaboration de méthodes efficaces pour soulager la douleur.
- Verbalisation de la satisfaction du client pour ce qui est des mesures de soulagement de la douleur.

INTERVENTIONS	Justifications
• Évaluer les différentes techniques de soulagement de la douleur et leur efficacité.	• Cerner le problème et élaborer les interventions qui s'imposent.
• Utiliser une échelle de douleur.	• Évaluer la douleur et les interventions pour la soulager.
• Enseigner au client et à la famille les soins à domicile et des méthodes de maîtrise de la douleur, notamment l'usage de la chaleur, du neurostimulateur transcutané (TENS) et des massages.	• Fournir de l'information sur les autres méthodes de soulagement de la douleur.
• Éviter les activités fatigantes.	• Elles augmentent la douleur.
• Aider à reconnaître les activités qui exacerbent la douleur.	• Faire des ajustements au mode de vie et réduire la douleur.

DIAGNOSTIC INFIRMIER : stratégies d'adaptation inefficaces reliées à l'effet de la douleur chronique sur le mode de vie se manifestant par la verbalisation de l'incapacité de réagir efficacement, l'irritabilité, la tension, l'incapacité de satisfaire les attentes quant aux rôles, la modification de la participation aux activités sociales et culturelles, l'usage inefficace ou inapproprié des mécanismes de défense.

PLANIFICATION
Résultat escompté
- Retour au niveau antérieur de mode de vie et de travail ou adaptation réussie au changement de mode de vie.

INTERVENTIONS	Justifications
• Expliquer les facteurs qui peuvent contribuer à l'apparition d'un comportement inapproprié en matière d'adaptation.	• Communiquer l'information et montrer de l'empathie.
• Expliquer comment créer des habiletés et des activités thérapeutiques axées sur l'adaptation qui augmentent l'estime de soi et l'interaction sociale.	• Favoriser les comportements efficaces en matière d'adaptation et l'ajustement à la douleur chronique.
• Examiner la nature chronique de la douleur et le besoin de l'ajuster au mode de vie du client.	• Éviter les tentatives répétées et démoralisantes d'élimination de la douleur.

DIAGNOSTIC INFIRMIER : prise en charge inefficace du programme thérapeutique reliée au manque de connaissances concernant la posture, l'exercice, la mécanique corporelle et l'amaigrissement se manifestant par le manque de connaissances nécessaires pour participer au plan de soins, la compréhension insuffisante ou le mauvais suivi des instructions données.

PLANIFICATION
Résultats escomptés
- Utilisation d'une mécanique corporelle adéquate en tout temps.
- Maintien du poids dans les limites normales.
- Maintien des activités et de la marche appropriée à l'âge et à l'état de santé.

INTERVENTIONS	Justifications
• Évaluer la mécanique corporelle.	• Repérer les techniques incorrectes et intervenir de manière appropriée.
• Enseigner au client la bonne mécanique corporelle et lui conseiller d'utiliser un matelas ferme ou de mettre une planche matelas sous celui-ci.	• Réduire le risque de nouvelles blessures, assurer un soutien au dos et maintenir le bon alignement du corps.

→ Plan de soins infirmiers

Client souffrant de lombalgie (*suite*)

- Évaluer s'il y a diminution de la force musculaire.
- Orienter le client vers un physiothérapeute.

- Encourager l'activité et la marche à l'intérieur des limites prescrites.
- Enseigner au client comment maigrir ou l'orienter vers un diététiste s'il est indiqué de le faire.

- Dépister les complications et modifier le plan de soins.
- Renforcer les muscles de la région lombaire, développer les muscles abdominaux et paravertébraux et assurer un soutien accru.
- Maintenir la mobilité physique et réduire au minimum les effets de complaisance dans un rôle de « malade ».
- L'augmentation du poids de l'abdomen fatigue la région lombaire.

DIAGNOSTIC INFIRMIER : image corporelle perturbée reliée à l'altération de la mobilité et à la douleur chronique se manifestant par des déclarations négatives sur le corps, des changements dans la participation à la vie sociale ou dans les relations et des propos désespérés.

PLANIFICATION
Résultat escompté
- Image de soi positive.

INTERVENTIONS	Justifications
• Assurer le soutien psychologique, l'écoute active et l'encouragement.	• Prévenir l'apparition d'une image corporelle négative.
• Aider le client à devenir aussi autonome que possible.	• Éviter qu'il ne se complaise dans la maladie.
• Orienter le client vers des groupes de soutien locaux ou vers un psychologue.	• Assurer l'ajustement thérapeutique.

Planification. Les résultats escomptés chez le client souffrant de lombalgie sont les suivants : connaître un soulagement satisfaisant de la douleur ; éviter la constipation secondaire aux médicaments et à l'immobilité ; apprendre les techniques de protection du dos ; retrouver le niveau d'activité antérieur dans les limites des restrictions prescrites.

Exécution.
Promotion de la santé. En plus de lui enseigner certaines techniques, l'infirmière présente un modèle de comportement au client souffrant de lombalgie. En tant que modèle, l'infirmière devrait toujours utiliser une bonne mécanique corporelle. Ce devrait être sa principale préoccupation lorsqu'elle enseigne au client ou au soignant les techniques de transfert et de rotation. L'infirmière devrait étudier la manière dont le client utilise la mécanique corporelle et lui donner des conseils lorsqu'il effectue des activités susceptibles de fatiguer le dos (voir encadré 58.16).

On doit diriger le client en physiothérapie ou lui enseigner comment réduire au minimum la dorsalgie et éviter les épisodes répétées de lombalgie. L'encadré 58.16 présente une liste de conseils pour prévenir les blessures au dos. Des exercices pour renforcer le dos sont présentés dans l'encadré 58.17.

Le client est également avisé de maintenir un poids santé. Un excès pondéral fatigue davantage la région lombaire et affaiblit les muscles abdominaux qui la soutiennent.

La position prise pendant le sommeil intervient aussi dans la prévention de la lombalgie. Le client devrait éviter de dormir en décubitus ventral parce que cette position entraîne une hyperlordose lombaire et fatigue énormément la région lombaire. Un matelas ferme est recommandé. Le client devrait dormir soit sur le dos, soit sur le côté en pliant les genoux et les hanches afin de prévenir la pression inutile sur les muscles de soutien, les ligaments et les articulations lombo-sacrées. Le client devrait être encouragé à éviter ou à cesser de fumer. Il a été démontré que la nicotine réduit la circulation discale et qu'il existe un rapport de cause à effet entre l'usage de la cigarette et certains types de lombalgie.

Intervention d'urgence. En cas de lombalgie aiguë, l'infirmière doit d'abord aider le client à limiter son activité, à favoriser son confort et le renseigner quant à son problème de santé et aux exercices à faire. L'encadré 58.15 indique les autres interventions infirmières. Pour favoriser le confort, l'administration d'analgésiques, d'anti-inflammatoires non stéroïdiens et

Douleurs dans la région lombaire ENCADRÉ 58.16

À ne pas faire

- Se pencher en avant sans plier les genoux
- Soulever n'importe quoi au-dessus du niveau des coudes
- Rester debout dans la même position pendant un long moment
- Dormir sur le ventre, sur le dos ou sur le côté sans replier les jambes
- Faire de l'exercice sans consulter le professionnel de la santé si la douleur est intense
- Dépasser le nombre et le type d'exercices prescrits sans consulter le professionnel de la santé

À faire

- Empêcher la région lombaire de se déformer vers l'avant en mettant un pied sur une marche ou un tabouret lorsqu'on est debout pendant de longues périodes
- Dormir sur le côté en pliant les genoux et les hanches
- Dormir sur le dos avec les genoux et les jambes surélevés ou sur le dos avec un oreiller de 25 cm sous les genoux pour faire plier les hanches et les genoux
- S'asseoir dans un fauteuil avec les genoux plus haut que les hanches et poser les bras sur les bras du fauteuil ou sur les genoux
- Faire régulièrement de l'exercice 15 minutes le matin et 15 minutes le soir ; commencer les exercices par une période de réchauffement de deux ou trois minutes en bougeant les bras et les jambes, en contractant et relâchant les muscles alternativement ; faire les exercices lentement en faisant des mouvements doux, suivant l'avis du physiothérapeute
- Éviter les refroidissements pendant et après l'exercice
- Maintenir un poids santé
- Utiliser un coussin de soutien lombaire cylindrique ou un oreiller pour s'asseoir.

de myorelaxants ainsi que le recours à la thermothérapie (glace et chaleur) sont incorporés au plan de soins.

Des étirements et des exercices de renforcement peuvent également être inclus au plan de traitement. Bien que ce soit souvent le physiothérapeute qui enseigne les exercices, il incombe à l'infirmière de s'assurer que le client comprend le type d'exercices prescrits et la fréquence à laquelle il doit les faire, de même que les raisons du programme.

Soins ambulatoires et à domicile. L'objectif du traitement est de faire de l'épisode de lombalgie aiguë un incident isolé. Si le mécanisme lombaire est instable, on peut s'attendre à des épisodes répétés. L'obésité, une mauvaise posture, un soutien musculaire médiocre, l'âge avancé du sujet ou un traumatisme local peuvent rendre la colonne lombo-sacrée incapable de satisfaire à la demande sans se fatiguer. Les interventions visent à

renforcer les muscles de soutien en faisant de l'exercice et en utilisant un corset pour limiter les mouvements extrêmes. La perte de poids diminue également la sollicitation mécanique de la région lombaire.

L'usage persistant d'une mécanique corporelle médiocre peut se traduire par des épisodes répétés de lombalgie. Si la fatigue est reliée au type de travail, il est conseillé de consulter un orienteur professionnel. La frustration, la douleur et l'incapacité infligées au client qui souffre de lombalgie exigent de l'infirmière qu'elle offre un soutien émotionnel et des soins empathiques.

Évaluation. Les résultats escomptés chez le client souffrant de lombalgie sont présentés dans l'encadré 58.15.

58.6.3 Lombalgie chronique

Étiologie et physiopathologie. Les causes de la lombalgie chronique comprennent la dégénérescence discale, le manque d'exercice physique, les blessures antérieures, l'obésité, les anomalies posturales et structurales et les maladies systémiques. La dégénérescence structurale du disque intervertébral se traduit par une discopathie dégénérative qui se manifeste par la lombalgie. Cette dégénérescence peut aussi survenir dans la région de la colonne cervicale. La dégénérescence entraîne un pincement discal et une diminution de l'efficacité du disque à agir comme amortisseur. Cette inefficacité cause de petites déchirures à l'anneau fibreux du disque, ce qui prédispose le client à une hernie du noyau gélatineux. Le disque en dégénérescence continue d'être sollicité jusqu'à ce que, finalement, la contrainte dépasse

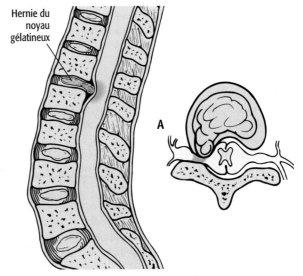

FIGURE 58.21 Compression de la moelle épinière causée par une hernie du noyau gélatineux. A. Pression contre les nerfs au moment de quitter le canal rachidien.

ENSEIGNEMENT AU CLIENT

Exercices pour le dos

ENCADRÉ 58.17

Levée des genoux contre la poitrine (pour étirer les hanches, les fesses et les muscles lombaires)
- S'allonger avec les genoux pliés et les pieds à plat sur le plancher
- Ramener les deux genoux vers la poitrine
- Saisir les genoux avec les mains et les tirer fermement contre la poitrine ; garder la position pendant 30 secondes
- Baisser les jambes et reprendre la position de départ
- Répéter 5 à 10 fois

Levée de la jambe
- S'allonger avec le genou gauche plié et le pied gauche à plat sur le plancher
- Lever la jambe droite le plus haut possible sans que la douleur ne se manifeste
- Compter jusqu'à 5 et relâcher
- Ramener lentement la jambe au sol
- Plier le genou droit et mettre le pied droit à plat sur le sol
- Lever la jambe gauche, compter jusqu'à 5 et relâcher
- Répéter 5 à 10 fois avec chaque jambe

Levée des deux jambes
- S'allonger
- Lever lentement les jambes jusqu'à ce que les pieds soient à 30 cm du sol
- Garder les jambes droites, compter jusqu'à 10 et relâcher
- Ramener les jambes au sol
- Répéter 5 fois

Bascule du bassin
- S'allonger avec les genoux pliés et les pieds à plat sur le plancher
- Serrer fermement les muscles des fesses
- Compter jusqu'à 5
- Relâcher les muscles fessiers
- Répéter 5 à 10 fois
- S'assurer que la région lombaire demeure à plat sur le sol

Semi-redressement assis (pour renforcer les abdominaux)
- S'allonger avec les genoux pliés, les pieds à plat sur le plancher et les mains sur la poitrine
- Lever lentement la tête et le cou au niveau de la poitrine
- Tendre les bras en avant et mettre les mains sur les genoux.
- Compter jusqu'à 5
- Retourner à la position de départ
- Répéter 5 à 10 fois

Appui sur les coudes (pour étirer la région lombaire)
- S'étendre par terre face contre le sol avec les bras le long du corps et la tête tournée d'un côté
- Demeurer dans cette position pendant deux à cinq minutes en s'assurant que la détente est complète
- Demeurer la figure contre le sol et s'appuyer sur les coudes
- Tenir cette position pendant deux à trois minutes
- Revenir à la position de départ et se détendre pendant une minute
- Répéter 5 à 10 fois

Bascule des hanches
- S'allonger avec les genoux pliés
- Plier lentement les jambes et les hanches de manière à les ramener aussi loin que possible d'un côté du corps
- Refaire de l'autre côté
- Répéter 5 fois

Toucher des orteils
- Se tenir debout, droit et détendu
- Pencher la tête et le corps et tenter de toucher le sol avec le bout des doigts
- Ne pas plier les genoux
- Ne pas se contracter ni faire de mouvements brusques vers le sol
- Se pencher seulement aussi loin que possible
- Répéter 5 fois

Extrait de Canobbio, MM : *Mosby's handbook of patient teaching*, St. Louis, 1996, Mosby.

sa résistance et qu'un risque de hernie discale s'ensuive. Le noyau du disque fait hernie et peut comprimer ou exercer une tension sur une racine nerveuse cervico-lombaire ou sacro-rachidienne (voir figure 58.21).

Manifestations cliniques. La hernie discale lombaire se manifeste essentiellement par des douleurs au dos avec des douleurs associées aux fesses et aux jambes qui se répartissent le long du nerf grand sciatique (radiculopathie). (Le tableau 58.9 résume les manifestations spécifiques selon le niveau où se situe la hernie discale lombaire). Le test d'élévation de la jambe sans fléchir le genou peut s'avérer positif. On peut reproduire la douleur au dos et à la jambe en levant celle-ci et en fléchissant le pied à 90 degrés. La douleur au dos provenant d'autres causes n'est pas nécessairement accompagnée de douleur aux jambes. Les réflexes peuvent être diminués ou absents selon la racine nerveuse rachidienne touchée. Le client peut signaler une paresthésie ou une faiblesse musculaire affectant les jambes, les pieds ou les orteils. Une rupture discale dans la région cervicale se manifeste par des raideurs au cou, de la douleur aux épaules qui irradie jusque dans la main, de la paresthésie et des troubles sensoriels au niveau de la main.

Épreuves diagnostiques. Des radiographies sont prises pour déceler toute anomalie structurale. La myélographie, l'IRM ou la tomographie par ordinateur permettent de localiser le siège de la hernie. Une discographie est nécessaire lorsque les autres méthodes de diagnostic se révèlent infructueuses. Un électromyogramme des

TABLEAU 58.9	Évaluation neurologique d'une hernie discale*			
Niveau intervertébral	Douleur subjective	Réflexes atteints	Fonction motrice	Sensation
L3-L4	Du dos à la fesse, à la face postérieure de la cuisse, à la face interne du mollet	Réflexe rotulien	Quadriceps, jambier antérieur	Face interne de la jambe, partie antérieure de la cuisse
L4-L5	Du dos à la fesse, à la face dorsale du pied et du gros orteil	Aucun	Jambier antérieur, long extenseur du gros orteil, muscle moyen fessier	Face dorsale du pied et du gros orteil
L5-S1	Du dos à la fesse, à la plante du pied et au talon	Réflexe achilléen	Muscle gastrocnémien, muscles ischio-jambiers, muscle grand fessier	Talon et face latérale du pied

* Une hernie discale peut entraîner une pression sur plus d'une racine nerveuse.

membres détermine la gravité de l'irritation nerveuse causée par la hernie ou écarte une autre pathologie comme la neuropathie périphérique.

Processus thérapeutique. Le traitement de la discopathie dégénérative est conservateur : repos, limitation des mouvements extrêmes de la colonne (corset), application locale de chaleur ou de glace, ultrasonothérapie, neurostimulation transcutanée (TENS) et AINS. À l'apparition d'une hernie discale, le traitement devient plus énergique (voir encadré 58.18). Le traitement conservateur se traduit parfois par la guérison de la région herniée et la diminution de la douleur entraînée par l'irritation de la racine nerveuse. Les myorelaxants réduisent les spasmes musculaires. Une fois les symptômes disparus, les exercices de renforcement du dos commencent. On doit enseigner au client les principes d'une bonne mécanique corporelle. Les flexions ou les torsions extrêmes sont fortement déconseillées. La plupart des clients souffrant d'une hernie discale se rétablissent avec un traitement conservateur. Cependant, si le traitement conservateur se révèle infructueux et que la radiculopathie s'aggrave progressivement ou qu'il est établi qu'il y a perte du contrôle intestinal et vésical (syndrome de la queue de cheval), l'intervention chirurgicale devient nécessaire.

Traitement chirurgical. La **discectomie percutanée au laser** est une intervention chirurgicale qui consiste à passer un tube à travers les tissus mous rétropéritonéaux jusqu'à la limite latérale du disque à l'aide d'un fluoroscope. La lasérisation est pratiquée sur la partie herniée du disque. De petites incisions sont pratiquées et la perte sanguine est minimale durant l'intervention. On étudie présentement les effets à long terme de cette intervention.

La **discoïdectomie** est un autre type d'intervention chirurgicale qui est pratiquée pour décomprimer une racine nerveuse. Elle suppose l'ablation d'une partie de

la lame vertébrale pour permettre l'accès au disque. La **discoïdectomie microchirurgicale** est une variante de la discoïdectomie conventionnelle dans laquelle le chirurgien utilise un microscope pour obtenir une meilleure visualisation du disque et de l'espace discal afin de faciliter l'excision de la partie herniée.

PROCESSUS DIAGNOSTIQUE ET THÉRAPEUTIQUE

Hernie discale   ENCADRÉ 58.18

Diagnostic
- Antécédents de santé
- Examen physique mettant l'accent sur le déficit neurologique et le signe de Lasègue
- Tomographie par ordinateur
- IRM
- Myélographie
- Discographie
- Électromyogramme
- Potentiel évoqué somatosensoriel

Processus thérapeutique
- Traitement médical
  - Restriction de l'activité
  - Médication
    - Analgésiques
    - Anti-inflammatoires non stéroïdiens
    - Myorelaxants (p. ex. la cyclobenzaprine [Flexeril]
  - Diathermie
  - Thermothérapie
  - Physiothérapie
- Traitement chirurgical
  - Laminectomie avec ou sans fusion des vertèbres
  - Discoïdectomie
  - Discectomie latérale percutanée
  - Fusion des vertèbres avec ou sans manœuvre instrumentale

IRM : imagerie par résonance magnétique.

L'intervention conventionnelle la plus commune est la **laminectomie**. Elle implique l'excision d'une partie de l'arc postérieur de la vertèbre (appelée lame) pour avoir accès à une partie ou à la totalité du disque saillant et l'enlever.

La **fusion des vertèbres** peut être pratiquée en présence d'un mécanisme osseux instable. La colonne vertébrale est stabilisée par la réalisation d'une fixation (fusion) des vertèbres contiguës avec un greffon osseux provenant du péroné ou de la crête iliaque du client ou d'un don de tissus osseux. Si les vertèbres sont instables, une fixation métallique avec des tiges, des plaques ou des vis peut être implantée au moment de la chirurgie de la colonne pour assurer une plus grande stabilité des vertèbres et en diminuer le mouvement. L'approche chirurgicale utilisée peut être antérieure (par le cou [Cloward] ou l'abdomen) ou postérieure (par le dos).

Soins infirmiers : chirurgie de la colonne vertébrale.

Les clients ayant subi une chirurgie de la colonne ont besoin de soins postopératoires vigilants. Les soins infirmiers visent le maintien du bon alignement de la colonne à tout moment jusqu'à ce que la guérison survienne. Le repos sur un lit à plat sans surélever la tête du lit doit être maintenu pendant un ou deux jours, selon l'importance de la chirurgie. Il est indispensable de tourner le client tout d'un bloc comme un billot de bois flottant dans l'eau afin de maintenir le bon alignement du corps. Des oreillers peuvent être glissés sous chacune des cuisses du client lorsqu'il est en décubitus dorsal et entre ses jambes lorsqu'il est couché sur le côté pour assurer le confort et protéger l'alignement.

Les spasmes musculaires sévères dans la région opérée sont soulagés par des analgésiques et par le recours à la méthode indiquée lorsqu'il s'agit de tourner et de positionner le sujet. Le client craint souvent qu'on le tourne ou qu'on lui fasse faire un mouvement susceptible d'augmenter la douleur en exerçant une tension sur la région opérée. L'infirmière doit se faire rassurante et dire au client qu'elle se sert de la technique indiquée pour maintenir l'alignement du corps. Un nombre suffisant de membres du personnel doit être présent pour déplacer le client afin que l'intervention ne soit ni douloureuse pour le client ni contraignante pour le personnel.

Le canal vertébral pouvant avoir été pénétré pendant la chirurgie, une fuite de liquide céphalorachidien peut survenir. Les céphalées sévères ou les traces de liquide céphalorachidien sur le pansement doivent être signalées immédiatement. Le liquide céphalorachidien se présente comme un écoulement clair ou légèrement jaunâtre sur le pansement. Sa concentration en glucose est élevée et un test rapide sur bandelette se révèle positif. Le volume et les caractéristiques de l'écoulement doivent être notés.

Après une chirurgie de la colonne, l'infirmière doit vérifier fréquemment les signes neurologiques périphériques des membres. Les mouvements des bras et des jambes et l'évaluation de la sensibilité ne devraient pas être différents lorsqu'on les compare à l'état préopératoire. L'encadré 58.19 résume l'examen d'une laminectomie lombaire pour un client qui a subi une chirurgie du dos. Ces examens sont répétés toutes les 2 à 4 heures pendant la première période de 48 heures qui suit l'opération, et les résultats sont comparés à ceux de l'examen préopératoire. Il est possible que la chirurgie ne soulage pas immédiatement des paresthésies tels les engourdissements et les picotements. Toute nouvelle faiblesse musculaire ou paresthésie doit être notée et signalée au chirurgien immédiatement.

Un iléus paralytique ou une gêne de la fonction intestinale peuvent survenir pendant plusieurs jours et se manifester par des nausées, des ballonnements abdominaux et de la constipation. L'infirmière devrait déterminer si le client expulse des gaz intestinaux, si des bruits intestinaux sont présents dans tous les quadrants abdominaux et si son abdomen est plat et mou.

La restriction des activités, les analgésiques narcotiques ou l'anesthésie peuvent altérer l'évacuation adéquate de la vessie. Si le chirurgien le permet, les hommes devraient être encouragés à laisser pendre les jambes ou à se tenir debout pour uriner. Les clients devraient utiliser la chaise d'aisance ou marcher jusqu'aux toilettes lorsqu'on le leur permet pour favoriser l'évacuation adéquate de la vessie. L'infirmière devrait préserver l'intimité du client. Il lui faut

---

Collecte des données après une chirurgie lombaire | ENCADRÉ 58.19

Sensibilité*
- Évaluer la sensibilité des membres et de tous les neurotomes concernés en cas de paresthésie

Mouvement*
- Évaluer si tous les membres peuvent bouger

Force musculaire*
- Évaluer toute faiblesse des membres

Plaie
- Examiner les pansements en cas d'écoulement et en noter le volume, la couleur, les caractéristiques

Douleur
- Consigner le siège de la douleur
- Demander au client d'évaluer le degré de douleur sur une échelle de 1 à 5, considérant que 1 représente l'absence de douleur et 5 la douleur la plus intense
- Évaluer la douleur après que l'analgésique a été administré

---

* Comparer les résultats postopératoires à ceux de l'examen préopératoire. Il n'est pas rare qu'un client continue de ressentir ces symptômes après la chirurgie. Les symptômes diminuent progressivement sur une période de plusieurs mois.

s'informer si le client est autorisé à se rendre aux toilettes avec le corset ou l'appareil orthopédique. Les clients qui ont de la difficulté à uriner peuvent nécessiter des cathétérismes intermittents ou une sonde à demeure.

La perte du tonus sphinctérien ou vésical peut signaler une atteinte des nerfs. L'incontinence ou la difficulté à déféquer ou à uriner doivent être surveillées de près et signalées au chirurgien.

Les activités prescrites varient selon le chirurgien, mais le client qui a subi une chirurgie rachidienne recommence généralement à marcher peu après l'opération. L'infirmière doit connaître les consignes particulières relatives aux activités.

D'autres responsabilités infirmières s'ajoutent aux soins requis après une laminectomie si le client a aussi subi une fusion des vertèbres. Comme cette dernière implique généralement une greffe osseuse, le temps de guérison postopératoire est généralement prolongé comparativement à celui de la laminectomie. L'immobilisation pour une longue période peut s'avérer nécessaire. Une orthèse rigide (orthèse thoraco-lombo-sacrée [TLSO] ou un appareil orthopédique en forme de dossier de chaise) est souvent utilisée durant la période d'immobilisation. Certains chirurgiens exigent qu'on enseigne au client comment mettre et enlever l'orthèse en se roulant tout d'un bloc dans le lit, alors que d'autres lui permettent d'appliquer l'orthèse en position assise ou debout. L'infirmière ferait bien de vérifier quelle méthode est préférée avant d'amorcer cette activité. L'immobilisation prolongée qu'exige la fusion des vertèbres s'accompagne des problèmes éventuels reliés à cet état d'inactivité.

En plus du site opératoire principal, on doit examiner régulièrement le site donneur duquel est prélevée la greffe. La partie postérieure de la crête iliaque est le site donneur le plus fréquemment utilisé, bien qu'on puisse également utiliser une côte ou un péroné. Le site donneur cause généralement plus de douleur postopératoire que la région fusionnée. Il est recouvert d'un pansement compressif pour prévenir les saignements excessifs. Si le péroné a servi de site donneur, l'infirmière doit examiner l'état neurovasculaire du membre après l'opération. Elle doit également s'informer auprès du médecin de toute restriction des activités comme l'exercice.

À mesure que la greffe osseuse guérit, le client doit s'ajuster à l'immobilité permanente du siège de la greffe ou de la fusion. L'enseignement de la mécanique corporelle adéquate est essentiel et doit être évaluée durant le séjour à l'hôpital.

On doit conseiller au client d'éviter de s'asseoir ou de se tenir debout pour de longues périodes. Les activités à conseiller comprennent la marche, la position couchée et le transfert du poids d'un pied à l'autre lorsque le sujet est debout. Le client doit apprendre à faire le tour mentalement d'une activité avant d'entreprendre toute tâche susceptible d'être dommageable comme le fait de se courber, de lever des objets ou de se pencher. Tout mouvement de torsion de la colonne vertébrale est contre-indiqué. Les cuisses et les genoux, plutôt que le dos, doivent être utilisés pour absorber les chocs que causent l'activité et les mouvements. L'usage d'un matelas ferme ou d'une planche-matelas sous le matelas est indispensable.

58.7 CERVICALGIE

Les causes de la cervicalgie sont semblables à celles de la douleur lombaire. Les clients qui présentent des symptômes de cervicalgie ressentent une douleur qui peut irradier dans le bras et la main. Ils peuvent également souffrir d'une faiblesse ou d'une paresthésie du bras et de la main. Les radiographies, l'IRM, la tomodensitométrie et la myélographie permettent de diagnostiquer la cause de la cervicalgie. L'électromyogramme des membres supérieurs permet de diagnostiquer la radiculopathie cervicale.

Les chirurgies cervicales sont semblables aux chirurgies lombaires, l'approche utilisée pouvant être antérieure (Cloward) ou postérieure. Elles comprennent la discoïdectomie, la laminectomie et la fusion des vertèbres. En cas de chirurgie sur la colonne cervicale, l'infirmière doit surveiller de près les symptômes d'œdème de la moelle épinière comme la détresse respiratoire et l'aggravation de l'état neurologique des membres supérieurs. Après l'opération, le cou du client est immobilisé à l'aide d'un collier cervical souple ou rigide.

58.8 PROBLÈMES DE PIEDS COURANTS

Les pieds servent à soutenir le poids du corps et absorbent les chocs considérables qu'entraîne la marche. Il s'agit d'une structure compliquée qui est composée de structures osseuses, de muscles, de tendons et de ligaments. Les pieds peuvent être affectés par une affection congénitale, une faiblesse structurelle, un traumatisme ou une maladie systémique comme le diabète et la polyarthrite rhumatoïde. Une bonne partie de la douleur, des déformations et de l'incapacité associées aux troubles du pied peut être directement attribuée à de mauvaises chaussures ou accentuée par de telles chaussures qui entraînent un chevauchement et l'angulation des orteils et gênent le mouvement normal des muscles du pied. Le but des chaussures est de soutenir,

TABLEAU 58.10   Problèmes de pied fréquents

Trouble	Définition	Traitement
TROUBLES COURANTS **Avant-pied** *Hallux valgus* (oignon)	Déformation douloureuse du gros orteil consistant en une déviation latérale de celui-ci vers le deuxième orteil, un renflement osseux du côté interne de la première tête métatarsienne et la formation d'une bourse séreuse ou d'un durillon sur le renflement osseux	Le traitement conservateur comprend le port de chaussures à avant-pied large et l'usage de coussinets pour oignon pour soulager la pression sur la bourse séreuse. Le traitement chirurgical comprend l'ablation de la bourse séreuse et du renflement osseux et la correction de l'hallux valgus; peut inclure une fixation interne temporaire ou permanente
Hallux rigidus	Raideur douloureuse au niveau de la première articulation métatarsophalangienne causée par l'arthrose ou un traumatisme local	Le traitement conservateur comprend l'injection de corticostéroïdes intra-articulaires et des étirements passifs de la première articulation métatarsophalangienne. Une chaussure munie d'une semelle rigide diminue la douleur articulaire lors de la marche. Le traitement chirurgical comprend la fusion articulaire ou l'arthroplastie avec implant en silicone
Orteil en marteau	Déformation du deuxième, troisième, quatrième et cinquième orteils incluant la dorsiflexion de l'articulation métatarsophalangienne, la flexion plantaire de l'articulation interphalangienne proximale et la formation d'un durillon sur la face dorsale de l'articulation interphalangienne proximale et l'extrémité de l'orteil affecté; les symptômes associés à l'orteil en marteau dont se plaint le client comprennent la sensation de brûlure à la base du pied, la difficulté à marcher et la présence de douleur lors du port des chaussures	Le traitement conservateur consiste en des étirements passifs de l'articulation interphalangienne proximale et l'usage d'un support de l'arcade métatarsienne. La correction chirurgicale consiste en une résection de la base de la deuxième phalange et de la tête de la phalange proximale et à réunir les extrémités osseuses à vif. La broche de Kirschner maintient les os en ligne droite
Névrome de Morton (maladie de Morton ou névrome plantaire)	Névrome caractérisé par un accès de douleur vive et soudaine et une sensation de brûlure entre la troisième et la quatrième tête métatarsienne	L'ablation chirurgicale constitue le traitement habituel
Mi-pied *pes planus* (pied plat)	Perte de l'arcade métatarsienne entraînant une douleur dans le pied ou la jambe	Les symptômes sont soulagés par l'usage de supports élastiques de la courbure longitudinale (arche du pied). Le traitement chirurgical consiste en une triple arthrodèse ou fusion de l'articulation sous-astragalienne
Cavus (pied creux)	Élévation de la courbure longitudinale du pied résultant de la contracture de l'aponévrose plantaire ou de la difformité osseuse de la courbure	Le traitement consiste en la manipulation et la pose d'un plâtre (chez les clients de moins de six ans); la correction chirurgicale est nécessaire si l'affection gêne la marche (chez les clients de plus de six ans)
Arrière-pied Talalgie	Le client se plaint d'une douleur au talon lors de la mise en charge, cause fréquente de la fasciite plantaire ou de l'épine calcanéenne chez l'adulte	On injecte localement des corticostéroïdes dans la bourse enflammée et on utilise un coussin en caoutchouc spongieux pour le talon; on pratique l'ablation chirurgicale de la bourse ou de la bavure osseuse
PROBLÈMES LOCAUX Cor	Épaississement local de la peau causé par une pression continue sur une proéminence osseuse, surtout la tête métatarsienne, entraînant souvent une douleur localisée	Le cor est ramolli avec de l'eau chaude ou une préparation contenant de l'acide salicylique et enlevé avec une lame de rasoir ou un scalpel. La pression sur les proéminences osseuses causée par les chaussures est soulagée

TABLEAU 58.10	Problèmes de pied fréquents *(suite)*	
Trouble	**Définition**	**Traitement**
Cor mou	Lésion douloureuse causée par la proéminence osseuse d'un orteil exerçant une pression sur l'orteil adjacent; siégeant habituellement entre deux orteils; son caractère mou est dû aux sécrétions qui gardent l'espace entre les orteils relativement humide	On soulage la douleur en mettant du coton entre les orteils pour les séparer. Le traitement chirurgical consiste en une ablation de la bavure osseuse saillante (si présente)
Durillon	Formation semblable au cor mais couvrant une plus grande surface et siégeant généralement sur la partie du pied sur laquelle la personne s'appuie	Le même traitement que pour le cor
Verrue plantaire	Formation à croissance papillomateuse douloureuse causée par un virus pouvant apparaître n'importe où sur la peau de la plante du pied	On procède à son ablation par électrocoagulation ou chirurgie; on peut aussi utiliser les ultrasons

de stabiliser et de protéger le pied, d'absorber les chocs et de servir de base aux orthèses ; d'accroître la friction avec la surface de marche et de traiter les anomalies du pied. (Le tableau 58.10 résume les plus fréquents problèmes de pieds et leur traitement.)

58.8.1 Soins infirmiers : problèmes de pied courants

Promotion de la santé. Le port de chaussures bien fabriquées et bien ajustées est indispensable pour avoir des pieds en santé et non douloureux. La mode, plutôt que le confort ou le soutien, influence souvent le choix des chaussures, surtout chez les femmes. L'enseignement au client devrait insister sur l'importance de porter une chaussure qui convient au pied plutôt qu'une chaussure qui suive les tendances de la mode. Elle doit être assez longue et assez large pour éviter que les orteils ne se chevauchent ou que le gros orteil ne soit forcé d'adopter une position de valgus. La chaussure devrait être assez large au niveau de la tête métatarsienne pour permettre le libre mouvement des muscles et la flexion des orteils. Le cambrion de la chaussure devrait être assez rigide pour offrir un soutien optimal. La hauteur du talon devrait être réaliste par rapport au but pour lequel la chaussure est portée. Idéalement, le talon ne devrait pas s'élever à plus de 2,5 cm au-dessus de l'avant-pied.

Intervention d'urgence. De nombreux problèmes de pied exigent une chirurgie. Lorsqu'une chirurgie est pratiquée, le pied est généralement immobilisé par un gros pansement, un plâtre court pour la jambe ou une chaussure à plate-forme qui s'ajuste par-dessus le pansement et qui est munie d'une semelle rigide (botte pour l'hallux valgus). Le pied devrait être élevé afin que le talon ne touche pas au lit, pour réduire l'inconfort et prévenir l'œdème. L'état neurovasculaire du client au cours de la période postopératoire immédiate doit être contrôlé fréquemment. Selon le type de chirurgie, une broche ou un fil métallique peut passer à travers les orteils ou une attelle protectrice couvrant l'extrémité du pied peut être mise en place. On doit s'assurer que ces appareils n'entrent pas accidentellement en contact avec des objets, ce qui causerait de la douleur. Les appareils peuvent gêner ou empêcher l'examen des mouvements. L'infirmière doit savoir que la sensibilité peut être difficile à évaluer, puisque la douleur postopératoire risque de gêner la capacité du client à différencier la douleur causée par l'intervention chirurgicale de celle qui résulte d'une pression exercée sur un nerf ou d'un problème circulatoire.

Le type et l'importance de la chirurgie déterminent le degré de marche permis. Des béquilles ou une canne peuvent être nécessaires. Le client risque de ressentir de la douleur ou une sensation pulsatile au moment de commencer à marcher. L'infirmière devrait renforcer les directives du physiothérapeute et s'assurer que le client n'adopte pas un type de démarche incorrect comme celui qui consisterait à marcher sur les talons pour essayer d'éviter la douleur excessive ou la pression. Elle doit renforcer l'importance de se tenir droit en marchant et de bien distribuer le poids du corps. Les troubles de la marche ou la douleur continue doivent être signalés au médecin. L'infirmière doit enseigner au client l'importance de s'accorder de fréquentes périodes de repos avec le pied surélevé.

Soins ambulatoires et à domicile. Les soins du pied devraient comprendre les soins hygiéniques quotidiens et le port de bas propres. Les bas devraient être assez longs pour éviter qu'ils ne se plissent ou ne créent des zones de pression. Le fait de couper les ongles d'orteils droits prévient les ongles incarnés et réduit les risques d'infection. Les personnes qui souffrent d'insuffisance circulatoire ou de diabète ont besoin de directives précises pour prévenir les complications sérieuses associées aux ampoules, aux zones de pression et aux infections (voir encadré 40.15 pour les lignes directrices concernant les soins du pied).

58.9 MALADIES MÉTABOLIQUES OSSEUSES

Le métabolisme osseux normal repose sur un apport approprié en calcium, en phosphore, en protéines et en vitamines et sur leur absorption et leur utilisation adéquates. Tout dysfonctionnement de l'un de ces éléments critiques risque d'entraîner une réduction de la masse osseuse.

58.9.1 Ostéomalacie

L'**ostéomalacie** est un trouble osseux rare associé à une carence en vitamine D qui touche les adultes et se traduit par une décalcification et un ramollissement des os. Cette maladie correspond au rachitisme chez l'enfant à la différence que, chez l'adulte, le cartilage de conjugaison est fermé. La vitamine D est essentielle à l'absorption du calcium par les intestins. Un apport insuffisant en vitamine D peut gêner la minéralisation normale des os et entraîner l'échec de la calcification osseuse ou une insuffisance de calcification osseuse, ce qui se traduit par un ramollissement des os, des douleurs osseuses et des déformations. Les facteurs étiologiques reliés à l'apparition de l'ostéomalacie comprennent le manque d'exposition aux rayons ultraviolets, la malabsorption du calcium par les intestins, les brûlures importantes, la diarrhée chronique, la grossesse, les maladies rénales et la prise de médicaments comme la phénytoïne (Dilantin).

L'ostéomalacie se caractérise par une douleur squelettique persistante, surtout lors de la mise en appui. Ses autres manifestations cliniques comprennent la lombalgie, la faiblesse musculaire progressive, la perte de poids et les déformations graduelles de la colonne vertébrale (cyphose) ou des membres. Les fractures sont fréquentes et retardent la guérison lorsqu'elles surviennent.

Les tests de laboratoire révèlent une diminution des taux de calcium et de phosphore sériques et une élévation des phosphatases alcalines. Les radiographies peuvent montrer les effets d'une déminéralisation osseuse générale, surtout la perte de calcium osseux au niveau du bassin et la présence de déformations osseuses connexes. Les stries de Looser-Milkmann (stries de décalcification osseuse observées sur les radiographies) confirment le diagnostic d'ostéomalacie. Une importante ostéomalacie peut être présente sans que les radiographies n'en démontrent l'existence.

Le processus thérapeutique vise la correction de la cause sous-jacente. Des suppléments de vitamine D (cholécalciférol) sont généralement prescrits et le client y réagit souvent de façon spectaculaire. Des suppléments de phosphore et de calcium peuvent également être prescrits.

58.9.2 Ostéoporose

L'**ostéoporose**, ou os poreux, est une affection caractérisée par une masse osseuse faible et une détérioration structurelle des tissus osseux menant à une augmentation de la fragilité des os. Cette maladie métabolique osseuse est la cause principale des fractures (surtout de la hanche, de la colonne vertébrale et du poignet) chez les femmes postménopausées et les personnes âgées en général. L'incidence de l'ostéoporose augmente parce que les personnes âgées vivent plus longtemps. Cette « maladie silencieuse » atteint une femme sur quatre et un homme sur huit parmi les 50 ans et plus, soit près de 400 000 femmes et de 125 000 hommes au Québec. On estime qu'il survient une fracture reliée à l'ostéoporose à toutes les 36 minutes. L'ostéoporose occasionne des dépenses de plus de 300 millions $ annuellement en soins de santé, soit 10 $ par seconde. Derrière tous ces chiffres, il y a des milliers de personnes qui souffrent et qui voient leur qualité de vie compromise (Ostéoporose Québec, 2002).

L'ostéoporose est huit fois plus fréquente chez les femmes que chez les hommes pour plusieurs raisons : les femmes ont tendance à consommer moins de produits contenant du calcium tout au long de leur existence (les hommes de 15 à 50 ans ont un apport en calcium deux fois plus élevé que celui des femmes) ; les femmes ont une masse osseuse moins importante parce que leur ossature est généralement plus petite ; la résorption commence à un âge plus jeune chez les

GÉRONTOLOGIE

Problèmes de pieds   ENCADRÉ 58.20

Les personnes âgées sont sujettes aux problèmes de pied à cause de la mauvaise circulation, de l'athérosclérose et de la diminution de la sensibilité des membres inférieurs. Le problème est particulièrement manifeste chez les personnes âgées qui souffrent de diabète. Un client peut présenter une plaie ouverte et ne pas s'en apercevoir à cause d'une altération de la sensibilité. Cette lésion peut résulter d'une maladie vasculaire périphérique ou d'une neuropathie diabétique. On doit enseigner aux personnes âgées à inspecter leurs pieds chaque jour et à signaler toute plaie ouverte ou détérioration des tissus cutanés à leur médecin. Une plaie non traitée risque de s'infecter, de mener à une ostéomyélite et d'exiger un débridement. Si l'infection se généralise, l'amputation peut être nécessaire.

Ostéoporose   ENCADRÉ 58.21

- L'incidence d'ostéoporose est plus élevée chez les femmes de race blanche et les femmes asiatiques que les femmes de race noire.
- Les femmes de race noire ont une masse osseuse de 10 % supérieure à celle des femmes des autres races.
- Les femmes postménauposées sont les plus à risque, sans égard aux antécédents culturels ou au groupe ethnique.

femmes et s'accélère à la ménopause ; la grossesse et l'allaitement épuisent les réserves squelettiques des femmes, à moins que l'apport en calcium ne soit adéquat ; la longévité augmente les chances d'ostéoporose et les femmes vivent plus longtemps que les hommes. Bien que l'ostéoporose soit plus fréquente chez les femmes que chez les hommes, il faut savoir que les hommes aussi risquent d'en être atteints.

Étiologie et physiopathologie. Les facteurs de risque de l'ostéoporose sont l'appartenance au sexe féminin, le vieillissement, les antécédents familiaux d'ostéoporose, l'appartenance à la race blanche ou asiatique, la petitesse de la taille, l'anorexie, l'ovariectomie, la sédentarité et l'insuffisance de calcium alimentaire. Les risques accrus sont associés au tabagisme et à l'alcoolisme et la réduction des risques, à l'exercice physique adéquat, à l'ingestion de fluorure et de vitamine D (l'encadré 58.22 présente une liste des facteurs de risque de l'ostéoporose). Les antécédents familiaux constituent le facteur de risque prédominant chez l'homme.

Le pic de la masse osseuse (quantité maximale de tissu osseux) est atteint durant l'adolescence. Il est

Facteurs de risques de l'ostéoporose   ENCADRÉ 58.22

- Le sexe féminin
- La minceur ou la petitesse de l'ossature
- Les antécédents familiaux d'ostéoporose
- Un régime faible en calcium
- L'appartenance à la race blanche ou asiatique
- L'usage excessif d'alcool
- Le tabagisme
- La sédentarité
- L'usage à long terme de corticostéroïdes, d'antithyroïdiens ou d'antiépileptiques
- La postménopause, incluant la ménopause précoce et la ménopause provoquée chirurgicalement
- Les antécédents d'anorexie ou de boulimie, la maladie de foie chronique ou la malabsorption

Extrait de la National Osteoporosis Foundation : *Position paper: current perspectives on diagnosis, prevention, and treatment of osteoporosis*, Washington, DC, 1995, The Foundation.

déterminé par la combinaison de quatre principaux facteurs : l'hérédité, la nutrition, l'exercice et la fonction hormonale. L'hérédité est peut-être responsable à 70 % du pic de la masse osseuse. La perte osseuse qui survient à partir de l'âge moyen (entre 35 et 40 ans) est inévitable, mais le rythme de la perte varie. À la ménopause, les femmes connaissent une perte rapide de masse osseuse avec une réduction du rythme après 8 à 10 ans.

Des tissus osseux sont constamment déposés par les ostéoblastes et réabsorbés par les ostéoclastes, un processus appelé remodelage osseux. Dans la plupart des cas, les vitesses de dépôt osseux et de résorption sont égales, de sorte que la masse osseuse totale demeure constante. Dans l'ostéoporose, la résorption est supérieure au dépôt osseux. Bien que la résorption affecte la totalité du système squelettique, l'ostéoporose s'attaque la plupart du temps aux os de la colonne vertébrale, de la hanche et du poignet. Avec le temps, le tassement et les fractures des vertèbres entraînent une réduction progressive de la taille et une courbure du dos connues sous le nom de bosse de sorcière ou cyphose. Les premiers signes habituels sont la douleur au dos ou les fractures spontanées. La perte de substance osseuse rend les os mécaniquement faibles et sujets aux fractures spontanées ou aux fractures causées par des traumatismes mineurs.

Les maladies spécifiques associées à l'ostéoporose comprennent la malabsorption intestinale, la maladie rénale, la polyarthrite rhumatoïde, l'alcoolisme avancé, la cirrhose du foie et le diabète. Beaucoup de médicaments peuvent contribuer à la perte osseuse dont les corticostéroïdes, les antiépileptiques (phénytoïne [Dilantin]), les antiacides contenant de l'aluminium, l'héparine, l'isoniazide (INH) et la tétracycline. Le client doit être informé de la possibilité de cet effet secondaire au moment de prescrire le médicament. L'usage des corticostéroïdes à long terme entraîne un risque d'ostéoporose. Les corticostéroïdes, produisent une perte disproportionnée de la densité osseuse trabéculaire et de substance spongieuse.

Les facteurs génétiques influencent la masse osseuse. Un marqueur génétique, le gène du récepteur de la vitamine D (VDR), est relié à la densité osseuse. Le gène du VDR est responsable de la construction des récepteurs qui aident les cellules à utiliser la vitamine D, une vitamine importante pour les os et le métabolisme du calcium. Les personnes qui présentent un gène du VDR spécifique peuvent avoir une densité osseuse sensiblement plus faible. Cette relation reste à établir. La connaissance du génotype d'une personne pourrait permettre des interventions ciblées tôt dans la vie du sujet susceptible d'être atteint d'ostéoporose.

Manifestations cliniques. L'ostéoporose est souvent appelée « la maladie silencieuse » parce qu'aucun symptôme n'accompagne la perte osseuse. Les gens peuvent ne pas savoir qu'ils sont atteints d'ostéoporose jusqu'à ce que leurs os deviennent si faibles qu'une secousse, une chute ou un effort soudain entraîne une fracture de la hanche, de la colonne vertébrale ou du poignet. Le tassement vertébral peut d'abord se manifester par une douleur au dos, une perte de stature ou une déformation de la colonne, telle que la cyphose, ou une posture sérieusement courbée.

Épreuves diagnostiques.

L'ostéoporose passe souvent inaperçue parce qu'elle ne peut être dépistée par les radiographies conventionnelles avant que 25 à 40 % du calcium osseux ne soit perdu. Les taux de calcium, de phosphore et de phosphatase alcaline sériques sont généralement normaux, bien que ce dernier puisse être élevé après une fracture. La mesure de la densité minérale (DMO) évalue la masse osseuse par unité de volume ou par analyse de la compacité de l'os. (Le tableau 57.5 traite de la mesure de la DMO.) L'une des analyses les plus fréquentes est l'absorptiométrie biénergétique à rayons X (DEXA), qui mesure la densité osseuse de la colonne vertébrale, de la hanche et de l'avant-bras (les sièges de fracture les plus fréquents associés à l'ostéoporose). L'analyse de la DEXA est aussi utile pour évaluer les changements de densité osseuse sur une période donnée et l'efficacité du traitement.

Soins infirmiers et processus thérapeutique.

Le processus thérapeutique est axé sur une alimentation adéquate, un supplément de calcium, de l'exercice et la prise des médicaments indiqués (voir encadré 58.23). La prévention et le traitement de l'ostéoporose sont axés sur un apport adéquat de calcium (1000 mg/jour pour les femmes de 19 à 50 ans et les femmes postménopausées qui prennent des œstrogènes et de 1200 à 1500 mg/jour pour les femmes postménopausées – de plus de 50 ans – qui ne reçoivent pas de supplément d'œstrogènes). La prise de compléments de calcium est recommandée lorsque l'apport calcique de l'alimentation est inadéquat. Parmi les aliments riches en calcium, on compte le lait, le yogourt, le fromage, les sardines avec les arêtes, les épinards, le tofu préparé avec du sel de calcium et les boissons enrichies de calcium (voir tableau 58.11). La quantité de calcium varie selon les diverses préparations de calcium (voir tableau 58.12). Les compléments de calcium inhibent la perte osseuse due à l'âge ; cependant, ils n'entraînent pas de formation de nouveaux tissus osseux.

La vitamine D est essentielle à l'absorption du calcium et à la fonction osseuse et semble intervenir dans la formation osseuse. La plupart des gens obtiennent suffisamment de vitamine D de leur régime alimentaire ou de manière naturelle par le biais de la synthèse cutanée lorsqu'ils s'exposent au soleil. On peut cependant recommander un complément de vitamine D (400 à 800 UI) aux personnes âgées qui sont confinées à la maison et à celles dont l'exposition au soleil est minimale. Beaucoup de compléments de calcium contiennent aussi de la vitamine D.

Un minimum d'exercices modérés est nécessaire à la construction et au maintien de la masse osseuse. L'exercice augmente également la force musculaire, la coordination et l'équilibre. Les meilleurs exercices sont les exercices des articulations portantes qui forcent le sujet à travailler contre la gravité. Ces exercices comprennent la marche, la randonnée pédestre, l'entraînement avec les poids, la montée d'escalier, le tennis et la danse. On préfère la marche à la danse aérobique avec sauts ou au jogging qui peuvent tous deux infliger une trop grande sollicitation aux os des clients atteints d'ostéoporose.

Le tabagisme et la consommation excessive d'alcool constituent des facteurs de risque pour l'ostéoporose. La consommation régulière de deux à trois onces d'alcool par jour peut augmenter le degré d'ostéoporose, même chez les jeunes personnes de sexe masculin ou féminin. On doit conseiller aux clients de cesser de fumer et de diminuer la consommation d'alcool pour réduire la probabilité d'une perte de masse osseuse.

Bien que la perte osseuse ne puisse être inversée de manière appréciable, le client peut la stopper par des compléments de calcium et de vitamine D, par l'exercice, l'œstrogénothérapie et la prise de médicaments comme l'alendronate (Fosamax) ou le raloxifène (Evista), s'ils sont indiqués. Des efforts doivent être faits pour que le client atteint d'ostéoporose continue de marcher afin d'éviter une nouvelle perte de substance osseuse due à l'immobilité. Le traitement suppose aussi la protection des zones susceptibles de connaître des fractures pathologiques ; par exemple, on peut utiliser un corset pour prévenir le tassement vertébral.

PROCESSUS DIAGNOSTIQUE
ET THÉRAPEUTIQUE

Ostéoporose	ENCADRÉ 58.23

Processus diagnostic
- Antécédents de santé et examen physique
- Calcium, phosphore et phosphatase alcaline sériques
- Mesure de la densité minérale osseuse

Processus thérapeutique
- Suppléments de calcium (voir tableau 58.12)
- Supplément en vitamine D
- Alimentation riche en calcium (voir tableau 58.11)
- Programme d'exercices
- Oestrogénothérapie
- Calcitonine
- Bisphosphonates
  - Étidronate (Didronel)
  - Alendronate (Fosamax)
- Raloxifène (Evista)

TABLEAU 58.11 Teneur en calcium des aliments

	Aliments	Calcium (mg)
Produits laitiers		
50 g	Fromages : emmental, gruyère	490
250 ml	Boisson laitière + calcium[a]	425
50 g	Fromages : brick, cheddar, colby, edam, gouda, mozzarella partiellement écrémée, munster, port-salut, provolone, roquefort, suisse	350
250 ml	Lait ordinaire et au chocolat	315
175 ml	Yogourt nature	315
50 g	Fromages : bleu, camembert, cheddar fondu à tartiner, féta, limburger, mozzarella…	250
175 ml	Yogourt aromatisé, kéfir	250
60 ml	Ricotta	175
30 ml	Poudre de lait écrémé	175
50 g	Brie	80
125 ml	Cottage	80
Viandes et substituts		
100 g	Tofu préparé avec du sel de calcium	350
90 g	Sardines en conserve égouttées (10 moyennes)	280
90 g	Saumon en conserve avec os	205
100 g	Tofu préparé avec du sel de magnésium	135
60 ml	Amandes, noix du Brésil, noisettes	80
250 ml	Légumineuses	75
2	Œufs	45
90 g	Poissons, crustacés, mollusques	45
60 ml	Graines: sésame, tournesol	35
30 ml	Beurre d'arachide	15
Produits céréaliers		
1	Crêpe, gaufre	125
1	Tranche de pain au lait, muffin	90
1	Tranche de pain	20
125-175 ml	Céréales à grains entiers cuites ou prêtes à servir	20
125 ml	Riz, pâtes alimentaires	10
Légumes et fruits[b]		
125 ml	Jus enrichi de calcium[a]	160
125 ml	Chicorée, chou chinois bouillis	90
125 ml	Brocoli, chou vert frisé, feuilles de pissenlit, rutabaga	50
1	Orange	50
1	Figues sèches	30
125 ml	Autres légumes et fruits	15
3	Pruneaux, dattes	10
30 ml	Raisins secs	10
Autres		
250 ml	Lait de soja enrichi[a]	320
375 ml	Macaroni au fromage	235
1/4 de 12"	Pizza avec fromage	200
250 ml	Soupe à base de lait	185
15 ml	Mélasse noire	175
125 ml	Dessert au lait	165
125 ml	Yogourt glacé	125
125 ml	Crème glacée, lait glacé	95
15 ml	Mélasse de fantaisie	40

a) Information nutritionnelle inscrite sur l'étiquette des produits.
b) Les épinards, les feuilles de betteraves et la rhubarbe contiennent une quantité élevée de calcium. Cependant, leur contenu élevé en oxalates nuit à l'absorption du calcium présent dans ces aliments.
c) Valeur tirées de la référence 9, du Fichier canadien et de la brochure intitulée *Le calcium c'est pour la vie. Êtes-vous sur la bonne voie?* (Les Producteurs laitiers du Canada, mars 1999).
Adapté de *Manuel de nutrition clinique*, OPDQ, 2000.

TABLEAU 58.12	Teneur en calcium élémentaire de diverses préparations orales de calcium
Préparation de calcium	**Teneur en calcium élémentaire**
Carbonate de calcium (Tum 500)	500 mg/comprimé
Carbonate de calcium + 5 µg vitamine D2 (Os-Cal 250)	250 mg/comprimé
Gluconate de calcium	40 mg/500 mg
Carbonate de calcium	400 mg/g
Lactate de calcium	80 mg/600 mg
Citrate de calcium	40 mg/300 mg

Pharmacothérapie. L'œstrogénothérapie est utilisée après la ménopause pour prévenir l'ostéoporose. Bien que le mécanisme exact de la fonction protectrice de l'œstrogène ne soit pas élucidé, on croit que celui-ci inhibe l'activité des ostéoclastes, ce qui mène à la diminution de la résorption osseuse et prévient à la fois la perte osseuse trabéculaire et la perte osseuse corticale. L'œstrogénothérapie est des plus efficaces lorsqu'elle est combinée au calcium. Les plus grands bienfaits de l'œstrogène se font probablement sentir au cours des 10 premières années suivant la ménopause. L'œstrogénothérapie transdermique s'est avérée efficace dans le traitement des femmes postménopausées dont le diagnostic d'ostéoporose avait été établi. (Pour un examen plus approfondi de l'œstrogénothérapie, voir le chapitre 45.)

La calcitonine est sécrétée par la glande thyroïde et elle inhibe la résorption ostéoclastique en interagissant directement avec les ostéoclastes actifs. La calcitonine (Calcimar) est offerte en présentations intramusculaire, sous-cutanée et intranasale. La présentation nasale est facile à administrer ; il suffit d'enseigner aux clients de changer de narine tous les jours. La sécheresse et l'irritation du nez sont les effets secondaires les plus fréquents. Il a été démontré que l'administration en soirée des formes intramusculaire ou sous-cutanée du médicament diminuait les effets secondaires telles la nausée et les bouffées vasomotrices. Les nausées sont inexistantes avec la forme nasale. Lorsqu'on utilise la calcitonine, un supplément en calcium est nécessaire pour prévenir l'hyperparathyroïdie secondaire.

Les bisphosphonates inhibent la résorption ostéoclastique, augmentant de ce fait la densité minérale osseuse et la masse osseuse totale. Ce groupe de médicaments comprend l'étidronate (Didronel), l'alendronate (Fosamax), le pamidronate (Aredia), le risédronate (Actonel) et le clodronate (Bonefos). L'alendronate est le bisphosphonate le plus couramment utilisé dans le traitement de l'ostéoporose. On doit enseigner au client comment prendre l'alendronate de façon à favoriser son absorption. Il devrait être pris le matin après le lever avec un grand verre d'eau. Le client ne devrait rien manger ni boire pendant 30 minutes après avoir pris le médicament. On doit également lui conseiller de ne pas se coucher après l'avoir pris. Il a été démontré que ces mesures de précaution réduisaient les effets secondaires gastro-intestinaux de ce médicament (surtout l'irritation de l'œsophage) et augmentaient son absorption.

Les modulateurs sélectifs des récepteurs de l'œstrogène comme le raloxifène (Evista) sont un autre type de médicaments utilisés dans le traitement de l'ostéoporose. Ces médicaments imitent les effets de l'œstrogène sur les os en réduisant la résorption osseuse sans stimuler les tissus mammaires ou utérins. Le raloxifène augmente sensiblement la densité minérale osseuse chez les femmes postménopausées. Les effets secondaires les plus fréquemment signalés sont les crampes dans les jambes et les bouffées de chaleur. Contrairement à l'œstrogène, il ne soulage pas les symptômes ménopausiques et n'a pas de fonction protectrice sur le plan cardiovasculaire*.

Le traitement médical des clients qui prennent des corticostéroïdes comprend la prescription de la plus faible dose possible du médicament, de même qu'un supplément en calcium et en vitamine D et l'œstrogénothérapie pour les femmes postménopausées. On peut envisager un traitement aux bisphosphonates comme l'alendronate (Fosamax) lorsque l'ostéodensitométrie révèle une ostéopénie.

58.9.3 Maladie osseuse de Paget

La **maladie osseuse de Paget** (ostéite déformante hypertrophique) est une affection du squelette caractérisée par une résorption osseuse excessive suivie d'un remplacement de la moelle normale par du tissu conjonctif vasculaire et fibreux et de la formation d'un nouvel os de plus grande taille, anarchique et plus faible. Elle survient le plus souvent chez les hommes de 40 ans et plus. Elle est caractérisée par des déformations osseuses causées par une résorption et un remodelage focaux anormaux inexpliqués, des changements de type fibreux et un remodelage osseux structurellement inégal. Elle est essentiellement localisée au bassin, aux os longs, à la colonne vertébrale,

---

*De récentes études mettent en veilleuse les bienfaits de l'hormonothérapie sur l'appareil cardiovasculaire.

aux côtes, au sternum et au crâne. La cause de la maladie osseuse de Paget est inconnue, bien qu'une étiologie virale ait été proposée.

Dans ses formes plus légères, les clients peuvent demeurer asymptomatiques et la maladie peut être découverte accidentellement lors de radiographies ou d'une chimie sérique. Les premières manifestations cliniques sont généralement l'apparition d'une douleur squelettique insidieuse (laquelle peut progresser vers une douleur incurable intense), la fatigue et l'adoption progressive d'une démarche en canard. Les clients peuvent se plaindre que leur taille diminue ou que leur tête augmente de volume. L'élévation des phosphatases alcalines est considérable dans les formes avancées de la maladie. Les radiographies peuvent montrer que le contour normal de l'os affecté est courbé et que la masse osseuse s'est épaissie, surtout quand il s'agit des os porteurs et des os du crâne. La fracture pathologique est la complication la plus fréquente de la maladie osseuse de Paget et peut en constituer le premier signe. L'ostéosarcome, le fibrosarcome et la tumeur bénigne à cellules géantes en sont d'autres complications.

Le processus thérapeutique, en ce qui concerne la maladie osseuse de Paget, se limite généralement au soulagement des symptômes, aux soins de soutien et à la correction des déformations secondaires par une intervention chirurgicale ou la pose d'une attelle. L'administration de calcitonine, qui inhibe l'activité ostéoclastique, peut influer de manière appréciable sur la résorption osseuse, le soulagement des symptômes aigus et la réduction du taux de phosphatase alcaline sérique. La réponse au traitement par la calcitonine n'est pas permanente et s'arrête souvent avec l'interruption de celui-ci. Les bisphophanates comme l'alendronate (Fosamax), le risédronate (Actonel) et le pamidronate (Aredia) sont des agents non hormonaux de réduction de la résorption osseuse dans la maladie de Paget. La radiothérapie et les interventions chirurgicales locales comme le dépériostage peuvent servir à maîtriser la douleur.

Un matelas ferme devrait être utilisé pour assurer le soutien du dos et soulager la douleur. Le port d'un corset ou d'une attelle légère peut soulager les douleurs au dos et assurer le soutien lorsque le sujet est debout. Le client devrait être capable de poser correctement ces appareils et savoir comment examiner régulièrement les régions de la peau que la friction risque d'endommager. On doit déconseiller les activités qui impliquent de lever des objets ou les mouvements de torsion. Une bonne mécanique corporelle est indispensable. Des analgésiques et des myorelaxants peuvent être administrés pour soulager la douleur. Une alimentation bien équilibrée est essentielle dans le traitement des maladies métaboliques osseuses, surtout pour ce qui est de la vitamine D, du calcium et des protéines, qui sont

GÉRONTOLOGIE

Maladies métaboliques osseuses ENCADRÉ 58.24

- L'ostéoporose et la maladie osseuse de Paget sont courantes chez les personnes âgées. On doit enseigner aux clients à suivre un bon régime alimentaire afin de prévenir une perte osseuse supplémentaire, comme celle qu'entraîne l'ostéoporose.
- Parce que les maladies métaboliques osseuses augmentent la possibilité de fractures pathologiques, l'infirmière doit être extrêmement prudente lorsqu'elle déplace ou tourne le client. Le client doit demeurer aussi actif que possible pour retarder la déminéralisation osseuse due à l'inactivité ou à l'immobilisation. Le programme d'exercices supervisés constitue une partie essentielle du programme de traitement. On doit encourager le client à marcher sans se fatiguer, si son état le permet.

nécessaires pour assurer la disponibilité des composantes essentielles à la formation osseuse. On doit mettre en œuvre des mesures de prévention comme l'enseignement au client, l'usage d'un appareil fonctionnel et la modification du milieu pour prévenir les chutes et les fractures ultérieures.

MOTS CLÉS

BIBLIOGRAPHIE

Version originale

1. Best TM: Soft tissue injuries and muscle tears, *Clin Sports Med* 16:419, 1997.
2. Jobe FW and others, editors: *Operative techniques in upper extremity sports injuries,* St Louis, 1996, Mosby.
3. English CJ and others: Relations between upper limb soft tissue disorders and repetitive movements at work, *Am J Ind Med* 27:75, 1995.
4. Brogmus GE, Sorock GS, Webster BS: Recent trends in work-related cumulative trauma disorders of the upper extremities in the United States: an evaluation of possible reasons, *J Environ Med* 38:401, 1996.
5. Heveron B, Kaempffe FA: Tears of the rotator cuff, *Orthop Nurs* 14:38, 1995.
6. Mayo Clinic: Rotator cuff injuries, *Mayo Clin Health Lett* 16:1, 1998.
7. Guckel C, Nidecker A: Diagnosis of tears in rotator cuff injuries, *Eur J Radiol* 25:168, 1997.
8. McFarland EG and others: Shoulder immobilization devices, *Orthop Nurs* 16:66, 1997.
9. Verdonk R: Alternative treatments for meniscal injuries, *J Bone Joint Surg Br* 79:866, 1997.
10. Scott G, King JB: A prospective double-blind trial of electrical capacitive coupling in the treatment of non-union of long bones, *J Bone Joint Surg* 76A:820, 1994.
11. Brighton CT and others: Tibial nonunion treated with direct current, capacitive coupling of bone graft, *Clin Orthop Relat Res* 321:223, 1995.
12. Salmond SW, Mooney NE, Verdisco LA, editors: *NAON core curriculum for orthopaedic nursing,* ed 3, Pitman, NJ, 1996, Anthony Jannetti.
13. Wilson SC and others: A simple method to measure compartment pressures using an intravenous catheter, *Orthopedics* 20:403, 1997.
14. Resnick D, Goergen T, Pathria M: Traumatic, iatrogenic, and neurogenic diseases. In Resnick D, editor: *Bone and joint imaging,* ed 2, Philadelphia, 1996, Saunders.
15. Gwynne DP, Theis J: Acute compartment syndrome due to closed muscle rupture, *Aust N Z J Surg* 67:227, 1997.
16. Thelan L and others, editors: *Critical care nursing diagnosis and management,* ed 3, St Louis, 1998, Mosby.
17. Colwell CW and others: Efficacy and safety of enoxaparin versus unfractionated heparin for prevention of deep venous thrombosis after elective knee arthroplasty, *Clin Orthop Relat Res* 321:19, 1995.
18. Johnson MJ, Lucas GL: Fat embolism syndrome, *Orthopedics* 19:41, 1996.
19. Hager CA, Brncick N: Fat embolism syndrome: a complication of orthopaedic trauma, *Orthop Nurs* 17:41, 1998.
20. Richards RR: Fat embolism syndrome, *Can J Surg* 40:334, 1997.
21. Bulger EM and others: Fat embolism syndrome: A 10-year review, *Arch Surg* 132:435, 1997.
22. Mayo Clinic: Hip fractures, *Mayo Clin Health Lett* 16:2, 1998.
23. Ebersole P, Hess P, editors: *Toward healthy aging: human needs and nursing response,* ed 5, St Louis, 1998, Mosby.
24. Reichel W, editor: *Care of the elderly: clinical aspects of aging,* ed 4, Baltimore, 1995, Williams & Wilkins.
25. Magee D: *Orthopedic physical assessment,* ed 3, Philadelphia, 1997, Saunders.
26. Feliciano DV, Moore EE, Mattox KL, editors: *Trauma,* ed 3, Stamford, Conn, 1996, Appleton & Lange.
27. Reese RE, Betts RF, editors: *A practical approach to infectious diseases,* ed 4, Boston, 1996, Little, Brown.
28. Hellman D: Arthritis and musculoskeletal disorders. In Tierney L, McPhee S, Papadakis M, editors: *Medical diagnosis and treatment,* ed 36, Stanford, Conn, 1997, Appleton & Lange.
29. Keen J, Swearingen P: *Critical care nursing consultant,* St Louis, 1997, Mosby.
30. Mourad L: Alterations of musculoskeletal function. In McCance KL, Huether SE, editors: *Pathophysiology: the biologic basis for disease in adults and children,* ed 3, St Louis, 1998, Mosby.
31. Yetzer EA: Helping the patient through the experience of an amputation, *Orthop Nurs* 15:45, 1996.
32. Wiernik PH and others, editors: *Neoplastic diseases of the blood,* ed 3, New York, 1996, Churchill Livingstone.
33. Vander Griend RA: Osteosarcoma and its variants, *Orthop Clin North Am* 27:575, 1996.
34. Vlasak R, Sim FH: Ewing's sarcoma, *Orthop Clin North Am* 27:591, 1996.
35. Kuritzky L: Steps in the management of low back pain, *Hosp Pract* 31:109, 1996.
36. Chase J: Outpatient management of low back pain, *Orthop Nurs* 11:11, 1992.
37. Leboeuf-Yde C, Yashin A, Lauritzen T: Does smoking cause low back pain? Results from a population-based study, *J Manipulative Physiol Ther* 19:99, 1996.
38. Nerubay J, Caspi I, Levinkopf M: Percutaneous carbon dioxide laser nucleolysis with 2- to 5-year followup, *Clin Orthop Relat Res* 337:45, 1997.
39. Bigos S, Nordin M, Leger D: Treatment of the acutely injured worker. In Nordin M, Andersson G, Pope M, editors: *Musculoskeletal disorders in the work place, principles and practice,* St Louis, 1997, Mosby.
40. Hunt AH: The relationship between height change and bone mineral density, *Orthop Nurs* 15:57, 1996.
41. Kessenich CR, Rosen CJ: Vitamin D and bone status in elderly women, *Orthop Nurs* 15:67, 1996.
42. Kessenich C: Preventing and managing osteoporosis, *AJN* 97:16B, 1997.
43. Tucci JR and others: Effect of three years of oral alendronate treatment in postmenopausal women with osteoporosis, *Am J Med* 101:488, 1996.
44. Jackson R: Forestalling fracture in osteoporosis, *Hosp Pract* 32:77, 1997.
45. Vandevyver C and others: Influence of the vitamin D receptor gene alleles on bone mineral density in postmenopausal and osteoporotic women, *J Bone Mineral Res* 12:241, 1997.
46. Barzel U: Osteoporosis: taking a fresh look, *Hosp Pract* 31:59, 1996.
47. Balfour JA and others: Raloxifene, *Drugs Aging* 12:335, 1998.
48. Weinstein R: Advances in the treatment of Paget's bone disease, *Hosp Pract* 32:63, 1997.

*Nursing research-based article.

Édition de langue française

1. ANCIENS COMBATTANTS CANADA. *Les faits* (en ligne), mai 2002 (consulté le 8 mai 2003). [http://www.vac-acc.gc.ca/clients_f/sub.cfm?source=health/fallsp/fallfac].
2. OSTÉOPOROSE QUÉBEC. *Accueil* (en ligne), octobre 2002 (consulté le 13 mai 2003). [http://www.osteoporose.qc.ca/f_accueil_neuf_20021018.html].

Chapitre **59**

Monique Bédard
B. Sc. inf.
Cégep de Limoilou

Lucie Maillé
Inf., B. Sc.
Collège Édouard-Montpetit

ARTHRITE ET MALADIES DES TISSUS CONJONCTIFS

OBJECTIFS D'APPRENTISSAGE

APRÈS AVOIR LU CE CHAPITRE, VOUS DEVRIEZ ÊTRE EN MESURE :

- DE DÉCRIRE LA PHYSIOPATHOLOGIE, LES MANIFESTATIONS CLINIQUES ET LE PROCESSUS THÉRAPEUTIQUE DE L'ARTHROSE, DE LA POLYARTHRITE RHUMATOÏDE, DE LA GOUTTE, DU LUPUS ÉRYTHÉMATEUX DISSÉMINÉ ET DE LA SCLÉRODERMIE SYSTÉMIQUE ;

- DE DÉCRIRE LES MANIFESTATIONS CLINIQUES ET LES SOINS INFIRMIERS DE LA POLYARTHRITE AIGUË INFANTILE, DES MALADIES RHUMATOÏDES RELATIVES À L'ANTIGÈNE LEUCOCYTAIRE HUMAIN, DE L'ARTHRITE AIGUË SUPPURÉE, DE LA POLYMYOSITE, DE LA DERMATOMYOSITE ET DE LA FIBROMYALGIE ;

- DE COMPARER L'ARTHROSE ET L'ARTHRITE RHUMATOÏDE ET DE METTRE EN OPPOSITION LEURS DIFFÉRENCES DANS LES ÉVÉNEMENTS QUI MÈNENT À LA DESTRUCTION DES ARTICULATIONS ;

- DE COMPARER L'ARTHROSE ET L'ARTHRITE RHUMATOÏDE ET DE METTRE EN OPPOSITION LEURS DIFFÉRENCES DE MANIFESTATIONS CLINIQUES, DE TRAITEMENTS ET DE PRONOSTICS ;

- DE RECONNAÎTRE LES SOINS INFIRMIERS DE L'ARTHRITE ET DES TROUBLES RHUMATOÏDES ;

- DE DÉCRIRE LES TYPES DE CHIRURGIES RECONSTRUCTIVES POUR L'ARTHRITE ET LES TROUBLES RHUMATOÏDES ;

- DE CONNAÎTRE LES ENSEIGNEMENTS PRÉOPÉRATOIRE ET POSTOPÉRATOIRE À DONNER AU CLIENT AINSI QUE LE PROCESSUS THÉRAPEUTIQUE POUR UNE CHIRURGIE RECONSTRUCTIVE ASSOCIÉE À L'ARTHRITE ET AUX TROUBLES RHUMATOÏDES ;

- DE DÉCRIRE LA PHARMACOTHÉRAPIE ET LES SOINS INFIRMIERS RELIÉS À L'ARTHRITE ET AUX TROUBLES RHUMATOÏDES ;

- DE RECONNAÎTRE LES PROBLÈMES PSYCHOLOGIQUES ET SOCIOCULTURELS DU CLIENT ATTEINT D'UNE MALADIE RHUMATOÏDE ET LES SOINS INFIRMIERS POUR LES SOLUTIONNER ;

- DE RECONNAÎTRE L'IMPORTANCE DU TRAVAIL EN ÉQUIPE INTERDISCIPLINAIRE DANS LA GESTION GLOBALE DES TROUBLES RHUMATOÏDES.

59.1 ARTHROSE

L'arthrose, aussi appelée **maladie dégénérative des articulations**, est un trouble des articulations qui progresse lentement et qui touche surtout les articulations portantes ; l'arthrose est caractérisée par la dégénérescence du cartilage de l'articulation. Les lésions qu'elle provoque sont confinées aux articulations et aux tissus adjacents. Les manifestations cliniques comprennent les douleurs articulaires, la raideur et une amplitude de mouvement réduite. La radiographie montre une réduction de l'espace articulaire, une sclérose sous-chondrale et une formation ostéophyte (excroissance osseuse). Le spectre de gravité de la maladie est très large et va d'une gêne avec symptômes désagréables à une maladie significativement invalidante.

L'âge est le plus important facteur de risque de l'arthrose. On estime que le tiers de la population adulte est atteint d'une maladie dégénérative des articulations visible à la radiographie ; à 60 ans, l'incidence atteint 60 à 80 %. La moitié seulement de ces adultes se plaignent de symptômes ; néanmoins, il ne faut pas considérer comme normales les douleurs articulaires et l'incapacité fonctionnelle observées chez les personnes âgées. En général, l'arthrose se trouve dans toutes les articulations périphériques et centrales.

59.1.1 Étiologie et physiopathologie

L'arthrose est soit un trouble idiopathique primaire, soit un trouble secondaire. La cause de l'arthrose primaire est inconnue. Les arthroses primaire et secondaire sont déterminées par de multiples facteurs (métabolique, mécanique, génétique, chimique). Cependant, l'arthrose secondaire est reliée à un événement déclencheur identifiable, comme un antécédent traumatique, des fractures, une infection ou des infirmités congénitales ; on pense que ces événements prédisposent la personne à des changements dégénérescents ultérieurs.

Avec le temps, ces changements modifient le cartilage articulaire qui est normalement lisse, blanc et translucide et qui devient jaune, opaque avec une surface rugueuse ou molle. Les surfaces osseuses se rapprochent avec la diminution de l'épaisseur du cartilage. Lorsque le cartilage est détruit, des fissures apparaissent et des éclats de cartilage sont libérés. La membrane synoviale s'enflamme parfois après la destruction du cartilage. Une fois le cartilage de la surface articulaire disparu, la densité des os sous-chondraux augmente et la surface se sclérose (éburnation). De nouvelles croissances osseuses (ostéophytes) se forment aux bords des articulations et aux sites d'attaches des ligaments et des tendons.

La détérioration du cartilage est un processus dynamique qui a plusieurs causes. Il se peut que l'hyaluronidase, contenue dans le liquide synovial, pénètre dans le cartilage articulaire par des fissures superficielles et soit à l'origine de la digestion enzymatique des protéoglycanes. Il se peut également que l'alimentation déficiente du cartilage entraîne sa dégénérescence. Comme le cartilage n'est pas vascularisé, c'est le liquide synovial qui fournit les substances nutritives. La synthèse de l'ADN, qui normalement ne se produit pas dans le cartilage de l'adulte, se produit dans les tissus ostéo-arthritiques et son activité semble être directement proportionnelle à la gravité de la maladie.

Il existe des facteurs prédisposants pour lesquels on a noté l'accélération des changements ostéo-arthritiques, comme l'usage ou le stress excessif d'une articulation (les genoux des joueurs de football, les pieds et les chevilles des danseurs). Les facteurs génétiques agissent sur le développement des nodosités de Heberden qui ne mettent en jeu qu'un seul gène autosomique qui est dominant chez la femme et récessif chez l'homme. (Les nodosités d'Heberden sont présentées plus loin).

D'autres facteurs agissent sur le développement de l'arthrose, notamment les malformations congénitales (maladie de Legg-Calvé-Perthes [l'ostéochrondrite de la tête du fémur chez les enfants], les troubles métaboliques (diabète et acromégalie), les hémorragies intra-articulaires répétées (hémophilie), les arthropathies neuropathiques (articulations de Charcot), les arthrites inflammatoires et les arthrites aiguës suppurées.

59.1.2 Manifestations cliniques

Manifestations systémiques. L'arthrose ne s'accompagne pas de manifestations systémiques comme la fièvre et la fatigue. De plus, les autres organes ne sont pas atteints ; c'est là une différence importante entre l'arthrose et les troubles inflammatoires des articulations comme l'arthrite rhumatoïde.

Articulations. Les manifestations articulaires ne concernent que l'articulation touchée. Le client souffre lorsqu'il bouge ou lorsque l'articulation supporte un

DIVERSITÉ CULTURELLE

Arthrite et maladies des tissus conjonctifs

ENCADRÉ 59.1

- Le lupus érythémateux disséminé est plus fréquent chez les femmes de race noire que chez les femmes de race blanche.
- La spondylite ankylosante est plus fréquente et ses manifestations sont plus sévères chez les personnes de race blanche que chez les autres.
- L'arthrose est plus fréquente chez les Amérindiens que chez les personnes de race blanche.

poids ; en général, le repos soulage la douleur. Lorsque la maladie est à un stade avancé, la douleur perturbe parfois le sommeil. Lorsque le cartilage (qui ne contient pas de nerfs) est usé et a disparu, les nerfs de l'os sous-chondral perçoivent la pression et l'irritation directe. En général, la douleur ne provient pas de l'articulation arthritique, mais de la tuméfaction et de l'étirement des structures de tissus mous qui entourent l'articulation. La perte progressive de fonction accompagne l'accroissement de la douleur. On peut perdre la coordination et la posture globales du corps à cause de la douleur et de la perte de mobilité.

Contrairement à la douleur, qui est habituellement déclenchée par l'activité, la rigidité articulaire se produit après les périodes de repos ou d'immobilité. Les symptômes propres à l'arthrose sont souvent aggravés par l'humidité et une basse pression atmosphérique. Pendant l'examen physique, on peut noter un désalignement des membres et une crépitation (sensation de grincement causé par le frottement l'une sur l'autre de surfaces articulaires anormales). Au stade avancé, la maladie se caractérise par une déformation apparente et une subluxation (luxation partielle) causées par la détérioration du cartilage, l'affaissement des os sous-chrondaux et une importante excroissance osseuse.

En général, les articulations sont atteintes de façon symétrique. Les articulations les plus fréquemment touchées sont les articulations distales et proximales interphalangiennes des doigts, la première articulation carpométacarpienne, les articulations des hanches et des genoux, la première articulation métatarsophalangienne, les vertèbres lombaires inférieures et les vertèbres cervicales (voir figure 59.1). Il est rare d'observer des signes de dégénérescence dans les articulations métacarpophalangiennes, dans les coudes ou les épaules.

Nodules. Les nodosités de Heberden sont une des manifestations habituelles de l'arthrose qui touche particulièrement les femmes atteintes d'arthrose primaire. Ces nodosités sont des excroissances osseuses réactives situées aux articulations distales interphalangiennes (voir figure 59.2). Les nodosités de Heberden sont des protubérances palpables souvent associées à la flexion et à la déviation latérale de la phalange distale ; ces nodosités touchent le plus souvent les femmes et ont tendance à apparaître en familles. Les nodosités de Bouchard, que l'on observe plus rarement dans l'arthrose, touchent les articulations proximales interphalangiennes.

Les nodosités de Heberden et de Bouchard provoquent rougeur, tuméfaction, sensibilité et douleur. Elles commencent sur un doigt, puis se propagent vers les autres. Même si, en général, ces excroissances osseuses ne s'accompagnent d'aucune perte de fonction significative, le client est souvent désespéré à cause de la déformation visible de ses mains. Ces nodosités sont presque impossibles à prévenir.

Hanches. L'arthrose des hanches peut être très invalidante. Les anomalies congénitales ou structurelles en sont des causes fréquentes. Ce problème se rencontre davantage chez l'homme que chez la femme et peut être

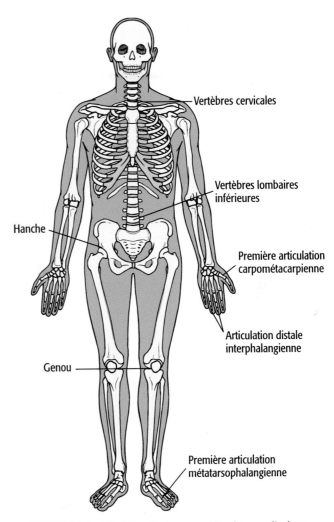

FIGURE 59.1 Articulations le plus souvent touchées par l'arthrose

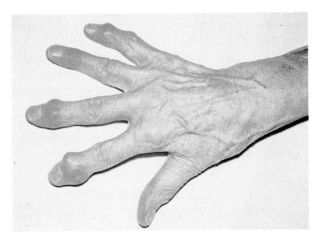

FIGURE 59.2 Nodules d'Heberden

unilatéral ou bilatéral. Comme la douleur aux hanches peut être perçue comme provenant de l'aine, de la fesse, du côté interne de la cuisse ou du genou, le client éprouve parfois des difficultés à localiser le problème. La douleur ressentie en marchant ou due aux charges peut s'aggraver et évoluer vers une douleur qui est ressentie même au repos. Le client a du mal à s'asseoir dans une chaise et à s'en lever si la position des hanches est plus basse que celle des genoux. Le client doit apprendre à s'asseoir sur une chaise haute, stable et munie d'accoudoirs. La perte de l'amplitude de mouvement devient importante avec de sérieuses restrictions sur les mouvements d'extension et de rotation interne.

Genoux. C'est surtout chez les personnes jeunes que l'on observe l'amollissement du cartilage postérieur de la rotule (chondromalacie rotulienne). La dégénérescence des surfaces portantes des condyles des fémurs et des tibias se produit plutôt chez les femmes âgées ; elle est alors associée à des restrictions de mouvements, à des crépitations neigeuses et à des déformations de flexion. Chez les femmes, on a noté que l'obésité intervenait dans l'arthrose ; elle est alors probablement le résultat d'un stress mécanique.

Colonne vertébrale. L'arthrose de la colonne vertébrale provoque des symptômes locaux de douleur et de raideur. La maladie dégénérative des disques vertébraux les rend fragiles et inélastiques à cause de la détérioration des noyaux gélatineux. Les noyaux dégénérés forment une hernie latérale ou postérieure qui, en comprimant une racine nerveuse, provoque des spasmes musculaires ou des douleurs radiculaires. Il existe un autre type d'arthrose de la colonne vertébrale caractérisé par une maladie dégénérative des articulations intervertébrales (épiphysaires) ; cette maladie apparaît généralement quelques années après celle des disques vertébraux. De petits ostéophytes (éperons) apparaissent aux attaches vertébrales de l'anneau fibreux, du périoste et des ligaments longitudinaux. Ces ostéophytes peuvent se propager et limiter l'amplitude de mouvement ; ils peuvent également appuyer sur le trou intervertébral et provoquer le symptôme de compression de la racine nerveuse. Bien que rare, une formation d'ostéophytes dans la région postérieure de la colonne vertébrale peut comprimer le système vasculaire vertébro-basilaire et créer une insuffisance qui provoque des étourdissements intermittents, des perturbations visuelles, des céphalées et de l'ataxie.

59.1.3 Épreuves diagnostiques

Lorsque l'arthrose est à un stade avancé, les radiographies montrent le rétrécissement des espacements articulaires, les scléroses osseuses, la formation d'éperons

et parfois des subluxations. L'évolution des radiographies ne reflète pas la douleur du client. Le client peut très bien ne présenter aucun symptôme, même si la radiographie montre un important rétrécissement articulaire. Réciproquement, certains clients ont de fortes douleurs, mais la radiographie ne montre que de légers changements. Pour diagnostiquer l'arthrose, il n'existe pas d'anomalies détectables en laboratoire. La vitesse de sédimentation globulaire est normale, sauf pour l'arthrose érosive pour laquelle on observe une légère augmentation. Le volume de liquide synovial d'une articulation touchée est plus important, mais une ponction montre qu'il demeure clair et visqueux. L'analyse du liquide révèle au plus une légère inflammation.

59.1.4 Processus thérapeutique

Il n'y a pas de traitement spécifique pour l'arthrose. La thérapie vise à soulager la douleur, à prévenir la progression de la maladie et de l'incapacité et à rétablir la fonction articulaire (voir encadré 59.2). Une fois le diagnostic confirmé, on doit assurer au client que l'arthrose se limitera certainement à quelques articulations et qu'elle n'entraînera pas d'infirmité. Cependant, on devra envisager une intervention chirurgicale, si la destruction de l'articulation est importante et si la douleur est intense.

PROCESSUS DIAGNOSTIQUE ET THÉRAPEUTIQUE

Arthrose ENCADRÉ 59.2

Diagnostic
- Antécédents de santé et examen physique
- Radiographie des articulations touchées
- Vitesse de sédimentation
- Analyse du liquide synovial

Processus thérapeutique
- Repos et protection des articulations
- Compresses chaudes ou froides, exercices
- Pharmacothérapie
  - Acétaminophène
  - Anti-inflammatoires non stéroïdiens
  - Acide hyaluronique intra-articulaire
  - Corticostéroïdes intra-articulaires
- Appareils fonctionnels
- Gestion du stress
- Chirurgie orthopédique
  - Débridement
  - Arthrodèse
  - Arthroplastie
  - Ostéotomie
  - Arthroplastie totale d'articulation

Pharmacothérapie. En 1995, de nouveaux guides portant sur la gestion de l'arthrose ont été publiés. Le premier niveau thérapeutique commence avec 1 g d'acétaminophène (Tylenol) administré 4 fois par jour. On peut administrer des substances topiques, notamment la capsaïcine seule (Zostrix, Antiphlogistine Rub A-535, Capsaïcine HP) ou en association avec l'acétaminophène. Cette crème, produite à base de piment du Chili, entraîne la déplétion de la substance P des terminaisons nerveuses et bloque donc les signaux de douleur vers le cerveau. La crème est disponible en différentes concentrations et doit être administrée régulièrement pour produire un effet maximal. La première application peut s'accompagner d'une brève sensation de brûlure. Si ces méthodes ne donnent pas le résultat escompté, on peut administrer de faibles doses d'ibuprofène à 400 mg (Motrin, Advil) jusqu'à 4 fois par jour. Le tableau 59.1 présente une liste de médicaments pour le traitement de l'arthrose.

Au second niveau thérapeutique de l'arthrose, on administre des médicaments anti-inflammatoires non stéroïdiens (AINS) à pleine dose. Les AINS bloquent la production des prostaglandines à partir de l'acide arachidonique en inhibant la production de cyclo-oxygénase (voir figure 6.6). Toutefois, l'administration à long terme des AINS et leurs effets indésirables sur le métabolisme du cartilage, en particulier chez les personnes âgées, ont soulevé quelques objections. Les AINS ont souvent des effets secondaires sur le système gastro-intestinal et c'est pourquoi on administre du misoprostol (Cytotec) pour éviter ces effets secondaires. Un autre médicament disponible est l'Arthrotec, une association de misoprostol et de l'AINS diclofénac (Voltaren). Les nouveaux AINS simplifient la posologie et la réduisent à une ou deux doses par jour, ce qui améliore également l'observance thérapeutique. Pour la même posologie anti-inflammatoire, tous les AINS ont la même efficacité, mais leurs coûts sont très différents. Les réactions individuelles et les effets secondaires des AINS sont variables. L'aspirine que l'on n'administre plus que rarement ne doit pas être associée aux AINS, car les deux médicaments inhibent la fonction des plaquettes et prolongent la durée de saignement.

Les inhibiteurs du cyclo-oxygénase-2, une nouvelle génération d'AINS, comprennent le célécoxib (Celebrex), le rofécoxib (Vioxx) et le Valdécoxib (Bextra). Ces médicaments inhibent le cyclo-oxygénase-2 sans agir sur le cyclo-oxygénase-1, une enzyme qui protège le revêtement stomacal. Les AINS traditionnels sont des inhibiteurs non spécifiques à la fois du cyclo-oxygénase-1 et du cyclo-oxygénase-2. Le grand avantage des inhibiteurs du cyclo-oxygénase-2 par rapport aux AINS traditionnels est qu'ils causent moins de problèmes gastro-intestinaux, notamment des ulcères et des hémorragies.

Pour traiter une inflammation symptomatique due à l'arthrose, on injecte des corticostéroïdes dans l'espace intra-articulaire. On doit éviter l'administration systémique de corticostéroïdes, car ils accélèrent le processus morbide. Les personnes atteintes d'arthrose prennent maintenant couramment du sulfate de glucosamine en guise de supplément alimentaire. Cependant, l'absence d'études de longue durée bien contrôlées laisse en suspens les questions sur ce sujet. Un traitement récemment approuvé pour l'arthrose du genou consiste à injecter des dérivés naturels et synthétiques de l'acide hyaluronique dans l'espace intra-articulaire (Synvisc, NeoVisc). Même si les mécanismes d'action sont méconnus, ces substances possèdent des propriétés anti-inflammatoires et ont un effet lubrifiant à court terme. De plus, il est possible qu'elles aient un effet analgésique en protégeant directement les terminaisons nerveuses synoviales par l'acide hyaluronique et en stimulant les cellules de revêtement synoviales à produire de l'acide hyaluronique.

Recommandations nutritionnelles. Il n'existe pas de régime alimentaire spécifique pour l'arthrose, sinon celui qui maintient un état de santé optimal. Si le client a un excès de poids, le régime amaigrissant prend alors une place importante dans le plan de traitement global. L'effet du poids est multiplié par cinq au niveau des hanches et par trois au niveau des genoux. Dans le cas de l'arthrose, la contrainte additionnelle due aux kilos superflus accroît énormément la douleur et la perte de fonction. De plus, les hanches lourdes provoquent un désalignement au niveau du genou et accroissent l'usure de la face interne. (Le chapitre 32 montre la façon d'aider le client à atteindre et à conserver un poids santé.)

59.1.5 Soins infirmiers : arthrose

Collecte des données. La collecte des données auprès du client atteint d'arthrose doit comprendre une description détaillée de la nature, de l'emplacement, de la gravité et de la fréquence de la douleur et de la raideur articulaires. On doit également déterminer à quel point ces symptômes nuisent aux activités quotidiennes du client. On doit noter les méthodes qui soulagent la douleur et celles qui ne la soulagent pas. L'examen physique des articulations touchées comprend la sensibilité, la tuméfaction, la limitation de l'amplitude de mouvement et la crépitation. Il est intéressant de comparer l'articulation atteinte à l'articulation controlatérale, si celle-ci n'est pas atteinte.

Diagnostics infirmiers. Voici quelques diagnostics infirmiers pour le client atteint d'arthrose :

PHARMACOTHÉRAPIE

TABLEAU 59.1 Troubles rhumatoïdes

Médicament	Mécanisme d'action	Effets secondaires courants	Éléments à prendre en compte par l'infirmière

SALYCÉS
Aspirine
Choline-magnésium.
    trisalicylate (Trilisate)
Diflunisal
	Anti-inflammatoire
	Analgésique
	Effet antipyrétique
	Inhibition de la synthèse
	    des prostaglandines*
		Irritation du tractus gastro-intestinal (ulcère et hémorragie), hypersensibilité, salicylisme (nausées, acouphènes, étourdissements, hyperpnée), saignement prolongé.	Si le médicament est administré pour son effet anti-inflammatoire, interrompre le traitement si la douleur diminue. L'administrer avec des aliments, du lait, des anti-acides selon l'ordonnance ou un verre d'eau ; ou bien utiliser de l'aspirine entéro-soluble. Signaler les signes de saignement (selles poisseuses, hématomes, pétéchies, méléna).

ANTI-INFLAMMATOIRES NON STÉROÏDIENS Ibuprofène (Motrin, Advil) Naproxen (Naprosyn, Anaprox) Piroxicam (Feldene) Indométhacine (Indocid) Sulindac (Clinoril) Tolmetin (Tolectin) Diclofénac (Voltaren) Acide méfénamique (Ponstan) Étodolac (Ultradol) Fénoprofène (Nalfon) Flurbiprofène (Ansaid) Kétoprofène (Orudis) Méloxicam (Mobicox) Nabumétone (Relafen) Oxaprozine (Daypro) Célécoxib (Celebrex)† Rofécoxib (Vioxx)† Valdécoxib (Bextra)	Anti-inflammatoire Analgésique Effet antipyrétique Inhibition de la synthèse des prostaglandines*	Irritation du tractus gastro-intestinal, notamment dyspepsie, nausées et vomissements, saignement gastro-intestinaux, étourdissements, érythème, céphalées, acouphènes, saignement prolongé, taux élevé des transaminases sériques, néphrotoxicité médicamenteuse, exacerbation de l'asthme.	Administrer le médicament avec des aliments, du lait, des anti-acides selon la prescription. Signaler les signes de saignement, les œdèmes, les érythèmes cutanés, les céphalées persistantes ou les troubles visuels. Surveiller l'augmentation de la tension artérielle.
ANALGÉSIQUES NON NARCOTIQUES Acétaminophène (Tylenol)	Analgésique Effet antipyrétique	Érythème, urticaire, hépatoxicité, leucopénie.	Avertir le client que la consommation concomitante d'alcool risque de causer des lésions au foie. Enseigner au client de ne pas dépasser la posologie prescrite.
Crème à la capsaïcine (Zostrix, Capsaïcine HP)	Analgésique topique, provoque la déplétion de la substance P dans les terminaisons nerveuses et empêche ainsi les impulsions douloureuses de se rendre au cerveau	Sensation de brûlure localisée, érythème.	Doit être administrée régulièrement pour produire un effet maximal. Une crème à base d'aloe vera permet parfois d'atténuer la sensation de brûlure. Les substances grasses comme le beurre ou le lait annulent l'effet de la crème. Existe en plusieurs concentrations.
ANALGÉSIQUES NARCOTIQUES Codéine avec acétaminophène ou aspirine (Tylenol n° 3 ou 4, Lenoltec n° 3 ou 4) Oxycodone avec acétaminophène ou aspirine (Oxydam, Percodan, Percocet, Endodan, Oxycocet, Endocet)	Analgésique	Constipation, arythmies, étourdissements, sédation, nausées, céphalées, vomissements, érythème, dépression respiratoire ou hépatotoxicité en cas de surdose.	Avertir le client du risque de constipation. Signaler les signes de saignement avec les produits contenant de l'aspirine. Surveiller la numération globulaire et les tests de fonction hépatique. Administrer avec un anti-émétique en cas de nausées. Enseigner au client et à sa famille qu'ils doivent signaler toutes les modifications touchant le SNC ou la respiration.

PHARMACOTHÉRAPIE

TABLEAU 59.1 Troubles rhumatoïdes *(suite)*

Médicament	Mécanisme d'action	Effets secondaires courants	Éléments à prendre en compte par l'infirmière
CORTICOSTÉROÏDES **Injections intra-articulaires** Acétate de méthylpredniso-lone (Depo-Medrol) Triamcinolone (Kemalog)	Anti-inflammatoire Analgésique Effet antipyrétique Inhibation de la synthèse des prostaglandines*	Ostéoporose locale, rupture de tendons et arthropathie neuropathique, causées par des injections répétées. Possibilité d'infection locale.	Utiliser une technique aseptique stricte pour aspirer le liquide de l'articulation et injecter les corticostéroïdes. Avertir le client que la douleur risque de s'accentuer juste après l'injection. Avertir le client que l'amélioration dure de plusieurs semaines à plusieurs mois après l'injection et qu'il doit éviter de faire porter son poids sur l'articulation pendant 2 à 6 semaines après l'injection.
Systémiques Succinate sodique d'hydro-cortisone (Solu-Cortef) Succinate sodique de méthylprednisolone (Solu-Medrol) Dexaméthasone Prednisone	Anti-inflammatoire Analgésique	Syndrome de Cushing, notamment rétention de liquides, irritation gastro-intestinale, ostéoporose, insomnie, hypertension, psychose, diabète sucré, acné, menstruations irrégu-lières, hirsutisme, risque d'infection, hématomes.	Administrer uniquement si les symptômes persistent avec des médicaments anti-inflammatoires moins puissants ou dans les cas où la vie est en danger. Administrer seulement pendant une durée limitée en réduisant la dose progressivement. Ne pas oublier que l'interruption brutale entraîne une exacerbation des symptômes. Surveiller la tension artérielle, le poids, l'hémogramme et le taux de potassium. Limiter l'apport en sodium. Signaler les signes d'infection. Recommander au client de signaler au dentiste ou au chirurgien qu'il prend des corticostéroïdes afin d'éviter une insuf-fisance d'adrénaline postopératoire.
AGENTS IMMUNOSUPPRESSEURS Azathioprine (Imuran)	Effet immunosuppresseur par inhibition du métabo-lisme des purines et par diminution de l'ADN, de l'ARN et des protéines	Irritation et ulcérations gastro-intestinales, alopécie, lésions buccales, dermatite, dyscrasie, dépression de la moelle osseuse, augmentation générale de la prédisposition à l'infection.	Être conscient du risque tératogène et de la mise en garde contre l'administration aux enfants ou aux femmes en âge de procréer. Surveiller l'hémogramme, les plaquettes et les résultats des analyses d'urine. Ne pas oublier que le médicament doit être utilisé avec une grande prudence chez les clients présentant une insuffisance hépa-tique ou rénale et qu'il ne doit pas être administré aux clients ayant des antécé-dents de tumeurs malignes.
Cyclophosphamide (Cytoxan, Procytox)	Effet immunosuppresseur par réticulation des fibres d'ADN et d'ARN par inhibition de la syn-thèse des protéines	Irritation et ulcérations gastro-intesti-nales, alopécie, lésions buccales, dermatite, dyscrasie, dépression de la moelle osseuse, oncogénicité, cystite hémorragique, stérilité.	Ne pas oublier que le traitement est réservé aux clients qui ne répondent pas au traitement classique. Surveiller l'hémogramme, les pla-quettes et les résultats des analyses d'urine. Être conscient du risque tératogène et de la mise en garde contre l'administration aux enfants ou aux femmes en âge de procréer. Avertir les clientes qu'elles doivent utiliser une méthode contraceptive pendant le traite-ment. L'administration est généralement réser-vée au traitement de l'angéite rhumatoïde.

PHARMACOTHÉRAPIE

TABLEAU 59.1 Troubles rhumatoïdes (*suite*)

Médicament	Mécanisme d'action	Effets secondaires courants	Éléments à prendre en compte par l'infirmière
Cyclosporine (Neoral)	Effet immunosuppresseur par inhibition des lymphocytes T	Hypertension, tremblements, hépatotoxicité, néphrotoxicité, hyperkaliémie, prédisposition accrue à l'infection, nausées et vomissements.	Savoir que le médicament doit être administré avec prudence aux clients présentant une insuffisance hépatique ou rénale. Surveiller l'hémogramme et les tests des fonctions hépatiques.
Méthotrexate	Effet immunosuppresseur par inhibition du métabolisme de l'acide folique, et donc par inhibition de la synthèse de l'ARN et de l'ADN	Irritation gastro-intestinale, photosensibilité, lésions buccales, toxicité hépatique, dyscrasie, infertilité.	Surveiller l'hémogramme, les tests des fonctions hépatiques et la créatinine sérique. Recommander au client d'éviter les boissons alcoolisées et de signaler les signes de jaunisse. Être conscient du risque tératogène et de la mise en garde contre l'administration aux enfants ou aux femmes en âge de procréer. Avertir les clientes qu'elles doivent utiliser une méthode contraceptive pendant le traitement et pendant les 3 mois suivants.
Sulfasalazine (Salazopyrin)	Anti-inflammatoire et immunosuppresseur qui provoque la libération d'adénosine aux sites d'inflammation et donc augmente la sécrétion d'IL-10 et réduit la fonction des cellules T	Érythème, coloration jaune-orangée de l'épiderme, neutropénie, thrombocytopénie, fièvre, irritation gastro-intestinale, étourdissements, photosensibilité, céphalées, myélosuppression.	Surveiller l'hémogramme et les tests des fonctions hépatiques. Éviter l'exposition aux rayons solaires. S'utilise aussi pour les clients présentant une inflammation des intestins.
AGENTS INDUISANT LA RÉMISSION			
Chrysothérapie Voie parentérale Aurothiomalate (Myochrysine) Aurothioglucose (Solganal) Voie orale Auranofin (Ridaura)	Inconnu, suppression de l'inflammation, peut-être due à l'inhibition de la fonction macrophage, de l'activation des compléments et de la synthèse des prostaglandines	Voie parentérale : dermatite, prurit, stomatite, dyscrasie, néphrotoxicité, diarrhée Voie orale : moins toxique que par la voie parentérale, irritation gastro-intestinale, complications mucocutanées, du système hématopoïétique et complications rénales.	Voie parentérale : effectuer régulièrement des analyses de sang et d'urine. Surveiller la présence de sang et de protéines dans les urines avant chaque dose et reporter l'injection jusqu'à ce que les résultats soient négatifs. Bien mélanger le médicament et faire une injection intramusculaire en profondeur dans les fesses. Avertir le client qu'il ne doit pas s'attendre à une amélioration des symptômes avant 3 à 6 mois et qu'il pourrait s'agir d'un traitement à vie. Voie orale : établir un nouveau traitement par voie orale avec des agents diluants. Ne pas diminuer la posologie orale. Les épreuves de laboratoire sont moins fréquentes avec les médicaments par voie orale. Enseigner aux femmes qu'elles ne doivent pas devenir enceintes pendant une chrysothérapie. Moins toxique et moins efficace que l'or par voie parentérale.
Antipaludiques Chloroquine (Aralen) Hydroxychloroquine (Plaquenil)	Inconnu, capacité de se fixer et d'interagir avec l'ADN	Nausées, gêne abdominale, érythème, rétinopathie asymptomatique, opacité cornéenne, céphalées, étourdissements, dyscrasie.	Avertir le client qu'il doit passer un examen ophtalmologique comprenant des observations à la lampe à fente tous les 6 à 12 mois. Recommander au client de prendre le médicament avec les repas, du lait ou un antiacide selon l'ordonnance, de signaler toutes les éruptions cutanées et les troubles visuels, et d'éviter l'exposition excessive au soleil. Surveiller régulièrement l'hémogramme et les valeurs des enzymes hépatiques. Recommander aux clientes de parler de leur affection à leur médecin avant la grossesse et l'allaitement.

PHARMACOTHÉRAPIE

TABLEAU 59.1 Troubles rhumatoïdes *(suite)*

Médicament	Mécanisme d'action	Effets secondaires fréquents	Éléments à prendre en compte par l'infirmière
Pénicillamine (Cuprimine, Depen)	Inconnu, effet modificateur de la maladie	Dyscrasie, néphropathie glomérulaire, myasthénie grave, érythèmes, irritation gastro-intestinale, diarrhée, prurit.	Administrer le médicament à jeun avant les repas (et non pas avec). Surveiller l'hémogramme, les analyses d'urine et les tests des fonctions hépatiques. Signaler la fièvre, l'irritation de la gorge, les frissons, les hématomes ou saignements. Ne pas oublier que le médicament est contre-indiqué avec une thérapie aux sels d'or. Avertir les femmes qu'elles ne doivent pas devenir enceintes pendant qu'elles prennent ce médicament.
Tétracyclines (minocycline, doxyclycline)	Mal connu, peut avoir des effets anti-inflammatoires, immunomodulateurs et chondroprotecteurs en plus de ses propriétés antibactériennes	Irritation gastro-intestinale, érythème, photosensibilité, dyscrasie, hépatotoxicité.	Surveiller les tests des fonctions rénales et hépatiques en cas d'administration prolongée. Risque d'augmenter les taux de digoxine. Les anti-acides, le fer, le zinc, le calcium et le magnésium réduisent l'absorption du médicament.

* Voir figure 6.6.
† Cyclo-oxygénase – deux inhibiteurs qui risquent moins de causer des problèmes gastro-intestinaux que les AINS traditionnels.
IL : interleukine ; MAO : monoamine-oxydase.

- douleur aiguë reliée à l'activité physique et méconnaissance des techniques d'auto-soulagement de la douleur ;
- habitudes de sommeil perturbées reliées à la douleur ;
- mobilité physique réduite reliée à la faiblesse, à la raideur ou à la douleur pendant la marche ;
- déficit de soins personnels relié à la déformation de l'articulation et à la douleur pendant l'activité ;
- alimentation excessive reliée à un apport supérieur aux besoins caloriques ;
- diminution chronique de l'estime de soi reliée aux changements des rôles sociaux et professionnels.

Planification. Les résultats escomptés chez le client atteint d'arthrose sont les suivants : équilibrer les périodes de repos et d'activité ; prendre des mesures de protection pour les articulations ; modifier l'environnement au travail et au domicile en utilisant des appareils fonctionnels ergonomiques protégeant les articulations ; utiliser des méthodes pharmacologiques et non pharmacologiques pour soulager la douleur de manière satisfaisante ; entretenir l'amplitude de mouvement, renforcer la musculature et pratiquer des exercices aérobiques de façon régulière.

Exécution

Promotion de la santé. Il est impossible de prévenir l'arthrose primaire. Cependant, en guise de prévention, on peut éviter les efforts excessifs sur les articulations en réduisant les risques professionnels et les risques récréatifs et en consultant la diététiste pour perdre du poids. L'enseignement doit comprendre les mouvements à effectuer pour soulever correctement une charge ainsi qu'une démonstration de bonne posture. Les programmes de mise en forme physique doivent comprendre les mesures de sécurité à appliquer pour se protéger et doivent limiter les traumatismes aux structures articulaires. Les affections congénitales, comme la maladie de Legg-Calvé-Perthes qui est connue pour sa prédisposition à l'arthrose, doivent être traitées immédiatement.

Interventions en phase aiguë. La personne atteinte d'arthrose est perturbée par la douleur, la raideur, la limitation fonctionnelle et la frustration de devoir constamment supporter ces difficultés d'ordre physique. La personne âgée croit parfois que l'arthrose est une partie intégrante du processus de vieillissement et que l'on ne peut pas lutter contre les malaises et l'incapacité qui en résultent.

En général, un client atteint d'arthrose est traité en consultation externe par une équipe de professionnels de l'arthrose comprenant le médecin traitant ou le rhumatologue, une infirmière, un ergothérapeute et un physiothérapeute. Les questionnaires d'évaluation de la santé sont des outils utiles pour cibler les zones de difficultés du client atteint d'arthrose ; on peut alors intervenir précisément sur ces difficultés. La mise à jour périodique de ces questionnaires permet de contrôler l'efficacité de la thérapie. En général, le client n'est hospitalisé que si l'on planifie une intervention chirurgicale sur une articulation ou une ostéotomie.

Les médicaments ne sont administrés que pour soulager la douleur et l'inflammation. Le soulagement non pharmacologique de la douleur comprend les massages, l'application de compresses chaudes ou froides, la relaxation et l'imagerie mentale. Un physiothérapeute peut être très utile pour planifier un programme d'exercices, une fois passée la crise aiguë.

L'infirmière de l'hôpital, l'infirmière du CLSC ou la famille doit assister le client dans ses activités quotidiennes et l'aider à se reposer pendant la journée. Le client a besoin d'un certain temps pour faire bouger les articulations raides et douloureuses, surtout le matin au lever ou après un longue période d'inactivité. Le corps doit toujours être positionné correctement.

L'enseignement portant sur l'arthrose est une responsabilité infirmière importante qui doit être assumée, quel que soit l'environnement dans lequel sont donnés les soins. L'enseignement doit comprendre des renseignements sur la nature et le traitement de la maladie, sur le soulagement de la douleur, sur la bonne posture et sur la mécanique corporelle, sur l'usage adéquat des appareils fonctionnels, notamment une canne ou un déambulateur, sur les principes de protection des articulations et de conservation de l'énergie (voir encadré 59.3) et sur un programme d'exercices thérapeutiques. Les objectifs d'activités à domicile doivent être établis en fonction des besoins propres à l'individu. L'aide familiale et sociale doit être incluse dans l'établissement des objectifs et dans l'enseignement.

Soins ambulatoires et soins à domicile. Après avoir établi le diagnostic d'arthrose préliminaire et avoir renseigné le client sur celui-ci, l'infirmière doit l'aider à élaborer des stratégies à long terme pour s'adapter à sa maladie. On doit assurer au client que l'arthrose est une maladie locale et que, en général, elle n'entraîne pas de graves déformations.

Les mesures de sécurité au travail et au domicile sont importantes. Elles comprennent le retrait des carpettes, l'installation de barres d'appui dans les escaliers et autour des baignoires, l'installation d'un éclairage de nuit et le port de chaussures de soutien bien ajustées. Les appareils fonctionnels, notamment les cannes, les déambulateurs, les sièges de toilettes surélevés et les barres d'appui, réduisent la charge sur l'articulation et renforcent les mesures de sécurité. On peut prescrire des attelles pour reposer et stabiliser les articulations douloureuses ou enflammées. Pour l'arthrose cervicale, on peut utiliser un collier mou ou une traction cervicale au domicile. On peut soulager les douleurs et les raideurs des mains avec des trempages dans l'eau chaude et des bains de contrastes ou de paraffine. Lorsque le gonflement est plus diffus, les gants extensibles soulagent la douleur pendant le sommeil. Les consultations en sexologie aident le client et son conjoint à savourer le contact physique en adaptant les positions, à modifier l'horaire des relations et à accroître la prise de conscience des besoins du partenaire. L'administration d'analgésiques avant les rapports sexuels peut être utile.

Les préoccupations principales sont le soulagement de la douleur chronique et les conséquences de la perte de fonction des articulations touchées. Pour soulager la douleur chronique, on peut utiliser des techniques non pharmacologiques, mais particulièrement adaptées, notamment la méditation, la relaxation et la neurostimulation transcutanée (voir chapitre 5). L'infirmière doit être ouverte aux approches nouvelles qui soulagent la douleur. La pratique du tai chi accroît la mobilité avec les étirements légers et procure une sensation calmante grâce à l'attention portée à la respiration et à la concentration émotionnelle. Les interventions infirmières doivent aider le client et sa famille à surmonter le sentiment de détresse et encourager la participation active dans le traitement des symptômes chroniques. La combinaison adéquate de la protection de l'articulation, des exercices (amplitude de mouvement, isotonique et isométrique), de la thermothérapie ou de la cryothérapie et de la médication peuvent restaurer l'estime de soi et améliorer l'état physique. Un programme d'exercices aérobiques, notamment la marche ou la natation aérobique (aquaforme), est également important.

ENSEIGNEMENT AU CLIENT

Protection des articulations et conservation de l'énergie
ENCADRÉ 59.3

- Garder une bonne posture et une mécanique corporelle convenable.
- Conserver un poids santé.
- Utiliser des appareils fonctionnels, s'ils sont indiqués.
- Éviter les positions occasionnant une déviation ou une contrainte.
- Trouver des moyens moins stressants d'accomplir les tâches.
- Éviter les tâches qui provoquent la douleur.
- Élaborer des techniques d'organisation et de régulation du rythme.
- Éviter les mouvements répétitifs violents.

Évaluation. Les résultats escomptés chez le client atteint d'arthrose sont les suivants :
- avoir des périodes de repos et d'activités adéquates ;
- utiliser des protections articulaires et prendre des mesures de conservation d'énergie ;
- éprouver un soulagement satisfaisant de la douleur ;
- maintenir la souplesse de ses articulations et sa force musculaire par des exercices d'amplitude de mouvement, des exercices aquatiques ou aérobiques.

59.2 POLYARTHRITE RHUMATOÏDE

La **polyarthrite rhumatoïde** est une maladie systémique chronique caractérisée par une inflammation récurrente des articulations diarthrodiales et de leurs structures associées. Elle est souvent accompagnée par des manifestations extra-articulaires, comme des nodules rhumatoïdes, de l'artérite, de la neuropathie, de la sclérite, de la péricardite, des adénopathies et de la splénomégalie. La polyarthrite rhumatoïde se caractérise par des périodes de rémission et d'exacerbation. L'évolution de la maladie est variable ; elle va de périodes de maladie en alternance avec des périodes de rémission, jusqu'à la chronicité. Les taux de mortalité sont plus élevés en présence d'une maladie grave.

Selon la Société d'arthrite, près de 300 000 Canadiens (1 sur 100) seraient atteints de cette maladie. Elle frappe deux fois plus souvent les femmes que les hommes. En général, elle survient entre l'âge de 25 et 50 ans. Même si elle peut apparaître à n'importe quel âge, la polyarthrite rhumatoïde touche le plus souvent les femmes en âge de procréer. Il n'y a aucune prédisposition géographique ou ethnique. La polyarthrite rhumatoïde est un important problème de santé nationale à cause de l'incapacité chronique qu'elle peut entraîner. L'encadré 59.4 décrit les effets de la polyarthrite rhumatoïde chez les personnes âgées.

59.2.1 Étiologie et physiopathologie

La cause de la polyarthrite rhumatoïde est inconnue. On ne sait pas s'il y a un ou plusieurs facteurs causaux. Il existe plusieurs étiologies :
- Infection : on poursuit actuellement les recherches sur les pathogènes spécifiques qui pourraient déclencher le processus, notamment le virus d'Epstein-Barr, le parvovirus et la mycobactérie.
- Auto-immunité : bien que l'on ne l'ait pas identifié, il est fort probable qu'un virus soit responsable de la formation d'une immunoglobuline G anormale. La polyarthrite rhumatoïde se caractérise par la présence d'auto-anticorps à cette immunoglobuline G anormale. Ces auto-anticorps sont appelés **facteurs rhumatoïdes**. Ils se combinent avec l'immunoglobuline G pour former des complexes antigènes-anticorps qui se déposent sur les articulations, les vaisseaux sanguins et la plèvre. L'ensemble est activé et provoque une inflammation (voir chapitre 6). Les neutrophiles sont attirés sur le site de l'inflammation et libèrent des enzymes protéolytiques qui peuvent endommager le cartilage articulaire et les membranes basales des vaisseaux et de la plèvre.

L'inflammation chronique et la présence de cellules inflammatoires et de médiateurs caractérisent le changement dans l'articulation. Les macrophages infiltrés sont activés et libèrent une variété de cytokines, dont l'interleukine-1 et l'interleukine-6, le facteur de nécrose tumoral (TNF) et le facteur de stimulation des colonies (voir tableau 7.7). L'activité de ces cytokines est responsable de nombreux aspects de la synovite rhumatoïde, notamment de l'inflammation du tissu synovial, de la prolifération synoviale, des lésions aux cartilages et aux os et des manifestations systémiques de la polyarthrite rhumatoïde.
- Facteurs génétiques : certains antécédents familiaux agissent sur l'expression de la maladie. On observe une prévalence accrue d'antigènes d'histocompatibilité appelés HLA-DR4 chez 65 % des personnes atteintes de polyarthrite rhumatoïde. Chez ces personnes, la maladie est particulièrement invalidante. Il est possible que la présence de ce HLA et celle d'autres facteurs génétiques accroissent la sensibilité à un antigène environnemental non identifié, comme un virus, qui par la suite déclenche le processus morbide (voir chapitre 7).
- Autres facteurs : bien qu'il s'agisse d'une hypothèse, il est possible que les anomalies métaboliques et biochimiques, les facteurs alimentaires et environnementaux ainsi que les aspects professionnels et psychosociaux fassent partie des causes de la maladie ou contribuent à ses manifestations.

La pathogenèse de la polyarthrite rhumatoïde est mieux comprise que son étiologie. Si elle n'est pas traitée, la maladie progresse en passant par quatre stades.
- Premier stade : le facteur étiologique inconnu engendre l'inflammation de l'articulation, ou synovite, avec un gonflement de la membrane du revêtement synovial et une production excessive de liquide synovial.
- Deuxième stade : un pannus (tissu inflammatoire granuleux) se forme à la jonction de la synoviale et du cartilage. Le pannus s'étend sur la surface du cartilage articulaire et finit par envahir la capsule de l'articulation et l'os sous-chondral.
- Troisième stade : un tissu conjonctif dur remplace le pannus et obstrue l'espace. Une ankylose fibreuse restreint alors le mouvement de l'articulation, la désaligne et la déforme.
- Quatrième stade : le tissu fibreux se calcifie et l'ankylose osseuse peut immobiliser totalement l'articulation.

59.2.2 Manifestations cliniques et complications

Articulations. La polyarthrite rhumatoïde évolue de façon insidieuse. Les premières douleurs arthritiques sont parfois précédées de manifestations non spécifiques, notamment la fatigue, l'anorexie, l'amaigrissement et une raideur généralisée. Au bout de quelques semaines ou de quelques mois, la raideur est mieux localisée. Certains clients signalent des antécédents déclencheurs stressants, notamment une infection, le travail, un effort physique, une naissance, une intervention chirurgicale ou un trouble émotif. Cependant, on n'a pas apporté la preuve scientifique de l'existence d'une corrélation entre ces événements et le déclenchement de la polyarthrite rhumatoïde.

La participation articulaire spécifique se manifeste cliniquement par la douleur, la raideur, la perte de l'amplitude de mouvement ainsi que par des signes d'inflammation (chaleur, œdème et sensibilité). Les symptômes articulaires sont généralement bilatéraux et symétriques et touchent souvent les petites articulations des mains (interphalangienne proximale et métacarpophalangienne) et des pieds (métatarsophalangienne) ainsi que les grosses articulations périphériques, notamment celles des poignets, des coudes, des épaules, des genoux, des hanches, des chevilles et des mâchoires. La colonne cervicale peut être touchée, mais la colonne vertébrale est en général épargnée. Chez

l'adulte âgé, les épaules sont touchées au début de la maladie. Le tableau 59.2 compare les manifestations de la polyarthrite rhumatoïde à celles de l'arthrose.

Le client ressent une raideur articulaire le matin au lever et à la suite de périodes d'inactivité. La raideur du matin peut durer 30 minutes ou plusieurs heures suivant l'activité de la maladie. Les articulations métacarpiennes et interphalangiennes proximales sont généralement gonflées. Les doigts peuvent devenir fusiformes à cause de l'hypertrophie synoviale et de l'épaississement de la capsule articulaire (voir figure 59.3). Les articulations deviennent sensibles, douloureuses et chaudes au toucher. Le mouvement accentue la douleur dont l'intensité varie, mais elle n'est pas proportionnelle à l'inflammation. Les tendons extenseurs et fléchisseurs des poignets sont souvent touchés par une ténosynovite qui produit les manifestations du syndrome métacarpien et qui rend la préhension d'objets difficile.

Lorsque la maladie progresse, l'inflammation et la fibrose de la capsule articulaire et des structures de support peuvent entraîner déformation et invalidité. L'atrophie des muscles et la destruction des tendons font glisser les surfaces articulaires l'une sur l'autre (subluxation). Les déformations typiques de la main comprennent la déviation cubitale, les cols de cygne et les déformations en boutonnière (voir figure 59.4). La subluxation de la tête du métatarsien et le hallux valgus (oignon) peuvent être douloureux et empêcher la marche.

TABLEAU 59.2 Comparaison entre l'arthrite rhumatoïde et l'arthrose

Paramètre	Arthrite rhumatoïde	Arthrose
Âge	Jeunes et sujets d'âge moyen	En général après 40 ans
Sexe	Femmes plus souvent que les hommes	Même incidence
Poids	Perte de poids	En général excessif
Maladie	Manifestations systémiques	Manifestations articulaires locales
Articulations touchées	IPP, MCP, MTP, poignets, coudes, épaules, genoux, hanches, colonne cervicale Généralement bilatérales	IPD, premières CMC, pouces, premières MTP, genoux, colonne vertébrale, hanches; asymétrique, une ou plusieurs articulations
Épanchements	Courants	Rares
Nodules	Présents	Nodules d'Heberden
Liquide synovial	Inflammatoire	Non inflammatoire
Radiographies	Ostéoporose, rétrécissement, érosions	Ostéophytes, géodes, sclérose
Anémie	Fréquente	Rare
Facteur rhumatoïde	Positif	Négatif
Vitesse de sédimentation	Élevée	Normale sauf en cas d'arthrose érosive

CMC : articulations carpométacarpiennes ; IPD : interphalangiennes distales ; MCP : métacarpophalangiennes ; MTP : métatarsophalangiennes ; IPP : interphalangiennes proximales.

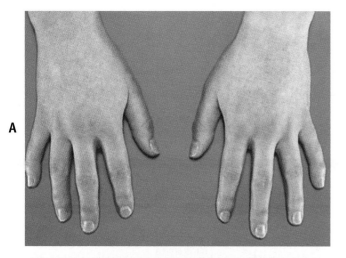

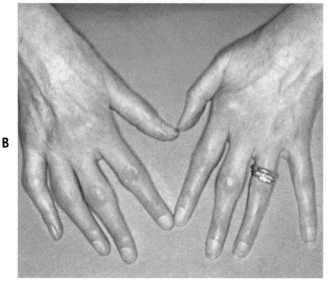

FIGURE 59.3 Arthrite rhumatoïde de la main. A. Stade précoce.
B. Stade modéré.

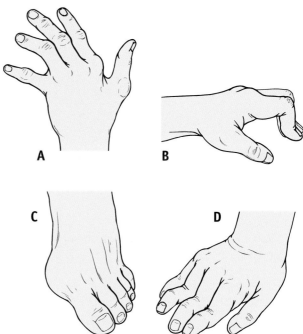

FIGURE 59.4 Déformations caractéristiques de l'arthrite rhumatoïde. A. Déviation cubitale. B. Déformation en boutonnière. C. Hallux valgus. D. Déformation en col de cygne.

Manifestations extra-articulaires. De 25 à 50 % des personnes atteintes de polyarthrite rhumatoïde présentent des nodules rhumatoïdes qui sont probablement les manifestations extra-articulaires les plus fréquentes. On pense que l'angéite des petits vaisseaux sanguins est l'événement initiateur de la formation de ces nodules. Les nodules apparaissent sous la peau comme des masses indolores et fermes ; on les trouve généralement dans la bourse olécranienne ou le long de la surface de l'extenseur de l'avant-bras. Les personnes âgées présentent fréquemment des nodules à la base de la colonne vertébrale et derrière le crâne. Les nodules apparaissent insidieusement pour demeurer ou disparaître spontanément. À cause de la forte probabilité de récurrence, on ne les enlève que s'ils causent une incapacité substantielle. Les nodules peuvent également apparaître dans l'œil ou dans les poumons ; dans ce cas, la maladie est active et le pronostic est mauvais.

L'angéite (inflammation des vaisseaux sanguins) est responsable d'un certain nombre de complications systémiques, notamment la neuropathie périphérique, la myopathie, les troubles cardiopulmonaires et les ulcérations ischémiques de la peau. La figure 59.5 montre les manifestations extra-articulaires de la polyarthrite rhumatoïde.

Complications. Les complications possibles de la polyarthrite rhumatoïde comprennent l'infection, l'ostéoporose et l'amylose. L'instabilité des articulations de la colonne cervicale risque de comprimer la colonne vertébrale.

59.2.3 Épreuves diagnostiques

Il n'existe pas de test de laboratoire simple et concluant. Toutefois, plusieurs observations permettent de diagnostiquer la polyarthrite rhumatoïde en conjonction avec les antécédents et l'examen physique. Une légère anémie est courante. Chez 85 % des personnes, la vitesse de sédimentation est élevée et permet de surveiller la réponse au traitement. Chez près de 80 % des personnes atteintes de polyarthrite rhumatoïde, le titre du facteur sérique rhumatoïde est supérieur à 1:160. Chez un plus faible pourcentage de personnes, les tests sur les cellules de lupus et sur les anticorps antinucléaires sont positifs.

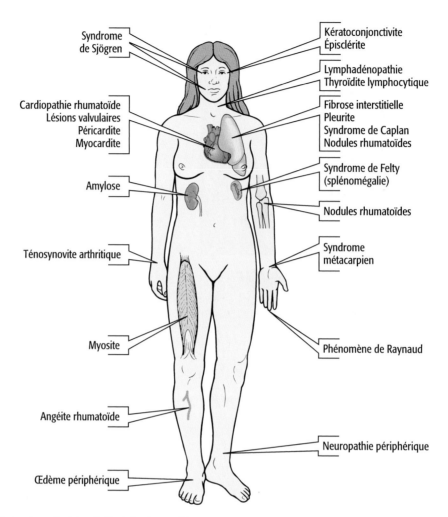

Syndrome de Sjögren

Kératoconjonctivite
Épisclérite

Lymphadénopathie
Thyroïdite lymphocytique

Cardiopathie rhumatoïde
Lésions valvulaires
Péricardite
Myocardite

Fibrose interstitielle
Pleurite
Syndrome de Caplan
Nodules rhumatoïdes

Amylose

Syndrome de Felty
(splénomégalie)

Nodules rhumatoïdes

Ténosynovite arthritique

Syndrome métacarpien

Myosite

Phénomène de Raynaud

Angéite rhumatoïde

Neuropathie périphérique

Œdème périphérique

FIGURE 59.5 Manifestations extra-articulaires de l'arthrite rhumatoïde

L'analyse du liquide synovial montre parfois un volume plus important, une plus grande turbidité et une plus faible viscosité. La numération des globules blancs du liquide synovial est élevée (jusqu'à 30 000/µL [30×10^9/L]) et il s'agit essentiellement de leucocytes neutrophiles. Les inflammations de la synoviale sont confirmées par une biopsie du tissu.

Au début de la maladie, les examens radiologiques peuvent ne révéler qu'une déminéralisation osseuse et un gonflement des tissus mous. Plus tard, on peut observer le rétrécissement de l'espace articulaire, l'érosion, la subluxation et la déformation. La difformité et l'ankylose se produisent aux stades avancés de la maladie. L'encadré 59.5 décrit les stades anatomiques de la polyarthrite rhumatoïde.

59.2.4 Processus thérapeutique

Les soins prodigués au client atteint de polyarthrite rhumatoïde débutent par un programme complet de pharmacothérapie et d'enseignement. Le repos et les AINS procurent le bien-être physique. On renseigne la famille et le client sur le processus évolutif de la maladie et les stratégies d'adaptation. L'observance thérapeutique comprend l'administration adéquate de la médication, la connaissance des effets secondaires et de fréquentes visites de suivi médical et d'analyses en laboratoire. La physiothérapie entretient le mouvement de l'articulation et la force musculaire. L'ergothérapie stimule le fonctionnement des membres supérieurs, encourage la protection des articulations par l'usage d'attelles et d'appareils fonctionnels et par l'apprentissage de rythmes appropriés.

Un plan de traitement personnalisé tient compte de l'évolution de la maladie, de la fonction de l'articulation, de l'âge, du sexe, des rôles familial et social et de la réponse aux traitements précédents. Le processus thérapeutique comprend généralement l'enseignement, les exercices thérapeutiques, le repos et la pharmacothérapie (voir encadré 59.6). Une relation durable avec une équipe thérapeutique empathique et spécialisée contribue à stimuler l'estime de soi et le moral du client et lui évite d'avoir recours à des remèdes qui n'ont pas fait leurs preuves et qui lui feraient gaspiller son temps et son argent.

Stades anatomiques de l'Américan Rheumatism Association pour l'arthrite rhumatoïde
ENCADRÉ 59.4

Stade I - Précoce
Pas d'évolution destructrice visible à la radiographie, signes possibles d'ostéoporose visibles à la radiographie.

Stade II - Modéré
Signes d'ostéoporose visibles à la radiographie, avec ou sans légère destruction des os ou des cartilages, pas de déformations des articulations (mais possibilité de mobilité restreinte des articulations), atrophie des muscles adjacents, présence possible de lésions aux tissus mous extra-articulaires (p. ex. nodules, ténovaginite).

Stade III - Sévère
Destruction des os et des cartilages visible à la radiographie, en plus de l'ostéoporose, déformation articulaire, notamment subluxation, déviation cubitale ou hyperextension avec ou sans ankylose osseuse, atrophie musculaire importante, présence possible de lésions des tissus mous extra-articulaires (p.ex. nodules, ténosynovite).

Stade IV - Terminal
Ankylose fibreuse ou osseuse, critères du stade III.

Pharmacothérapie. Les composés pharmacothérapeutiques de la polyarthrite rhumatoïde ont considérablement évolué ces dernières années. Autrefois, on administrait au client de fortes doses d'aspirine et d'AINS pendant plusieurs années jusqu'à ce qu'une érosion osseuse caractéristique se manifeste à la radiographie. De nos jours, on amorce plus rapidement une pharmacothérapie agressive, car le processus d'érosion et de destruction débute au cours des deux premières années de la maladie.

De nombreux rhumatologues emploient maintenant un agent modificateur de la maladie (comme le méthotrexate) au début de la maladie. Cet agent modificateur est un médicament dont les propriétés réduisent les effets permanents de la polyarthrite rhumatoïde et notamment la déformation de l'articulation. Cette thérapie retarde ou évite les lésions habituellement provoquées par la maladie. Chaque clinicien juge du moment opportun pour administrer le médicament modificateur de la maladie. Certains l'administrent quelques semaines après l'apparition des symptômes. D'autres préfèrent attendre plusieurs mois jusqu'à la confirmation du diagnostic par une radiographie et par les résultats de laboratoire ou jusqu'à ce que le client présente des symptômes arthritiques permanents. Le cas échéant, il n'est plus possible de distinguer les clients dont la maladie est légère de ceux, plus nombreux, dont la maladie ne cesse de progresser. La substance la moins toxique qui sera probablement efficace, administrée seule ou en association, est généralement celle du premier traitement thérapeutique. Le tableau 59.1 donne la liste des

PROCESSUS DIAGNOSTIQUE ET THÉRAPEUTIQUE

Polyarthrite rhumatoïde
ENCADRÉ 59.5

Diagnostic
- Antécédents de santé et examen physique
- Épreuves de laboratoire
  - Hémogramme complet
  - Vitesse de sédimentation
  - Facteur rhumatoïde
  - Profil des anticorps antinucléaires
- Radiographie des articulations
- Analyse du liquide synovial

Processus thérapeutique
- Général
  - Enseignement, y compris sur le déroulement et le traitement de la maladie
  - Nutrition
  - Mesures favorables à la santé
- Physique
  - Repos, notamment repos local de l'articulation, repos systémique et émotionnel
  - Exercice thérapeutique
  - Protection des articulations et conservation de l'énergie
- Pharmacothérapie
  - Médicaments anti-inflammatoires non stéroïdiens
  - Médicaments modificateurs de la maladie comme l'hydroxychoroquine, l'or, la pénicillamine
  - Corticostéroïdes intra-articulaires ou systémiques
  - Médicaments cytotoxiques (p. ex. azathioprine, méthotrexate, cyclophosphamide)
- Chirurgie orthopédique, en particulier arthroplastie reconstructive

médicaments habituellement administrés pour traiter la polyarthrite rhumatoïde.

Pour les clients qui ne sont que légèrement atteints, on débute souvent le traitement par l'administration d'hydroxychloroquine (Plaquenil). Les effets secondaires habituels de ce médicament sont la nausée, les malaises abdominaux et les éruptions cutanées. Si le médicament se dépose sur la couche pigmentaire de la rétine, il peut entraîner une dégénérescence rétinienne irréversible ; cet effet, quoique rare, requiert un examen ophtalmologique avant le traitement, puis tous les six mois. On peut également administrer une faible dose de prednisone à la place de l'hydroxychloroquine ou en association avec l'hydroxychloroquine.

Pour soulager les symptômes, on administre parfois des corticostéroïdes. On effectue des injections intra-articulaires dans une ou deux articulations pour maîtriser une crise brusque. La douleur articulaire augmente parfois pendant un à deux jours à cause de l'irritation causée par le médicament. Par ailleurs, si plusieurs articulations sont touchées, on peut administrer du méthylprednisolone par voie intramusculaire (Solu-Medrol). La douleur et la tuméfaction sont généralement soulagées pendant une à six semaines.

On utilise une thérapie de transition (5 à 10 mg/jour par voie orale du corticostéroïde prescrit pendant 4 à 6 semaines) jusqu'à ce que l'administration d'un des médicaments à effet prolongé, notamment l'hydroxychloroquine, l'or ou la pénicillamine-D, ait supprimé l'activité morbide. La thérapie de crise aux corticostéroïdes est employée pour une crise articulaire grave et consiste à administrer de fortes doses (40 à 60 mg) de corticostéroïdes qui sont ensuite rapidement diminuées en 7 à 14 jours. On utilise un traitement par doses élevées intermittentes (Solu-Medrol par voie intraveineuse dont les doses ne dépassent pas 1 g par jour pendant 3 jours) pour maîtriser rapidement une inflammation ; à long terme, ce traitement a moins d'effets secondaires qu'une dose quotidienne plus faible. Quel que soit le régime de traitement, à haute dose ou à long terme, le traitement aux corticostéroïdes est dangereux à cause du risque de pharmacodépendance et des graves effets secondaires (voir chapitre 41).

Aux clients qui présentent une maladie modérée à grave dont les articulations symétriques sont touchées et qui ont un test de facteur rhumatoïde positif, on administre une pharmacothérapie plus agressive. Le médicament préféré est le méthotrexate dont l'effet anti-inflammatoire diminue les symptômes cliniques en quelques jours ou en quelques semaines. Ce médicament est hépatotoxique et l'un de ses effets secondaires est la dépression de la moelle osseuse. Pour le traitement au méthotrexate, on doit prévoir de nombreuses analyses de laboratoire, notamment un hémogramme complet et une panoplie d'analyses chimiques. Une toux permanente non progressive peut être due au méthotrexate et doit être évaluée en relation avec les fonctions pulmonaires. On recommande souvent d'éviter la consommation d'alcool, car il accroît la toxicité du méthotrexate et augmente la concentration des enzymes hépatiques.

Pour les clients qui ne réagissent pas au traitement au méthotrexate, on peut envisager une thérapie à l'or. L'or a une action anti-inflammatoire et peut diminuer la phagocytose et l'activité des lysosomes. Il est administré une fois par semaine par injection pendant cinq mois, puis une fois toutes les deux semaines ou une fois par mois pour conserver ses effets cliniques. Les effets secondaires graves comme la protéinurie et la cytopénie sont rares ; néanmoins la thérapie à l'or cause souvent des effets secondaires mineurs, notamment des éruptions cutanées, des lésions buccales et des problèmes gastro-intestinaux, en particulier la diarrhée.

Si le client ne réagit ni au traitement par le méthotrexate ni à celui par l'or, on peut administrer de l'azathioprine (Imuran) ou de la pénicillamine-D (Cuprimine). Ces deux médicaments peuvent causer une légère pancytopénie.

On s'intéresse de plus en plus au traitement associé pour soigner la polyarthrose rhumatoïde, mais la méthode est encore controversée. Les associations comprennent notamment, le méthotrexate avec la sulfasalazine (Salazopyrin) et l'hydroxychloroquine (Plaqueuil) avec la sulfasalazine. Les substances multiples peuvent avoir un effet synergique et maîtriser plus efficacement les symptômes.

L'administration de ces nouveaux médicaments devient de plus en plus fréquente, mais les AINS et l'aspirine sont encore très utilisés. L'aspirine s'administre souvent à haute dose de 4 à 6 g par jour (10 à 18 comprimés) en plusieurs doses pour obtenir une concentration sanguine de 15 à 30 mg/dl. Afin d'éviter les irritations gastriques, on administre souvent de l'aspirine possédant un revêtement gastro-résistant afin que l'absorption se produise dans l'intestin grêle. Le revêtement gastro-résistant des comprimés empêche leur désintégration dans l'estomac, mais les doses doivent être plus importantes que celles des comprimés normaux. Contrairement aux autres AINS, ils permettent d'obtenir les taux sériques de salicylate voulus, ce qui permet d'individualiser les traitements et d'en évaluer l'observance.

Les AINS possèdent des propriétés anti-inflammatoires, analgésiques et antipyrétiques. Même si les AINS sont de puissants inhibiteurs d'inflammations, ils ne semblent pas avoir d'effet sur l'évolution de la polyarthrite rhumatoïde. Le soulagement de la douleur par les AINS commence après quelques jours d'administration mais il faut deux à trois semaines de traitement pour atteindre la pleine efficacité. Si le client ne tolère pas l'aspirine à haute dose, on peut administrer les AINS. L'administration des AINS une ou deux fois par jour améliore l'observance thérapeutique du client.

On observe de subtiles différences entre les divers AINS, notamment entre leurs mécanismes d'action, leur efficacité relative pour certaines maladies et leurs autres propriétés. Les différences imprévisibles que l'on peut observer entre les clients démontrent qu'il est possible d'administrer un autre AINS si le premier n'a pas donné entière satisfaction. On administre souvent les AINS en association avec des médicaments modifiant le cours de la maladie pour profiter de leurs propriétés anti-inflammatoires.

La nouvelle génération d'AINS, les inhibiteurs cyclooxygénase-2, le célécoxib (Celebrex), le rofécoxib (Vioxx) et le Valdécoxib (Bextra) sont efficaces pour l'arthrose et pour la polyarthrite rhumatoïde.

Il existe d'autres médicaments relativement nouveaux pour traiter la polyarthrite rhumatoïde, notamment le léflunomide (Arava) et l'étanercept (Enbrel). Le léflunomide inhibe la prolifération des lymphocytes activés qui sont liés à l'inflammation et à la physiopathologie de la polyarthrite rhumatoïde. Le léflunomide ralentit la détérioration des articulations et il est bien toléré par les clients. Le léflunomide est contre-indiqué pour les femmes enceintes ou les femmes en âge de procréer qui n'utilisent pas de moyens contraceptifs fiables.

L'étanercept est une copie réalisée par génie biologique (à l'aide de la technologie de recombinaison de l'ADN) du récepteur cellulaire du facteur de nécrose des tumeurs. Ce récepteur de facteur de nécrose soluble se lie au FNC en circulation, avant que le facteur de nécrose se lie à ses récepteurs des surfaces cellulaires. Le facteur de nécrose, qui est une cytokine naturelle, déclenche une inflammation lorsqu'il est lié aux récepteurs cellulaires. Ce médicament s'administre par voie sous-cutanée deux fois par semaine. L'étanercept peut s'avérer particulièrement efficace chez les clients qui ne réagissent pas aux autres traitements.

Recommandations nutritionnelles. Il n'existe pas de régime alimentaire particulier pour la personne atteinte de polyarthrite rhumatoïde. Néanmoins, il est important d'avoir une alimentation équilibrée. À cause de la fatigue, de la douleur, des limites d'endurance et de mobilité, le client atteint de polyarthrite rhumatoïde peut éprouver des difficultés à se ravitailler et à préparer ses repas et pourrait perdre du poids. Pour faciliter la préparation des repas, l'ergothérapeute peut aider le client à modifier son environnement personnel et lui suggérer des appareils fonctionnels. Les clients sont attirés par de fausses allégations d'amélioration de leur santé par des aliments naturels et des vitamines, mais les recherches n'appuient pas ce genre d'allégation.

Le traitement aux corticostéroïdes ou l'immobilité causée par la douleur peut entraîner une prise de poids. Un bon régime amaigrissant, intégrant une alimentation équilibrée et des exercices physiques, diminue le stress des articulations arthritiques. Un apport réduit en sodium peut également atténuer l'augmentation de la quantité de liquide provenant de la rétention du sodium. Les corticostéroïdes augmentent également l'appétit et, par conséquent, l'apport calorique. Même le client le plus minutieux est perturbé par les signes et symptômes du syndrome de Cushing qui modifient son apparence corporelle, notamment le faciès lunaire et la redistribution des tissus adipeux du tronc. On doit alors

---

GÉRONTOLOGIE

Polyarthrite rhumatoïde

ENCADRÉ 59.6

Chez les personnes âgées, la prévalence de polyarthrite rhumatoïde est élevée, et cette maladie s'accompagne de problèmes particuliers. Voici les points les plus problématiques concernant la polyarthrite rhumatoïde chez les personnes âgées :

- comme l'incidence de l'arthrose est censée être élevée chez les personnes âgées, le clinicien risque de ne pas envisager la présence d'autres formes de la polyarthrite rhumatoïde ;
- l'âge à lui seul entraîne des modifications des profils sérologiques, ce qui rend plus difficile l'interprétation des résultats de laboratoire, comme les facteurs rhumatoïdes et la vitesse de sédimentation ;
- l'administration de médicaments multiples, fréquente chez les personnes âgées, peut entraîner une arthrite iatrogénique ;
- la faiblesse et les syndromes douloureux non organiques de l'appareil locomoteur peuvent être reliés à des réactions dépressives et à l'inactivité physique ;
- les maladies rhumatoïdes, comme le lupus érythémateux disséminé, qui se manifestent fréquemment chez les jeunes adultes, peuvent atteindre les personnes âgées, mais souvent sous forme plus bénigne ;
- les effets résiduels de la maladie rhumatoïde restent présents longtemps et doivent être maîtrisés.

Le vieillissement entraîne de nombreux changements métaboliques et physiques qui peuvent accroître la sensibilité du client aux effets thérapeutiques et toxiques de certains médicaments. Les AINS de demi-vie plus courte et demandant une plus grande fréquence posologique peuvent avoir moins d'effets secondaires chez le client âgé dont le métabolisme des médicaments est modifié. Comme la plupart des personnes âgées prennent de nombreux médicaments, la polythérapie est particulièrement problématique en cas d'arthrite rhumatoïde à cause du risque accru d'interactions médicamenteuses indésirables. Le client âgé qui prend des AINS doit faire l'objet d'une attention particulière, car les AINS ont davantage tendance à produire des effets secondaires, surtout une toxicité gastro-intestinale et rénale. Si un tel traitement est nécessaire, il faut envisager l'administration d'un agent cytoprotecteur, comme le misoprostol (Cytotec). Il convient de simplifier le plus possible le régime thérapeutique et la fréquence d'administration des médicaments pour encourager le client âgé à respecter le traitement, surtout s'il ne bénéficie pas d'une assistance régulière.

La corticothérapie pose un problème majeur chez les personnes âgées. L'ostéopénie induite par les corticostéroïdes s'ajoute à l'ostéoporose reliée au vieillissement et à l'inactivité et risque d'augmenter le risque de fractures pathologiques, en particulier de fractures par compression des vertèbres. On peut diminuer ou prévenir la myopathie induite par les corticostéroïdes à l'aide d'un programme d'exercices adapté à l'âge du client. Élément important pour tous les groupes d'âge, un réseau de soutien adéquat est un facteur critique chez le client âgé pour l'aider à observer le programme thérapeutique, lequel doit comprendre une alimentation équilibrée, un programme d'exercices, un régime alimentaire adéquat et une pharmacothérapie appropriée.

l'encourager à poursuivre une alimentation équilibrée, à ne pas modifier ses doses de corticostéroïdes et surtout à ne pas interrompre son traitement brutalement. Le poids revient lentement à la normale quelques mois après la fin du traitement.

59.2.5 Soins infirmiers : polyarthrite rhumatoïde

Collecte de données. L'encadré 59.7 présente les données subjectives et objectives à recueillir auprès du client atteint de polyarthrite rhumatoïde.

Diagnostics infirmiers. Quelques-uns des diagnostics infirmiers pour le client atteint de polyarthrite rhumatoïde sont présentés dans l'encadré 59.8.

Planification. Les objectifs ou résultats escomptés chez le client atteint de polyarthrite rhumatoïde sont les suivants : obtenir un soulagement satisfaisant de la douleur ; présenter une perte minimale de capacité fonctionnelle aux articulations touchées ; participer à la planification et à l'exécution du régime thérapeutique ; conserver une image de soi positive ; être autonome le plus possible.

Exécution

Promotion de la santé. Actuellement, il n'est pas possible de prévenir la polyarthrite rhumatoïde. Cependant, les programmes d'enseignement communautaires doivent donner l'information disponible sur les symptômes de la polyarthrite rhumatoïde pour favoriser le diagnostic précoce et le traitement. De nombreuses informations destinées au public sont disponibles auprès de la Société d'arthrite (voir bibliographie à la fin de ce chapitre).

Interventions en phase aiguë. Les objectifs principaux des soins dans la polyarthrite rhumatoïde sont la réduction de l'inflammation, le soulagement de la douleur, la préservation de la fonction articulaire et la prévention ou la correction de la déformation de l'articulation. Ces objectifs sont atteints à l'aide d'un programme détaillé qui comprend une médication anti-inflammatoire administrée quotidiennement, le repos, la protection de l'articulation, la chaleur thérapeutique, les exercices physiques et l'enseignement au client et à sa famille. L'infirmière fait partie intégrante de l'équipe de soins et travaille en étroite collaboration avec le médecin,

---

COLLECTE DE DONNÉES

Arthrite rhumatoïde

ENCADRÉ 59.7

Données subjectives

Information importante concernant la santé
- Antécédents de santé : infections par le virus d'Epstein-Barr ou autres infections virales ; présence de facteurs déclencheurs comme un choc émotionnel, une infection, le surmenage, un accouchement, une intervention chirurgicale ; alternance de rémissions et d'exacerbations
- Médicaments : utilisation d'aspirine, d'AINS, de corticostéroïdes, de sels d'or, de pénicillamine
- Interventions chirurgicales et autres traitements : toute intervention sur les articulations

Modes fonctionnels de santé
- Mode perception et gestion de la santé : antécédents familiaux d'arthrite rhumatoïde ; malaise ; capacité d'observer le régime thérapeutique
- Mode nutrition et métabolisme : anorexie ; perte de poids ; sécheresse des muqueuses de la bouche et du pharynx
- Mode activité et exercice : raideur matinale ; tuméfaction des articulations ; faiblesse musculaire ; difficultés à marcher ; fatigue
- Mode cognition et perception : paresthésie des mains et des pieds ; engourdissements ; picotements ; perte de sensibilité ; douleur articulaire symétrique et constante qui s'accentue avec le mouvement ou l'effort sur une articulation

Données objectives

Généralités
- Lymphadénopathie, fièvre

Appareil tégumentaire
- Kératoconjonctivite, nodules rhumatoïdes sous-cutanés sur l'avant-bras, les coudes ; ulcères cutanés, peau tendue et brillante sur les articulations atteintes, œdème périphérique

Appareil cardiovasculaire
- Pâleur et cyanose symétriques des doigts (phénomène de Raynaud), bruits cardiaques distants, souffles, arythmies (cardiopathie rhumatoïde)

Appareil respiratoire
- Bronchite chronique, tuberculose, histoplasmose, alvéolite fibrosante

Appareil gastro-intestinal
- Splénomégalie (syndrome de Felty)

Appareil locomoteur
- Atteinte bilatérale des articulations avec tuméfaction, érythème, chaleur, sensibilité et déformations ; augmentation du volume des articulations phalangiennes proximales et métacarpophalangiennes ; amplitude de mouvement limitée ; contractures musculaires ; atrophie musculaire

Résultats possibles
- Facteur rhumatoïde positif, vitesse de sédimentation élevée, anémie, augmentation du nombre de globules blancs dans le liquide synovial, signes d'ostéoporose, rétrécissement de l'espace interarticulaire, érosion et déformations osseuses visibles à la radiographie

VSG : vitesse de sédimentation.

Plan de soins infirmiers

Arthrite rhumatoïde

DIAGNOSTIC INFIRMIER : douleur chronique reliée à l'inflammation d'une articulation, l'usage excessif d'une articulation et à l'inefficacité des mesures prises pour accroître le bien-être et atténuer la douleur, se manifestant par des plaintes de douleur, la limitation articulaire, des articulations chaudes, enflées et douloureuses pendant plus de 6 mois.

PLANIFICATION
Résultat escompté
- Diminution de la douleur, de la tuméfaction et des érythèmes articulaires.

INTERVENTIONS	Justifications
• Déterminer l'emplacement, la sévérité et les facteurs déclencheurs de la douleur.	• Planifier les interventions qui conviennent.
• Encourager le client à réduire ses activités, à prendre plus de repos et à employer des attelles de soutien pour les articulations atteintes.	• Réduire le stress sur les articulations et la douleur qui en résulte pendant les crises aiguës.
• Enseigner au client l'automédication en incluant les noms, modes d'action, effets secondaires, posologies et voie d'administration des anti-inflammatoires prescrits.	• Permettre au client de s'administrer lui-même les anti-inflammatoires prescrits.
• Utiliser les techniques de relaxation, de protection et les stratégies non pharmaceutiques de lutte contre la douleur (p. ex. thermothérapie ou cryothérapie, méditation, massage).	• Réduire le stress physique et émotionnel, limiter le stress sur les articulations et atténuer la douleur.

DIAGNOSTIC INFIRMIER : mobilité physique réduite reliée à la douleur, la raideur et la déformation des articulations, se manifestant par la limitation de la mobilité, de la force et de l'endurance des articulations, l'incapacité d'accomplir les activités de la vie quotidienne.

PLANIFICATION
Résultats escomptés
- Augmentation de l'amplitude du mouvement et du fonctionnement des articulations.
- Diminution de la raideur.
- Le client est capable d'accomplir les activités de la vie quotidienne.
- Déformations minimales.

INTERVENTIONS	Justifications
• Appliquer une chaleur humide sur les articulations atteintes (p. ex. bain de paraffine, compresses chaudes, douche tiède).	• Soulager la raideur et accroître la mobilité.
• Encourager le client à effectuer des exercices d'amplitude.	• Éviter une limitation inutile de la mobilité.
• Réduire la fréquence des exercices en cas de douleur et de tuméfaction.	• Prévenir la destruction de l'articulation en présence d'une maladie active.
• Prévoir les soins d'hygiène et les procédures durant le jour.	• Éviter la raideur matinale.
• Enseigner au client à utiliser les appareils fonctionnels.	
• Encourager le client à effectuer des exercices de souplesse, de renforcement et de conditionnement dans l'eau ou au sol.	• Promouvoir l'autonomie.
• Apprendre au client à utiliser correctement les attelles, à choisir des chaussures bien ajustées, à garder une bonne posture et un bon alignement corporel et à choisir et utiliser correctement les appareils fonctionnels.	• Accroître l'amplitude de mouvement, la souplesse, la force musculaire et l'endurance.
	• Prévenir ou limiter les déformations des articulations.

Plan de soins infirmiers

Arthrite rhumatoïde (*suite*)

DIAGNOSTIC INFIRMIER : fatigue reliée à l'exacerbation de la maladie, à l'anémie, aux effets secondaires des médicaments, aux troubles du sommeil ou à la dépression se manifestant par la verbalisation d'un manque d'énergie insurmontable et une tolérance réduite à l'activité.

PLANIFICATION
Résultats escomptés
- Amélioration de la résistance et de l'endurance.
- Amélioration de la qualité du sommeil.
- Bonnes habitudes alimentaires.

INTERVENTIONS	Justifications
• Déterminer les facteurs causaux et le degré de fatigue.	• Planifier les activités qui conviennent.
• Équilibrer les périodes d'activité et de repos.	
• Encourager le client à faire des exercices physiques régulièrement, notamment la marche, la bicyclette ou la natation, selon son niveau de tolérance.	• Le garder en forme et l'encourager à avoir une attitude positive.
• Enseigner au client les techniques de conservation de l'énergie.	• Lui permettre de poursuivre ses activités.
• Passer en revue les habitudes alimentaires et de sommeil.	• Déterminer si certains ajustements permettraient de prévenir la fatigue.

DIAGNOSTIC INFIRMIER : image corporelle perturbée reliée à la maladie chronique, au traitement de longue durée, aux déformations, à la raideur et à l'incapacité d'accomplir les activités habituelles, se manifestant parle repli social, l'absence de réactions affectives, la perturbation du concept de soi et la perte de désir sexuel.

PLANIFICATION
Résultats escomptés
- Acceptation des changements corporels.
- Maintien de l'intérêt pour les choses de la vie.

INTERVENTIONS	Justifications
• Laisser le client exprimer ses sentiments relatifs à la maladie.	• Déterminer l'étendue des problèmes et planifier les interventions qui conviennent.
• Offrir une aide psychologique au client et à sa famille.	• Éviter une réaction émotionnelle inutile ou excessive à la maladie.
• Fournir une consultation en sexologie.	• Les troubles sexuels peuvent grandement influer sur l'image corporelle.
• Rassurer le client sur sa propre valeur.	• L'encourager à avoir une image corporelle positive malgré les manifestations physiques pénibles.

DIAGNOSTIC INFIRMIER : prise en charge inefficace du programme thérapeutique reliée à la complexité du problème de santé chronique, à la douleur et à la fatigue, se manifestant par la remise en question du plan de traitement par le client, l'expression de doutes sur son aptitude à maîtriser la maladie et la capacité d'accomplir des activités seulement pendant de brèves périodes.

PLANIFICATION
Résultats escomptés
- Le client exprime une plus grande confiance dans son aptitude à maîtriser la maladie.
- Il est capable de décrire le plan thérapeutique.
- Il se dit satisfait des mesures prises pour atténuer la douleur et la fatigue.

INTERVENTIONS	Justifications
• Déterminer les connaissances qu'a le client de la maladie.	• Planifier les interventions qui conviennent.
• Inclure les membres de la famille du client dans les entretiens relatifs au traitement.	• Leur donner le sentiment de maîtriser la situation afin que le client ait davantage l'impression d'être soutenu.
• Évaluer les connaissances du client par la verbalisation et la démonstration.	• S'assurer qu'il a bien compris le traitement.

Plan de soins infirmiers

Arthrite rhumatoïde (*suite*)

- Mettre l'accent sur les problèmes de douleur et de fatigue du client.
- Aider le client à prendre conscience de la nécessité de suivre un traitement de longue durée et de résister aux publicités mensongères et aux remèdes qui n'ont pas fait leurs preuves.

- Ils doivent être résolus parce qu'ils peuvent fortement gêner la réussite du traitement.
- Le client n'utilisera que des méthodes de traitement éprouvées.

DIAGNOSTIC INFIRMIER : dynamique familiale perturbée reliée à l'incapacité de fonctionner du client, consécutive à une maladie chronique et à la complexité du plan thérapeutique, se manifestant par des changements dans les rôles familial, social et professionnel et par une dynamique familiale dysfonctionnelle.

PLANIFICATION
Résultats escomptés
- Le client et sa famille réussissent à s'adapter aux activités reliées à la maladie.
- Rééducation professionnelle ou changement de profession.

INTERVENTIONS	Justifications
• Aider le client et sa famille à distinguer les stratégies d'adaptation efficaces.	• Faciliter l'adaptation aux changements de responsabilités dans le cadre des fonctions ou des rôles.
• Diriger le client vers les centres d'orientation professionnelle.	• Trouver des possibilités d'adaptation au travail ou de recyclage.
• Encourager la famille à recevoir une aide psychologique professionnelle.	• De graves problèmes familiaux qui ne sont pas résolus peuvent interférer avec l'issue favorable du traitement.

DIAGNOSTIC INFIRMIER : déficit de soins personnels relié à la progression de la maladie, la faiblesse et les contractures, se manifestant par l'incapacité d'accomplir les activités de la vie quotidienne (AVQ).

PLANIFICATION
Résultats escomptés
- Le client accomplit les AVQ de façon autonome ou avec de l'aide.
- Le client se dit satisfait de la manière dont ses besoins reliés aux AVQ sont remplis.

INTERVENTIONS	Justifications
• Évaluer la capacité du client à accomplir les AVQ.	• Planifier les interventions qui conviennent.
• Aider le client à effectuer les AVQ le cas échéant.	• Répondre à tous ses besoins.
• Fournir des appareils fonctionnels ou adresser à un ergothérapeute, le cas échéant.	• Compenser les contractures et la faiblesse, de sorte que le client puisse participer au maximum aux activités de soins personnels.
• Encourager le client à rythmer ses activités.	• Favoriser un maximum d'autonomie avec un minimum de fatigue.

---

l'ergothérapeute, le physiothérapeute et le travailleur social pour rétablir la fonction articulaire et aider le client à adapter son mode de vie à la maladie chronique (voir figure 59.6).

On peut hospitaliser un client chez qui vient de recevoir un diagnostic de polyarthrite rhumatoïde pour maîtriser une inflammation aiguë, pour évaluer l'étendue systémique et pour lui donner un enseignement détaillé. L'hospitalisation peut également être requise pour des clients atteints de complications extra-articulaires ou qui nécessitent, à un stade avancé de la maladie, une intervention chirurgicale de reconstruction sur une déformation invalidante.

L'intervention infirmière débute par une évaluation attentive des besoins physiques (douleurs articulaires, tuméfaction, amplitude de mouvement et état de santé), psychosociaux (soutien familial, satisfaction sexuelle, stress émotif, contraintes financières, limitations à caractère professionnel) et environnementaux (moyens de transport, modifications au domicile ou au travail). Après avoir cerné les problèmes, y compris les problèmes possibles, l'infirmière peut coordonner la planification d'un programme de réhabilitation et d'enseignement destiné à l'équipe de soins.

L'inflammation est combattue efficacement par l'administration de médicaments anti-inflammatoires ou de

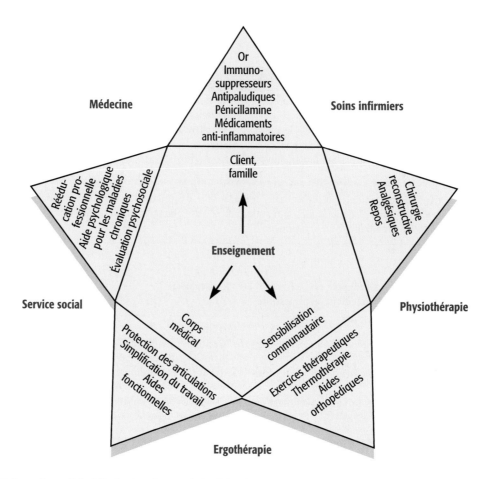

FIGURE 59.6 Approche multidisciplinaire du traitement de l'arthrite rhumatoïde

modificateurs du cours de la maladie. Une attention particulière doit être prêtée aux horaires d'administration pour maintenir une concentration thérapeutique et réduire la raideur matinale. L'enseignement doit se concentrer sur l'action et sur les effets secondaires de tous les médicaments prescrits ainsi que sur l'importance du suivi en laboratoire, si nécessaire. De nombreux clients atteints de polyarthrite rhumatoïde prennent plusieurs médicaments. L'infirmière doit présenter la pharmacothérapie aussi clairement que possible. Lorsqu'on administre de fortes doses de corticostéroïdes par voie intraveineuse (traitement par doses élevées intermittentes), on doit surveiller attentivement les changements de pression artérielle, les œdèmes périphériques et les signes d'insuffisance cardiaque globale.

Le soulagement de la douleur par des procédés non pharmacologiques comprend la thermothérapie ou la cryothérapie, le repos, les techniques de relaxation, la protection des articulations (voir encadrés 59.3 et 59.9), la rétroaction biologique, la neurostimulation transcutanée (TENS) (voir chapitre 5) et l'hypnose. L'évaluation des différences et des préférences individuelles permet à l'infirmière d'aider le client et sa famille à fixer des objectifs qui procureront un bien-être maximal.

On peut utiliser des attelles légères pour soulager une articulation enflammée et éviter la déformation provoquée par les spasmes musculaires et les contractures. On doit retirer ces attelles, soigner la peau, faire des exercices d'amplitude de mouvement, puis replacer ensuite ces attelles comme prescrit. L'ergothérapeute peut recommander des appareils fonctionnels qui aideront le client dans ses activités quotidiennes.

On doit tenir compte de la raideur matinale du client pour établir les procédures et donner les soins. Une douche prise en position assise ou debout ou un bain chaud avec des serviettes chaudes posées sur les épaules ou encore le trempage des mains dans un bassin d'eau chaude peuvent rendre les activités quotidiennes du client plus agréables. Si le client est immobilisé, on doit prêter une attention particulière aux soins de la peau.

L'infirmière assure la liaison entre le client, sa famille et l'équipe de soins en coordonnant les services et en évaluant la compréhension qu'a le client du plan global de gestion domestique (voir encadré 59.8).

Soins ambulatoires et soins à domicile

Repos. Pendant la journée, on doit alterner régulièrement périodes de repos et périodes d'activités afin de soulager la fatigue et la douleur et de réduire la pression due au poids. Le temps de repos est fonction de la gravité de la maladie et de l'endurance du client. L'alitement permanent est rarement nécessaire et doit être évité pour empêcher raideur et immobilité. Même si la maladie du client n'est que légère, il faudra qu'il se repose le jour en plus de ses 8 à 10 heures de sommeil la nuit. L'infirmière doit aider le client à reconnaître les changements à apporter à ses activités quotidiennes, car le surmenage peut mener à la fatigue et à une crise aiguë de la maladie. Le client peut améliorer son bien-être durant la préparation des repas en s'assoyant sur un haut tabouret placé devant le comptoir de la cuisine. Il doit également se reposer pour ne pas s'épuiser. L'infirmière doit aider le client à se fixer des objectifs raisonnables en planifiant le déroulement des activités et leurs priorités.

Pendant le repos, le client doit adopter un bon positionnement. On doit utiliser un matelas dur ou le rendre plus rigide à l'aide d'un panneau de bois. Il vaut mieux adopter une position en extension et éviter les positions en flexion. On recommande de s'allonger sur le dos deux fois par jour pendant une demi-heure. Il ne faut jamais placer d'oreiller sous les genoux. Pour la tête et les épaules, on peut utiliser un petit oreiller plat. Lorsque l'articulation est enflammée, les attelles et les moules servent à maintenir une bonne position et facilitent le repos.

Protection des articulations. Un des aspects importants de la thérapie est la protection des articulations contre les contraintes. Le but de l'intervention de soins infirmiers est d'aider le client à modifier sa façon d'effectuer ses tâches. Tous les clients doivent découvrir des moyens d'accomplir leurs activités quotidiennes en réduisant les contraintes sur les articulations. L'attention doit porter sur la façon d'exécuter la tâche et sur les techniques de simplification du travail.

Une bonne planification conserve l'énergie. Pour éviter la fatigue, le travail doit être programmé par courtes périodes entrecoupées de pauses (rythme). On doit répartir les tâches ménagères sur toute la semaine (ne pas faire tout le nettoyage en fin de semaine). On doit organiser les activités de manière à éviter de monter et de descendre sans cesse les escaliers. On doit utiliser des chariots pour le transport. Les objets d'usage courant doivent être entreposés dans un endroit facilement accessible. On doit, si possible, utiliser des appareils qui font gagner du temps et qui protègent les articulations (p. ex. ouvre-boîte électrique). On doit laisser les travaux ménagers aux autres membres de la famille.

L'infirmière doit aviser le client atteint d'arthrite de ne pas stresser les petites articulations. L'évaluation des tâches réalisées par le client au travail, à l'hôpital et au domicile permet de distinguer les activités à réviser. On doit augmenter les activités qui épargnent les articulations. L'encadré 59.9 mentionne quelques activités qui protègent les petites articulations.

L'ergothérapeute peut améliorer l'indépendance du client en le familiarisant avec des accessoires fonctionnels qui simplifient les tâches, notamment les gros ustensiles, les tire-boutons, les poignées de tiroir adaptées, les plats légers en plastique et les sièges de toilette surélevés. Les chaussures à fermetures Velcro et les vêtements, dont les boutons ou la fermeture à glissière sont placés devant plutôt que derrière, facilitent l'habillage. Une canne ou un déambulateur soulagent la douleur et soutiennent le corps pendant la marche. Un déambulateur à roulettes réduit les contraintes sur les petites articulations des mains et des poignets. La Société d'arthrite offre de nombreux programmes d'assistance aux personnes atteintes de troubles rhumatoïdes et constitue une excellente ressource pour trouver d'autres suggestions relatives aux soins personnels (Société d'arthrite, 2003).

ENSEIGNEMENT AU CLIENT

Protection des petites articulations ENCADRÉ 59.9

- Éviter les positions favorisant les déformations.
  - Presser l'éponge pour en extraire l'eau au lieu de la tordre.
- Se servir de l'articulation la plus forte pour accomplir une tâche.
  - Pour se lever d'une chaise, prendre appui sur les paumes des mains plutôt que sur les doigts.
  - Porter le panier à linge avec les bras plutôt qu'en utilisant les doigts.
- Répartir le poids sur un grand nombre d'articulations au lieu de quelques-unes.
  - Faire glisser les objets au lieu de les soulever.
  - Tenir les paquets près du corps pour diminuer l'effort à fournir.
- Changer souvent de position.
  - Ne pas tenir un livre ou garder les mains trop longtemps sur un volant sans pause.
  - Éviter de tenir un crayon entre les doigts ou de couper des légumes trop longtemps.
- Éviter les mouvements répétitifs.
  - Ne pas tricoter trop longtemps.
  - Pour passer l'aspirateur, faire une pause entre deux pièces.
- Modifier les tâches pour éviter de fatiguer les articulations.
  - Éviter les tâches pénibles.
  - S'asseoir sur un tabouret au lieu de rester debout.

Thermothérapie et exercices quotidiens. La thermothérapie ou la cryothérapie soulagent la raideur, la douleur et les spasmes musculaires. La glace soulage en phase aiguë, alors que la chaleur humide soulage mieux la raideur chronique. Les sources de chaleur superficielles, notamment les coussins chauffants, les compresses humides chaudes, les bains de paraffine, les bains tourbillons, les douches et les bains chauds diminuent la raideur avant les exercices thérapeutiques. Le choix de la modalité doit prendre en compte la gravité de la maladie, la facilité d'exécution et le coût. La thérapie froide soulage efficacement les douleurs articulaires et musculaires. Pour faciliter l'application à domicile, on utilise parfois les sacs de légumes surgelés (p. ex. petits pois et maïs) qui épousent bien la forme des épaules, des poignets et des genoux ou on place des glaçons près de l'articulation. On peut utiliser le froid et le chaud autant de fois que l'on veut, tout en limitant la durée d'application de la chaleur à 20 minutes et celle du froid à 10 ou 15 minutes par séance. L'infirmière doit mettre le client en garde contre les brûlures, surtout s'il utilise en même temps un liniment et un appareil chauffant.

Les exercices individualisés font partie du plan thérapeutique. En général, ce programme est mis au point par un physiothérapeute et comprend des exercices d'assouplissement, de musculation et d'endurance. L'infirmière doit veiller à l'observance du programme et s'assurer que les exercices sont exécutés correctement. Les mouvements articulaires inadéquats peuvent entraîner une immobilité articulaire progressive et un affaiblissement musculaire ; des exercices trop violents peuvent intensifier la douleur, l'inflammation et les lésions articulaires.

On doit effectuer quotidiennement les exercices d'amplitude de mouvement afin que les articulations demeurent fonctionnelles. L'infirmière doit bien faire comprendre au client que les activités quotidiennes ne suffisent pas à maintenir la fonctionnalité des articulations. Un des objectifs majeurs du programme d'enseignement est d'obtenir le strict respect du programme d'exercices physiques. Le client doit pouvoir s'exercer sous surveillance. Les séances aquatiques dans l'eau chaude (25 à 35 °C) facilitent les exercices d'amplitude de mouvement grâce à la portance de l'eau. Les programmes de gymnastique aérobique améliorent la condition physique des clients atteints d'arthrite. Pendant une crise inflammatoire, on doit limiter les exercices d'amplitude de mouvement à une ou deux répétitions.

Soutien psychologique. Le client doit avoir de bonnes connaissances sur l'arthrite, sur sa nature et son évolution ainsi que sur les objectifs thérapeutiques afin de respecter un programme individualisé et autogéré à domicile. On doit aussi tenir compte de la perception qu'a le client de la maladie et de son système de valeurs.

La douleur chronique ou la perte de fonction rendent le client vulnérable aux remèdes à la mode et aux publicités trompeuses.

Un programme thérapeutique ajusté aux problèmes et aux modes de vie individuels améliore l'observance thérapeutique. L'infirmière peut aider le client à reconnaître les peurs et les préoccupations habituelles des personnes atteintes d'une maladie chronique. Il est important d'évaluer la disponibilité du soutien familial. Les problèmes qui menacent le client en permanence sont la limitation fonctionnelle, la fatigue, la perte de l'estime de soi, l'altération de l'image corporelle et la peur de l'invalidité et de la déformation. On doit également aborder le sujet de l'altération de la sexualité. Il se peut qu'une planification financière soit nécessaire. On doit utiliser les ressources communautaires, notamment une infirmière du CLSC et une aide-ménagère, et envisager une réhabilitation professionnelle. Certains clients peuvent profiter des groupes d'entraide. Certaines communautés donnent des cours d'autogestion.

59.3 POLYARTHRITE RHUMATOÏDE JUVÉNILE

La **polyarthrite rhumatoïde juvénile** qui est une maladie rhumatismale grave chez les jeunes, est une polyarthrite rhumatoïde qui apparaît avant l'âge de 16 ans. Elle est classée d'après son apparition : systémique, oligo-arthrite ou polyarthrite. La polyarthrite ressemble à la polyarthrite rhumatoïde de l'adulte, alors que les deux autres types d'arthrite sont différents et se manifestent pendant l'enfance. La maladie peut atteindre des enfants en très bas âge, à partir de 6 mois, avec 2 pics d'apparition entre 1 et 5 ans, puis entre 9 et 12 ans. En général, le pronostic est bon : 70 % des enfants ont peu ou n'ont pas du tout de symptômes inflammatoires à l'âge adulte. Pour certains clients, les déformations résiduelles peuvent poser de graves problèmes.

La polyarthrite rhumatoïde juvénile peut apparaître sur une seule articulation (oligo-arthrite) ou sur plusieurs (polyarthrite). La plupart du temps, les enfants ne se plaignent pas de douleurs articulaires, mais ils fléchissent leur articulation pour réduire la douleur ; par contre, ils veillent à limiter leurs mouvements et, parfois, ils refusent de marcher. La maladie de Still (apparition systémique), qui est une variante plus généralisée, provoque de fortes poussées de fièvre, une arthralgie vague, une éruption cutanée généralisée, une hépatosplénomégalie, une adénopathie, une pleurite ou une péricardite. Les complications de la polyarthrite rhumatoïde juvénile comprennent un retard de croissance et de développement et une inflammation oculaire asymptomatique (qui menace parfois la vue).

Le critère pour le diagnostic de la polyarthrite rhumatoïde juvénile est l'arthrite permanente affectant une ou plusieurs articulations pendant au moins six semaines consécutives ; on doit néanmoins s'assurer que d'autres troubles similaires ne sont pas la cause des symptômes. Les enfants atteints d'arthrite ont plus souvent que les adultes de fortes poussées de fièvre, une hépatosplénomégalie et une adénopathie généralisée. La leucocytose est fréquente, mais le facteur rhumatoïde ne se présente que chez 15 % des enfants affectés. Dans la plupart des cas, les AINS suppriment l'inflammation. Si l'arthrite ne réagit pas aux AINS, on peut utiliser la chrysothérapie (traitement aux sels d'or). Dans la mesure du possible, on doit éviter les corticostéroïdes à cause de leurs effets sur la croissance.

L'intervention infirmière requiert un programme individuel écrit applicable à domicile et qui insiste sur l'observance. Suivant la classification de la maladie à son apparition, on peut conseiller la famille sur l'évolution et le pronostic de l'arthrite chez leur enfant. Une activité physique quotidienne bien planifiée permet de travailler sur toute l'amplitude de mouvement et de renforcer la musculature, sans contraintes sur les articulations. La natation, le cyclisme et la danse thérapeutique sont préférables à la course, au saut et aux jeux de ballon. On doit documenter la croissance et le développement et planifier des examens ophtalmologiques avec lampe à fente pour les enfants à risque de complications oculaires.

L'infirmière scolaire doit être associée aux soins. L'enfant atteint d'arthrite peut avoir des difficultés à se rendre en classe le matin et à monter les escaliers. On doit encourager les parents à traiter leur enfant aussi normalement que possible en évitant de l'infantiliser et de le surprotéger. Une équipe de soins multidisciplinaire expérimentée peut aider l'enfant et sa famille à relever les défis d'ordre social et de développement de la personnalité. Pour être efficace, il faut absolument que la gestion optimale de la polyarthrite rhumatoïde juvénile repose sur une approche familiale plutôt que sur une approche axée sur l'enfant.

59.4 MALADIES ASSOCIÉES À L'ANTIGÈNE HLA-B27

La fréquence l'antigène HLA-B27 est anormalement élevée chez les clients atteints de spondylite ankylosante, d'arthrite psoriasique et du syndrome de Reiter (syndrome conjonctivo-urétro-synovial de Fiessinger-Leroy). Ces maladies sont regroupées sous le nom de spondylarthropathies séronégatives. (Les anticorps leucocytaires homologues et leur relation avec les maladies auto-immunes sont présentés au chapitre 7). Les caractéristiques des spondylarthropaties sont : la prédilection pour les articulations sacro-iliaques et les articulations de la colonne vertébrale ; l'arthrite oligo-articulaire asymétrique ; l'enthésopathie (fasciite plantaire, tendinite du tendon d'Achille) ; l'absence de facteurs rhumatoïdes et d'auto-anticorps ; une maladie extra-articulaire dans des sites caractéristiques (œil, cœur, peau, membranes muqueuses) ; la prédominance chez les hommes ; une forte association avec l'antigène HLA-B27. La détection de ce marqueur est importante, car elle permet un diagnostic précoce de ces maladies.

59.4.1 Spondylite ankylosante

La **spondylite ankylosante** est une maladie inflammatoire chronique qui touche les articulations sacro-iliaques, les articulations épiphysaires et costovertébrales de la colonne vertébrale ainsi que les tissus mous adjacents. Environ 90 % des personnes de race blanche atteintes de spondylite ankylosante présentent un test positif à l'antigène HLA-B27. En général, la maladie apparaît chez l'adolescent ou le jeune adulte.

La spondylite ankylosante est présente chez les hommes et chez les femmes, mais elle est plus progressive chez les hommes. Comme les femmes tendent à présenter davantage de problèmes aux articulations périphériques, le diagnostic est souvent retardé ou manqué. Les antécédents familiaux semblent être très importants, et la maladie est inhabituelle chez les personnes de race noire.

Étiologie et physiopathologie. La cause de l'arthrite est inconnue. Les prédispositions génétiques semblent jouer un rôle important dans la pathogenèse de la maladie, mais les mécanismes ne sont pas bien connus. On soupçonne les facteurs environnementaux et les agents infectieux. L'inflammation des articulations et des tissus adjacents forme des tissus granuleux et érode les bords des vertèbres, ce qui entraîne une spondylite. L'inflammation est suivie d'une calcification qui mène à une ankylose osseuse.

Manifestations cliniques. Généralement, le client souffre de douleurs lombaires, de raideur et de limitations dans l'amplitude de mouvement ; ces symptômes sont plus prononcés la nuit et le matin, mais s'amenuisent avec une légère activité. Il est rare d'observer des aspects systémiques comme la fièvre, la fatigue, l'anorexie et l'amaigrissement. D'autres symptômes dépendent du stade de la maladie, notamment l'arthrite des épaules, des hanches et des genoux et parfois l'inflammation oculaire (iritis).

Si les articulations costovertébrales sont touchées, la capacité pulmonaire sera réduite. Une grave cyphose entraîne une flexion du tronc compensée par une flexion et des contractures au niveau des hanches. Les mouvements du cou sont déficients dans toutes les directions. Les conséquences extrasquelettiques comprennent l'iritis, la régurgitation valvulaire aortique et la fibrose pulmonaire apicale.

Épreuves diagnostiques. Ce n'est que des mois, voire des années, après l'apparition des symptômes que les changements seront visibles à la radiographie. Les anomalies visibles se situent sur les articulations sacro-iliaques qui présentent un pseudo-élargissement de l'espace articulaire, puis plus tard, une oblitération avec ankylose. De nouvelles ossifications peuvent se former de façon éparpillée (syndesmophytes) ou généralisée (colonne bambou). La vitesse de sédimentation ainsi que les concentrations de phosphatase alcaline et de créatine kinase sont généralement élevées. Chez la majorité des clients, les tissus sont positifs à l'antigène HLA-B27.

Processus thérapeutique. On ne peut pas prévenir la spondylite ankylosante. Néanmoins, dans les familles diagnostiquées positives à l'antigène HLA-B27 pour les maladies rhumatoïdes, on doit surveiller les signes de douleur lombaire et les symptômes d'arthrite afin que le traitement puisse commencer le plus tôt possible.

Les soins ont pour but de maintenir une mobilité maximale pour le squelette. Au cours de toutes les activités, il faut que la posture soit correcte. Les médicaments n'empêchent pas le progrès de la maladie, mais les AINS comme le diclofénac (Voltaren) et l'indométhacine (Indocid) réduisent les inflammations et facilitent une bonne posture. Afin de maîtriser les symptômes et de retarder la progression de la maladie, on utilise parfois des agents modificateurs de la maladie comme le sulfasalazine (Salazopyrin) ou le méthotrexate. Dans certains cas, une intervention chirurgicale corrige les déformations de flexion extrêmes. Pour les clients atteints d'une ankylose invalidante des hanches, on peut remplacer toute la hanche.

Soins infirmiers. Les responsabilités infirmières pour le client atteint de spondylite ankylosante comprennent l'enseignement sur la nature de la maladie et sur les principes thérapeutiques. Le programme de soins à domicile consiste à appliquer de la chaleur localement, à exécuter les exercices physiques et à administrer les médicaments prescrits. L'infirmière doit évaluer l'amplitude de mouvement de base ainsi que l'expansion de la cage thoracique (à l'aide d'exercices de respiration). Le client doit cesser de fumer, car la réduction de la capacité pulmonaire accroît le risque de complications pulmonaires. On soulage la douleur avec des analgésiques, de la chaleur, des massages et des exercices légers. Après avoir appliqué la chaleur humide, on doit faire des exercices d'amplitude de mouvement, d'expansion de la cage

thoracique et d'inspiration profonde. Un programme physiothérapeutique continu qui incorpore des exercices d'étirements légers et progressifs permet de préserver l'amplitude de mouvement et d'améliorer la flexion et l'extension thoracolombaires. On doit éviter les exercices physiques intenses pendant les périodes de forte inflammation. Une bonne position de repos est importante. Le matelas doit être ferme, et on doit éviter les oreillers. Le client doit dormir sur le dos et éviter les positions qui peuvent mener à la déformation de flexion. L'entraînement postural doit insister sur l'importance d'éviter la flexion avant (comme se pencher sur une table), les lourdes charges, les longues marches et la position debout ou assise prolongée. On doit encourager les sports qui facilitent les étirements naturels, comme la natation ou les sports de raquette. Il est important de prodiguer des conseils à la famille et de veiller à la réadaptation professionnelle.

59.4.2 Polyarthrite psoriasique

La **polyarthrite psoriasique** peut se définir cliniquement comme l'association d'un psoriasis apparent et d'une polyarthrite. Les altérations cutanées psoriasiques précèdent ou suivent les symptômes de la polyarthrite. Environ 10 à 15 % des personnes atteintes de psoriasis présentent également ce type d'arthrite, qui est, en général, léger avec des éruptions intermittentes ne touchant que quelques articulations périphériques. Néanmoins, il existe également une forme érosive grave. Certaines radiographies montrent une distribution et une résorption asymétriques de capitons des phalanges distales des mains, des pieds et des os métatarsiens et permettent alors de distinguer la polyarthrite psoriasique de la polyarthrite rhumatoïde. Le client atteint de psoriasis a des chances d'être atteint de spondylite ; la spondylite apparaît dans 80 % des cas, si l'antigène HLA-B27 est positif. La maladie est souvent accompagnée d'hyperuricurie. Les traitements comprennent les attelles, les protections des articulations et la physiothérapie. Bien que la chrysothérapie ait été utilisée récemment avec succès pour traiter la polyarthrite psoriasique, le méthotrexate reste l'une des substances les plus efficaces pour traiter les manifestations cutanées et articulaires.

59.4.3 Syndrome de Reiter

Le **syndrome de Reiter**, ou syndrome conjonctivo-urétro-synovial de Fiessinger-Leroy, est une maladie résolutive associée à l'arthrite, à l'urétrite, à la conjonctivite et aux lésions mucocutanées.

Bien que l'étiologie exacte de la maladie soit inconnue, il semble que le syndrome de Reiter soit une arthrite de réaction provoquée par des infections entériques

(*Shigella*) ou vénériennes (*Chlamydia trachomatis*). En général, la maladie touche les hommes et 85 % des clients atteints du syndrome de Reiter sont positifs au HLA-B27, ce qui prouve l'existence d'une prédisposition génétique. Mis à part une vitesse de sédimentation élevée, il n'y a pratiquement pas d'autres anomalies d'analyse.

L'arthrite du syndrome de Reiter tend à être asymétrique et elle se manifeste aux articulations des membres inférieurs supportant un poids et parfois au bas du dos. Habituellement, l'arthralgie débute une à trois semaines après la première infection. La crise générale, parfois très débilitante, s'accompagne parfois de fièvre et d'autres problèmes, notamment l'anorexie avec une perte de poids considérable. Le tendon d'Achille est souvent touché dans les manifestations sur les tissus mous.

Le pronostic est bon, car la plupart des clients se rétablissent en 2 à 16 semaines. Les articulations guérissent totalement, et de nombreux clients dont la rémission est complète retrouvent leur capacité articulaire intacte. Néanmoins, environ la moitié des clients ont des crises récurrentes aiguës, alors que d'autres évoluent vers une maladie chronique avec une synovite permanente. La progression des changements observés à l'aide de la radiographie ressemble fort à celle de la spondylite ankylosante. Le traitement est symptomatique et l'inflammation articulaire est traitée par les AINS.

59.5 ARTHRITE AIGUË SUPPURÉE

L'**arthrite aiguë suppurée** (arthrite infectieuse ou bactérienne) est causée par l'invasion de micro-organismes des cavités articulaires. Différentes bactéries sont habituellement responsables, notamment *Staphylococcus aureus*, *Streptococcus hemoliticus*, *Diplococcus pneumoniæ* et *Neisseria gonorrheæ*. Les facteurs qui accroissent le risque relié à ces infections comprennent le traumatisme articulaire ou la maladie arthritique, les maladies qui affaiblissent la résistance de l'hôte comme la leucémie et le diabète, les traitements aux corticostéroïdes et aux médicaments immunosuppresseurs et les maladies chroniques graves. Les nourrissons, les jeunes enfants et les personnes âgées sont atteints plus fréquemment, sauf dans le cas de l'arthrite gonococcique qui atteint les jeunes adultes sexuellement actifs. Le site d'infection actif est souvent responsable de bactériémie (la présence de bactéries dans le sang) qui entraîne la propagation hématogène aux autres articulations.

L'inflammation de la cavité articulaire est très douloureuse et cause l'érythème et la tuméfaction d'une ou de plusieurs articulations. Les articulations les plus touchées sont celles des genoux et des hanches. Les symptômes articulaires s'accompagnent souvent de fièvre ou de frissons, car la pénétration des bactéries dans l'articulation se fait par la voie sanguine à partir du site d'infection primaire. Le diagnostic précis se fait par ponction et culture du liquide synovial de l'articulation. On doit obtenir des cultures de sang pour les organismes aérobies et anaérobies.

L'arthrite aiguë suppurée est un cas d'urgence médical pour lequel il faut un diagnostic rapide afin d'éviter la destruction de l'articulation. On doit poursuivre l'administration d'antibiotiques par voie parentérale jusqu'à la disparition des signes cliniques de synovite active ou de l'inflammation du fluide articulaire. Suivant la nature de l'organisme responsable de l'inflammation, le traitement peut ne durer que deux semaines ou se prolonger pendant quatre à huit semaines. Un drainage chirurgical est parfois nécessaire.

L'intervention infirmière comprend l'évaluation et la surveillance de l'inflammation de l'articulation, de la douleur et de la fièvre. Pour soulager la douleur, on peut immobiliser les articulations avec des attelles ou par traction. Les exercices d'amplitude de mouvement doivent être modérés. La technique de ponction du liquide synovial doit être hautement aseptique. On doit expliquer la nécessité des antibiotiques et insister sur l'importance de leur administration continue. On doit apporter un soutien au client qui requiert des arthrocentèses répétées ou un drainage chirurgical. L'étendue des lésions articulaires est généralement reliée au micro-organisme envahisseur et au temps écoulé entre le début de l'infection et le début effectif du traitement.

59.6 MALADIE DE LYME

La **maladie de Lyme** est une spirochétose causée par *Borrelia burgdorferi* et transmise par la morsure d'une tique infectée. Cette maladie fut identifiée pour la première fois à Lyme, dans le Connecticut, à la suite d'une incidence extraordinaire de cas d'arthrite chez des enfants. La tique n'est pas plus grande qu'un grain de pavot et se nourrit sur les souris, les chiens, les chats, les vaches, les chevaux, les ratons laveurs, les cerfs et les humains. Les animaux sauvages ne présentent pas la maladie ; sa forme clinique apparaît cependant chez les animaux domestiques. L'été est la période la plus propice à ce type d'infection chez les humains.

Le symptôme clinique le plus caractéristique est une lésion cutanée, appelée érythème marginé, présente au site de la morsure de la tique chez 80 % des clients. La lésion apparaît d'abord comme une macule ou une papule rouge qui s'étale pour former une grande lésion ronde au bord rouge et au centre clair. L'érythème marginé est souvent accompagné d'autres symptômes aigus, notamment de la fièvre, des frissons, des céphalées, d'une raideur cervicale et de douleurs articulaires et musculaires migratoires. Si elle n'est pas traitée, la maladie de Lyme peut évoluer en quelques semaines ou en quelques mois vers une arthrite grave ; des défauts de conduction artérioventriculaires, de bradycardie ou de myocardite ; des anomalies neurologiques, notamment la méningite, la paralysie faciale et la neuropathie radiculaire.

Le diagnostic repose sur les manifestations cliniques, les antécédents d'exposition dans une zone endémique et un test sérologique positif au *Borrelia burgdorferi*. Il arrive souvent que l'on confonde d'autres maladies avec la maladie de Lyme, en particulier le syndrome de fatigue chronique et la fibromyalgie. On dispose de tests aux anticorps du *Borrelia burgdorferi*. La plupart des cas observés aux États-Unis proviennent de trois régions : le long de la côte nord-est, du Maryland au Massachusetts, les États du Midwest, du Wisconsin et du Minnesota, et le long de la côte nord-ouest, de la Californie à l'Oregon.

Les lésions actives sont traitées par antibiotiques. La doxycycline (Vibra-Tabs) ou l'amoxicilline (Novamoxin) prise par voie orale sont souvent efficaces aux premiers stades d'infection et préviennent les stades tardifs. Une infection disséminée peut requérir 20 à 30 jours de traitement. Pour des anomalies cardiaques ou neurologiques, on utilise le ceftriaxone (Rocephin) par voie intraveineuse. L'arthrite de la maladie de Lyme réagit généralement au traitement antibiotique par voie orale. Cependant, chez les personnes ayant une prédisposition génétique, l'arthrite chronique du genou ne réagit ni aux antibiotiques oraux, ni aux antibiotiques intraveineux. L'arthrite finit tout de même par disparaître, mais seulement après quelques années. Un nouveau vaccin, le LYMErix contre la maladie de Lyme est disponible sur le marché. Ce vaccin est administré en trois doses sur trois mois. Il est recommandé aux individus à haut risque. L'enseignement aux clients sur la prévention de la maladie de Lyme dans les zones endémiques est résumé à l'encadré 59.10.

59.7 INFECTION PAR LE VIH ET ARTHRITE

On a observé un certain nombre d'affections arthritiques inflammatoires en présence d'infection par le virus d'immunodéficience humaine (VIH). La pathogenèse de ces troubles est inconnue. La disparition des lymphocytes CD4$^+$ permet aux organismes opportunistes de provoquer une infection arthritique, une ostéomyélite et une polymyosite. En général, l'arthrite rhumatoïde et le lupus

ENSEIGNEMENT AU CLIENT

Prévention de la maladie de Lyme (régions endémiques) | ENCADRÉ 59.10

- Éviter de marcher dans les hautes herbes et les petits buissons.
- Tondre l'herbe et enlever les broussailles au bord des sentiers, des bâtiments et des terrains de camping.
- Éloigner de la maison les tas de bois et les mangeoires des oiseaux.
- Porter des collants de nylon ou des pantalons longs ou à tissage serré de couleur claire pour que les tiques soient faciles à voir.
- Rentrer le bas des pantalons dans les bottes ou dans les chaussettes, porter des chemises à manches longues et rentrer les pans de chemise dans les pantalons et porter des chaussures de randonnée fermées.
- Examiner souvent ses jambes pour s'assurer que des tiques n'entrent pas en contact avec la peau écorchée.
- Examiner soigneusement les vêtements et les laver.
- Vaporiser un insectifuge contenant du Diéthyl-métatoluamide (Deet) sur la peau ou de la perméthrine sur les vêtements, surtout sur les membres inférieurs.
- Mettre des colliers contre les tiques aux animaux domestiques ; inspecter souvent leur pelage et ne pas les autoriser à monter sur les fauteuils ou les lits.
- Enlever les tiques à l'aide de pinces à épiler (pas avec les doigts). Saisir la bouche de la tique aussi près que possible de la peau et tirer délicatement vers l'arrière, sans tordre ni secouer.
- Jeter la tique dans l'alcool ou dans la cuvette des toilettes. Ne pas l'écraser avec les doigts.
- Laver la morsure à l'eau et au savon et appliquer un antiseptique. Se laver les mains.
- Consulter immédiatement un médecin si des symptômes pseudo-grippaux ou un érythème cutané annulaire apparaissent dans les quelques semaines suivant l'extraction du tique.

érythémateux systémique régressent lorsque l'immunodéficience progresse. Cependant, les maladies rhumatoïdes associées à l'antigène HLA-B27 sont plus graves chez les clients infectés par le VIH. Par exemple, le syndrome de Reiter provoque une maladie érosive des articulations des membres supérieurs, et l'arthrite psoriatique se manifeste par une éruption pustuleuse systémique. Chez les adultes et les enfants atteints d'un type spécifique d'antigène HLA, on a observé un syndrome du type de Sjörgren et le syndrome de lymphocytose infiltrante disséminée en réaction à une infection par le VIH. Chez les clients infectés par le VIH, il est possible que l'angéite soit à l'origine des maladies touchant plusieurs systèmes, comme l'arthrite ou la fièvre de cause inconnue. Un traitement anti-rhumatoïde peut être efficace pour de courtes durées, mais il peut affaiblir l'immunité cellulaire et exacerber les infections primaires.

59.8 GOUTTE

La **goutte** se caractérise par des crises récurrentes d'arthrite aiguë avec un taux élevé d'acide urique sérique. La goutte primaire, qui provient d'un défaut héréditaire du métabolisme de la purine, entraîne une surproduction ou une rétention d'acide urique. La goutte secondaire peut être reliée à un autre trouble (voir encadré 59.11) ou résulter de l'administration de médicaments qui inhibent l'excrétion d'acide urique. La goutte secondaire peut également provenir de médicaments qui accélèrent le taux de mortalité cellulaire, comme les substances chimiothérapeutiques utilisées dans le traitement de la leucémie.

La goutte primaire apparaît de façon prédominante chez les hommes d'âge mûr (90 %) et elle est presque sans incidence chez les femmes ménopausées. La fréquence de l'hyperuricémie est plus importante dans les familles des clients atteints de goutte primaire. On a observé que certaines races avaient une incidence de goutte plus faible ; néanmoins, les personnes de même race qui vivent dans des pays différents ont parfois une concentration en acide urique sérique plus élevée, ce qui tend à démontrer que l'étiologie dépend à la fois de facteurs génétiques et de facteurs environnementaux.

59.8.1 Étiologie et physiopathologie

L'acide urique, essentiellement excrété par les reins, est le principal produit final du catabolisme des purines. En conséquence, l'hyperuricémie peut être le résultat d'une plus grande synthèse de purine, d'une plus faible excrétion rénale ou d'une combinaison des deux phénomènes. Environ la moitié des clients atteints de goutte primaire produisent trop d'acide urique. La croyance populaire a longtemps associé les crises d'arthrite goutteuse à un excès de consommation de nourriture et de boisson. Les concentrations d'acide urique ne sont que peu affectées par l'absorption de purine alimentaire, mais il est clair que l'hyperuricémie peut provenir d'un jeûne prolongé ou d'un abus d'alcool ; ces deux facteurs produisent des acides cétoniques qui inhibent l'excrétion normale de l'acide urique.

59.8.2 Manifestations cliniques et complications

En phase aiguë, la goutte se manifeste généralement dans une ou au plus quatre articulations. Les articulations touchées sont empourprées ou cyanosées et très sensibles. En général, chez 75 % des clients, la première manifestation est l'inflammation du gros orteil (podagre). La bourse rétro-olécranienne et les articulations médiotarsiennes des chevilles, des genoux et des poignets sont également touchées. La goutte aiguë est souvent déclenchée par un traumatisme, une intervention chirurgicale, l'alcool ou une infection systémique. Souvent, les symptômes apparaissent rapidement et sont suivis en quelques heures de tuméfaction et de douleurs ; ils sont habituellement accompagnés d'une légère fièvre. En général, les crises ponctuelles se résorbent en 2 à 10 jours, qu'elles soient traitées ou non. Les articulations touchées redeviennent tout à fait normales et, entre les crises, les clients ne souffrent habituellement d'aucun symptôme.

La goutte chronique se caractérise par les multiples articulations touchées et par les dépôts de cristaux d'urate de sodium, appelés *tophus*. Ils apparaissent dans la synovie, l'os sous-chrondral, la bourse rétro-olécrânienne et les vertèbres, le long des tendons, dans la peau et le cartilage (voir figure 59.7). Pendant la crise initiale, les tophus sont rares et n'apparaissent que plusieurs années après le début de la maladie.

La goutte est de gravité variable. Le déroulement clinique consiste parfois en de modestes crises peu fréquentes ou en de graves crises multiples associées à une lente progression de l'incapacité. En général, lorsque le taux d'acide urique sérique est élevé, le tophus

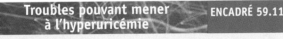

Troubles pouvant mener à l'hyperuricémie   ENCADRÉ 59.11

- Acidose ou cétose
- Alcoolisme
- Athérosclérose
- Cancer
- Diabète
- Drépanocytose
- Hypertension
- Hyperlipidémie
- Insuffisance rénale provoquée par les médicaments
- Maladie rénale intrinsèque
- Médicaments cytotoxiques
- Obésité
- Syndromes myéloprolifératifs

FIGURE 59.7 Goutte tophacée
Collection de diapositives cliniques sur les maladies rhumatismales. Copyright 1991, 1995, 1997. Reproduite avec l'autorisation de l'American College of Rheumatology, dans Seidel H.M. et autres : Mosby's guide to physical examination, 4e éd., St. Louis, Mosby, 1999.

apparaît plus rapidement et la fréquence des crises graves s'accélère. La seule présence d'acide urique sérique n'est pas suffisante pour diagnostiquer la goutte, car d'autres maladies sont également à l'origine d'un taux élevé d'acide urique sérique. Lorsque l'on observe la présence de cristaux d'urate dans le liquide articulaire, on peut diagnostiquer la goutte sans équivoque.

L'inflammation chronique peut déformer l'articulation. La destruction du cartilage prédispose l'articulation à l'arthrose. Les dépôts tophacés, qui sont parfois gros et inesthétiques, peuvent percer la peau en produisant des sinus de drainage qui deviennent souvent des infections secondaires. L'excrétion excessive d'acide urique peut provoquer des calculs dans les reins ou dans les voies urinaires. La pyélonéphrite associée aux dépôts d'urate de sodium dans les reins et à l'obstruction contribue parfois à la maladie rénale.

59.8.3 Épreuves diagnostiques

Le diagnostic est confirmé lorsque l'on trouve des cristaux monohydrates d'urate de sodium dans le liquide synovial d'une articulation enflammée ou d'un tophus. Pour un autre syndrome ressemblant à celui de la goutte, appelé **pseudo-goutte**, l'analyse révèle la présence de cristaux non urate (pyrophosphate hydraté de calcium) dans le liquide synovial. Les concentrations sériques d'acide urique sont toujours élevées, de l'ordre de 8 mg/dl (476 mol/L) ou davantage. On mesure les fluctuations des concentrations en acide urique sérique en faisant des prélèvements sur une base de 24 heures; ces mesures permettent de savoir si le client ne sécrète pas assez d'acide urique ou s'il en produit trop. L'hyperuricémie n'est pas un diagnostic spécifique de la goutte, car les concentrations élevées peuvent provenir d'un certain nombre de médicaments ou exister de façon totalement asymptomatique chez certaines personnes.

59.8.4 Processus thérapeutique

Les soins prodigués au client atteint de goutte visent plusieurs objectifs (voir encadré 59.12). Le premier est l'interruption de la crise aiguë. Pour cela, on administre une substance anti-inflammatoire comme la colchicine. On évite les crises ultérieures en administrant une dose de colchicine d'entretien, en perdant du poids si nécessaire, en évitant la consommation d'alcool et d'aliments riches en purine et en diminuant la concentration d'urate sérique avec des médicaments. Le traitement doit également prévenir la formation de calculs d'acide urique rénaux et d'autres affections associées, notamment l'hypertriglycéridémie et l'hypertension.

Pharmacothérapie. La goutte aiguë se traite avec un des trois types de substances anti-inflammatoires, notamment la colchicine, les AINS ou les corticostéroïdes. Il ne faut administrer les corticostéroïdes que si la colchicine et les AINS sont contre-indiqués ou inefficaces.

La médication ne prévient pas les crises récurrentes, mais peut maîtriser 75 % des crises de goutte, surtout lorsque le traitement est effectué rapidement. L'administration par voie orale de colchicine réduit la douleur de façon spectaculaire en 24 à 48 heures. La colchicine est également un élément de diagnostic, car une réponse positive au traitement sert à confirmer le diagnostic de goutte. L'administration prophylactique de la colchicine diminue la fréquence des crises, mais elle n'a pas d'effet sur les concentrations en acide urique sérique.

Pendant de nombreuses années, le traitement standard de l'hyperuricémie reposait sur un médicament uricosurique (probénécide [Benuryl]) qui augmente l'excrétion d'acide urique en inhibant la réabsorption tubulaire des urates. L'aspirine désactive les effets des uricosuriques, ce qui provoque la rétention d'urate; on doit donc l'éviter si le client prend de la probénécide ou d'autres uricosuriques. Pour des besoins analgésiques, on peut administrer de l'acétaminophène.

On doit maintenir un volume d'urine adéquat afin d'éviter la précipitation de l'acide urique dans les tubules rénaux. L'allopurinol (Zyloprim), qui bloque la production d'acide urique, peut contrôler les concentrations sériques; il est particulièrement utile chez les clients qui présentent des calculs rénaux ou une insuffisance rénale et pour lesquels les médicaments uricosuriques sont inefficaces ou dangereux. Pour évaluer l'efficacité du traitement, on doit mesurer régulièrement

PROCESSUS DIAGNOSTIQUE ET THÉRAPEUTIQUE

Goutte | ENCADRÉ 59.12

Diagnostic
- Antécédents de santé et examen physique
- Antécédents familiaux
- Présence de cristaux d'urate monosodique monohydraté dans le liquide synovial
- Taux sériques élevés d'acide urique
- Taux élevé d'acide urique dans l'urine des 24 heures

Processus thérapeutique
- Immobilisation de l'articulation
- Application locale de compresses chaudes ou froides
- Ponction articulaire et corticostéroïdes intra-articulaires
- Pharmacothérapie
  - Anti-inflammatoires non stéroïdiens
  - Colchicine
  - Probénécide (Benuryl)
  - Allopurinol (Zyloprim)
- Éviter les aliments ou boissons riches en purines (p. ex. anchois, foie, vin, bière)

le taux d'acide urique sérique, quel que soit le médicament ou la combinaison de médicaments prescrits.

Recommandations nutritionnelles. Les restrictions alimentaires peuvent comprendre une réduction de la consommation d'alcool ainsi qu'une réduction des aliments riches en purine (voir tableau 37.2). Cependant, la médication parvient généralement à maîtriser la situation sans ces restrictions. Aux clients obèses, on doit recommander un régime amaigrissant correctement planifié.

59.8.5 Soins infirmiers : goutte

On peut éviter la goutte aiguë en maintenant le taux d'acide urique sérique au niveau normal. L'intervention de soins infirmiers se concentre sur les soins de soutien aux articulations enflammées. Le repos au lit est recommandé avec immobilisation adéquate des articulations touchées. On doit évaluer les limites d'amplitude de mouvement. L'efficacité du traitement doit être documentée. On doit bien veiller à ne pas provoquer de douleur par la manipulation maladroite d'une articulation touchée. Si une extrémité des membres inférieurs est touchée, on doit prévoir un cerceau ou une planche pour les pieds afin d'éviter le poids des couvertures sur la région endolorie.

Le client et sa famille doivent comprendre que l'hyperuricémie et la goutte sont des problèmes chroniques que l'on peut maîtriser en respectant scrupuleusement le programme de traitement. On doit leur fournir des explications détaillées sur l'importance de la pharmacothérapie et sur la nécessité de mesurer périodiquement le taux sanguin d'acide urique. Le client doit pouvoir démontrer qu'il connaît bien les facteurs qui peuvent déclencher une crise, notamment la consommation excessive d'aliments riches en calories et en purine, l'abus d'alcool, l'inanition (jeûne), l'administration de médicaments (aspirine, diurétiques) et les événements médicaux majeurs (intervention chirurgicale, infarctus du myocarde).

59.9 LUPUS ÉRYTHÉMATEUX DISSÉMINÉ

Le **lupus érythémateux disséminé** (LED) est une maladie inflammatoire chronique des tissus conjonctifs touchant de nombreux systèmes, notamment la peau, les articulations, les membranes séreuses (plèvre, péricarde), les reins, le système hématologique et le système nerveux central (SNC). Le LED est caractérisé par son caractère variable chez une même personne et d'une personne à l'autre avec un déroulement chronique imprévisible d'exacerbations de l'activité morbide alternant avec des périodes de rémission. La manifestation clinique du LED peut aller d'une maladie bénigne à une maladie grave, avec une tendance à l'exacerbation aiguë provoquée par plusieurs facteurs. De nos jours, les personnes atteintes de LED ont une espérance de vie normale.

On ne connaît pas l'incidence exacte du LED, mais il semble qu'elle soit en augmentation. On ignore si cet accroissement est dû à des informations diagnostiques plus complètes ou à une réelle augmentation de la fréquence. La prévalence générale du LED est d'environ 1 sur 2100 et la maladie est plus fréquente chez les femmes que chez les hommes. La maladie est trois fois plus fréquente chez les femmes de race noire que chez celles de race blanche. Il se peut que l'incidence et la prévalence du LED soient bien supérieures aux valeurs statistiques, car la maladie est difficile à diagnostiquer.

59.9.1 Étiologie et physiopathologie

L'étiologie du LED est inconnue, mais les facteurs communs comprennent les prédispositions génétiques, les hormones sexuelles, la race, les facteurs environnementaux (rayons ultraviolets, médicaments, substances chimiques), les virus, les infections, le stress et les anomalies immunologiques. Le LED est un trouble immunitaire. Les réactions auto-immunitaires visent les constituants du noyau cellulaire, en particulier l'ADN. Dans le LED, les auto-anticorps sont produits contre les antigènes nucléaires (ADN, histones, ribonucléoprotéines et facteur nucléolaire), contre les antigènes cytoplasmiques (ribosomal et cardiolipine) et contre les antigènes de surface des cellules sanguines (globules blancs, globules rouges et plaquettes). Lorsque les auto-anticorps se fixent à leurs antigènes spécifiques, le complément est activé. L'accumulation et l'activation de complexes antigène-anticorps dans les parois des vaisseaux sanguins provoquent une affection, appelée angéite lupique, qui est suivie d'une ischémie des parois, d'un épaississement du revêtement interne, d'une dégénérescence fibrinoïde et de la formation d'un thrombus. Les manifestations spécifiques du LED dépendent du type de cellules et des organes touchés.

La violente réaction des anticorps est reliée à l'hyperactivité des cellules B qui s'accompagne de multiples anomalies immunitaires, dont la diminution des cellules T suppressives et la diminution de la production d'interleukine-2. Certaines études ont démontré l'importance des facteurs héréditaires dans le développement et l'expression du LED, mais les gènes responsables sont en grande partie méconnus. Les principaux complexes d'histocompatibilité HLA-DR2, HLA-DR3 et HLA-DR4 sont fortement associés au LED.

On sait que les hormones participent à l'étiologie du LED, car les femmes en sont atteintes de façon disproportionnée. Par ailleurs, la maladie a tendance à s'aggraver pendant la période du post-partum. Les femmes en bonne santé ont une réaction immunologique plus forte que les hommes en bonne santé, car les œstrogènes augmentent la réaction immunitaire, alors que les androgènes la suppriment. On pense que les œstrogènes agissent sur les cellules T suppressives qui régulent habituellement la réaction des cellules B. En l'absence de fonction régulatrice des cellules T, les cellules B continuent à produire des anticorps. On a également noté que les types de lymphocytes des femmes et des hommes étaient différents. Par rapport aux hommes, les femmes ont une proportion de cellules T inductrices (qui augmentent la réaction immunitaire) légèrement supérieure et une plus faible proportion de cellules T suppressives (qui diminuent la réaction immunitaire). Ces facteurs peuvent contribuer au plus grand risque, chez les femmes, de présenter une maladie auto-immune. Parfois, les premiers symptômes de la maladie ou leur exacerbation commencent avec les pre-

mières menstruations, avec l'administration de contraceptifs par voie orale et pendant ou après une grossesse.

Certains médicaments, notamment la procaïnamide (Pronestyl), l'hydralazine (Apresoline) et un certain nombre d'anticonvulsifs déclenchent ou aggravent parfois le LED. On ne doit pas administrer de sulfamides aux clients atteints de LED, car ils peuvent déclencher une crise. Les contraceptifs oraux doivent également être administrés avec prudence parce qu'ils aggravent parfois la maladie. Pour la même raison, on doit éviter certains aliments, notamment les germes de luzerne, le céleri, le persil, le shiitake et le reishi (deux sortes de champignons).

59.9.2 Manifestations cliniques et complications

La gravité du LED est très variable; elle peut aller d'un trouble relativement mineur à un trouble à évolution rapide, touchant de nombreux systèmes (voir figure 59.8).

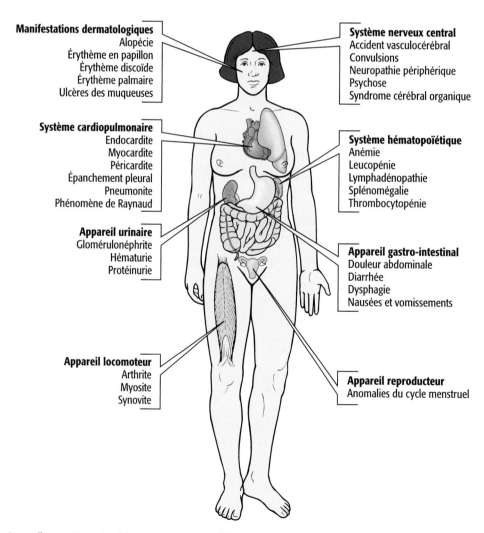

Manifestations dermatologiques
Alopécie
Érythème en papillon
Érythème discoïde
Érythème palmaire
Ulcères des muqueuses

Système cardiopulmonaire
Endocardite
Myocardite
Péricardite
Épanchement pleural
Pneumonite
Phénomène de Raynaud

Appareil urinaire
Glomérulonéphrite
Hématurie
Protéinurie

Appareil locomoteur
Arthrite
Myosite
Synovite

Système nerveux central
Accident vasculocérébral
Convulsions
Neuropathie périphérique
Psychose
Syndrome cérébral organique

Système hématopoïétique
Anémie
Leucopénie
Lymphadénopathie
Splénomégalie
Thrombocytopénie

Appareil gastro-intestinal
Douleur abdominale
Diarrhée
Dysphagie
Nausées et vomissements

Appareil reproducteur
Anomalies du cycle menstruel

FIGURE 59.8 Appareils et systèmes touchés en cas de lupus érythémateux systémique

Les organes ne sont pas touchés de façon caractéristique et on ne peut pas non plus prédire lesquels seront atteints. En théorie, les complexes antigène-anticorps en circulation peuvent s'accumuler dans n'importe quel organe. Cependant, les plus souvent touchés sont les tissus cutanés et nerveux, les revêtements pulmonaires, le cœur, les tissus nerveux et les reins. Le LED est caractérisé par des périodes d'exacerbation et de rémission. Les symptômes habituels comprennent la fièvre, l'amaigrissement, l'arthralgie et la grande fatigue ; ils précèdent parfois une exacerbation de l'activité morbide.

Manifestations dermatologiques.

La réaction cutanée habituelle du LED est l'éruption érythémateuse qui peut se produire sur le visage, dans le cou et sur les membres. L'éruption classique est l'érythème en papillon qui touche les joues et la voûte nasale et qui se produit chez 40 % des clients (voir figure 59.9). L'éruption peut prendre la forme de lésions discoïdes (en forme de pièce) ou de maculopapules ; elle peut se produire sur toutes les parties du corps, mais le plus souvent, elle apparaît sur le visage et sur la poitrine. Un nombre restreint de clients ont des lésions permanentes, photosensibles et une légère maladie systémique. Ce syndrome est appelé le **lupus cutané subaigu**.

Chez les personnes photosensibles, l'exposition au soleil ou à d'autres sources de rayonnements ultravio-lets peut déclencher de graves réactions cutanées et une crise d'activité de la maladie. Un tiers des clients atteints du LED développent des ulcères des membranes buccales ou rhinopharyngiennes. Une perte transitoire de cheveux disséminée ou par plaques (alopécie) est fréquente ; cette perte se produit avec ou sans lésion du cuir chevelu sous-jacent. Les cheveux repoussent parfois pendant la rémission. Le cuir chevelu devient sec, écailleux et atrophié.

Troubles locomoteurs.

Souvent, le client se plaint d'abord d'une polyarthralgie avec raideur matinale ; elle précède de plusieurs années l'affection des autres systèmes. L'arthrite apparaît éventuellement chez 95 % des personnes atteintes du LED. Les symptômes articulaires sont essentiellement migratoires et provoquent une douleur sans signe apparent d'inflammation. L'arthrite reliée au lupus est généralement non érosive, mais elle peut entraîner des déformations, notamment la déformation en col de cygne, la déviation cubitale et une subluxation avec hyperlaxité des articulations. Seulement 15 à 35 % des clients atteints de LED présentent un résultat positif au test du facteur rhumatoïde.

Troubles cardiopulmonaires.

Près d'un quart des clients atteints du LED ont une péricardite généralement associée à une maladie du myocarde. L'incidence de l'athérosclérose des clients traités par corticostéroïdes est plus élevée. Près de 50 % des clients sont atteints de pleurésie avec ou sans épanchement pendant leur maladie, les épreuves pulmonaires sont anormales dans 90 % des cas et le phénomène de Raynaud est présent chez 20 % des clients. Les affections cardiovasculaires sont de mauvais augure et sont le signe d'une progression avancée de la maladie ; elles contribuent de façon significative à la morbidité et à la mortalité dues au LED.

Troubles rénaux.

Près de la moitié des clients atteints du LED présentent des problèmes rénaux, notamment l'hématurie microscopique, un excès de cellules cylindriques dans les sédiments d'urine, une protéinurie et une augmentation du taux de créatinine sérique. L'affection des reins est de degré variable, mais elle aboutit toujours à une insuffisance rénale. Que les manifestations rénales soient ou non évidentes, presque tous les clients atteints de LED ont des histologies rénales anormales, comme le démontrent les épreuves de biopsies rénales et les autopsies. La néphrite lupique est la principale cause de mortalité reliée au LED.

Les facteurs cliniques, notamment la pression artérielle, l'analyse d'urine, les taux de créatinine sérique, les taux de compléments sériques et les autoanticorps de l'ADN, doivent être soigneusement et fréquemment contrôlés.

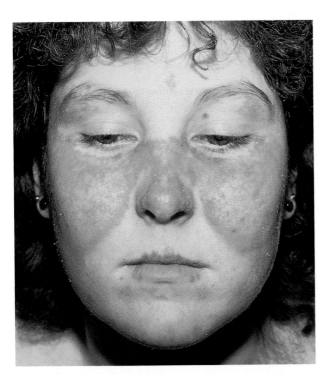

FIGURE 59.9 Érythème en papillon caractéristique du lupus érythémateux disséminé

Troubles reliés au système nerveux central. Les affections du SNC sont la troisième cause de mortalité la plus importante du LED, après les maladies rénales et les infections. Les convulsions sont la manifestation neurologique la plus fréquente et touchent 15 % des clients au moment du diagnostic. Généralement, elles sont maîtrisées par des corticostéroïdes ou des anticonvulsifs.

Le syndrome cérébral organique, qui est une des affections reconnues du LED, peut provenir du dépôt des complexes antigène-anticorps dans le tissu cérébral. Il se caractérise par la confusion, la désorientation, les pertes de mémoire et des symptômes psychiques, notamment la dépression grave et la psychose. En général, le client se rétablit du syndrome cérébral organique, mais des séquelles peuvent subsister. Parfois, on peut attribuer un accident vasculaire cérébral ou une méningite aseptique au LED. Il est difficile de faire la distinction entre le LED neuropsychiatrique et les troubles neurologiques non reliés au LED.

Troubles hématologiques. Un des aspects les plus fréquents du LED est la formation d'anticorps contre les cellules du sang, notamment les érythrocytes, les leucocytes, les thrombocytes et les facteurs de coagulation. On observe souvent une anémie (98 %), une légère leucopénie (80 %) et une thrombocytopénie (36 %). Certains clients ont tendance à saigner, alors que d'autres ont tendance à faire une emboli. De plus, les clients atteints du LED sont positifs aux anticorps antinucléaires.

Infection. La sensibilité à l'infection semble plus grande chez les clients atteints du LED ; il est possible qu'elle provienne de l'inaptitude à phagocyter les bactéries envahissantes, de déficiences dans la production d'anticorps et de l'effet immunosuppresseur de nombreux médicaments anti-inflammatoires. L'infection, qui est une importante cause de mortalité, a une incidence de 30 %. La plus commune est la pneumonie. Il faut prendre garde à la fièvre, car elle peut signaler un processus d'infection sous-jacent et non l'activité lupique. Cependant, il n'est pas rare de noter de faibles fièvres de 37,2 à 37,8 °C chez les clients atteints du LED.

59.9.3 Épreuves diagnostiques

Le diagnostic du LED repose sur les antécédents, l'examen physique et les résultats de laboratoire (voir encadré 59.13). Le sang peut présenter une série d'anomalies, notamment une vitesse de sédimentation élevée, une augmentation des taux de gammaglobuline, une numération réduite de globules blancs et de plaquettes. Une péricardite ou un épanchement pleural visible à l'électrocardiogramme (ECG) ou à la radiographie du thorax et un test de syphilis sérologique faux positif sont d'autres éléments du diagnostic. D'autres résultats

de confirmation comprennent les anomalies dans les sédiments d'urine (cellules cylindriques, protéinurie), les faibles taux de compléments sériques (C3 et CH 50) et les spécimens de tissus démontrant des changements attribuables au LED.

La culture de lupus érythémateux confirme la présence de neutrophiles avec des inclusions phagocytées d'anticorps IgG à l'ADN. L'épreuve n'est pas spécifique du LED, car elle donne également des résultats positifs pour d'autres maladies rhumatoïdes.

Les anticorps antinucléaires (ANA) et les auto-anticorps des antigènes nucléaires ont été détectés chez 99 % des personnes atteintes de LED. Néanmoins, l'anticorps antinucléaire n'est pas spécifique du LED, car il est présent chez 5 % des personnes saines et chez 38 % des personnes âgées de plus de 60 ans. Les anti-ADN se trouvent le plus fréquemment avec le LED, et on ne les observe que rarement dans d'autres affections rhumatoïdes. Les anticorps anti-Sm, qui sont des anticorps à l'antigène nucléaire de Smith, sont d'authentiques marqueurs sérologiques du LED, car ils n'apparaissent pas dans les autres maladies rhumatoïdes. Entre 15 et 35 % des clients présentent un test de facteur rhumatoïde positif.

59.9.4 Processus thérapeutique

Le LED a un taux élevé de rémission spontanée. Les corticostéroïdes demeurent le médicament de prédilection pour traiter les cas graves. Bien qu'il faille réserver leur administration aux exacerbations aiguës généralisées ou

Critères pour le diagnostic du lupus érythémateux disséminé*	**ENCADRÉ 59.13**

- Érythème en papillon
- Érythème annulaire
- Photosensibilité
- Ulcères buccaux
- Arthrite : non érosive, touchant deux articulations ou plus
- Sérosite : pleurite ou péricardite
- Trouble rénal : protéinurie ou cylindres cellulaires dans l'urine
- Trouble neurologique : convulsions ou psychose
- Trouble hématologique : anémie hémolytique, leucopénie, lymphopénie ou thrombocytopénie
- Trouble immunologique : culture cellulaire de lupus positive ; anticorps anti-ADN ou anticorps des antigènes nucléaires Sm ; tests sérologiques de syphilis faussement positifs
- Anticorps antinucléaires

* Une personne est dite atteinte de LED si elle présente quatre critères ou plus, en série ou simultanément, durant un intervalle quelconque d'observation. Les critères révisés par un sous-comité de l'American College of Rheumatology sont utilisés à des fins de classification dans le cadre des sondages auprès de la population et non pas à des fins diagnostiques.
Sm : Smith.

aux cas où des organes sont gravement touchés, on administre parfois une dose d'entretien réduite. On utilise des médicaments immunosuppresseurs dans les cas où les symptômes résistent aux corticostéroïdes ou pour réduire l'administration de corticostéroïdes dans un traitement de longue durée (voir encadré 59.14). Les taux sériques des compléments en série et les titres anti-ADN sont la meilleure façon de contrôler l'efficacité du traitement ; on peut également utiliser des tests moins coûteux, notamment la vitesse de sédimentation et les taux de protéine C réactive.

Un bon pronostic du LED repose sur un diagnostic précoce, une détection rapide des organes touchés et un bon régime thérapeutique. La survie dépend de plusieurs facteurs, notamment l'âge, la race, le sexe, les conditions socioéconomiques, les troubles qui accompagnent la maladie et sa gravité. Par exemple, le LED juvénile représente 20 % de tous les cas et il présente une plus grande incidence de néphrite lupique (jusqu'à 80 %) que celle des autres groupes d'âge.

Pharmacothérapie. Les médicaments sont prescrits pour supprimer l'inflammation et l'action immunitaire. Le type de médicament administré dépend essentiellement de l'activité de la maladie. On administre l'aspirine et les autres AINS pour éliminer les symptômes légers, notamment la fièvre et les douleurs arthritiques. On doit noter les dérangements gastriques et les acouphènes.

PROCESSUS DIAGNOSTIQUE ET THÉRAPEUTIQUE

Lupus érythémateux disséminé   ENCADRÉ 59.14

Diagnostic
- Antécédents de santé et examen physique
- Culture de cellules de lupus
- Anticorps
  - Anticorps anti-ADN
  - Anticorps anti-Sm
  - Anticorps antinucléaire (ANA)
- Hémogramme complet
- Analyse d'urine
- Radiographie des articulations atteintes
- Radiographie du thorax
- Concentrations des compléments (CH50, CC3)
- Électrocardiogramme

Processus thérapeutique
- AINS
- Agents antipaludiques (p. ex. hydroxychloroquine [Plaquenil])
- Corticostéroïdes pour les exacerbations et en cas de maladie grave
- Médicaments immunosuppresseurs
  - Cyclophosphamide (Cytoxan)
  - Azathioprine (Imuran)

Anticorps Sm : anticorps de Smith.

Pour lutter contre les troubles cutanés ou locomoteurs, on administre parfois des médicaments antipaludiques, comme l'hydroxychloroquine (Plaquenil) ; dans ce cas, on doit effectuer un examen oculaire régulier, car la cécité est un effet secondaire rare, mais grave. Les préparations topiques de corticostéroïdes et les injections au site des lésions de corticostéroïdes sont des traitements efficaces pour les lésions cutanées.

Les corticostéroïdes sont de puissants médicaments anti-inflammatoires pour traiter les cas d'exacerbations aiguës généralisées, les organes gravement atteints ou les anomalies hématologiques. On réduit graduellement les doses au fur et à mesure que s'améliorent les résultats cliniques et les résultats de laboratoire.

L'enseignement au client doit comprendre l'usage et l'administration correcte de corticostéroïdes et leurs effets secondaires (voir chapitre 41). Le client doit savoir qu'une interruption brutale peut déclencher une récurrence de la maladie. Dans les cas où la vie est en danger et lorsque des traitements plus légers n'ont pas d'effet sur les symptômes, on a recours à une pharmacothérapie immunosuppressive à base d'azathioprine (Imuran) ou de cyclophosphamide (Cytoxan, Procytox). On doit alors assurer une étroite surveillance pour réduire la toxicité du médicament.

59.9.5 Soins infirmiers : lupus érythémateux disséminé

Collecte de données. Comme pour toutes les maladies rhumatoïdes, la nature chronique et imprévisible du LED pose parfois de nombreux problèmes au client et à sa famille. Pour résoudre les problèmes physiques, psychologiques et socioculturels reliés à la gestion à long terme du LED, il faut une équipe de soins multidisciplinaire.

Les données subjectives et objectives à recueillir auprès d'un client atteint du LED sont présentées à l'encadré 59.15. On doit évaluer dans quelle mesure la douleur et la fatigue perturbent les activités quotidiennes. Il est bon d'orienter l'enseignement et les conseils en fonction de l'âge, des relations affectives, de la planification des naissances, des responsabilités professionnelles et des activités de loisir du client.

Diagnostics infirmiers. Quelques-uns des diagnostics infirmiers du client atteint de LED sont présentés à l'encadré 59.16.

Planification. Les objectifs ou résultats escomptés chez le client atteint du LED sont les suivants : réduire la douleur à un niveau acceptable ; respecter le plan thérapeutique pour traiter efficacement les symptômes ; éviter les activités qui entraînent une exacerbation de la maladie ; entretenir une image de soi positive.

COLLECTE DE DONNÉES

Lupus érythémateux disséminé

Données subjectives

Information importante concernant la santé

- Antécédents de santé : exposition aux rayons ultraviolets, médicaments, produits chimiques, infections virales, stress physique ou psychologique, états d'activité accrue des œstrogènes, notamment apparition précoce des premières règles, grossesse et période de post-partum, alternance de rémissions et d'exacerbations
- Médicaments : utilisation de contraceptifs oraux, de procaïnamide (Pronestyl), d'hydralazine, (Apresoline), d'isoniazide (INH), de médicaments anticonvulsifs, d'antibiotiques, (qui risquent de déclencher les symptômes du LED), de corticostéroïdes, d'AINS

Modes fonctionnels de santé

- Mode perception et gestion de la santé : antécédents familiaux de LED ou de troubles immunologiques, infections fréquentes, malaise
- Mode nutrition et métabolisme : perte de poids, ulcères buccaux et nasaux, nausées et vomissements, xérostomie (assèchement des glandes salivaires), dysphagie, photosensibilité avec éruption cutanée, infections fréquentes
- Mode élimination : diminution de la production d'urine, diarrhée ou constipation
- Mode activité et exercice : raideur matinale, tuméfaction et déformation des articulations, essoufflement, dyspnée, fatigue excessive
- Mode sommeil et repos : insomnie
- Mode cognition et perception : troubles visuels, vertige, céphalées, polyarthralgie, douleur thoracique (péricardique, pleuritique), douleur abdominale, douleur articulaire, douleur pulsatile, doigts froids avec engourdissements et picotements
- Mode sexualité et reproduction : aménorrhée, menstruations irrégulières
- Mode adaptation et tolérance au stress : dépression, repli sur soi

Données objectives

Généralités

- Hyperthermie, lymphadénopathie, œdème périorbital

Appareil tégumentaire

- Alopécie, cuir chevelu desséché et squameux, kératoconjonctivite, érythème en papillon, érythème palmaire ou discoïde, urticaire, érythème périunguéal, purpura ou pétéchies, ulcères aux jambes

Appareil respiratoire

- Frottement pleural, diminution des bruits respiratoires

Appareil cardiovasculaire

- Angéite, frottement péricardique, hypertension, œdème, arythmies, souffles, pâleur et cyanose bilatérale symétrique des doigts (phénomène de Raynaud)

Appareil gastro-intestinal

- Ulcères buccaux et pharyngés, splénomégalie

Système neurologique

- Faiblesse faciale, neuropathies périphériques, œdème papillaire, dysarthrie, confusion, hallucinations, désorientation, psychose, convulsions, aphasie, hémiparésie

Appareil locomoteur

- Myopathie, myosite, arthrite

Résultats possibles

- Cultures de cellules lupiques positives, titres élevés d'ANA, présence d'anticorps anti-ANA, nucléaires Sm et antinucléaires, baisse de numération de lymphocytes suppresseurs des cellules T, élévation du taux de gamma-globuline, anémie, leucopénie, thrombocytopénie, augmentation de la vitesse de sédimentation, élévation du taux de créatinine sérique, hématurie microscopique, cylindres cellulaires dans les urines, péricardite ou épanchement pleural visible à la radiographie du thorax

ANA : anticorps antinucléaire.

Exécution

Promotion de la santé. Actuellement, on ne peut pas prévenir le LED. L'information des professionnels de la santé et de la communauté peut favoriser une meilleure compréhension de la maladie ainsi qu'un diagnostic et un traitement plus rapides.

Intervention en phase aiguë. Pendant une exacerbation, les clients peuvent soudainement tomber gravement malades. L'intervention de soins infirmiers consiste à décrire en détail la gravité des symptômes et à noter la réponse au traitement. On doit évaluer précisément les accès de fièvre, les inflammations articulaires, les limitations de l'amplitude de mouvement, le site et l'intensité de la douleur ainsi que la fatigabilité. On doit noter les quantités de nourriture et de liquides absorbées et rejetées, car les corticostéroïdes retiennent les liquides et

il existe un risque de défaillance rénale. On doit faire une collecte urinaire sur 24 heures pour vérifier les rejets de protéines et de créatinine. L'infirmière doit surveiller les signes hémorragiques provenant de la pharmacothérapie, notamment la pâleur, les hématomes cutanés, les pétéchies et les selles poisseuses.

L'évaluation attentive de l'état neurologique comprend la détection des troubles visuels, des céphalées, des changements de personnalité, des convulsions et des oublis. Une psychose peut indiquer une maladie du SNC ou peut avoir été provoquée par les corticostéroïdes. L'irritation des nerfs des membres (neuropathie périphérique) peut entraîner un engourdissement, un picotement et une faiblesse dans les mains et les pieds. Plus rarement, un accident vasculaire cérébral peut se produire.

L'infirmière doit expliquer au client la nature de la maladie et les modes thérapeutiques et le préparer

Plan de soins infirmiers

Lupus érythémateux disséminé

DIAGNOSTIC INFIRMIER : fatigue reliée au processus morbide se manifestant par un manque d'énergie et l'incapacité d'assumer les tâches habituelles.

PLANIFICATION
Résultats escomptés
- Accomplissement des activités prioritaires.
- Régulation du rythme des activités.
- Le client ne mentionne plus son impression de ne plus avoir d'énergie.

INTERVENTIONS	Justifications
• Déterminer le profil des niveaux d'énergie.	• Planifier les activités quotidiennes.
• Aider le client à établir les priorités de ses activités.	• Déterminer l'emploi du temps quotidien idéal.
• Enseigner au client les techniques de conservation de l'énergie, par exemple s'asseoir devant le comptoir de la cuisine, se faire aider.	• Accomplir le plus possible en dépensant un minimum d'énergie.*
• Inclure la famille dans la planification des soins.	• Donner au client le sentiment d'être soutenu et permettre à la famille de mieux comprendre la maladie et les problèmes qui lui sont associés.
• Enseigner au client des techniques de méditation ou de yoga.	• Lui fournir des stratégies de réduction du stress.
• Encourager le client à se reposer régulièrement et lorsqu'il en ressent le besoin.	• Inverser temporairement les effets de la fatigue.

DIAGNOSTIC INFIRMIER : douleur reliée au processus morbide et à l'inefficacité des mesures prises pour accroître le bien-être, se manifestant par des plaintes au sujet de la douleur articulaire et de l'inefficacité des mesures visant à soulager la douleur, et par une diminution des activités pour éviter d'exacerber la douleur.

PLANIFICATION
Résultats escomptés
- Le client exprime sa satisfaction vis-à-vis des mesures de soulagement de la douleur.
- Le client effectue les AVQ sans douleur.

INTERVENTIONS	Justifications
• Déterminer l'emplacement et l'intensité de la douleur.	• Planifier les interventions qui conviennent.
• Administrer l'analgésie prescrite et en surveiller les effets ; enseigner les mesures de protection des articulations ; appliquer des compresses chaudes ou froides selon chaque cas.	• Soulager la douleur.
• Utiliser des méthodes de soulagement de la douleur, comme les techniques de relaxation et l'imagerie mentale.	• Pour remplacer les analgésiques ou comme complément.

DIAGNOSTIC INFIRMIER : image corporelle perturbée reliée aux changements d'apparence physique, se manifestant par la verbalisation d'une insatisfaction à l'égard de l'apparence physique, du manque de participation aux activités de soins personnels.

PLANIFICATION
Résultats escomptés
- Intérêt accru pour sa propre personne et participation aux soins personnels.
- Expression de commentaires positifs à l'égard de soi-même.

INTERVENTIONS	Justifications
• Parler des attentes réalistes vis-à-vis des changements physiques.	• Aider le client à faire des plans pour améliorer ses atouts physiques et réduire ses problèmes.
• Encourager le client à s'intéresser à ses soins personnels et lui enseigner les moyens de faire un usage créatif des cosmétiques.	• Ces activités améliorent l'image corporelle et le sentiment de maîtrise.

Plan de soins infirmiers

Lupus érythémateux disséminé (suite)

- Encourager le client à parler de ses sentiments et de ses qualités.

- Atténuer son sentiment d'isolement et sa perception négative de son image corporelle et réorienter son attention sur ses atouts.

DIAGNOSTIC INFIRMIER : atteinte à l'intégrité de la peau reliée à la photosensibilité, l'érythème cutané et l'alopécie se manifestant par un érythème sur n'importe quelle partie du corps, un érythème en papillon, de l'alopécie et des zones d'ulcérations au bout des doigts.

PLANIFICATION
Résultats escomptés
- Limitation de l'exposition directe au soleil et utilisation d'écrans solaires.
- Absence de lésions cutanées à vif.
- Stratégies d'adaptation à l'alopécie.

INTERVENTIONS	Justifications
• Déterminer et surveiller l'emplacement et l'évolution des érythèmes.	• Planifier les interventions qui conviennent.
• Administrer la médication et appliquer les onguents prescrits.	• Maîtriser les manifestations cutanées.
• Garder la peau propre et sèche.	• Éviter les infections secondaires.
• Éviter les onguents non prescrits.	• Ils exacerbent souvent les affections existantes.
• Parler au client de la nécessité de limiter l'exposition directe au soleil et d'utiliser des écrans solaires et des vêtements protecteurs lorsqu'il se trouve à l'extérieur.	• Le soleil exacerbe les manifestations cutanées et systémiques.

DIAGNOSTIC INFIRMIER : intolérance à l'activité reliée à l'arthralgie, la faiblesse et la fatigue, se manifestant par l'incapacité ou le refus de se déplacer ou de participer à des activités physiques, la dyspnée et la réaction anormale à l'activité (p. ex. accélération du pouls, du rythme respiratoire).

PLANIFICATION
Résultats escomptés
- Le client exprime sa satisfaction vis-à-vis du programme d'activités.
- Les activités sont rythmées en fonction du niveau de tolérance.

INTERVENTIONS	Justifications
• Surveiller les signes vitaux pendant la marche.	• Une accélération du pouls et du rythme respiratoire peuvent indiquer que le client a besoin de se reposer.
• Échelonner les activités et prévoir des périodes de repos entre les activités.	• Permettre au client de récupérer et l'encourager à participer au maximum aux activités.
• Encourager le client à participer à l'élaboration du programme d'activités.	• Lui donner un sentiment de maîtrise et encourager sa collaboration.
• Prévoir le repos au lit durant les exacerbations.	• Conserver l'énergie pour les activités vitales.
• Prévoir des exercices d'amplitude de mouvement toutes les 4 heures avec les articulations non touchées.	• Éviter l'apparition de raideurs et de contractures.
• Encourager le client à utiliser les appareils fonctionnels.	• Réduire la dépense d'énergie.

DIAGNOSTIC INFIRMIER : alimentation déficiente reliée à l'anorexie, la fatigue, les ulcérations buccales et les effets secondaires des médicaments, se manifestant par une perte de poids, un manque d'appétit et l'incapacité ou le refus de s'alimenter suffisamment pour respecter l'apport nutritionnel recommandé.

PLANIFICATION
Résultats escomptés
- Maintien du poids.
- Apport alimentaire suffisant en quantité et en qualité pour répondre aux besoins quotidiens.

Plan de soins infirmiers

Lupus érythémateux disséminé (*suite*)

INTERVENTIONS	Justifications
• Déterminer les préférences alimentaires du client et les inclure dans la planification des repas, si possible.	• Favoriser un apport alimentaire adéquat et le sentiment de maîtrise du client.
• Prévoir des repas fréquents et légers.	• Favoriser un apport alimentaire adéquat en réduisant la fatigue et le ballonnement occasionnés par les repas copieux.
• Effectuer l'hygiène buccale avant et après les repas.	• Améliorer le bien-être du client et éviter de causer ou d'exacerber les ulcérations buccales.
• Surveiller les résultats de laboratoire pertinents comme les taux d'hémoglobine, d'électrolytes et de protéines (albumine).	• Une baisse de ces taux peut indiquer un apport insuffisant.
• Encourager la famille à apporter au client ses aliments préférés.	• L'aider à augmenter son apport alimentaire et en signe d'affection et de sollicitude.

DIAGNOSTIC INFIRMIER : prise en charge inefficace du programme thérapeutique reliée à un manque de connaissances sur le traitement à long terme de la maladie, se manifestant par des questions sur le LED ou des réponses incorrectes aux questions de la part du client ou de sa famille et par le recours à des remèdes qui n'ont pas fait leurs preuves.

PLANIFICATION
Résultat escompté
• Le client exprime sa confiance dans sa capacité à maîtriser le LED avec le temps et dans le cadre de son domicile.

INTERVENTIONS	Justifications
• Enseigner au client le processus de la maladie, notamment les soins chroniques.	• Accroître les chances de réussite du traitement de longue durée.
• Faire participer la famille aux activités d'enseignement.	• Fournir un soutien aux aidants naturels durant les exacerbations et accentuer leur sentiment d'engagement.
• Parler de la nécessité de porter un bracelet MedicAlert.	• Alerter le personnel médical en cas d'urgence.
• Enseigner au client qu'il doit signaler les signes et symptômes des complications, notamment la fièvre, l'œdème, la diminution de production d'urine, la douleur thoracique et la dyspnée.	• Pouvoir intervenir rapidement.
• Informer le client de l'aide qu'il peut recevoir d'associations de personnes souffrant de LED	• Obtenir un complément d'information et de soutien.

*Voir encadrés 59.3 et 59.9.

aux nombreuses épreuves diagnostiques. Il est important d'apporter un soutien émotionnel au client et à sa famille.

Soins ambulatoires et soins à domicile. L'intervention de soins infirmiers doit insister sur l'enseignement de la santé et les soins à domicile. Le client doit comprendre que le strict respect du plan de traitement n'est pas une garantie contre une exacerbation, car l'évolution morbide est imprévisible. Cependant, un certain nombre de facteurs accélèrent l'exacerbation, notamment la fatigue, l'exposition au soleil, le stress émotif, l'infection, les médicaments et une intervention chirurgicale. L'intervention infirmière doit aider le client et sa famille à éliminer ou à réduire les facteurs déclencheurs (voir encadré 59.17). Il est important que le client comprenne l'objectif à atteindre et qu'il y coopère.

ENSEIGNEMENT AU CLIENT
Lupus érythémateux disséminé   ENCADRÉ 59.17

• Enseignement sur le processus de la maladie
• Noms des médicaments, mode d'action, effets secondaires, posologie et voie d'administration
• Techniques de rythme et de conservation de l'énergie
• Programme quotidien de thermothérapie et d'exercices (pour l'arthralgie)
• Éviter le stress physique et émotionnel, l'exposition excessive aux rayons ultraviolets et l'exposition inutile à l'infection
• Suivis médical et de laboratoire réguliers
• Aide conjugale au besoin
• Ressources d'orientation vers les établissements communautaires et de santé

Lupus et grossesse. Pour assurer le succès de la grossesse de la cliente atteinte de LED, on doit la planifier avec le médecin traitant et un obstétricien et choisir la période où la maladie a une activité minimale. On ne doit déconseiller la grossesse qu'aux femmes ayant de graves affections rénales, cardiaques ou nerveuses. L'exacerbation est habituelle au cours de la période du post-partum. Le risque d'exacerbation après un avortement thérapeutique est identique à celui de la grossesse menée à terme.

Les risques pour le fœtus sont notamment un risque plus élevé de fausse couche, un accouchement prématuré ou un enfant mort-né. Le lupus néonatal, qui est une affection très rare, se caractérise par une éruption, des anticorps lupiques transitoires ou un bloc cardiaque complet congénital. La présence d'anticorps anti-phospholipides chez la mère permet de prévoir une insuffisance placentaire et une thrombose ; il existe une corrélation entre la présence de ces anticorps et les fausses couches répétées ou la mort intra-utérine du fœtus. Il est important que la femme enceinte atteinte de LED subisse des contrôles réguliers en laboratoire et en clinique.

Problèmes psychologiques. Le client atteint du LED est confronté à de nombreux problèmes psychologiques. Le début de la maladie peut être imperceptible et il arrive souvent que le LED ne soit diagnostiqué que tardivement. L'infirmière doit assurer au client et à sa famille que, pour de nombreuses personnes, le LED a un pronostic favorable. Souvent, les hommes sont gênés d'être atteint d'une « maladie de femme ». Les familles s'inquiètent de l'aspect héréditaire de la maladie et veulent savoir si leurs enfants seront atteints. De nombreux couples ont besoin de conseils sur la grossesse et la sexualité. Les personnes qui prennent des décisions d'ordre marital ou professionnel s'inquiètent des interférences possibles entre le LED et leurs projets. L'infirmière devra parfois informer les enseignants, les employeurs et les collègues de travail.

Les effets physiques évidents des éruptions cutanées, des lésions discoïdes et de l'alopécie peuvent provoquer l'isolement social du client atteint de LED ; néanmoins, pour les clients, c'est la douleur et la fatigue qui perturbent le plus la qualité de vie. Les amis et les parents sont déroutés par les plaintes de douleurs articulaires transitoires et de la fatigue insurmontable. Les techniques de rythmes et la thérapie de relaxation permettent au client de rester actif. Le planning quotidien doit prévoir les activités récréatives et professionnelles. Les restrictions et limitations physiques sont particulièrement difficiles à supporter pour les enfants et les jeunes adultes. Le LED peut avoir un effet négatif sur l'estime de soi et l'image corporelle. L'intervention infirmière doit aider le client à développer et à atteindre des objectifs raisonnables dans l'amélioration de la mobilité, des niveaux d'énergie et de l'estime de soi.

Évaluation. L'encadré 59.16 résume les résultats escomptés chez le client atteint de LED.

59.10 SCLÉRODERMIE SYSTÉMIQUE

La **sclérodermie systémique** est un trouble des tissus conjonctifs caractérisé par des modifications fibreuses dégénératives et parfois inflammatoires de la peau, des vaisseaux sanguins, de la synovie, des muscles du squelette et des organes internes. L'épaississement et le resserrement de la peau sont les principales caractéristiques. La maladie peut se manifester par un épaississement cutané disséminé qui atteint ensuite les viscères selon une progression rapide et fatale ou par une forme plus bénigne appelée le syndrome de CREST (calcinose, phénomène de Raynaud, hypomotilité de l'œsophage, sclérodactylie [modification de la peau des doigts] et télangiectasie [angiome cutané du type macule]). (Le phénomène de Raynaud est présenté au chapitre 26.)

La sclérodermie systémique touche 3 fois plus de femmes que d'hommes, et ce rapport est de 15 contre 1 au cours des années de fécondité. Toutes les races sont touchées par la sclérodermie systémique, mais elle est plus fréquente chez les individus de race noire que chez ceux de race blanche. Les symptômes apparaissent à tout âge, mais la période d'apparition habituelle se situe entre 30 et 50 ans.

L'évolution de la sclérodermie systémique est variable. Les personnes atteintes du syndrome de CREST n'ont pas d'invalidités importantes et leur taux de survie est le plus élevé, malgré leur plus grand risque d'hypertension pulmonaire. Lorsque le myocarde et le rein sont touchés, le pronostic est moins bon.

59.10.1 Étiologie et physiopathologie

On ignore la véritable cause de la sclérodermie systémique. Il semble qu'il existe une relation avec l'exposition à des toxines environnementales, notamment le chlorure de vinyle, les résines d'époxy et le trichloréthylène. L'exposition professionnelle aux poussières de silice est associée à une plus grande incidence de sclérodermie systémique. Les vibrations des outils ou des appareils sont également un facteur de déclenchement de ce trouble. On observe une surproduction de collagène, la protéine qui donne à la peau normale sa résistance et son élasticité (voir figure 59.10). La maladie systémique généralisée peut être causée par une lésion vasculaire primaire ou par un dérèglement immunitaire. Le dérèglement de la cellule est suivi de l'agrégation des plaquettes, de la prolifération cellulaire de l'intima et de fibrose. La prolifération de collagène dérègle le fonctionnement des organes internes, notamment les poumons, les reins, le cœur et les voies gastro-intestinales.

Peau normale   **Sclérodermie**

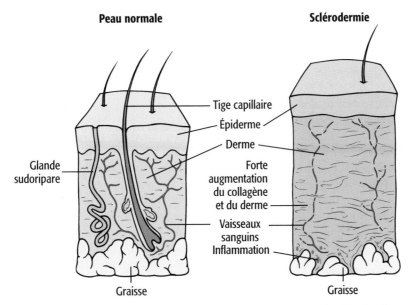

Tige capillaire
Épiderme
Derme
Forte augmentation du collagène et du derme
Vaisseaux sanguins
Inflammation

Glande sudoripare

Graisse   Graisse

FIGURE 59.10 Changements cutanés accompagnant la sclérodermie

59.10.2 Manifestations cliniques

Phénomène de Raynaud. Le phénomène de Raynaud (spasme vasculaire paroxystique des doigts) touche 98% des clients atteints de sclérodermie systémique ; ce phénomène est également le trouble habituel initial du syndrome de CREST. Le débit sanguin des doigts et des orteils diminue lorsqu'ils sont exposés au froid (blanchissement ou phase blanche) ; cette phase blanche est suivie d'une cyanose, lorsque l'hémoglobine libère de l'oxygène dans les tissus (phase bleue), puis d'un érythème lors du réchauffement (phase rouge). Les changements de couleur s'accompagnent souvent d'engourdissements et de picotements. Le phénomène de Raynaud se manifeste parfois des mois ou des années, voire des dizaines d'années, avant l'apparition de la maladie systémique.

Modifications de la peau et des articulations. Le gonflement symétrique indolore ou l'épaississement de la peau des doigts et de la main peut se transformer en sclérodermie disséminée du tronc. Avec le syndrome de CREST, l'épaississement de la peau est généralement limité aux doigts et au visage. La peau perd son élasticité et devient tendue et brillante, ce qui donne un visage typique sans expression aux lèvres pincées. Les mains sont parfois atteintes de sclérodactylie avec des doigts en position semi-fléchie et la peau tendue jusqu'aux poignets (voir figure 59.11). La polyarthralgie et la raideur matinale sont des symptômes précoces. On observe parfois un frottement des tendons.

Manifestations touchant les organes internes. L'hypomotilité de l'œsophage provoque de fréquents reflux d'acide gastrique qui entraînent des brûlures d'estomac et une dysphagie sous-sternale pour les aliments solides. Le client qui a de la difficulté à avaler se nourrira moins et maigrira. Les troubles gastro-intestinaux comprennent les distensions abdominales, la diarrhée, les selles malodorantes (syndrome de malabsorption) dues à la maladie de l'intestin grêle et la constipation due à l'affection du côlon.

L'affection pulmonaire comprend l'épaississement de la plèvre, la fibrose pulmonaire et les anomalies de la fonction pulmonaire. On n'observe pratiquement l'hypertension pulmonaire que dans le syndrome de CREST.

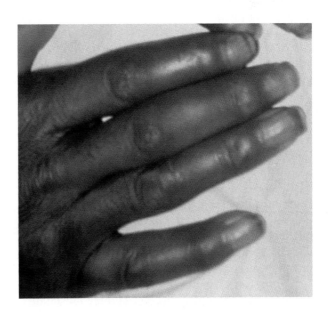

FIGURE 59.11 Sclérodactylie visible sur la main d'un client atteint de sclérodermie systémique

Les maladies primaires cardiaques comprennent la péricardite, l'épanchement péricardique et les arythmies cardiaques. La fibrose du myocarde provoquant une insuffisance globale est le plus souvent présente chez les personnes atteintes de sclérodermie systémique généralisée.

La maladie rénale est une cause de mortalité majeure pour la sclérodermie systémique. On observe souvent une hypertension artérielle maligne associée à une insuffisance rénale rapidement progressive et irréversible. La situation des clients atteints d'insuffisance rénale est devenue moins désespérée grâce au perfectionnement des dialyses, à la néphrectomie bilatérale, lorsque l'hypertension est incontrôlable, et à la greffe des reins.

59.10.3 Épreuves diagnostiques

Les épreuves hématologiques présentent parfois une légère augmentation de la vitesse de sédimentation et occasionnellement une hyper-gammaglobinémie. Les ANA existent chez presque toutes les personnes atteintes de sclérodermie systémique. L'auto-anticorps Scl-70 a été identifié dans la sclérodermie systémique ; l'anticorps anti-centromère est associé au syndrome de CREST. Chez les clients atteints de la maladie diffuse, l'analyse microscopique des vaisseaux capillaires du lit de l'ongle met en évidence une boucle capillaire légèrement dilatée et accompagnée d'une maladie légère ainsi que des zones non vascularisées. Si les reins sont atteints, l'analyse d'urine présente parfois une protéinurie, une hématurie microscopique et des dépôts. Une radiographie révélant une calcification sous-cutanée, une résorption du capiton digital, une hypomotilité distale de l'œsophage et une fibrose pulmonaire bilatérale sont des diagnostics de la sclérodermie systémique. Les épreuves de la fonction pulmonaire montrent une réduction de la capacité vitale. La biopsie cutanée démontre un épaississement du collagène dermique, sa concentration ou son homogénéisation.

59.10.4 Processus thérapeutique

Il n'existe pas de processus thérapeutique à long terme pour traiter la sclérodermie systémique (voir encadré 59.18). Les soins tentent de prévenir ou de traiter les complications secondaires des organes touchés. On a utilisé une variété de médicaments, notamment les anti-inflammatoires, la pénicillamine-D (Cuprimine), la minocycline (Minocin) et la colchicine, avec plus ou moins de succès.

La physiothérapie permet d'entretenir la mobilité des articulations et de préserver la force musculaire. L'ergothérapie permet au client de maintenir ses capacités fonctionnelles. On peut traiter le reflux gastro-intestinal avec des anti-acides et des dilatations périodiques de l'œsophage. (Le reflux gastro-intestinal est présenté au chapitre 33.)

Pharmacothérapie. Il n'existe pas de médicaments ou d'associations de médicaments traitant efficacement la sclérodermie systémique. On réserve les corticostéroïdes aux clients atteints de myosite ou de syndromes additionnels (maladie des tissus conjonctifs mixtes). La pénicillamine-D augmente la solubilité du collagène de la peau et peut l'amincir, mais elle a de nombreux effets secondaires. La minocycline (Minocin) améliore les symptômes, en particulier l'épaississement du collagène. On utilise la colchicine pour inhiber l'accumulation de collagène, mais sa valeur thérapeutique n'est pas encore établie. On étudie actuellement l'administration d'agents immunosuppresseurs.

Le phénomène de Raynaud se traite par des mesures de soutien, notamment un médicament vaso-actif comme la pentoxifylline (Trental) ou un vasodilatateur topique (onguent à base de nitroglycérine) appliqué sur les doigts et les orteils. Cependant, les inhibiteurs calciques sont le traitement préféré pour le phénomène de Raynaud (nifédipine [Adalat] et diltiazem [Cardizem]).

Les ulcères infectés au bout des doigts se traitent par trempage dans de l'hyaluronidase et par application d'un onguent antibiotique et antibactérien. Les symp-

PROCESSUS DIAGNOSTIQUE ET THÉRAPEUTIQUE

| **Sclérodermie systémique** | ENCADRÉ 59.18 |

Diagnostic
- Antécédents de santé et examen physique
- Titres des anticorps antinucléaires
- Examen au microscope des capillaires du lit unguéal
- Radiographies du thorax et des mains
- Radiographies de l'appareil gastro-intestinal supérieur et inférieur (ou des deux)
- Biopsie de la peau ou des viscères
- Analyse d'urine (protéinurie, hématurie, cylindres)

Processus thérapeutique
- Médicaments vasodilatateurs
  - Inhibiteurs calciques
- Médicaments anti-inflammatoires
  - Aspirine
  - AINS
  - Pénicillamine (Cuprimine)
  - Corticostéroïdes
- Médicaments antihypertenseurs
- Physiothérapie

tômes articulaires sont traités par l'aspirine ou par d'autres AINS. Les brûlures d'estomac sont traitées par des antiacides et par des inhibiteurs des récepteurs H$_2$ (famotidine [Pepcid]) ou des inhibiteurs de la pompe à protons, comme la pantoprazole (Pantoloc) ou l'oméprazole (Losec). Pour le traitement de l'hypertension, on a utilisé des combinaisons de médicaments hypotenseurs, notamment l'hydralazine (Apresoline), les IECA (captopril [Capoten] enalapril [Vasotec]), les antagonistes des récepteurs de l'angiotensine (valsartan [Diovan], losartan [Cozaar]), le propranolol (Indéral) et le méthyldopa (Aldomet).

59.10.5 Soins infirmiers : sclérodermie systémique

L'intervention de soins infirmiers commence souvent lors d'une hospitalisation à but diagnostique, car la prévention est impossible. Pour planifier les soins, et selon les symptômes observables, on doit noter quotidiennement les signes vitaux, le poids, le bilan des ingesta et des excreta, la fonction respiratoire et l'amplitude de mouvement des articulations. Un stress émotif et un environnement froid peuvent aggraver le phé-nomène de Raynaud. Comme les doigts guérissent difficilement et pour ne pas compromettre leur circulation sanguine, il ne faut pas effectuer de prélèvement sanguin au bout des doigts des clients atteints de sclérodermie systémique. On doit bien leur expliquer les épreuves diagnostiques. L'infirmière peut aider le client à combattre son sentiment d'impuissance en l'informant sur la maladie et en l'encourageant à participer au plan de soins.

L'enseignement est une importante responsabilité de l'infirmière vis-à-vis du client et de sa famille qui doivent vivre avec la maladie. Les changements évidents visibles sur la figure et les mains entraînent une mauvaise image de soi, une perte de mobilité et de fonction. Le client doit effectuer des exercices thérapeutiques à domicile. L'infirmière doit insister sur la thermothérapie, l'usage des appareils fonctionnels et l'organisation des activités qui préservent la force et qui diminuent l'invalidité.

On doit protéger les mains et les pieds contre le froid et contre des brûlures ou des blessures qui ne guérissent que lentement. On doit éviter de fumer à cause de l'effet vasoconstricteur et signaler les signes d'infection. Les lotions peuvent réduire la sécheresse et les craquelures de la peau, mais comme la peau est très épaisse, on doit la masser très longtemps.

On peut réduire la dysphagie en prenant davantage de repas légers, en mâchant posément et lentement et en buvant beaucoup. On peut réduire les brûlures d'estomac par des anti-acides administrés 45 à 60 minutes après chaque repas et en restant assis 30 à 45 minutes après les repas. Pour réduire les reflux gastriques nocturnes, on peut utiliser des oreillers ou relever la tête de lit.

On doit souvent modifier la façon de travailler, car des problèmes particuliers se posent lors de l'exposition au froid, pour monter les escaliers, pour taper à la machine et pour écrire. Le client peut devenir asocial à cause du changement d'aspect de son visage et de ses mains dû à l'étirement de la peau. Certaines personnes doivent porter des gants pour se protéger contre les ulcères au bout des doigts et pour les garder au chaud. Afin de réduire la douleur due aux ulcères ou à la calcinose de certaines zones au bout des doigts, on peut utiliser des appareils fonctionnels ou des ustensiles gainés. Il peut être socialement embarrassant pour le client de prendre des repas à l'extérieur à cause de sa petite bouche, de ses difficultés de déglutition et du reflux gastrique. On doit insister sur l'hygiène buccale quotidienne, car la négligence risque d'entraîner des problèmes dentaires ou gingivaux. Le client doit choisir un dentiste habitué à la sclérodermie systémique et qui sait travailler avec des clients ayant de petites bouches.

Le soutien psychologique contribue à réduire le stress et a une influence positive sur la réaction motrice périphérique. L'entraînement à la rétroaction biologique et les techniques de relaxation réduisent la tension, améliorent le sommeil et augmentent la température des doigts et des orteils.

L'infirmière peut fournir avec discernement des conseils sur les dysfonctionnements sexuels qui résultent des changements physiques, de la douleur, de la faiblesse musculaire, de la mobilité réduite, de la perte d'estime de soi et des sécrétions vaginales moins abondantes. Elle doit apporter des suggestions personnalisées au client en tenant compte de son évaluation.

59.11 POLYMYOSITE ET DERMATOMYOSITE

La **polymyosite** et la **dermatomyosite** sont des myopathies disséminées des muscles striés qui provoquent des faiblesses symétriques généralement plus graves dans les muscles proximaux (tronc, épaules et hanches). Ces troubles sont deux fois plus fréquents chez les femmes que chez les hommes. La maladie débute souvent dans la cinquantaine ou la soixantaine. Son incidence est légèrement plus élevée que celle de la dystrophie musculaire de l'adulte. Certains cas de myosite sont associés à une maladie maligne sous-jacente et, dans ces cas, la myosite est un syndrome paranéoplasique.

59.11.1 Étiologie et physiopathologie

On ignore les causes exactes de la polymyosite et de la dermatomyosite. Certaines théories retiennent la présence d'un agent infectieux, d'une réaction hypersensible et d'anomalies du système immunitaire à médiation cellulaire.

59.11.2 Manifestations cliniques et complications

Manifestations musculaires. En quelques mois, le client est insidieusement atteint de faiblesse des muscles proximaux, notamment aux épaules, au cou et au bassin. Il peut éprouver de la difficulté à se lever d'une chaise, à sortir d'une baignoire, à monter les escaliers, à se coiffer ou à attraper un objet placé en hauteur. Les muscles du cou peuvent s'affaiblir au point où le client devient incapable de lever sa tête de l'oreiller. La douleur et la sensibilité musculaire ne sont pas courants. L'examen musculaire fait apparaître l'impossibilité de vaincre une résistance et de lutter contre la gravité. La faiblesse des muscles pharyngiens peut provoquer une dysphagie et une dysphonie (voix rauque ou nasale).

Manifestations dermiques. L'éruption cutanée type se présente sous la forme d'un érythème empourpré du visage, du cou, des épaules, de la partie antérieure du thorax, du haut du dos et des bras ; cette éruption se produit chez environ 40 % des clients atteints d'une maladie musculaire. Une éruption héliotrope (bleu lavande) des paupières et l'œdème périorbitaire sont presque des signes pathognomoniques de la dermatomyosite. L'éruption est dominante en surface sur les extenseurs des avant-bras, sur les coudes, les poignets, les surfaces péri-unguéales, les genoux et les chevilles. On confond aisément la présence d'un érythème squameux rouge en relief avec le psoriasis ou la dermite séborrhéique. Au niveau du lit unguéal, on observe souvent la présence d'hyperémie et de télangiectasie.

Autres manifestations. Près de la moitié des clients atteints de polymyosite présentent une légère arthrite transitoire et le phénomène de Raynaud. Des exsudats cotonneux peuvent se former sur la rétine. La calcinose, les contractures et l'atrophie musculaire peuvent se présenter au stade avancé de la maladie. La faiblesse des muscles pharyngés cause parfois une pneumonie de déglutition. La dermatomyosite juvénile semble être plus progressive et plus invalidante. Lorsqu'on la diagnostique chez les hommes de plus de 40 ans, la dermatomyosite est fréquemment accompagnée d'une autre maladie maligne. Dans les cas graves, la dysphagie et les complications cardiorespiratoires, notamment la fibrose pulmonaire et les défauts de conduction, contribuent à la mortalité.

59.11.3 Épreuves diagnostiques

L'augmentation des enzymes sériques musculaires (créatine-kinase, aldolase et aspartate aminotransférase) permet de déterminer le diagnostic et la réponse au traitement. Les auto-anticorps en circulation appelés anti-Jo (anticorps synthétase ARNt de l'histidyl) sont très caractéristiques de la maladie chez les clients atteints de myopathies inflammatoires. La vitesse de sédimentation augmente lorsque la maladie est active. L'électrocardiogramme présente des potentiels polyphasiques de courte durée, une fibrillation et des complexes pointe-onde positifs. La biopsie musculaire présente une nécrose, une dégénérescence, une régénérescence et une infiltration interstitielle cellulaire inflammatoire (lymphocytes primaires).

59.11.4 Processus thérapeutique

La polymyosite et la dermatomyosite se traitent avec un certain succès par des corticostéroïdes et à l'occasion, par des médicaments immunosuppresseurs. En général, l'état s'améliore avec un traitement rapide par les corticostéroïdes dont on réduit la dose, lorsqu'on constate des améliorations cliniques, mais les rechutes sont fréquentes. On peut appliquer des corticostéroïdes topiques sur les éruptions cutanées. Les clients dont la réponse aux corticostéroïdes n'est pas satisfaisante, peuvent être traités par des immunosuppresseurs (p. ex. cyclophosphamide [Cytoxan] IV intermittente ou voie orale quotidienne). Les corticostéroïdes libèrent parfois le potassium des cellules musculaires endommagées qui est ensuite éliminé par l'urine. On recommande des suppléments alimentaires en potassium (p. ex. jus d'orange, bananes). Le traitement longue durée peut être compliqué par une myopathie due aux corticostéroïdes. Des agents immunosuppresseurs, comme le méthotrexate, l'azathioprine (Imuran) et le cyclophosphamide, permettent de réduire l'usage des corticostéroïdes et de bénéficier d'une amélioration, tout en diminuant les doses de corticostéroïdes.

La physiothérapie est bénéfique et doit être adaptée à l'activité morbide. Les massages et les mouvements passifs sont recommandés durant les périodes d'activité. Lorsque les taux d'enzymes sériques sont bas et que l'activité de la maladie est donc minimale, on peut effectuer des exercices physiques plus intenses.

Pour le client de plus de 40 ans, on doit rechercher soigneusement la présence de lésions malignes. Le cas échéant, on doit traiter la maladie maligne. Si la lésion maligne est supprimée, il peut y avoir rémission totale de la dermatomyosite.

59.11.5 Soins infirmiers : polymyosite et dermatomyosite

Même si la prévention est impossible, une meilleure connaissance de la polymyosite et de son évolution insidieuse qui ressemble à celle de la dystrophie musculaire peut avoir un effet positif sur le pronostic grâce au diagnostic rapide et au traitement précoce.

L'intervention de soins infirmiers doit comprendre l'évaluation des faiblesses musculaires et celle des limitations de l'amplitude de mouvement. L'infirmière doit garder le client alité et l'assister dans ses activités quotidiennes, lorsqu'il est très faible. Pendant les repas, on doit faire très attention pour éviter l'aspiration. On doit expliquer la nature de la maladie, les traitements et les épreuves diagnostiques. Le client doit comprendre que les effets du traitement sont souvent retardés ; par exemple, la faiblesse peut s'accentuer durant les premières semaines de thérapie aux corticostéroïdes.

Le client doit avoir une bonne compréhension de la nature chronique de ce trouble, de l'utilité et des effets secondaires des médicaments prescrits, de l'importance des soins médicaux et des séries de tests en laboratoire. L'infirmière doit fournir des indications pour conserver l'énergie en organisant les activités et en utilisant des techniques de rythmes. Pour éviter les contractures, le client doit faire des exercices quotidiens d'amplitude de mouvement. Lorsque l'inflammation n'est pas visible, il doit faire des exercices de musculation (répétitions). Lorsque le client est en phase aiguë de polymyosite, l'aide à domicile est nécessaire, car l'extrême faiblesse musculaire l'empêche d'effectuer ses activités quotidiennes. Les services à domicile, les visites de l'infirmière du CLSC et le soutien familial sont nécessaires pour aider le client dans ses soins d'hygiène quotidienne, pour préparer ses repas, pour l'aider à manger et à se déplacer.

59.12 CONNECTIVITE MIXTE

Les clients qui présentent une combinaison de caractéristiques cliniques correspondant à plusieurs maladies rhumatoïdes sont atteints de **connectivite mixte**. On pensait que cette maladie était un trouble clinique distinct, mais son suivi a démontré une évolution semblable à celles du LED et de la sclérodermie systémique. Cette forme non différenciée ou transitoire de connectivite mixte précoce a un profil sérologique typique qui comprend un titre élevé de profils marbrés d'ANA (un type d'ANA), des taux élevés d'anticorps à l'anticorps nucléaire extractable sensible à la ribonucléase et des auto-anticorps à la ribonucléoprotéine.

59.13 SYNDROME DE SJÖGREN

Le **syndrome de Sjögren** est caractérisé par les anticorps à deux complexes d'ARN protéique, appelés *SS-R/Ro* et *SS-B/La*. Les manifestations cliniques sont causées par l'inflammation et le dysfonctionnement des glandes endocrines, notamment les glandes lacrymales et salivaires.

Les femmes représentent plus de 90 % des clients et 50 % d'entre elles sont atteintes d'arthrose ou d'une autre maladie des tissus conjonctifs. La sécheresse de la bouche peut compliquer le diagnostic différentiel chez les femmes âgées. L'absence de larmes entraîne une sensation de rugosité des yeux, une sensation de brûlure et la photosensibilité. La sécheresse buccale provoque des fissures dans les membranes buccales, de la dysphagie et des caries dentaires. Le dessèchement fréquent des voies nasales et respiratoires peut causer la toux. Les glandes parotides sont souvent hypertrophiées. D'autres glandes endocrines sont aussi parfois touchées ; par exemple, la sécheresse vaginale peut entraîner une dyspareunie.

Les études histologiques démontrent une infiltration lymphocytaire des glandes salivaires et lacrymales, mais la maladie peut se généraliser et atteindre les ganglions lymphatiques, la moelle osseuse et les viscères (pseudo-lymphome). La prolifération extraglandulaire peut devenir franchement maligne (lymphome). Les facteurs rhumatoïdes et antinucléaires sont présents chez la majorité des clients. L'anémie, la leucopénie, l'hypergammaglobulinémie et une vitesse de sédimentation élevée font partie des observations fréquentes.

L'examen ophtalmologique (test de Schirmer), les débits salivaires et la biopsie des glandes salivaires de la lèvre inférieure confirment le diagnostic. Le traitement est symptomatique et comprend : l'instillation de larmes artificielles aussi souvent que nécessaire pour maintenir l'hydratation et la lubrification adéquates ; une occlusion chirurgicale ponctuelle ; un apport liquidien accru au cours des repas. Le symptôme de sécheresse buccale peut se traiter avec de la pilocarpine (Salagen). Un plus haut taux d'humidité à domicile réduit les risques d'infection respiratoire. La lubrification vaginale avec un produit hydrosoluble, comme le gel KY, rend les relations sexuelles plus agréables. Les corticostéroïdes et les immunosuppresseurs sont recommandés pour traiter le pseudo-lymphome.

59.14 FIBROMYALGIE

La **fibromyalgie** est un syndrome de douleur chronique musculosquelettique dont on ignore l'étiologie. Elle est caractérisée par la fatigue, la raideur, les myalgies, les arthralgies, les céphalées, le syndrome du côlon irritable et le sommeil perturbé. Elle peut être accompagnée du dysfonctionnement des articulations temporo-mandibulaires, de symptômes prémenstruels et du prolapsus de la valvule mitrale. Les anomalies cognitives, notamment les problèmes de mémoire (brouillard cérébral) ou les difficultés de concentration, accompagnent parfois le trouble. À cause de sa nature chronique, la fibromyalgie s'accompagne souvent de dépression, d'anxiété et d'un sentiment d'impuissance. Cinquante pour cent des cas de fibromyalgie et du syndrome du côlon irritable sont associés. La fibromyalgie est plus fréquente chez les femmes et la plus grande incidence s'observe chez les femmes de plus de 50 ans.

Même si la pathogenèse est inconnue, les cliniciens pensent que le syndrome est relié à la transmission de douleurs provenant de structures plus profondes (amplificaîton de la douleur), d'un cycle douleur-spasme, de stress répétés sur les muscles ou de la réactivation d'un virus latent. On sait que la fibromyalgie a une forte composante reliée au stress qu'il faut traiter pour résoudre le problème à long terme.

La présence de symptômes typiques et la localisation de points sensibles permet de diagnostiquer la fibromyalgie. Chez des personnes normales, on a identifié 18 points sensibles qui deviennent hypersensibles chez les personnes atteintes de fibromyalgie. Le critère de diagnostic de la fibromyalgie est un antécédent de douleurs généralisées avec la présence permanente de 11 points sensibles à la palpation. La douleur causée par la fibromyalgie peut se cantonner dans une région du corps (on l'appelle alors **douleur myofasciale**) ou se généraliser avec des points sensibles migratoires. Les douleurs myofaciales touchent souvent le cou, la région lombaire, les épaules et le thorax.

Le traitement de la fibromyalgie est symptomatique et exige un client fortement motivé. L'infirmière joue un rôle clé dans la participation active du client au régime thérapeutique. Le repos et, pour certains clients, les AINS aident à maîtriser la douleur et la sensibilité. Le stress, la fatigue et les perturbations du sommeil sont atténués avec de faibles doses d'antidépresseurs imipraminiques (amitriptyline [Elavil], imipramine [Tofranil] ou trazodone [Desyrel]) et des relaxants musculaires, par l'adaptation au stress et les techniques de réduction du stress, la relaxation profonde et une alimentation équilibrée. Le zopiclone (Imovane) est utile dans les cas rebelles de troubles du sommeil, alors que le clonazépam (Ritrovil) peut aider dans le cas du syndrome des jambes sans repos. Les deux médicaments peuvent toutefois créer une dépendance. Les inhibiteurs sélectifs du recaptage de la sérotonine (paroxétine [Paxil] et sertraline [Zoloft]) atténuent parfois la douleur et la fatigue. La participation à un programme d'exercices modéré (natation, marche) est l'une des approches les plus bénéfiques pour atténuer les symptômes de la fibromyalgie en toute sécurité. Par ailleurs, les exercices d'étirements légers, le yoga, la massothérapie ou le tai chi sont parfois utiles.

Le cyclobenzaprine (Flexeril), qui est un relaxant musculaire tricyclique dérivé, améliore de nombreux symptômes de la fibromyalgie, à l'exception de la raideur matinale. On utilise rarement les opiacés à cause de leur risque de dépendance. Pour le soulagement temporaire de la douleur, on injecte directement par voie sous-cutanée dans les points sensibles de la lidocaïne (Xylocaine), de la cortisone ou les deux à la fois et même une solution saline stérile ; toutefois, cette procédure effractive comporte des risques.

À cause de la nature chronique de la fibromyalgie et du programme de rééducation permanent, le client atteint de la fibromyalgie a besoin du soutien continu de l'infirmière et des autres membres de l'équipe thérapeutique. Les meilleures approches thérapeutiques combinent l'entraînement physique, les programmes de réduction de stress et les conseils psychologiques (individuels ou en groupe).

Femmes atteintes de fibromyalgie ENCADRÉ 59.19

Article : SCHAEFER, KM. « Health patterns of women with fibromyalgia », *J. Adv. Nurs* n° 26 (1997), p. 565.

Objectif : améliorer les connaissances sur la fibromyalgie du point de vue des femmes qui vivent avec cette maladie.

Méthodologie : l'échantillon comprenait 8 femmes ayant reçu un diagnostic de fibromyalgie et âgées de 27 à 46 ans. On leur a demandé de remplir pendant trois mois un journal de santé portant sur leur façon de vivre quotidiennement avec la fibromyalgie. Les renseignements démographiques ont également été recueillis.

Résultats et conclusions : les courbatures et la douleur constante ont été les symptômes les plus fréquents. Pour la plupart des femmes, la douleur était la plus forte par temps humide ou froid. Toutes les femmes ont eu recours à des approches d'appoint complémentaires aux soins, dont les plus efficaces étaient la relaxation et la thermothérapie. Les descriptions relevées dans les journaux ont permis de mettre en évidence six thèmes qualitatifs : la douleur mentale et physique ; la peur que la douleur gêne la capacité d'agir ; les souffrances sont dues au fait de faire des choses inhabituelles ; le fait de se connaître soi-même aide à maîtriser la douleur liée à la maladie ; le stress influe sur le bien-être ; les activités agréables atténuent le malaise.

Incidences sur la pratique : les journaux des clientes permettent de dresser des profils symptomatiques de la maladie et aident l'infirmière à élaborer des interventions utiles. Les journaux peuvent également donner aux clientes le sentiment d'une certaine maîtrise de leur maladie. Elles peuvent anticiper les moments où elles ne se sentent pas bien et apprendre les interventions les plus efficaces. L'équipe thérapeutique doit offrir des approches complémentaires de soulagement de la douleur et les renforcer. L'infirmière doit tenir compte du fait que chaque femme a sa propre façon de vivre avec la maladie.

59.15 CHIRURGIES ARTICULAIRES COURANTES

La chirurgie joue un rôle important dans le traitement et la rééducation des clients atteints d'une variété d'arthrite, d'un traumatisme ou d'autres états douloureux entraînant des invalidités fonctionnelles. L'arthroplastie est l'opération orthopédique la plus fréquemment pratiquée sur les personnes âgées. Les progrès importants réalisés dans la chirurgie reconstructive ont permis d'améliorer la conception des prothèses, les matériaux utilisés et la mise au point de techniques chirurgicales permettant de réduire la douleur et la déformation et d'améliorer la fonction et le mouvement des articulations des clients atteints d'arthrite.

L'objectif de l'intervention chirurgicale est de soulager la douleur, d'améliorer le mouvement de l'articulation, de corriger la déformation et le mauvais alignement, de réduire les charges verticales et les contraintes de cisaillement et de supprimer les causes intra-articulaires de l'érosion. La douleur est la principale raison de l'arthroplastie. En plus des effets de la douleur chronique sur son bien-être physique et émotif, le client évite souvent de faire bouger l'articulation douloureuse. Si cette absence de mouvement n'est pas corrigée, des contractures peuvent s'installer et limiter l'amplitude de mouvement de façon permanente. La limitation de l'amplitude de mouvement peut être décelée au cours de l'examen physique et par le rétrécissement de l'espace articulaire lors de l'examen radiologique.

Il peut également se produire une perte lente de cartilage aux articulations touchées, qui peut réduire l'amplitude de mouvement. La synovite peut endommager les tendons jusqu'à la rupture ou à la subluxation de l'articulation entraînant par la suite une perte de fonction. L'activité continue de la maladie peut aller jusqu'à la disparition du cartilage et la perte des surfaces osseuses ; les barrières mécaniques qui s'opposent au mouvement requièrent alors une intervention chirurgicale.

59.15.1 Types de chirurgies articulaires et complications

Synovectomie. La synovectomie (ablation de la membrane synoviale) est une mesure prophylactique et un traitement palliatif de l'arthrite rhumatoïde. On pense que la membrane synoviale est le siège des changements pathologiques fondamentaux qui détruisent l'articulation ; son ablation permet d'enrayer la destruction de l'articulation. Il est préférable de réaliser la synovectomie, au début de la maladie, pour éviter de trop importantes destructions des surfaces articulaires. L'extraction de l'épaisse synovie évite la propagation du processus inflammatoire au cartilage adjacent, aux ligaments et aux tendons.

Comme on ne peut extraire toute la synovie d'une articulation au cours d'une intervention chirurgicale, le processus morbide sous-jacent reste présent et affectera à nouveau la synovie régénérée. Néanmoins, après une synovectomie, la maladie est moins grave et on note des améliorations importantes au niveau de la douleur, de l'appui et de l'amplitude de mouvement. Cette intervention chirurgicale est habituellement réalisée aux coudes, aux poignets et aux doigts. La synovectomie du genou est plus rare, car on a généralement recours à une arthroplastie.

Ostéotomie. Une ostéotomie consiste à retirer ou à ajouter un coin ou une tranche d'os pour modifier son alignement et déplacer le poids du corps, corrigeant ainsi la déformation et soulageant la douleur. Chez les clients atteints de spondylite ankylosante, on peut corriger la déformation par une ostéotomie cervicale. Le client doit alors porter un corset et une minerve jusqu'à ce que la fusion se produise (trois ou quatre mois). L'ostéotomie sous-trochantérienne ou fémorale peut soulager et améliorer le déplacement de certains clients atteints d'arthrose. L'ostéotomie n'est pas efficace chez les clients atteints d'une maladie inflammatoire articulaire. Chez certains clients, l'ostéotomie du genou soulage la douleur mais, si l'articulation est déjà très endommagée, il est préférable de pratiquer une arthroplastie. Les soins postopératoires sont les mêmes que ceux prodigués pour la fixation interne d'une fracture au même emplacement (voir chapitre 58). L'ostéotomie est généralement fixée à l'intérieur par des fils, des vis, des plaques, des greffons osseux ou par une fixation externe.

Débridement. Le **débridement** est le retrait de débris dégénérescents, notamment les arthrophytes, les ostéophytes, les débris articulaires et le ménisque dégénéré d'une articulation. Généralement, on effectue cette intervention au genou ou à l'épaule en utilisant un arthroscope à fibre optique. Après l'opération, on applique un pansement de compression. Après une arthroscopie du genou, il est possible d'appliquer le poids du corps sur le genou opéré. Comme cette intervention est réalisée en clinique externe, le client doit veiller aux signes d'infection, soulager sa douleur et restreindre son activité pendant 24 à 48 heures.

Arthroplastie. L'**arthroplastie** est la reconstruction ou le remplacement d'une articulation. L'objectif de cette intervention chirurgicale est de soulager la douleur ; d'améliorer ou de préserver l'amplitude de mouvement ; de corriger les déformations consécutives à l'arthrose, à l'arthrite rhumatoïde, à la nécrose avasculaire, à des déformations congénitales ou des luxations et à d'autres troubles systémiques. Il existe plusieurs types d'arthroplasties, notamment le remplacement partiel d'une articulation, le remodelage chirurgical des os et des articulations et le remplacement total de l'articulation.

La chirurgie reconstructive offre maintenant d'excellentes options grâce aux procédures innovantes et aux prothèses (voir figure 59.12). L'arthroplastie de remplacement est disponible pour le coude, l'épaule, les articulations des phalanges des doigts, la hanche, le genou, la cheville et le pied.

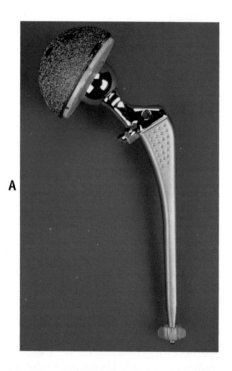

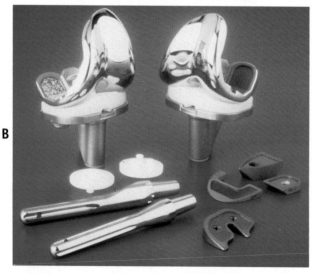

FIGURE 59.12 Prothèses pour l'arthroplastie totale.
A. Hanche. B. Genou.

Hanche. L'arthroplastie totale de la hanche est probablement le progrès de reconstruction chirurgicale le plus important du XXᵉ siècle. Cette intervention a permis de soulager la douleur de manière importante et d'améliorer la fonction des personnes atteintes d'arthrite. On utilise souvent la reconstruction des hanches pour traiter les clients atteints d'arthrite rhumatoïde et d'arthrose, ainsi que dans les cas de fracture de la hanche.

Les implants sont souvent cimentés en place avec du méthacrylate de polyméthyle qui fusionne avec l'os. Avec le temps, un certain nombre de composants du fémur se relâchent et doivent être révisés. À cause de ce risque, on préfère procéder au remplacement total de la hanche chez les personnes âgées qui sont moins actives. Depuis peu, on n'utilise plus de ciment pour l'arthroplastie, ce qui rend l'implant plus stable en facilitant la croissance biologique de nouveaux tissus osseux dans le revêtement de la surface poreuse de la prothèse. L'arthroplastie avec prothèse non cimentée peu se pratiquer sur un client très actif ayant encore une espérance de vie de 25 ans.

Pour les deux arthroplasties, il faut éviter les rotations internes extrêmes, les adductions et la flexion à 90 degrés de la hanche pendant quatre à six semaines suivant l'opération. Un coussin d'abduction en mousse est parfois placé entre les jambes afin d'éviter de disloquer la nouvelle articulation (voir figure 59.13). Au domicile, il faut prévoir des sièges de toilette surélevés et des plates-formes sous les chaises. Les bains et la conduite automobile sont interdits pendant les quatre à six semaines suivant l'opération. Un ergothérapeute peut montrer au client comment utiliser les appareils fonctionnels, notamment les pinces à longs manches, les chausse-pieds à long manche ou les enfileurs de chaussettes. Il faut garder les genoux écartés et le client ne doit jamais se croiser les jambes ou se contorsionner pour attraper un objet placé derrière lui. La physiothérapie commence le lendemain de l'opération avec la marche et prise d'appui avec un déambulateur pour les prothèses cimentées et prise d'appui partielle du côté opéré pour la prothèse non cimentée.

Les exercices sont conçus pour retrouver la force et le tonus musculaire des muscles de la hanche qui servent à améliorer la fonction et l'amplitude de mouvement. Ces exercices comprennent des mouvements sur les quadriceps, les muscles fessiers, les levées de jambes en position couchée sur le dos et sur le ventre et des exercices d'abduction (balancement de la jambe vers l'extérieur, mais sans jamais dépasser la ligne médiane) en position couchée et debout.

Les soins infirmiers à domicile consistent à recueillir les données sur l'évaluation du traitement de la douleur et à surveiller les signes d'infection. Il faut changer les pansements régulièrement. L'incision peut être refermée

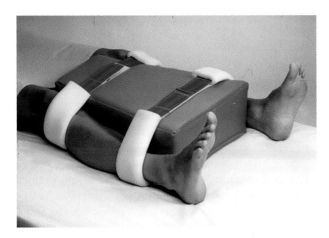

FIGURE 59.13 Maintien en abduction postopératoire après une arthroplastie totale de la hanche

par des agrafes métalliques qui seront retirées par l'infirmière. On déterminera chaque semaine les temps de prothrombine et les anticoagulants seront ajustés en conséquence si on administre de la warfarine (Coumadin). Les héparines de faible poids moléculaire comme l'énoxaparine (Lovenox) sont administrées par voie sous-cutanée. Le client ou un membre de la famille peuvent le faire à domicile. L'avantage des héparines de faible poids moléculaire est qu'elles ne requièrent pas d'analyse sanguine quotidienne pour vérifier l'état de coagulation. Il faut signaler au client qu'il doit utiliser des antibiotiques prophylactiques avant de se rendre chez son dentiste ou avant les interventions qui pourraient provoquer une bactériémie.

Le physiothérapeute déterminera l'amplitude de mouvement, la marche et le respect du programme d'exercices. Le client accroîtra graduellement le nombre de répétitions des exercices, ajoutera des poids aux chevilles, nagera et utilisera éventuellement une bicyclette stationnaire pour tonifier les quadriceps et améliorer son état cardiovasculaire. Les exercices et les sports à forts impacts, notamment la course à pied et le tennis, sont à éviter, car ils peuvent désolidariser l'implant. Les personnes âgées bénéficient parfois d'une rééducation dans un établissement de réadaptation fonctionnelle jusqu'à ce qu'elles deviennent autonomes.

Genou. On effectue une arthroplastie du genou, lorsque la douleur est permanente et que l'articulation gravement endommagée n'assure plus la stabilité. La présence d'ostéoporose peut nécessiter des greffons osseux pour compenser les défauts et corriger les déficiences osseuses. On peut remplacer en tout ou en partie l'articulation du genou par une prothèse en plastique et en

métal. On utilise un bandage de compression pour immobiliser le genou en extension, immédiatement après l'intervention chirurgicale. Ce bandage est retiré, lorsque le client sort de l'hôpital. Il peut être remplacé par un appareil immobilisant le genou, ou par une coque en plastique placée derrière le genou, qui assure l'extension pendant la marche et au repos pendant environ quatre semaines.

Les exercices postopératoires sont très importants et ne présentent pas de problème de luxation. La mise en place d'un programme d'exercices isométriques des quadriceps commence le lendemain de l'opération. Le client progresse vers le soulèvement de la jambe droite et des mouvements d'amplitude pour accroître la force musculaire et obtenir une flexion du genou à 90°. Les exercices de flexion actifs avec une machine à mouvement passif améliorent la mobilité de l'articulation et réduisent la durée de l'hospitalisation. L'appui total commence avant la sortie de l'hôpital. Un programme d'exercices actifs à domicile comprend des exercices d'amplitude de mouvement progressifs, de musculation et de bicyclette stationnaire.

Doigts. Pour le client atteint d'arthrite rhumatoïde, on utilise un appareil en caoutchouc ou en silicone pour aider au rétablissement de la fonction des doigts. Le but de l'intervention chirurgicale sur la main est de rétablir les fonctions de préhension, de pincement, de stabilité et de force plutôt que de corriger l'aspect esthétique de la déformation. Les articulations le plus souvent touchées sont celles des phalanges métacarpiennes et proximales interphalangiennes. Souvent, les doigts sont en coup de vent, ce qui entraîne une grave limitation fonctionnelle de la main. Avant l'opération, on montre au client les exercices à faire avec la main, notamment la flexion, l'extension, l'abduction et l'adduction des doigts. Après l'opération, la main est maintenue en l'air et entourée d'un pansement volumineux. Il faut vérifier la zone opérée de la main et évaluer la sensation, la température, le pouls et les signes d'infection. Lorsque le bandage est retiré, on démarre, sous surveillance, un programme avec des attelles. Le succès de l'opération chirurgicale dépend largement du plan de traitement postopératoire, qui est généralement dirigé par un ergothérapeute. On libère le client en lui fournissant des attelles qu'il doit utiliser pour dormir et un programme de 10 à 12 semaines d'exercices à faire avec la main au moins 3 ou 4 fois par jour. On demande au client de ne pas soulever d'objets lourds.

Coudes et épaules. L'arthroplastie totale du coude et de l'épaule n'est pas aussi fréquente que les autres arthroplasties. On ne remplace l'épaule que pour les clients dont la douleur provoquée par une arthrite rhumatoïde, une arthrose, une nécrose ou un ancien traumatisme est très intense. On ne l'envisage que si le client a une musculature environnante adéquate et une bonne réserve osseuse. S'il faut remplacer à la fois les articulations du coude et de l'épaule, on commence par celle du coude, car de vives douleurs au coude risquent de gêner le programme de rééducation de l'épaule.

Une arthroplastie soulage énormément la douleur ; 90 % des clients ne ressentent plus de douleur au repos et ne ressentent qu'une faible douleur lorsqu'ils s'activent. Pour la plupart des clients, les améliorations fonctionnelles permettent une meilleure hygiène et une plus grande capacité d'exécuter les tâches quotidiennes. La rééducation est plus longue et plus difficile que pour les autres interventions chirurgicales d'arthroplastie.

Arthrodèse. L'arthrodèse est la fusion chirurgicale d'une articulation. On effectue cette intervention lorsque les surfaces articulaires sont trop endommagées ou trop infectées pour permettre leur remplacement ou lorsque l'intervention reconstructive a échoué. L'arthrodèse soulage la douleur ; l'articulation est stabilisée, mais elle demeure immobilisée. On réalise la fusion en enlevant le cartilage hyalin de l'articulation et en plaçant des greffons osseux entre les surfaces articulaires. L'articulation opérée doit rester immobilisée jusqu'à la guérison des os. Les zones de fusion habituelles comprennent le poignet, la cheville, les vertèbres cervicales, les vertèbres lombaires et l'articulation de la phalange métatarsienne du gros orteil.

Complications. L'infection est une complication grave de la chirurgie articulaire, en particulier de la chirurgie de remplacement. Les bactéries en cause les plus courantes sont les streptocoques et les staphylocoques Gram positifs. L'infection provoquant toujours une douleur et un relâchement de la prothèse, une importante intervention chirurgicale est généralement requise. On peut réduire l'incidence des infections en employant une salle d'opération spécialement conçue, hyperstérile, avec un débit d'air laminaire et en administrant une antibiothérapie prophylactique.

La thrombose des veines profondes est une autre complication grave de certaines interventions chirurgicales articulaires, notamment sur les membres inférieurs. On instaure généralement une prophylaxie à base d'aspirine et de warfarine et on installe des jambières pneumatiques. Après l'opération, on procède parfois à une analyse Doppler veineuse par ultrasons pour détecter les thromboses des veines profondes, qui sont la source de la plupart des embolies pulmonaires. L'incidence des embolies pulmonaires présente deux pics, du premier au quatrième jour après l'opération et du deuxième au quatorzième jour.

59.15.2 Soins infirmiers et processus thérapeutique

Soins infirmiers préopératoires. Grâce aux progrès réalisés dans les techniques chirurgicales et dans les soins, de plus en plus de clients atteints de maladies chroniques, comme l'arthrite rhumatoïde, peuvent bénéficier d'une intervention chirurgicale. L'objectif principal de l'évaluation préopératoire est l'identification des facteurs de risque associés aux complications postopératoires pour élaborer la stratégie infirmière qui permet d'atteindre les résultats positifs optimaux. Les antécédents de santé minutieusement relevés doivent comprendre les diagnostics médicaux, notamment le diabète et la thrombophlébite, la tolérance à la douleur et les moyens préférés pour y remédier, l'état fonctionnel actuel et les anticipations postchirurgicales, le niveau de soutien social et les besoins d'aide à domicile après la sortie de l'hôpital. Le client ne doit présenter ni infection ni inflammation aiguë de l'articulation. Si l'intervention chirurgicale porte sur les membres inférieurs, il faut évaluer la force musculaire des membres supérieurs et la fonction articulaire afin de déterminer le type d'appareils fonctionnels dont le client aura besoin après l'opération pour se déplacer et accomplir ses activités quotidiennes. L'enseignement préopératoire a pour but d'informer le client et sa famille sur le déroulement probable du séjour à l'hôpital et sur les soins postopératoires à domicile. Cet enseignement les prépare à un mode de vie compatible avec les capacités intrinsèques des composants prothétiques afin de maximiser leur longévité.

Soins infirmiers postopératoires. L'intervention chirurgicale est suivie d'une évaluation des signes neurovasculaires du membre opéré pour vérifier la fonction nerveuse et la circulation. On administre également des anticoagulants, des analgésiques et des antibiotiques parentéraux. En général, on fait immédiatement travailler l'articulation opérée et on encourage la marche, dès que possible, pour éviter les complications dues à l'immobilité. Les protocoles spécifiques sont choisis en fonction du client, du type de prothèse et des préférences du chirurgien.

Le séjour à l'hôpital dure de trois à cinq jours selon l'état du client et la physiothérapie dont il a besoin. La physiothérapie et la marche améliorent la mobilité, renforcent la musculature et réduisent le risque de thrombus. Si le client prend de la warfarine (Coumadin), le traitement débute le jour de l'opération et se poursuit pendant trois semaines, et le temps de prothrombine est mesuré deux fois par semaine. Pour les clients prenant une héparine de faible poids moléculaire, le traitement débute de 24 à 36 heures après l'opération et se poursuit pendant 3 semaines. L'administration de warfarine (Coumadin) ou d'une héparine de faible poids moléculaire dépend de nombreux facteurs, notamment l'âge du client et son état de santé général.

Enseignement au client. Les soins infirmiers au client qui doit être opéré d'une articulation débutent par l'enseignement préopératoire et par la définition d'objectifs réalistes. Il est important que le client comprenne et accepte les limitations de l'intervention chirurgicale et qu'il soit conscient que le processus morbide sous-jacent ne disparaîtra pas. Il faut expliquer les procédures postopératoires au client et lui donner l'occasion de s'entraîner à se tourner, à respirer à fond, à se servir d'un bassin hygiénique, d'une chaise d'aisance et d'oreillers abducteurs. Il faut rassurer le client en lui précisant qu'on lui fournira après l'opération des moyens de soulager la douleur, notamment des analgésiques à administrer à la demande, comme du kétorolac (Toradol) ou du sulfate de morphine ; on peut également administrer le kétorolac par voie intramusculaire. Une consultation préopératoire avec un physiothérapeute permet au client de s'entraîner aux exercices postopératoires et de prendre les mesures pour des béquilles ou d'autres appareils fonctionnels. La coopération entre l'infirmière et le physiothérapeute et le respect mutuel dont ils font preuve rassurent le client anxieux.

La planification de la sortie d'hôpital avec l'infirmière de liaison du CLSC débute immédiatement. Il faut parler de la durée de l'hospitalisation et des événements postopératoires afin que le client et sa famille puissent planifier leurs activités. Il faut évaluer l'environnement à domicile du point de vue de la sécurité (présence de tapis et de fils électriques) et de l'accessibilité, en vérifiant, par exemple, si la chambre et la salle de bains sont au même étage et si les encadrements de porte sont assez larges pour laisser passer un déambulateur. Il faut évaluer le soutien social et vérifier si un ami ou un membre de la famille peut assister le client à son domicile et déterminer si le client aura besoin d'une aide ménagère ou de repas préparés. Le client âgé aura peut-être besoin des services de rééducation d'un établissement de réadaptation fonctionnelle pendant quelques semaines pour acquérir les réflexes qui lui permettront de vivre de façon autonome. Les interventions de soins infirmiers spécifiques de l'intervention chirurgicale articulaire sont résumées dans l'encadré 59.20.

L'enseignement au client porte sur la nécessité de signaler les complications, notamment l'infection (fièvre, douleur accrue, écoulement), la luxation de la prothèse (douleur, perte de fonction, raccourcissement ou mauvais alignement d'un membre). L'infirmière à domicile assure la liaison entre le client et le chirurgien, surveille les complications postopératoires, évalue le bien-être et l'amplitude de mouvement et aide le client à améliorer sa performance fonctionnelle.

 Plan de soins infirmiers   ENCADRÉ 59.20

Arthroplastie

DIAGNOSTIC INFIRMIER : mobilité physique réduite reliée à la douleur, la raideur et l'intervention chirurgicale, se manifestant par la difficulté à se déplacer, l'incapacité de participer à la rééducation physique et la retenue dans les mouvements.

PLANIFICATION
Résultat escompté
• Amplitude de mouvement fonctionnelle pour l'articulation.

INTERVENTIONS	Justifications
• Déterminer l'effet de l'intervention chirurgicale sur la mobilité du client.	• Planifier les interventions qui conviennent.
• Maintenir le client dans la position qui convient.	• Éviter la luxation ou d'autres complications.
• Commencer le programme d'exercices prescrit.	• Réduire l'altération de la mobilité et la raideur.
• Collaborer avec le physiothérapeute et l'ergothérapeute.	• Aider le client à respecter fidèlement le traitement et l'encourager à continuer les exercices.
• Administrer des analgésiques avant les exercices.	• Réduire la gêne causée par l'exercice et accroître la participation du client.

DIAGNOSTIC INFIRMIER : déficit de soins personnels relié aux restrictions imposées par la chirurgie articulaire, à la douleur, à la faiblesse, se manifestant par l'incapacité totale ou partielle d'accomplir les activités de la vie quotidienne (AVQ).

PLANIFICATION
Résultat escompté
• Les AVQ sont accomplies de manière satisfaisante par le client ou les intervenants.

Plan de soins infirmiers

Arthroplastie (*suite*)

INTERVENTIONS	Justifications
• Évaluer la capacité du client à accomplir les AVQ.	• Planifier l'aide qui convient.
• Aider le client au besoin.	• Faire en sorte que tous ses besoins élémentaires soient satisfaits.
• Rassurer le client sur votre volonté de l'aider à accomplir les AVQ après l'opération.	• Atténuer l'anxiété causée par le sentiment d'impuissance.
• Assurer au client qu'il retrouvera avec le temps son autonomie.	• Atténuer l'anxiété.

DIAGNOSTIC INFIRMIER : prise en charge inefficace du programme de soins reliée au manque de connaissances des soins de suivi, se manifestant par l'expression d'inquiétudes sur la capacité à effectuer ses soins personnels après la sortie du centre hospitalier, de fréquentes questions sur les soins de suivi et l'absence de planification des soins posthospitalisation.

PLANIFICATION
Résultat escompté
• Le client exprime sa confiance dans sa capacité à effectuer ses soins personnels après sa sortie du centre hospitalier et à apporter les changements nécessaires à son mode de vie.

INTERVENTIONS	Justifications
• Enseigner au client le protocole de suivi habituel, notamment les restrictions sur les activités, les médicaments, les visites de contrôle, les signes d'infection et de luxation.	• Préparer le client à s'occuper de lui-même et à prendre des décisions.
• Aider le client à reconnaître les activités qui ont besoin d'être modifiées.	• Les adaptations nécessaires seront faites.
• Orienter le client vers une aide professionnelle.	• Obtenir des conseils d'experts au besoin.
• Adresser le client au CLSC.	• Une infirmière pourra surveiller le programme d'exercices à domicile.

DIAGNOSTIC INFIRMIER : risque de dysfonction neurovasculaire périphérique relié à l'œdème et à la luxation de la prothèse.

PLANIFICATION
Résultats escomptés
• Pouls périphérique palpable.
• Extrémités tièdes.

INTERVENTIONS	Justifications
• Évaluer l'état neurovasculaire q1h pendant les premières 24 h, puis toutes les 2 à 4 h.	• Déterminer si un problème est présent afin de pouvoir amorcer le traitement sans tarder.
• Avertir le chirurgien immédiatement si l'on remarque des anomalies.	• Les interventions doivent être effectuées sans tarder.
• Prendre certaines mesures, par exemple appliquer des compresses froides et élever la partie atteinte.	• Réduire l'œdème.
• Prendre des mesures pour éviter la luxation.	• Elle peut entraîner une dysfonction neurovasculaire.
• Enseigner au client qu'il doit signaler les signes de dysfonctionnement neurovasculaire, comme la paresthésie, la froideur, la pâleur, une douleur excessive et la tuméfaction de l'extrémité ou de la partie du corps atteintes.	• Ne pas retarder le traitement.

Processus thérapeutique

COMPLICATION POSSIBLE : risque de luxation de la prothèse relié à un mouvement ou une activité impropre.

Plan de soins infirmiers

Arthroplastie (*suite*)

PLANIFICATION

Objectifs

- Surveiller et signaler les signes de luxation de l'articulation.
- Effectuer les interventions infirmières et médicales qui conviennent.

INTERVENTIONS	Justifications
• Surveiller la présence de douleur dans l'articulation atteinte, la perte de la fonction articulaire, le raccourcissement ou le mauvais alignement des membres.	• Déterminer s'il y a eu luxation.
• Enseigner au client les positions et activités sécuritaires ; utiliser les appareils fonctionnels (p. ex. siège de toilette surélevé) comme indiqué.	• Éviter les mouvements extrêmes qui risquent d'entraîner une luxation.
• Répéter les consignes des physiothérapeutes.	• Favoriser la confiance du client et éviter les malentendus.
• Enseigner les signes de luxation à signaler (p. ex. douleur, perte de fonction, déformation).	• Pour que le traitement puisse débuter sans tarder.

COMPLICATION POSSIBLE : thrombophlébite reliée à l'intervention chirurgicale et à l'immobilisation.

PLANIFICATION

Objectifs

- Surveiller et signaler les signes de thrombose.
- Effectuer les interventions infirmières et médicales qui conviennent.

INTERVENTIONS	Justifications
• Surveiller la présence de rougeur, de tuméfaction ou de douleur du membre.	• Détecter et signaler les signes de thrombophlébite.
• Faire enfiler des bas élastiques ou anti-emboliques au client et lui recommander de faire des exercices isotoniques des quadriceps, des rotations de chevilles et des exercices de poussée des pieds sur une planche.	• Favoriser la circulation et prévenir la formation de thrombus.
• Administrer des quantités adéquates de liquides par voie parentérale et orale.	• Éviter la déshydratation et la formation de thrombus.
• Enseigner au client l'importance des exercices à domicile.	• Éviter la stase veineuse.
• Enseigner au client et aux personnes soignantes à administrer correctement les médicaments anticoagulants par voie orale et à en assurer le suivi.	• Éviter les effets secondaires d'une anticoagulation insuffisante ou excessive.

MOTS CLÉS

BIBLIOGRAPHIE
Version originale

1. Hellmann D: Arthritis and musculoskeletal disorders. In Tierney L and others, editors: *Current medical diagnosis and treatment,* ed 36, Stamford, Conn, 1997, Appleton & Lange.
2. McCance K, Huether S: *Pathophysiology: biologic basis for disease in adults and children,* ed 3, St. Louis, 1998, Mosby.
3. Kraus VB: Pathogenesis and treatment of osteoarthritis, *Med Clin North Am* 81:1, 1997.
4. Greidinger EL, Hellman DB: Arthritis: what to emphasize on the rheumatologic exam, *Consultant* 35:1609, 1995.
5. Griffin MR and others: Practical management of osteoarthritis: integration of pharmacologic and non-pharmacologic measures, *Arch Fam Med* 4:1049, 1995.
6. Hochberg MC, Altman RD, Brandt KD: Guidelines for the medical management of osteoarthritis, *Arthritis Rheum* 38:11, 1995.
7. Lozada CJ, Altman RD: Chondroprotection in osteoarthritis, *Bull Rheum Dis* 46:7, 1997.
8. McDowell I, Newell C: *Measuring health: a guide to rating scales and questionnaires,* ed 2, New York, 1996, Oxford University Press.
9. Torburn L: Principles of rehabilitation, *Prim Care* 23:2, 1996.
10. Stein MC, Griffin MR, Brandt KD: Osteoarthritis. In Wegener S and others, editors: *Clinical care in the rheumatic diseases,* Atlanta, 1996, American College of Rheumatology.
11. O'Dell JR, Pischel KD, Weinblatt M: Rheumatoid arthritis: what's new in treatment, *Patient Care* 31:5, 1997.
12. Ross C: A comparison of osteoarthritis and rheumatoid arthritis: diagnosis and treatment, *Nurse Pract* 22:9, 1997.
13. Callahan LF, Pincus T: Mortality in rheumatic diseases, *Arthritis Care Res* 8:229, 1995.
14. Mayo Clinic: Rheumatoid arthritis, *Mayo Clin Health Lett* 15:6, 1997.
15. Ali H and others: Mechanisms of inflammation and leukocyte activation, *Med Clin North Am* 81:1, 1997.
16. Dearborn JT, Jergesen HE: The evaluation and initial management of arthritis, *Prim Care* 23:2, 1996.
17. Lipsky PE, Jain R: Treatment of rheumatoid arthritis, *Med Clin North Am* 81:1, 1997.
18. Schnabel A and others: Sustained cough in methotrexate therapy for rheumatoid arthritis, *Clin Rheumatol* 15:277, 1996.
19. Skidmore-Roth L: *Nursing drug reference,* St Louis, 1998, Mosby.
20. O'Dell JR and others: Treatment of rheumatoid arthritis with methotrexate alone, sulfasalazine, and hydroxychloroquine or a combination of all three medications, *N Engl J Med* 334:20, 1996.
21. Silverstein FE and others: Misoprostol reduces serious gastrointestinal complications in patients with rheumatoid arthritis receiving nonsteroidal antiinflammatory drugs, *Ann Intern Med* 123:241, 1995.
22. Pigg JS: Rheumatoid arthritis: how allied health professionals can help, *J Musculoskel Med* 12:2, 1995.
23. Boutaugh MC, Brady TJ: Quality of life programs of the Arthritis Foundation, *Orthop Nurs* 15:5, 1996.
24. Veeser PI, editor: Patient education: treating arthritis, *Nurse Pract* 22:4, 1997.
25. Hall J and others: A randomized and controlled trial of hydrotherapy in rheumatoid arthritis, *Arthritis Care Res* 9:3, 1996.
26. Erlandson M: Rheumatic diseases in childhood. In Wegener S and others, editors: *Clinical care in the rheumatic diseases,* Atlanta, 1996, American College of Rheumatology.
27. Halverson PB: The spondyloarthropathies, *Orthop Nurs* 16:4, 1997.
28. Khan MA: Ankylosing spondylitis: clinical features. In Klippel JH, Dieppe PA, editors: *Rheumatology,* St. Louis, 1995, Mosby.
29. Wollenhaupt J, Hoffmann A: HLA-B27 associated diseases. In Zierhut M, Thiel HJ, editors: *Immunology of the joint and the eye,* Boston, 1996, Butterworth Heinemann.
30. Verdon ME, Sigal LH: Recognition and management of Lyme disease, *Am Fam Physician* 56:2, 1997.
31. Schlesinger P: Lyme disease: an update, *Hospital Medicine* 34:26, 1998.
32. Jancin B: Give Lyme disease vaccine over a 2-month period, *Skin and Allergy News* 30:10, 1998.
33. Itescu S: Rheumatic aspects of acquired immunodeficiency syndrome, *Curr Opin Rheumatol* 8:4, 1996.
34. Gomez-Reino JJ, Carreira PE: Inflammation and HIV infection: a friendly connection, *Lancet* 348(suppl II):24, 1996.
35. Calin A: Managing hyperuricemia and gout: challenges and pitfalls, *J Musculoskel Med* 12:2, 1995.
36. Pisetsky DS, Gilkeson G, St Clair EW: Systemic lupus erythematosus: diagnosis and treatment, *Med Clin North Am* 81:1, 1997.
37. Ward MM, Pyun E, Studensk S: Long-term survival in systemic lupus erythematosus, *Arthritis Rheum* 38:2, 1995.
38. Howser RL: Nursing care of a patient with lupus cerebritis, *DCCN* 15:5, 1996.
39. Llorente L and others: Dysregulation of interleukin-10 production in relatives of patients with systemic lupus erythematous, *Arthritis Rheum* 40:8, 1997.
40. Tsao B and others: The genetic basis of systemic lupus erythematosus, *Proc Assoc Am Physicians* 110:113, 1998.
41. Clark J and others: B-lymphocyte hyperactivity in families of patients with systemic lupus erythematosus, *J Autoimmun* 9:59, 1996.
42. Petri M: Systemic lupus erythematosus. In Rich RR, editor: *Clinical immunology: principles and practice,* St. Louis, 1996, Mosby.
43. Wallace DJ, Metzger AL: Systemic lupus erythematosus: clinical aspects and treatment. In Koopman WJ, editor: *Arthritis and allied conditions,* ed 13, Baltimore, 1997, Williams & Wilkins.
44. Tebbe B, Orfanos CE: Epidemiology and social impact of skin disease in lupus erythematosus, *Lupus* 6:96, 1997.
45. Peter JB, Reyes HR: *Use and interpretation of tests in rheumatology,* Santa Monica, 1996, Specialty Laboratories.
46. Lefkowith JB, Gilkeson GS: Nephritogenic autoantibodies in lupus, *Arthritis Rheum* 39:6, 1996.
47. Panush RS, Schur PH: Is it lupus? *Bull Rheum Dis* 46:6, 1997.
48. Sanchez-Guerrero J and others: Utility of anti-SM, anti-RNP, anti-Ro/SS-A and anti-La/SS-B (extractable nuclear antigens) detected by enzyme-linked immunosorbent assay for the diagnosis of systemic lupus erythematosus, *Arthritis Rheum* 39:6, 1996.
49. Levy GD and others: Incidence of hydroxychloroquine retinopathy in 1207 patients in a large multicenter outpatient practice, *Arthritis Rheum* 40:8, 1997.
50. Wallace DJ, Metzger AL: Systemic lupus erythematosus. In Koopman WJ, editor: *Arthritis and allied conditions,* ed 13, Baltimore, 1997, Williams & Wilkins.
51. Failla S and others: Adjustment of women with systemic lupus erythematosus, *Appl Nurs Res* 9:2, 1996.
52. Kostyak LR: Systemic lupus erythematosus. In Goreczny AJ, editor: *Handbook of health and rehabilitation psychology,* New York, 1995, Plenum Press.
53. Mitchell H, Bolster MB, LeRoy EC: Scleroderma and related conditions, *Med Clin North Am* 81:1, 1997.
54. Seibold JR: Connective tissue diseases characterized by fibrosis. In Kelley WN and others, editors: *Textbook of rheumatology,* ed 5, Philadelphia, 1997, Saunders.
55. Casale R, Buonocore M, Matucci-Cerinic M: Systemic sclerosis (scleroderma): an integrated challenge in rehabilitation, *Arch Phys Med Rehab* 78:7, 1997.
56. Pope J: Treatment of systemic sclerosis, *Rheum Dis Clin North Am* 22:893, 1996.
57. Kremer JM: Nutrition and rheumatic diseases. In Kelley WN and others, editors: *Textbook of rheumatology,* ed 5, Philadelphia, 1997, Saunders.
58. Dale KG: Intimacy and rheumatic diseases, *Rehabil Nurs* 21:1, 1996.
59. Wortmann RL: Inflammatory diseases of muscle and other myopathies. In Kelley WN and others, editors: *Textbook of rheumatology,* ed 5, Philadelphia, 1997, Saunders.
60. Vazquez-Abad D, Rothfield NF: Sensitivity and specificity of anti-Jo-1 antibodies in autoimmune diseases with myositis, *Arthritis Rheum* 39:2, 1996.
61. Manthorpe R, Asmussen K, Oxholm P: Primary Sjögren's syndrome: diagnostic criteria, clinical features, and disease activity, *J Rheumatol Suppl* 24:50, 1997.
62. Boisset-Pioro MH, Esdaile JM, Fitzcharles MA: Sexual and physical abuse in women with fibromyalgia syndrome, *Arthritis Rheum* 38:2, 1995.
63. Gordon S, Morrison C: Fibromyalgia and its primary care implications, *Medsurg Nurs* 7:207, 1998.
64. Wolfe F and others: The prevalence and characteristics of fibromyalgia in the general population, *Arthritis Rheum* 38:19, 1995.
65. Yunus MB: Fibromyalgia syndrome: blueprint for a reliable diagnosis, *Consultant* 36:1260, 1996.
66. Brewster N, Lewis P: Joint replacement for arthritis, *Aust Fam Physician* 27:21, 1998.
67. Enloe LF and others: Total hip and knee replacement treatment programs: a report using consensus, *J Orthop Sports Phys Ther* 23:3, 1996.

Édition de langue française

1. SOCIÉTÉ D'ARTHRITE. *Polyarthrite rhumatoïde* [En ligne], mai 2003. [http://www.arthrite.ca/types%20of%20arthritis/ra/default.asp?s=1]. [http://www.arthrite.ca/custom%20home/default.asp?s=1] (Page consultée le 4 juin 2003).

ANNEXE

ANALYSES DE LABORATOIRE

Cecilia C. Dail, Sally Sperry Steen et Lee Danielson

Note importante à l'intention du lecteur

Vous trouverez dans cette annexe des tableaux présentant les principales analyses réalisées en laboratoire médical avec leurs valeurs normales de référence et les causes possibles des valeurs anormales. Les données de laboratoire peuvent varier selon les principes analytiques (chimiques, immunochimiques ou autres) propres aux méthodes utilisées en laboratoire médical et les règles gouvernant l'établissement des intervalles de valeurs normales de référence qui permettent d'interpréter les résultats d'analyse. C'est pourquoi le lecteur moins au fait de ces règles est souvent étonné de trouver dans un volume tel que celui-ci, pour une analyse donnée, des valeurs normales qui sont différentes, par exemple, de celles qui sont fournies par le laboratoire médical de son milieu de pratique professionnelle, hospitalier ou autre. Les différences sont parfois assez importantes pour que le lecteur en déduise qu'il vient de déceler une erreur de la part des auteurs. Le même phénomène survient communément à la lecture de dossiers médicaux contenant des résultats d'analyses provenant de laboratoires différents. Pourquoi en est-il ainsi?

Il faut comprendre, tout d'abord, que pour chacune des analyses offertes par un laboratoire, il existe en général plusieurs méthodes d'analyse, dont la précision, l'exactitude, la sensibilité et la spécificité peuvent être différentes, **sans toutefois altérer la valeur des renseignements cliniques qu'elles fournissent**. Cette situation est particulièrement courante avec les analyses d'enzymes sériques (activité enzymatique) ou les analyses d'hormones, mais se retrouve également avec des paramètres aussi communs que la glycémie.

Un autre facteur important, en partie responsable des différences observées dans les intervalles de valeurs normales de référence, est la variabilité biologique. Tout être vivant en santé travaille à maintenir son homéostasie et connaît des variations normales des compositions biochimique et biologique. Ainsi, l'âge, le sexe, la race, l'état de jeûne, les habitudes alimentaires, le poids corporel, l'activité physique, le stade du cycle ovarien chez la femme, le lieu de résidence et même la posture et l'état psychologique lors du prélèvement biologique peuvent, à des degrés divers, influer sur les résultats d'analyse qui seront obtenus.

Tous ces éléments font en sorte que chaque laboratoire médical est tenu d'établir, pour chacune des analyses offertes, ses propres intervalles de valeurs normales de référence, et ce, pour les méthodes d'analyse utilisées et pour les populations précises de la région où il dispense ses services. Vous pourrez obtenir beaucoup plus d'information à ce sujet en vous adressant, par exemple, au biochimiste responsable du laboratoire de votre milieu de formation ou de travail. Les valeurs normales que vous trouverez ici en annexe vous seront très utiles pour apprendre à connaître les unités du système international (SI) qui s'y appliquent. Cependant, durant votre formation et dans le cours de la pratique professionnelle, **un résultat d'analyse ne devra être interprété qu'avec les valeurs normales de référence du laboratoire ayant fait l'analyse**. C'est d'ailleurs pourquoi, en général, le résultat d'une analyse pour un client sera toujours accompagné des valeurs normales de référence qui serviront à l'interpréter. Si ce n'est pas le cas, n'hésitez pas à les demander.

Enfin, la transmission des résultats d'analyses de laboratoire fait appel à nombre d'abréviations universellement reconnues, mais qui peuvent paraître hermétiques au premier abord. Pour faciliter la lecture des tableaux qui figurent dans la présente annexe, les abréviations employées sont donc définies comme suit :

<	=	plus petit que
>	=	plus grand que
L	=	litre
mEq	=	milliéquivalent
ml	=	millilitre
dl	=	décilitre
mm Hg	=	millimètre de mercure
fl	=	femtolitre (10^{-15})
mm	=	millimètre
g	=	gramme
mg	=	milligramme (10^{-3})
µg	=	microgramme (un millionième de gramme) (10^{-6})
ng	=	nanogramme (un milliardième de gramme) (10^{-9})
pg	=	picogramme (un millième de milliardième de gramme) (10^{-12})
µU	=	micro-unité
µL	=	microlitre
UI	=	unité internationale
mOsm	=	milliosmole
U	=	unité
mmol	=	millimole
µmol	=	micromole
nmol	=	nanomole
pmol	=	picomole
kPa	=	kilopascal
µkat	=	microkatal

TABLEAU 1	Analyse chimique du sérum, du plasma et du sang entier			
	Valeurs normales		**Cause possible d'anomalie**	
Épreuve	**Unités anciennes**	**Unités du SI**	**Probabilité élevée**	**Probabilité faible**

Acétone
  Quantitative
  Qualitative
	0,3-2,0 mg/dl
	Négatif
		52-344 µmol/L
		Négatif
			Acidocétose diabétique, régime hyperlipidique, régime à faible teneur en glucides, inanition	

Acide ascorbique	0,4-1,5 mg/dl	23-85 µmol/L	Hypervitaminose C	Affections des tissus conjonctifs, hépatopathie, néphropathie, rhumatisme articulaire aigu, carence en vitamine C
Acide folique	3-25 ng/ml	7-57 nmol/L	Hypothyroïdie	Alcoolisme, anémie hémolytique, apport alimentaire insuffisant, syndrome de malabsorption, anémie mégaloblastique
Acide lactique	5-20 µg/dl	0,56-2,2 mmol/L	Acidose, insuffisance cardiaque congestive, choc	

Acide urique
  Homme
  Femme
	4,5-6,5 mg/dl
	2,5-5,5 mg/dl
		149-327 µmol/L
		268-387 µmol/L
			Goutte, destruction des tissus, régime alimentaire hyperprotéinique, leucémie, insuffisance rénale, éclampsie	Administration d'uricosuriques

Activité en rénine
  Décubitus dorsal
  Station debout
	1,4-2,9 ng/ml/h
	0,4-4,5 ng/ml/h
		0,39-0,81 ng/L/s
		0,11-1,25 ng/L/s
			Hypertension rénale, diminution du volume (p. ex. hémorragie)	Augmentation de l'apport sodique, aldostéronisme primaire

Albumine	3,5-5,0 g/dl	35-50 g/L	Déshydratation	Hépatopathie chronique, malabsorption, syndrome néphrotique, grossesse
Aldolase	1,0-7,5 U/L	0,02-0,13 µkat/L**	Maladie des muscles squelettiques	Néphropathie
α1-antitrypsine	78-200 mg/dl	0,78-2,0 g/L	Inflammation aiguë et chronique, arthrite, syndrome de stress	Maladie pulmonaire chronique (apparition précoce), malnutrition, syndrome néphrotique
α-fœtoprotéine (AFP)	<15 ng/ml	<15 µg/L	Cancer des testicules et des ovaires, hépatocarcinome	
Ammoniaque	30-70 µg/dl	17,6-41,1 µmol/L	Hépatopathie grave	
Amylase	0-130 U/L (selon la méthode)	0-2,17 µkat/L**	Pancréatite aiguë et chronique, oreillons (affection des glandes salivaires), ulcère perforé	Alcoolisme aigu, cirrhose du foie, destruction généralisée du pancréas
Antigène prostatique spécifique (PSA)	<4 ng/ml	<4 µg/L	Cancer de la prostate	

TABLEAU 1	Analyse chimique du sérum, du plasma et du sang entier (*suite*)			
	Valeurs normales		**Cause possible d'anomalie**	
Épreuve	**Unités anciennes**	**Unités du SI**	**Probabilité élevée**	**Probabilité faible**
Azote uréique du sang (BUN)	10-30 mg/dl	2,8-8,2 mmol/L	Augmentation du catabolisme des protéines (fièvre, stress), néphropathie, infection des voies urinaires	Malnutrition, lésion grave au foie
Bicarbonate	20-30 mEq/L	20-30 mmol/L	Acidose respiratoire compensée, alcalose métabolique	Alcalose respiratoire compensée, acidose métabolique
Bilirubine Totale Non conjuguée Conjuguée	0,2-1,3 mg/dl 0,1-1,0 mg/dl 0,1-0,3 mg/dl	3,4-22,0 μmol/L 1,7-17,0 μmol/L 1,7-5,1 μmol/L	Obstruction des voies biliaires, altération de la fonction hépatique, anémie hémolytique, anémie pernicieuse, jeûne prolongé	
Calcium	9-11 mg/dl (4,5-5,5 mEq/L)	2,25-2,74 mmol/L	Ostéoporose aiguë, hyperparathyroïdie, intoxication à la vitamine D, myélome multiple	Pancréatite aiguë, hypoparathyroïdie, hépatopathie, syndrome de malabsorption, insuffisance rénale, carence en vitamine D
Calcium ionisé	4-4,6 mg/dl (2-2,3 mEq/L)	1,0-1,15 mmol/L		
Carotène	10-85 μg/dl	0,19-1,58 μmol/L	Fibrose kystique, hypothyroïdie, insuffisance pancréatique	Carence alimentaire, troubles de l'absorption
Chlorure	95-105 mEq/L	95-105 mmol/L	Décompensation cardiaque, acidose métabolique, alcalose respiratoire, corticothérapie, urémie	Maladie d'Addison, diarrhée, alcalose métabolique, acidose respiratoire, vomissements

Cholestérol
HDL (lipoprotéines de haute densité)
    Homme
    Femme
LDL (lipoprotéines de faible densité)
	140-200 mg/dl (selon l'âge)
	
	>45 mg/dl
	>55 mg/dl
	<130 mg/dl
		3,6-5,2 mmol/L
		
		>1,2 mmol/L
		>1,4 mmol/L
		<3,4 mmol/L
			Obstruction des voies biliaires, hypothyroïdie, hypercholestérolémie essentielle, néphropathie, diabète non équilibré	Hépatopathie généralisée, hyperthyroïdie, malnutrition, corticothérapie

Cholinestérase (érythrocyte) Pseudocholinestérase (plasma)	0,65-1,00 pH (méthode Michel) 5-12 U/ml	Identique aux unités anciennes 5000-12 000 U/L	Exercice	Infections aiguës, intoxication aux insecticides, hépatopathie, dystrophie musculaire
Cortisol	8 h : 5-25 μg/dl 20 h : <10 μg/dl	0,14-0,69 μmol/L <0,28 μmol/L	Syndrome de Cushing, pancréatite, stress	Insuffisance surrénale, panhypopituitarisme
Créatine	0,2-1,0 mg/dl	15,3-76,3 μmol/L	Polyarthrite rhumatoïde, obstruction des voies biliaires, hyperthyroïdie, affections rénales, myopathie grave	Diabète

TABLEAU 1 — Analyse chimique du sérum, du plasma et du sang entier (*suite*)

Épreuve	Valeurs normales		Cause possible d'anomalie	
	Unités anciennes	Unités du SI	Probabilité élevée	Probabilité faible
Créatine-kinase (CK) Homme Femme	15-105 U/L 10-80 U/L	0,26-1,79 μkat/L** 0,17-1,36 μkat/L**	Lésion ou affection musculosquelettique, infarctus du myocarde, myocardite grave, exercice, nombreuses injections intramus-culaires, lésion au cerveau	
CK-MB	0-9 U/L	<0,1 μkat/L**	Infarctus aigu du myocarde	
Créatinine	0,5-1,5 mg/dl	44-133 μmol/L	Néphropathie grave	
Cuivre	80-150 μg/dl	12,6-23,6 μmol/L	Cirrhose, femmes prenant des contraceptifs	Maladie de Wilson
Dioxyde de carbone (teneur en CO_2)	20-30 mEq/L	20-30 mmol/L	Identique au bicarbonate	
Fer (capacité de fixation)	250-410 μg/dl	45-73 μmol/L	Carence en fer, contracep-tifs oraux, polycythémie	Cancer, infections chroniques, anémie pernicieuse, urémie
Fer total	50-150 μg/dl	9,0-26,9 μmol/L	Destruction excessive d'érythrocytes	Anémie ferriprive, anémie consécutive à une affection chronique
Ferritine Homme Femme	20-300 ng/ml 10-120 ng/ml	20-300 μg/L 10-120 μg/L	Anémie sidéroblastique, anémie liée à une affection chronique (infection, inflammation, hépatopathie)	Anémie ferriprive
γ-glutamyl-transférase (GGT)	0-30 U/L	0-0,5 μkat/L**		Hépatopathie, mononu-cléose infectieuse
Gazométrie du sang artériel (GSA)* pH artériel pH veineux PCO$_2$ artérielle PCO$_2$ veineuse PO$_2$ artérielle PO$_2$ veineuse	7,35-7,45 7,35-7,45 35-45 mm Hg 42-52 mm Hg 75-100 mm Hg 30-50 mm Hg	Identique aux unités anciennes Identique aux unités anciennes 4,67-6,00 kPa** 5,60-6,93 kPa** 10,0-13,33 kPa** 4,0-6,67 kPa**	Alcalose Alcalose métabolique compensée Acidose respiratoire Administration d'une forte concentration d'oxygène	Acidose Acidose métabolique compensée Alcalose respiratoire Maladie pulmonaire chronique, diminution du débit cardiaque
Glucose à jeun	70-120 mg/dl	3,89-6,66 mmol/L	Stress aigu, lésions cérébrales, maladie de Cushing, diabète, hyperthyroïdie, insuffisance pancréatique	Maladie d'Addison, hépa-topathie, hypothyroïdie, surdose d'insuline, tumeur du pancréas, insuffisance hypophysaire, syndrome de chasse post-gastrectomie

TABLEAU 1 — Analyse chimique du sérum, du plasma et du sang entier (*suite*)

Épreuve	Valeurs normales		Cause possible d'anomalie	
	Unités anciennes	Unités du SI	Probabilité élevée	Probabilité faible
Glucose (tolérance) (épreuve d'hyperglycémie provoquée)			Diabète	Hyperinsulinisme
À jeun	70-120 mg/dl	3,89-6,66 mmol/L		
30 min	30-60 mg/dl supérieur à la glycémie à jeun	1,67-3,33 mmol/L		
60 min	20-50 mg/dl supérieur à la glycémie à jeun	1,11-2,78 mmol/L		
120 min	5-15 mg/dl supérieur à la glycémie à jeun	0,28-0,83 mmol/L		
180 min	Égale ou inférieur à la glycémie à jeun	Égale ou inférieur à la glycémie à jeun		
Haptoglobine	26-185 mg/dl	260-1850 mg/L	Processus infectieux et inflammatoires, tumeurs malignes	Anémie hémolytique, mononucléose, toxoplasmose, hépatopathie chronique
Hormone thyréotrope (TSH)	0,3-5,4 μU/ml	0,3-5,4 mU/L	Myxœdème, hypothyroïdie primaire, maladie de Graves	Hypothyroïdie secondaire
Insuline	4-24 μU/ml	29-172 pmol/L	Acromégalie, adénome des cellules sécrétrices d'insuline, diabète léger de type 2 non traité	Diabète, obésité
Lacticodéshydrogénase (LDH)	50-150 U/L	0,83-2,5 μkat/L**	Insuffisance cardiaque congestive, troubles hémolytiques, hépatite, hépatome malin, infarctus du myocarde, anémie pernicieuse, embolie pulmonaire, lésion musculosquelettique	
Lacticodéshydrogénase (isoenzymes)				
LDH_1	20-35 %	0,20-0,35	Infarctus du myocarde, anémie pernicieuse	
LDH_2	30-40 %	0,30-0,40	Embolie pulmonaire, crises d'anémie à hématies falciformes	
LDH_3	15-25 %	0,15-0,25	Lymphome malin, embolie pulmonaire	
LDH_4	0-10 %	0-0,10	Lupus érythémateux, infarctus pulmonaire	
LDH_5	4-12 %	0,04-0,12	Insuffisance cardiaque congestive, hépatite, embolie et infarctus pulmonaires, lésion musculosquelettique	
Lipase	0-160 U/L	0-2,66 μkat/L**	Pancréatite aiguë, troubles hépatiques, ulcère gastroduodénal perforé	

TABLEAU 1	Analyse chimique du sérum, du plasma et du sang entier (*suite*)			
	Valeurs normales		**Cause possible d'anomalie**	
Épreuve	**Unités anciennes**	**Unités du SI**	**Probabilité élevée**	**Probabilité faible**
Magnésium	1,5-2,5 mEq/L	0,62-1,03 mmol/L	Maladie d'Addison, hypothyroïdie, insuffisance rénale	Alcoolisme chronique, hyperparathyroïdie, hyperthyroïdie, hypoparathyroïdie, malabsorption grave
Osmolalité	285-295 mOsm/kg	285-295 mmol/kg	Néphropathie chronique, diabète	Maladie d'Addison, traitement diurétique
pH	Voir Gazométrie du sang artériel			
Phénylalanine	0-2 mg/dl	0-121 μmol/L	Phénylcétonurie (PCU)	
Phosphatase acide	0-5,5 U/L	0-90 nkat/L	Maladie osseuse de Paget avancée, cancer de la prostate, hyperparathyroïdie	
Phosphatase alcaline	30-120 U/L	30-120 U/L	Maladies osseuses, hyperparathyroïdie marquée, obstruction des voies biliaires, rachitisme	Hypervitaminose D, hypothyroïdie, syndrome de Burnett
Phosphore inorganique	2,8-4,5 mg/dl	0,90-1,45 mmol/L	Consolidation d'une fracture, hypoparathyroïdie, néphropathie, intoxication à la vitamine D	Diabète, hyperparathyroïdie, carence en vitamine D
Potassium	3,5-5,5 mEq/L	3,5-5,5 mmol/L	Maladie d'Addison, acidocétose diabétique, destruction massive des tissus, insuffisance rénale	Syndrome de Cushing, diarrhées (graves), traitement diurétique, fistules gastro-intestinales, obstruction pylorique, inanition, vomissements
Protéines Totales Albumine Globuline Rapport albumine/ globuline	6,0-8,0 g/dl 3,5-5,0 g/dl 2-3,5 g/dl 1,5:1-2,5:1	60-80 g/L 35-50 g/L 20-35 g/L Identique aux unités anciennes	Brûlures, cirrhose (fraction globulinique), déshydratation Myélomes multiples (fraction globulinique), choc, vomissements	Agammaglobulinémie, hépatopathie, malabsorption Malnutrition, syndrome néphrotique, protéinurie, néphropathie, brûlures graves
Saturation artérielle en oxygène (SaO$_2$)	95-98 %	0,95-0,98	Polycythémie	Anémie, décompensation cardiaque, troubles respiratoires
Sodium	135-145 mEq/L	135-145 mmol/L	Déshydratation, altération de la fonction rénale, aldostéronisme primaire, corticothérapie	Maladie d'Addison, acidocétose diabétique, traitement diurétique, perte excessive provenant du tractus gastro-intestinal, diaphorèse, intoxication hydrique

TABLEAU 1 — Analyse chimique du sérum, du plasma et du sang entier (*suite*)

Épreuve	Valeurs normales		Cause possible d'anomalie	
	Unités anciennes	Unités du SI	Probabilité élevée	Probabilité faible
T_4 totale (thyroxine)	5-12 µg/dl	64-154 nmol/L	Hyperthyroïdie, thyroïdite	Hypothyroïdie congénitale, hypothyroïdie, myxœdème
T_4 libre (thyroxine)	0,8-2,3 ng/dl	10-30 pmol/L		
T_3 (triiodothyronine)	110-230 ng/dl	1,7-3,5 nmol/L	Hyperthyroïdie	Hypothyroïdie
T_3 (fixation)	25-35 %	0,25-0,35	Hyperthyroïdie, néoplasmes métastatiques	Hypothyroïdie, grossesse

Testostérone
  Homme
  Femme
	300-1200 ng/dl
	25-90 ng/dl
		10,4-41,6 nmol/L
		0,87-3,1 nmol/L
			Syndrome des ovaires polykystiques, tumeurs virilisantes	Hypofonction testiculaire

Transaminases
  Sérum glutamo-oxalacétique transaminase (SGOT) ou aspartate amino-transférase (AST)
  Sérum glutamo-pyruvique transminase (SGPT) ou alanine-aminotransférase (ALT)
	7-40 U/L
	
	5-36 U/L
		0,12-0,67 µkat/L**
		
		0,08-0,6 µkat/L**
			Hépatopathie, infarctus du myocarde, infarctus pulmonaire, hépatite aiguë
			
			Hépatopathie, choc	

Triglycérides	40-150 mg/dl	0,45-1,69 mmol/L	Diabète, hyperlipidémie, hypothyroïdie, hépatopathie	Malnutrition
Vitamine A	15-60 µg/dl	0,52-2,09 µmol/L	Hypervitaminose A	Carence en vitamine A
Vitamine B_{12}	200-1000 pg/ml	148-738 pmol/L	Leucémie myéloïde chronique	Végétalisme, syndrome de malabsorption, anémie pernicieuse, gastrectomie totale ou partielle
Zinc	50-150 µg/dl	7,6-22,9 µmol/L		Cirrhose alcoolique

*Étant donné que l'altitude influe sur la gazométrie du sang artériel, la valeur de la PO_2 diminue à mesure que l'altitude augmente. Une valeur faible est normale à une altitude de 1,61 km.
** Les unités du SI ne sont pas utilisées au Québec.

TABLEAU 2   Hématologie

Épreuve	Valeurs normales		Cause possible d'anomalie	
	Unités anciennes	Unités du SI	Probabilité élevée	Probabilité faible
Concentration globulaire moyenne en hémoglobine	32-36 %	0,32-0,36	Sphérocytose	Anémie hypochrome
D-dimères	Négatifs	Négatifs	CID, infarctus du myocarde, thrombose veineuse profonde (TVP), angine instable	
Fibrinogène	200-400 mg/dl	2,0-4,0 g/L	Brûlures (après les 36 premières heures), maladie inflammatoire	Brûlures (pendant les 36 premières heures), CID, hépatopathie grave
Formule leucocytaire Neutrophiles multilobaires	50-70 %	0,50-0,70	Infections bactériennes, collagénoses, maladie de Hodgkin	Anémie aplastique, infections virales
Neutrophiles non segmentés	0-8 %	0-0,08	Infections aiguës	
Lymphocytes	20-40 %	0,20-0,40	Infections chroniques, leucémie lymphoblastique, mononucléose, infections virales	Corticothérapie, radiothérapie du corps entier
Monocytes	4-8 %	0,04-0,08	Troubles inflammatoires chroniques, malaria, leucémie monocytaire, infections aiguës, maladie de Hodgkin	
Éosinophiles	0-4 %	0-0,04	Réactions allergiques, leucémie éosinophile et granulocytaire, troubles parasitaires, maladie de Hodgkin	Corticothérapie
Basophiles	0-2 %	0-0,02	Hyperthyroïdie, colite ulcéreuse, syndrome myéloprolifératif	Hyperthyroïdie, stress

Hématocrite (varie en fonction de l'altitude)**
  Homme
  Femme
	40-54 %
	38-47 %
		0,40-0,54
		0,38-0,47
			Déshydratation, haute altitude, polycythémie	Anémie, hémorragie, hyperhydratation

Hémoglobine (varie en fonction de l'altitude)**
  Homme
  Femme
	13,5-18,0 g/dl
	12,0-16,0 g/dl
		135-180 g/L
		120-160 g/L
			BPCO, haute altitude, polycythémie	Anémie, hémorragie

Hémoglobine glycosylée	4,0-6,0 %	Identique aux unités anciennes	Diabète mal équilibré	Drépanocytose Insuffisance rénale chronique Grossesse

TABLEAU 2   Hématologie (*suite*)

Épreuve	Valeurs normales		Cause possible d'anomalie	
	Unités anciennes	Unités du SI	Probabilité élevée	Probabilité faible
Méthode de Westergren (vitesse de sédimentation globulaire [VSG]) Homme <50 ans >50 ans Femme <50 ans >50 ans	<15 mm/h <20 mm/h <20 mm/h <30 mm/h	Identique aux unités anciennes Identique aux unités anciennes	Augmentation modérée : hépatite aiguë, infarctus du myocarde ; polyarthrite rhumatoïde ; augmentation prononcée : infections bactériennes aiguës et graves, tumeurs malignes, maladie inflammatoire pelvienne	Malaria Hépatopathie grave Drépanocytose
Numération érythrocytaire** (en fonction de l'altitude) Homme Femme	$4,5\text{-}6,0 \times 10^6/\mu L$ $4,0\text{-}5,0 \times 10^6/\mu L$	$4,5\text{-}6,0 \times 10^{12}/L$ $4,0\text{-}5,0 \times 10^{12}/L$	Déshydratation, hautes altitudes, polycythémie vraie, diarrhée grave	Anémie, leucémie post-hémorragique
Numération leucocytaire**	$4,0\text{-}11,0 \times 10^3/\mu l$	$4,0\text{-}11,0 \times 10^9/L$	Processus inflammatoires et infectieux, leucémie	Anémie aplastique, effets indésirables de la chimiothérapie et de la radiothérapie
Numération plaquettaire (thrombocytes)	$150\text{-}400 \times 10^3/\mu l$	$150\text{-}400 \times 10^9/L$	Infections aiguës, leucémie granulocytaire, pancréatite aiguë, cirrhose, collagénoses, polycythémie, postsplénectomie	Leucémie aiguë, CID, purpura thrombo-pénique
Numération réticulocytaire (manuelle)	0,5-1,5 % de la numération érythrocytaire	Identique	Anémie hémolytique, polycythémie vraie	Anémie hypoproliférative, anémie macrocytaire, anémie microcytaire
Produits de dégradation de la fibrine (PDF)	<10 μg/ml	Identique aux unités anciennes	CID aiguë, hémorragie massive, fibrinolyse primaire	
Répartition érythrocytaire	10,2-14,5 %	Identique aux unités anciennes		Anisocytose, anémie macrocytaire, anémie microcytaire
Temps de céphaline activée (TCA)	30-45 s*	Identique aux unités anciennes	Déficit en facteurs I, II, V, VIII, IX, X, XI et XII ; hémophilie, hépato-pathie, héparinothérapie	
Temps de prothrombine (TP) ou temps de Quick	10-14 s*	Identique aux unités anciennes	Traitement à la warfarine, déficit en facteurs I, II, V, VII et X, carence en vita-mine K, hépatopathie	

TABLEAU 2	Hématologie (*suite*)			
	Valeurs normales		**Cause possible d'anomalie**	
Épreuve	**Unités anciennes**	**Unités du SI**	**Probabilité élevée**	**Probabilité faible**
Temps de saignement (Simplate)	3,0-9,5 min	180-570 s	Anomalies de la fonction plaquettaire, thrombopénie, maladie de von Willebrand-Jürgens, ingestion d'acide acétylsalicylique, affection vasculaire	
Teneur globulaire moyenne en hémoglobine	27-33 pg	Identique aux unités anciennes	Anémie macrocytaire	Anémie microcytaire
Test de solubilité des hématies falciformes	Négatif	Négatif	Drépanocytose	
Volume globulaire moyen (VGM)	82-98 fl	Identique aux unités anciennes	Anémie macrocytaire	Anémie microcytaire

*Les données varient en fonction des réactifs et des instruments utilisés.
**Composants de la formule sanguine.
CID : coagulation intravasculaire disséminée ; BPCO : bronchopneumopathie chronique obstructive.

TABLEAU 3	Sérologie-immunologie			
Épreuve	**Valeurs normales**		**Cause possible d'anomalie**	
	Unités anciennes	**Unités du SI**	**Probabilité élevée**	**Probabilité faible**
Anticorps anti-ADN	Négatif ou titre <1:10 ou liaison <20%	Identique aux unités anciennes	Lupus érythémateux disséminé	
Anticorps anti-RNP	Négatif	Négatif	Callogénoses mixtes, polyarthrite rhumatoïde, lupus érythémateux disséminé, syndrome de Sjögren, sclérodermie	
Anticorps anti-Sm (Smith)	Négatif	Négatif	Lupus érythémateux disséminé	
Anticorps antinucléaire	Négatif ou titre <1:10	Identique aux unités anciennes	Hépatite chronique, polyarthrite rhumatoïde, sclérodermie, lupus érythémateux disséminé	
Anticorps antithyroïde	Titre ≤1:10	Identique aux unités anciennes	Thyroïdite chronique de Hashimoto, carcinome de la thyroïde, hypothyroïdie précoce, anémie pernicieuse, lupus érythémateux disséminé, maladie de Graves	
Anticorps de l'hépatite A	Négatif	Négatif	Hépatite A	
Anticorps de l'hépatite C	Négatif	Négatif	Hépatite C	
Antigène carcino-embryonnaire (ACE)	≤2,5 ng/ml	≤2,5 µg/L	Carcinome du côlon, du foie, du pancréas; tabagisme chronique; maladie intestinale inflammatoire; autres cancers	
Antigène de surface de l'hépatite B (Ag HB_s)	Négatif	Négatif	Hépatite B	
Antistreptolysine-O (ASO)	≤166 unités Todd ou ≤1:85	Identique aux unités anciennes	Glomérulonéphrite aiguë, rhumatisme articulaire aigu, infection streptococcique	
Facteur rhumatoïde	Négatif ou titre <1:20	Identique aux unités anciennes	Polyarthrite rhumatoïde, syndrome de Sjögren, lupus érythémateux disséminé	
Immunofluorescence absorbée (FTA-Abs)	Non réactive	Négative	Syphilis	

TABLEAU 3	Sérologie-immunologie (*suite*)			
	Valeurs normales		**Cause possible d'anomalie**	
Épreuve	**Unités anciennes**	**Unités du SI**	**Probabilité élevée**	**Probabilité faible**
Immunoglobuline				
IgA	90-400 mg/dl	0,9-4,0 g/L	Myélome à IgA, hépatopathie chronique, infection chronique, polyarthrite rhumatoïde, troubles auto-immuns	Brûlures, télangiectasie héréditaire, syndrome de malabsorption
IgD	0,5-12 mg/dl	5-120 mg/L	Infection chronique, maladie des tissus conjonctifs	
IgE	<1 mg/dl	<10 mg/L	Choc anaphylactique, callogénoses (allergies), infections parasitaires	
IgG	650-1800 mg/dl	6,5-18,0 g/L	Infections aiguës ou chroniques, hépatite, dysglobulinémie monoclonale à l'IgG, lupus érythémateux disséminé	Déficiences congénitales, déficiences acquises, syndrome néphrotique, brûlures, immunodépression
IgM	55-300 mg/dl	0,5-3,0 g/L	Infections aiguës, polyarthrite rhumatoïde, hépatopathie	Immunodéficiences congénitales et acquises, leucémie lymphocytaire, entéropathies par perte protéique
Monospot ou Mono-Test	Négatif	Négatif	Mononucléose infectieuse	
Protéine C réactive (PCR)	Négative ou ≤1,2 mg/dl	Identique aux unités anciennes	Infections aiguës, tout état inflammatoire, tumeurs malignes généralisées	
Protéines du complément				Glomérulonéphrite aiguë, lupus érythémateux disséminé, polyarthrite rhumatoïde, endocardite maligne lente, maladie du sérum
C1q	11-21 mg/dl	0,11-0,21 g/L		
C3	80-180 mg/dl	0,8-1,8 g/L		
C4	15-50 mg/dl	0,15-0,5 g/L		
Test direct à l'antiglobuline ou test de Coombs direct	Négatif	Négatif	Anémie hémolytique auto-immune, anémie aiguë curable du nouveau-né, réactions aux médicaments, réactions transfusionnelles	
Test RPR	Non réactif	Identique aux unités anciennes	Syphilis, lupus érythémateux disséminé, polyarthrite rhumatoïde, lèpre, malaria, maladies fébriles, usage abusif de drogues par voie intraveineuse	
Test VDRL	Non réactif	Identique aux unités anciennes	Syphilis	

ADN : acide désoxyribonucléique ; RNP : ribonucléoprotéine ; RPR : (test) rapide de la réagine plasmatique ; VDRL : *Venereal Disease Research Laboratory*.

TABLEAU 4	Analyse chimique de l'urine				
		Valeurs normales		**Cause possible d'anomalie**	
Épreuve	**Échantillons**	**Unités anciennes**	**Unités du SI**	**Probabilité élevée**	**Probabilité faible**
Acétone	Aléatoire	Négative	Négative	Diabète, régime alimentaire hyperlipidique et à faible teneur en glucides, état d'inanition	
Acide 5-hydroxy-indole acétique (5-HIA)	24 h	2-9 mg/jour	10,5-47,1 μmol/jour	Syndrome carcinoïde malin	
Acide pyruvique	Aléatoire	Négatif	Négatif	Phénylcétonurie	
Acide urique	24 h	250-750 mg/jour	1,5-4,5 mmol/jour	Goutte, leucémie	Néphrite
Acide vanillyl-mandélique	24 h	1-8 mg/jour 1,5-7 μg/mg de créatine	5-40 μmol/jour	Phéochromocytome	
Acidité titrable	24 h	20-50 mmol/jour	Identique aux unités anciennes	Acidose métabolique	Alcalose métabolique
Aldostérone	24 h	1-80 μg/jour (selon le sodium urinaire)	2,7-222 nmol/jour	Aldostéronisme primaire : tumeurs corticosurrénales ; aldostéronisme secondaire : insuffisance cardiaque, cirrhose, dose massive d'ACTH, syndrome de déplétion sodique	Carence en ACTH, maladie d'Addison, corticothérapie
Amylase	24 h	1-17 U/24 h	Identique aux unités anciennes	Pancréatite aiguë	
Bilirubine	Aléatoire	Négative	Négative	Hépatite	
Calcium	24 h	100-250 mg/jour	2,5-6,3 mmol/jour	Tumeur osseuse, hyper-parathyroïdie, syndrome de Burnett	Hypoparathyroïdie, malab-sorption du calcium et de la vitamine D
Catécholamines Adrénaline Noradrénaline	24 h	<20 μg/jour <100 μg/jour	<118 nmol/jour <591 nmol/jour	Phéochromocytome, dystrophie musculaire progressive, insuffisance cardiaque	
Chlorure	24 h	110-250 mEq/jour	110-250 mmol/jour	Maladie d'Addison	Brûlures, diaphorèse, vomissements, diarrhée, menstruation
Coproporphyrine	24 h	50-200 μg/jour	76-305 nmol/jour	Saturnisme, usage de contraceptifs oraux, poliomyélite	
Corps cétoniques	24 h	20-50 mg/jour	0,34-0,86 mmol/jour	Cétonurie marquée	

TABLEAU 4	Analyse chimique de l'urine (*suite*)				
		Valeurs normales		**Cause possible d'anomalie**	
Épreuve	**Échantillons**	**Unités anciennes**	**Unités du SI**	**Probabilité élevée**	**Probabilité faible**
Créatine	24 h	<100 mg/jour	<763 µmol/jour	Hépatocarcinome, hyperthyroïdie, diabète, maladie d'Addison, infections, brûlures, dystrophie musculaire, atrophie des muscles squelettiques	Hypothyroïdie
Créatinine	24 h	0,8-2,0 g/jour	7,1-17,7 mmol/jour	Anémie, leucémie, amyotrophie, salmonelle	Néphropathie
Créatinine (clairance)	24 h	85-135 ml/min	1,42-2,25 ml/s		Néphropathie
Cuivre	24 h	<30 µg/jour	<0,5 µmol/jour	Cirrhose, maladie de Wilson	
Densité	Aléatoire	1,003-1,030	Identique aux unités anciennes	Albuminurie, déshydratation, glycosurie	Diabète insipide
Glucose	Aléatoire	Négatif	Négatif	Diabète, faible seuil rénal de dissolution du glucose, stress physiologique, troubles hypophysaires	
Hémoglobine	Aléatoire	Négative	Négative	Brûlures importantes, glomérulonéphrite, anémie hémolytique, réactions hémolytiques transfusionnelles	
Métanéphrine	24 h	<1,3 mg/jour	<7,1 µmol/jour	Phéochromocytome	
Myoglobine	Aléatoire	Négative	Négative	Lésion par écrasement, électrocution, effort physique extrême	

Œstrogènes
Femme
  Pic préovulatoire
  Pic lutéal
  Grossesse
 	
  Ménopause
Homme
	24 h	
		
		28-100 µg/jour
		22-80 µg/jour
		Jusqu'à
		  45 000 µg/jour
		1,4-19,6 µg/jour
		5-18 µg/jour
			
			104-370 nmol/jour
			81-296 nmol/j
			Jusqu'à
			  166 455 nmol/jour
			5,2-72,5 nmol/jour
			18-67 nmol/jour
				Tumeur gonadique ou surrénale	Agénésie des ovaires, trouble endocrinien, dysfonctionnement ovarien, ménopause

pH	Aléatoire	4,0-8,0	Identique aux unités anciennes	Insuffisance rénale chronique, phase compensatoire de l'alcalose, intoxication salicylée, végétarisme	Phase compensatoire de l'acidose, déshydratation, emphysème
Phosphore inorganique	24 h	0,9-1,3 g/jour	29-42 mmol/jour	Fièvre, hypoparathyroïdie, épuisement dû à la nervosité, rachitisme, tuberculose	Infections aiguës, néphrite

TABLEAU 4	Analyse chimique de l'urine (*suite*)				
		Valeurs normales		**Cause possible d'anomalie**	
Épreuve	**Échantillons**	**Unités anciennes**	**Unités du SI**	**Probabilité élevée**	**Probabilité faible**
Plomb	24 h	<100 μg/jour	<0,48 μmol/jour	Saturnisme	
Porphobilinogène	Aléatoire 24 h	Négatif <2,0 mg/jour	Négatif <9 μmol/jour	Porphyrie aiguë intermittente, troubles hépatiques	
Protéines (bandelette réactive)	Aléatoire	Négatives	Négatives	Insuffisance cardiaque congestive, néphrite, syndrome néphrotique, stress physiologique	
Protéines (quantitatives)	24 h	<150 mg/jour	<0,15 g/jour	Insuffisance cardiaque, inflammation des voies urinaires, néphrite, syndrome néphrotique, toxémie, hypertension gravidique	
Protéine de Bence Jones	Aléatoire	Négative	Négative	Myélome multiple, obstruction des voies biliaires	
Sodium	24 h	40-250 mEq/jour	40-250 mmol/jour	Nécrose tubulaire aiguë	Hyponatrémie
Urobilinogène urinaire	24 h Aléatoire	0,5-4,0 UE/jour <1,0 UE	0-6,8 μmol/24 h Identique aux unités anciennes	Maladie hémolytique, lésion hépatique parenchymateuse, hépatopathie	Obstruction complète des voies biliaires
Uroporphyrine	Aléatoire	Aléatoire	Identique aux unités anciennes	Porphyrie	

ACTH : hormone adrénocorticotrope ; UE : unité Ehrlich.

TABLEAU 5 — Analyse du contenu gastrique

Épreuve	Valeurs normales		Cause possible d'anomalie	
	Unités anciennes	Unités du SI	Probabilité élevée	Probabilité faible
Basal				
Acide chlorhydrique libre	0-40 mEq/L	0-40 mmol/L	Hypermotilité de l'estomac	Anémie pernicieuse
Acidité totale	15-45 mEq/L	15-45 mmol/L	Ulcères gastriques et duodénaux, syndrome de Zollinger-Ellison (SZE)	Cancer de l'estomac, gastrites graves
Poststimulation				
Acide chlorhydrique libre	10-130 mEq/L	10-13 mmol/L		
Acidité totale	20-150 mEq/L	20-150 mmol/L		

TABLEAU 6 — Analyse des selles

Épreuve	Valeurs normales		Cause possible d'anomalie	
	Unités anciennes	Unités du SI	Probabilité élevée	Probabilité faible
Couleur				
Brune			Couleurs variées selon le régime alimentaire	
Argile			Obstruction des voies biliaires ou présence de sulfate de baryum	
Goudron			Plus de 100 ml de sang dans le tractus gastro-intestinal	
Rouge			Présence de sang dans le gros intestin	
Noire			Présence de sang dans le tractus gastro-intestinal supérieur ou médicaments à base de fer	
Graisses fécales	<6 g/24 h	Identique aux unités anciennes	Pancréatopathie chronique, obstruction de la voie biliaire principale, syndrome de malabsorption	
Mucus	Négatif	Négatif	Syndrome du côlon irritable, constipation spasmodique	
Pus	Négatif	Négatif	Dysenterie bacillaire chronique, colite ulcéreuse chronique, abcès localisés	
Sang*	Négatif	Négatif	Fissures anales, hémorroïdes, tumeur maligne, ulcères gastroduodénaux, maladie intestinale inflammatoire	
Urobilinogène fécale	30-220 mg/100 g de selles	51-372 μmol/100 g de selles	Anémie hémolytique	Obstruction complète des voies biliaires

*L'ingestion de viandes peut entraîner un résultat faux positif. Un régime végétarien peut être prescrit au client trois jours avant le test.

TABLEAU 7	Analyse du liquide céphalorachidien			
	Valeurs normales		**Cause possible d'anomalie**	
Épreuve	**Unités anciennes**	**Unités du SI**	**Probabilité élevée**	**Probabilité faible**
Chlorure	100-130 mEq/L	100-130 mmol/L	Urémie	Infections bactériennes du SNC (méningite, encéphalite)
Glucose	40-75 mg/dl	2,5-4,2 mmol/L	Diabète, infections virales du SNC	Infections bactériennes et tuberculose du SNC
Numération globulaire (selon l'âge) Leucocytes	0-5 cellules/μL	0-5 cellules $\times$ 10^6/L	Inflammation ou infections du SNC	
Érythrocytes	0	0 $\times$ 10^6/L		
Pression	60-150 mm H_2O	Identique aux unités anciennes	Hémorragie, tumeur intracrânienne, méningite	Traumatisme crânien, tumeur de la moelle épinière, hématome sous-dural
Protéine Lombaire	15-45 mg/dl	0,15-0,45 g/L	Syndrome de Guillain-Barré, poliomyélite, choc traumatique	
Cisternale Ventriculaire	15-25 mg/dl 5-15 mg/dl	0,15-0,25 g/L 0,05-0,15 g/L	Syphilis du SNC Méningite aiguë, tumeur cérébrale, infections chroniques du SNC, sclérose en plaques	
Sang	Négatif	Négatif	Hémorragie intracrânienne	

SNC : système nerveux central.

TABLEAU 8	Toxicologie des médicaments et des substances d'usage courant			
	Valeurs thérapeutiques		Toxicité	
Épreuve	Unités anciennes	Unités du SI	Unités anciennes	Unités du SI
Acétaminophène (Tylenol)	0,2-0,6 mg/dl	13-40 μmol/L	>5 mg/dl	>330 μmol/L

Barbituriques
  Action brève
 	
  Action intermédiaire
  Action prolongée
	1-2 mg/dl
	
	1-5 mg/dl
	15-35 mg/dl
		Varie en fonction la composition du mélange	>5 mg/dl
			
			>10 mg/dl
			>40 mg/dl	

Chlordiazépoxide (Librax)	0,05-5,0 mg/L	2-17 μmol/L	>10 mg/L	>33 μmol/L
Chlorpromazine (Largactil)	0,5 μg/ml	1,6 μmol/L	>2,0 μg/ml	>6,3 μmol/L
Diazépam (Valium)	0,10-0,25 mg/L	0,35-0,88 μmol/L	>1,0 mg/L ≥2,0 mg/L (létal)	>3,5 μmol/L

Gentamicine (Garamycin)
  Pic
  Creux
	4-10 mg/L
	<2 mg/L
		9-22 μmol/L
		<4 mmol/L
			>10 mg/L
			>2 mg/L
				>22 μmol/L
				>4 μmol/L

Monoxyde de carbone (carboxyhémoglobine)
  Valeurs normales
 	
  Non-fumeurs en milieu urbain
  Non-fumeurs en milieu rural
  Fumeurs
 	
  Gros fumeurs
	<5 % saturation de l'hémoglobine
	<5 % saturation de l'hémoglobine
	0,5-2 % saturation de l'hémoglobine
	5-9 % saturation de l'hémoglobine
	>9 % saturation de l'hémoglobine
		<0,05
		
		<0,05
		
		0,005-0,02
		
		0,05-0,09
		
		>0,09
			Symptôme lorsque la saturation est >20 %	>0,20

Phénytoïne (Dilantin)	10-20 mg/L	40-80 μmol/L	>30 mg/L	>120 μmol/L
Préparations digitaliques Digoxine (Lanoxin)	0,8-2,4 ng/ml	1,0-3,1 nmol/L	>2,5 ng/ml	>2,6 nmol/L
Propranolol (Indéral)	50-100 ng/ml	192-386 nmol/L	>200 ng/ml	>771 nmol/L
Salicylates	10-20 mg/dl	0,724-1,45 mmol/L	>20 mg/dlà	>1,45 mmol/L
Alcool			>60 mg/dl (létal)	>4,34 mmol/L